W9-CKA-905

LE MARCHAND DE BRUGES

Dorothy Dunnett

LE MARCHAND DE BRUGES

FRANCE LOISIRS
123, boulevard de Grenelle, Paris

Titre original : *Niccoló Rising*
Traduit par Renée Tesnière

Une édition du Club France Loisirs, Paris
réalisée avec l'autorisation des Presses de la Cité

Le Code de la propriété intellectuelle n'autorisant, aux termes des paragraphes 2 et 3 de l'article L. 122-5, d'une part, que les « copies ou reproductions strictement réservées à l'usage privé du copiste et non destinées à une utilisation collective » et, d'autre part, sous réserve du nom de l'auteur et de la source, que les « analyses et les courtes citations justifiées par le caractère critique, polémique, pédagogique, scientifique ou d'information », toute représentation ou reproduction intégrale ou partielle, faite sans le consentement de l'auteur ou de ses ayants droit ou ayants cause, est illicite (article L. 122-4). Cette représentation ou reproduction, par quelque procédé que ce soit, constituerait donc une contrefaçon sanctionnée par les articles L. 335-2 et suivants du Code de la propriété intellectuelle.

© Dorothy Dunnett, 1986
© Presses de la Cité, 1993, pour la traduction française
ISBN 2-7242-8921-8

LE DUCHÉ DE BOURGOGNE ET LES ÉTATS ITALIENS VERS 1460

Les personnages

Les Charetty, à Bruges et Louvain

Marian de Charetty, la propriétaire
Felix, son fils et celui de son défunt mari, Cornelis
Mathilde (Tilde), sa fille aînée
Catherine, sa fille cadette
Julius, son notaire
Claes, apprenti
Gregorio d'Asti, homme de loi
Henninc, qui dirige l'établissement de Bruges
Astorre (Syrus de Astariis), chef de mercenaires
Thomas, mercenaire sous les ordres d'Astorre
Olivier, qui dirige l'établissement de Louvain
Cristoffels, le successeur d'Olivier

Les Médicis, à Bruges, Genève et Milan

Angelo Tani, qui dirige l'établissement de Bruges
Tommaso Portinari, son adjoint à Bruges
Francesco Nori, qui dirige l'établissement de Genève
Francesco Sassetti, à Genève
Pigello Portinari, frère de Tommaso, qui dirige l'établissement
   de Milan
Accerito Portinari, facteur à Milan et frère de Tommaso et
   Pigello
Cosimo di Giovanni de Médicis de Florence, chef de la banque
   Médicis
Pierfrancesco de Médicis de Florence, neveu de Cosimo

Thibault & Fleury

Jaak de Fleury, Genève
Esota, épouse de Jaak de Fleury

9

Thibault, vicomte de Fleury de Dijon, frère aîné de Jaak
Maffino, agent à Milan de Thibault & Fleury

Les Strozzi, à Bruges et à Naples

Jacopo di Leonardo Strozzi, qui dirige l'établissement de Bruges
Lorenzo di Matteo Strozzi, fils du cousin de Jacopo et adjoint à
 Bruges
Niccolo di Leonardo Strozzi, à Naples, frère aîné de Jacopo
Filippo de Matteo Strozzi, à Naples, frère aîné de Lorenzo
Caterina di Matteo, sœur de Filippo et Lorenzo, épouse de
 Marco Parenti
Marco di Giovanni da Parenti, négociant en soie à Florence,
 époux de Caterina

Marchands et nobles, en Flandre

Anselm Adorne, de l'Hôtel de Jérusalem
Margriet van der Banck, épouse d'Anselm Adorne
Jan Adorne, fils aîné d'Anselm
Anselm Sersanders, fils de la sœur d'Anselm et de Daniel Ser-
 sanders
Louis de Bruges, seigneur de Gruuthuse
Marguerite van Borselen, épouse de Louis de Bruges
Guildolf de Gruuthuse, petit-fils du cousin bâtard du seigneur
 Louis
Jehan Metteneye, hôte des marchands écossais
Griete, épouse de Metteneye
Mabelie, servante de Metteneye
Pierre Bladelin, contrôleur de la Maison de Philippe, duc de
 Bourgogne à Bruges
João Vasquez, secrétaire d'Isabelle, duchesse de Bourgogne
Tristão Vasquez, parent de João, époux de Lucia de Kilmirren
Charles, comte de Charolais, fils de Philippe, duc de Bourgogne
Henry van Borselen, seigneur de Veere
Wolfaert van Borselen, fils d'Henry et comte de Buchan, en
 Écosse
Mary, sœur du roi Jacques II d'Écosse, épouse de Wolfaert van
 Borselen
Charles van Borselen, fils de Wolfaert et de Mary
Florence van Borselen, demi-frère d'Henry
Katelina van Borselen, fille aînée de Florence
Gelis van Borselen, fille cadette de Florence
Michiel Losschaert, chevalier de Bruges, naguère à Constanti-
 nople
Giovanni di Arrigo Arnolfini, marchand de Lucques à Bruges
Marco Corner, marchand de Venise à Bruges
Jacques Doria, marchand de Gênes à Bruges
William, gouverneur des marchands anglais à Bruges

Colard (Collinet) Mansion, écrivain, traducteur et peintre à Bruges

Oudenin, prêteur sur gages à Damme

Écossais d'Écosse et de Bruges

Alan de Saint-Pol, lord de Kilmirren en Écosse
Simon de Saint-Pol, fils de Jordan, frère cadet d'Alan
James Kennedy, évêque de Saint-Andrews, cousin du roi Jacques II d'Écosse
George Martin, intendant de l'évêque de Saint-Andrews
Alexandre, duc d'Albany, fils du roi Jacques II et de la reine Marie de Gueldres
John Bonkle, fils illégitime d'Edward Bonkle, d'Édimbourg
Stephen Angus, parent des Bonkle et agent des Écossais à Bruges
Sir Alexander Napier de Merchiston, maître d'hôtel du roi Jacques II
Richard Wylie, archidiacre de Brechin et procurateur à la Curie
John de Kinloch, chapelain des Écossais à Bruges
John Reid de Boston, marchand écossais, faisant commerce en Angleterre et à Calais
Muriella, sœur de John Reid

Français et Franco-Écossais

Louis, dauphin et héritier du roi Charles VII de France
Charlotte, fille de Louis, duc de Savoie, et seconde épouse du dauphin
Gaston du Lyon, chambellan et écuyer du dauphin Louis
Raymond du Lyon, frère de Gaston et homme d'armes dans la garde du dauphin
Isabelle, sœur du roi Jacques II et veuve du duc de Bretagne
Antoinette de Maignelais, maîtresse des souverains de France et de Bretagne
Sir William Monypenny, seigneur de Concressault, conseiller du roi Charles
Jordan de Saint-Pol, vicomte de Ribérac, conseiller financier du roi Charles
Patrick Flockhart, capitaine de la garde du roi Charles
Andro Wodman, archer ayant servi en France sous les ordres de Flockhart
Lionetto, capitaine de mercenaires français servant en Italie

Les galères de Flandre : Vénitiens

Alvise Duodo de Venise, capitaine en 1459
Piero Zorzi de Venise, capitaine en 1460
Quilico, médecin à bord du vaisseau d'Alvise Duodo

Loppe (Lopez), esclave guinéen, à bord de la galère d'Alvise Duodo
Piero Bembo, agent de Venise

Milan et Gênes

Cicco Simonetta de Calabre, secrétaire de Francesco Sforza, duc de Milan
Alessandro Sforza, seigneur de Pesaro, frère du duc de Milan
Prosper Schiaffino de Camulio de Médicis, envoyé du duc de Milan
Francesco Coppini, évêque de Terni, légat du pape et envoyé secret de Milan
Federigo de Montefeltro, comte d'Urbino, capitaine du duc de Milan
Giammatteo Ferrari da Grado, professeur et médecin du duc de Milan
Tobias Beventini da Grado, son neveu, médecin des mercenaires du capitaine Lionetto
Comte Jacopo Piccinino, capitaine de mercenaires, fils de Nicolas, chef d'armée milanais
Prosper Adorno, futur doge de Gênes et parent d'Anselm Adorne
Toma Adorno de Chios, parent de Prosper Adorno

Naples

Ferrante, roi de Naples, fils bâtard d'Alfonso V d'Aragon
Jean, duc de Calabre, fils du roi René de Sicile et prétendant au trône de Naples
Marguerite d'Anjou, sœur du duc Jean et femme de Henry VI, roi d'Angleterre
René, roi de Sicile et duc d'Anjou, père des précédents et oncle du dauphin Louis

Grecs et Levantins

Nicholai Giorgio de Acciajuoli (« le Grec à la jambe de bois »)
Bartolomeo Giorgio Zorzi, producteur d'alun et marchand de soie de Constantinople
Agnolo Acciajuoli, banquier, petit-fils de Donato, prince d'Athènes
Laudomia Acciajuoli, sœur d'Agnolo, épouse de Pierfrancesco Médicis
Giovanni da Castro, filleul du pape Pie II, anciennement teinturier à Contanstinople
Caterino Zeno, marchand de Venise, en relations avec le Levant
Violante, épouse de Zeno, petite-fille de l'empereur Jean de Trébizonde.

12

1

De Venise à Cathay, de Seville à la Côte d'Or de l'Afrique, des hommes jetaient l'ancre de leurs vaisseaux, ouvraient leurs registres, échangeaient leurs marchandises comme si rien ne devait jamais changer. Ou comme s'il n'existait aucune espèce de sot, homme ou femme, capable de considérer un jour le commerce (le commerce!) comme un amusement.

Elle débuta somme toute innocemment, la fâcheuse chaîne d'événements qui allait à ce point bouleverser les banquiers. Elle débuta sur la mer, sous le soleil de septembre, avec trois jeunes gens en justaucorps qui se prélassaient dans la baignoire du duc de Bourgogne.

Deux des trois, Claes et Felix, cherchaient du regard des filles sur la berge du canal. Julius, dont quelque dix ans de plus avaient émoussé les instincts, se contentait, agréablement gris, affalé, d'oublier qu'il avait charge d'âme. Un bon astrologue lui aurait conseillé de sortir au plut tôt de son aimable torpeur.

Le soleil chauffait la baignoire que l'eau emportait pour la dernière étape d'un long voyage. Depuis la fonderie de plomb d'Angleterre, elle avait franchi, sur une vieille caravelle délabrée mais encore utilisable, l'étroit bras de mer qui la séparait des Pays-Bas. On l'avait déchargée, non sans peine, dans le port encombré de Sluys et, non sans peine, assujettie en travers d'une barge menée par un maigre équipage de rameurs.

A présent, elle était là. Décorée d'une masse d'angelots joufflus. La baignoire destinée au noble Philippe, duc de Bourgogne, comte de Flandre, margrave du Saint Empire romain, et tout le reste de ses titres et apanages. Un bassin où plusieurs personnes pouvaient se baigner de compagnie, et que l'on transportait maintenant vers la résidence occasionnelle du duc dans la cité marchande de Bruges. Et, dans cette cuve, payant leur passage de leur travail, Julius, Felix et Claes.

Pour le moment, il n'y avait rien à faire. Au sein de cette paix, une vague de philosophie submergea Julius.

– Qu'est-ce que le bonheur? dit-il.

Il ouvrit les yeux.

– Un nouveau chien de chasse, déclara Felix qui avait dix-sept ans.

Son arbalète reposait sur son bassin, et son nez pointu de rat était rougi par le soleil.

– De ceux qui ont de grandes oreilles.

Julius eut un sourire moqueur, sans méchanceté. Ça, c'était Felix. Il tourna les yeux vers Claes, qui, à dix-huit ans, était bâti comme un chêne... un chêne avec des fossettes.

– Une nouvelle fille, proposa Claes.

Il ouvrit d'une secousse du poignet la flasque de vin, se cramponna au goulot comme il l'aurait fait au jarret d'un cheval.

– De celles qui ont...

– Il suffit, l'interrompit Julius.

On perdait son temps à philosopher avec ces deux-là. Avec Claes, on perdait toujours son temps.

Claes le regardait d'un air chagrin.

– J'ai seulement eu... déclara-t-il.

A côté de lui, le jeune Felix souriait d'une oreille à l'autre.

– Bois, bois! dit Julius. En voilà assez sur les filles. Oublie ce que j'ai dit.

– C'est bon, fit Claes, surpris.

Il but. Il respira profondément. Ses narines étaient teintées d'indigo.

– On est bien, soupira-t-il.

Julius se retint d'approuver. Un apprenti teinturier se trouve bien de tout changement. Felix (le garçon dont il avait la garde, le fils de sa patronne, son fardeau quotidien) avait couru le lapin tout le jour mais il ne méritait pas ce plaisir. Lui seul, Julius, qui avait laissé tous ses soucis à la teinturerie, avait bien le droit, pour une fois, de faire ce que bon lui semblait.

Les berges du canal glissaient de chaque côté de la gabare. Les matelots se chamaillaient amicalement, et lâchaient des bribes de chansons en ramant. Les angelots chauffés par le soleil abritaient trois têtes indolentes au bord du bassin. Julius trouva dans sa main la flasque de vin et éclipsa le soleil avec le fond du flacon. *Un jeune homme consciencieux mais doté d'une fâcheuse légèreté de caractère.* Ainsi l'avait-on jugé, quand, à Bologne, il s'appliquait à obtenir son diplôme.

Que Dieu emporte toutes les écoles de droit et nous en débarrasse! Tu es en Flandre et non en Italie. Tu te proposes pour aider à décharger une baignoire d'un bateau. Tu acceptes, en retour, d'être ramené chez toi. Tu fermes les yeux pour mieux réfléchir. Où est la légèreté dans tout cela? Julius, notaire de la famille Charetty, ferma les yeux. Presque aussitôt, c'est du moins ce qu'il lui sembla, il reçut un méchant coup dans les côtes. A demi endormi, il lança en réponse le poing en avant. Il toucha quelque chose.

– Hola! cria Felix, le visage empourpré, prêt à frapper de nouveau.

Julius roula sur lui-même pour esquiver le coup de pied. Le tumulte de l'eau lui apprit pourquoi Felix l'avait réveillé. Ils approchaient de l'écluse.

La voix de Felix prenait une résonance monumentale entre les parois de la baignoire.

– Vous avez fait tomber mon chapeau, clamait Felix. Vous avez brisé la plume.

Les rameurs qui dirigeaient le bateau vers l'écluse, tournèrent vers eux des regards intéressés, tout comme Claes qui s'était levé pour les aider. A la vérité, il était difficile de frapper Felix sans s'en prendre en même temps à son couvre-chef. Celui-ci s'allongeait en pointe au-dessus du front. L'aigrette qui l'avait orné gisait à présent, l'épine dorsale brisée, sur le sac qui contenait les lapins. Là où avait trôné le chapeau, les cheveux châtains de Felix étaient aplatis par la sueur, et ses boucles pendaient en tire-bouchons. Il était furieux.

– Vous disiez que vous en aviez assez de cette plume, déclara Claes. Il est temps de préparer la bière, meester Julius.

Claes vivait chez les Charetty depuis l'âge de dix ans et, en sa qualité de bâtard de la famille, il avait acquis le droit de parler sur ce ton à Felix. Au fil des années, Claes était devenu non seulement un apprenti mais une sorte de serviteur-compagnon pour l'héritier des Charetty. Felix, de temps en temps, essayait bien de maltraiter Claes mais, la plupart du temps, il le supportait. La mère de Felix, heureuse d'avoir la paix, libérait Claes de ses fonctions à la teinturerie toutes les fois que Felix le demandait. Julius, reconnaissant, lui aussi, espérait bien que l'apprentissage intermittent de Claes se prolongerait assez longtemps, jusqu'à l'âge mûr de Felix, sinon jusqu'à sa vieillesse et à son enterrement.

De caractère accommodant, Julius n'avait pas grand-chose à reprocher à Felix. Il était capable d'en venir à bout. Claes, lui, naturellement, n'avait aucun mandat qui l'autorisât à réprimer quiconque, ce qui expliquait pourquoi il était si souvent battu. Cela le rendait fort serviable. Julius regarda Claes donner une ultime poussée sur sa rame, avant de la poser et de rejoindre Felix à l'autre bout du bateau pour lui rendre son chapeau. Tout ce que les gens notaient chez Claes, c'étaient sa taille, les fossettes qui creusaient ses joues et sa serviabilité. On savait aussi qu'aucune femme de moins de vingt ans n'échappait à ses tentatives de séduction.

Julius voyait les mouvements de sa bouche. De l'intérieur de la baignoire la voix retentissante de Felix lui répondait. Julius ne fit aucun effort pour participer à la discussion qui portait sur le sujet habituel. Certes, il se plaisait à contempler une femme bien tournée. Il avait sa bonne part de vanité. Ses attraits physiques, il ne l'ignorait pas, attiraient l'attention. Plus d'une fois, il avait dû s'extirper d'une situation qui menaçait de devenir gênante avec une jeune épouse de client. Non qu'il envisageât, du moins pour le moment, d'entrer dans les ordres. Mais, s'il se présentait une bonne occasion, un homme devait se tenir prêt à la saisir. A l'inverse de Claes, toujours prêt à culbuter quelque servante sur le bord du chemin, il était de tempérament peu ardent. Il ne brûlait pas non plus de désir, comme ce pauvre Felix qui, sur le trajet de la rivière canalisée, de Sluys jusqu'à Damme, s'était enflammé pour toutes les chevilles et les genoux qu'il avait croisés.

Et c'étaient des chevilles accessibles. On ne rencontrait pas de grandes dames – cheveux rasés au-dessus du front et pantoufles ornées de perles –, sur les quais et parmi les remises, les entrepôts, les enclos et les postes d'amarrage des deux ports de Bruges. On y voyait plutôt des coiffes blanches effrontées, bien empesées et des robes simplettes à l'impertinent retroussis. Assez pour satisfaire Claes lui-même, pensait Julius. Les filles les plus enjouées lançaient des appels à l'un ou l'autre des jeunes gens. Les hommes, eux aussi, les saluaient de la voix, et les gamins couraient sur la berge afin de se maintenir à la hauteur des rameurs. L'un d'eux lança une pierre dans la baignoire, qui résonna comme la cloche d'une église. Les hurlements du jeune coupable eurent tôt fait de couvrir le bruit consécutif à la correction que son père se hâta de lui infliger. D'aussi loin que Bruxelles, Dijon ou Lille, le duc Philippe entendait tout.

Claes restait debout près de Felix. Celui-ci agitait impérieusement son chapeau, dont Claes avait adopté la plume. Longue de trois pieds, elle flottait sur sa tignasse comme une ligne de pêche. Julius, passé sur l'autre bord, aidait à lancer les amarres vers l'écluse et tendait à l'éclusier le pot réglementaire de bière de Bruges.

L'homme le regarda à deux fois avant de lui donner son nom. Sans sa robe, il n'était plus meester Julius, le notaire, mais l'un parmi tant d'autres de ces fléaux d'une vingtaine d'années. L'éclusier n'eut aucune peine à reconnaître Felix ou Claes. Chacun, à Bruges et à Louvain, avait déjà eu affaire à l'héritier des Charetty et à son compagnon très soumis.

Il n'y avait pas d'autre bateau dans l'écluse : autre signe du pouvoir du duc. La gabare entra, et, derrière elle, les grandes portes se refermèrent lentement, en grinçant. L'éclusier, tout en avalant goulûment sa bière, s'éloigna pour aller ouvrir les vannes. Perché haut au-dessus de l'eau, Julius regardait devant lui, au-delà des massives portes de bois, là où le canal s'enfonçait tout droit entre les marais, vers les lointains clochers de Bruges. De l'autre côté des vannes, une autre barge, qui remontait vers la mer, était amarrée à la berge, attendant leur sortie de l'écluse.

Celle-là aussi était basse sur l'eau. Elle avait pour tout chargement quelque chose de soigneusement enveloppé, long d'environ quinze pieds, qui, au lieu de dépasser, comme la baignoire de Princenhof, par-dessus les deux plats-bords, reposait confortablement dans la coque de la gabare et bougeait à peine sous l'assaut des remous de l'eau.

Au-dessus, dans un espace essarté et protégé de cordes, sur la rive, se tenait un groupe de personnages visiblement de haut parage, entre lesquels virevoltait un hennin très pointu. Du haut de l'écluse, Julius pouvait les contempler tout à loisir. Tout comme Felix, Claes et les rameurs.

Il y avait des bannières. Il y avait des soldats. Il y avait plusieurs ecclésiastiques du cru, fort élégamment tournés, qui servaient d'escorte à un évêque trapu, aux vêtements constellés de pierreries. Julius le connaissait. C'était le propriétaire du vaisseau écossais, le *Saint-Salvator*, le plus grand des bâtiments qu'ils avaient vus à Sluys. Il y embarquait une nouvelle cargaison pour l'Écosse.

Felix prit la parole.

– C'est l'évêque Kennedy, le cousin du roi, qui est venu passer l'hiver à Bruges. Ces gens-là sont ceux qu'il a amenés d'Écosse. Ils doivent loger à Damme depuis leur débarquement. Que peuvent-ils bien attendre?

– Nous, fit joyeusement Claes.

Sa plume oscillait lentement.

– La barge, dit Felix.

De temps à autre, chez lui, le futur citoyen faisait surface.

– Qu'y a-t-il dans cette barge? Une cargaison pour le *Saint-Salvator*?

De temps à autre, Felix tombait juste.

– Une cargaison importante, confirma Julius. Regardez : le sceau personnel du duc Philippe y est partout apposé.

D'où, naturellement, l'escorte armée et les dignitaires richement vêtus. On voyait à l'ombre de la bannière ducale le contrôleur du duc. Flottait aussi la bannière de Bruges, au-dessus du bourgmestre et d'une paire d'échevins. Était également présent l'agent le plus habile de Bruges et l'un des plus fortunés : Anselm Adorne, vêtu d'une robe fourrée, son long visage de poète encadré par les plis drapés de son chapeau. Son épouse l'accompagnait, coiffée d'un hennin de dimensions raisonnables. Elle était là, apparemment, pour tenir compagnie à l'unique femme présente parmi les invités de l'évêque. La dite femme se retourna, révéla le visage d'une très jolie fille de fort mauvaise humeur.

– C'est Katelina van Borselen, dit Felix. Vous savez bien. Elle a dix-neuf ans. On l'avait envoyée en Écosse pour s'y marier. Elle est revenue avec l'évêque, semble-t-il. Et je suis peut-être aveugle mais je ne vois point d'époux.

Mariée ou non, la prénommée Katelina portait le hennin. Pris par le vent, le voile s'enroulait et se déroulait à la manière d'un drapeau, de sorte qu'elle devait le retenir de ses deux mains. Elle ne portait pas de bague, mais deux hommes qui pouvaient être des prétendants, sans doute descendus du même vaisseau, se tenaient près d'elle. L'un d'un certain âge, élégant, coiffé d'un chaperon drapé et vêtu d'une robe faite, Julius en aurait juré, à Florence. L'autre homme était un quelconque galant.

Un bon astrologue aurait, à ce moment, pris Julius par le bras. Un bon astrologue lui aurait dit : Ne regarde pas l'évêque. N'adresse pas la parole à la jeune dame. Garde-toi d'Anselm Adorne et du Florentin barbu. Et, avant toute chose, mon fils, quitte dès à présent le bateau, avant d'avoir fait la connaissance de l'homme que tu appelles *un quelconque galant*.

Personne ne prit Julius par le bras. Le destin, qui nourrissait une meilleure idée, lui permit de surmonter sa pointe de jalousie pour s'avouer que, devant lui, sur le quai, se tenait un homme au teint clair, d'une saisissante séduction, vêtu d'une tunique de soie aussi courte qu'une chemise. Entre la coiffure et l'oreille, la chevelure de l'homme brillait du même éclat doré qu'un calice d'église. Entre le front haut et le menton fendu, son expression mêlait l'impatience à un ineffable mépris.

A en juger par l'écusson de son écuyer, il s'agissait d'un personnage important. L'écuyer tenait, avec une certaine prudence, la laisse d'un chien courant vigoureux dont le manteau s'ornait du même écusson. La main sur le pommeau de son épée, le maître posait comme pour un portrait, une jambe bien modelée légèrement repliée sous la chausse bleue, l'autre bien droite dans la chausse blanche. Son regard, qui passait avec indifférence sur les spectateurs de la scène, croisa celui d'une servante. Le seigneur haussa les sourcils. La fille, une seille serrée entre ses bras, s'empourpra.

Claes, pétrifié auprès de Julius, laissait sa plume flotter où bon lui semblait. Julius éternua, sans interrompre pour autant sa contemplation du phénix qui, finalement, avait posé les yeux sur la baignoire. Le spectacle paraissait l'amuser. Il claqua des doigts pour se faire remettre la laisse de son chien et, d'un pas nonchalant, se dirigea vers l'écluse, non sans lancer, en s'éloignant, une remarque à la jeune dame. Il aurait pu tout aussi bien, se dit Julius, l'appeler, elle aussi, d'un claquement de doigts mais il n'en fit rien. Elle le regarda s'éloigner mais s'abstint de le suivre.

18

Le seigneur, dans toute sa splendeur, s'approcha. Il n'était pas aussi jeune qu'on l'aurait pu croire d'un peu loin. Trente-trois, trente-quatre ans, peut-être. Son pourpoint de taffetas bleu était de coupe française, tout comme le mantelet et comme le couvre-chef plat, incliné sur le front et orné d'un rubis. En deux années passées à Bruges, Julius n'avait jamais vu cet homme. Ce n'était pas le cas de Felix. Félix, dont les doigts tourmentaient le velours de son abominable pourpoint, déclara, d'un ton involontairement respectueux :
– C'est Simon. L'héritier d'un oncle de Kilmirren, en Écosse. Jamais, dit-on, il n'a essuyé de refus d'aucune femme. Les plus riches espèrent le mariage, les pauvres n'en ont cure.
– Plaît-il? fit Julius.
Claes, lui, ne dit rien. Sa plume s'était immobilisée. Felix reprit :
– Les plus riches....
– Il suffit, dit Julius.
Simon de Kilmirren s'arrêta sur la berge, tout près d'eux. Les vannes de l'écluse s'étaient ouvertes. L'eau qu'elles déversaient commença de creuser un petit tourbillon, et une ligne d'humidité se dessina sur le mur de l'écluse.
L'éclusier arriva.
L'homme appelé Simon déclara :
– Vous prenez tout votre temps, vous autres, rustres Flamands, il me semble? J'ai cru voir de la bière.
Il s'exprimait parfaitement en flamand. L'éclusier, lui, acceptait volontiers les insultes de gentilshommes, surtout s'il pensait y trouver son profit. Il répondit :
– C'est la coutume, monseigneur. On offre de la bière au passage vers Bruges et l'on paye les droits au retour. Monseigneur se rend-il à Bruges?
Julius se demandait comment un homme, fût-ce un éclusier, pouvait lire une promesse de bière sur ce visage souriant. Le noble Écossais nommé Simon ne perdit pas son sourire.
– Monseigneur a soif, dit-il. J'attends que cette pacotille ait franchi l'écluse. Si tu as de la bière, j'en aurai l'usage.
– Je vous demande pardon, dit Julius.
Peut-être n'avait-il pas parlé assez fort.
Certes, l'eau qui s'échappait maintenant du sas secouait le bateau en attente. La gabare sur laquelle se trouvait Julius descendait de plus en plus bas, de sorte que les yeux du jeune notaire étaient maintenant au niveau de la taille bien prise de Simon. Celui-ci ne tourna pas la tête. Seul, son chien réagit : attiré par on ne sait quoi il raidit les pattes de devant, se ramassa et, d'un bond léger, se retrouva près de Julius. Dans le mouvement, sa laisse échappa aux doigts de Simon.
– Oh, peste non, fit Felix.
Il saisit le chien par le collier, pour l'écarter du sac aux lapins. Surpris, l'Écossais abaissa son regard sur eux.

– Je regrette beaucoup, monseigneur, reprit Julius, mais la bière représentait une partie de notre péage. En toute justice envers cet homme, vous devriez la lui payer.

Le charmant visage le fixa, avant d'examiner tour à tour Felix, Claes et l'éclusier. Le regard revint se poser sur Julius.

– Voler le chien de chasse d'un gentilhomme, dit Simon. Les sanctions, sont, à ce que je crois, fort sévères.

– Et voler de la bière? intervint Felix. Ou manger les lapins tués par d'autres? Si vous tenez à votre chien, venez le chercher.

Felix avait encore beaucoup à apprendre. Julius le laissa poursuivre ses récriminations. L'Écossais se détourna pour suivre des yeux l'éclusier qui s'esquiva et revint avec la bière. Il la posa devant Simon. La jeune dame au hennin, Katelina, l'avait rejoint.

– Je croyais que seuls les manants buvaient de la bière, remarqua-t-elle.

Une lueur, vite éteinte, brilla dans les beaux yeux du gentilhomme.

– Si tu es enfermé dans une porcherie, fais comme les cochons, fit Simon. Je vous offre le choix entre la bière ou une autre demi-heure en compagnie de l'évêque.

– Je préfère la bière, dit-elle calmement.

Elle s'exprimait en écossais, un langage difficile à suivre.

– Payez l'homme. Ou les jeunes garçons, ajouta-t-elle.

L'éclusier était revenu sur son opinion de Simon. Par ailleurs, il comprenait l'écossais.

– Merci, demoiselle, dit-il. Meester Julius va vous dire le prix. Meester Julius est un homme de loi qui a gagné son titre à Bologne.

L'Écossais ne perdit pas contenance. Il laissa errer son regard sur l'équipage de la gabare, l'arrêta sur le plus misérable de ses membres, un rameur qui exhibait une barbe de trois jours agrémentée de boutons.

– Meester Julius? fit-il.

– Meester Julius? fit Claes au même instant.

– Peu importe, dit Julius.

On cherchait à le faire réagir, il le savait. Il savait aussi qu'il allait récupérer son argent, même si, pour cela, il devait retenir le chien en otage.

– Jetez-lui une pièce, conseilla la jeune fille. Tenez...

Elle pencha la tête, si bien que le hennin se balança comme le mât d'un navire, et entreprit d'ouvrir l'aumônière suspendue à sa ceinture. Elle avait des sourcils noirs bien marqués, une peau transparente que colorait légèrement l'amusement ou l'agacement. Julius la contemplait.

– Meester Julius, répéta Claes.

L'Écossais, souriant, retint d'un doigt la main de sa

compagne, plongea la sienne dans sa propre bourse, en sortit une poignée de piécettes étrangères.

D'un geste d'une négligence voulue, il les jeta dans la gabare, les regarda, toujours souriant, tournoyer et rebondir dans la baignoire, disparaître entre les planches et les cordages. Son sourire, alors, s'effaça.

– Ôte tes mains de mon chien! commanda-t-il.

Il s'adressait à Claes. Julius se retourna. Le bateau s'enfonçait maintenant de plus en plus rapidement. L'amarre glissait entre les mains des rameurs. Le groupe de dignitaires, dont toutes les têtes étaient tournées dans leur direction, disparut à leur vue. Le mur de l'écluse, tout verdi d'algues, se dressait au-dessus d'eux.

Comme toujours, il y avait des fissures dans la muraille. Gorgée d'eau, elle la recrachait sans heurts. L'eau éclaboussait le pourpoint rembourré de Felix. Elle trouva la toque de Julius, sa préférée, et s'y écoula en spirale. Elle atteignit le chien de l'Écossais qui l'évita d'un bond, en grognant. L'animal, constata Julius, s'était accroupi sur son propre manteau, marqué aux armes de Kilmirren, qui s'étalait maintenant comme un tapis détrempé. Le chien couvrait Claes d'un regard menaçant. Le blason n'était plus ce qu'il avait été. Claes déclara :

– Je vous demande bien pardon, meester Julius, mais il fallait faire quelque chose. Le duc de Bourgogne n'aurait pas aimé ça.

Julius commençait à rire quand un jet d'une véritable violence jaillit du mur pour retomber en cascade sur la gabare. Sa puissance ne cessait de croître. Il commença d'envahir un angle de la baignoire du duc de Bourgogne qui, du même coup, fit décrire au bateau un mouvement latéral. Les rameurs, déjà sidérés, laissèrent du mou dans l'amarre. Une nouvelle décharge, plus violente encore que les précédentes, vint frapper le bord opposé de la baignoire qui se mit à tourner sur elle-même, au moment précis où les portes de l'écluse, en amont, commençaient à s'ouvrir.

Très haut, au-dessus de la gabare, l'Écossais, dont l'agacement colorait de blanc et de rose le beau visage, était en train de parler. Près de lui, la jeune fille, Katelina, se mordait les lèvres. La bière, oubliée, restait entre eux. Dans le bateau, personne ne songeait à ramasser les pièces de monnaie. Ce fut Felix qui remarqua :

– Nous repartons en arrière.

– De biais, fit Claes, d'un ton pensif.

– En avant, dit Julius.

Les portes de l'écluse s'ouvraient de plus en plus largement. La gabare du duc de Bourgogne, comme prise de boisson, se préparait à émerger dans le canal. Les hommes d'équipage poussaient sur leurs rames. Le rebord de plomb de la baignoire se soulevait, retombait, se soulevait de nouveau. L'eau qui s'y était répandue allait et venait en tout sens, trempait les bottes couvertes de sable et les chausses, ainsi que le sac aux lapins, et lavait le blason de Kilmirren. Le rebord de la baignoire vint frapper la muraille avec un bruit retentissant, ce qui entraîna contenant et contenu, tourbillonnant l'un et l'autre, hors de l'écluse. La gabare rebondit sur une porte pour aller heurter l'autre. Le chien, chancelant sur ses pattes, aboyait.

Du coin de l'œil, Julius vit l'Écossais rejoindre à grands pas le groupe réuni sur la berge. Là, tous les visages frappés de stupeur étaient tournés vers la gabare. Le chien redoubla d'aboiements, et, sur la rive, des hommes se mirent à pousser des cris sonores.

Julius voyait très bien pourquoi ils criaient. Il voyait – chacun pouvait le voir – ce qui allait arriver. Il eut le temps de se demander ce qui se trouvait sous l'emballage minutieux, marqué aux armes du duc, qui reposait au fond de la grande barge amarrée à la rive du canal. Il eut même le temps d'examiner l'énorme charge, tandis que la baignoire du duc de Bourgogne se jetait vers la barge qui contenait la cargaison personnelle du duc de Bourgogne. Les deux bateaux entrèrent en collision. La barge, retenue par ses amarres, n'avait aucun moyen d'échapper à son sort : la gabare où se trouvaient Julius, Felix et Claes fonça sur ses planches et lui ouvrit le flanc.

La baignoire bascula, précipitant du coup Julius et Claes dans le canal. Felix, après avoir glissé jusqu'à l'extrémité où l'eau était la plus profonde, se débattit, cramponné d'une main au rebord. La baignoire se redressa.

La barge endommagée tirait sur ses amarres. Elle finit par les rompre et, dans un mouvement d'une languissante lenteur, déversa son chargement dans les profondeurs aquatiques, avant de le coiffer de sa coque moussue.

A ce moment, Julius reparut à la surface. Il ouvrit les yeux sur des visages horrifiés, Bourguignons et Flamands confondus. Ses oreilles, d'où l'eau ruisselait, captèrent la toute première exclamation, qui ne provenait pas des Flamands mais de l'évêque écossais.

– *Martha*! s'écriait ce personnage, d'une voix enrouée par l'indignation. Qu'avez-vous fait? Qu'avez-vous fait? Vous avez envoyé Martha par le fond, malheureux!

Personne ne rit. Surtout pas Julius, car il savait maintenant ce qui était dans la barge et ce qu'ils avaient détruit.

Claes, sans sa plume, barbotait à quelque distance. Felix, qui nageait vigoureusement, avait presque atteint la rive, à égalité avec le chien qui grimpa la pente avant lui. La gabare, où la baignoire avait repris sa place, était amarrée, et les rameurs, l'air penaud, s'étaient groupés sur le chemin de halage. Tout ruisselant, Felix sortit de l'eau et, suivi par Claes, prit la louable initiative de les rejoindre. Julius, qui se sentait soudainement vieilli, se hissa péniblement pour imiter leur exemple d'une démarche gargouillante. Le chien se secoua. Le valet de son maître, le visage renfrogné, le reprit prudemment par le collier.

Des voix sévères n'avaient pas cessé d'émerger du cercle d'éminents personnages. On entendait les récriminations de l'évêque :

– N'allez-vous pas vous décider à agir, messires? Faites venir vos ingénieurs, vos dragueurs, vos matelots!

Et, un peu plus tard :

– A moins, naturellement, que l'injure ne soit voulue. Mon cousin d'Écosse s'est vu promettre un présent, et le présent est perdu par la faute des propres représentants du duc, dans le propre canal du duc. Que dois-je en penser?

Le capitaine se hâta de prendre la parole, suivi de près par le bourgmestre. Enfin s'éleva la calme voix d'Anselm Adorne, qui avait, en son temps, occupé les plus hautes charges à Bruges. Julius lui faisait confiance pour aplanir les pires difficultés.

– Monseigneur, vous avez simplement manqué une marée. Le bourgmestre va vous escorter jusqu'à Bruges. Le capitaine va mettre ces hommes sous bonne garde. Le canal sera dragué, et, si l'objet n'est pas retrouvé, il sera remplacé. Il s'est agi, j'en suis convaincu, d'un simple accident, mais la ville poursuivra son enquête et vous fera tenir son rapport. En attendant, nous ne pouvons que vous offrir nos plus humbles excuses.

– Certainement, certainement, appuya le bourgmestre. Les rameurs répondront de leur comportement devant le maître de leur guilde et, s'il y a eu négligence, ils seront châtiés.

– Tous n'étaient pas des rameurs, intervint quelqu'un. Ces trois-là... Ces trois-là ne portent pas d'insignes.

C'était la voix de Simon de Kilmirren, qui arrivait tout juste de l'écluse. Dans sa tenue de taffetas bleu, son allure était nonchalante, et ses traits conservaient toute leur impassibilité.

– Qui plus est, poursuivit la même voix amusée, ils doivent de l'argent à l'éclusier.

Anselm Adorne tourna la tête. Il jeta un coup d'œil sur Felix et sur Claes, mais son regard s'attarda sur Julius. L'expression de son visage osseux, trompeusement monastique, demeurait très réservée. Il déclara :

– Je connais meester Julius. S'il y a dispute sur une question d'argent, il ne peut s'agir, j'en suis convaincu, que d'une méprise. Je n'en dois pas moins poser une question : d'où vient que vous vous trouviez tous les trois sur ce bateau?

– On nous l'a demandé, répondit Julius. Avec tant de bateaux au port, les équipages avaient fort à faire pour servir tout le monde.

– Le duc ne peut-il réquisitionner un équipage quand il le souhaite? questionna l'évêque.

Il avait rejeté sa coule en arrière. Il n'était pas très grand mais il avait le menton d'un lutteur.

L'homme en robe florentine s'était désintéressé de l'affaire. Tournant le dos à l'évêque, il se tenait sur le bord du quai et regardait l'eau lécher l'écluse. L'épouse d'Adorne était toujours là. La jeune fille, Katelina, quitta précautionneusement l'écluse pour se placer entre elle et Simon. Son visage était pensif. Elle se tourna vers Julius, occupé à tordre son pourpoint, sa jaque et ses cheveux saturés d'eau, et elle lui sourit. Ce n'était pas un sourire de sympathie. Et, quand le séduisant Simon lui murmura quelques mots à l'oreille, elle émit un rire bas qui était plus encore dénué de sympathie.

Elle était revenue sans époux, disait-on. En compagnie de Simon qui n'avait jamais connu de refus. *Les plus riches espèrent le mariage, les pauvres ne s'en soucient point.*

– Monseigneur, dit Julius, il y avait les rameurs nécessaires. Mais personne pour s'occuper de la baignoire. Un officier nous a demandé...

Lui, notaire instruit, responsable, il s'entendait balbutier une explication. Qui donc, au retour d'une chasse aux lapins, l'estomac plein du bon vin fourni par un berger des dunes reconnaissant, qui donc, avide de nouveauté et, de surcroît, déjà las à la perspective des quelques trois pénibles lieues à parcourir pour arriver à Bruges, n'aurait saisi l'occasion de faire le trajet dans la baignoire du duc?

Il acheva de son mieux :

– Et, pour tout dire, minen heere, ni nous-mêmes ni les rameurs ne sommes à blâmer pour l'accident. Les murs étaient crevassés, et la baignoire est devenue incontrôlable.

L'homme nommé Simon s'approcha de l'évêque et, souriant, s'immobilisa près de son épaule.

– Incontrôlable! Pour des rameurs de Bruges qui convoyaient un si précieux chargement! Qui tenait la barre?

Personne ne tenait la barre. Personne ou tout le monde. L'un des rameurs, pressé de questions, reconnut tout soudain que l'apprenti du nom de Claes l'avait tenue.

Tous les yeux se portèrent sur Claes. Dieu juste! Ce brave Claes, paillard et innocent, qui ne savait que faire des plaisanteries et prendre exemple sur les autres. Claes, qui possédait la plus grande gueule de toute la Flandre. Claes qui, debout dans une mare d'eau boueuse, ouvrit des yeux ronds comme la lune pour déclarer que « Mais oui, minen heere, il avait tenu la barre, mais pas pour franchir l'écluse ». L'aigrette aurait un peu arrangé son allure. Ses cheveux, que l'eau avait foncés jusqu'à la couleur d'un jus de rôti, pendaient en tortillons sur ses yeux, s'enroulaient sur ses joues, dégoulinaient sous le col râpé de son pourpoint. Il se secoua, et chacun put entendre le bruit de succion que firent ses pieds dans ses chaussures.

Un généreux sourire s'épanouit sur le visage de Claes, mais non payé de retour, s'estompa.

– Minen heere, dit-il, nous avons fait de notre mieux et, pour tout salaire, nous nous sommes fait mouiller, nous avons perdu le produit de notre chasse et nos arbalètes. Mais le duc, au moins, a toujours sa baignoire.

– Je te trouve bien insolent, déclara le bourgmestre. Et tu mens. Nierez-vous, meester Julius, que le jeune Claes gouvernait?

– Il gouvernait, oui, répondit Julius. Mais...

– Nous avons entendu. Mais il a quitté la barre à votre entrée dans l'écluse. C'est-à-dire que vous l'avez vu la quitter. Cependant, il a pu la reprendre par la suite.

– Ce n'est pas vrai! cria Felix.

– Il n'en a rien fait, je le sais, affirma Julius.

Avec conviction, mais en pure perte. Il surprit entre les rameurs un échange de regards et il comprit, comme s'ils le lui avaient dit, que ces hommes ne fourniraient pas la même assurance. Ils ne pouvaient se le permettre. Sa formation de juriste lui disait que tout cela était totalement injuste. Son expérience des tribunaux, qu'ils fussent ducaux, royaux ou religieux, lui disait que la justice n'avait rien à faire en un tel cas. Sa patronne, la mère de Felix, garderait, il l'espérait, la tête froide. Il espérait aussi que l'évêque était moins vindicatif qu'il n'en avait l'air, et qu'une bienfaisante divinité allait intervenir pour salir, déchirer ou même tremper le taffetas de cet exquis Simon qui continuait à murmurer ses propos à l'oreille de Katelina van Borselen, observé, comme ils l'étaient tous, par les regards dévorants des témoins de la scène.

La servante armée de sa seille était toujours là, elle aussi. Elle ne cherchait plus à attirer l'attention du taffetas : son visage rond, bien loin de rougir, exprimait de l'inquiétude. Peut-être Claes sentit-il ces yeux fixés sur lui. Il releva la tête, découvrit la fille, la gratifia de l'un de ses plus beaux sourires. Marie, Mère de Dieu! pensa Julius. Il n'a même pas conscience de ce qui se passe. Dois-je le lui dire? Lui apprendre que le chargement qui s'est abîmé dans les profondeurs était un présent?... Un cadeau du duc Philippe de Bourgogne à son bien-aimé neveu Jacques, roi d'Écosse? Un cadeau de quelque importance, long de quinze pieds. Pour tout dire, un canon de cinq tonnes, baptisé du sinistre nom de Martha la Folle.

Quelqu'un poussa un cri. Lui-même, peut-être, se dit Julius. Mais il vit, à sa grande surprise, une masse de cheveux bruns en désordre passer à vive allure devant l'évêque et il reconnut la silhouette bien découplée de Katelina. Derrière elle, courant aussi, venait Claes, suivi d'une troupe sans cesse plus nombreuse de soldats.

Au bord de l'écluse, l'homme barbu en longue robe s'était

retourné. Il tenta, d'un rapide pas de côté, de s'écarter du chemin de la jeune fille. Mais il vit ce qu'elle poursuivait, tendit la main. Le hennin, pourchassé par le vent, roula et s'arrêta à ses pieds. Il se baissa, à l'instant précis où Claes, dans un ultime effort, dépassait la jeune fille et, à son tour, se jetait sur la coiffure. Les deux hommes se heurtèrent violemment. Le barbu tomba. Toutes les personnes présentes autour du bassin entendirent un horrible craquement. Claes, les pieds pris au piège, culbuta par-dessus le corps étendu et, dans une gerbe d'eau sale, plongea derechef dans le canal. La jeune fille s'immobilisa, lança vers l'eau un regard mécontent, avant de se pencher, les sourcils froncés, sur le corps, étendu face à terre, du Florentin.

Personne ne retenait plus Julius. Felix, libéré, lui aussi, fit « Oh, mon Dieu! » et se précipita vers le bord du canal. Julius le suivit. Entre les têtes, il voyait Claes barboter dans l'eau. Quand l'apprenti leva les yeux, ce fut pour regarder Katelina van Borselen, qui s'était approchée, et non pas les soldats qui s'alignaient au-dessus de lui.

– Il est déformé, dit Claes, d'un ton de regret.

Il parlait, à n'en pas douter, du cône détrempé qu'il tenait fermement dans une main puissante aux doigts bleus. Il toussa, la tête penchée sur le hennin, et de l'eau ruissela de ses narines. Il barbota prudemment jusqu'aux marches, leva vers la propriétaire ébouriffée de la coiffure un regard penaud.

Katelina recula brusquement. Claes gravit les marches. Les soldats s'emparèrent de sa personne. Les yeux ronds du jeune homme s'ouvrirent plus grands encore, et il battit des paupières quand l'eau les envahit. Il partagea son attention entre les soldats, Katelina et le hennin qui n'avait plus rien d'un cône neigeux mais était devenu une sorte de rouleau informe maculé d'indigo. la jeune fille le prit, d'un geste presque inconscient.

Les lèvres au dessin généreux de l'apprenti s'étirèrent en ce merveilleux sourire qui avait séduit toutes les servantes de la Flandre.

– J'en ai ôté les algues, dit Claes à Katelina van Borselen. Et la boue partira bientôt à la lessive. Le maître d'atelier de la mère de Felix aura tôt fait d'effacer les traces d'indigo. Apportez-le à la boutique. Non, envoyez une servante. Une teinturerie n'est pas un endroit pour une dame.

– Merci d'avoir pris tant de peine, répondit Katelina van Borselen. Sans doute feriez-vous mieux de vous mettre en peine du gentilhomme auquel vous avez cassé la jambe. Il est là-bas.

Le visage du garçon changea d'expression : de toute évidence, il n'avait pas imaginé le malheur survenu à l'autre homme. Il avait le cœur bon. Il voulut approcher sa victime, mais les hommes d'armes l'immobilisèrent aussitôt. Ce faisant, ils le malmenèrent de leur mieux et continuèrent à le frapper toutes les fois qu'il ouvrait la bouche. La plus grande bouche de tout le pays et le dos le mieux battu. Julius se tourna vers son jeune maître, Felix. Felix déclara :

– Tout est de la faute de Claes. Il se refuse à grandir, semble-t-il.

Julius crut entendre les échos de la voix de la mère de Felix. Si l'on châtiait cruellement Claes, en rejetterait-elle tout le blâme sur son notaire ? Il n'y avait personne d'autre pour se soucier de ce garçon. Claes était ce genre de misérable bâtard (d'une certaine manière, Julius sympathisait avec lui) dont tous les parents étaient soit morts soit indifférents.

– L'homme auquel il a cassé la jambe... demanda Julius. Qui est-ce ?

Nul n'en savait rien. Un Florentin. Un invité de l'évêque, arrivé d'Écosse avec l'évêque lui-même, le magnifique Simon et Katelina van Borselen qui, si Dieu avait consenti à témoigner sa bonté, aurait trouvé un époux en Écosse et serait demeurée là-bas. Quelle que fût son identité, on ne tarderait pas à la connaître, quand lui-même ou ses avocats réclameraient la peau de Claes pour le préjudice subi.

Julius et Felix regardèrent les soldats entraîner Claes. Il disparut sans le moindre regard d'Anselm Adorne, ce qui était mauvais signe. Mais Adorne, comme tous les autres, s'attachait avec inquiétude à prodiguer des soins à l'homme barbu.

Comme la plupart des autres. Le très séduisant Simon avait ôté son pourpoint de taffetas bleu pour l'offrir, roulé en forme de turban, à la jeune dame. Il le disposait maintenant sur les cheveux en désordre. C'était d'un fort joli effet. Sans cesser de parler, il le fixa avec le rubis. Au bout d'un moment, elle ébaucha un sourire. Quelqu'un d'intéressé au problème aurait pu se demander quel grief Katelina nourrissait contre le jeune seigneur. Peut-être, au cours du voyage qui les amenait d'Écosse, l'avait-il négligée et avait-il à présent changé d'avis ? Ou s'était-il montré, en certaine occasion, trop entreprenant ? Ou bien s'était-elle choisi un rival et s'efforçait-il de la ramener à lui ?

Julius observait Simon et réfléchissait aux différentes explications. Il finit, d'un mouvement décidé, par tourner le dos. Sans ce gentilhomme à l'humeur taquine, Felix, Claes et lui-même auraient pu s'en tirer sans tapage. Il ne lui vint pas à l'esprit que les interventions du séduisant Simon avaient pu être autre chose qu'une manière de passer le temps. Il connaissait pourtant les pratiques de la ville.

Et il savait, comme le savait le beau Simon, lequel des trois souffrirait le plus, en fin de compte.

2

En dépit de la discussion juridique fort érudite que Julius eut
avec le capitaine durant le trajet qui les ramenait à Bruges, rien
n'y fit. Rien ne put les sauver, Felix et lui-même, de la prison.
Avant midi, ils étaient enfermés. Par une intervention divine, la mère de Felix se trouvait à
Louvain. Julius fit tenir un message apaisant accompagné
d'une certaine somme, à Henninc, qui dirigeait la teinturerie
de Bruges, et trois autres à des gens qui lui devaient une faveur.
Après quoi, il s'efforça de vivre dans l'espoir. Personne, lui
semblait-il, ne s'intéressait réellement ni à lui, ni à Felix. Si
quelqu'un devait être blâmé pour toute l'aventure, ce serait
Claes.

L'après-midi tirait à sa fin quand les deux jeunes gens
eurent enfin des nouvelles de leur compagnon. Le geôlier
montra derrière les barreaux son visage hérissé de poils
raides pour leur annoncer que leur jeune ami avait été mis à
la question. Le garçon, qui devait avoir quelques cases vides,
avait uniquement parlé, durant une bonne heure mesurée au
sablier, de la chasse aux lapins. Bien entendu, ça ne lui avait
guère servi, bien que, de l'avis général, sa veine comique éga-
lât celle de n'importe lequel des nains du duc Philippe. Peut-
être le duc Philippe le prendrait-il comme bouffon, s'il se
remettait du traitement subi. On avait procédé avec plus
d'efficacité que d'ordinaire, dans l'espoir d'une confession.
Julius le regrettait pour Claes. Par bonheur, Claes acceptait
ce genre d'épreuve avec philosophie. De toute manière, il
n'avait rien à confesser.

On apprit enfin qu'il avait été conduit à la prison. Naturellement, il était logé dans la fameuse Chambre Noire. Julius (phi-
losophe, lui aussi) donna de l'argent pour avoir de l'eau chaude
et des linges, rédigea pour le bailli un billet à ordre, fleg-
matiquement contresigné par le notaire de la ville, afin d'obte-

nir pour Claes le droit d'être transporté à l'étage supérieur où ses maîtres jouissaient des repas et du logement.

A son arrivée, le fol traînait des fers à ses pieds. Julius dut encore payer pour les lui faire enlever. Il ajouta la somme à la liste soigneusement tenue de ses dépenses qui, au jour dit, réapparaîtraient, dûment détaillées, sous la rubrique des frais d'études pour Felix.

Naturellement. Lui-même méthodiquement honnête, meester Julius avait appris pour quelles expériences de son fils Felix Marian de Charetty était prête à payer et pour lesquelles elle s'y refusait. Au cours des deux années écoulées, elle avait saisi l'occasion, une fois ou deux, de rafraîchir la mémoire de son notaire à propos de ses devoirs contractuels, au nombre desquels ne se comptaient pas les exploits tapageurs avec Felix. En toute vérité, avant l'arrivée du notaire, les exploits de Felix avaient été plus que tapageurs. Felix s'emballait pour un rien. Felix ne savait jamais s'arrêter. Claes lui-même, qui s'attirait de pires ennuis que ses deux compagnons, ne se laissait jamais entraîner, comme Felix, par ses passions.

Jusqu'à présent, les émotions les plus profondes de Felix avaient eu pour objets les chevaux et les chiens. Mais, d'un jour à l'autre, viendrait le tour des filles. Pour le moment, elles taquinaient Felix ou bien le négligeaient, parce qu'il les traitait avec brutalité, comme il traitait ses petites sœurs. Mais cela changerait. Julius espérait que ce serait Claes, et non pas lui-même, qui devrait se charger de ce chapitre du préceptorat. Et que cela se passerait à Louvain, où les gens avaient de l'indulgence pour les étudiants. Cela dit, Felix était un bon garçon. Il était maintenant agenouillé comme n'importe quel propriétaire d'un cheval, pour aider à soigner le dos musclé de Claes. Mais il faisait plus de mal que de bien, d'autant qu'il interrompait sans cesse ses soins pour discuter sur tout ce que pouvait dire Claes.

Celui-ci, dont l'aimable visage reprenait un peu de couleur, s'était lancé dans une description en plusieurs accents de ce qu'était la vie à l'étage inférieur de la Steen, où il n'y avait pas de lumière et rien à manger : il fallait mendier comme on pouvait, à l'aide d'un sac accroché au bout d'un bâton qu'on passait entre les barreaux des fenêtres. Quelqu'un, parce que Claes était ensanglanté, lui avait cédé un instant le bâton. Quand il avait ramené le sac vers lui, il avait trouvé un morceau de beurre à l'intérieur.

Felix s'immobilisa.

– Du beurre?

– De la graisse des cuves à laine. Pour mon dos. Quelqu'un l'a pris avant que j'aie pu m'en servir. Je voudrais bien l'avoir maintenant. Auriez-vous enfilé vos gants de joute? Vos mains sont comme des buissons d'épines. Il venait de Mabelie, ce beurre.

– Mabelie?

Felix, une fois encore, ne bougeait plus.

– Elle se tenait devant la fenêtre de la prison. Vous ne l'avez donc pas vue, à Damme? La fille avec une grosse natte, qui portait une seille. C'est Mabelie, et elle travaille chez Jehan Metteneye.

– Et elle t'a apporté ce beurre.

Julius s'aperçut qu'il avait, lui aussi, interrompu ses soins sur le dos de Claes.

– C'est qu'elle nous plaint bien. Tout le monde nous plaint. Il y avait une vraie foule, dehors, dans le Burgh. Les ouvriers chapeliers... Je voulais vous dire, meester Julius : je leur ai indiqué où ils pourraient retrouver leurs lapins, mais ils n'étaient pas très contents. Je pense que, si meester Cambier repêche le canon, il pourrait repêcher aussi le sac aux lapins et peut-être même l'argent de monseigneur Simon. Il y avait là deux de vos clients, meester Julius : ils voulaient savoir si leurs contrats seraient encore légaux, dans le cas où l'on vous pendrait. Il y avait aussi Henninc : il a dit qu'il envoyait quelqu'un à Louvain, et que tout ce que vous auriez promis de payer serait retenu sur vos gages. Et j'ai vu encore tous les gars de la maison, avec de la bière. Vous auriez dû me laisser dans la Chambre Noire, fit Claes d'un ton nostalgique. J'aurais eu le beurre, la bière et tout le reste, avant qu'on nous pende.

– On ne nous pendra pas, répliqua Felix avec une belle assurance. Nous n'avons rien fait de mal. La gabare n'était pas à nous. Ce n'était pas nous qui en avions la charge, c'étaient les rameurs. L'éclusier a récupéré sa bière. Et vous êtes avec nous, Julius. Vous connaissez la loi mieux que n'importe qui.

– Felix, dit Julius, l'évêque était furieux. Il est le cousin du roi d'Écosse. La reine d'Écosse est la nièce du duc Philippe. La sœur du roi d'Écosse est l'épouse de Wolfaert van Borselen. Il faut convaincre tous ces gens-là que la faute était purement accidentelle.

Claes sourit à Felix par-dessus son épaule.

– Quelqu'un doit donc être puni. Vous comprenez? Si ce n'était pas un accident, ils n'oseraient punir personne.

Claes, pour qui n'existait jamais d'affaire embrouillée, déprimait fréquemment Julius, surtout quand il savait ce qu'il voulait dire. Felix était simplement hors de lui.

– Ils vont nous punir? Nous qui n'avons rien fait?

– Ils m'ont déjà puni, dit Claes, l'apprenti.

Il se retourna avec précaution pour permettre à ses compagnons de nouer les linges sur sa poitrine. Sa chemise jetée sur les épaules, il s'assit en tailleur. Ses chausses avaient séché sur ses cuisses, elles étaient toutes plissées, froissées. Ses cheveux avaient séché, eux aussi : ils formaient une espèce de masse épaisse et plate et frisaient tout juste un peu aux extrémités, comme si on les avait brûlés au fer.

– Ils t'ont puni, forcément. Tu as cassé la jambe de ce gentilhomme, dit Felix, en bonne justice. Et tu ne t'es pas montré respectueux. Tu as certes tourné en ridicule cette fille à qui ce monseigneur Simon contait fleurette, et lui aussi, c'est un Écossais. Cette Katelina. Elle n'en voulait plus de son stupide chapeau, une fois qu'il avait trempé dans l'eau, espèce d'idiot. Elle pourrait en acheter vingt autres.

– Vos cheveux sont tout défrisés, remarqua Claes, d'un ton chargé de sympathie.

Rien d'étonnant, se dit Julius, si Claes se faisait battre si souvent. Il se souvint d'un détail important. Une fille appelée Mabelie travaillait pour Jehan Metteneye, et les Metteneye de Bruges étaient depuis cinq générations des aubergistes qui servaient de courtiers aux marchands écossais de passage en Flandre.

– Cette Mabelie... risqua Julius.

– Une longue et grosse natte qui lui descend jusque là, d'un brun roux, comme la fourrure d'un renard. Une belle bouche, toute meublée de dents aussi solides que celles de votre cheval, des joues roses comme si elles étaient peintes, un nez pareil à une prune et un long cou blanc, avec des muscles qui descendent jusqu'à... jusqu'à...

Au mauvais moment, Claes prit conscience de ce qu'il disait et s'arrêta avant la fin du voyage.

– Elle dit que les Écossais veulent notre peau. Ils avaient besoin du canon pour faire la guerre à l'Angleterre. Elle dit que le duc va s'en prendre à Bruges, et que le bourgmestre devra se protéger. Elle veut me retrouver sous la Grue à onze heures demain.

Julius ferma les yeux. Si l'on n'avait pas connu Claes, on l'aurait taxé de pure imagination. On aurait dit que, tout en étant Claes, il ne pouvait recevoir d'invitation, à travers les barreaux d'une prison, de la part d'une jeune fille à laquelle il n'avait pas, de toute sa vie, adressé la parole. Par ailleurs, quand on connaissait Claes, on connaissait aussi l'effet de son sourire. Néanmoins...

– En deux morceaux? dit Julius. Avec le visage bleu et la langue pendante? Ou bien vont-ils arrêter tous les rameurs et nous laisser, toi, moi et Felix, retourner à la teinturerie dès demain?

– C'est ce que je voulais vous dire, fit Claes. Si seulement vous ne m'aviez pas tambouriné sur le dos. Je ne pouvais pas réfléchir, pendant que vous me tambouriniez sur le dos. Tous les gars de chez nous étaient là, devant la prison.

– Ça, tu nous l'as déjà dit, confirma Felix.

– Oui. Eh bien, tous les membres de la Guilde des Teinturiers étaient venus aussi, avec le doyen et le chapelain. Ils ont dit qu'ils s'étaient adressés à l'écoutète, aux échevins, aux conseillers, au contrôleur et naturellement à meester Anselm, pour présenter une plainte très considérable qui parlait d'outrage et envisageait même de cesser tout commerce avec l'Écosse. Tous ces personnages s'étaient assemblés et avaient décidé que, à condition que nous puissions prouver notre innocence à meester Anselm, il n'y aurait pas d'autres poursuites, sinon une importante amende versée par la famille Charetty...

– Oh, souffla Felix.

– ... que la Guilde des Teinturiers et celle des Allumeurs de Cierges aideraient à payer. Ils vont nous libérer demain matin. Sous la Grue, à onze heures, m'a-t-elle dit.

Meester Julius dévisageait l'apprenti.

– Tu savais tout cela quand tu es arrivé ici.

Claes le gratifia de son sourire désarmant.

– Et, poursuivit Julius, le bailli le savait aussi tout comme, probablement, le geôlier et les deux porte-clés qui m'ont pris tout mon argent.

Il sentait naître un rhume violent. Aussi se contenta-t-il de prononcer une diatribe bien sentie, qui fut reçue par Claes avec toute l'humilité qui convenait, en dépit de Felix qui ne cessa de ricaner d'un bout à l'autre. Après quoi, Julius se tourna sur le flanc et se prépara à passer, en compagnie de son rhume, une nuit pénible mais délivrée de tout pressentiment funeste.

Le lendemain matin, les trois enfants furent présentés à Anselm Adorne dans sa belle maison, proche de l'église de Jérusalem. Il devait se livrer à une enquête et leur faire une belle peur.

Des enfants? Deux d'entre eux étaient des adolescents et le troisième était un notaire hautement qualifié, de sept ans à peine plus jeune qu'Anselm. Mais, en termes diplomatiques, c'étaient néanmoins des enfants. La famille Adorne exerçait un pouvoir régional en Flandre depuis près de deux cents ans, depuis le temps où, venue d'Italie, elle s'était établie dans le pays avec le comte de l'époque qui avait épousé une fille du roi d'Écosse. Une longue, très longue succession d'Adorne, avec leurs visages racés, leurs sourcils haut levés, leurs cheveux blonds et bouclés, avait servi la ville de Bruges et les ducs de Flandre, dans cet ordre. Ils n'avaient jamais oublié l'autre branche de leur vagabonde famille qui, depuis plus longtemps encore, avait servi la république de Gênes, en qualité d'hommes de commerce et d'hommes d'argent, et, bien souvent, au poste le plus élevé de tous, à la tête de Gênes, celui de doge. Pour un homme de la condition et de la fortune d'Anselm Adorne, expert dans les arts de la chevalerie et cultivé, latiniste distingué, maniant le flamand, le français, l'allemand et l'anglais, sans compter les dialectes du pays d'Écosse, les trois stupides jeunes gens qui avaient fait couler le canon tout neuf de l'évêque n'étaient que des enfants. Il ne se leva point lorsqu'on les introduisit dans la grande salle de sa demeure, pas plus que ne le fit son épouse depuis seize ans, qui s'était retirée à l'autre extrémité de la salle avec ses visiteurs, sa suivante et les plus âgés de leurs nombreux enfants.

La cathèdre dans laquelle siégeait Anselm, tout comme les poutres au-dessus de sa tête, portait les armes entrelacées de son père et de sa mère, les Adorne et les Bradericx. Le blason figurait aussi, en vitraux de couleurs, dans les hautes fenêtres gothiques. Le notaire connaissait les lieux. Sur le quai de Damme, Adorne avait reconnu sans peine les yeux un peu obliques, les traits bien marqués mais séduisants. Meester Julius paraissait à présent beaucoup plus soumis, dans la robe noire qui convenait à sa fonction, l'écharpe de sa coiffure rejetée sur son épaule, les instruments de sa profession suspendus à sa ceinture. Cependant, il se tenait bien droit sur ses pieds chaussés de cuir souple, et la corne à encre, l'étui à plumes ne bougeaient pas, ne tremblaient pas. Le jeune homme montrait toute la fierté du clerc élevé au couvent et de l'érudit. Mais les frasques étaient bonnes pour les étudiants.

Les autres étaient d'un matériau plus commun. Après la mort de Cornelis de Charetty, le jeune Felix avait montré des dispositions pour une vie déréglée mais il avait une mère pleine de bon sens. Possédait-il aussi la sagacité de son père? Cela, c'était une autre affaire. C'était Cornelis qui avait gardé la tête froide dans la tourmente, deux ans auparavant, quand tous les prêteurs avaient fait banqueroute, et qui avait sauvé le père de sa femme, Marian, en reprenant son affaire.

Il était de bonne pratique, c'était reconnu, d'associer le prêt sur gages et la teinturerie. La boutique de Louvain avait prospéré. Charetty, disait-on, possédait plusieurs maisons dans cette ville, sans compter sur Blauw verweij, son atelier de teinturerie et sa demeure à Bruges même. Sans doute avait-il eu peu de temps à consacrer à ses enfants. Mais un homme comme Cornelis aurait dû se montrer plus avisé : songer à l'avenir, penser à sa succession s'il venait à mourir avant son temps. Il ne restait plus à présent que sa femme Marian, les maîtres d'atelier, aussi sûrs que l'étaient habituellement ces gens-là, ce fou de mercenaire et le garçon. Ce jeune Félix, qui n'aimait rien tant que faire les quatre cents coups avec son ami, l'apprenti Claes, et n'avait jamais un seul instant songé aux affaires.

Anselm Adorne, à cet instant, laissa enfin son regard se poser sur l'apprenti et fit certaine observation. Il se tourna alors vers Julius.

– Je ne vous prierai pas de vous asseoir, meester Julius, car vous êtes céans pour entendre jugement. Mais dites-moi d'abord : ce garçon a-t-il été châtié?

Il s'exprimait en flamand.

Le jeune Felix ouvrit la bouche mais, sur un coup d'œil du notaire, la referma aussitôt. Le notaire répondit dans la même langue :

– Minen heere, Claes a subi la bastonnade pour le dommage causé à l'ami de l'évêque. Il a été battu aussi pour ce qui a été pris pour une impertinence. L'un et l'autre étaient involontaires.

– Il s'est montré impertinent, déclara fermement Anselm. Et il a bel et bien fait tort à messer de Acciajuoli. Il n'a subi la bastonnade pour aucun motif concernant le canon? Aucune preuve, aucun aveu de culpabilité ne lui ont été imputés?

– Non, minen heere, répondit le notaire d'un ton ferme. Claes n'avait nul dessein sur le canon. Ce fut un simple accident. Et il n'était pas à la barre quand s'est produite la mésaventure. Si minen heere y consent, nombreux sont les témoins qui pourraient le confirmer.

– Il se trouverait désormais bien des gens qui pourraient juger de leur intérêt de le confirmer, dit Adorne. Je ne vois pas la moindre utilité à élargir une enquête qui, selon moi, n'est déjà devenue que trop publique. Que je sois ou non d'avis que cette affaire fut un simple accident, il est patent qu'une grave offense a été commise contre un allié du duc et contre le duc lui-même. Meester Julius, en votre qualité de notaire pour la famille de Charetty, vous étiez responsable de la conduite de ces deux jeunes gens, durant l'après-midi d'hier?

– Je suis responsable devant la demoiselle de Charetty, déclara Julius.

– J'abandonnerai donc à la demoiselle de Charetty le soin de vous traiter comme elle juge que vous le méritez. Et vous, mon brave garçon, vous êtes l'héritier de l'affaire de votre père?

– Minen heere, répondit le jeune Felix, meester Julius n'était pas en faute. Nous l'avons contraint à nous mener à la chasse. Nous avons ensemble décidé de grimper sur le... dans la...

– Vous aviez bu tous trois plus que de raison et vous avez décidé qu'il vous plairait de faire une promenade dans la baignoire du duc de Bourgogne. Ce serait compréhensible chez de très jeunes enfants. Vous n'êtes plus de très jeunes enfants. Vous êtes des serviteurs, comme je le suis moi-même, de monseigneur le duc. Vous devez respecter ses biens, la dignité de son rang et celle de tous ses amis. Votre père aurait-il négligé de tels devoirs? Votre mère les néglige-t-elle? Quel tort avez-vous causé à son nom, à sa bourse, vous, son fils, vous, son notaire, et toi, son apprenti?

Le jeune Felix avait violemment rougi. Le notaire déclara :

– Nous prendrons garde, à l'avenir. Nous n'avons rien fait par malice et ne le ferons jamais.

Le ton était-il acerbe? Non, Anselm ne le pensait pas. Meester Julius avait du bon sens et faisait contre mauvaise fortune bon cœur. Le jeune Felix ne voyait là qu'injustice : des larmes brillaient dans ses yeux. Il était temps pour lui d'apprendre ce qu'était l'injustice. L'apprenti Claes restait planté là avec un parfait stoïcisme : il était du bois dont on fait les bons compagnons et les bons soldats.

Adorne s'adressa au notaire :

– On vous a informé du montant de l'amende et de ses conditions. A mon avis, le paiement imposé à votre maîtresse et à votre guilde représente un châtiment suffisant pour ce que vous avez fait. L'on vous tient quitte de toute détention supplémentaire. Pour marquer l'occasion, je vous offre de boire en ma maison. Meester Julius, il y a un tabouret pour vous et un autre pour votre élève. Margriet!

Il avait négligé le jeune Claes, debout devant lui.

Il n'avait eu nul besoin d'appeler son épouse. Elle le connaissait bien, elle avait depuis un long moment croisé son regard et avait envoyé quérir son maître d'hôtel. Elle se leva en souriant. Adorne se leva, lui aussi, à son approche, mais elle fit signe au jeune garçon et au notaire de se rasseoir sur leurs tabourets.

– Chère dame, dit Anselm Adorne, nous avons ici un jeune homme qui a rendu hier un service à la fille de notre ami Florence et qui n'en a point encore été récompensé. Demandez-lui de venir jusqu'ici.

Tout en parlant, il observait les trois jeunes gens. Aucun, il le savait, n'avait remarqué la présence, à l'autre bout de la pièce, de Katelina van Borselen. Deux d'entre eux se tournèrent de ce côté en rougissant. L'apprenti conserva son attitude de patiente attente.

Les gens amusaient Anselm Adorne, mais il n'agissait jamais par pure malice. Il n'était pas bien sûr d'avoir pris la mesure de l'apprenti. Il désirait par ailleurs découvrir ce qu'éprouvait la jeune cousine germaine de Wolfaert van Borselen, à l'issue de ces trois années passées (sans époux) à l'étranger, comme dame d'honneur de la reine d'Écosse.

Il n'eut pas longtemps à attendre. Ce jour-là, elle ne portait pas de hennin : elle avait rassemblé sa chevelure dans une de ces nouvelles résilles, en laissant dépasser une mèche bouclée devant chaque oreille. La coiffure mettait en valeur son cou délié. Elle portait une robe étroite et toute simple, à la mode de la cour d'Écosse. Elle avait les sourcils des Borselen, froncés en cet instant. L'apprenti se tourna vers elle, et les sourcils se détendirent.

– Ah, fit Katelina van Borselen. Les garçons de bain. Je ne sais depuis quand je ne m'étais autant amusée. Et voici le garçon qui rapporte les objets perdus. Il n'a plus le même air, une fois sec.

– C'est vrai, belle dame, dit Claes. (Il souriait, avec une parfaite et transparente bonne volonté.)

– Vous non plus, belle dame. Meester Adorne désire, je crois, que vous me fassiez vos excuses.

Adorne vit les traits de sa femme frémir, avant de reprendre leur expression coutumière. Il regrettait, mais sans excès, de n'avoir pas pris aussitôt la mesure de ce garçon.

– Claes, dit-il... tel est bien ton nom ?

L'apprenti avait le sourire spontané de l'enfant, de l'idiot, du vieillard, du moine cloîtré.

– Je m'appelle Claes vander Poele, minen heere, répondit-il.

Le nom de famille lui avait été attribué. Il n'en possédait point auparavant. Le maître d'hôtel d'Anselm, qui était capable d'éventer tous les secrets, savait tout sur Claes. Le garçon était arrivé à l'âge de dix ans pour travailler à la teinturerie Charetty. Avant cela, il avait vécu à Genève, chez les marchands Thibault et Jaak de Fleury : il était le fils bâtard de la nièce de Jaak. Jamais il n'était retourné dans la famille de Fleury qui, apparemment, s'était déchargée de tout devoir envers lui en payant son apprentissage chez les teinturiers. C'était là une histoire banale. Une servante de la maison, ou la fille de quelqu'un d'autre, fautait. Le résultat de la faute était élevé frugalement et finissait par apparaître en Flandre avec des ongles bleus.

Les commérages n'intéressaient pas Adorne, mais Bruges et la marche de ses affaires avaient pour lui de l'importance. Felix de Charetty appartiendrait un jour à cette communauté, et il était du devoir de celle-ci de veiller à ce qu'il y fît son entrée sans être encombré de compagnons indignes de lui. Le maître d'hôtel d'Anselm prétendait que l'apprenti était d'un caractère aimable, un peu simplet. Il était aisé de mettre à l'épreuve cette sorte de qualité.

– Tu dois le comprendre, Claes vander Poele, dit Anselm, une dame ne fait pas d'excuses à un apprenti.

– Pourquoi ça, minen heere ? questionna l'apprenti. Si j'ai offensé cette dame, je dois lui présenter des excuses.

– Alors, fais-le. Tu m'as offensée, déclara Katelina.

– Parce que les cheveux de votre seigneurie, à cause du vent, se sont trouvés décoiffés devant monseigneur Simon. Oui, je le sais. Je regrette beaucoup, belle dame, dit Claes.

Anselm Adorne était conscient de l'envie de rire à peine dominée de son épouse et du regard dur de la jeune fille.

– M'avez-vous donc fait venir sous votre toit pour endurer une rencontre avec cette créature ? dit Katelina van Borselen. L'Écosse était plus civilisée.

– Peut-être la situation en ce pays va-t-elle s'améliorer, gente dame, intervint l'apprenti. Les vents pourraient perdre de leur force. Ou bien, si votre seigneurie le désirait, je pourrais lui confectionner une monture de hennin qui ne quitterait pas sa tête. C'est moi qui les fais pour la mère de Felix.

– Claes, suggéra Julius le notaire, je suis sûr qu'avec la permission de meester Anselm, tu pourrais te retirer.

Le sourire radieux s'adressa à Adorne.

– Je peux me retirer? Mais serait-il d'abord possible, minen heere, que je parle avec vos enfants? Nous nous connaissons.

Adorne le savait : son épouse le lui avait dit. Il n'en avait pas encore fini avec ce fripon-là, mais laisser faire, pour le moment, pourrait être intéressant. Il inclina la tête.

Le garçon ne se dirigea, constata Anselm, ni vers Jan, son fils aîné, ni vers le cousin de celui-ci, mais vers les plus jeunes, Katelijne, Antoon et Lewijse. Demoiselle Katelina le regarda passer devant elle avec une stupeur de bon aloi, avant de se tourner vers son hôte et son hôtesse pour s'entretenir poliment avec eux. De temps à autre, si meester Julius était invité à s'exprimer, elle attendait patiemment. Des éclats de rire montaient du groupe des enfants, à l'autre extrémité de la salle. Apparemment, ils jouaient sur un damier. Un peu plus tard, Adorne vit le jeune Claes montrer ses mains entre lesquelles il tenait une sorte de motif fait de fils tendus. Plus tard encore, il entendit des voix dont il eût pu jurer qu'elles étaient celles de personnes de sa connaissance : Tommaso Portinari, l'évêque écossais, meester Bladelin, le contrôleur, et le maître de la Guilde des Fruitiers, qui avait une lèvre supérieure fendue en deux parties, que Dieu lui accorde Son réconfort.

Soudain, toutes les voix se turent. Il comprit que Nicholai Giorgio de Acciajuoli venait de faire son entrée au moment propice. Il portait, comme la veille sur le quai de Damme, un chaperon drapé et une robe de brocart de soie de Florence. Il dominait toute la salle. Sa barbe noire bien peignée était tout italienne, mais la qualité de sa peau et ses yeux noirs rapprochés décelaient le Levantin. Ses lèvres soulignées de rouge montraient des dents belles et saines. Un Grec d'origine florentine. L'invité du navire écossais, que l'apprenti Claes, la veille, avait fait tomber brutalement. L'homme dont la jambe, sous l'assaut de Claes, s'était brisée avec un craquement sinistre.

Adorne vit le notaire se raidir près de lui. Le jeune Felix, narines dilatées, bouche béante, perdit de ses couleurs. A l'autre extrémité de la salle, Claes se mit debout avec une pénible lenteur. Puis il sourit.

– Je me demandais, monsignore, dit-il, pourquoi je n'obtenais pas de nouvelles de votre état de santé. J'ai des excuses à vous faire. Je n'avais aucun désir de vous causer souffrance.

Il s'exprimait en italien, tel qu'on le parlait à Genève. Il reçut sa réponse en langue florentine.

– Un coude froissé, fit l'homme barbu, avec quelque ironie. Tu avais bien autre chose à penser. J'espère que tes préoccupations en valaient la peine.

Le peu de sang dont le garçon pouvait disposer colora un instant son visage marqué de fossettes.

– Si monsignore veut bien me pardonner, dit-il.

– Oh, je te pardonne, répondit le seigneur Nicholai Giorgio de Acciajuoli. A condition que tu ne récidives point. Je n'avais qu'une seule jambe de rechange. Les autres sont à Boudonitza. Tes amis, semble-t-il, sont frappés de stupeur. Tu ferais bien de tout leur expliquer.

Mais le notaire avait déjà compris. Et il parlait l'italien, lui aussi, se rappela Adorne. Peut-être même un peu le grec. Il avait étudié à Bologne.

– Vous avez... c'était une jambe de bois, monsignore? demanda Julius.

Le soulagement, sur son visage, se mêlait à la confusion.

– Oui, j'ai une jambe de bois, confirma l'autre homme. Ce qui rend difficile de se lever lorsqu'on n'en dispose pas. Ce qui rend aussi agréable de s'asseoir, si notre hôte veut bien le permettre. Peut-être près de damoiselle Katelina, dont la seule présence a rendu supportable notre voyage en mer.

Il s'assit.

– A présent, faites-moi faire la connaissance de ces trois jeunes gens.

Anselm Adorne se plia à son souhait, puis, avec la même solennité, en flamand, il présenta son invité unijambiste.

Il n'espérait pas que les trois compagnons puissent connaître le nom des princes d'Athènes. Il présenta donc simplement leur descendant comme Nicholai de Acciajuoli, qui faisait actuellement le tour de la Chrétienté, afin de réunir l'argent nécessaire au rachat de son frère, que les Turcs avaient fait prisonnier lors de la chute de Constantinople. Il ne compliqua pas l'histoire en ajoutant de plus amples explications. Monsignore avait trouvé en Écosse un excellent accueil. Le roi s'était ému, et l'évêque avait recueilli une grosse somme au bénéfice du frère de monsignore. L'autre partie de la mission du Grec en Chrétienté avait connu moins de succès. Comme tout le monde dans les contrées de l'Est, il désirait voir se lever une nouvelle croisade pour libérer Constantinople.

Naturellement. Mais les souverains de la Chrétienté avaient bien assez de soucis sans se préoccuper de ce genre d'aventure.

Une conversation en italien s'engagea. Adorne percevait, près de lui, le mécontentement de Katelina van Borselen et n'en tenait aucun compte. Le jeune Felix, négligé, lui aussi, entreprit de se curer les ongles. Le mot « Grec » vint dans la conversation.

Le noble seigneur de Boudonitza observait Felix. Il choisit de s'exprimer très lentement en grec pour dire :

– Votre ami m'apprend que vous vous intéressez aux chevaux.

La phrase eut un effet surprenant. Felix, devenu cramoisi, joignit vivement les mains, puis se mit à parler. Celui qui enseignait le grec à Louvain n'était sans doute pas un remarquable pédagogue, et le jeune homme, c'était certain, n'était pas le linguiste le plus brillant du monde. Mais il était, semblait-il, fou de chevaux, et le haras d'Acciajuoli était fameux. Il bégayait, bredouillait, écoutait.

Katelina van Borselen demanda :

– De quoi parlent-ils, à présent ?

Anselm Adorne le lui dit. Du coin de l'œil, il vit que sa femme témoignait d'une certaine inquiétude : il ne se comportait pas en hôte, ce jour-là.

– Je crains, déclara Katelina van Borselen, de ne pas avoir le temps d'écouter un cours en grec sur les chevaux. Margriet, puis-je vous déranger ? J'ai promis à mon père de l'aider à recevoir des amis écossais. L'évêque. Monseigneur Simon.

– Vous feriez mieux d'écouter une leçon en grec sur les chevaux, intervint le jeune Claes.

Anselm se tourna vers lui, dit, au bout d'un moment :

– Les Écossais sont des alliés de notre duc, mon garçon. Tu as été introduit dans une compagnie civilisée. N'en abuse point.

C'était peut-être le ton de leurs voix qui avait amené le Grec à interrompre sa laborieuse conversation avec Felix. Par ailleurs, il avait reconnu un nom, une expression. Brusquement, il s'adressa en italien à Claes seul :

– Le beau Simon ne te plaît pas, jeune vaurien ? Tu es jaloux, peut-être ? Il est bien vêtu et s'entretient avec de belles demoiselles comme celle-ci. Mais il ne parle pas l'italien, il ne sait pas faire rire les enfants, il ne se soucie pas d'un ami comme tu le fais. Pourquoi le détester ?

Claes, sans détourner du Grec son regard brillant, réfléchit, avant de répondre :

– Je ne déteste personne.

– Mais, précisa Adorne, tu blesses, tu te moques, tu imites les travers. Tu as offensé la demoiselle Katelina, hier et aujourd'hui encore.

Le regard de Claes se posa sur lui.

– Mais ils m'offensent, et je ne me plains pas. Les gens sont ce qu'ils sont. On a plus aisément pitié de certains que d'autres. Felix aimerait se vêtir comme monseigneur Simon mais il a dix-sept ans : ça lui passera. Monseigneur Simon n'a pas dix-sept ans mais il se conduit comme un rustre et il possède, dirait-on, les talents d'une fille. Ce qui doit être pour son père une profonde mortification. Je crois pourtant, meester Adorne, qu'il parle l'italien : il a fait une plaisanterie sur vous dans cette langue. La demoiselle Katelina s'en souviendra sûrement.

Ce fut messer de Acciajuoli qui ressaisit le contrôle de la situation avant qu'Adorne ait pu reprendre son souffle.

Le Grec posa précautionneusement une main très soignée sur le bras de l'apprenti.

– Je crois le moment venu pour Claes, dit-il, de regagner son logis, s'il ne veut pas que la rossée qu'il a reçue vienne à bout de lui. Peut-être ses amis se chargeront-ils de le faire arriver à bon port. L'honnêteté, messer Adorne, n'est pas une commodité qui se recommande d'elle-même en tous lieux. Je n'en suis pas moins heureux d'avoir fait sa connaissance et je n'aimerais pas la voir châtiée.

– Châtiée, elle l'a déjà été, fit Adorne. Et vous êtes dans le vrai. Nous avons parlé, ces dernières minutes, de l'inclémence du temps. Meester Julius, vous avez permission de prendre congé.

Il ne put empêcher les enfants de suivre Claes jusque dans la cour, de le toucher. Le notaire, il l'espérait, aurait la sagesse de ramener cet apprenti tout droit à la teinturerie Charetty et de l'y garder jusqu'au moment où les émotions se seraient apaisées. Ou, mieux encore, il pourrait le renvoyer à Louvain, et le jeune Felix avec lui. Il se demandait, car Margriet allait certainement lui poser la question, s'il était vrai que le garçon édifiât les coiffures de Marian de Charetty. Oui, sans doute, conclut-il, après avoir ramassé et examiné les entrelacs de fils que les enfants avaient fait tomber à ses pieds.

Il veilla au départ de Katelina et, à son retour, trouva le Grec en conversation avec Arnolfini, le marchand de soie de Lucques, qu'il ne se rappelait pas avoir convié. Messer de Acciajuoli avait en main le damier des enfants et il y disposait négligemment les pièces du jeu. Les deux hommes relevèrent la tête à l'entrée d'Anselm. Arnolfini et lui échangèrent leurs salutations. Le Lucquois, semblait-il, était passé sans raison particulière.

– Sinon, dit-il, pour vous féliciter de votre esprit de service désintéressé. Vous avez consacré, m'a-t-on dit, quelques moments de vos loisirs à épargner aux échevins les dangereuses conséquences de l'affaire du canon. Nous sommes tous grandement impressionnés.

Le Grec, sans quitter du regard le damier, parla calmement :

– De lourdes amendes ont été imposées. Mais les guildes sont riches.

– C'est bien vrai, dit Arnolfini. Riches et solvables. J'apprends que le paiement a déjà été effectué. Avant même que la sentence n'ait été prononcée... Qui donc a inventé ce jeu étrange ?

– Je ne m'en souviens plus, répondit Anselm Adorne.

Il ne s'étonna point de voir le Grec lever les yeux vers lui en souriant.

3

Quand Katelina van Borselen quitta la demeure d'Anselm Adorne avec sa servante, le ciel était bleu, et le vent soulevait à peine son manteau de velours. Elle était de retour en Flandre depuis deux jours.

La maison de son père dans Silverstraat se trouvait à l'autre bout de la cité. La barque peinte d'Anselm Adorne attendait la jeune fille au bas des jardins, avec trois serviteurs. Elle leur commanda de la ramener chez elle par le chemin le plus long, en passant devant l'église Saint-Gilles, l'énorme bâtiment des Augustins et la belle église Saint-Jacques : de là, on voyait les tours du Princenhof, où l'on venait de transporter, avec toutes les peines du monde, la baignoire du duc de Bourgogne. Katelina ne tenait pas à y songer ni à revoir le regard méditatif du notaire Julius. Elle poussa ses rameurs à la mener jusqu'au Marché du Vendredi.

On disait que Venise était émaillée de ponts, mais Bruges devait bien en avoir une centaine. Les uns en pierre, ornés de statues de saints aux yeux en amande et de dorures fanées ; d'autres en bois, avec des socles tarabiscotés et des masses de feuillage. Les rues étaient encombrées, mais la rivière, divisée en écheveaux de bras et canalisée sur tout son cours, était la voie la plus fréquentée : les bateaux s'y croisaient, plat-bord contre plat-bord, encapuchonnés, chargés, encombrés de sacs, de caisses d'animaux, de paniers, de gens : des nonnes, des officiers de la ville, des marchands et des étrangers, des hommes d'Église, des consuls et des aubergistes, des capitaines de vaisseaux qui avaient jeté l'ancre à Sluys filaient à toute allure dans leurs esquifs et abaissaient leurs mâts pour passer sous les arches étincelantes.

Et, de chaque côté, défilaient les alignements tortueux des maisons couvertes de tuiles, aux façades décorées d'un délire de fenêtres absurdes, de balcons surchargés de fleurs en pots, aux toits cannelés comme des pâtisseries. Leurs fondations, leurs vannes contre l'inondation, les portes de leurs remises trempaient dans l'eau. Les marches de leurs débarcadères menaient à de petits jardins secrets dont les roses débordaient par-dessus les murs, se balançaient à la brise soulevée sur le passage d'un bateau et poursuivaient celui-ci de leurs parfums mêlés.

Les van Borselen étaient des Zélandais, mais Katelina n'en comprenait pas moins ce que ressentait un citoyen de Bruges.

Edimbourg était bâtie de pierre grise et de bois d'un gris argenté. Toutes les rues y étaient escarpées. Bruges était plate. Bruges était faite de brique mouchetée aux tons chauds, ses rues étaient étroitement bordées de demeures et d'hôtels surmontés de tours et de hautes maisons éclairées de rangées de fenêtres, où vivaient les riches marchands. Bruges était la multiple voix de l'eau besogneuse. La qualité des échos renvoyés par la brique. Le bruissement des arbres et le claquement des lessives sous le vent du plat pays. Le grognement, semblable au bruit des grenouilles dans un marais, de piles d'étoffes crucifiées sur les cadres de séchage qui vibraient dans les champs. Bruges, c'étaient les cris rauques des mouettes et les appels des cloches.

Des cloches sonnaient du haut de toutes les tours d'Edimbourg, mais un Brugeois était porté au rythme des heures du beffroi. La cloche qui, quatre fois par jour, sonnait le début et la fin du travail, l'heure où les mères allaient reprendre leurs petits entre les pieds des tisserands. La cloche du guet. La grosse cloche qui annonçait la guerre ou l'arrivée des princes, et que l'on entendait des gaillards d'arrière, à Damme. La cloche des mariages... Non, à cela non plus, elle ne voulait pas penser. Depuis son retour d'Edimbourg, elle était en défaveur, après avoir refusé le noble prétendant que son père avait choisi pour elle. Cela ne se faisait pas. Le devoir d'une fille, c'était de se marier comme le demandait l'intérêt de la famille, et le père de Katelina n'avait pas de fils. Aussi, à présent, n'avait-elle plus que le choix entre le cloître et le mariage avec un autre homme choisi, lui aussi, par son père. Et elle savait déjà qui serait le prétendant le plus probable.

Simon, héritier de Kilmirren, ne s'était pas encore déclaré. Là-bas, en Ecosse, elle avait suivi la Cour partout où la reine avait sa résidence, et ce n'était pas toujours à Edimbourg, où l'oncle de Simon possédait une maison et où il traitait toutes ses affaires. Pour différentes raisons, elle connaissait tout de Simon. Lucia, la sœur de celui-ci avait été naguère dame d'honneur de deux princesses écossaises, l'une mariée en France et l'autre à Wolfaert, le cousin de Katelina.

Encore enfant à l'époque, Katelina ne se souvenait pas de Lucia. Celle-ci, fiancée à un noble seigneur portugais, n'avait pas tardé à quitter le pays. Mais bien longtemps, par la suite, les commentaires à propos du frère de Lucia, le blond et beau Simon, avaient constitué une distraction pour les van Borselen. Katelina savait donc qu'il avait mené en France une jeunesse agitée et qu'il avait été envoyé en disgrâce chez son oncle, le chef de la famille, Alan, seigneur de Kilmirren. Cet homme d'esprit étroit et lent, qui se complaisait en la compagnie des artilleurs et n'ambitionnait rien d'autre qu'une vie facile, n'était certainement pas l'homme qui convenait pour ramener à la raison quelqu'un de la trempe de Simon.

C'était à l'intendant de la famille, avait appris Katelina, qu'était revenue la tâche de prendre Simon en main. Durant cinq années, disait-on, il avait résisté à tous les efforts pour le mater, il avait fait sensation, autant que le lui permettait la maigre pension que lui allouait son oncle, avec ses vêtements et ses manières françaises. Ce qui l'avait fait changer de conduite, on ne pouvait que le supposer. Le besoin d'argent, soupçonnait Katelina. L'intendant mourut, et Simon assuma ses fonctions. Quand Katelina arriva en Écosse, il administrait les domaines de son oncle à Kilmirren et Dunbar. C'était un homme raisonnablement fortuné, qui exerçait de temps à autre son imagination et ses dons de gestionnaire, gagnait suffisamment d'argent pour subvenir à ses besoins et déléguait à d'autres les tâches qui l'ennuyaient.

Il aimait, la jeune fille le savait, jouer le rôle de courtisan itinérant en Écosse et dans la Flandre, mais il avait pris grand soin de ne se laisser entraver par aucune charge publique. Il n'avait pas d'épouse et passait pour libertin. Apparemment, c'était vrai. Par ailleurs, l'oncle n'avait pas d'enfants, Simon lui-même était fils unique. Un jour, Kilmirren lui appartiendrait, et il lui faudrait bien se marier. Katelina avait appris tout cela au cours de son séjour en Écosse mais, à l'époque, elle était promise à un autre prétendant et elle n'avait pas prêté attention à Simon, ni lui à elle. Durant le voyage de retour, elle était trop malheureuse, trop tourmentée d'appréhensions pour désirer la compagnie de qui que ce fût. L'orgueil, aussi, avait eu sa part dans cette attitude. Rejeter le choix de son père et paraître, ensuite, soupirer après le très charmant Simon aurait manqué de la plus élémentaire dignité. D'autant que le très charmant Simon pouvait fort bien omettre de lui proposer le mariage.

Dans les derniers jours de la traversée, elle lui avait permis de l'approcher, et il lui apparut qu'il souhaitait l'attirer et que, peut-être déconcerté par sa réserve, il se sentait lui-même plus ou moins attiré par elle. Lorsqu'ils débarquèrent à Sluys, elle savait qu'il avait décidé de faire sa conquête.

Elle ne lui fit pas voir qu'elle en était flattée. S'il se déclarait, le père de Katelina serait d'accord. Comme le serait sans doute l'oncle de Simon et même, si l'on pensait à lui demander son avis, le père de Simon qui l'avait chassé de chez lui. Il y avait de l'argent, des terres, un modeste titre seigneurial. Parmi les quelques jeunes gens dont les parents avaient témoigné un certain intérêt pour la jeune fille, il était le prétendant le plus acceptable. Mis à part, naturellement, le grand seigneur qu'elle avait repoussé. Le grand seigneur qu'elle avait repoussé était son aîné de quarante ans et il avait une nature dépravée. Simon, le neveu de Kilmirren, possédait toutes les qualités physiques susceptibles d'inspirer l'amour à une jeune fille. Sans avoir beaucoup voyagé, Katelina n'avait jamais rencontré un homme d'une telle beauté. D'où venait donc que les femmes de toutes les conditions (à ce qu'on disait) lui ouvraient volontiers leur lit mais ne l'épousaient jamais? Pourquoi ne les épousait-il jamais? Elle était assurée d'une chose au moins : hors mariage, il ne la posséderait jamais. Mais voulait-elle de lui au sein du mariage? Elle n'en savait encore trop rien.

Katelina van Borselen, pensive, pénétra dans la demeure de son père et se disposa à recevoir avec sang-froid les hôtes de celui-ci.

Felix de Charetty et Claes, son ombre fidèle, passèrent l'après-midi allongés sur l'herbe, près du Waterhuus, avec ceux de leurs amis qui avaient un bon prétexte pour échapper à leur travail.

Felix n'avait aucun prétexte valable : un Julius aux dents serrées lui avait fort distinctement intimé l'ordre de rentrer à la teinturerie et d'y rester. Mais Julius avait été retenu par un groupe d'hommes qui souhaitaient l'entretenir de lapins, et Felix s'était esquivé, entraînant Claes avec lui. Le châtiment tomberait quand sa mère rentrerait de Louvain, ce qui ne pouvait manquer d'arriver. Il ne s'en inquiétait pas. Felix s'intéressait médiocrement aux gens qui travaillaient pour vivre, même s'il arrivait à ses amis de jurer qu'ils voyaient l'ombre du vieux Cornelis par-dessus son épaule, lorsqu'il entreprenait tout soudain de discuter âprement pour une broutille. L'une des raisons qui l'attachaient à Claes, c'était que l'apprenti ne possédait rien.

Les jeunes gens étendus avec eux s'exprimaient en un mélange de langages parce qu'ils appartenaient pour la plupart à la communauté des marchands. Parmi eux se trouvaient Anselm Sersanders, le neveu d'Adorne, John Bonkle, source de ce qu'il y avait de pire dans leur vocabulaire anglais, et l'un des Cant. Lorenzo Strozzi était là, lui aussi, dans un état d'esprit pitoyable. Les autres firent de leur mieux pour l'arracher à sa tristesse. L'après-midi touchait à sa fin quand Strozzi mentionna par hasard la réception qui avait lieu chez Florence van Borselen : Tommaso et lui y étaient invités, ajouta-t-il.

Les cheveux de Felix étaient de nouveau défrisés, sous le chapeau que Julius l'avait contraint à porter, et les larges manches de son pourpoint étaient mouillées jusqu'aux coudes, mais son énergie n'était en rien diminuée.

– Il faut y aller! s'écria-t-il. Lorenzo, tu dois aller chercher Tommaso et te rendre là-bas!

– Felix veut savoir comment est vêtu Simon, déclara Claes.

– Tommaso n'ira pas pour vous faire plaisir, à toi et à Claes, dit méchamment Lorenzo. Tu sais combien il déteste la manière dont Claes l'imite quand il fait étinceler ses bagues.

– Peut-être cela l'aidera-t-il à ne plus le faire, remarqua Sersanders. De toute manière, Tommaso est tout prêt à s'exécuter si van Borselen l'invite.

– Naturellement, reconnut Lorenzo. Si Tommaso a été invité, c'est seulement parce que le responsable de la banque Médicis à Bruges est absent pour affaires, et qu'il faut bien se contenter de son assistant. Moi-même, si j'ai été invité, c'est uniquement parce que le chef de la compagnie Strozzi à Bruges est lui aussi absent. Du moins est-il le cousin de mon père, de sorte qu'ils sont assurés que je saurai boire sans renverser mon vin. Mais je n'irai pas. Je n'ai pas besoin d'y aller. Ce ne sont que des marchands de soupe flamands.

– Répète un peu! cria Felix, qui ôta son chapeau.

John et Anselm, de chaque côté, changèrent discrètement de position, afin de pouvoir retenir le bras qui tiendrait la dague.

– Felix, dit Claes, n'aime pas la jeune demoiselle van Borselen. D'un coup de pied, il a envoyé sa coiffure à l'eau.

Le regard menaçant de Felix fit place à une expression d'exaspération plus normale. Ses épaules s'affaissèrent.

– Je te l'ai déjà dit. Tu n'aurais pas dû sauter pour le récupérer. Mais Lorenzo ne devrait pas...

– Le frère de Lorenzo est malade, à Naples, expliqua Sersanders. Il est inquiet.

– Lorenzo s'ennuie de l'Espagne, dit John Bonkle. Imaginez ce que c'est que d'être envoyé en Espagne à treize ans. Toutes ces servantes noires, et ce climat. Felix, pourquoi ne pas ouvrir en Espagne un comptoir de la maison Charetty? Tu en serais l'agent, et nous viendrions tous t'aider. Tu pourrais laisser Julius ici, avec ta mère.

Felix rougit. Comparer les Charetty à une grande maison dotée de succursales dans toute l'Europe était un compliment.

– Oh, j'emmènerais Julius. C'est un homme sûr.

– Et moi? fit Claes.

Sous l'effet de l'humidité, sa chevelure, comme elle le faisait toujours, s'était soulevée en une bourre de soie d'un brun grisâtre. Il était couché sur le ventre et il ignorait encore que Felix avait dénoué les lacets qui rattachaient ses chausses à son pourpoint.

– Toi? dit Lorenzo. En moins d'un mois, la moitié de

l'Espagne chrétienne et l'Espagne musulmane tout entière seraient en train de procréer par ta faute.

– Je resterai donc à Bruges, dit Claes. Lorenzo, pourquoi Felix tenait-il tant à ce que vous alliez chez les van Borselen ?

Tous les regards convergèrent sur Felix.

– Il ne déteste pas vraiment cette fille : elle lui plaît, avança John Bonkle. Allons, avoue. C'est bien ça, hein ?

Le sourire de Felix ne fut pas une réponse. A la vérité, il avait envie de savoir comment Simon serait accoutré. Et il ne manqua pas de le découvrir : Lorenzo, qui s'en voulait d'avoir abusé de la patience de son ami, passa à la résidence des Strozzi, dans Ridder Straete, pour y revêtir une tenue fraîche et se présenta, en compagnie de Tommaso Portinari, à la demeure de van Borselen et de sa fille Katelina.

Dans Silverstraat, des hommes et leurs épouses s'étaient empressés durant tout l'après-midi de venir présenter leurs respects à la noble Katelina, récemment revenue (sans époux) d'Écosse. Sa jeune sœur, Gelis, les observait, les comptait, renseignait son aînée, parfois à peine hors de portée de voix des intéressées, sur celles des dames qui étaient enceintes, et de quelles œuvres.

La réception se tenait dans le jardin, modeste espace dallé, garni de beaux bacs à fleurs, de petits arbres et d'une fontaine. Il y avait aussi un banc de pierre adouci de coussins, où l'on avait fait asseoir l'évêque écossais Kennedy. Son agent restait en faction derrière lui.

Il s'agissait, naturellement, d'une réunion de gens favorables à l'Écosse, puisque Wolfaert van Borselen avait épousé la sœur du roi de ce pays. Le sujet essentiel de la conversation était d'ailleurs l'immersion du canon de Mons, Martha la Folle. Chacun, à l'unanimité, déplorait l'accident, et les importateurs de vins français n'étaient pas les derniers. Personne ne laissait entendre que, si les Écossais bombardaient l'Angleterre, celle-ci aurait peine à lever des troupes pour envahir la France, ce qui plairait à l'évêque Kennedy et profiterait au roi d'Angleterre Henry VI. Nul ne mentionnait qu'un certain nombre d'Anglais fugitifs conspiraient, à ce moment même, pour prendre la mer vers l'Angleterre et faire courtoisement prisonnier le monarque, avec la rose blanche pour l'un de leurs emblèmes. Nul ne fit la moindre mention de l'héritier de France, le dauphin.

Katelina voyait, de l'autre côté de la pièce, son éventuel futur époux, Simon. Il jouait avec son chien et ne prenait aucune part à ces fructueux échanges de propos.

Elle se demandait s'il lui manquait l'instinct des affaires. Elle se demandait aussi, en le voyant de temps à autre lui lancer un coup d'œil, s'il était impatient pour d'autres raisons. Elle remarqua que Tommaso Portinari, le jeune Florentin de la banque des Médicis, parlait plus qu'il ne convenait à ses aînés. Elle remarqua que son compagnon, le maussade jeune Strozzi, semblait s'intéresser davantage à l'accoutrement de Simon qu'aux opinions du brave évêque écossais.

Simon, à son habitude, valait naturellement la peine d'être admiré, avec sa courte tunique étroitement ceinturée, ses larges épaules rembourrées et la coiffure à bord roulé posée sur la masse taillée au rasoir de sa chevelure. Son menton était aussi lisse qu'un bois blond et paraissait indomptable. Lorsqu'il s'était fixé un but (voyez plutôt la manière dont il avait repéré ces stupides jeunes gens, à Damme), il pouvait se montrer obstiné.

Mais, sous le rembourrage, il y avait des muscles. En Écosse, il avait fréquemment participé à des tournois dont il était sorti victorieux. C'était ainsi qu'il faisait ses superbes conquêtes parmi les veuves de haut parage et les épouses délaissées. S'il avait des bâtards, elle n'en avait jamais entendu parler.

Katelina parlait avec chacun : Jacques Doria, Richard Wylis, Sandy Napier. Mick Losschaert venait tout juste de s'échapper de Constantinople et il connaissait la famille grecque des Acciajuoli. Amer, le teint jauni par les privations, il ne demandait pas mieux que de les dénigrer. Des Florentins parvenus, qui avaient atteint la Grèce en passant par Naples et qui avaient fondé une lignée de princes athéniens. Il restait encore des Acciajuoli à Florence. Des créatures des Médicis.

Il tenait à ne laisser aucun doute, disait Mick Losschaert sur le réel espoir de Nicholai Giorgio de Acciajuoli de voir les flottes de la Chrétienté s'allier pour franchir la Méditerranée et terrasser le sultan Mehmet de Turquie. A son humble avis, disait Losschaert, messer Nicholai Giorgio n'avait d'autre désir que de payer la rançon de son frère Bartolomeo, afin que Bartolomeo pût continuer le commerce de la soie avec le sultan. Il se demandait à haute et intelligible voix où se trouvait l'argent réuni en Écosse pour Acciajuoli... et qui aurait le plaisir de le transférer.

Une certaine gêne s'abattit sur la compagnie. La respiration de l'évêque se fit sifflante. Haut de cinq pieds huit pouces dans ses sandales, il avait le visage maigre et plissé, le crâne dénudé d'un homme qui eût de beaucoup dépassé la cinquantaine, son âge véritable. A bord du navire, Katelina avait appris à ne le point sous-estimer. Lorsqu'il parlait, l'on voyait la mâchoire et les sourcils agressifs d'un homme actif, musclé qui demeurait au moins agile par l'esprit dans un débat d'idées.

De sa place sur le banc de pierre, il leva un regard aiguisé vers Losschaert.

– Je serais bien surpris si mon cousin Jacques, roi d'Écosse, avait demandé de l'or à son peuple à seule fin qu'un marchand de soie à Constantinople pût reprendre son commerce. Pour ne rien dire de ces dignes hommes – vous devez avoir entendu leurs noms, ils sont célèbres – qui sont venus d'Orient jusqu'à Mantoue pour supplier le pape et implorer son aide.

– Monseigneur l'évêque, vous vous méprenez, repartit précipitamment Losschaert. Je voulais simplement dire qu'il y a bien des intérêts en jeu, en temps de guerre comme en temps de paix, entre le monde oriental et le monde occidental. Avec des solliciteurs individuels, il est bon de se montrer prudent. Quand l'Église chrétienne d'Orient tout entière implore l'amitié et le secours de Rome, il en va tout autrement.

Tommaso Portinari, remarqua Katelina, avait accepté un gobelet de vin et se tenait en marge de la discussion. L'œil de l'évêque tomba sur lui. Il déclara :

– Eh bien, si vous avez des doutes sur l'argent recueilli pour Nicholai de Acciajuoli, vous feriez bien, je crois, de les exprimer. La somme m'a été confiée pour que je l'apporte à Bruges, et je l'ai remise en bonnes mains, celles de messer Tommaso que voici. De Bruges, ai-je cru comprendre, elle sera transmise à la banque des Médicis à Milan qui, à son tour, la transférera à Venise. De Venise, après les négociations prévues avec les Turcs, elle sera envoyée, sous une forme appropriée, à Constantinople et, là, échangée contre le frère de messer Nicholai. Ai-je bien exposé la situation, mynheere Tommaso ?

– Tout à fait, monseigneur, répondit Portinari.

Il portait des manches à crevés, un chapeau de castor à fond plat et il avait des bagues à la plupart de ses doigts qui étaient blancs et fins. Les bagues n'étaient pas des joyaux de prix : Tommaso n'était pas à la tête de l'établissement des Médicis à Bruges. Il travaillait sous les ordres d'Angelo Tani. Il était entré à la banque à douze ans. Katelina, comme tout le monde, l'avait connu toute sa vie. De là le besoin du jeune homme de se faire remarquer.

– La banque, comme monseigneur le sait, est très engagée dans les transactions qui concernent les rançons exigées pour les chrétiens, reprit-il. Notre banque à Rome ne fait à peu près que cela.

Il parlait un italien teinté de flamand et d'autres accents, dont l'anglais. Ce matin-là, justement, se dit Katelina, elle avait entendu quelqu'un l'imiter. Elle plissa le front pour retrouver ses souvenirs.

Tommaso avait saisi sa chance et continuait :

– Mynheere Losschaert n'est peut-être pas informé de la confiance que la Curie accorde à ma compagnie. Pour les envois de fonds, il va sans dire. Monseigneur l'évêque nous confie les redevances provenant de nouvelles nominations ecclésiastiques, et nous les transmettons à Rome. Mais nous avons aussi d'autres fonctions. J'expédie actuellement à l'un des cardinaux trois séries de tapisseries.

– Vous vous fiez donc aux défilés des Alpes en plein hiver? demanda Doria. Et avec de l'argent?

– De nos jours, répondit Portinari, nous utilisons des lettres de crédit.

Son attitude était un mélange de déférence et de fermeté.

– Mais, vous avez raison, sous une garde suffisante, nous enverrions de l'argent, si besoin en était. Vous-même, vous expédiez ainsi des marchandises, quand les galères de Flandre jettent l'ancre avec des denrées qui ne sauraient attendre jusqu'au printemps. Elles sont en retard, cette année, monseigneur l'évêque.

– Elles approchent, affirma le secrétaire de la duchesse de Bourgogne.

Il écarta de ses narines la fleur qu'il respirait et se pencha pour la glisser sous le collier du chien de Simon, qui était assis et qui remua la queue et contracta une fois ou deux son arrière-train comme pour l'encourager.

Messer Vasquez se redressa.

– Nous n'aurons plus longtemps à attendre, je crois. On dit que la vente aux enchères a eu lieu plus tard, cette année, et que les galères ont quitté Venise plus tardivement. On me dit que la soie sera belle, et qu'elles apportent des épices exceptionnelles. Le duc en a été informé.

Tommaso se détourna vivement. Katelina vit ses pommettes hautes, son long nez, ses yeux brillants sous la frange de ses cheveux.

– Monseigneur a-t-il entendu dire qui commandait? demanda-t-il.

Messer Vasquez était tout prêt à partager ses informations.

– L'un des Duodo, si je ne me trompe. Il pourrait s'agir, je crois, de messer Alvise, qui faisait la liaison entre Venise et Trébizonde. Dans ce cas, Bruges peut s'attendre à de grandes fêtes. Quand les Turcs ont attaqué Constantinople, Alvise Duodo a rompu le barrage pour entraîner vers la liberté la plus grande part de la flotte prise au piège. Une tribu fortunée que celle des Duodo, et qui ne manque pas de panache.

Il sourit à Katelina.

– Pour notre ville, demoiselle Katelina, cette période de l'année est la plus animée : toutes les caves sont vides et attendent les deux précieux chargements. Vous avez certainement vu arriver, dans votre jeune âge, les galères de Flandre ?

Elle ne répondit pas. Vienne le Carême, l'apothéose du Carnaval! Vienne la fin de l'été, l'émerveillement des grandes galères qui arrivaient de Venise avec leurs trésors! Les deux événements de l'année d'un enfant qui lui avaient le plus manqué en Écosse. Elle avait désiré les revoir plus encore que le ciel immense, l'eau, la chaleur de la brique mouchetée.

– Oui, parfois, dit-elle enfin. Monseigneur, voulez-vous reprendre un peu de vin?

Simon resta pour souper et déploya tout son art pour divertir. Le père de Katelina, se dit la jeune fille, aurait été plus satisfait s'il avait discuté de ce qui s'était dit cet après-midi-là, s'il avait posé des questions, donné son opinion sur ceux qui avaient parlé, fait quelques allusions à certains commérages venus d'Écosse.

Mais, naturellement, Simon savait tout cela. Il était donc assuré de la bénédiction du père de Katelina, si c'était là ce qu'il recherchait (peut-être même l'avait-il déjà?). Il avait préféré faire impression sur la jeune fille. Elle passa un certain temps à ne pas se laisser impressionner. Cependant, il était remarquablement habile. Il fit sourire le chapelain de son père, échangea des anecdotes avec le secrétaire, amena Katelina et son père sur le sujet de la Cour de Veere, où la propre sœur de Simon, Lucia, avait naguère servi la princesse d'Écosse. Van Borselen demanda des nouvelles de cette sœur, qui avait épousé un Portugais de la suite de la duchesse et vivait maintenant sous le chaud climat du sud du Portugal. Ils avaient un fils, révéla Simon, et Lucia était parfaitement heureuse.

– Heureuse si loin de son pays? En êtes-vous bien sûr?

Katelina avait posé la question par pure malice, mais Simon lui répondit avec le plus grand sérieux :

– Votre pays vous a manqué, durant les trois années que vous avez passées en Écosse. Mais le mariage est un engagement. Les six sœurs de mon roi ont été dispersées à travers toute l'Europe. La princesse qui se trouve à Veere, vous le savez, est toujours heureuse. Comme le sont les autres, mises à part deux d'entre elles, qui ont été renvoyées chez elle en Écosse. Demandez-leur si elles sont ou non contentes d'être de retour en Écosse.

– Sont-elles toujours vivantes? demanda Katelina.

– Allons, Katelina, intervint son père. La question n'est guère courtoise. Ces grandes dames sont fidèles à leurs époux, comme il se doit, et se conforment au genre de vie que leur impose le devoir. Que le pays soit chaud ou froid, montagneux ou plat n'a pas d'importance.

– Peu leur importe aussi que leurs époux soient chauds ou froids, montagneux ou plats? fit Katelina. De tels détails doivent avoir leur importance. Sinon, les couvents seraient tous déserts.

Le chapelain pinça les lèvres, sans regarder personne. Le père de la jeune fille déclara :

– Demoiselle, vous n'avez pas appris la délicatesse, semble-t-il, au cours de vos voyages à l'étranger. Ce ne sont pas là propos qui conviennent à table. Monseigneur Simon voudra bien vous excuser.

Elle se leva lentement. Monseigneur Simon fit de même, prit dans la sienne la main crispée, pour aider Katelina.

– Monseigneur, dit-il, si vous vouliez bien aussi donner congé à votre invité Simon? Il y a dans le jardin un beau coucher de soleil qui nous rafraîchirait l'un et l'autre, si l'un de vos serviteurs pouvait nous accompagner.

Après un silence, van Borselen hocha la tête. D'un regard, il fit signe à l'un des plus jeunes serviteurs, dont les yeux brillaient de curiosité au-dessus de l'écusson qui ornait son pourpoint. Katelina, qui se sentait d'humeur rebelle, songea à refuser. Elle avait échappé durant une longue période à l'autorité paternelle, et le souvenir de son dernier prétendant était encore vivace en son esprit. Lorsqu'elle sortit de la salle et suivit les couloirs dallés, elle hésitait encore. Elle était chagrinée parce que Simon tenait toujours sa main, parce qu'un agréable parfum se dégageait de ses vêtements, et parce que ses cheveux étaient d'une couleur qu'elle avait naguère supplié la Vierge Marie de lui accorder.

Quand le serviteur ouvrit la porte qui donnait sur le jardin, elle parvint à dégager à demi sa main et s'alarma de la sentir retenue. Mais il la garda tout juste le temps nécessaire pour la porter jusqu'à ses lèvres. Après quoi, il la lui rendit, la suivit docilement dans le jardin.

Le serviteur disparut à leur vue, tout en restant, supposa-t-elle, à portée d'oreille.

– Pourquoi êtes-vous en Flandre? demanda-t-elle.

Il s'était immobilisé. Derrière eux, par la fenêtre ouverte de la cuisine sur l'entablement de laquelle un chat était assis, parvenaient des effluves aromatiques. Devant la jeune fille, les petits arbres balancés par le vent masquaient les lampes que l'on allumait l'une après l'autre dans les maisons voisines, à mesure que diminuait la lumière du jour. Le ciel était envahi par les pâles couleurs d'une pâte d'amandes, tout comme l'eau, dans le bassin de la fontaine, et le reflet mouvant qui venait du puits. A travers l'écharpe qui voilait ses épaules, un moustique la piqua, puis un autre, à la tempe.

– Il y a des moustiques, dit-elle. Nous allons devoir rentrer.

Le banc était tout près. Simon répondit :

– Je m'apprêtais à répondre à votre question. Ne suis-je pas plus important qu'un moustique?

– Non, dit-elle. Vous me direz cela une autre fois. Ou bien chassez ces bestioles. Il y a là des feuilles. La fumée suffirait. Ederic?

Par Dieu, il n'était pas hors de portée d'oreille. Le serviteur de son père apparut.

– Va chercher un tison à la cuisine, commanda Katelina. Tu le jetteras sur ces feuilles... Vous disiez?

Simon regarda le serviteur s'éloigner sans se presser, avant de conduire la jeune fille jusqu'au banc, où il étala sa jaque, avant de la faire asseoir.

– Je disais que, comme chacun sur le beau navire de notre bon évêque, le *Saint-Salvator*, j'étais à Bruges pour vendre une part de la cargaison, pour en placer l'argent, pour acheter et placer des commandes et, surtout, pour prendre plaisir à l'arrivée des galères de Flandre. Vous auriez pu me poser toutes ces questions quand nous étions à bord.

Les arbres s'assombrissaient. Une lumière sans cesse plus brillante s'avançait : Ederic était de retour.

– Je me demande pourquoi je ne l'ai pas fait, dit Katelina.

– Parce que vous redoutiez de ma part une autre réponse, fit Simon. Il y a un temps pour tout.

– Et le temps est venu ? demanda-t-elle.

Ederic s'était baissé pour approcher le tison du tas de feuilles humides. Celles-ci émirent un sifflement. Un peu de fumée monta. Les premiers moustiques s'agitèrent quelque peu. Simon fit un mouvement pour s'asseoir.

– Si vous restiez debout, suggéra Katelina, vous pourriez entretenir la flamme, le temps qu'Ederic reporte le tison à la cuisine. Le moment n'est pas venu d'incendier la maison de mon père.

Une fumée bleue s'élevait du feu. Après un coup d'œil vers sa maîtresse, Ederic disparut. Du moins à la vue. D'un mouvement inattendu, Simon s'agenouilla près du feu, sans crainte de salir ses chausses, et se pencha pour souffler sur les régions les plus obscures du brasier. Les régions les plus obscures réagirent.

– Si vous tenez à me voir noir de suie, dit-il, je n'ai aucune objection. Quant à votre question, la palme de la ponctualité revient aux Flamands et, lorsque le moment est venu, je m'attends à me l'entendre dire de la bouche de l'un d'eux.

– Vous avez attendu bien longtemps, semble-t-il. Peut-être devrez-vous attendre encore aussi longtemps. Oh !

– Si vous restez là, je le crains, remarqua Simon, vous allez continuer d'être piquée. Laissez-moi vous recommander ce côté du feu, où la fumée passera devant vous. Pourquoi avez-vous refusé d'épouser Sa Seigneurie ? Il était à la tête d'une grande fortune et il serait mort très rapidement.

– Croyez-vous ? fit Katelina.

Après un instant de réflexion, elle se leva, prit la jaque de Simon et l'étendit sur le sol, avant de se laisser tomber près du feu. Il avait raison : la fumée était tout juste suffisante pour éloigner les moustiques, mais elle allait dans la direction de Simon, pas dans la sienne. Déjà, la peau claire était mouchetée de suie, ce qui modifiait les contours de son visage d'une beauté classique, et ses yeux brillaient.

– Mais naturellement, avec vous pour épouse, demoiselle. J'ai cependant entendu dire qu'il se faisait gloire de ses étreintes. Vous n'y avez pas goûté ?

Il devait parfaitement savoir qu'Ederic se trouvait à portée de voix. Elle répondit :

– Je ne m'en souviens pas vraiment. Je trouve ennuyeux le cérémonial d'une cour amoureuse.

Il avait ôté son chapeau. Ses cheveux et ses yeux miroitaient à la lueur du feu. Le ciel était fauve. L'ombre avait envahi le jardin. Le galant Écossais, la tête penchée, examinait le comportement capricieux de son feu.

– Regardez, dit-il. Si humide, si faible. Mais, au moindre encouragement...

Il se baissa, souffla sur les flammes.

– ... l'encouragement venu de bonne source, naturellement... La chaleur. La lumière. Le réconfort.

Katelina van Borselen, noircie du front à la gorge, lui rendit regard pour regard. Mais elle dut vite tourner la tête parce que, d'un mouvement vif, il s'était glissé auprès d'elle.

– Et parfois, reprit-il, l'encouragement, même venu de bonne source, n'est pas confortable du tout. Mais comment découvrir si ma cour est ennuyeuse, à moins que nous ne soyons aussi noirs l'un que l'autre? Mes mains noires ici et là. Mes lèvres noires là où vous aimeriez sentir leur contact. Katelina?

Son haleine était agréablement parfumée. La soie qui couvrait son corps et ses bras était tiède. Ses lèvres, parvenues à la bouche de la jeune fille, sentaient la cendre de bois.

Ses lèvres noires étaient sur les siennes, sa langue rose, à l'intérieur de la bouche rose de la jeune fille, la troublaient. Lorsqu'elle se détacha brutalement de lui, elle avait le menton mouillé, poisseux. Elle l'essuya de ses doigts tremblants.

– Sainte Mère Marie, fit-elle. On disait que vous aviez le comportement d'un rustre et les talents d'une fille, pour la plus grande honte de votre père. Je comprends, à présent.

Une main restait accrochée à son sein. L'autre, inerte, reposait sur son cou. Simon était maintenant parfaitement immobile.

– *On?* fit-il. Votre père?

Elle ne pouvait mentir à propos de son père. Elle secoua les épaules. Les mains retombèrent. Il y avait un espace entre eux. Le visage sali de Simon, obstinément tourné vers le sien, luisait dans la lueur des flammes. Des moustiques, des moucherons flamboyaient, mouraient, tombaient sur leurs genoux.

– Personne ne vous l'avait-il encore jamais dit? demanda-t-elle.

– Qui? insista-t-il. Qui a dit cela?

– Personne dont vous deviez avoir peur, répondit-elle. Je l'ai entendu, voilà tout. Et c'est vrai.

Sans lui, elle se sentait tantôt glacée, tantôt brûlante et elle continuait à frissonner.

Très lentement, Simon de Kilmirren se leva. Les traces de suie, sur son visage, n'avaient rien de comique.

– Votre père n'est pas de cet avis, déclara-t-il. Serais-je sur le point de deviner pourquoi vous avez repoussé Sa Seigneurie et pourquoi vous êtes encore fille, à dix-neuf ans ? Seriez-vous mal conformée ?

Elle se leva à son tour.

– Oui, répliqua-t-elle. Si vous comprenez par là que j'ai horreur des attentions brutales et maladroites.

– Vous m'avez invité à venir ici. Mais je vois. Tout ce que vous voulez, c'est un couvent ?

Sa colère était si sévèrement maîtrisée qu'elle se percevait à peine. Sa voix elle-même était assez basse pour échapper à tout indiscret.

– Tout ce que je veux, c'est un gentilhomme, riposta Katelina, bien haut.

Et, bien naturellement elle se retrouva seule dans le jardin.

4

Arrachés aux aménités de la cuisine des van Borselen, les serviteurs du noble Simon durent en toute hâte enfiler leur vêtement, reprendre le chien en laisse et, torches en main, accompagner leur maître qui, sans avoir pris congé de son hôte, partit d'un pas rapide en direction de la Place du Marché et du Pont de la Grue, au-delà de laquelle se trouvait son logement. Le chien, auquel il ne prêtait aucune attention, gambadait et aboyait, surexcité par son visage maculé de suie, par sa chemise noircie, par son air mécontent. Les serviteurs se tenaient dans une réserve prudente.

Le couvre-feu commençait à neuf heures, et tous ceux qui se trouvaient encore dans les rues rentraient chez eux. Après cette heure, les seules lumières seraient celles des lanternes accrochées aux portes des citoyens fortunés, les éclats d'un bateau qui passait ou les lueurs provenant de quelques niches de saints, qui n'éclairaient pas grand-chose.

La vie nocturne de Bruges se poursuivait sous un minimum d'éclairage ou pas d'éclairage du tout. En dépit des patrouilles du bourgmestre van de Courpse et de ses officiers civils, il existait des tavernes, des établissements de bains et certains autres qui ne fermaient pas leurs portes à neuf heures, mais ces lieux-là prenaient grand soin de ne pas montrer de lumières extérieures.

Les hommes du guet qui se relayaient, la nuit durant, au pied du beffroi ne portaient pas de lanternes, non plus que ceux, munis de cloches et de cornes, qui veillaient au sommet. Les neuf portes closes et les deux lieues de remparts n'étaient pas éclairées, puisque Bruges était en paix. C'était seulement dans la campagne avoisinante qu'on pouvait voir, çà et là, une luminosité se refléter sur les nuages qui pesaient au-dessus d'une riche maison, d'une cour ou d'un couvent. Et, de l'intérieur, observer, à travers les interstices des volets ou par les trappes des caves, lesquels des habitants étaient encore debout et occupés à leurs affaires.

Plus tard, des animaux viendraient rôder et fouiller parmi les ordures que les boueurs, au matin, balayeraient avec une belle efficacité. Les bateaux dragueurs iraient lentement de la rivière au canal pour affouiller la vase et ramasser dans leurs filets la moisson quotidienne d'animaux familiers gonflés d'eau et de végétation pourrissante. Près du pont (oui, là où monseigneur Simon poursuivait son chemin sans leur accorder un signe), les grutiers vérifiaient la Grue qui appartenait à la ville : une tâche qui ne pouvait s'accomplir que de nuit, quand le travail était fini.

Les lanternes des ouvriers clignotaient sur le sol, illuminaient l'énorme carcasse de bois dont le groin se dressait vers le ciel, avec ses deux roues de discipline couvertes de chaume comme des fermes et ses deux énormes crochets suspendus dans l'espace. Au sommet, par le caprice d'on ne savait trop qui, se dressait l'effigie de l'oiseau qui donnait son nom à la machine, et des grues plus petites étaient perchées sur une seule patte tout au long de son long cou oblique, libérées pour la nuit des injures et des bousculades des mouettes. Familière autant que le beffroi à ceux qui habitaient Bruges ou qui y venaient fréquemment, la Grue n'attira pas les regards des serviteurs écossais du beau Simon, intendant de Kilmirren. Un seul des hommes coiffés de feutre, qui se trouvaient à l'intérieur des roues, siffla entre ses dents pour attirer l'attention de son voisin ; un signe de tête brutal fit tomber sur la joue de l'autre une goutte de graisse qui l'amena à jurer sans acrimonie. Ni l'un ni l'autre n'abandonna son poste, et, en toute vérité, il n'en était pas besoin : tout homme qui avait à faire de nuit passait tôt ou tard devant la Grue.

A l'auberge dont Jehan Metteneye était propriétaire, l'un des hommes de Kilmirren dut agiter la cloche pour faire ouvrir le portail de la cour, et la lanterne accrochée au-dessus fournit au portier un aperçu intéressant de l'aspect de monseigneur Simon. La chambre qu'il partageait avec Napier, Wylie et deux autres marchands écossais était située à l'étage et généralement vide à cette heure. Mais, naturellement, il rencontra, devant la porte de la salle où l'on mangeait, George Martin, l'agent de monseigneur Kennedy, et, dans l'escalier, l'épouse de Metteneye. Après quoi, il tomba sur John de Kinloch, le chapelain écossais, qui sortait du dortoir après avoir utilisé toute l'eau qui restait. Il fallut à Simon une bonne demi-heure pour retrouver un aspect convenable, rejoindre le rez-de-chaussée et y prendre son souper, tout en amusant le reste de la compagnie du récit des plus drôles de ses aventures. John, le chapelain de Saint-Ninian, l'irritait grandement, et il se contraignit à se montrer tout particulièrement aimable à son égard.

En même temps, il savait déjà très précisément comment il allait passer le reste de la nuit. Il avait descendu avec lui les papiers qu'il devait examiner avant d'effectuer sa première mission d'achat. Il demanda et obtint de la demoiselle Metteneye la permission de s'installer dans le cabinet de l'aubergiste, doté d'une lampe et d'une table de travail, où Jehan de Metteneye gardait ses coffres et ses registres.

L'épouse de Jehan avait la cinquantaine, et son sourire fit frémir Simon, mais il lui sourit en retour, tandis qu'elle réglait la flamme de la lampe, lui apportait un tabouret plus confortable et demandait s'il avait besoin d'autre chose. Il répondit que non mais changea aussitôt d'avis. Il demanda si Mabelie pourrait lui apporter une flasque de ce vin qu'elle avait mis spécialement de côté pour lui. Il y avait là un risque, mais il n'était pas grand. Jehan n'était pas homme à laisser son épouse revenir par deux fois en ces lieux.

Simon déroula ses papiers, ouvrit l'encrier.

Mais, une fois la porte refermée, il ne se mit pas le moins du monde à l'ouvrage. Comme toujours lorsqu'il revenait dans une ville, il avait passé en revue ses précédentes conquêtes ou ses débuts de conquêtes et, moitié par anticipation, moitié par amusement à ses propres dépens, il les avait classées par ordre d'attaque décroissant.

Mabelie, cette fois, était en tête de liste. Il l'avait découverte lors de son dernier séjour chez les Metteneye : c'était une vierge aux charmes splendides, d'une remarquable simplicité. Il l'avait fait changer d'état avec un plaisir qui ne lui était pas habituel. Certes, c'était une servante. L'une des myriades de cousines ou de petites-cousines pauvres qui fournissaient le personnel nécessaire à toute bonne maison bourgeoise. Il n'y aurait donc aucune urgence à lui trouver un époux. Il avait espéré, en revenant cette fois, la retrouver encore dans la maison. En la revoyant avec sa seille, sur le quai, les yeux toujours brillants, les joues toujours rougissantes, il avait été touché.

La dernière fois, elle était venue le retrouver dans cette pièce, et, par la suite, il avait graissé la patte des deux autres servantes, pour qu'elles allassent dormir ailleurs, et qu'il pût rejoindre Mabelie dans sa soupente. Il arrivait parfois, tels étaient les plaisirs de Bruges, que le dortoir restât désert toute la nuit, et ils pouvaient alors s'y ébattre sans risques. C'était pour lui la seule manière de passer une nuit d'amour sans quitter la maison. Les femmes n'avaient pas leurs entrées dans les auberges ni dans les hôtels des marchands.

Quand un quart d'heure se fut écoulé sans qu'il vît arriver Mabelie, saisi d'impatience, il alla ouvrir la porte. L'un des serviteurs passait par là, et Simon referma le battant. Cinq minutes plus tard, dans une nouvelle tentative, il faillit bousculer la demoiselle Metteneye qui se préparait à frapper pour lui apporter son vin. Il lui octroya un sourire radieux, la retint par des bavardages et s'enquit de Mabelie. Cette fille, lui dit-elle, lui valait certes des tracas, comme toutes les filles, mais, dans l'ensemble, c'était une bonne travailleuse. Dans des périodes comme celle-ci, où tout le monde voulait être servi sans se soucier de la peine des autres, Mabelie gagnait bien la dépense de son entretien. Peut-être était-elle occupée à faire les lits pour les nouveaux gentilshommes qui étaient arrivés ce jour-là. La demoiselle Metteneye n'aurait su le dire, mais monseigneur Simon la verrait sans aucun doute le soir même ou le lendemain.

Autre tentative, dix minutes plus tard. Cette fois, il trouva une servante de sa connaissance, qu'il évitait généralement à cause du sourire de connivence avec lequel elle acceptait son argent. Bien sûr, dit-elle, en ricanant, elle ferait savoir à Mabelie que monseigneur travaillait tard. Mais, de fait, monseigneur, Mabelie travaillait tard, elle aussi. Autre ricanement.

C'était une sotte. Il n'y avait pas à se méprendre sur le coup d'œil qu'il avait lancé à la petite, sur le quai, ni sur le fait qu'elle était venue là tout exprès pour le voir. Il laissa la fille s'éloigner et, verre en main, erra dans toute la maison, des quartiers des serviteurs jusqu'aux cuisines, charmant avec chacun, mais envahi d'une colère croissante. On jouait aux cartes dans la salle commune. Il s'arrêta pour observer le jeu, tout en bavardant et buvant. D'autres servantes entraient, sortaient, mais jamais Mabelie. Il allait devoir partir. Il s'y était à peu près résolu quand la cloche de la cour carillonna à grand bruit. Du coup, la partie de cartes s'interrompit, toutes les têtes se tournèrent.

Des voix. Des aboiements. Quelqu'un avait dérangé le chien de Simon. La voix de Metteneye, puis le visage de Metteneye dans l'entrebâillement de la porte.

– Inutile de vous alarmer, messires. Quelqu'un a rapporté aux vérificateurs des marchands de tissus qu'il y avait ici des ballots ouverts, et ils sont venus vérifier. Il ne faudra pas longtemps pour leur prouver qu'ils se trompent. Tout est en ordre.

Les hommes gémirent. Le fait se produisait de temps à autre. Les marchands étrangers devaient se conformer à des règles strictes. Ils pouvaient vendre leurs marchandises dans leurs logements certains jours et à certaines heures seulement. Les ballots devaient être de nouveau encordés, une fois passées ces périodes. Les marchandises non encordées valaient amendes et confiscation. Les marchands de Bruges étaient bien protégés. On se montrait poli – comme ce soir-là – avec les officiers chargés des vérifications qui entraient, suivis de serviteurs à la forte carrure. On se montrait d'accord, bien sûr, pour descendre dans les caves où les gros ballots étaient entreposés.

Le piétinement affolait le chien de Simon. Il le prit par le collier et descendit les marches de la cave derrière les autres. L'animal reniflait, tirait de toutes ses forces. Il ne cessa point, même lorsque les caves se révélèrent comme de juste totalement vides, hormis les marchandises, toutes assemblées en ballots dûment encordés. Metteneye souffla la lanterne qu'un sot avait laissé brûler.

Le chien faillit le renverser. Il échappa à la main de Simon, bondit devant Metteneye, fit le tour d'un pilier, fila sous une arche et, dérapant des quatre pattes, disparut derrière un amoncellement de futailles. Tout le monde le suivit. Il s'était immobilisé devant cinq ballots de laine et un sac de peaux, qui venaient tout juste d'être inspectés. Il aboyait devant ces ballots, comme s'ils menaçaient la paix de son esprit ou comme s'ils contenaient son dîner.

Simon s'avança. Il restait un espace entre les ballots et le mur. Dans cet espace, on avait apparemment installé un lit de fortune, composé, à ce que pouvait voir Simon, d'un assortiment de peaux de renards, de chats et de lièvres, à peine nettoyées. Les fourrures dissimulaient une seule masse ondulante qui se divisa, sous les yeux de Simon, en deux formes distinctes. A l'une des extrémités de la couche émergea un objet blanc qui se révéla, ô surprise, comme la coiffe perchée sur la charmante tête de la servante nommée Mabelie. A leur tour surgirent les épaules.

Elle en serait bien restée là, mais, tout autour d'elle, les représentants des marchands de tissus et les négociants écossais s'esclaffaient de rire à pleine gorge. Avec de grands éclats bruyants, ils la tirèrent de sa cachette. Les yeux clos, elle cachait de son mieux son visage écarlate. Elle avait gardé ses bas, mais, par ailleurs, la seule partie de son corps qui fût couverte était sa taille. Metteneye, avec un sourire furieux, ôta sa jaque pour la lui jeter sur le dos.

Simon s'écarta de trois pas, se retrouva à l'autre extrémité de l'amas de chaudes fourrures, là où son chien continuait d'aboyer. Il tenait en main la petite dague que les marchands étrangers avaient permission de porter pour se protéger des voleurs. Simon se pencha, peut-être pour sonder les peaux du bout de la lame, peut-être pour se défendre. Il ne fut besoin ni de l'un ni de l'autre. Sous ses yeux émergèrent lentement une tête ébouriffée, une paire d'épaules musclées, un torse couvert de sueur, à demi revêtu d'une vieille chemise de toile et, par-dessus, d'un pourpoint plus misérable encore, dont les lacets ne paraissaient pas parfaitement attachés aux chausses.

Simon connaissait ce visage. Il connaissait le large front, les yeux de pleine lune, le nez au dessin précis comme celui d'un bec de chouette, entre les joues creusées de fossettes, et le sourire désarmant.

Claes, l'apprenti des Charetty. Claes, dont l'expression, en cet instant, n'était ni appréhensive, ni attristée, ni malicieuse mais un peu des trois en même temps. Claes, qui ferma les yeux en soupirant, avant de déclarer :

– Je ne le nie pas. Je le reconnais. J'ai le comportement d'une brute et les talents d'une fille, et rien n'est plus sûr que ceci : je suis pour mon père, où qu'il se trouve, un sujet de mortification.

C'était la plus belle plaisanterie de la journée, se disaient les marchands de tissus. Au lieu d'une scène désagréable avec les Écossais, d'un procès, d'un considérable ressentiment, on avait droit au spectacle d'une servante qui s'était accouplée avec Claes, cet idiot souriant qui appartenait à Marian de Charetty. Il restait couché là, avec ses lacets défaits, à dire ce qu'il fallait pour se faire rosser une nouvelle fois.

En même temps, on se posait des questions, à voir la façon dont ce Simon prenait la chose : le noble seigneur écossais n'aurait-il pas eu lui-même un œil sur la petite ? Il faisait certainement une drôle de mine. A dire vrai, durant un moment, la lame de sa dague étincela une fois ou deux, comme s'il n'eût pas répugné à s'en servir.

Peut-être le gars Claes était-il de cet avis, lui aussi : brusquement, d'un coup de reins, d'une secousse, il se dégagea des fourrures, fonça en évitant le chien, se glissa entre deux des garçons qui se gaussaient de lui, passa sous l'arche, contourna le pilier, grimpa les marches et traversa la maison dans la direction de la cour. Les marchands, les courtiers en tissus le suivirent des yeux parmi de gros rires, et quelqu'un donna à Metteneye une grande claque dans le dos. Le noble Simon parut alors reprendre possession de ses sens : à son tour, il éclata de rire, remit sa dague au fourreau, appela son chien.

– Eh bien, dit-il, qu'attendons-nous ? Ce coquin mérite d'être battu, nous n'avons plus qu'à le rattraper !

Aussitôt, ses compagnons comprirent ce qu'il cherchait. La plaisanterie était bonne. Pourquoi aurait-elle déjà dû prendre fin ? L'apprenti Claes, le grand séducteur, se trouvait loin de sa soupente dans la maison Charetty. Le moins qu'ils pussent faire pour le pauvre Metteneye, dont la confiance avait été trompée, et dont la servante s'était peut-être fait engrosser, c'était de rattraper le gredin pour lui faire regretter sa conduite. Dans un tohu-bohu de cris et d'appels, ils s'élancèrent hors de la cave. Resté seul, Metteneye prit la jeune fille par le bras et l'entraîna dans l'escalier pour la mener à son épouse.

L'ennui, évidemment, c'était l'odeur de renard, de chat et de lièvre, mêlée à un faible relent de lapin. Pourtant, le garçon avait de l'imagination, par Dieu. Il se faufila sur la Place Saint-Jean, dépassa en un clin d'œil la maison des marchands anglais, plongea tout droit dans la taverne anglaise, où il fut accueilli sans cordialité quand il traversa à toute allure l'établissement en renversant sur son passage la bière, les dés, les tables de jeux. On fut moins cordial encore quand une foule de poursuivants franchit le seuil, parmi lesquels certains étaient en mesure d'estimer le montant des enjeux. A ce moment, le chien de Simon avait été rejoint par l'un de ses congénères.

Lorsque tous ces gens furent parvenus à passer par la porte de derrière, Claes avait disparu, mais un portillon de bois se balançait encore sur ses gonds dans Winesackstraat. Les deux chiens aboyaient devant ce passage. A la volée, on ouvrit toute grande cette barrière, on traversa une cour, on arriva devant une porte. Celle-ci s'ouvrit courtoisement quand les poings la martelèrent. On se trouva devant un gentilhomme vêtu d'une courte robe dont les pans s'écartaient – trop facilement – au niveau des chiens.

Personne ne lui prêta attention. Sans tenir compte des conseils des plus informés, les marchands le dépassèrent en foule, à la suite de Simon. De passage en salle, ils parvinrent, toujours courant, à un labyrinthe de chambres seulement garnies, comme le Paradis, de nuages et de corps d'un rose séraphique. On trouva parmi ceux-ci, plusieurs autres marchands de tissus, une sage-femme, deux conseillers, le secrétaire principal du district, un grand-doyen, deux sœurs affiliées à une confrérie et un fondeur de cloches dont les muscles étaient aussi solides que des chaînes d'ancre.

Aucun apprenti en fuite n'était visible à travers la vapeur. On ne mit d'ailleurs aucune rigueur dans sa recherche. Deux des poursuivants eurent la malchance de perdre l'équilibre sur les dalles glissantes et de tomber à l'eau, étourdis par la chaleur, le vacarme et les mouvements incontrôlés des baigneurs. Ceux qui émergèrent, tout fumants, dans la nuit de septembre auraient fort bien pu, sur l'instant, rentrer chez eux s'ils n'avaient vu, devant eux, le visage empreint d'une expression démoniaque, Simon courir d'un pied léger, suivi de près par trois ou quatre chiens.

Ils s'élancèrent à sa suite, furent récompensés par la découverte du garçon. Le grand gaillard de bâtard, qui était à l'origine de tout ce désordre, se précipitait dans l'obscurité vers le quai, descendait les marches qui conduisaient à l'eau. L'instant d'après, l'une des grandes barges amarrées là se détacha et, sous l'effort d'une perche, entreprit de gagner le milieu du courant, en direction de Damme. Simon, arrivé sur les marches, s'immobilisa sur le quai, avant de se remettre à courir, toujours suivi par les chiens, vers le prochain pont. A une distance sans cesse croissante le suivaient aussi les marchands hors d'haleine, auxquels s'étaient joints un ou deux bourgeois curieux et le portier de la maison de bains qui témoignait envers chacun d'un grand bon vouloir et d'une remarquable propension à se laisser graisser la patte.

L'apprenti avait beau manier sa perche avec vigueur, il n'était qu'un homme seul sur une barge trop large pour être menée ainsi. Le bateau parvint paresseusement au pont au moment précis où le seigneur écossais, parfaitement entraîné, se lançait sur la pente avant de sauter.

La puanteur dut venir à sa rencontre en plein bond. Avant même d'avoir touché la barge lourdement chargée, il dut comprendre dans quoi il allait tomber. Cependant, il heurta d'abord le jeune garçon. Celui-ci lâcha sa perche, qui tomba à l'eau. Les pieds du seigneur Simon touchèrent alors le chargement. Il trébucha, s'enfonça dans une matière qui répondit à son contact par des crissements, des grognements forcés, d'étranges sifflements, chacun d'eux porté sur une bouffée de vapeur nauséabonde. C'était l'air qui s'échappait des entrailles et des vessies des chats et des chiens crevés de Bruges et des petits cochons de Saint-Antoine, retirés de l'eau chaque nuit par la barge à ordures.

Hélas, le seigneur écossais gisait au milieu de cette infection. la perche était passée par-dessus bord. Comme l'avait fait, en un plongeon maladroit, le jeune Claes qui, pour la deuxième fois en deux jours, poussait à toute force, dans l'eau douteuse, vers l'autre berge du canal. Simon de Kilmirren, que les spectateurs entendirent suffoquer, se remit sur ses pieds et, à son tour, plongea, pour se lancer, dans un style irréprochable, à la poursuite de l'apprenti qui barbotait maladroitement.

Sur l'une et l'autre rives le suivirent les marchands, accompagnés des chiens. A la lumière de leurs lanternes, ils le virent maîtriser le dangereux courant et gagner du terrain sur la tête qui, devant lui, dansait à la surface. Au-delà se dressait le Pont de la Poorterslogie et la haute masse du bâtiment lui-même, où se réunissait l'éminente Société de l'Ours Blanc.

Le jeune garçon n'avait rien d'un nageur. Il devait savoir à quelle vitesse le seigneur Simon gagnait du terrain sur lui. Il allait devoir remettre les pieds sur terre à la Poorterslogie et, s'il parvenait jusque-là – ce qui était tout juste possible – avant Simon, il n'y arriverait pas avant la meute des chiens. Dommage. Dommage de pousser si loin la plaisanterie, pauvre fou. L'eau pourrait faire disparaître le plus gros de la puanteur, mais il en resterait toujours bien assez. Tous les molosses des environs se trouveraient là, sur la berge, pour l'accueillir. Et le seigneur écossais qui nageait derrière lui, calmement, sans effort, n'avait sûrement pas l'intention de sauver l'apprenti. Pas après tout ce qui s'était passé.

Simon parvint au pont tout juste après les chiens. Plus haut que le tumulte des aboiements, les portes qui s'ouvraient claquaient les unes après les autres. Des carrés de lumière tombaient des fenêtres, révélaient, au haut des marches, le groupe des chiens qui grondaient et jappaient et, en bas, l'apprenti qui, à demi sorti de l'eau, hésitait.

Il y avait là des hommes, aussi. Ce n'étaient pas des bourgeois : la lumière éclairait des insignes. Attirée par les aboiements, une patrouille de hondeslagers, les hommes payés par la ville pour débarrasser les rues des chiens errants, s'était arrêtée. Obligeamment, à grand renfort de tapes vigoureuses, ils écartaient les animaux des marches pour laisser le passage au jeune Claes. Ce comportement exaspérait visiblement le seigneur écossais. A l'idée que le jeune homme allait peut-être lui échapper, il se lança en avant, le saisit par une cheville et tira. Le garçon perdit l'équilibre, et ses épaules vinrent frapper les marches. Il poussa une exclamation. Les chiens, rendus furieux par l'odeur toujours plus forte, s'échappèrent pour se jeter sur les deux hommes, l'un debout, l'autre étendu. Des griffes déchirèrent le pourpoint du seigneur qui tira sa dague. Les hommes, qui brandissaient leurs bâtons plombés, se mirent à l'œuvre, et les chiens s'abattirent en hurlant, au moment où l'apprenti se relevait, nu aux trois quarts. Derrière lui, le seigneur écossais se redressa à son tour.

Les marchands, accourus avec leurs lanternes, ignoraient ce que pouvait penser Simon. Ils auraient pu néanmoins le deviner en partie, et Claes aurait été en mesure de découvrir le reste. Les échos de blessures oubliées, envenimées. Les souvenirs parmi lesquels reparaissaient le sourire à la fois timide et aguichant de Mabelie et la fraîcheur de son corps. L'insolence sur le quai. La voix ironique (mais ni les marchands ni Claes n'étaient au courant de ce détail) de cette impudente Borselen : « *Personne dont vous deviez avoir peur.* » Et les autres paroles répugnantes qu'elle lui avait répétées, qui avaient été prononcées, Simon le savait à présent, par cet adolescent malveillant qui se tenait devant lui. Ce petit salaud qui, pour s'amuser, les avait répétées au nez et à la barbe de Simon, convaincu que celui-ci n'y verrait que du feu.

Il tenait toujours sa dague et il avait tout bonnement l'intention de s'en servir.

Claes se retourna au moment précis où Simon levait le bras. Il était trop tard pour éviter le coup, au milieu des hommes et des chiens qui se bousculaient dans ses jambes. Il s'empara de la seule arme à portée de sa main, le bâton plombé qu'il arracha à l'homme le plus proche, et put ainsi détourner le coup qui le visait et le suivant. Il continua ensuite à balancer au hasard son bâton.

Au sein de la bataille générale, le duel n'attira pas l'attention. Les hondeslagers, profitant du désordre, tapaient autour d'eux sans vergogne : si un chien en réchappait, il avait de la chance. Le quai et la moitié du pont étaient couverts de ce qui, au prix des peaux et de la graisse, allait entretenir les hommes en bière durant une bonne quinzaine. Les marchands, sans lâcher leurs lanternes bousculées, allaient de-ci de-là d'un pas trébuchant, parmi les rires et les appels. Finalement, la mêlée commença de s'apaiser, on se débarrassa des derniers chiens. Même le combat qui se déroulait au centre du tumulte avait changé. Lorsqu'il s'arrêta pour de bon, les marchands s'en aperçurent à peine. Lorsqu'ils songèrent enfin à chercher la cause de tout ce désordre, ils ne trouvèrent plus que le beau Simon, seul et dans un formidable état de fureur.

Seul, parce que le jeune Claes était parvenu à s'échapper. Pour mieux dire, il s'était volatilisé.

Dommage, direz-vous. Mais, par le Christ, il les avait bien divertis. Et Simon aussi, qu'ils voyaient là, ruisselant et puant, si bien qu'il fallait se tenir contre le vent pour lui parler. Il était furieux, naturellement. Il alla jusqu'à accuser les tueurs de chiens d'avoir protégé le garçon.

Il n'était peut-être pas loin de la vérité, pour autant que cela eût de l'importance. Les hommes avaient formé un cercle : il était malaisé de comprendre comment l'adolescent avait pu se glisser entre eux. Mais où avait-il bien pu aller? Il n'avait pas franchi le pont. Il ne s'était pas remis à l'eau. Il n'avait pas suivi le quai au long duquel les marchands eux-mêmes s'étaient avancés. A moins qu'il n'eût pris la voie des airs?

Ce fut John de Kinloch, victime de trop d'affronts, qui exprima le bienveillant espoir que le chien de l'ami Simon s'en était tiré sans trop de mal. Dans sa volonté de mettre sa proie aux abois, Simon avait oublié son chien. Il le chercha des yeux. Il était facile à reconnaître à son collier : une bête magnifique, étendue morte aux pieds du chef des patrouilleurs.

Le hondeslager blêmit. Toucher au chien d'un chevalier était puni de bastonnade. La nuit, on devait distinguer de tous les autres un chien qui portait un collier, un chien qui portait la marque de son maître. C'était là le talent essentiel, dans la fonction de ces hommes. Et ici même, dans la lumière diffuse, il avait tué le chien d'un noble marchand écossais. Il prononça les seuls mots qu'il pût dire.

– Monseigneur, vous avez vu votre chien bondir de tous côtés. Il aurait pu se retrouver de lui-même sous les coups de n'importe quel bâton. Aucun de mes hommes ne l'a tué volontairement, je peux vous le jurer. Quant à moi, comment l'aurais-je pu? Je n'ai même pas de bâton dans les mains.

– Un hondeslager sans bâton? fit une voix ironique.

– C'est le garçon qui me l'a pris. L'apprenti. Vous l'avez vu, dit l'homme à Simon.

– Et il a tué mon chien? C'était forcément lui ou toi.

Le hondeslager garda le silence. C'était un homme honnête. Il regardait droit devant lui. Simon allait reprendre la parole, mais son visage s'assombrit. Du haut du mur de la loggia, au-dessus de leurs têtes, une voix avait devancé la sienne. Une voix à la fois joyeuse et résignée.

– Mes amis, je dois tout avouer, car les hommes de loi ne vous croiront jamais.

Les hommes assemblés levèrent les yeux.

De sa haute niche aménagée dans l'angle du bâtiment, le plus ancien bourgeois de Bruges, l'Ours Blanc, le *het beertje van der logie*, ne contemple pas ses pairs mais lève la tête vers les nuages et les toits des maisons. Il porte un large collier d'or, des baudriers dorés se croisent sur la blanche fourrure peinte sur sa poitrine et, entre ses deux pattes, il tient solidement l'écusson rouge et or de la ville.

Il se dressait ainsi, cette nuit-là, le regard haut levé, sans se soucier des deux bras meurtris qui l'entouraient. Ni du buisson de cheveux légers, contre sa joue. Ni du menton affectueux posé sur son épaule. De l'un des poings qui l'étreignaient pendait une preuve accablante : le bâton plombé, taché de sang, du hondeslager.

– Prenez-moi. Je suis à vous, reprit Claes d'un ton paisible. Je ne mérite pas d'avoir dans mes bras une charmante fille comme Mabelie pour aller ensuite tuer les chiens. Et je suis en train de communiquer une horrible odeur à votre *beertje*.

– Descends, dit Simon, sans élever la voix.

L'adolescent approuva d'un hochement de tête.

– Mais quand le sergent arrivera, ne vous déplaise. Et, s'il y a un chrétien parmi vous, pourriez-vous dire à meester Julius que je me retrouve à la Steen, et qu'il devra dire un mot à certain meneur de barge ?

5

Le groupe d'apprentis assemblés devant la Steen le lendemain matin était encore plus nombreux que la veille. Des tisserands qui se hâtaient vers leur travail, de bonnes âmes qui rentraient chez elles s'arrêtaient un instant pour sourire à travers les barreaux. Les deux réparateurs de grues en faisaient partie.

Cette fois, il n'y avait pas de Mabelie pour faire passer de la graisse à Claes, mais son nom planait dans l'atmosphère, comme s'il avait été écrit sur un calicot. Même lorsque résonna la cloche de mise au travail, et que l'espace qui s'étendait devant la prison se vida à regret, il resta un ou deux bourgeois curieux dressés sur la pointe des pieds pour apercevoir le visage impassible de l'apprenti et qui, avant de reprendre leur chemin, le gratifiaient de quelques réprimandes bien senties mais prononcées d'un ton qui manquait de sévérité.

Restait encore un homme de haute taille, à la barbe noire, qui n'était pas un Flamand.

– Eh bien, Claes vander Poele? lança-t-il en direction de la prison.

Les occupants, redevables à Claes d'une nuit fort divertissante, le poussèrent cordialement jusqu'à la fenêtre et pressèrent autour du sien leurs visages fendus de larges sourires.

La figure meurtrie de Claes se montra, en même temps que sa joyeuse expression coutumière.

– Le bonjour à vous, messer de Acciajuoli, dit-il. Si vous quêtez pour mon bénéfice, n'essayez pas, cette fois, de solliciter le roi d'Écosse.

Nicholai Giorgio de Acciajuoli pinça ses lèvres encadrées de barbe, mais son regard trahissait l'amusement.

– Ni le duc de Bourgogne, à mon avis, répliqua-t-il. Après l'épisode de la baignoire et du canon. Ni, je suppose, ces aubergistes-prêteurs sur gages qui emploient de trop jolies servantes. Causes-tu autant de désordres à Louvain?

Claes pencha la tête de côté, la ramena précautionneusement à sa position première.

– Peut-être, fit-il. Mais l'université y est plus accoutumée.

– Là-bas, naturellement, tu sers ton jeune maître. Et sa mère, la veuve de Charetty, te surveille. Est-elle sévère?

– Oui, répondit Claes, avec un visible frisson.

– Je suis heureux de te l'entendre dire, déclara le Grec avec affabilité. Je sais par messer Adorne qu'elle est présentement en route vers Bruges pour régler ces affaires. Meester Julius est déjà venu me voir pour discuter de ton cas, et tu pourrais bien être libéré avant la tombée de la nuit, si l'on peut s'accorder sur un prix. Crois-tu que ta maîtresse va te garder à son service, quand tu lui coûtes si cher?

– Monsignore, dit Claes.

Deux rides s'étaient creusées sur le front habituellement lisse.

– Oui? fit le Grec.

– Je pensais être dehors au milieu de la matinée. On vous laisse sortir, après la bastonnade.

– Te plaindrais-tu ? demanda Acciajuoli. Le notaire Julius, en offrant de l'argent, t'a épargné une autre bastonnade tout de suite après la première... Ou bien avais-tu un autre rendez-vous? reprit-il, après un silence.

Derrière les barreaux, le front se rasséréna.

– Justement, dit Claes. Et mes amis sont partis. Et, tel que je le connais, meester Julius ne permettra pas à Felix de venir me voir. Monsignore... sans doute ne pourrais-je pas vous demander de transmettre un message à Felix de Charetty?

Nicholai de Acciajuoli, descendant de princes athéniens, qui s'était simplement arrêté par curiosité en allant de la maison de messer Adorne à un agréable rendez-vous dans une taverne, ne put réprimer un sourire.

– En grec? dit-il. Je pense vraiment que ce ne serait guère possible. D'ailleurs, pourquoi le ferais-je?

Il aurait pu tout aussi bien accepter, tant était limpide le sourire du garçon.

– Parce que vous vous êtes arrêté, répondit Claes.

Messer de Acciajuoli hésita. Ses sentiments, à cet instant, étaient d'une espèce que Julius aurait reconnue. Il finit par demander :

– Et quel serait ce message?

– Dites-lui de ne pas le faire, répondit simplement l'apprenti.

– Dites-lui de ne pas le faire, répéta le Grec. Et que ne doit-il pas faire?

– Ce qu'il fait. Il comprendra.

– Oui, probablement, dit messer de Acciajuoli. Mais je me rends à la Place du Marché, pour y retrouver mon bon ami Anselm Adorne, à l'issue de la réunion des magistrats. Je n'ai aucune idée de l'endroit où se trouve la boutique des Charetty.

– Monsignore, il n'y a aucune difficulté. Felix sera avec meester Julius aux Deux Tables de Moïse... cette même taverne où la caution aura été versée. Les magistrats se réunissent à l'étage pour examiner ce genre d'affaires. J'ai entendu dire que les Turcs étaient des âmes damnées qui ne buvaient jamais.

Il était temps de partir.

– Certains boivent, déclara le Grec. Mais je ne sais trop s'il faut, en conséquence, les considérer comme sauvés. Je ne peux te faire aucune promesse, mon garçon. Si je vois ton jeune ami, je lui donnerai ton message.

Le large sourire s'épanouit de nouveau.

– Monsignore, dit Claes, si, quelque jour, je peux vous rendre service, dites-le moi.

Le Grec éclata de rire. Par la suite, il se rappela qu'il avait ri.

Si l'homme le plus furieux de Bruges était, ce jour-là, Simon, le noble écossais, Julius, le notaire des Charetty, l'était tout autant.

Quand vint midi, naturellement, la nouvelle de l'exploit de Claes courait toute la ville. Des répercussions qu'avait eues l'affaire dans Silverstraat, où Florence van Borselen en avait entendu, non sans quelque désappointement, une version non expurgée, et sa fille, avec un sourire méprisant, une autre, expurgée, Julius ne savait rien.

Il apprit, comme tout le monde, que la ville, discrètement, avait pris conseil des officiers de la cité mêlés à l'affaire et n'avait pas l'intention de poursuivre quiconque. On supposait que la famille Metteneye, partie lésée, se plaindrait auprès de la famille Charetty, si longtemps éprouvée, de la conduite de ses apprentis, et serait dédommagée. Le propriétaire de la barge s'était contenté du prix d'un pot de bière.

Le nommé Simon avait déposé une plainte en règle pour la mort de son chien, et Julius venait d'endurer une nouvelle et désagréable entrevue avec meester Adorne et deux magistrats : la responsabilité de Claes y avait été traduite en sommes importantes.

Si le total des sommes que la compagnie Charetty devrait verser au marchand écossais était inférieur à ce qu'il aurait pu être, il fallait en remercier l'évêque écossais. De sa résidence monseigneur Kennedy avait fait connaître qu'il désapprouvait les rixes nocturnes et les trouvait inconvenantes. Monseigneur Simon avait perdu un chien de valeur mais il devait, du moins en partie, s'en prendre à lui-même. Une compensation lui était due, mais sans prodigalité excessive. Il se fiait à ses bons amis de Bruges pour y veiller.

Après cette entrevue, meester Julius, le souffle court, dégringola l'escalier qui aboutissait à la salle commune des Deux Tables de Moïse et se laissa tomber sur le banc de la taverne déjà occupé par Felix. Celui-ci avait rassemblé autour de lui un certain nombre d'amis aussi peu sérieux que le jeune Bonkle, le neveu d'Adorne, Anselm Sersanders, et Lorenzo de la banque des Strozzi, Lorenzo, qui semblait passer le plus clair de son temps à promener un air morose loin des affaires de sa famille.

Quelqu'un dit :

– Tiens, le parti des amateurs de chiens! Julius, mon petit ami, ta maîtresse est en chemin pour te châtier. Occupe-toi de ton parchemin, de ton encrier et de tes chiffres, mon bon. Il faut des hommes pour tenir d'autres hommes en respect.

C'était la voix de l'un des Français les plus assommants de Bruges, Lionetto, le condottiere, installé à la table voisine, en compagnie de Tobias, le médecin chauve, et de tous ses autres amis. Tobias était ivre, tout comme Lionetto. En Italie et à Genève, Julius avait rencontré assez de capitaines de mercenaires ivres, pour savoir, à tout le moins, comme on ne devait pas les traiter.

– Vous voulez Claes? Vous pouvez le prendre.

Lionetto rit longuement, en deux périodes coupées d'un entracte. C'était l'un des rares mercenaires, à la connaissance de Julius, qui était à la fois de basse extraction et fier de l'être. Mais c'était dû peut-être aux cheveux d'un roux flamboyant, trop rudes pour être frisés, qui lui descendaient aux épaules, à la peau grêlée de petite vérole, au nez rougeoyant. Il portait sur son pourpoint une chaîne ornée de rubis. Ou de verre rouge, peut-être. Mais l'or des maillons massifs était véritable.

Lionetto recouvra son sang-froid.

– Paye-moi, et je le prendrai, si la veuve te fait peur. Hé, Felix! Ta mère revient, tu le sais? Tu peux déjà baisser tes chausses pour recevoir les coups de houssine! Et toi aussi, Julius! Hein?

A côté de lui, le médecin, qui souriait d'une oreille à l'autre, laissa son coude glisser de la table et renversa la chope encore pleine de Lionetto. Celui-ci jura, assena un coup violent sur le crâne du médecin. Après quoi, il se pencha, arracha une des manches noires constellées de taches de l'homme et s'en servit pour tamponner ses chaussures éclaboussées de bière. Le médecin prit un air irrité. Lionetto cria :

– Julius, mon petit homme! Abandonne-moi ton méchant tueur de chiens et je te donnerai en échange cet imbécile de médicastre! Une seule pinte de vin de Gascogne, et il te fera avorter de quintuplés. Si, du moins, vous pouviez jamais à vous deux fabriquer des quintuplés. Il n'y a qu'un seul homme , chez les Charetty, et c'est votre fornicateur d'apprenti!

Lionetto écumait d'hilarité.

– Claes chevaucherait ta mère, si elle n'était pas trop vieille! Felix ne l'entendit pas, Dieu soit loué. Il n'y avait qu'une seule sorte d'homme pour venir à bout de Lionetto, et c'était un autre condottiere. Attends un peu, se disait Julius, ivre de rage. Attends qu'Astorre soit de retour à Bruges avec la demoiselle. Nous reparlerons alors de houssines. Il vit Lionetto ouvrir la bouche et rassembla ses forces pour réagir. Mais il n'en eut pas besoin. Tout le monde fit silence. Tout le monde leva les yeux vers l'escalier. De l'étage, l'allure solennelle dans leurs longues robes, les magistrats descendaient pour prendre leur habituel rafraîchissement dans la salle commune. Anselm Adorne se trouvait parmi eux.

Au moment où ils s'asseyaient, et où les conversations commençaient à reprendre, une seconde interruption les fit taire de nouveau. La porte de la taverne s'ouvrit pour livrer passage au Grec à la jambe de bois. Celui qui quémandait de l'or pour le rachat de son frère. Acciajuoli, voilà quel était son nom.

Nicholai de Acciajuoli regarda autour de lui, sourit à meester Adorne qui lui faisait signe et, d'un pas assuré, s'approcha de l'endroit où Julius et ses jeunes amis étaient assis. Il regardait Felix.

L'attaque de Lionetto, par extraordinaire, n'avait eu aucun effet sur Felix. Il semblait préoccupé, ce jour-là. Non, le terme était trop flatteur. Felix semblait silencieux et maussade. Maussade à l'égard de Julius, tout au moins. Pour ses amis, c'était différent. Julius savait qu'au moment où il descendait l'escalier, il avait surpris le son sifflant d'un rire étouffé. Julius venait alors de passer une heure à présenter, devant des magistrats, de faibles excuses. Sans nul doute, si vous n'étiez pas le notaire de la compagnie, l'escapade de la nuit précédente était à se tenir les côtes.

Le visage que Felix tourna vers le Grec était donc mi-hostile mi-intéressé. Il s'agissait là d'un invité d'Anselm Adorne. Il allait se montrer sévère, et Felix deviendrait impertinent. Julius voyait déjà la suite.

Le Grec déclara :

– Messer Felix, j'ai pour vous un message de votre ami Claes, qui se trouve à la Steen.

Il s'exprimait dans un grec très distinct. Julius, disciple de Bessarion, le comprit. Sans laisser à Felix le temps de parler, il sauta sur ses pieds pour dire :

– Monsignore... je le croyais déjà libéré.

Le Grec soupira.

– Peut-être en est-il ainsi. Cela se passait de bonne heure, ce matin. J'aurais dû transmetttre aussitôt le message mais je me suis trouvé retenu pour affaires. Est-il trop tard ?

Un peu tardivement, Felix se dressa aux côtés de Julius.

– Trop tard pour quoi ? demanda-t-il.

– Felix, le réprimanda Julius.

Il se tourna vers messer de Acciajuoli.

– Pardonnez-moi. Je vous en prie, répétez-nous ce que vous a dit Claes. C'était très généreux à vous de prendre tout ce soin.

– Mais pas du tout, fit le Grec d'un ton bienveillant. Et le message était très bref. Il vous demande, messer Felix, de ne pas faire quelque chose.

– Quoi? dit Julius.

– Quoi? dit Felix, avec une intonation toute différente.

Le Grec sourit.

– C'est tout. Il m'a dit que vous sauriez ce qu'il voulait dire. Pardonnez-moi.

Il sourit de nouveau et fit demi-tour avec prudence pour se diriger vers la table d'Anselm Adorne et des magistrats. Felix demeurait figé sur place.

– Felix? fit Julius.

Le jeune Bonkle tira sur la tunique de son ami, qui se rassit.

– Felix? répéta Julius, cette fois d'un ton sec.

Dans un murmure, le jeune Sersanders déclara :

– Je te l'avais bien dit.

– Et alors? fit Felix rageusement.

– Je t'avais dit que Claes avait déjà bien assez d'ennuis.

Julius dévisagea le garçon, reporta son regard sur Felix, puis sur John Bonkle qui refusa de le soutenir.

– Oh, mon Dieu, dit le notaire, qu'a-t-il encore fait?

Bien des gens auraient déjà pu lui répondre.

Dans le charmant petit jardin des van Borselen, la fontaine, qui jouait doucement tandis que la famille prenait l'air en causant, devint brusquement possédée de Satan et jeta dans l'espace des jets vigoureux et sifflants, pour retomber en flots abondants sur la tête du maître de maison et sur les jupes de satin de madame Katelina.

Dans la cour de l'église de Jérusalem, le puits déborda sur les tas de mortier tout nouvellement gâché, délaya la bouillie blanche et gluante parmi les piles de madriers et sur les pieds des maçons et des charpentiers qui apportaient les toutes dernières touches au magnifique sanctuaire d'Anselm Adorne.

Au marché aux œufs, la garniture d'une pompe à eau sauta brutalement, affola une chèvre qui rompit sa longe et saccagea trois étalages avant qu'on l'eût rattrapée.

Sous une pression soudainement accrue, la canalisation qui passait sous Winesack Straete se mit à fuir. L'eau, en montant, pénétra dans deux caves et dans l'établissement de bains, où elle éteignit les chaudières, mêla à l'eau propre des bains un flot de liquide brun et nauséabond et faillit asphyxier le propriétaire, le portier et les clients sous une surabondance de vapeur.

La cuve à sang des barbiers, dont le contenu s'était soudain dilué, déborda. Le surplus rejoignit le ruisseau provenant d'un joint de pompe qui avait sauté, se répandit dans le Grand Marché et prit la direction des roues de la Grue. Celle-ci, activée par deux hommes qui couraient, chacun à l'intérieur d'une des roues, relevait à ce moment un filet qui contenait deux tonneaux de vin d'Espagne, deux caisses de savon et une caissette de safran.

Par un coup de malchance, l'eau atteignit la Grue par derrière et vint frapper les roues alors qu'elles tournaient de toute leur vitesse dans le sens opposé. Du coup, le mouvement de rotation se trouva brutalement interrompu et précipita en avant chacun des deux hommes, au grand dam de leur visage. Les deux crochets, presque parvenus en haut de la Grue, redescendirent plus précipitamment encore, laissant choir vin d'Espagne, savon et safran et brisant tonneaux et caisses.

Des flots de jaune d'or, des flots de blanc, des flots d'écarlate, sous une écume de coûteuses bulles, firent leur chemin à travers la place et entreprirent de pénétrer sous les doubles portes de la taverne des Deux Tables de Moïse. Pendant ce temps, à l'autre bout de la ville, à la Waterhuus, un cheval exténué s'affaissa, une roue d'augets à moitié décrochés tressauta et finit par s'arrêter dans un concert de grincements. Dans le réservoir de la ville, le niveau de l'eau commença par bonheur à s'abaisser enfin.

A grand renfort de balais, on parvint à repousser l'inondation sous les portes de la taverne, on ouvrit ensuite un passage à l'extérieur, afin de permettre aux magistrats de contempler le nouvel aspect carnavalesque de la Place du Marché. Les magistrats allaient sortir quand Claes se faufila en toute hâte dans l'auberge, suivi de près par une piste de traces de pas jaunes.

A mi-chemin de Felix, il ralentit l'allure : sans doute venait-il de prendre conscience d'une étrange atmosphère de silence.

La moitié des clients de la taverne, semblait-il, s'amusaient grandement, et, parmi eux, Lionetto et ses compagnons. Par contraste, Julius, Felix et tous les amis de Felix, serrés en un groupe compact, regardaient Claes. Le regardaient aussi Adorne et les magistrats, tout comme le Grec qui, près d'eux, gardait le silence.

Le propriétaire des Deux Tables, ne sachant pas trop ce qui se passait, se précipita pour rassurer sa clientèle.

– Comme vous l'avez demandé, messires, un officier de police a été envoyé à la Waterhuus. Avec un sergent. Et avec le médecin de la ville, pour donner ses soins aux hommes de la Grue.

Le docteur Tobias releva la tête, non sans peine, pour déclarer avec une gravité d'ivrogne :

– Inutile. Je suis chirurgien.

Il se leva, bras étendus, avec sa manche unique qui battait

l'air, et entreprit une marche zigzagante vers la porte. Ses pieds clapotaient dans de nouveaux flots de couleur. Des bulles aux tons de l'arc-en-ciel naissaient sous ses talons. Intéressé, il s'arrêta pour battre de la semelle et en soulever davantage. Il les regarda monter autour de lui. Il se retourna, souffla dessus, pour les envoyer, avec une générosité délibérée, vers le titubant Lionetto, sur lequel elles crevèrent comme des œufs frits.

Julius, qui avait rapidement calculé le coût du pourpoint de soie, sous le collier d'or et de rubis (en verre rouge?), ne s'étonna point de voir poindre la rage sur le grossier visage du capitaine.

– Ah, dit le Grec, voici notre ami Claes qui vient me faire des reproches. Mais, en vérité, j'ai bien transmis ton message à Felix. Il te le dira.

– Pardonnez-moi.

C'était Anselm Adorne qui intervenait, en italien.

– Pardonnez-moi, messer de Acciajuoli. Vous avez vu le garçon ce matin?

Aucun message silencieux de Felix, aucun farouche contre-appel de Julius, aucun regard suppliant de la part des autres jeunes gens n'auraient pu empêcher Nicholai de Acciajuoli de dire ce qu'il tenait à dire.

– Par la fenêtre de la prison, naturellement. Pauvre garçon. Il m'a donné un message pour ce jeune homme. Qu'était-ce donc? *Ne pas le faire.*

– Ne pas faire quoi, monsignore? demanda doucement Adorne.

Le Grec sourit.

– Ceci est son secret. Quelque chose, sans aucun doute, qu'ils avaient projeté ensemble. Croyez-vous que l'on puisse sortir en toute sécurité?

Anselm Adorne tourna sa tête blonde, et son regard se partagea entre le pâle visage de Felix de Charetty et l'innocente figure de l'apprenti.

– Mais oui, avisez-nous, dit-il. Peut-on sortir en toute sécurité?

Claes et Felix se regardèrent. Julius ferma les yeux.

L'expression qui se peignait sur les traits de l'apprenti n'était pas sans nuages. C'était, peut-être, plutôt celle de quelqu'un qui voulait plaire et qui espérait s'attirer ainsi la sympathie.

– Ça devrait être possible, dit Claes. Si tout s'est passé comme prévu, on devrait le pouvoir, monsignore. Meester Julius, est-il vrai que...

– Mon pourpoint est gâté, déclara Lionetto.

Le médecin avait disparu.

– Meester Julius...

– Dois-je comprendre, dit Lionetto, que ce rustre est responsable du gâchis qui a abîmé mon pourpoint?

Son admiration pour Claes, c'était visible, avait subi une alté-
ration.

Personne ne lui répondit. Anselm Adorne, les sourcils haut
levés, dévisageait Julius. Felix, les lèvres entrouvertes, regardait Claes. Claes, sans se laisser distraire, répéta :

– Meester Julius... Est-il vrai que la dame revient de Louvain,
et le capitaine Astorre avec elle ?

– Oui, fit Julius d'un ton bref.

– Oh, souffla Claes.

Ses yeux ronds comme des soucoupes ne quittaient pas le
notaire.

– *Astorre* ! siffla Lionetto. Astorre ! répéta-t-il, d'une voix dont
le volume montait. Cette masse de criminelle stupidité vient
ici, à Bruges, pendant que je suis dans cette ville ? Est-il fatigué
de vivre, Astorre ? Ou bien fait-il la cour à la veuve, Astorre ?
Veut-il prendre sa retraite, après toutes les batailles perdues,
pour avoir ses aises dans une teinturerie ? Est-ce là pourquoi il
vient ici ?

Anselme Adorne se retourna.

– Il est au service de la veuve de Charetty, capitaine Lionetto. J'ai grand-peur que votre pourpoint ne soit taché. Ne
serait-il pas sage de le faire nettoyer ? La route est praticable,
dehors, je crois.

– Minen heere, dit Julius, on ne sait rien encore de l'origine
du désastre.

Adorne avait perdu son sourire.

– Mais nous le saurons bientôt, riposta-t-il. A mon avis, meester Julius, vous devriez ramener à leur résidence votre élève et
votre apprenti et y demeurer ensemble jusqu'à l'arrivée de
votre maîtresse. Elle aura, je n'en doute pas, quelque chose à
vous dire. Nous-mêmes aussi, peut-être, quand viendra le
moment.

Felix intervint :

– Meester Julius n'est pour rien dans tout cela. Pour rien. Et
Claes était en prison.

Il avait rougi violemment.

– Nous l'avons noté, répondit Adorne. Il sera de notre ressort, comme de coutume, de faire justice. Il est vraiment dommage que la nécessité s'en présente si souvent.

Pourtant, ce n'était pas Julius qu'il regardait, mais le Grec.

6

Moins d'une semaine après, la veuve de Charetty arriva à Bruges par la porte de Gand, franchit le pont et ses prudentes défenses, puissantes comme deux châteaux-forts, afin de réparer les fredaines de son fils, Felix. Ses filles encore jeunettes, âgées de onze et douze ans, chevauchaient à ses côtés. Derrière elles venaient cinq chariots tirés par des chevaux, un maréchal-ferrant, un charpentier, deux commis aux écritures, trois domestiques, un cuisinier et la garde de la veuve, menée par un soldat de métier appelé Astorre, abréviation qui avait depuis longtemps remplacé son nom d'origine, Syrus de Astariis.

En ces temps où étaient attendues, d'un jour à l'autre les galères de Flandre, la veuve ne pouvait manquer de revenir. C'était un voyage annuel, dont elle ne tirait aucun plaisir. De Louvain à Bruxelles; de Bruxelles à Gand; de Gand à Bruges... les routes étaient aussi encombrées que les canaux, et la circulation plus difficile encore, tant à cause des chariots traînés par des bœufs et des charrettes délabrées que des rumeurs, propagées par les aubergistes, de bandes de brigands qui attendaient les voyageurs au détour de la prochaine haie.

Ce qui n'était, d'ordinaire, que bruits sans fondement. Ce qui, en outre, n'affectait pas la veuve Charetty et son équipage qui avait ses propres gardes du corps. Mieux encore, sa propre bande de mercenaires. Ainsi personne ne les avait attaqués sur la route. Pour son entrée dans la ville, la veuve de Charetty portait un beau manteau couleur de mûre et, sur la tête, une coiffure extravagante : un échafaudage de voiles orné sur le devant de semence de perles. Derrière elle, Astorre et tous les serviteurs étaient vêtus du bleu Charetty, la teinture spéciale inventée par Cornelis, et dont elle gardait la formule en mémoire. Le caparaçon de son cheval et de ceux de ses filles était de velours brodé de fils d'or, et les harnais d'argent.

Le retour en ville de l'une de ses veuves de bourgeois ne devait pas être ignoré de Bruges. Pour effacer l'impression produite par son fils Felix.

Elle avait oublié combien la ville était bruyante. D'abord, le grincement, le gémissement, le choc sourd des moulins à vent. Ensuite, les longs passages voûtés qui débouchaient sur la cité et qui prenaient au piège le piétinement des chevaux, dans le clic-clac des sabots et le cliquetis des harnais, tout comme le tonnerre grinçant des carrioles et le vacarme des voix campagnardes.

Dans les rues, les maisons aux façades obliques se renvoyaient les mêmes bruits. En septembre, toutes les échoppes, tous les contrevents étaient ouverts. Marian de Charetty entendait le crissement d'une scie, le claquement des mains du boulanger, le bruit métallique de la porte de son four. Elle percevait le bourdonnement de la meule à aiguiser, le bruit carillonnant qui venait de la forge, les voix joyeuses et les voix coléreuses, les cris des chiens, des porcs, le chant d'un coq. Elle entendait les mouettes se disputer au-dessus de sa tête, le grincement uniforme des enseignes et, surtout, le claquement des métiers à tisser qui résonnait d'une rue à l'autre, comme le martèlement d'une sabotée.

Au cours des trois mois qu'elle avait passés à Louvain, il y avait eu des changements. Elle les remarquait, faisait avec courtoisie les réponses qui convenaient à ceux de ses concitoyens qui la hélaient. Elle couvrit néanmoins sans s'arrêter le chemin qui la séparait de sa maison. Sa maison et son entreprise. L'une et l'autre se confondaient.

Elle se trouvait enfin à l'entrée de la teinturerie dont Cornelis avait été si fier. La cour était bien balayée, sans un brin d'herbe entre les pavés. Bien. On respirait l'âcre odeur des teintures chaudes et la puanteur de l'urine. C'étaient là des odeurs qui indisposaient la plupart des gens, mais pas elle. Et là, dans la cour (mais, bien sûr pourquoi laisser passer l'occasion d'échapper pour une heure à leur tâche ?), ses fidèles employés s'étaient rassemblés pour l'accueillir.

Les teinturiers en tabliers, leurs mains pendantes à leurs côtés comme des potirons bleu indigo. Les serviteurs mâles de sa maison, en tenue d'été, les revers de manches noircis à force de s'y essuyer le nez, mais sans un trou qui n'eût été réparé. Et les femmes, vêtues de robes décentes, leurs mouchoirs de tête bien repassés noués sous le menton. Les palefreniers, sans attendre, arrivaient déjà en courant pour s'occuper des chevaux.

Au milieu de cette assemblée, se présentait Henninc, qui dirigeait l'établissement de Bruges de Marian de Charetty. Son paletot tombait jusqu'aux mollets par-derrière, et, par-devant, s'arrêtait aux genoux, à cause de son ventre qui n'avait rien perdu de son amplitude. A cause de la nourriture de la veuve ou de son vin? elle ne le savait trop. Mais c'était un honnête homme, avait toujours affirmé Cornelis. Lent au travail, peu doué pour les chiffres, mais honnête.

La nécessité d'être assistée d'un scribe avisé, c'était le mobile qui avait amené Marian à choisir Julius. Et il était là, dans une attitude résolue mais qui évitait le défi. Et aussi la déférence. *Trop séduisant, et de loin*, avait grommelé Cornelis, lors de l'engagement. Non qu'il ne fît pas confiance à son épouse : il la connaissait trop pour cela. Mais ce visage hardi, à l'ossature prononcée, avec ces yeux obliques et ce nez si droit qu'il avait peut-être été cassé... tout cela pouvait amener des ennuis parmi les femmes de bourgeois aussi bien que chez les servantes de la maison et celles de la Place du Marché.

En fait, meester Julius n'avait créé aucun ennui. Ou bien sa discrétion était absolue, ou bien le sexe opposé n'avait aucune part dans ses ambitions. Pas plus, semblait-il (plus heureusement encore) que son propre sexe. Cela dit, il s'était comporté comme un imbécile avec Felix.

Son fils arrivait précisément : il se précipitait hors de la maison, à la main un chapeau stupide, tandis que ses cheveux soigneusement bouclés sautaient sur ses épaules. Toujours aussi maigre... Dépérissait-il? Pourquoi restait-il si chétif? Mais pas moins turbulent. Pas moins...

Elle avait mis pied à terre et arrêta le garçon de la voix avant qu'il l'eût rejointe.

– Felix de Charetty, rentrez à la maison. Quand je désirerai vous parler, je vous le ferai savoir.

Un regard blessé. Une moue rebelle qui se dessinait sur les lèvres. Mais il baissa les yeux.

– Oui, madame ma mère, dit-il.

Il fit demi-tour, s'éloigna d'un air digne vers la maison. Bien. Ses deux filles étaient maintenant descendues de cheval et se tenaient derrière elles. Tilde et la petite Catherine, modestes, dociles. De sous leurs capuchons, elles lançaient des coups d'œil autour d'elles. *Regardez-nous. Nous voilà de vraies femmes, avec des époux à trouver.*

– Henninc, dit la veuve. Vous vous portez bien? Soyez dans mon cabinet dans cinq minutes.

Elle prenait tout son temps. Elle promena son regard sur tous ses ouvriers, tous ses serviteurs, accueillit d'un signe de tête leurs saluts, leurs courbettes, avant de poser enfin les yeux sur son notaire.

– Et ce bon maître Julius. Pourrez-vous m'accorder quelques instants de votre temps, un peu plus tard?

– Quand il vous plaira, madame.

Il inclina la tête.

– Et votre insupportable apprenti? demanda-t-elle.

Ce fut Henninc qui répondit.

– Claes est dans la maison, demoiselle. Les magistrats désiraient qu'il y fût retenu jusqu'à votre arrivée.

– Je n'en doute pas, fit la veuve de Charetty. Mais il n'était sûrement nul besoin d'en tomber d'accord avec eux, n'est-il pas vrai? A moins, bien sûr, que la ville n'ait l'intention de me verser compensation pour la perte de ses services. Ou bien est-ce vous, meester Julius, qui avez conclu cet arrangement?

Il la regarda droit dans les yeux.

– Les magistrats, je le crains, dit le notaire, n'étaient pas disposés à accepter un appel. Si vous le permettez, je vous expliquerai la situation lorsque nous nous entretiendrons.

– Telle est bien mon intention, affirma Marian de Charetty. Et j'entendrai aussi l'apprenti Claes.

Sur un signe de tête, elle détacha l'agrafe de son manteau et, suivie de ses filles, se dirigea vers la porte de sa maison.

Henninc, hors d'haleine, y parvint tout juste à temps pour ouvrir le battant devant elle.

Felix grimpa jusqu'à la soupente où Claes, assis sur sa paillasse, s'amusait avec un couteau et tout un tas de copeaux de bois.

– Ma mère, annonça Felix, est de retour. Henninc et Julius la verront les premiers.

– Chaude ou froide? demanda Claes.

Il inclina la boîte à laquelle il travaillait. Claes était toujours en train de fabriquer des jouets que d'autres brisaient.

– Glaciale, répondit Felix avec conviction.

Il était un peu pâle.

– Elle avait pris cet air-là au bénéfice des gens qui l'attendaient dans la cour, dit Claes pour le réconforter.

Il estima du regard un angle de la boîte, prit son couteau, rectifia légèrement quelque chose.

– Dites la vérité, sans vous reposer sur Julius. Il ne peut pas nous couvrir tout le temps. De toute manière, Henninc devra tout raconter, pour sauver sa propre peau.

Il posa l'objet sur le sol, fouilla tout alentour pour retrouver une petite bille de bois.

– Toi, reprit Felix, ça ne te fait ni chaud ni froid. Tu n'es pas son fils, son héritier. L'honneur à rendre à la mémoire de ton père... L'avenir de son entreprise bien-aimée... Les bonnes grâces de la clientèle et le respect de ceux qui, un jour, travailleront pour toi... Ne ris pas, sacrebleu... Le manque de considération à l'égard de Julius, ce bon notaire, qui fait de son mieux en de regrettables circonstances... Je fais perdre son temps à Henninc. Je fais perdre leur temps à mes professeurs de Louvain. Je salis la réputation même de la Flandre aux yeux de l'étranger...

– Et vous coûtez beaucoup d'argent, dit Claes.

78

Il fit doucement tomber la bille de bois dans une cavité. A l'intérieur de la petite boîte grossièrement taillée se produi-sirent alors, apparemment spontanément, un certain nombre de phénomènes sans importance.

Felix gratifia l'objet d'un coup d'œil malveillant.

– Ça ne joue pas de musique, dit-il d'un ton critique. La der-nière comportait des clochettes et un petit marteau... Elle ferait des économies si elle me retirait de l'université.

– On ne peut pas toujours avoir des clochettes, observa Claes. Vous devriez travailler.

– J'ai travaillé, à l'université! protesta Felix avec indignation.

Claes ne répondit pas, ne leva même pas les yeux. Felix prit le petit coffret, le jeta par terre, avec un regard furieux à l'adresse de son compagnon. Des éclats de bois, des bouts de fil de fer se répandirent un peu partout.

Claes releva la tête. Il n'avait l'air ni blessé ni fâché. Seule-ment docile, pensa Felix, furieux. *Claes était toujours en train de fabriquer des jouets que d'autres brisaient.*

Pour la même raison qu'on le battait. Ça lui était égal.

Julius, au rez-de-chaussée, passait avec sa maîtresse un moment plus pénible qu'il ne s'y était attendu. Il s'était placé dans une situation intenable et il en éprouvait rancune et colère. Par ailleurs, en dépit de sa jeunesse, il était intelligent et avait acquis une grande expérience. Il n'était pas question de passer toute sa vie dans une teinturerie, avec une prêteuse sur gages. Mais, s'il se faisait chasser, il n'en serait pas plus avancé.

Il adopta donc une attitude où se mêlaient en parts égales la courtoisie, la fermeté et le regret. Debout (elle ne l'avait pas prié de s'asseoir) devant la cathèdre où trônait la mère de Felix, meester Julius exposa l'affaire de la baignoire du duc et l'injus-tice de la sentence. Il poursuivit en expliquant, sans trop s'attarder, la banalité de la peccadille commise par Claes qui, en toute injustice lui avait valu d'être poursuivi par une bande de gentlemen légèrement éméchés qui avaient poussé trop loin la plaisanterie. Julius jugeait improbable que Claes eût blessé le chien du seigneur écossais, mais, naturellement, on ne pouvait rien prouver. Quant à la manipulation de la réserve d'eau de la Waterhuus et à...

– Il avait mis le projet sur pied avec les autres, mais mon fils porte la responsabilité de l'avoir porté à exécution, coupa Marian de Charetty.

Julius détestait travailler pour une femme. Lors de la mort soudaine de Cornelis, il avait bien failli partir immédiatement mais il avait ensuite réfléchi. Marian pourrait bien rester veuve. Elle avait dix années au moins de plus que lui. S'il parvenait à la supporter, il pourrait donner libre carrière à ses talents, plus qu'il ne lui aurait jamais été possible de le faire avec Cornelis.

Et, d'une certaine manière, il en avait été ainsi. A cette différence près qu'elle faisait appel à ses seuls talents de notaire. Dans la plupart des autres domaines, elle possédait un esprit aussi aiguisé que celui de feu son époux, et, parce qu'elle n'avait pas joui du même temps pour établir son autorité, elle se montrait à la fois plus difficile et plus résistante. Cette année-là, elle les avait tous bousculés, à Louvain comme à Bruges, et elle était allée trop loin avec Felix.

Ce qui se produisait chez Felix, c'était un mouvement de rébellion, causé par cette autorité, par la mort de son père et par la crainte à la perspective de supporter le poids de l'affaire familiale. Et, si l'on allait par là, il en était sans doute de même pour Julius aussi. Il prenait en pitié Felix et les autres jeunes gens. Il lui arrivait d'en avoir assez des longues heures de négociations et de tenue des registres, assez de devoir guider Felix dans les étroites voies du savoir, quand tout ce qui tourmentait Felix, c'était de n'avoir pas encore pu attirer une fille. Eh bien, en tout cas, c'était là un problème qui n'inquiétait pas Claes.

Meester Julius dévisageait sa maîtresse comme elle l'avait dévisagé dans la cour. Et, dans l'ensemble, leurs réflexions n'étaient pas si différentes. Julius n'aimait guère les grandes femmes autoritaires. Il n'aimait guère non plus la veuve de Charetty mais il voyait bien que d'autres ne partageaient pas son sentiment. Marian de Charetty était petite, rondelette et vive. Son regard n'en était pas moins du bleu le plus éclatant, et de la teinture de vermillon courait dans ses veines, ce qui donnait à ses lèvres un rouge naturel et colorait de rose ses joues sous de courts sourcils châtains. Il n'avait jamais vu ses cheveux, toujours strictement couverts, mais il les imaginait.

De l'avis de Julius, il pouvait n'être pas bien bon pour les affaires d'être aussi avenante. Dans l'atelier, personne, évidemment, ne lui manquerait de respect, mais les négociants et les courtiers pourraient en venir à s'attendre à certaines faveurs. Lui, de son côté, s'appliquait à préserver une attitude conventionnelle. Si seulement elle avait été un homme : ils auraient pu tout bonnement se quereller bruyamment. Les femmes, quand elles ne fondaient pas en larmes, vous mettaient à la porte.

Il répondit à ses questions sur la décision des magistrats, les amendes et les indemnités, la regarda noter chaque somme. Finalement, elle leva les yeux.

– Eh bien? fit-elle. Comment envisagez-vous votre part dans tout cela?

Il abaissa son regard sur ses pieds, avant de relever la tête avec franchise.

– Dans la mesure où Felix était confié à mes soins, la faute, je suppose, retombe fondamentalement sur moi, répondit le notaire. Vous pouvez me juger indigne de guider votre fils à l'avenir. Vous pouvez aussi penser qu'une part de responsabilité pour les pertes subies doit m'incomber.

– La responsabilité entière, sûrement? dit Marian de Charetty. Ou bien êtes-vous d'avis que mon fils, lui aussi, doive payer d'une manière ou d'une autre? Je laisse de côté notre ami Claes, qui n'a pas d'argent et devra donc, je vous le garantis, trouver un autre moyen de me dédommager.

– Il a déjà payé, fit vivement Julius.

– Tout au contraire. Si j'ai bien compris, c'est moi qui ai payé pour lui épargner une seconde bastonnade. Il se peut même que je doive payer de nouveau afin de donner satisfaction à cet Écossais altéré de sang. Peut-être pourrais-je tout simplement lui offrir Claes?

Claes était un jeune apprenti. Claes était chez les Charetty depuis l'âge de dix ans. Il dormait sur la paille, avec les autres, et s'asseyait à la table des apprentis. Claes était l'ombre de son fils.

– L'Écossais le tuerait, je crois, dit Julius.

Les yeux bleus s'ouvrirent.

– Pourquoi?

Dieu du ciel. Avec prudence, Julius répondit :

– On le dit jaloux, demoiselle.

– *De Claes*? se récria-t-elle.

Elle comprenait parfaitement, se dit-il. Que diable, c'était évident : le vieil Henninc avait dû pour le moins lui raconter tout cela. Pas ce qui concernait Felix, mais tous les croustillants détails relatifs à Claes, pour l'amener à s'en débarrasser. Ce qu'elle allait faire, supposait Julius.

– C'est un bon travailleur, expérimenté. D'autres ateliers payeraient pour l'accueillir.

– Peu m'importe Claes, déclara la veuve. Et je ne me soucie pas autrement de vous non plus. Vous avez de l'argent placé. Si vous désirez rester chez moi, il vous faudra, je le crains, liquider quelques-uns de vos placements. Si Felix retourne à Louvain, vous l'y accompagnerez et vous laisserez entre les mains de mon fils et les miennes un état exact de votre situation financière personnelle. Pour tous méfaits commis par Felix, ce sont vos fonds qui pâtiront, et je l'obligerai ensuite – avec le temps – à vous rembourser. En d'autres termes, si vous ne vous sentez pas capable d'affermir son caractère, il faudra de toute évidence que je m'en charge. Le seul élément qui vous rachète tous un peu, dans cette suite stupide d'événements, c'est la considération que vous avez, jusqu'à un certain point, témoignée les uns pour les autres. Votre considération à l'égard du reste du monde a été, naturellement, inexistante.

Elle le détaillait d'un œil critique.

– Et vous trouvez tout cela injuste? Vous souhaitez nous quitter?

– Tout dépend de la somme que vous me réclamez, riposta-t-il brutalement.

Comment était-elle au courant de ce qu'il possédait?

– Assez pour vous donner une leçon.

– Je pourrais bien enseigner à Felix ce que vous ne souhaite-riez pas lui voir apprendre, fit-il.

Elle ne le quittait pas des yeux. De l'extrémité froissée de sa plume, elle se caressait lentement le coin des lèvres. Elle posa la plume, reprit la parole.

– Vous êtes, dans l'ensemble, un négociateur fort patient. Vous pouvez soutenir une discussion, maintenir une attitude. Et, soudain, vous commettez une erreur, comme celle-ci. Pourquoi?

Parce que je n'aime pas être aux ordres d'une femme. Mais il ne le dit pas. Il répondit:

– Je vous demande pardon, mais toute cette aventure m'a tourmenté. Je ne suis pas un homme riche. Vous le savez.

– En conséquence, si je dois vous confier le soin de faire de mon fils un homme, il est peu probable que je me montre assez déraisonnable pour ne vous laisser d'autre solution que le départ. Vous avez bien dû y songer.

– J'ai été surpris, dit-il. Je croyais que mes affaires privées demeuraient privées.

– En Flandre? fit-elle.

Il ne répondit pas. Elle reprit:

– Nous ne sommes pas tous des adultes à vingt ans, meester Julius. Aucun d'entre nous. Ce qui vous amène à faire une puérile escapade dans une baignoire est aussi ce qui vous conduit, dans une négociation, à prononcer une remarque imprudente. C'est là la leçon pour laquelle vous allez payer. Un jour, vous me remercierez. Je vous ferai tenir dès demain la liste précise de mes décisions. En attendant, vous pouvez m'envoyer mon fils.

Après une hésitation, il salua, sortit. Il appela Felix, avant de se réfugier dans sa propre chambre pour réfléchir. Il n'était encore parvenu à aucune décision lorsque, un peu plus tard, il entendit une porte claquer. Il comprit alors que Felix émergeait à son tour de son entrevue avec sa mère.

Julius rouvrit sa porte et se précipita au rez-de-chaussée. Il arriva juste à temps pour rattraper son élève, l'air maussade et rageur, les yeux rouges, et pour l'entraîner dans un endroit tranquille où il pourrait le raisonner. A cet instant, il lui vint à l'esprit qu'il semblait, en fin de compte, avoir pris sa décision.

Un serviteur fut envoyé à la recherche de Claes, et tout le monde regarda l'apprenti descendre bruyamment l'escalier et frapper à la porte de sa maîtresse. Le battant s'ouvrit, Claes entra. Tous s'attardaient encore, mais la porte était massive, et la maîtresse, de toute manière, n'élevait jamais la voix. D'ailleurs, le vieil Henninc survint et chassa tout le monde. L'un des garçons déclara que la veuve possédait un fouet à trois lanières, garni de fer, mais ils n'entendirent aucun bruit de fouet.

À l'entrée de Claes, Marian de Charetty écrivait. Elle continua d'écrire, tandis que l'apprenti refermait la porte sans bruit. Elle leva alors les yeux, le regarda se diriger vers sa table de travail.

– Tourne-toi, dit-elle.

Le visage ouvert de Claes lui souriait.

– Ce n'est pas la peine, demoiselle, répondit-il. C'est en voie de guérison. Meester Felix m'a bien soigné. Et, la deuxième fois...

– Il a payé. Oui, je sais. Tu mourras, Claes. Tu seras mort avant ta vingtième année si tu ne t'assagis pas. Le canon n'avait sûrement aucune importance pour toi?

– Le canon? répéta-t-il, stupéfait.

– À moins que quelqu'un ne t'ait payé... Non, certainement pas.

Elle se répondait à elle-même et fronçait les sourcils sans le quitter des yeux.

– Tu t'es arrangé pour le faire tomber par-dessus bord pour le seul plaisir de jouer un tour à quelqu'un. Veux-tu savoir comment je l'ai deviné?

Il se leva, les bras pendant le long du corps, sans marquer le moindre trouble.

– Sans doute les hommes du duc ont-il payé l'amende pour la demoiselle, dit-il. Mais, naturellement, meester Felix ne pouvait être mis au courant.

– Julius m'a déjà dit quel travailleur assidu et précieux tu étais. Crois-tu que la direction de tes talents ait échappé à son attention?

Il se méprit à sa question, semblait-il.

– Jonkheere Felix ferait des sottises même si je n'étais pas avec lui. C'est une habitude, chez les jeunes gens fortunés.

– Merci de me l'apprendre, fit sa maîtresse. Je sais, et meester Julius le sait aussi, que, lorsque tu es présent, ses espiègleries sont habituellement sans gravité. Ce que fait Felix, quand il est livré à lui-même, n'est pas aussi anodin. Le gardien du Waterhuus va recevoir la bastonnade et être chassé, pour le moins. Cela, je le sais, ce n'était pas ce que tu avais prévu.

Après un silence, Claes déclara :

– Bien sûr, la demoiselle a raison. Jonkheere Felix a besoin de travailler, et à l'écart des anciens qui lui veulent du bien en souvenir de son père. La demoiselle songerait donc à lui faire quitter l'université?

Elle joignit devant ses lèvres les extrémités de ses doigts.

– J'y ai pensé. Mais, pour moi, Louvain était important.

Il y eut un silence.

– La demoiselle, reprit enfin Claes, pourrait juger, je crois, que le séjour a rempli son but.

Nouveau silence.

– Et si, reprit-elle, j'avais l'intention de t'envoyer travailler avec lui?

Elle avait appris, au cours des années, à ne pas se fier à ce que disait Claes mais à observer ses yeux.

– Jonkheere Felix, dit-il, commence à prendre de l'âge. Peut-être se trouverait-il mieux en la compagnie de gens de son espèce.

Elle continuait à le dévisager.

– Mais celle de meester Julius ne l'indisposerait pas?

Elle déchiffra la signification de son sourire.

– Oh, je vois : c'est le contraire. Meester Julius pourrait mal supporter d'être aux ordres de Felix. Ainsi, j'éloigne mon fils, et, Julius et toi, vous restez ici pour m'aider à mener mon affaire? A commencer par un exploit comme celui d'hier?

– La rencontre avec les Écossais?

– Un seul Écossais, dit-elle d'un ton acerbe. Un acte de malice délibérée. De sottise. De folie. Qu'as-tu à répondre?

– C'était un accident, dit-il.

– Comme celui du canon? insista Marian de Charetty. Seulement, cette fois-ci, il s'agissait d'une attaque personnelle. Tu as vu cet homme à Damme. Tu t'es pris d'antipathie pour lui avant même de savoir qui il était. Tu as décidé de le tourner en ridicule.

Claes, qui avait baissé les yeux sur ses pieds, releva la tête.

– Demoiselle, je ne m'attendais pas à être découvert. C'est moi qui ai été tourné en ridicule.

Sans lui répondre, elle laissa son regard posé sur lui jusqu'au moment où il reprit la parole.

– Les gens agissent selon leur nature. Je me demandais alors de quoi il était fait.

– Et maintenant, tu le sais à coup sûr, après une seule furieuse rencontre. En conséquence, il y a des dommages à réparer. Mon client se juge offensé. Le patrimoine de Felix va en souffrir. Et tout cela, à cause de cet *accident*.

– Après le départ des galères, dit Claes, monseigneur Simon rentrera chez lui. Je me tiendrai hors de son chemin. De son côté, il en fera autant, je suppose. Demoiselle, j'ai certains renseignements à propos d'alun.

– Oui, certainement, fit-elle : tu te tiendras hors de son chemin. Je me refuse à toute guerre ouverte, le temps que tu seras sous mon toit. Tu n'aurais pas les moyens d'y survivre. Dieu sait que tu as les moyens d'en lancer une. Tu es comme Felix : tu as besoin de travailler.

Il lui sourit, leva vers elle ses paumes épaissies de cals.

– Pour quelle sorte de sotte me prends-tu donc? lui dit-elle.

84

Cela, je le sais. Depuis huit ans que tu vis avec cette famille, tes bras et tes jambes ont au moins gagné ton vivre et ton couvert. Malheureusement, rien d'autre en toi n'a encore pris vie, semble-t-il. Que vas-tu devenir?

Il secoua la tête, lui dédia le large sourire débordant d'affection qu'il offrait au monde entier.

– Le duc va peut-être me prendre?

– Non, dit froidement Marian de Charetty. Mais le roi d'Écosse, c'est possible. Le roi de France, c'est presque certain. Si meester Julius nous quitte, ce que tu aurais de mieux à faire serait de partir avec lui.

– Va-t-il partir? demanda Claes.

Il avait l'air surpris.

– C'est bien possible, répondit-elle. Quand il va découvrir que je me refuse à faire de lui mon associé. Mais, avec ce qu'il doit maintenant, il lui faudra quelque temps pour mettre de côté de quoi se rendre indépendant. A ce moment-là, Felix sera devenu grand.

– Et moi, j'aurai peut-être été pendu par le roi des Écossais, dit Claes. Mais où irez-vous chercher un honnête notaire pour vous aider à guider jonkheere Felix?

Il parlait comme s'il pensait tout haut. Il arrivait fréquemment qu'elle le laissât s'exprimer librement. Cette fois, sans lui accorder le temps de trouver une réponse, il en suggérait déjà une.

– Il y a bien meester Oudenin. Sa fille a l'âge qui convient.

Elle se sentit rougir, reprit brutalement son souffle. Dans sa gorge s'attardait une faible odeur d'encre, de parchemin et de cuir, de sueur et de sciure de bois. De sciure de bois?

– Nous allons en rester là, je crois. Te battre, ainsi que tu le mérites certainement, ne ferait que m'amener à perdre encore un peu plus de ton travail. Je te dirai en temps voulu à quel châtiment approprié j'ai pensé. En attendant, tu vas retourner à l'atelier, quoi qu'en puisse dire la ville. Je m'occuperai du gentilhomme écossais.

Les pas qu'elle avait perçus se faisaient plus distincts. Elle reconnut le poing d'Astorre qui cognait à la porte.

Claes sourit, et elle dut faire effort pour ne pas lui rendre son sourire.

Un autre grand coup ébranla le battant. La voix d'Astorre appela :

– Demoiselle!

– J'ai tout écrit, dit Claes. Au sujet de l'alun. Il est en Phocée, et les Vénitiens espéraient garder le secret... Voilà qui va intéresser la guilde.

Il tira de sa bourse un morceau de papier froissé, le posa sur la table, avant de lever les yeux sur sa maîtresse avec un autre sourire et de glisser par-dessus l'un des documents de la veuve.

Après quoi, par permission tacite, il traversa la pièce et ouvrit la porte à Astorre, avant de sortir sur un petit salut.

Le battant se referma. Elle ne jeta pas un coup d'œil au papier. Le soldat, comme elle s'y attendait, portait sous chaque bras un lourd coffret. Il traversa le cabinet de son pas pesant, sur ses deux jambes torses, et déposa son fardeau près du coffre où Marian gardait son argent. C'était la raison pour laquelle elle devait, chaque année, emmener une garde bien armée : elle transportait une certaine quantité de gros pour payer ses achats sur les galères de Flandre.

Astorre, à peine essouflé, se redressa. Vingt années de durs combats se trahissaient par une cicatrice plissée, au-dessus d'un œil, et par l'espèce de ruché écarlate qui était tout ce que les chirurgiens lui avaient laissé d'une oreille. Mais il était aussi solide qu'un garçon de vingt ans, sans un seul fil gris dans sa barbe. Il demanda :

– Alors, vous lui avez tout dit ?

– Non, pas encore, répondit Marian de Charetty.

– Il ficherait le camp ? Je ne l'aurais pas cru, déclara le capitaine.

– Non. Il a beaucoup grandi en un an, fit la veuve.

– Trop ?

Le capitaine éclata d'un rire rauque. Il cracha dans les roseaux qui couvraient le sol. Certains capitaines nourrissaient des ambitions de raffinement. D'autres visaient plus bas. C'était sa petite taille, avait toujours pensé Marian, qui expliquait le comportement brutal et agressif d'Astorre. C'était un homme astucieux, un homme d'expérience. Mais, même avant la mort de Cornelis, elle avait su s'y prendre avec lui.

– Il a grandi par certains côtés, reprit-elle. Je ne veux plus avoir d'ennuis avec Claes jusqu'à l'arrivée des galères. A ce moment, je lui parlerai.

– Comme vous voudrez.

Astorre n'était pas inquiet. Il sortit pour aller chercher le reste des coffrets, et elle le suivit des yeux. Très probablement, se disait-elle, Claes avait déjà deviné ce qu'elle avait l'intention de faire de lui. Dans le cas contraire, il ne tarderait pas à découvrir des indices, dans toutes ces cours, ces cuisines, ces bureaux où il portait des messages et où il était toujours bien accueilli.

Oui, il devinerait ses intentions mais il ne ferait rien jusqu'au moment où elle les lui révèlerait publiquement. Elle pouvait y compter, plus que sur n'importe quoi d'autre. Elle songea à Claes, qui avait défendu Julius, à Julius, qui avait défendu Claes, et prit conscience d'une pointe de jalousie.

7

« Je me tiendrai hors du chemin de monseigneur Simon »
avait promis Claes.

Marian de Charetty y veilla. Elle le consigna à la maison et fit
de même pour son désinvolte fils, Felix. Il ne lui vint pas à
l'idée, malheureusement, de limiter les activités de son capitaine de mercenaires, Astorre, qu'elle considérait comme un
adulte. Quelques jours plus tard, quand les galères en provenance de Venise entrèrent au port, la propriétaire de la teinturerie Charetty avait l'impression qu'elle tenait bien en main
sa maisonnée, et que rien, à présent, n'était susceptible de la
détourner de ses affaires. Au début, rien ne vint la détromper.

Sans Claes ni Felix, les cinquante mille habitants de Bruges
couvrirent à pied ou en barque les quelques lieues qui les séparaient de Sluys, afin de voir jeter l'ancre les deux vaisseaux aux
lignes élancées.

Chaque année, le spectacle était tout aussi merveilleux. Voir
la lumière du soleil filtrer à travers la soie des bannières et le
flamboiement de couleurs quand les rames les déroulaient au-
dessus de l'eau avant de se redresser de chaque côté à la
manière de deux peignes gigantesques. Entendre le vaisseau
amiral commencer sa musique : d'abord les tambours et les
fifres, puis les éructations des trompettes placées à l'arrière.
Au-dessus de l'éclat cuivré des instruments s'agitait et frémissait la frange du dais où l'on voyait, brodé en larges lignes massives, et différent chaque année, l'emblème du commandant.

Et l'on aurait juré que, par-dessus l'étendue d'eau, on respirait tous les parfums : cannelle et clous de girofle, encens et
miel, réglisse, muscade et citron, myrrhe et eau de rose venue
de Perse, barils sur barils. On croyait entrevoir, en amoncelle-
ments étincelants, les saphirs et les émeraudes, les gazes tissées
d'or, les plumes d'autruches et les défenses d'éléphants, les
gommes arabiques, le gingembre et les boutons de corail que

mynheere Goswin, le greffier de la Hanse, porterait peut-être la semaine suivante sur son paletot.

C'était là, on n'en pouvait douter, un tour de magie, pareil à ceux des artistes du duc, au temps de Carnaval. Ce n'était pas un hasard si les galères affalaient toujours leurs voiles pour entrer au port en plein jour, les ponts briqués, les rameurs et les maîtres d'équipage en grande tenue, tandis que les nobles seigneurs qui commandaient chaque galère, vêtus, à la mode ridicule des Vénitiens, de robes d'étoffe rigide, arboraient des barbes taillées de frais et portaient peut-être sur l'épaule un marmouset attaché par une chaîne.

Il ne s'agissait pas là d'un tour de magie bien compliqué. Les galères de Flandre, à la différence des gros bateaux, ne passaient jamais la nuit en mer, où l'on se salissait sans avoir le temps de tout remettre en état avant de toucher terre. Les galères de Flandre, chaque nuit, faisaient escale dans un port, au cours du voyage royalement payé qui les amenait de Venise. Elles étaient poussées au long de l'Adriatique par les vents chauds de l'été, elles se laissaient entraîner vers Otrante et Corfou, elles furetaient çà et là en Sicile, elles contournaient le talon de la botte italienne jusqu'à Naples, elles traversaient allègrement le golfe occidental jusqu'à Majorque, avant de gagner la côte nord-africaine, pour remonter et contourner ensuite l'Espagne et le Portugal. Elles déposaient à mesure les petites cargaisons qui n'étaient pas attendues à Bruges, chargeaient à bord un peu d'huile d'olive, un peu de zestes d'orange confits, un peu de cuir odorant, un soupçon d'orfèvrerie, un perroquet, quelques pains de sucre.

Mais jamais rien de vulgaire, d'encombrant, de grossier. Les galères de Flandre de la Sérénissime République étaient les princesses de la flotte vénitienne, équipées, construites à grand prix de façon à pouvoir distancer n'importe quel écumeur des mers, conçues exclusivement pour le transport de produits de luxe.

Elles venaient chaque année et, chaque année, en atteignant les Détroits, elles se séparaient : deux pour Bruges et une pour Londres – ou pour Southampton, si les Londoniens, cette année-là, menaient campagne contre les marchands étrangers. L'ensemble de la cargaison des trois galères de Flandre, disait-on, valait un quart de million de ducats d'or. Oui, il existait bien une telle fortune dans le monde. Du moins l'affirmait-on. Et tenez, pour preuve : le doge et sa bande, à Venise, votaient chaque année vingt livres pour soudoyer les agents des douanes à Bruges, afin de les persuader de sous-évaluer la cargaison. Ça, c'est vrai. C'est moi qui vous le dis. Je le tiens de la veuve de l'un d'eux. Et il y avait dix fois autant à dépenser pour amadouer le duc Philippe lui-même.

Ainsi parlait la foule, tout en regardant la barque qui amenait les douaniers à bord, deux par galère, et le comité de réception de Sluys, et, plus tard, les notables de Damme avec leurs chaînes d'or. Beaucoup plus tard encore, la grosse cloche du beffroi de Bruges se mettrait à sonner. Quelqu'un – Jan Blavier, c'était lui – arriverait à dos de mulet, coiffé d'un chapeau qui ressemblait à cinq aunes de bandage pris aux épines d'un buisson. Il serait suivi d'Anselm Adorne et de Jan van den Walle, à la tête d'un groupe de palefreniers, de serviteurs et de soldats, sous le blason et l'étendard de Bruges. Les accompagneraient les agents de Venise – le gros Bembo et le maigre Contarini et cet avare bouffi de Marco Corner.

Enfin, les derniers – car les Vénitiens avaient priorité sur les listes de gratte-papier et sur le déchargement de la cargaison, tout comme pour l'embarquement de leurs marchandises avant le départ –, viendraient les autres marchands qui attendaient un arrivage.

Tel Tommaso Portinari, les doigts chargés de toutes ses bagues, s'il pouvait convaincre Tani de lui laisser traiter l'affaire, ce qui serait sans doute impossible. Tel Jacopo Strozzi, qui amènerait peut-être le jeune Lorenzo, si sa goutte le faisait souffrir. Et Jacques Doria, Lommelin et le reste des Génois. Et Pierre Bladelin, le contrôleur de la Maison du Duc, venu examiner les marchandises tout spécialement commandées par son maître, et João Vasquez, qui ferait de même pour la duchesse, en compagnie de Figuieres et des autres Portugais. Quelqu'un viendrait du Corps des Hosteliers, pour voir qui avait besoin de logement. Les Allemands de la Hanse seraient là, désireux de connaître les tarifs. On verrait aussi les Lucquois, avec Giovanni Arnolfini et son long visage blême, qui connaissait les goûts du duc en matière de soies et qui était chargé de quelques commissions privées susceptibles de lui rapporter un gros ou deux.

Oh, il s'en passait des choses, derrière les décors, quand les galères de Flandre arrivaient. Les premiers jours, les hommes importants ne se rendaient jamais au port : ils attendaient que toutes les marchandises fussent parvenues par gabares jusqu'à la Bourse de Commerce de Bruges et à la Waterhalle. Les véritables marchandages avaient lieu, disait-on, au cours des réunions qui se déroulaient ensuite. Après tout, on avait tout l'hiver pour brasser des affaires. Six mois, pendant lesquels les galères restaient au port, tandis que chaque taverne, chaque bordel de Bruges et des environs accueillaient quatre cents matelots.

Les galères de Flandre étaient arrivées. Les cloches et les trompettes n'étaient qu'un prélude au tintement assourdissant des pièces de monnaie.

Fort imprudemment, le troisième jour qui suivit l'arrivée des galères, Marian de Charetty libéra son fils Felix de ses devoirs, à condition qu'il ne mît pas les pieds hors de Bruges. Ce qui lui interdisait l'accès de Sluys.

Elle présumait, avec quelque raison, qu'il se rendrait tout droit à une taverne, et que l'on pourrait, un peu plus tard, envoyer Julius l'en tirer. Julius lui-même se trouvait à Sluys, en compagnie de Henninc. Ils s'intéressaient de près à certaines balles de guède et de réséda des teinturiers et d'écorce de chêne kermès, ainsi qu'à quelques sacs de noix du Brésil et contemplaient avec un désir sans espoir un article fort coûteux qu'on appelait l'alun. La demoiselle de Charetty devait assister à une assemblée de la Guilde des Teinturiers. Elle espérait que Julius viendrait l'y retrouver avec son rapport. Elle manda l'assistant de Henninc, lui confia la responsabilité de la maison et s'en fut à pied, suivie d'une servante, à son rendez-vous.

L'assistant de Henninc, un vaillant foulon nommé Lippin, se rappela qu'il y avait des ciseaux à reprendre chez le rémouleur. Il trouva Claes, l'envoya aussitôt faire cette course. Il ne lui était pas venu à l'esprit que Claes n'avait pas reçu permission de quitter les lieux avant une semaine. Claes, en sabots et tablier sali d'urine, se hâta de disparaître, de crainte de le voir s'en souvenir. Il découvrit Felix dans l'étude, désertée, de la maison consulaire des Médicis, près du marché. Felix ne parut pas très content de le voir.

– Qui t'a dit que j'étais ici?

– Winrik, le changeur, répondit Claes d'un ton apaisant.

Winrik, qui courait les rues avec son banc de changeur était la meilleure source d'information de toute la Flandre.

Felix ricana.

– Et, en échange, tu as honoré Winrik d'une vérification détaillée et tu as découvert une erreur dans son journal et trois fautes de calcul au moins dans son registre. La peste soit du bonhomme, dit Felix à la seule oreille attentive, celle d'un tout jeune apprenti, récemment arrivé de Florence. Ce crétin de Flamand débite des chiffres pour son plaisir, comme, toi et moi, nous buvons, nous pétons ou cherchons des moyens de dépenser notre argent.

– Dame, si vous voulez le dépenser, il faut bien que quelqu'un en mette de côté, déclara Claes, raisonnablement.

Le regard de ses larges yeux se promenait sur les portefeuilles et les recueils de lettres des Médicis.

– Toi aussi, mets ton argent de côté, dit-il au jeune garçon qui le toisa, autant qu'il lui était possible, puis recula près de Felix, et recula encore sous la pression des fortes odeurs que dégageait le tablier de Claes.

Claes promenait cinq doigts massifs teintés d'indigo sur les pages d'un livre de commandes.

– Qu'est-ce que ça? Et ça?

Le gamin hésita.

– Oh, ne l'écoute pas, fit Felix avec lassitude. C'est une maladie, chez lui.

Il se tourna de nouveau vers Claes.

– Pourquoi as-tu sur toi les ciseaux de ma mère?

– Ils viennent d'être aiguisés, répondit Claes.

– Alors, elle doit attendre ton retour, non?

L'attitude de Felix rappelait un peu celle de son père.

– Non, dit Claes sans ciller. Qu'est-ce que vous attendez ici?

– Le bateau de Tommaso. Il se rend à Sluys. Aujourd'hui, sur les galères, c'est le jour de la vente privée. Je veux un singe.

– Vous avez envie de vous faire renvoyer à Louvain, déclara l'apprenti. Elle saura bien que vous avez quitté la ville.

– Je lui dirai que c'est toi qui as acheté le singe à ma place, dit Felix.

Claes réfléchit.

– Vous voulez dire que je dois vous accompagner à Sluys?

– Eh bien, oui, c'est ça.

Felix envisageait pour la première fois les problèmes pratiques de l'avenir immédiat.

– A condition, toutefois, que Tommaso puisse se débarrasser de ses prêtres et de ses moines. Il est en train de choisir un ténor pour la chapelle des Médicis, en Italie.

Son visage se rasséréna.

– Epouvantable, non?

A travers plusieurs portes émergeaient des sons qui auraient pu passer pour du chant. C'était épouvantable en vérité. Claes adressa son large sourire au jeune garçon.

– Combien en a-t-il déjà écouté?

Le gamin tourna le dos au tablier pour s'adresser avec ostentation au jeune homme qui portait de beaux habits et un chapeau.

– C'est le troisième. Frère Gilles fait partie du chœur des Augustins. C'est un ami du soldat Astorre. Cet Astorre attend, lui aussi, pour se rendre à Sluys.

– Oh, fit Felix.

– Il est sévère, Astorre? questionna le jeune garçon. Vous ne souhaitez pas le voir?

– Il n'est que le capitaine de ma mère. Je vais aller à Sluys.

– Il pourrait se charger de vos achats, suggéra Claes. Des singes. Des manteaux en peau de léopard. Une nouvelle sorte de plume, peut-être?

– Je vais à Sluys, répéta Felix.

Le chant s'était tu. La porte s'ouvrit.

– J'ai entendu ce que vous disiez, déclara le capitaine Astorre. Jonkheere Felix...

– Je vais à Sluys, affirma Felix pour la troisième fois.

Claes ne soupira même pas.

– Et moi aussi, se contenta-t-il de dire, en levant vers le soldat un sourire impertinent.

Astorre le talocha distraitement, avant de demander :

– Alors, qu'attendons-nous ?

Ça, c'était Astorre dans un moment de bonne humeur parce que frère Gilles, son ami, avait été choisi pour la chapelle des Médicis. Sur le visage de Felix, les nuages s'évanouirent. Il sourit à Astorre, à Tommaso Portinari qui venait d'entrer d'un pas rapide pour les conduire tous jusqu'à la gabare, et même à Claes. Celui-ci suivit docilement le reste de la troupe sur la semelle de ses chausses. Il avait accroché ses sabots à son cou, afin d'épargner les planches du bateau, et il portait sous son bras les ciseaux, enveloppés dans son tablier.

Ils embarquèrent sans le moindre pressentiment. Tommaso lui-même avait l'air joyeux. Ils partaient tous pour Sluys, vers les galères vénitiennes.

Par la suite (mais il mentait), Julius le notaire répéta plus d'une fois qu'il avait connu le pire moment de sa vie, par ce jour ensoleillé de septembre, alors que, sur le pont du navire amiral vénitien, il avait aperçu le bateau des Médicis venir vers lui à force de rames.

Il reconnut à son bord le fils de sa patronne, Felix, qui avait promis de ne pas quitter Bruges, et l'apprenti de sa patronne, Claes, consigné dans l'enceinte de la teinturerie. Il y avait aussi Tommaso Portinari, à qui la patronne de Julius ne voulait pas devoir de faveurs, et qui, s'il fallait se fier à son nez plissé, allait exiger de quelqu'un un dédommagement pour avoir supporté, depuis Bruges jusqu'à Sluys, la puanteur qui émanait du tablier de Claes.

Enfin, et pire que tout, se dressaient à l'avant le corps de poularde et la tête de coq d'Astorre, le capitaine de la veuve Charetty, la barbe pointée vers le ciel quand il sauta de l'embarcation. Il se retrouva sur le quai, et ses yeux, ronds comme des boutons, s'attaquèrent aux palais de caisses, aux terrasses de ballots gonflés, aux panoramas de sacs, de paniers, de barils parmi lesquels des files d'hommes, des groupes d'hommes et des hommes tout seuls se démenaient pour transférer ce décor, pièce à pièce, dans des charrettes, des gabares et des entrepôts, sous le balancement des bras des grues.

La barbe se pointa ensuite vers la galère, et Julius recula prudemment. Il y avait, après tout, deux galères, le long du quai, et l'on pouvait tout juste prier pour qu'il ne prît pas à Felix, à Claes et à Astorre l'envie de monter à bord du navire amiral.

Deux galères, et, sur chacune, cent soixante-dix rameurs, trente brigadiers, l'officier navigateur, le secrétaire et son adjoint, les calfats et les charpentiers, le cuisinier, deux chirurgiens et le notaire. Et tout ce monde avait ouvert ses coffres sur le pont afin de montrer les articles à vendre et les listes de prix.

C'était l'un des petits profits du voyage en Flandre, ce droit accordé à l'équipage d'emporter des marchandises peu encombrantes pour les vendre dans les ports où l'on faisait escale. Julius aurait été surpris que le chapelain n'eût pas, dans sa cabine, un sac contenant un morceau d'encens et quelques vêtements sacerdotaux d'un grand prix. Quant à la cabine du capitaine, on en pouvait être sûr, elle était bourrée jusqu'aux tentures de vin doux et de certains articles plus petits et plus lourds, telle la poudre d'or venue de Guinée, d'où était originaire l'esclave à la tête laineuse.

Mais tout cela, naturellement, concernait les amis de ser Alvise Duodo et non pas les vulgaires clients qui marchandaient. Le Grec à la jambe de bois, monsignore Nicholai de Acciajuoli, était en ce moment même enfermé avec Duodo : sans doute escomptait-il des nouvelles de son frère captif à Constantinople.

Il était bien dommage que le Grec ne fût pas venu seul. Dommage qu'il eût amené le noble marchand qui avait fait avec lui le voyage d'Écosse, le cruel Simon. Pour l'instant, le rideau de la cabine arrière était fermé, mais, à tout moment, l'un ou l'autre pouvait se manifester avant que Julius en eût fini avec ses affaires. Dommage aussi, que Julius ne fût pas totalement lucide.

Après les incidents du canon, de la fille et du chien, Julius ne souhaitait pas attirer l'attention de Simon sur lui-même ni sur aucun membre de la maison Charetty. Une fois déjà, il avait réussi à éviter son regard, ce qui n'était pas trop difficile sur le pont d'un navire long de cent dix-huit pieds vénitiens, encombré de colis et de gens. Non seulement il n'aimait pas Simon mais il avait tendance à se sentir profondément jaloux de lui. Il aurait aimé pouvoir épier Simon sans se faire voir. Il avait fourni, il le savait, sept jours d'un travail hautement satisfaisant à la demoiselle de Charetty, après la semonce reçue, et il avait célébré cette victoire un peu trop tôt ce matin-là. Il souhaitait donc particulièrement ne pas voir Felix et Claes monter à bord. Quant à Astorre, ce serait un désastre. Julius releva précautionneusement la tête, la secoua légèrement et regarda par-dessus le bordage.

Ce fut le désastre. L'embarcation qui portait Tommaso semblait avoir disparu. Mais la tête de Felix, coiffée d'un chapeau en forme de cornemuse, était déjà visible : du quai, il grimpait vers le navire amiral. Derrière lui venait Astorre, en élégant pourpoint de cuir à manches de brocart gonflées comme pâtés en croûte. Claes les suivait, avec son bonnet de travail et sa chemise mouillée de sueur, dont l'encolure déformée révélait son torse musclé et la lisière de ce chaume brun et soyeux dont Dame Nature, Julius avait de bonnes raisons de le savoir et en était jaloux, avait doté sa virilité.

Felix vit son tuteur, le gratifia d'un sourire quelque peu inquiet et tourna vaguement sa cornemuse vers les vendeurs qui rivalisaient de clameurs, tandis que son regard cherchait l'objet de son désir. Astorre, toute son attention fixée sur une proie glorieuse et lointaine, ignora totalement Julius. Claes, ses yeux globuleux brillants de la simple joie de la communication, dit :

— Felix veut un singe. La demoiselle est à sa réunion.

— J'ai envoyé Henninc la rejoindre, répondit Julius.

Il fronçait les sourcils pour assurer le parallélisme de ses yeux.

— Tu avais raison. Le lest était de l'alun en provenance de Phocée. Qui te l'a dit? Le Grec, Nicholai?

— Oh, non, meester Julius, dit Claes. La liste du secrétaire indique que l'alun vient du détroit de Gibraltar, aux prix de la Castille, et monsignore de Acciajuoli en serait d'accord, j'en suis sûr. C'est ce qu'achetaient les Vénitiens. L'alun de Phocée serait beaucoup plus coûteux.

— Oui, sûrement.

Le froncement de sourcils de Julius s'était encore accentué. L'alun, cette poudre blanche, d'allure innocente, que l'on tirait de la terre comme le sel gemme, était sans doute l'ingrédient le plus important au monde pour un teinturier, parce qu'il fixait la couleur sur le tissu. Claes le savait certainement. Néanmoins, Julius se demandait parfois si Claes comprenait vraiment ce qu'il disait, quand il colportait un peu partout ce genre d'histoire. Après tout, il était invraisemblable que le Grec eût pu lui confier un tel renseignement. Claes entendait simplement certaines choses, grâce à sa faculté de passer de bureau en bureau, dans une ville où les artisans étaient invisibles.

— Eh bien, reprit Julius, tu ferais bien d'être sur tes gardes. Notre ami amateur de chiens, Simon l'Ecossais, est à bord, avec messer Nicholai et le capitaine, et ce serait aussi bien s'il ne jetait pas les yeux sur toi. Par ailleurs...

— Dieu nous garde, interrompit Claes, d'un ton qui exprimait tout juste un certain intérêt. Voici le capitaine Lionetto et ses amis. Ils ont acheté un nègre.

N'importe qui pouvait voir qu'ils n'avaient pas acheté le jeune Noir : ils se contentaient de le frotter à la brosse pour voir si sa couleur allait passer. Julius, qui faisait parfois montre de discernement, reprit :

— Il veut un singe? Elle ne le supporterait pas.

— De toute manière, dit Claes avec optimisme, ce serait trop cher, à mon avis.

Il n'avait pas cessé d'observer l'esclave guinéen qui avait renoncé à tirer sur sa chaîne et se roulait sur le sol, tandis que les bras puissants du capitaine Lionetto le frictionnaient énergiquement à coups de vadrouille.

– Ils vont être obligés de l'acheter, s'ils l'abîment. Sauf si Felix préfère un nègre à un singe. La demoiselle aimerait peut-être mieux ça.

– La mère de Felix? demanda Julius.

Le rire lui mit les larmes aux yeux.

– Dis-le à Oudenin, le prêteur sur gages, là-bas. Ça l'aidera à faire sa cour.

Oudenin, chacun le savait, jetait sans cesse sa fille à la tête de Felix, mais ce qui lui faisait envie, en réalité, c'était de prendre la veuve à pleins bras.

A la grande surprise du notaire, Claes prit une expression docile, ôta son tablier et quitta son compagnon. Incrédule, Julius le vit se faufiler sur le pont et rejoindre le prêteur sur gages. Là, il s'assit, engagea l'autre dans une conversation apparemment innocente. Au bout d'un moment, tous deux se levèrent.

Peu importait si Claes avait ou non parlé de Marian de Charetty. Au moment où il se levait, Lionetto le soldat fit « Ha! » Accroché de chaque côté au bras d'un ami, il se mit en devoir de déplacer à travers la foule son corps massif en direction de l'apprenti. Le velours roux de son pourpoint et ses cheveux étaient de la même couleur.

– Ha! fit Lionetto. Quel pourpoint vas-tu gâter aujourd'hui, espèce de lourdaud? Et quel sot t'a donné permission d'empester l'air de ce navire avec tes haillons crasseux? Tu as besoin d'un bain. Qu'on lui en fasse prendre un.

L'esprit manifestement obscurci par les coupes de vin que Henninc et lui avaient vidées ensemble, Julius concentra son regard sur les deux compagnons de Lionetto, qui s'étaient emparés de l'apprenti et se disposaient, au sein d'une rumeur générale d'approbation, à le soulever de manière à pouvoir le jeter par-dessus bord de la façon la plus expéditive. Personne ne montrait d'inquiétude particulière à propos de Claes. Lui-même ne témoignait d'aucun ressentiment précis à se voir suspendu entre les mains vigoureuses des soldats. Il avait seulement l'air un peu surpris. Un homme chauve remarqua, au titre de simple commentaire :

– Il ne sait peut-être pas nager.

Claes savait nager et il avait besoin d'un bain. Julius évalua la situation et conclut vaguement qu'il ne s'agissait pas d'une urgence. Les soldats prirent Claes sous les aisselles, le balancèrent en arrière. La foule se dispersa.

Mais ils ne le lancèrent pas par-dessus bord. Le capitaine Astorre fit trois pas en avant, assena un solide coup de pied dans le genou de l'un des hommes qui tenaient l'apprenti. La victime, sans le vouloir, tomba à genoux en hurlant. L'espace d'un instant, Claes et l'autre homme restèrent main dans la main. Mais le bourreau rejeta le poing de l'apprenti pour marcher sur Astorre.

Il fut devancé par Lionetto.

Sans un regard pour ses soldats ni pour Claes qui restait là sans avoir l'air de comprendre, Lionetto ne frappa pas l'autre capitaine, il n'éleva même pas la voix contre lui. Il se contenta, en respirant fortement, de baisser une épaule et de refermer ses doigts sur le poignet de l'autre homme. Il le contraignit ainsi à lever la main droite et le retint dans sa poigne, à hauteur de la taille.

Enfermée dans leur commune étreinte se trouvait une coupe de verre émaillé de rose et abondamment couvert de dorures.

– Cette coupe est à moi, dit doucement Lionetto. Je l'ai commandée l'an dernier au maître navigateur.

Sa barbe à six pouces du visage de l'autre, Astorre exposa ses dents jaunes dans un rictus.

– Vraiment? Il a oublié de me le dire. J'ai payé cette coupe.

– Tu plaisantes, dit Lionetto. Je ne vais pas perdre mon temps à te la reprendre. Rends-la-moi, et je t'en donnerai le prix.

– Me la reprendre? fit Astorre. Méchant babouin. A nous deux, ce malheureux garçon et moi, nous pourrions te mettre en chemise. Exposer ta misérable virilité si l'envie nous en prenait. Mais le capitaine est un invité dans notre pays, et des gentilshommes ne se battent pas sur le pont de son navire. Je vais donc reprendre ce qui m'appartient.

– Ce qui m'appartient, insista Lionetto.

– C'est moi qui ai payé, dit Astorre.

– Signori! intervint une voix chargée d'une certaine autorité.

Ils se retournèrent.

Le rideau qui fermait la cabine du capitaine s'était écarté. Sur le seuil se tenait messer Alvise Duodo, le héros de Constantinople en personne. Le Grec Nicholai de Acciajuoli était à ses côtés. Il portait ce jour-là un chapeau de velours sur le capuchon de son élégant manteau. Et, derrière eux, Julius reconnut avec appréhension le noble Simon, dont le chien avait bien failli réduire à la mendicité la famille Charetty.

– Signori! répéta le capitaine.

Comme il s'y attendait, un ou deux de ses rameurs relevèrent des visages attentifs. On voyait, quand le *capitano* tournait la tête, ses cheveux, rasés au niveau des oreilles. Son paletot, ses boutons, son chapeau plat et son pourpoint en soie jaspée étaient merveilleux. Seuls, des membres de riches familles, comme les Contarini, les Zeno ou les Duodo, étaient choisis par le Sénat et la République de Venise pour commander la flottille de Flandre, et certains d'entre eux étaient de surcroît de bons marins même si là n'était pas l'essentiel de leur mission. Ils étaient là grâce à cette sorte de talent qui permettait, aujourd'hui, au seigneur capitaine de deviner, à partir de quelques mots murmurés par l'Athénien, qu'à l'origine du désordre se trouvaient deux capitaines mercenaires d'une certaine valeur qui pouvaient aussi présenter un certain danger. Le seigneur capitaine s'avança.

– Ah, dit-il. Le signore di Astariis et le signore Lionetto. Je vous cherchais. Je vous en prie, réglez ce différend et venez partager avec moi un gobelet de vin.

Les silhouettes trapues des deux capitaines s'immobilisèrent. Ils tournèrent des figures soudain détendues vers la source de cette invitation flatteuse. Entre les deux corps d'une force redoutable, la coupe demeura un instant fermement retenue par une main de chacun des deux hommes, tandis qu'ils cherchaient un moyen de résoudre le dilemme.

La solution leur fut imposée. Pas par messer Nicholai. Pas par le seigneur capitaine. Pas par l'un ou l'autre des adversaires.

Simon, le noble écossais, s'approcha des deux mercenaires de sa démarche élégante et, d'un coup brutal, judicieusement appliqué, fit voler la coupe hors de l'étreinte déjà relâchée des deux hommes. La trajectoire fut oblique et précise. Sur un concert de cris de plaisir et d'horreur, l'objet s'éleva dans les airs, passa par-dessus le plat-bord de la galère et décrivit un arc étincelant couleur de rose pour aller se noyer, finalement et coûteusement, dans les profondeurs du port.

Tout le monde se tourna vers Lionetto, dont le regard brûlant de menace fit place à un sourire éclatant adressé à l'Écossais. Tout le monde, alors, avec un espoir accru, décrivit un quart de tour pour regarder Astorre, qui avait payé le prix de la coupe.

Astorre porta la main à sa dague, la retira. Il saisit alors sa bourse, l'ouvrit, en tira une pièce de monnaie qu'il leva bien haut. Ignorant Lionetto, ignorant l'Écossais, ignorant, avec un superbe aplomb, tous les éléments qui étaient contre lui, Astorre déclara :

– Un florin pour l'homme qui plongera pour aller chercher ce qui m'appartient.

– Attendez! interrompit le capitaine.

Le pont, qui penchait déjà sous l'élan des nageurs qui s'apprêtaient à passer par-dessus bord, se redressa en oscillant. Le Grec sourit.

– Il me semble, reprit calmement le capitaine, que le succès couronnerait plus certainement les efforts d'un seul homme. Que l'esclave se charge de la tâche. C'est son affaire de plonger.

C'était le capitaine, les protestations s'éteignirent d'elles-mêmes. Au lieu de sauter, les hommes se battirent pour occuper les endroits d'où l'on aurait le meilleur point de vue. Les plus proches de l'échelle étaient Astorre et Lionetto.

On libéra de ses fers la brute africaine. On lui expliqua par gestes ce qu'il devait faire, et les instructions lui furent répétées en mauvais espagnol par un rameur. Après quoi, comme le pauvre diable hésitait encore, on le jeta par-dessus bord et on lui lança quelques flèches, pour le cas où il aurait eu l'idée de regagner à la nage la côte de Guinée.

Quand, après cela, il remontait de temps en temps à la surface, on lui jetait à la tête et aux épaules ce qui tombait sous la main, jusqu'à ce qu'il replongeât. Personne n'avait envie de passer là toute la journée.

Le capitaine du navire suivait patiemment l'opération. Il avait déjà fixé le moment où il déclarerait que toute recherche était vaine. Ce fut donc avec un étonnement non dénué d'agacement qu'il vit la terne toison laineuse et le large visage luisant reparaître une fois encore hors de l'eau, accompagnés cette fois par un bras levé qui brandissait la coupe rose et vulgaire du capitaine, intacte. Il entendit le sifflement du souffle longtemps retenu des deux ridicules gaillards à la vue de la coupe. Il vit le sourire s'épanouir sur la figure du propriétaire et la rage de Lionetto.

Le nègre avait atteint l'échelle et s'y hissait. Au sommet, l'attendaient les longs bras de Lionetto et les bras plus courts d'Astorre, qui sabraient l'air. L'Africain hésita.

Le Grec dit quelques mots au capitaine, qui s'adressa au truchement.

– Dis à l'esclave de ne pas remettre la coupe aux deux capitaines. Dis-lui de la lancer aux autres hommes de... De quoi?... De la maison Charetty. Ceux que messer Nicholai te montre. Les trois hommes que tu vois là-bas.

Julius eut la toute première notion de cette inspiration quand il vit toutes les têtes, devant lui, se renverser en arrière, comme pour suivre l'envol de quelque projectile d'artillerie. Par acquit de conscience, il leva la tête, lui aussi. Suivant un arc très haut, une chose luisante et rose filait vers lui. Un objet qui ressemblait bien à la stupide coupe à propos de laquelle Astorre faisait tout ce foin. Julius chancela sous un coup de coude de Felix qui entreprenait de sauter dans un effort pour rattraper la coupe.

Julius en voulait à Felix. Il prit plaisir à le voir chanceler à son tour. Claes, calmement, prit sa place, tendit ses deux grandes mains solides et attrapa la coupe.

Julius aurait pu jurer, par la suite, qu'il l'avait rattrapée.

Il était donc difficile d'expliquer comment, la seconde d'après, l'objet ne se trouvait plus entre les mains de Claes mais brisé en une myriade de particules roses qui brillaient partout où se portaient les yeux; dans des pans de fourrure et les plis d'une soie, dans des bols de majolique et des cornets de sucre, dans les bottes des spectateurs, dans leurs bourses, dans les fourreaux de leurs armes.

Ou dans des fourreaux vides, comme c'était le cas pour Astorre et Lionetto. Tous deux, lame au poing, se précipitaient vers le malheureux Claes. Derrière eux, appuyé à la lisse, le noble Simon souriait.

Ce fut Lionetto, celui qui n'avait pas payé le prix de la coupe, qui s'immobilisa brusquement, regarda sa dague avant de la remettre au fourreau et rejeta la tête en arrière pour partir d'un grand rire.

– Ce jeune imbécile et toi, à vous deux, vous seriez capables de me mettre en chemise! C'est bien ce que tu as dit! Astorre, pauvre idiot! Tu n'as même pas été capable de retenir ta coupe, et il n'a même pas été capable de la rattraper! Me mettre en chemise!

– Ah! murmura le Grec, quel dommage.

– Vraiment? dit le capitaine. Je n'aurais pas parié lourd sur les chances du garçon. Et ils vont de nouveau se sauter à la gorge. Voilà bien des manières discourtoises. Maître d'équipage, ayez la bonté d'aller dire à ces messieurs que votre capitaine regrette, mais que le temps ne lui permet plus de leur offrir du vin, et qu'il serait heureux de les voir régler leur querelle sur la terre ferme. Informez-moi quand ils seront partis. Messer Nicholai?

Il tenait le rideau soulevé pour permettre au Grec de rentrer dans la cabine. Il vit le regard de monsignore de Acciajuoli s'attarder sur le jeune Ecossais au physique agréable qui venait de partager leur collation : l'homme aux cheveux jaunes nommé Simon. Messer Duodo se demanda alors jusqu'où pouvaient s'égarer les goûts de l'Athénien.

– Je ne suis pas sûr, dit-il, que notre ami écossais ait l'intention de revenir. Il semblerait qu'il se considère comme un ami de Lionetto.

Et, comme l'Athénien, sans répondre, hésitait encore sur le pont, comme s'il était sur le point de rappeler l'Écossais dans la cabine, le capitaine ajouta :

– Vraiment, messer Nicholai, je crois que nous avons perdu assez de temps, vous et moi, pour des bêtises. Nous avons à parler de sujets qui, après tout, ne requièrent pas d'auditoire.

Le Grec se retourna, le rideau retomba derrière lui.

Quoi qu'il pût arriver désormais, il n'y pouvait rien faire.

8

Julius, atterré, vit disparaître l'autorité, laissant à Astorre et Lionetto toute liberté de rejoindre le quai à grandes enjambées pour s'affronter enfin sans entrave. A peine si les deux hommes remarquèrent que le capitaine était revenu sur son invitation, tant ils avaient hâte de se mesurer au combat. Suivis par trois ou quatre douzaines de spectateurs, ils se mirent en position. Chacun était entouré d'un groupe d'amis. Derrière Astorre s'étaient rassemblés Julius, Felix et leur acolyte, Claes, qui avait retrouvé son tablier et le portait roulé sous son bras. Derrière Lionetto se trouvaient ceux qui l'avaient appuyé, Julius s'en souvenait, à la Taverne des Deux Tables de Moïse, et, parmi eux, l'homme chauve : le notaire l'identifia vaguement comme le chirurgien ivre, Tobias, qui avait soigné les hommes de la Grue dont Claes avait abîmé les figures.

Claes. Oh, Dieu, cet idiot de Claes. Qu'allaient-ils faire de lui ?

Julius vit alors que, dans le groupe qui soutenait Lionetto, se trouvait Simon l'Écossais. Soudain glacé, il comprit ce que quelqu'un voulait faire de Claes. Il rassembla ses esprits, prit par le bras le mercenaire des Charetty, Astorre.

– Capitaine, dit-il, l'affaire est finie. Nous devrions retourner chez la veuve.

Lionetto l'entendit et ricana.

– Oh, mais oui. Courez vite retrouver la veuve. Pourquoi se battre, si l'on peut gagner sa vie entre les jambes accueillantes de la veuve ? Est-ce pour cela que tu voulais la coupe ? Pour payer ta nuit ? Je ne t'en blâme pas. Plus besoin de passer des nuits dans la boue, sous la tente. Plus de rebuts de l'université pour te donner des ordres. Plus...

Felix, écarlate, bondit sur lui. Julius plongea, mais Claes fut plus rapide. De son côté, Simon devança Lionetto. Le choc entre l'apprenti et l'Écossais fut des plus brefs. C'était leur troisième rencontre en quelques semaines. C'était la première fois qu'ils se touchaient. L'affrontement prit une soudaine importance. En effet, au moment où l'Écossais reculait, on découvrit qu'un côté de son magnifique pourpoint jaune citron était taché de sang.

Simon reprit son souffle. Puis, une main pressée contre sa blessure, il tendit l'autre et tira de sous le bras de l'apprenti un tablier roulé d'où dépassait une pointe brillante salie de sang. Dans un silence total, l'Ecossais saisit la pointe, déroula le tablier et exhiba à tous les yeux une grande paire de ciseaux.

Simon déclara :

– Cet homme m'a attaqué. Je revendique le droit de le châtier.

– Vous n'en avez pas le droit, protesta Felix. C'est un serviteur. Il me protégeait.

Son visage était empourpré.

Julius intervint :

– Monseigneur, il s'est agi d'un accident. Les ciseaux venaient de chez le rémouleur, et Claes les portait roulés dans son tablier pour plus de sûreté. Par ailleurs, si vous voulez bien me pardonner, il ne s'agit pas là d'une querelle qui vous concerne.

– Vraiment, fit Simon.

Ses yeux d'un bleu limpide, illuminés par le soleil, rappelèrent à Julius sa réputation avec les femmes. Cette diablesse de Katelina Borselen, disait-on, avait repoussé ses avances, et, depuis lors, il avait couché avec toutes les femmes bien nées de Bruges. Il paraissait assez vigoureux pour l'exploit, et, à le voir, on se persuadait que les élues y avaient pris plaisir. Julius, comme hypnotisé, ne le quittait pas des yeux.

– La querelle ne me concerne peut-être pas, reprit Simon, mais ce qui vient de se passer est mon affaire, et ceci, je puis vous l'assurer, est bien mon sang. Capitaine Lionetto, vous et le capitaine Astorre êtes de grands chefs dont les vies sont précieuses aux rois et aux États. Quelle excuse pourrait avancer Bruges si le monde perdait de tels hommes dans une querelle sans importance ? C'est moi qui ai lancé la coupe par-dessus bord. C'est ce coquin qui l'a brisée. Pourquoi ne pas me permettre de combattre en votre nom et laisser le coquin prendre la place du capitaine des Charetty ? De toute manière, l'honneur exige que je le châtie.

Il s'interrompit, regarda autour de lui, les lèvres étirées en un demi-sourire.

– Et, à moins que vous ne jugiez la chose déplacée, à cause de la différence entre nos deux états, je tiens à vous assurer que je n'userai pas d'une arme de gentilhomme contre un apprenti. Qu'il choisisse ce dont il a l'habitude. Un bâton, un gourdin, une perche... Je m'engage à lui tenir tête avec n'importe quoi.

Il y eut une rumeur d'approbation. A côté de Julius, Astorre déclara :

– Ça me paraît honnête, étant donné que l'Écossais devra se battre avec un trou dans la peau.

– Ce n'est rien, dit Julius. Regardez plutôt : ça ne saigne même plus. Astorre, Claes ne sait pas se battre.

– Tout le monde sait se battre, répliqua le capitaine d'un ton irrité. Il fait deux fois la carrure de ce joli garçon et il est plus jeune. D'ailleurs, il a laissé tomber ma coupe.

Astorre ne ferait donc rien pour aider Claes. Et il n'y avait personne d'autre pour arrêter le combat. Les nobles seigneurs et les officiers des galères s'étaient depuis longtemps prudemment éclipsés. Les rameurs n'avaient pas reçu d'ordres et n'éprouvaient donc rien d'autre que l'avide intérêt du profane pour le combat sur le point de commencer. Aucun personnage officiel de Sluys, de Damme ou de Bruges n'était plus là pour veiller à ce que justice fût faite. Restait Julius, pour harceler sans répit Astorre, et Felix pour haranguer Lionetto, l'un et l'autre dans un inutile effort de dissuasion.

Astorre et Lionetto, en effet, en soldats professionnels qu'ils étaient, étaient tout disposés à tuer, blesser un adversaire, ou bien à disposer de lui de tout autre façon, mais pas en combat singulier, à la manière des écoliers. Une telle erreur faisait de vous la risée de tous. Il y avait d'autres manières, plus adultes, d'atteindre le même but.

Astorre alla se placer du côté de la terre, et Lionetto au bord du quai, chacun avec ses partisans. On dégagea des sacs et des caisses l'espace qui les séparait, on trouva deux rames brisées que l'on tailla à même longueur. Elles serviraient pour l'escrime au bâton, à la mode picarde.

Ce n'était pas là le genre d'assaut qui valait que l'on pariât, mais ça pouvait aider à passer l'après-midi. Les hommes en campement avaient l'habitude de cette sorte de distraction. Lionetto ne portait à l'Écossais aucun intérêt particulier : il le jugeait trop infatué de lui-même, surtout quand, comme à présent, en hauts-de-chausses et chemise de toile fine, il avait plus belle allure que Lionetto lui-même.

Néanmoins, il ne pouvait y avoir aucun doute : Lionetto avait un champion plus valable que ce cochon d'Astorre, représenté par cet artisan barbouilleur, dont les orteils pointaient hors de ses chausses. Ce garçon était tout en yeux. Il faisait penser à un hibou perché dans un arbre, avec cinq hommes armés d'arcs au-dessous de lui.

Quelqu'un cria : « Allez ! », et le combat commença, sans cérémonie particulière. Leurs armes mesuraient six pieds de long et elles étaient pesantes. L'Écossais arborait un sourire amusé.

Non sans raison. S'il n'avait pas l'avantage de la taille ni de l'allonge, s'il était infiniment plus mince que son adversaire, il possédait toute l'habileté, tout l'entraînement du combattant qui manquaient à l'homme de peine. Tout se passait comme dans l'eau du canal. L'un se comportait comme un pur-sang, l'autre comme un rustre. Claes développait ses épaules puissantes, mais, avant que la perche eût décrit son arc, l'autre s'était déjà glissé sous sa garde pour le frapper à la cuisse ou pour abattre le bois dur sur le coude ou sur l'épaule.

C'étaient là les cibles visées de préférence par Simon : les endroits où Claes tenait sa perche et la maniait. Là et sur les mains calleuses teintées de bleu qui s'agrippaient au bois.

Parfaitement nourri, parfaitement entraîné, le noble Simon était en forme comme un lion. Les muscles de ses épaules et de son dos jouaient sous le fin tissu. Ses manches, négligemment relevées, découvraient les avant-bras développés d'un tireur d'épée, et, sous le tissu serré de ses chausses, se devinaient les contours fermes et classiques de la cuisse et du mollet. Ses chausses, pourvues de semelles de cuir, lui faisaient le pied sûr sur les pavés inégaux. Il se balançait, feintait, évitait, et la perche vibrante s'abattait avec précision sur celle de son adversaire, mais jamais tout à fait assez fort pour l'arracher aux larges poings de l'autre.

Il prenait tout son temps. Aux yeux de Julius, qui avait manié l'épée, il était douloureusement évident que chacun des coups de l'apprenti était attendu. Tout à loisir, avec le sourire, Simon, l'homme fait, observait le jeune garçon d'un œil expert : il notait le plus léger changement dans sa respiration, dans son jeu de jambes, dans son regard vacillant.

Claes, alors, tentait de balancer un coup ou de porter une pointe, et l'arme de Simon, brutalement, détournait l'autre avant de venir frapper à l'endroit exact visé par Simon. Les jointures. Le dos des mains. Une fois, même, en pleine poitrine, de sorte que, l'espace d'un instant, Claes en perdit la respiration. Une autre fois, la perche ricocha sur le côté de sa tête. Il recula en titubant, les yeux mi-clos, et seule, une réaction instinctive lui permit d'éviter le choc en retour qui aurait dû l'abattre.

Il avait la tête dure. Il fallait bien en convenir. Lorsqu'il se redressa, il avait repris tous ses sens, et, cette fois, on put voir qu'il venait d'apprendre quelque chose. Au lieu de se fier à la technique des rossées entre gamins, il essayait, lui aussi, d'observer son adversaire, d'anticiper le prochain mouvement.

Il lui arrivait d'en tirer parti. Par deux fois, sur une négligence de Simon, la lourde perche de Claes l'atteignit : une fois à l'épaule, l'autre fois sur le poignet. A ce second coup, le noble seigneur reprit son souffle et se déroba rapidement, le temps de redonner force à sa prise.

Un homme expérimenté ne lui aurait pas laissé le loisir de se reprendre, mais Claes n'avait ni l'habileté ni l'énergie nécessaires. Demeuré debout à la même place, il se secoua : il passait en revue ses muscles, pensa Julius, comme un général passe en revue ses troupes et les rappelle à leur devoir. Mais, tout ce temps, il ne cessait d'épier Simon. Quand celui-ci fonça, le jeune homme, pour la première fois, le devança. Les deux perches se heurtèrent bruyamment, s'abaissèrent, se séparèrent.

Après cet incident, Simon se montra plus prudent. Les rudiments enregistrés par Claes ne suffisaient pas à le protéger des coups qui l'atteignaient sans trêve, au sein de la poussière soulevée par leur lutte. Et Simon était encore frais. Son visage, quand on l'apercevait, restait souriant, et, entre ses dents serrées, il continuait à lancer, de temps à autre, des railleries provocantes.

Claes, lui, ne disait rien. Le compagnon exubérant et bavard, le drôle qui était capable d'imiter n'importe qui traînait maintenant les pieds au lieu de danser et trébuchait lorsqu'il se dérobait. La main dont les doigts avaient été frappés avait commencé d'enfler et de noircir. Il n'y avait guère d'endroit qui ne fût marqué, sur le duvet teinté de bleu de ses bras, au-dessus des chausses déchirées à la cuisse ou sur les pieds minus meurtris par les pavés. Sous les yeux des spectateurs, Simon, d'un air méprisant, se fendit, feinta. L'extrémité brisée de sa perche atteignit Claes à la poitrine, descendit au long du torse, déchirant jusqu'à la taille la chemise trempée de sueur du garçon et laissant derrière elle une trace d'estafilades sanglantes.

Le comportement d'un rustre et les talents d'une fille. Une honte pour votre père.

— Arrêtez ça. Astorre, je vous l'ordonne. Arrêtez le combat, ou c'est moi qui vais le faire.

L'assistance n'avait pas envie de voir cesser le spectacle. Les hommes aimaient bien Claes et n'éprouvaient pas d'affection particulière pour l'Ecossais, mais un homme qui en harcelait un autre, ça valait toujours d'être vu. Ce qui se passait devant eux était plus passionnant que le temps de Carnaval, quand le duc faisait rassembler sur la Place du Marché une troupe d'aveugles qui devaient rattraper des cochons sauvages.

— *Tue-le!* hurlait une femme à l'adresse de Simon.

— Astorre, intervint Julius, vous avez entendu. Levez-vous et reconnaissez-vous vaincu, pour l'amour du ciel. Voulez-vous voir ce Simon tuer Claes?

La barbe d'Astorre restait obstinément pointée en avant.

— Si quelqu'un d'autre ne lui flanquait pas une volée, déclara-t-il, je m'en chargerais. De toute manière, c'est un gars vigoureux. Et il se bat pour l'honneur des Charetty, non? Voudriez-vous que la veuve acquière la réputation de n'engager que des poltrons? Après ce que cet animal de Lionetto a dit d'elle tout à l'heure?

Felix leva le poing. Julius, pendant un instant terrifiant, envisagea une empoignade parallèle entre le fils de sa patronne et le mercenaire de celle-ci. Il se jeta en avant, attrapa Felix, qui se débattit. Mais tous deux s'immobilisèrent pour observer ce qui se passait devant leurs yeux, sur le quai.

Le visage et les membres enflés, le souffle court, les jambes dépourvues de force, Claes ne pouvait plus prétendre, à présent, à épier son ennemi ni à prévoir de quel côté allait venir le prochain coup. Il se tenait simplement sur la défensive et agrippait sa perche à deux mains, pour protéger sa figure et son corps.

Cette attitude le mit tout naturellement à la merci de Simon. Celui-ci ne tenta pas d'accrocher l'arme de Claes ni d'autrement le désarmer, ce qui aurait mis fin au combat. Au lieu de cela, méthodiquement, sans hâte, parfois balançant son arme, parfois l'utilisant à la manière d'un bélier, il se mit en devoir d'anéantir la résistance de son adversaire.

On aurait dit que Claes n'était plus en état de penser. En fait, se dit Julius, il ne s'était guère plus servi de son esprit que l'un des anciens soldats d'Astorre, abruti par trop de coups reçus sur le heaume.

Mais l'étincelle d'une idée avait dû pénétrer dans le cerveau de Claes. Il attendit le moment où, après une série de coups obliques, Simon ramena sa perche à l'horizontale, comme celle de son adversaire, et, la tenant à deux mains, se prépara à une autre sorte d'attaque. Claes ne manifesta guère ses intentions. Il cligna simplement des paupières, une seule fois. Simon, souriant, se précipita dans cette direction.

Même en cet instant, il ne parvenait manifestement pas à croire que ce clignement de paupières avait été un leurre. Pourtant, Claes se trouvait maintenant du côté opposé. Il tenait toujours sa perche horizontalement et s'élançait vers son ennemi, avec une énergie désespérée qui montrait qu'il avait engagé sur cette ultime manœuvre toute la force qui lui restait.

Simon n'avait plus le temps de se dérober. Déjà, Claes était sur lui, sa perche s'appliquait sur celle de Simon. Son élan obligeait celui-ci à reculer, d'abord de quelques pas pressés, puis, quand il trouva la force de résister, plus lentement. Néanmoins, il reculait encore, parce que le seul avantage que possédât Claes, c'était celui du poids. Et, pour une fois, Simon n'en possédait aucun.

Le souffle suspendu, les spectateurs suivaient le déroulement de la lutte. D'un côté, Astorre grogna. Près de lui, Felix et Julius restaient accrochés l'un à l'autre. Et, au bord du quai, se tenait Lionetto, dans un espace dégagé par ses amis qui juraient et sacraient autour de lui.

Derrière Simon, qui résistait toujours, les hommes s'écartaient. Derrière lui s'étendait un espace d'une douzaine de pas. Ensuite, c'était le bord du quai, et, après ça, l'eau.

Astorre, mécontent, gronda de nouveau.

– Le diable les emporte. Qui sera le gagnant si ces deux fous tombent par-dessus bord?

– Ça aura l'avantage d'arrêter le combat, dit Julius.

Ses dents s'enfonçaient dans sa lèvre inférieure. Sans aucun doute, l'Ecossais, avec toute la vigueur qu'il avait conservée, allait sortir de l'impasse et se dérober bien avant d'avoir été repoussé jusqu'au bord. Ou bien se laisserait-il mener jusque-là pour se dégager alors d'une torsion de reins? Claes, alors, emporté par sa propre impulsion, passerait par-dessus bord, ce qui mettrait fin à la lutte.

S'il en allait ainsi, se dit Julius, mieux valait que quelqu'un fût prêt à agir rapidement. Il faudrait bien repêcher le béjaune, avant qu'il ne se noyât d'épuisement.

Peut-être le susceptible Ecossais avait-il eu l'intention de jeter Claes à l'eau. Peut-être pensait-il pouvoir jouer avec lui pour reprendre le dessus au dernier moment et le ramener en arrière afin de lui infliger un châtiment pire encore que le premier. Certainement, une sorte de bousculade se produisit, comme si Simon avait modifié sa position mais trouvait la reprise de l'offensive moins aisée qu'il ne l'avait prévu. Par la suite, bien que personne n'en fût certain, ceux qui se trouvaient le plus près du quai jurèrent que Claes avait jeté sa perche et, saisissant l'autre homme par les bras, s'était lancé dans l'eau avec lui.

Ce qui était sûr, c'était qu'avant qu'ils eussent disparu du quai, les deux perches étaient tombées et avaient rebondi sur les pavés. Lionetto lui-même, qui se trouvait tout près, déclara, quand on le pressa de questions, que l'Ecossais n'avait plus sa perche lorsqu'il était passé près de lui.

Ce que tout le monde put voir, ce fut le grand moment. Le moment où, étroitement embrassés, Claes et son bourreau passèrent par-dessus le bord du quai pour choir dans les profondeurs du port.

Les cris devinrent un seul rugissement, avant de s'éteindre. Là où s'étaient battus les deux adversaires, il n'y avait plus que poussière au-dessus d'un espace vide. Sur l'eau du port s'élargissait un cercle de rides dont le bord venait frapper la pierre.

Les assistants, au milieu d'un concert d'exclamations, se mirent alors à tourner en rond au bord du quai. Julius, lui, se débarrassa de sa robe de notaire, arracha la ceinture à laquelle pendait sa bourse, jeta l'une et l'autre à Felix et, dans son pourpoint fort élégant, plongea tout droit dans l'eau.

Il vit très vite la tête jaune de l'Ecossais qui nageait sans hâte vers les marches du quai et n'avait manifestement pas besoin d'aide. Mais Julius ne voyait aucune trace de Claes.

L'eau continuait à former un cercle de rides dansantes, là où les deux hommes avaient plongé. Julius se dirigea vers ce cercle. Il en était tout près quand il vit monter la spirale de sang, comme monte dans une cuve la teinture de murex.

Il reprit longuement son souffle, plongea et trouva la masse glacée du corps de Claes qui dérivait entre deux eaux.

Le garçon semblait mort, ce qui aurait pu créer des ennuis. Le seigneur capitaine Duodo, d'un pas majestueux, traversa donc le pont de son navire pour rejoindre le quai, suivi de l'Athénien de Acciajuoli et du chirurgien du bord. On leur fit place, à l'exception d'un homme chauve qui demeura agenouillé : il s'affairait avec humeur sur le corps inerte et demi nu de l'apprenti. Un corps grotesquement décoloré.

– Voilà une bien méchante affaire, dit doucement messer Duodo.

Lionetto et Astorre s'entre-regardèrent. Lionetto s'avança de quelques pas.

– Oh, on lui a fait rendre toute son eau, déclara-t-il. Ils se remettent vite, ces gens-là. A mon avis, il ne s'en ressentira plus d'ici une semaine ou deux.

– Ainsi, le garçon vit encore, dit le capitaine.

On aurait pu s'y tromper. Les yeux du jeune homme étaient clos, affreusement enfoncés dans les orbites. Il semblait aussi y avoir du sang.

– Qu'épongez-vous là? reprit Duodo. Peut-être mon chirurgien pourrait-il vous aider?

Sans relever la tête, l'homme chauve répondit :

– Je suis chirurgien. J'aimerais avoir de véritables bandages et un onguent. Il s'agit d'un coup de poignard.

Ce fut le Grec qui répéta, d'un ton tranchant :

– Un coup de poignard?

Il y eut un silence. Le chirurgien du bord posa son coffret et s'agenouilla pour l'ouvrir. Le second mercenaire, celui qu'on appelait Astorre, déclara :

– L'Ecossais a pris les ciseaux au moment où ils tombaient tous les deux et l'a poignardé.

Le premier mercenaire, Lionetto, s'était empourpré.

– C'est le garçon qui a pris les ciseaux. Vous avez entendu le seigneur écossais l'accuser. Le garçon l'avait déjà blessé une fois.

– Il semble régner une certaine confusion, fit le capitaine sans acrimonie. Personne n'a donc vu précisément ce qui s'est passé?

La réponse, comme il s'y attendait et, pour tout dire, comme il l'espérait, fut négative.

Le seigneur écossais, mouillé et fatigué après le combat, était parti avec ses serviteurs. Le notaire, qui avait sauvé la vie du jeune homme, n'en avait pas vu plus que n'importe qui. Il n'était pas nécessaire, pour le seigneur capitaine, de se préoccuper plus avant d'une querelle sans importance. Le brave prêteur sur gages Oudenin avait offert de faire porter le blessé chez lui jusqu'à ce qu'il fût en état de regagner Bruges. Le chirurgien du bord pouvait, si le seigneur capitaine y consentait, fournir immédiatement les médications nécessaires. L'homme chauve, qui avait pour nom Tobias Beventini, était prêt, lui aussi, à venir en aide au garçon. Maître Tobias était un médecin pleinement qualifié, attaché depuis un an déjà à la troupe mercenaire de ce Lionetto.

Le capitaine se montra légèrement surpris qu'un homme de la compagnie de Lionetto prît soin de l'employé d'une maison à laquelle était rattaché son antagoniste. A vrai dire, Lionetto éleva bien des objections... mais Tobias poursuivit sa besogne, sans lui prêter la moindre attention.

Le capitaine, semblait-il, attendait d'un instant à l'autre l'arrivée d'un acheteur pour discuter avec lui du prix de son vin de Candie. Il murmura quelques paroles appropriées, donna carte blanche à son chirurgien, personnage dolent, bruni par le soleil du Levant et qui disait s'appeler Quilico. Duodo regagna ensuite son bord, laissant derrière lui le Grec, qui paraissait s'intéresser à la victime.

– Cette blessure... est-elle grave? demanda-t-il.

– Oui, répondit l'homme chauve. Il a besoin de chaleur et, très vite, de soins. Quand nous aurons vu comment la situation évolue, il pourra être ramené à Bruges par le canal.

Il releva la tête, plissa ses paupières d'ivrogne. Il avait une petite bouche mobile, semblable à celle d'un poisson, et un visage blême, couronné d'un duvet de cheveux pâles.

– Pour le cas où vous auriez l'intention de poser la question, ajouta-t-il, je n'ai rien vu de ce qui s'est passé.

– Mon plus grand souci, dit le Grec, c'est le rétablissement de ce jeune homme. Il va avoir besoin des soins constants d'un médecin.

– Il l'aura, fit l'homme chauve, d'un ton bref. Je n'ai rien d'autre à faire. Messer Quilico sera dans les parages. Le prêteur sur gages est disposé à nous aider, et je passerai la nuit au chevet du garçon. Peut-être sera-t-il transportable demain.

Autour d'eux, l'attroupement s'était dispersé. Après s'être attardé un moment, Lionetto avait brusquement tourné le dos et s'était éloigné, en compagnie de ses amis mais sans cet homme qu'il appelait Tobie. Restaient encore un ou deux hommes d'équipage des galères et, naturellement au plus près du blessé, le fils Charetty et le notaire Julius qui avait jeté sur ses épaules sa robe noire, par-dessus son pourpoint trempé.

Le mercenaire Astorre, par la faute de qui avait commencé toute l'histoire, déclara :

– Eh bien, monseigneur, si vous parlez sérieusement, je peux vous dire que la veuve... que la demoiselle de Charetty, qui emploie ce garçon, vous dédommagera à la fin de l'aventure. Faites-lui tenir le compte de vos débours. Ou bien à messer Julius, ici présent. En attendant, nous devrions partir. Jonkheere Felix? Meester Julius?

– Allez, fit le notaire d'un ton bref. Nous restons.

Nicholai de Acciajuoli se tourna vers lui.

– Je pense, si vous voulez bien me pardonner, que la demoiselle de Charetty serait peut-être plus rassurée d'entendre l'histoire de votre bouche ou de celle de son fils que de... quiconque. Sans aucun doute, le chirurgien que voici apprécierait votre aide pour emmener le garçon chez ce prêteur sur gages dont vous parlez. Mais messer Quilico et messer Tobias, je n'en doute pas, s'engageront à vous donner de ses nouvelles s'il survenait le moindre changement dans son état. Pour tout dire, je séjourne moi-même ici, au château, et j'y veillerai.

Un foutu aristocrate, conclut le chirurgien Tobie, lorsqu'il eut le loisir de réfléchir à autre chose qu'à la tâche de transporter la carcasse ensanglantée de son patient depuis le quai jusqu'à la demeure du prêteur sur gages.

Le nommé Oudenin, qui semblait très désireux de venir en aide au blessé, l'installa le plus confortablement possible sur une paillasse, dans une pièce remplie, autant qu'il parut à Tobie, d'ustensiles de cuisine et de vêtements de matelots. Là, après une consultation plutôt inutile avec Quilico, on laissa Tobie seul avec son patient et les médecines, les onguents que lui avait remis le chirurgien de la galère.

L'apprenti était toujours inconscient. C'était, à ce qu'on disait, un gars capable de mener une danse infernale, mais il était loin de pouvoir tenir tête à la noblesse quand celle-ci était décidée à mener sa propre danse. Bon. Au travail, en finir avec le plus pénible, avant que le garçon ne reprenne conscience. Les mains de Tobie, ce matin-là, ne tremblaient pas.

Que le diable emporte Lionetto. Tobias Beventini da Grado savait fort bien, tout en contemplant le visage marqué, inerte sous ses yeux, qu'il agissait ainsi dans le seul désir de river son clou au mercenaire. S'il n'y prenait garde, il en serait réduit à prendre ombrage, comme un enfant. Depuis le jour de la taverne inondée, Lionetto ne l'avait plus insulté en public. Et il ne recommencerait pas, aussi longtemps qu'il serait à jeun. De son côté, Tobias ne le laisserait plus faire, aussi longtemps qu'il serait à jeun. Lionetto avait besoin d'un bon chirurgien pour sa troupe, et Tobias était le meilleur de sa classe, à Pavie. Par ailleurs, il avait librement choisi de travailler avec des mercenaires; et il persistait dans cette détermination. Les hémorroïdes du dauphin et les pieds déformés du pape étaient bons pour les sycophantes dans le genre de son oncle.

Lui préférait exercer ses talents sur des hommes du commun, comme celui-ci. Des bulles jaunes. Il se rappelait en

avoir ri tout seul à la Grue, pendant qu'il soignait les nez éclatés des grutiers. Par Dieu, qu'il était ivre. Il n'y avait aucun
doute : le garnement avait causé bien des ennuis à ses aînés, et
il n'était pas étonnant qu'ils prissent leur revanche de temps à
autre.

Mais pas ainsi. Pas comme l'avait fait cet Ecossais.

Beaucoup plus tard, durant la nuit, le garçon – Claes, c'était
bien ça ? – remua, ouvrit les yeux. Le médecin prit le bouillon
qu'il tenait prêt, se prépara à le lui donner. Pendant un
moment, ce qui était tout naturel, l'apprenti ne parut pas
comprendre où il se trouvait, ce qui s'était passé. Quand Tobie
lui posa les questions nécessaires sur son état, il ne répondit
pas. Puis, brusquement, il sembla reprendre ses esprits et,
d'une voix faible, fournit des réponses sensées. De son côté,
sans en avoir été prié, le médecin lui décrivit l'endroit où il
était, et ce qu'il était advenu de ses compagnons. Il ne mentionna pas le dénommé Simon, ne s'enquit point de l'origine de
la blessure.

Curieusement, quand Tobie parla du prêteur sur gages, il
crut voir passer une lueur sur le visage meurtri. Mais, lorsqu'il
y regarda à deux fois, il ne trouva plus, comme devant, que les
effets du choc, de la souffrance et une endurance toute primi-
tive. Finalement, après s'être quelque peu nourri, son patient
s'endormit. Tobie se demandait si le jeune homme saurait
jamais quelle chance il avait eue, à quel point ces lames avaient
été tout près de lui percer le cœur. Certes, il n'y avait encore
aucune garantie d'un complet rétablissement. Il fallait compter
avec la fièvre. Le trajet jusqu'à Bruges serait difficile. Lionetto,
de son côté, était bien capable d'affecter à son chirurgien une
tâche qui lui laisserait peu de temps pour donner tous ses soins
à un blessé du camp d'un adversaire. Oui. Tobie allait devoir
décider de ce qu'il fallait faire à l'égard de Lionetto.

Pour le moment, son patient reposait. Sans bruit, Tobias se
glissa hors de la pièce pour rejoindre à leur table le prêteur sur
gages et sa fille qui l'avaient invité. La fille ne cessait de parler
du jeune homme appelé Felix, et Tobie se demanda s'il y avait
une quelconque intrigue entre ces deux-là, mais il n'eut pas le
courage de s'y attarder.

Il avait laissé de la lumière près de la paillasse du garçon et la
porte légèrement entrouverte afin de pouvoir entrer dans la
pièce sans faire de bruit. Ce fut ainsi qu'à son retour, il vit, sans
être vu, que son malade était réveillé. Il avait un peu bougé sur
l'oreiller, et la lumière l'éclairait maintenant par-derrière.
C'était une chandelle de cire, à la flamme particulièrement
claire et brillante, qu'avait laissée Tobie. Elle brillait sur les
pots de cuivre jaune ou rouge d'Oudenin, et ceux-ci renvoyaient la lumière, adoucie, vers le visage du patient.

Tobie examinait ce visage. Le large front bas, les pommettes meurtries, les lèvres enflées, extravagantes. Les orbites sombres, larges comme la coupe d'un bougeoir, et la courbe altière des narines. Les cheveux qui avaient pris, en séchant, l'aspect de la laine cardée. Le visage d'un bouffon, pressé contre l'oreiller, où quelque chose brillait et s'éteignait pour briller de nouveau.

Tobie observa ce visage jusqu'au moment où il se fut fait une conviction. Alors, il se retira doucement. La voix dont avait besoin le garçon n'était pas celle d'un médecin. La voix dont il avait besoin n'existait pas. Tobie ne pouvait rien pour lui. Et, de toute manière, le malheureux ne voulait pas d'aide. Sinon, tout cela ne se serait pas passé, comme c'était le cas, dans un silence absolu, douloureux.

9

La dangereuse affaire de l'apprenti Charetty et de l'Ecossais fut rapportée aux magistrats de la ville, ce soir-là, et provoqua un bref débat. Il fut décidé de laisser Dame Nature disposer de la difficulté. On reconnut, par ailleurs, que master Tobias Beventini da Grado était un excellent chirurgien.

Si l'on considère que, la plupart du temps, Tobie luttait contre ses propres problèmes, il se montra digne de ces craintes ou de ces espérances. Il prodigua à son patient des soins experts. Et, quand vint le moment de l'expédier à Bruges, il trouva quelque chose pour rendre le garçon insensible, à la fois aux rigueurs du voyage et à toute tentative d'interrogatoire. Il était déjà venu à l'esprit du sagace Tobie que la définition de l'agresseur pouvait entraîner quelques complications. Tobie avait, auparavant, eu à remettre un homme sur pied pour le voir ensuite prendre le chemin de la potence. Mais, après tout, ce n'était pas son affaire.

Une fois à Bruges, il déposa le garçon chez sa maîtresse, veilla à son installation et prit congé en annonçant son intention d'aller (enfin) s'enivrer. Il s'était acquis, il s'en rendit compte, le mépris de l'héritier Charetty, Felix. Tant pis pour Felix. Si quelqu'un avait besoin d'aide, c'était Quilico. Tobie avait une connaissance approfondie de ce que contenait la trousse de Quilico et il se demandait quelles maladies Quilico avait bien pu traiter durant toutes ces années passées aux colonies. Il se promit d'avoir un long entretien avec le Levantin.

Il ne s'était pas trompé sur le regard furieux de Felix. Chose étonnante, c'était Felix que toute cette affaire avait mis hors de lui. Son intervention passionnée sur le quai était certes née de sa dignité blessée : il s'était senti poussé à défendre sa mère, l'entreprise de sa mère et Claes, qui appartenait à l'entreprise. En elles-mêmes, de telles émotions étaient nouvelles pour lui. L'une de ces impulsions protectrices concernait-elle Claes personnellement? Felix n'y songea même pas et il se serait senti offensé si on lui avait posé la question.

Le matin du jour le plus important, il ne se réveilla pas à temps. Sinon, aux premières lueurs de l'aube, il se serait mis en route, avec sa mère et Julius, pour aller chercher Claes à Sluys. A leur retour, il erra comme une âme en peine et se mit en travers du chemin de chacun, tandis qu'on enlevait le corps étrangement inerte de la barge arrêtée au pied de l'escalier de la cour et qu'on le transportait dans une brouette jusqu'aux appartements de la demoiselle, et non pas au dortoir commun, qui était certainement trop bruyant.

Felix s'agaça de constater que Claes n'était pas disposé – ou peut-être capable – de lui parler. Mieux encore, lorsqu'il parut perdre l'esprit et fut pris de fièvre, ce fut à Julius que l'un ou l'autre des chirurgiens donna ses instructions. Ce furent Julius et la mère de Felix qui veillèrent Claes et lui firent absorber ses remèdes quand ils en avaient le temps.

Trois jours durant, Felix se vit fermer la porte au nez. Ce n'était pas juste. Il avait besoin d'obtenir de Claes certains faits. Quand, le quatrième jour, il reprit ses doléances, sa mère l'interrompit avec une aigreur inhabituelle. S'il désirait, l'informa-t-elle, sonder l'esprit de Claes à travers le trou qu'il avait dans la poitrine, il pouvait toujours essayer.

Felix fut ravi. Sans s'avouer battu, il courut jusqu'à la chambre du blessé, bouscula une jeune servante rougissante qui sortait à regret de la pièce avec le plateau du déjeuner et s'assit sur un escabeau, près du matelas où reposait Claes.

– Alors, dit-il, qui est le coupable?

Il se pencha sur son compagnon.

– Je voudrais que tu voies ta figure! Attends, je vais chercher un miroir. Tu te rappelles cette cuve dont le contenu avait tourné et avait donné une sorte de gris mêlé de jaune?

Claes avait finalement retrouvé plus ou moins son état normal : ses fossettes se creusèrent avant de disparaître. Il répondit, d'une voix qui était presque la sienne :

– Vous auriez dû me voir hier. Qu'est devenu Astorre?

– Il a demandé ma mère en mariage, déclara Felix. Bon, je n'y peux rien si tu as mal quand tu ris. Il a déclaré que Lionetto avait fait insulte à l'honneur de ma mère, et que c'était à lui, Astorre, de réparer.

– A-t-elle accepté? demanda Claes.

– Elle lui a dit qu'elle lui ferait réponse en même temps qu'à Oudenin. Et tu n'as pas idée de l'impatience d'Oudenin à l'épouser. Tu sais quoi? Il a acheté ce nègre. Tu te rappelles? Celui qui a plongé pour aller chercher la coupe que tu as brisée, espèce d'idiot. Il a acheté ce nègre et il en a fait présent à ma mère. A ma mère!... Écoute, je n'y peux rien. C'est toi qui as posé la question, dit Felix avec impatience. Tu veux que j'aille chercher quelqu'un?

Intrigué, il regarda le visage de Claes virer au jaune pour revenir à une pâleur blanchâtre. Il se porta ensuite à l'aide de son ami, pris de vomissements : quiconque avait jamais fréquenté une taverne avait l'habitude de ce genre d'activité. Il laissa enfin retomber la tête du malade sur l'oreiller, avant de reprendre d'un ton morose :

– Je ne peux guère entretenir une conversation si tu ne fais que crachoter.

Claes, les yeux clos, sourit.

– Racontez-moi quelque chose de triste.

– Anselm Adorne est venu ce matin.

Felix n'avait rien trouvé de plus ennuyeux à annoncer.

– Ah oui... Mabelie est venue deux fois, et tout le monde sait maintenant que tu la fréquentes toujours. Lorenzo aussi. Et John. Et Colard, qui a raconté je sais quoi à propos de pigments. Si tu as promis des laques à ces peintres, ma mère va te frotter les oreilles.

– Elle pourra bien me rendre sourd, fit Claes d'une voix somnolente. Ça m'épargnerait vos discours.

– Moi qui suis venu tout spécialement pour te voir, protesta Felix qui se leva avec humeur.

Il s'aperçut tout à coup qu'il avait été détourné du but essentiel de sa visite.

– Mais tu ne m'as pas répondu. Cette brute de Simon. C'est lui qui t'a fait ça ?

Les lèvres de Claes, revenues à leur état normal, produisirent une sorte de sifflement empreint de sérénité. Felix, accoutumé à ce genre de manifestation, usa d'un simple expédient pour obliger son compagnon à ouvrir les yeux : il empoigna une bonne mèche de cheveux, tira dessus durement.

– Simon ? insista-t-il.

– Ponce Pilate, dit Claes avec une certaine acrimonie.

Et il se refusa à se laisser de nouveau arracher au sommeil.

Felix, normalement, aurait persévéré mais, à sa vive stupeur, il découvrit que Julius le tenait pour seul responsable d'une imaginaire aggravation dans l'état de Claes et lui interdisait la porte pour un jour entier. Finalement, Tilde et Catherine elles-mêmes purent revoir le blessé avant leur frère aîné.

Ainsi que l'avait fait remarquer quelqu'un, Claes faisait partie d'une classe où l'on se remettait généralement fort bien et il était vigoureux. Il bénéficiait aussi, par un caprice du destin, des soins de deux chirurgiens. Quand Quilico n'était pas là, il arrivait fréquemment à Tobie, le plus souvent à jeun, de passer voir le blessé. Un jour, ils arrivèrent tous deux au même moment, repartirent ensemble et s'enivrèrent. Le lendemain, Tobie, assis sur l'entablement de la fenêtre, dans la chambre de Claes, demanda :

– D'où vient cet intérêt pour les plantes ?

Claes, enveloppé de pansements et le dos appuyé à des coussins, ressemblait au buste de plâtre d'un Romain, avec des yeux ronds comme des matrices de pièces de monnaie. Il commençait à retrouver l'usage de ses poumons et venait de donner une excellente imitation du discours de Quilico, lors de sa dernière visite, émaillé d'une bonne quantité de jurons en grec. Claes, Tobie le savait, mémorisait aussi toutes ses propres habitudes de parole et de gestes. Il était parfois très difficile, quand on parlait avec Claes, de s'exprimer normalement.

– J'essayais de détourner son attention, expliqua le blessé. Je ne voulais pas de clystère. Les médecins et les teinturiers peuvent toujours s'entretenir de plantes. Par exemple, je pourrais avoir besoin d'une teinture pour les cheveux, et vous d'un philtre d'amour. Ou bien l'inverse.

Parler avec Claes, c'était comme marcher sur des sables mouvants.

– Je vous ai entendus discuter d'alun. Tout naturellement, certes. Les médecins l'utilisent pour arrêter l'hémorragie, et les teinturiers pour fixer leur couleur. Avant que les Turcs l'aient accaparé, l'alun arrivait à Florence seule à raison de trois cent mille livres par an. Pour l'Arte della Lana. Les tisserands.

– Voyez-vous ça, maître Tobias! fit Claes.

Il secouait la tête d'un air émerveillé. Il avait l'air tout heureux.

– Et alors? dit Tobias. Le houx, pour commencer. J'ai pris note du reste. Toi aussi, je n'en doute pas. Toutes les plantes qui croissent sur les mines d'alun phocéennes.

Claes n'avait pas perdu son air heureux.

– Mais c'est très loin d'ici, maître Tobias. A l'est de la mer du Milieu. Plus loin que Chios. Près de Smyrne. Et les Turcs s'en sont emparé. On ne pourrait même pas en tirer une teinture pour les cheveux. Ni un philtre d'amour.

Tobias Beventini n'était pas un homme patient mais il était capable, s'il le fallait, de maîtriser son irritation. Il demanda :

– T'a-t-il dit dans quels autres lieux poussaient ces plantes?

– Oui, répondit l'apprenti Charetty.

Ses yeux étaient maintenant un peu trop brillants, cependant il souriait toujours.

– Mais, poursuivit-il, vous n'avez nul besoin d'une teinture pour les cheveux. D'ailleurs, j'ai déjà oublié le nom de l'endroit, et maître Quilico ne se trouve plus à Bruges. Je ne sais si on vous l'a dit? Il était complètement ivre. Le capitaine s'est fâché et l'a embarqué sur une caraque qui se rendait à Djerba.

– Sais-tu bien ce que tu fais? questionna le médecin.

Il aurait dû mettre fin à cette conversation, il le savait. Le garçon, de son côté, en savait assez pour ne pas perdre le contrôle de lui-même.

115

– Vous devez connaître la tendance des malades à divaguer sur leur lit de douleur, remarqua-t-il. Vous pourriez essayer de m'interroger de nouveau quand je serai guéri, pour voir si je dis les mêmes choses.

– Ne te tourmente pas, dit Tobias. Tu n'as rien dit. C'est bon. Allonge-toi. Je ne sais pas pourquoi je m'entretiens avec toi.

– Vraiment? fit Claes.

Il avait fermé les yeux, mais son visage avait une expression sereine. Malicieuse, même.

Tobias ne revint pas le voir. Ce n'était pas nécessaire. D'ailleurs, il ne parvenait pas à se faire une opinion bien arrêtée sur la question.

En l'espace d'une semaine, Claes put se lever. Une semaine encore, et il fut en mesure d'aller s'installer au rez-de-chaussée, tout habillé, des livres et des documents étalés sur ses genoux. Julius, pendant ce temps, complétait les fastidieux travaux d'écriture nécessités par les acquisitions de la veuve. Ce fut un de ces moments-là que Felix, tout empourpré de fureur, choisit pour entrer en trombe dans la pièce en criant:

– Qu'est-ce que c'est que cette histoire?

Julius posa sa plume. Claes leva les yeux.

– Pas maintenant, Felix, dit Julius.

– Vous ne m'avez rien dit, protesta le jeune homme. Je viens tout juste d'apprendre la nouvelle. Vous ne m'avez rien dit.

Ses yeux un peu trop rapprochés, incapables de rien cacher, allaient et venaient de Claes au notaire de sa mère.

– Si vous partez, moi aussi, affirma-t-il.

Pour qui ne connaissait pas Felix, les mots pouvaient sonner comme une déclaration de dévouement et de loyauté. Il s'agissait en fait, et Julius ne l'ignorait pas, de simple dépit.

– Votre mère souhaitait d'abord en parler avec Claes. Remontez chez vous, Felix. Votre mère vous en entretiendra un peu plus tard.

Claes n'était pas d'un milieu où l'on cultivait le tact. Au lieu de poursuivre discrètement sa tâche, il laissait son regard curieux aller de Julius au fils de sa maîtresse. Julius ouvrit la bouche.

– On vous envoie au loin, dit Felix d'un ton net. A...

– Felix! interrompit son tuteur, avec toute l'autorité à laquelle, parfois, le jeune homme se pliait.

Le notaire, alors, se leva. Il retint d'un geste Claes, poussa de force le fils de sa maîtresse hors de la pièce et referma la porte. Quand, une dizaine de minutes plus tard, il rouvrit le battant, ce fut pour laisser entrer la veuve et l'installer sur sa propre chaise à haut dossier, derrière la table de travail.

Claes abandonna son escabeau et attendit, ses yeux brillants fixés sur Marian de Charetty. Julius sortit. Claes, sur un geste, se rassit. Il y eut un bref silence. Marian examinait son apprenti.

– Eh bien, Claikine, dit-elle enfin.

C'était là un petit nom auquel il était accoutumé : celui qu'on lui donnait enfant, quand, maltraité, sale, il était arrivé chez les Charetty. Elle l'avait recueilli pour l'amour de sa sœur. Sa sœur, qui n'avait aucune relation avec l'enfant non désiré mais qui avait pris époux dans la famille dont il était issu. La famille de Fleury, de Dijon et Genève.

Assise à son chevet, au cours des dernières semaines, elle avait employé de temps à autre ce diminutif enfantin : pour rappeler son attention quand elle s'égarait ou pour détourner ses pensées quand, dans son délire, elles prenaient des directions qui ne pouvaient lui faire aucun bien. Mais, cette dernière quinzaine, elle avait abandonné à d'autres la charge de prendre soin de lui.

Il lui sourit.

– Pas la peine de m'annoncer la nouvelle, demoiselle. Bien sûr que non. Je vous suis seulement reconnaissant de m'avoir gardé et de vous être montrée si bonne, ces temps où j'étais incapable de vous servir.

Elle se demandait ce qu'il pouvait bien se rappeler des tout premiers jours où la fièvre le tenait, des alertes en pleine nuit, où une servante effrayée venait la chercher, alors qu'elle ne portait pas son uniforme quotidien : cette robe de drap épais, avec ses manches étroites et son encolure montante, et cette coiffe de veuve en velours qui descendait en pointe sur le front, entre deux barbes empesées, et cachait entièrement sa chevelure. Ce qui était en fait une bénédiction. Lorsqu'elle grisonnerait, personne ne s'en apercevrait. Lorsque son corps s'épaissirait, elle pourrait trousser les plis de sa traîne, afin de le dissimuler.

Mais quelle importance cela pouvait-il bien avoir? Ni Astorre, ni Oudenin ni aucun des quelques autres hommes qui l'avaient demandée en mariage ne savait à quoi elle ressemblait vraiment, pas plus que ne l'avait su Cornelis, au cours des ultimes années de sa maladie. Elle était la veuve Charetty, à la langue un peu acerbe, aux manières un peu rudes, qui possédait une entreprise d'importance moyenne, saine et susceptible d'expansion.

A ce garçon qu'elle connaissait depuis l'âge de dix ans, du temps où elle vivait une union sereine avec un Cornelis vigoureux et jovial, elle dit d'un ton irrité :

– Tu devines que tu vas être envoyé au loin et tu n'exprimes aucune plainte, tu n'as pas de questions inquiètes à poser. Ne veux-tu même pas connaître ta destination?

– Vous connaissez mon plus grand défaut, répondit Claes. Je me contente de peu.

Il élargit son sourire, continua :

– Je ne veux pas vous contrarier. Mais je suis sûr qu'il doit

117

s'agir d'un lieu d'un agrément exceptionnel puisque Felix veut partir avec moi.

– Tu t'es interposé entre lui et Lionetto, dit la veuve. A ce qu'on m'a dit, du moins.

Sans rien dire, il gardait posé sur elle le même regard bienveillant. Il ne voulait pas la tromper sur Felix, et elle ne devait pas se tromper elle-même. Elle s'entendit ajouter :

– Ce n'est pas l'attitude de Felix qui me préoccupe mais la tienne. Tu l'as protégé, et de là sont nées les difficultés qui ont suivi. Te voir écarté maintenant doit te paraître le comble de l'ingratitude.

Une fois encore, il interrompit son discours.

– Non, pour sûr. Je m'étais mêlé de l'affaire bien avant ça. Je me suis mis à l'encan.

Il avait été élevé dans la langue française, et, lorsqu'il s'exprimait en flamand, il lui en restait quelque chose. Sa voix, quand il ne jouait pas la comédie, lorsqu'il n'imitait pas quelqu'un, était douce, égale, chargée de bon sens, même pour prononcer une telle remarque dont les implications complexes réduisirent un instant la veuve au silence. Lorsqu'elle prenait part à une réunion de la guilde, lorsqu'elle se trouvait au beau milieu de subtiles négociations à trois au siège de la Hanse, il lui arrivait de penser à Claes et à l'apparition de moments comme celui-ci, de plus en plus fréquents.

– Alors, tu seras peut-être en mesure de deviner qui m'a déjà approchée pour solliciter tes services, dit-elle.

Le sourire dont il la gratifia ne ressemblait à aucun de ceux qu'on lui décochait autour d'une table de la guilde.

– Je le serais peut-être, répondit-il, mais, à mon avis, vous n'attendez pas de moi que je vous le dise.

Elle remit un peu d'ordre dans les papiers étalés devant elle.

– J'ai reçu une demande de ser Alvise Duodo le Vénitien. Si je consens à te libérer, il te donnera de l'ouvrage sur les galères de Flandre jusqu'au printemps. Après quoi, durant le voyage de retour, il t'assurera une formation qui te vaudra un emploi rétribué à Venise. Il aimerait s'entretenir avec toi.

– Et l'autre ? demanda gravement Claes.

– L'autre proposition vient du dauphin. Le dauphin Louis de France, qui loge, pour le présent, chez meester Bladelin. Il se rappelle fort bien, semble-t-il, vous avoir rencontrés, Felix et toi, lors d'une de ses visites à Louvain. Felix avait engagé avec lui une conversation sur la chasse. Il te propose un poste auprès de son veneur, en même temps que celui – a-t-il dit – d'habile messager. Ce poste, a-t-il précisé, était trop servile pour mon fils.

– Pourtant, Felix le convoite, dit Claes.

Cette fois, elle préféra ne pas répondre. Elle l'observait, elle attendait sa réplique au coup qu'elle venait de jouer dans une

118

partie délicate... C'était la quatrième, cinquième ou sixième conversation de ce genre qu'elle avait avec lui, peut-être, depuis le temps où elle avait découvert qu'il avait soudain grandi, qu'il était sorti de l'enfance. Six conversations de ce genre, raisonnablement espacées.

Claes reprit :

– Ou plutôt non, je vois. Felix désire vivement être un veneur du dauphin mais il ignore encore qu'il existe une troisième proposition. Alors, je me rends. Je ne sais pas de quoi il s'agit.

– Celle-là vient de moi, déclara Marian de Charetty d'un ton ferme. Je te propose de te joindre au capitaine Astorre et à ses mercenaires dans leur expédition en Italie. S'il te trouve apte à ce service, tu resteras avec lui pour remplir tout contrat qu'il pourrait accepter en mon nom. A la fin du contrat, tu pourras choisir de rester ou bien de revenir ici.

Il changea de couleur. Une telle réaction involontaire était bien la dernière qu'elle eût attendue de lui : elle en fut elle-même ébranlée. Même alors, elle n'aurait su discerner s'il éprouvait plaisir ou crainte.

Pour lui donner le temps de se reprendre, elle dit :

– Vous avez toujours prétendu, Julius et toi, que la troupe des mercenaires devrait représenter l'élément le plus lucratif de notre entreprise. Astorre m'a fourni de bonnes raisons de croire qu'il en est ainsi. Le duc de Milan et le pape recrutent des mercenaires pour la guerre de Naples. Nous disposons d'hommes hostiles à la lance, bien entraînés, qu'il nous suffit de rappeler. Avant Noël, le capitaine Astorre, avec les meilleurs d'entre eux, se mettra en route pour Milan par voie de terre. Au printemps, s'il obtient un contrat, il demandera d'autres hommes.

– Les galères de Flandre me mettraient tout aussi efficacement hors de portée de monseigneur Simon, dit Claes.

Il la mettait à l'épreuve. Mais elle avait longuement pensé à la question durant de nombreuses nuits.

– Crois-tu que ce soit Simon qui te chasse de la cité ? demanda-t-elle. Il n'en est pas question. Tu soutiens que les ciseaux sont tombés à l'eau et se sont empêtrés entre vous. Le seigneur Simon, semble-t-il, ne veut rien dire, sinon qu'il regrette d'avoir déshonoré son rang en cédant à la colère pour châtier un domestique. S'il venait à présent à te poursuivre ou bien à t'attaquer, il serait la risée de tous.

– Et vous ne pensez pas que, moi, je serais capable de l'attaquer ?

– Je crois bien te connaître. Voilà pourquoi j'ai demandé à Astorre s'il accepterait de te prendre avec lui. Il y a certaines choses qu'il te faut apprendre.

– A me battre, par exemple, dit Claes.

Il n'y avait dans sa voix ni amusement ni amertume. Il parlait comme si ses pensées étaient ailleurs.

– Demoiselle, reprit-il, je suis satisfait de mon sort, ainsi que je vous l'ai dit. Si vous me connaissez, vous savez cela aussi.

– Mais tu t'es mis à l'encan, fit-elle avec une certaine tristesse.

Il ne répondit pas. Elle poursuivit :

– Et puis, vois-tu, la cité est inquiète. On n'entamera pas de poursuites pour ce qui s'est passé et l'on ne m'ordonnera pas de t'éloigner d'ici. Mais il serait sage, en ce qui te concerne, de quitter Bruges durant quelque temps.

Elle s'interrompit de nouveau. Claes reprit la parole :

– Genève se trouve sur la route de Milan. Le capitaine Astorre s'y arrêtera-t-il? Est-ce là ce que vous voulez dire en parlant de ce que je dois apprendre?

Quand Claes tenait à savoir quelque chose, il était impossible d'éviter l'amplitude de son regard. Il ne paraissait pas angoissé, même si son visage était plus creusé que d'ordinaire, et malgré, çà et là, les meurtrissures aux couleurs de l'arc-en-ciel qui évoquaient, pour Felix, les vitraux de Saint-Salvator.

Claes, à son arrivée, chez elle, venait des cuisines de Jaak de Fleury, à Genève : c'était le bâtard de sa défunte nièce. Michèle, sa sœur avait été la seconde femme de Thibault de Fleury. Sa sœur était morte, Thibault était vieux et il avait perdu l'esprit. Mais Jaak demeurait florissant. Tout comme son cheval, son âne, son épouse, son commerce et sa banque, dont le siège était à Genève.

La vie était injuste. Elle n'avait pas vu Jaak depuis des années, depuis la mort de Cornelis ou même bien avant. Tout ce qu'elle et la compagnie de Fleury avaient désormais en commun, c'étaient leurs relations commerciales, rigidement maintenues parce que les deux maisons en dépendaient, mais sans chaleur, sans intérêt personnel, sans contacts amicaux. Elle n'aimait pas Jaak de Fleury, et il le lui rendait bien.

Et, si elle ne l'aimait pas, elle imaginait aisément les sentiments de Claikine à son égard. Même s'il n'avait jamais parlé des années passées à Genève. Pas consciemment, du moins.

Et voilà qu'elle l'envoyait là-bas, pour si peu de temps que ce fût. Elle le regarda bien en face.

– Oui, répondit-elle, Astorre s'arrêtera à Genève. De quoi as-tu peur?

Il avait baissé les yeux sur ses chausses reprisées et lissait un genou d'un doigt qui avait presque perdu sa coloration bleue. Dans ce petit cabinet, prévu pour le seul Julius, il semblait accaparer tout l'espace et tout l'air, bien qu'il fût plié en deux sur l'escabeau trop bas. Brusquement, il se mit à rire.

– Vous seriez surprise, demoiselle. Sans doute d'être tourné en ridicule, alors que je ne l'aurai pas provoqué.

120

– Alors, il te faudra t'en accommoder. Comme je te le disais, tu as beaucoup à découvrir. Le capitaine Astorre ne répugne pas à devenir ton professeur. Julius, t'instruira, lui aussi. A dire vrai, Julius lui-même, je l'espère, pourrait bien s'instruire de certaines choses auprès de toi. Lorsque tu n'es pas ici, les sommes qu'il consacre aux dépenses des études de Felix dépassent fréquemment l'entendement.

Le doigt qui lissait le genou s'immobilisa. Claes releva les yeux vers sa patronne.

Elle répondit à la question informulée avec un calme qu'elle n'avait pas besoin de feindre.

– Oui, Julius veut se rendre en Italie, lui aussi. A propos, tu l'as remercié, je pense, pour ce qui s'est passé à Sluys.

– Oui, certes. Pourquoi veut-il partir avec Astorre ? Qu'allez-vous faire ? Qui vous aidera ici ?

L'inquiétude de Marian fit un instant place à l'amusement.

– Pourquoi n'irait-il pas là-bas ? Une bande de mercenaires bien organisée à besoin d'un notaire, d'un caissier, d'un trésorier. Il s'en tirera fort bien, et sa charge lui donnera l'autorité qu'il recherche. Julius est ambitieux. Et, je ne crois pas qu'il craigne vraiment qu'Oudenin le prêteur sur gages ne parvienne à le supplanter avant la fin du contrat. Mais Julius sait au moins une chose : je ne ferai pas de lui mon associé, ni maintenant ni jamais. Il me faut quelqu'un de plus adroit.

Silence.

Tout ce qu'elle avait dit, elle le savait, avait été compris. Tout ce qu'elle pensait... presque. Elle reprit :

– Je crois pouvoir me tirer d'affaire. J'engagerai peut-être quelqu'un, provisoirement. Cela me regarde. Ce qui te concerne, toi, c'est ton avenir immédiat. Tu as reçu trois propositions. Laquelle vas-tu accepter ?

Elle le vit prendre physiquement sa décision. Ses bras se tendirent, de sorte que les grandes mains s'affermirent sur les genoux. Dans une longue inspiration, il durcit les muscles qui l'avaient maintenu dans une attitude d'attention polie sur l'escabeau trop bas.

Il demanda :

– Avez-vous songé que, selon la loi, vous recevriez une compensation du capitaine des galères ou du dauphin pour avoir renoncé à me faire accomplir mon apprentissage ?

Elle tenait sa réponse. Malgré tout, elle ne changea rien au calme de sa voix.

– Toutes les fois que je consulte la colonne « débits » de mon grand livre, j'y songe, déclara Marian de Charetty. Si tu pars pour Milan, j'exigerai d'importants bénéfices en compensation. Dois-je comprendre que tu as choisi Astorre et l'Italie ?

La résignation se peignait clairement sur le visage de Claes.

– Je n'ai pas d'alternative, dit-il. Depuis mon enfance, j'ai été dressé à vous obéir. Vous m'envoyez à Milan. Je m'y rends.

121

– Pauvre martyr! fit la veuve. Nous nous efforcerons de survivre à ton absence.

– Vous y parviendrez, j'en suis sûr, répondit-il distraitement. Son esprit, semblait-il, se concentrait sur l'entreprise familiale.

– En ce qui concerne la teinturerie, je vous ai entendus, meester Julius et vous, envisager de sous-traiter le foulage et le finissage : Henninc serait alors heureux de se consacrer à la teinture, avec l'aide de Lippin. Et un ouvrier de bon caractère – nous savons tous qu'il en existe par ici – pourrait travailler avec jonkheere Felix, à présent qu'il est prêt à s'intéresser à ce qui se passe dans l'affaire. L'établissement financier de Louvain peut marcher seul pendant quelque temps mais, en vérité, il devrait drainer plus d'argent, prétend Julius. Je me demande si lui-même, Astorre et moi pourrions y contribuer.

– Oui, à coup sûr. Si vous obtenez un contrat pour vous établir en garnison à Naples, vous vaudrez à l'entreprise, ici, une bonne somme d'argent frais.

– Oui, dit-il. Certainement. Mais je pensais à autre chose. Si vous le désirez, vous pourriez nous envoyer vers le sud avec une caravane de négoce. Vous me comprenez. Des marchands, des hommes d'affaires qui se rendraient en Italie et qui auraient besoin de protection. Des marchandises qu'il faudrait escorter de l'autre côté des montagnes. Et, ce qui paierait le mieux... la charge de transporter des coffrets de lettres, de factures et autres entre les filiales de Flandre et les banques italiennes. Un service de courrier pour l'hiver. Les banques vous paieraient, et je pourrais tout emporter lors de ce premier voyage. Elles pourraient même expédier de l'argent monnayé, avec une escorte de cette importance. Si nos services les satisfaisaient, elles vous demanderaient peut-être, une autre fois, de leur fournir des hommes. Il vous faudrait entraîner vos propres courriers.

– Oui, il le faudrait, acquiesça lentement Marian de Charetty. Lentement, par respect pour les perspectives qu'il lui ouvrait et pour l'ampleur, qu'elle commençait à mesurer, de la décision qu'il avait bel et bien prise. Il avait dix-huit ans.

Elle savait qu'elle l'envoyait loin de Bruges et de toute sécurité. Elle savait qu'elle le contraignait à se rendre à Genève, où il avait dû connaître toute la misère de son enfance. Et, en dépit d'Astorre, qui prédisait que la guerre de Naples était défensive, et qu'il n'y aurait pas de combats l'année suivante ni peut-être jamais, elle savait qu'elle envoyait Claes apprendre le métier des armes, participer à la guerre. Quand il en reviendrait, s'il en revenait, il ne serait plus le même.

Néanmoins, il devait apprendre à se défendre. Et, comme il l'avait dit lui-même, il s'était mêlé de ce qui ne le concernait pas.

122

Elle le regardait. Il lui dit :

– Tout est pour le mieux, demoiselle.

En même temps, pour la rassurer, il lui adressait un bref et comique sourire.

Elle lui sourit en retour, avec retenue. Elle faisait cela très bien.

Parmi les princes-marchands de Bruges, l'événement le plus profitable de cet automne fut le banquet donné pour le capitaine des galères de Flandre par le très riche contrôleur du duc, Pierre Bladelin. Il se tint dans le palais de brique rousse du contrôleur, avec sa tour octogonale et son clocher, dans Naldenstraat.

Si le duc avait été présent, la réception se serait déroulée au Princenhof, ce qui aurait été plus intéressant : comme chacun le savait, il y avait là une nouvelle baignoire et plusieurs salons de repos somptueux – à ce qu'on disait –, avec profusion de fruits, de fleurs, de friandises, de parfums et d'autres luxes rares, à l'usage des baigneurs, avant, pendant et après l'immersion.

Lorsqu'il était en résidence à Bruges, par le passé, on avait vu le duc, par deux fois au moins, choisir une nouvelle maîtresse parmi les invités admis à le rencontrer au Princenhof. Si la dame se révélait féconde, c'était fortune faite pour sa famille. Le duc se montrait très prodigue à l'égard de ses bâtards, et l'on n'avait jamais eu l'écho de critiques ni de ses maîtresses ni de leur époux.

Katelina van Borselen en avait assez souvent entendu parler, dans sa propre famille et dans celle de ses cousins. Le sujet revint sur le tapis lorsqu'arrivèrent les invitations de Bladelin. Les de Veere avaient accepté. Le père de Katelina aussi. Sa mère se trouvait en Zélande, et la jeune fille, élevée à tenir son rang, se proposait de la représenter au banquet.

Les de Veere convenaient que, dans l'ensemble, la demeure du contrôleur Bladelin avait grande allure, – en proportion des charges qu'il détenait et de la durée de sa faveur auprès du duc, – bien qu'il fût né d'un teinturier de bougran.

Katelina, qui avait oublié ce détail, l'ajouta à la liste de ceux qui l'occupaient déjà, tandis qu'elle franchissait majestueusement le seuil du contrôleur, passait sous le tabernacle en fer forgé, sous l'écusson, sous les effigies sculptées de la Madone et de l'hôte en adoration.

Elle ne s'attendait pas à rencontrer, au cours de cette réception, des teinturiers, leurs fils ou leurs notaires. Mais les teinturiers ne fréquentaient-ils que d'autres teinturiers, tenant ainsi à l'écart les ennemis de leur propre caste ?

Elle avait appris de Margriet Adorne (et non pas des lèvres de son père) que les Écossais avaient serré les rangs autour de

Simon de Kilmirren, après ses excès de verve à Sluys, où il avait infligé une correction à cet impertinent garçon. Le combat, prétendaient-ils, s'était déroulé dans les règles, même si, vers la fin, il avait été gâté par un accident. Depuis, le vainqueur, bien contre son gré, s'était vu contraint de rester, en toute bienséance, chez Jehan Metteneye, ou chez Stephen Angus, ou bien encore dans la compagnie de l'évêque ou de son agent. Une seule fois, il avait rendu visite au cousin de Katelina, parce que le frère du roi d'Écosse y séjournait. La jeune fille le savait car, apparemment, monseigneur Simon avait demandé de ses nouvelles à Wolfaert.

Le père de Katelina n'avait au moins pas omis de faire mention d'un certain point. Si elle se trouvait encore, avait-elle compris, dans sa maison de ville à Bruges, au lieu d'avoir été expédiée en Zélande ou bien à Bruxelles, c'était parce qu'il était mécontent de son comportement. Il espérait, pendant que Simon était encore en Flandre, la voir se repentir et arranger la situation entre eux. Curieusement, elle ne savait trop que faire à ce sujet. Pour un homme de bonne éducation, le comportement de Simon dans le jardin avait été grossier, se disait-elle. Trop de conquêtes faciles l'avaient gâté. Mais qui ne l'aurait été, avec une telle séduction? Elle-même... elle-même y avait été sensible.

Si, comme le colportait la rumeur, la fille découverte dans la cave de Metteneye lui avait appartenu, il avait au moins traité l'affaire avec élégance. Quant à l'aventure de Sluys... Ce gai luron d'apprenti des Charetty avait versé le premier sang : il avait mérité tout ce qui avait pu lui arriver par la suite.

Elle avait remarqué la légère réserve avec laquelle les autres hommes parlaient de Simon. Il avait largement dépassé la trentaine. Il avait derrière lui une longue histoire d'aventures galantes, et ses références dans les fonctions d'intendant ne remontaient qu'à une date récente. Elle se rappelait, certes que, lors de leur précédente rencontre, elle avait aussi accueilli par une insulte ses indésirables attentions, provoquant à la fois sa fureur et son départ. Par la suite, elle avait regretté de ne s'être pas montrée plus habile. Mais c'était le mariage... le mariage qu'elle devait viser, et non pas ce qui avait failli l'emporter, ce soir-là.

Cette fois, si elle le souhaitait, elle se voyait accorder une seconde chance. Cette fois, par exemple, il ne pourrait aussi aisément se permettre de réduire le cercle de ceux qui lui voulaient du bien. Si elle le rencontrait ce soir, elle se montrerait aimable.

Elle n'avait rien à perdre. Elle n'éprouvait pas le moindre désir d'entrer au couvent. Elle avait servi la reine d'Écosse sans y gagner d'époux. La duchesse de Bourgogne vivait à Nieppe, à l'écart de son mari, au milieu de séduisants Portugais. La sœur de Simon avait épousé l'un d'entre eux. Mais il n'y avait aucune garantie que l'entourage de la duchesse pût lui apporter un époux : il serait tout aussi susceptible de lui amener le duc.

Elle se demanda si, dans ce cas, son père serait scandalisé et conclut que, sans doute, il souhaitait contre tout espoir voir se produire une telle éventualité. Il n'avait pas d'autres héritiers que Katelina et Gelis. Il s'était lourdement endetté, elle le savait, pour réunir la modeste dot qui serait revenue, en même temps que sa main, à l'horrible, à l'abominable seigneur écossais qu'elle avait rejeté. Elle portait des robes coûteuses. Elle possédait des joyaux de famille d'une certaine valeur et quelques autres, plus beaux encore, qui lui avaient été offerts par les princesses qu'elle avait servies. On lui avait permis de les garder. Ils rehaussaient sa valeur.

Elle eût souhaité être veuve : indépendante et libre de donner le cours qu'elle souhaitait à son intelligence et à sa vie.

Elle regardait autour d'elle. Bientôt, selon la coutume, les trompettes du contrôleur annonceraient l'entrée des hôtes d'honneur, et une procession se formerait, pour les conduire à la salle du banquet. Le capitaine des galères de Flandre accompagnerait probablement le contrôleur. Le dauphin Louis, disait-on, avait lui aussi consenti à être présent.

Elle l'avait rencontré une fois, à Bruxelles. C'était un homme aux traits aigus qui avait dépassé la trentaine. Elle était alors sur le point de partir pour son exil de trois ans en Écosse. Lui venait d'arriver en Bourgogne, fuyant la cour de son père, en France. Un jour, il serait le roi de ce pays. Grand bien lui fasse. En attendant...

Ah... Les teinturiers ne tenaient donc pas à l'écart, en fin de compte, les ennemis d'autres teinturiers. Là-bas, à l'autre bout de la salle, se tenait Simon de Kilmirren.

Katelina van Borselen, tout en guidant discrètement son père d'un groupe à l'autre, traversa lentement la grande salle où se pressaient en foule les invités du contrôleur Bladelin, en direction de l'endroit où luisait la remarquable chevelure de Simon de Kilmirren, sous un édifice compliqué fait de feuilles de taffetas. Les surmanches de sa chamarre étaient elles aussi recouvertes de feuilles découpées, et sa jaque se fermait par des boutons en forme de glands. Il tournait le dos à la jeune fille.

Son maintien était étrangement rigide, comme figé devant un membre de famille royale. Pourtant, il n'y avait là personne de haut rang. Il y avait Giovanni Arnolfini, le négociant en soie. Le petit homme brun était un ami du père de Katelina : João Vasquez, secrétaire de la duchesse et parent par mariage de la sœur de Simon. Les deux hommes vêtus de damas, et dont les chapeaux s'ornaient de joyaux gros comme des légumes, étaient indubitablement des Vénitiens. Ils s'exprimaient en un français incertain et cherchaient de temps en temps de l'aide auprès d'Arnolfini ou du septième membre du groupe. Elle ne le voyait pas, mais l'italien qu'il parlait évoquait les efforts de Tommaso Portinari pour se faire comprendre en français. Un demi-sourire fit frémir les lèvres de Katelina.

A ce moment, son père se joignit au petit groupe. Simon se retourna, reconnut la jeune fille. Il fronça les sourcils. Oui, il fronça les sourcils!

– Cher seigneur Simon! dit-elle. Quelle joie de vous voir libéré. Êtes-vous resté longtemps en prison?

Elle s'exprimait en français. Les Vénitiens eux-mêmes, elle l'espérait, seraient capables de traduire en grande partie ses paroles. Pour son plus grand plaisir, le visage animé de son ancien soupirant devint blême de colère. Le père de la jeune fille la prit par le bras.

– Katelina! A quoi donc allez-vous penser? Monsieur de Kilmirren n'a pas été emprisonné!

Elle prit un air perplexe.

– Après avoir tué ce garçon? Oh, pardonnez-moi! En votre qualité d'étranger, vous échappez naturellement à nos lois. A quoi pensais-je, en vérité?

Une voix sonore dit à son oreille:

– Madame, quelles que soient vos pensées, elles ne sauraient, par la seule vertu de leur délectable instrument, manquer de charmer. Puis-je solliciter le privilège de vous être présenté?

Celui qui parlait ainsi ne pouvait être que le septième personnage, celui qui s'exprimait en un mélange de français et d'italien. Amusée, Katelina se retourna et, aussitôt, sentit son assurance l'abandonner.

Les mots fleuris n'avaient pas été prononcés par un galant souriant mais par un homme qui pouvait avoir entre cinquante et cinquante-cinq ans. Sa haute taille n'avait d'égal que son embonpoint. Le velours garni de fourrure qui tombait jusqu'au sol aurait fourni les voiles d'un navire de commerce de bonne taille, mais peu d'armateurs auraient été en mesure d'en payer le prix. La chaîne ornée de pierres précieuses qui reposait sur ses épaules valait un château, et la fourrure qui bordait son chapeau de forme simple était de la zibeline. Sous cette coiffure, le visage rasé de près abritait de nombreux mentons, comme celui d'un moine bien gras, mais, à la différence du traditionnel moine bien gras, ce visage-là n'exprimait pas la moindre bonne humeur. Les lèvres qui lui avaient fait ce compliment restaient poliment souriantes, mais le regard était de glace.

– Ah, je vous demande bien pardon.

C'était le secrétaire de la duchesse.

– Madame Katelina, puis-je vous présenter le sire Jordan, vicomte de Ribérac? Monseigneur vit en France. Il est ici pour affaires ayant trait aux galères. Monseigneur, der Florence van Borselen et sa fille aînée, Katelina. Madame, puis-je vous présenter messer Orlando et messer Piero, des galères de Flandre?

Un léger mouvement des larges épaules du gros homme parut faire office de salut.

– Eh bien, madame Katelina, poursuivez donc votre intéressante histoire, dit le vicomte. Une guerre écossaise aurait-elle éclaté ici, à Bruges?

Quelqu'un rit très haut... Arnolfini, le Lucquois.

– Pas tout à fait, monseigneur. Il s'agit d'un épisode auquel a été mêlé un apprenti. Il n'y a eu de mal ni d'un côté ni de l'autre. Manifestement, madame Katelina a prêté l'oreille à de fausses rumeurs.

– Oui, j'en ai peur, confirma Simon d'une voix nette.

Son visage était encore un peu pâle, et les plis, entre les sourcils, se creusaient fortement.

– Je vois des amis que je dois rejoindre, ajouta-t-il. Voulez-vous m'excuser?

Il se détourna sans attendre de congé. Au moment où il passait près d'elle, Katelina dit, d'une voix calculée pour ne pas porter plus loin :

– Des amis? Peut-être des *amies* ? L'autre genre semble vous faire défaut.

Il s'arrêta et contrôla sa voix comme elle l'avait fait :

– Votre ami l'apprenti en a, lui aussi, vous le savez. En vérité, vous devriez vous en vouloir de ce qui lui est arrivé. C'est vous, après tout, qui m'avez la première fait connaître la bonne opinion qu'il avait de moi.

– Madame va pouvoir nous le dire, fit la voix douce du vicomte de Ribérac, de nouveau toute proche de son oreille.

Elle se retourna, irritée. Elle comprenait, pensait-elle, pourquoi Simon s'était montré si contrarié lors de son arrivée. Sa colère n'était pas dirigée contre elle. Comment avait-il découvert que c'était l'apprenti qui, en sa présence, avait prononcé ces mots désobligeants? Le doute la tracassait. Elle se sentait du coup responsable, elle aussi, de ce qui s'était passé.

Le gros homme reprit :

– Madame Katelina, vous ne pouvez nous laisser dans l'incertitude. Messer Orlando nous conte la merveilleuse histoire d'un apprenti attaqué à la pointe d'une paire de ciseaux par Simon, notre ami absent, en personne. Cela est-il possible?

Le ton était plaisant. Les yeux ne l'étaient pas. Katelina répondit :

– Messer Arnolfini dit vrai. Je le sais seulement par ouï-dire. Le seigneur Simon s'est pris d'aversion pour un apprenti, et leurs chemins se sont croisés. Il y a eu bataille, et l'apprenti a perdu. La blessure n'a été qu'un accident, j'en suis sûre.

Les lèvres du vicomte de Ribérac esquissèrent un sourire.

– Une querelle entre un homme de noble naissance et un apprenti! Voilà ce qu'on ne risque pas de voir en France. Si un garçon se montre impertinent, on le bat. On ne se bat pas contre lui.

– Oh, Claes a été battu, dit Katelina. Il a pris la place du seigneur Simon dans le lit d'une servante et il a été responsable de la mort de son chien. Pour l'un et l'autre crimes, il a été consciencieusement battu. Emprisonné aussi.

– Ce qui est certainement tout naturel? fit le gros homme. Ainsi, l'apprenti, à ce que je suppose, a essayé, par la suite, de tuer monsieur Simon? Messer Orlando?

Le Vénitien vêtu de damas noir porta une main à sa barbe, dans un effort pour comprendre.

– Le combat? dit-il. Mais ce fut l'apprenti, à ce qu'on m'a dit, qui a blessé monsieur l'Écossais avec ses ciseaux. Monsieur l'Écossais, au lieu de le faire abattre, a préféré le combattre au bâton, une arme du peuple. Je considère qu'il a eu tort. Un homme bien né ne se commet pas avec des paysans. En fin de compte, le jeune homme a eu le châtiment qu'il méritait.

– Il a été tué? demanda le gros homme.

– Presque, répondit Katelina. Parce que, après avoir été tout près de le battre à mort, votre noble Écossais l'a poignardé avec ces mêmes ciseaux.

Le gros homme sourit, se retourna vers Vasquez, Arnolfini et Florence van Borselen.

– Les coutumes de cette Bourgogne! Eh bien, s'agit-il d'une simple rumeur ou de faits réels? Monsieur Simon, qui aurait pu nous le dire, nous a malheureusement quittés. Mais peut-être veut-il simplement se montrer modeste. L'emporter sur une petite brute du peuple avec l'arme de son choix, c'est un exploit, n'est-il pas vrai?

– Et le poignarder est tout autre chose, dit froidement la jeune fille.

Son père intervint.

– Katelina, ce n'est pas vrai, vous le savez. Les ciseaux se sont trouvés pris entre eux deux. Et c'était l'apprenti qui, le premier, avait tenté de poignarder Simon.

– Croyez-vous? fit Katelina. J'ai entendu, moi aussi, une *rumeur* disant qu'il s'agissait d'un accident.

Le regard glacial demeurait attaché à son visage.

– A vous entendre, madame, dit le vicomte de Ribérac, on dirait que vous n'êtes pas l'amie de notre noble jeune Écossais.

Elle lui rendit regard pour regard.

– Vous ne vous trompez pas. Il se trouve que je le considère... que je le tiens pour débauché, et, de surcroît, vindicatif.

– Je le pensais bien, quel grand dommage, constata le seigneur français.

Il poussa un profond soupir.

– Vous enfermez pourtant en votre parfaite personne, chère dame, mon idéal parfait d'une bru.

Quelque part, les trompettes sonnèrent. Les conversations, dans la vaste salle, perdirent de leur animation. Les invités s'effaçaient pour livrer passage au contrôleur, au dauphin, au frère du roi d'Écosse. Ils se dirigeaient deux par deux vers le banquet. Autour d'un seul petit groupe régnait un silence parfait. Personne ne bougeait.

Comme s'ils étaient seuls, Katelina van Borselen et l'homme corpulent qui se nommait Jordan de Ribérac se dévisageaient.

– Quel dommage, répéta le vicomte de Ribérac sans la moindre emphase. En effet... Peut-être aurais-je dû vous le dire? Pardonnez-moi de n'avoir pas songé à vous en aviser... Ce débauché vindicatif... Est-ce bien vrai? Comme c'est triste!... C'est mon fils.

Ce fut le père de Katelina, elle s'en rendit compte par la suite, qui, après des excuses d'une froide courtoisie, la tira d'affaire et la conduisit à sa place dans le cortège qui se dirigeait vers les tables. Ce fut son père qui, après avoir conversé, comme le devoir le lui commandait, avec ses voisins, se tourna vers elle au cours de l'interminable repas.

– Vous avez commis une faute, vous le savez fort bien, en exprimant des opinions immodérées sur des absents, en semblable compagnie. Mais le plus coupable est le Français, qui a laissé se développer une telle conversation sans révéler l'intérêt personnel qu'il y prenait.

– Comment peut-il être son père? demanda Katelina qui n'avait pensé à rien d'autre.

– Je me suis renseigné, répondit Florence van Borselen. Je considère que j'ai été induit en erreur, moi aussi. On m'avait informé tout à fait clairement que Simon de Kilmirren était le neveu d'Alan, seigneur de ce domaine, et que le père de Simon, frère cadet d'Alan, avait longuement vécu en France mais qu'il était mort ou juridiquement incapable.

Katelina frissonna.

– « Incapable », dit-elle, n'est pas le mot que j'aurais choisi.

Son père esquissa un geste d'irritation.

– Je pourrais certes en trouver de meilleurs... Il y a là-bas un homme, Andro Wodman, un Écossais qui vit en France et fait partie de la suite de Jordan de Ribérac. Dans son jeune âge, m'a-t-il dit, le vicomte était sans terres et sans fortune. Il est alors passé en France, il a combattu pour le roi, s'est fait une place de choix dans la Garde écossaise et a reçu du monarque reconnaissant, pour prix de ses services, le domaine de Ribérac. Et, partant de cette fortune nouvelle, il s'est encore enrichi dans le commerce et l'armement des navires.

« C'est maintenant un homme fort riche. Le roi Charles

l'apprécie comme conseiller. Quand arrivent les galères de Flandre en provenance de Venise, la flotte florentine ou des caraques de Chypre, monsieur le vicomte envoie son facteur mais vient rarement lui-même. Son fils et lui, m'a dit Wodman, ne s'étaient pas vus depuis de nombreuses années, mais Ribérac se tient informé de tous les faits et gestes de Simon. Sa réputation, voyez-vous, a pour lui une grande importance.

– Et Simon lui en veut, dit Katelina.

– Il ferait bien de le cacher, répondit son père d'un ton ironique. Si je ne me trompe, il possède en la personne de son père un allié puissant et inconditionnel dont il pourrait bien avoir besoin un jour. Vous, par exemple, vous vous étiez attiré la faveur du vicomte, semble-t-il.

– Et je l'ai perdue, semble-t-il, riposta la jeune fille. En êtes-vous aussi heureux que moi ? Ou bien vous eût-il plu de faire entrer Jordan de Ribérac dans notre cercle de famille ?

Comme il arrivait parfois, l'honnêteté, chez Florence van Borselen, prit le pas sur la convenance.

– Non, fit-il après un silence. Non, à la vérité, je ne nous vois, ni moi-même ni votre mère, recevoir cet homme sous notre toit, que ce soit à présent ou à aucun autre moment dans le futur. Il y a là quelque chose de contre nature.

– Alors... commença Katelina.

Elle n'eut pas à achever : son père posa une main sur la sienne.

– Alors, puisque Simon vous déplaît à ce point, je ne vous contraindrai point. Nous avons le temps. Nous vous trouverons un meilleur époux, et qui nous convienne.

Le départ pour Sluys se fit plus tard, sur des barges et des esquifs richement décorés. A la lumière scintillante des torches, les bateaux suivirent la rivière, sortirent de Bruges par la porte de Damme et empruntèrent le canal jusqu'à l'endroit où les deux galères de Flandre étaient à l'ancre sous une auréole lumineuse.

Coupe de vin en main, les invités choisis se promèneraient sur le pont du vaisseau amiral protégé par un dais et, appuyés à la lisse, pourraient admirer les prouesses des marins dans le gréement de l'autre navire, les sauts périlleux des équilibristes, la danse légère des funambules d'un mât à l'autre et du dernier mât jusqu'au quai. Les murailles et les appontements de Sluys seraient envahis par la foule de ceux qui n'avaient pas été invités à la fête mais qui, chaque année, accouraient en nombre à l'extravagante représentation théâtrale que leur offrait la généreuse, l'hospitalière, l'inestimable République de Venise.

Seule, Katelina ne s'y rendit pas. Elle prétexta une indisposition, ne s'attira aucun reproche de la part de son père qui la comprenait parfaitement et qui se contenta de la faire raccompagner chez lui par deux vigoureux hommes d'armes et par la suivante éminemment raisonnable de la jeune fille. Il ne sut donc pas qu'elle avait changé d'avis en route et, au lieu de rentrer directement à la maison, s'était fait conduire chez Marian de Charetty.

La lanterne suspendue au-dessus de la porte d'entrée était allumée, mais les coups frappés au battant ne reçurent d'abord aucune réponse. Katelina se détournait déjà quand des pas légers se firent entendre de l'autre côté de la porte. Une voix féminine formula des excuses polies que couvrit le bruit des verrous tirés.

L'huis s'ouvrit sur la petite silhouette compacte de Marian de Charetty en personne. Elle tenait une lampe et, après le premier instant de surprise, montra un aimable sang-froid.

– Madame Katelina! dit la veuve. Pardonnez-moi : toute ma maisonnée est allée jouir du spectacle des galères, à Sluys. Entrez, je vous en prie. Que puis-je pour vous servir?

Katelina s'immobilisa dans la cour, sa fidèle servante près d'elle.

– Il est tard. Je suis confuse. Je me demande si votre apprenti est ici? demanda la jeune fille sans ambages.

– Par ici, je vous prie.

La veuve Charetty ouvrit grande la porte de sa maison, guida sa visiteuse au long d'un couloir et lui fit monter quelques marches jusqu'à une pièce au plafond bas. Un feu y brûlait, et une unique cathèdre dont le siège était couvert de papiers montrait où la veuve s'était tenue. D'une main, elle rassembla les documents, fit signe à Katelina de s'asseoir et indiqua à la suivante un tabouret un peu plus éloigné. Après quoi, toujours debout, elle déclara :

– J'ai plusieurs apprentis, madame, et tous, sauf Claes, se trouvent à Sluys. Lequel désiriez-vous voir?

Lorsqu'on agit sur une impulsion, il est parfois difficile d'aller jusqu'au bout. La tête haut levée, sous le hennin, Katelina répondit :

– Je viens d'entendre un peu plus de détails sur ce qui est arrivé à votre apprenti Claes, à Sluys. Je me sens quelque peu responsable... Le différend qui a conduit à sa blessure a commencé par un autre incident auquel je me trouvais mêlée. Je désirais avoir de ses nouvelles.

Le visage rond, haut en couleur, de son interlocutrice s'épanouit en un franc sourire.

– Ne prenez pas sur vous cette responsabilité, dit la veuve Charetty. Il existe peu de gens aussi exaspérants que Claes, lorsqu'il se livre à quelque frasque. C'est lui, le plus souvent, qui doit en subir les conséquences. Et il va beaucoup mieux. Il était assez bien, en vérité, pour se rendre à Sluys, mais le médecin a jugé préférable pour lui d'épargner ses forces en vue du voyage. Attendez. Je vais l'appeler. Vous pourrez juger par vous-même.

131

– Un voyage? dit Katelina.

Mais la veuve avait disparu. Quand elle revint, ce fut pour introduire le grand corps de Claes lui-même, qui se retrouva debout devant Katelina.

Sans doute, supposa-t-elle, parce qu'il ne travaillait pas à la teinturerie, il sentait moins fort que d'ordinaire. Son pourpoint usagé et ses chausses étaient propres. Katelina ne vit aucun changement dans la silhouette vigoureuse qu'ils couvraient. Elle leva alors les yeux jusqu'au visage de Claes et, parce qu'il lui était peu familier, elle crut d'abord que rien n'y était changé. Mais une bûche se retourna dans la cheminée, et, à la lueur de la flamme, elle vit des orbites plus creuses qu'elle ne se les rappelait. Soudain, les fossettes se creusèrent, comme deux empreintes de pouces.

– Quelle bonté de la part de madame de prendre cette peine! dit l'apprenti. Ou bien serait-ce pour complaire à mon seigneur Simon? J'ai entendu dire que le contrôleur Bladelin l'avait invité.

Près de Katelina, Marian de Charetty pinça les lèvres. C'en fut assez pour rendre à la situation ses véritables proportions. Amusée, Katelina répondit :

– Pour la seconde fois de la soirée, je me fais tancer. La première fois, c'était par monseigneur Simon, comme vous dites.

– Il faut bien lui donner une appellation, fit Claes.

Marian de Charetty s'assit.

– Nous espérions que l'affaire était terminée, déclara-t-elle. Elle a fait plus de bruit qu'elle n'en valait.

– Le bruit s'éteindra après le départ de Simon, répondit la jeune fille. Et Claes va partir, lui aussi?

– Très prochainement, confirma la veuve de Charetty. Il abandonne les bacs à teindre pour l'Italie.

Elle gratifia son apprenti d'un regard et d'un sourire.

– Il va se joindre à une expédition de mon capitaine, Astorre, pour Milan. Si tout se passe comme nous l'espérons, il pourrait faire carrière sur le champ de bataille durant une saison. Il est bâti pour cela, vous en conviendrez?

Cette assertion, au moins, était vraie. Katelina, qui détaillait l'aimable visage éclairé par le feu, se demanda ce qui, dans cet arrangement, pouvait bien lui paraître étrange. Claes ne s'était jamais battu, disait-on. Il n'avait guère su se défendre contre Simon. Un apprenti comme lui ne s'était jamais frotté au métier des armes. Elle reprit :

– Vous allez avoir beaucoup à apprendre. Montez-vous à cheval?

Les fossettes se creusèrent encore. Le garçon secoua la tête.

– On a l'intention de me faire porter le cheval sur mon dos, dit-il.

Katelina détourna son regard pour s'adresser à la veuve.

132

– Vous jugez que mieux vaut pour lui quitter Bruges. Vous avez sans doute raison. Il s'est fait un ennemi, je le crains, en la personne de monseigneur Simon, et un autre en celle du vicomte, son père.

Encore irritée par sa propre ignorance, elle eut le plaisir de constater qu'ici aussi s'était établi un silence déconcerté. La veuve de Charetty demanda :

– Le père de monseigneur Simon ?

– Jordan de Ribérac. Il assistait ce soir au banquet. Il vit en France, m'a-t-on dit.

– Et il partage la... l'attitude de son fils à l'égard de Claes ?

– Oui. J'ai de bonnes raisons de le savoir, répondit Katelina d'un ton brusque.

Elle se tourna vers l'apprenti qui s'était, semblait-il, absenté de la conversation.

– J'ai des excuses à vous présenter. J'ai cité devant monseigneur Simon une expression qui venait de vous – une expression désobligeante. Je ne lui ai pas confié d'où je la tenais, mais il paraît l'avoir découvert. Une partie de sa fureur contre vous est due à mon imprudence. Je la regrette.

Il parut s'éveiller, lui adressa un sourire fugitif.

– Ce n'est pas nécessaire. S'il s'agit des mots auxquels je pense, je les lui ai lancés moi-même en une autre occasion. Une occasion qui, en elle-même, le courrouçait bien davantage, je le pense, que ce qu'il entendait. Ne vous tourmentez pas. Et, surtout, ne vous brouillez pas à cause de moi avec monseigneur Simon ni avec son père.

Katelina lui rendait regard pour regard. Elle oublia son éducation pour riposter :

– Si je dois supporter le poids d'une brouille entre ces deux-là et moi-même, ce ne sera pas à cause de vous. Si je détenais une charge à Bruges, je les chasserais de la ville.

Il ne répondit pas, ne sourit pas. La veuve conseilla doucement :

– Tu devrais, Claes, remercier la dame et regagner ta chambre, je crois, à moins qu'elle n'ait autre chose à te dire. Madame Katelina ? Vous lui permettez de se retirer ?

Il était resté debout. Elle aurait dû se rappeler qu'il était malade. Mais on ne demande pas à un artisan de s'asseoir, sinon parmi les enfants.

– Je vous demande pardon, dit-elle. Votre santé, je l'espère, sera très vite entièrement rétablie. Et vous connaîtrez sans doute la prospérité dans votre nouvel état.

Il la remercia en quelques mots, avant de sortir. Après son départ, Katelina, le regard fixé sur la coupe de vin que lui avait servie de la veuve, déclara :

– Il va vous manquer, j'imagine. En dépit des embarras qu'il sème sur son passage, c'est un amusant personnage.

133

Il y eut un court silence.

– C'est vrai, répondit enfin la veuve. C'est un être étrange. Le malheur, c'est... Le malheur, en vérité, c'est qu'il est incapable de se protéger.

Katelina sourit.

– Bah, il en aura les moyens avant bien longtemps. Il fera un bon soldat.

– Non, insista la veuve.

Ses sourcils châtains se nouèrent, dans un effort pour se faire comprendre.

– Ce n'est pas qu'il ne sache pas se protéger, mais il ne le veut pas. Il est comme un chien. Il prend tout homme pour un ami.

Mais on ne consacrait pas cette sorte de réflexion à un apprenti. Ou, si on le faisait, on n'en parlait pas avec une simple relation.

– Et toute femme aussi, si j'en crois la rumeur! fit Katelina en souriant. En vérité, il est temps pour ce garçon de quitter Bruges et de prendre le chemin du bon sens. Mais parlez-moi maintenant de vos projets pour votre fils. Que devient Felix?

Elle ne sut pas, après son départ, que Marian de Charetty s'était longuement attardée sur le seuil de sa maison, le regard fixé sur la cour déserte, avant de rentrer enfin. Elle referma le battant, reprit le chemin de son cabinet.

Avant d'y arriver, elle passa au pied de l'escalier qui menait aux quartiers des apprentis. Elle s'arrêta un instant, comme si elle percevait la qualité du silence qui, en haut comme en bas, investissait toutes les pièces de sa maison.

Elle regagna enfin, seule, son cabinet, s'assit dans la cathèdre et étala ses papiers.

10

Une entreprenante petite femme, cette Marian de Charetty, se disaient les uns aux autres les bourgeois de Bruges. Elle envoyait son capitaine et le meilleur de sa compagnie de l'autre côté des Alpes avant Noël. Son notaire aussi, qui en savait probablement plus long qu'elle-même sur l'affaire. Elle persuadait les Médicis, les Doria, les Strozzi de confier leurs marchandises et leurs lettres à ce même Astorre, sans parler de quiconque souhaitait prendre la route du sud en toute sécurité. C'était là un risque que son époux n'aurait jamais pris, se disaient les amis de la veuve, en enfonçant leurs mentons rasés dans leurs cols de fourrure. Mais un risque, ne l'oubliez pas, qui pourrait lui valoir une belle fortune si ses hommes revenaient.

Julius, le notaire en question, ne ressentait pas la même inquiétude. Il serait déplaisant, mais non point prodigieux, de passer les montagnes en plein hiver, et ils avaient en la personne d'Astorre, en dépit de sa courte taille, de ses jambes torses et de sa violence, le plus expérimenté des chefs d'expédition. La cavalcade pouvait surprendre, telle qu'elle s'assemblait dans la cour, au milieu d'un désordre de charrois, de mulets, de chevaux de somme, de caisses, de barils, de colis, mais elle aurait pris forme bien avant la fin du cahotant voyage de trois semaines qui la conduirait, à travers les terres de Bourgogne, jusqu'à la glaciale, venteuse et lucrative cité de Genève, où l'on devait déposer tous les marchands et la moitié des marchandises contenues dans les charrettes.

Après cela, bien sûr, il faudrait contourner le lac sur toute sa longueur et plonger ensuite dans la neige, jusqu'à la passe qui les conduirait en Italie. Mais ce serait alors une expédition Charetty. Astorre et ses douze cavaliers, ses six archers à cheval, ses dix-huit palefreniers avec leurs chevaux et leurs mulets. Et, avec eux (parce qu'Astorre avait une passion pour la bonne chère), un énergique cuisinier suisse, nommé Lukin. Et le forgeron d'Astorre, un Allemand du nom de Manfred. Et l'adjoint d'Astorre, un soldat anglais professionnel à la figure rébarbative, qui répondait au prénom de Thomas, auquel le pauvre Claes avait été présenté comme son aide et son élève. Felix lui en avait voulu d'avoir obtenu ce rôle. Le visage de Felix, lorsqu'il avait regardé Claes et Julius sortir à cheval de la cour, était l'expression même de la colère et de l'envie.

Julius connaissait tous les hommes. Entre deux contrats, ils se présentaient à Bruges ou à Louvain, il les questionnait, les payait. Le notaire avait pensé que ce serait là tout l'effectif du groupe, jusqu'au moment où il avait eu connaissance des nouveaux projets de la veuve. Et pas n'importe lequel. Ils avaient maintenant avec eux un serviteur noir. Celui qui avait plongé pour repêcher la coupe. Celui dont Oudenin, le prêteur sur gages, avait fait présent à la veuve. Celle-ci, qui ne souhaitait pas offenser minen heere Oudenin mais qui ne voulait pas non plus lui être trop redevable, avait adjoint le nègre à l'expédition. Une touche de luxe.

Et ce n'était pas tout. Ils avaient droit aux services d'un moine. Un moine musicien, appelé frère Gilles, qui, par malheur, faisait partie de l'envoi destiné aux Médicis de Florence. Il s'ajoutait à trois jeux de tapisseries, à une quantité de pièces d'orfèvrerie parisienne emballées dans des peaux de moutons, à un sac de cuir bourré de lettres, à quatre coûteuses haquenées aux jambes fragiles. Ces dernières étaient destinées au neveu de Cosimo, Pierfrancesco.

Venait enfin, presque aussi encombrant que le reste, le médecin chauve, Tobias. Il était tombé, semblait-il, en disgrâce auprès du capitaine Lionetto et il s'était fait admettre au service de son rival, Astorre. Ce fut maître Tobie, en fait, qui eut le plus d'occupation durant le voyage jusqu'à Genève. Il coupait les cors aux pieds, administrait purges, potions et électuaires. Julius, qui observait l'entraînement quotidien de Claes, constata avec soulagement que le médecin ne témoignait d'aucune inquiétude, même aux premiers jours, devant le traitement sans pitié que l'acariâtre Thomas faisait subir au garçon.

Il était stupéfiant de voir combien l'apprentissage des armes endurcissait Claes. Plus il souffrait d'épreuves, plus il devenait habile à les éviter. Bientôt, il fut en mesure de se cramponner sur son cheval lancé au galop, sans selle. On le voyait suivre la troupe en cahotant. La visière de fer de son bassinet tressautait sur son nez à la manière du couvercle d'une marmite. Le spectacle faisait la joie de tous.

Par la suite, Thomas trouva pour le jeune homme une vieille épée à deux mains et, armé de sa propre lame, lui enseigna quelques coups, avant de l'assommer du plat de son arme. Les cavaliers, ayant découvert que Claes ne leur en voulait pas de leur position et qu'il était, par ailleurs, un conteur né de bonnes histoires, l'accueillaient près de leur feu, dans les granges où ils logeaient pour la nuit (Astorre, Thomas et les autres, naturellement, dormaient à cinq par lit dans le confort de l'auberge). L'Africain lui-même semblait s'être attaché à lui : il fallut le battre une fois ou deux parce qu'il s'était glissé dans la grange au lieu de rester couché par terre près du lit de Julius.

Claes et lui paraissaient converser surtout par signes et en catalan, dont ils avaient tous appris quelques mots par Lorenzo. Le Noir était un colosse, aux épaules rembourrées comme des matelas. Frère Gilles avait peur de lui : il tombait en prière si le nègre venait trop près de lui, ce qui paraissait mettre en joie son épouvantail.

Ils se dirigeaient donc ainsi à petite allure vers le sud, dans l'éclat des casques, des cuirasses et des jambières, sous la bannière d'Astorre. Celui-ci était magnifiquement monté, et le nasal de son armet lui conférait un profil d'une étonnante dignité, compte tenu de la figure convulsée de fureur qui grimaçait dessous.

Sur le chemin de Genève, Claes fut livré aux archers, et l'on découvrit qu'il possédait un œil d'une rare précision, ce qui accorda quelque répit à certaines de ses meurtrissures. Le répit dura une journée, au bout de laquelle une folle crise de son esprit inventif lui valut une correction infligée par Astorre en personne. Le châtiment eut peu d'effet. Sa surabondante énergie était manifestement de retour. Il était guéri. Cela se passait la veille de leur entrée dans Genève. Une fois les membres les plus éminents de la troupe installés dans l'auberge de leur choix, le chirurgien lança à l'Africain un fond de pot d'onguent et lui enjoignit d'aller en appliquer un peu sur les déchirures de Claes. Le Noir, qui répondait au nom de Loppe plutôt qu'à celui de Lopez, parut comprendre et s'en fut.

– Vous connaissez bien Genève, dit le chirurgien, et je le connais aussi. Mais que vont bien pouvoir en penser ces deux-là, Loppe et Claes? Ou bien les tenons-nous trop occupés pour leur permettre de penser?

Julius, au début, s'était un peu méfié de Tobie. Astorre continuait à le prendre pour un espion et palpait sa moitié d'oreille quand Tobie le contredisait. Tobie possédait une langue cinglante comme une cravache mais, jusqu'à présent, il n'avait témoigné d'aucun intérêt pour la famille de Charetty. Julius travaillait, un registre posé sur ses genoux, son séant endolori enfoui dans un coussin moelleux.

– Oh, Claes connaît Genève, répondit-il. Pauvre garçon. Il a été élevé dans les cuisines de la famille de Fleury, jusqu'au jour où ils l'ont jeté dehors, et où Cornelis de Charetty l'a accueilli comme apprenti. La sœur de la veuve avait épousé un Fleury.

– Pourquoi l'ont-ils jeté dehors? demanda le chirurgien d'un ton distrait.

Il avait posé son coffre, sur le banc de la salle commune, en avait sorti son mortier et son pilon et il préparait des poudres : il écrasait, réduisait en poussière avec des mouvements circulaires, et la lumière de la chandelle brillait sur le cuir tanné de son crâne chauve.

– Pourquoi s'est-il fait corriger aujourd'hui? Trop d'énergie et pas la moindre idée sur la manière d'en faire bon usage, répondit Julius. Il se trouvait en plus dans une bien étrange maisonnée. Attendez d'avoir vu Esota.

– Esota? répéta le médecin sans interrompre son manège.

– L'épouse de Jaak de Fleury. Jaak, le chef de la maisonnée. Le vieux Thibault est malade. Il vit à présent près de Dijon. Il ne fait plus rien. C'est Jaak qui dirige tout. Il le faisait déjà du temps où j'étais là-bas son notaire. Claes n'était plus là. J'ai tenu bon une année, jusqu'au jour où j'ai appris qu'il y avait du travail chez les Charetty.

La préparation de la poudre était achevée. Tobie lâcha son mortier et, tout en remuant les doigts pour les détendre, il releva la tête. Son visage était le moins remarquable que Julius eût jamais connu. Cerné de cheveux fins et légers, le crâne chauve descendait par un front plat sillonné de rides peu profondes vers des sourcils incolores, des yeux ronds et pâles, une bouche étroite teintée de rose. La seule note décorative était fournie par les coussinets de ses narines, charnus et recourbés, comme deux notes de musique.

– Nous devons nous rendre dans cette maison, n'est-ce pas? dit le chirurgien. Quel effet cela vous fait-il de revoir ces gens?

– Oh, nous ne nous sommes pas querellés, répondit Julius. Je suis parti pour devenir le précepteur de Felix. Jaak était furieux : il lui déplaisait de me perdre, et il n'aime pas les Charetty. La sœur de la demoiselle n'était qu'une seconde épouse, et les Fleury ne reconnaissent pas vraiment le lien de parenté. Mais Cornelis de Charetty leur était utile comme agent à Bruges : il achetait des étains d'Angleterre, des harengs, des tableaux, des toiles peintes, pour les clients de Fleury. En retour, Jaak vendait à la commission les tissus Charetty à la foire de Genève. Il a donc récriminé, ça, oui! lors de mon départ mais il n'a pas voulu se brouiller avec Cornelis.

– Vous n'êtes donc pas fâché, naturellement, de retourner chez lui. Bien équipé, revêtu d'une certaine autorité, notaire d'une troupe de mercenaires de premier ordre, vous pouvez envisager un avenir brillant. Il va regretter plus encore de vous avoir perdu.

Le chirurgien se pencha, prit son mortier et se mit en devoir de remplir méthodiquement un pot de son contenu.

Julius eut un sourire ironique.

– Cela sera amusant, dit-il. C'est Claes qu'il faudrait plaindre, je suppose. Malheureux! Huit ans se sont écoulés, et voyez comme il est. Ils s'estimeront heureux de s'être débarrassés de lui à l'époque.

– En tout cas, fit Tobias, vous avez sauvé la vie de ce garçon, à Sluys. Il semble vous être très attaché. A-t-il peur, maintenant? Que fera-t-il lorsqu'il se retrouvera en présence de cette famille?

– Il sourira, dit Julius.

Le chirurgien haussa les sourcils, posa les mains sur ses genoux.

– A vous entendre, c'est un simple d'esprit. Si j'en juge par ce que j'ai entendu dire de lui, il sait se montrer fort ingénieux quand il veut.

– Mais oui, bien sûr, fit Julius, non sans irritation. Il a appris tout seul à lire et à écrire et il a recueilli des bribes de connaissances au cours de Louvain, en sa qualité de serviteur de Felix. La veuve peut se montrer dure mais elle ne l'a jamais empêché de s'instruire. Je l'ai moi-même fait travailler. Il est doué pour les chiffres. A la vérité, c'est dans ce domaine qu'il est le meilleur.

– Et il n'est encore qu'apprenti teinturier? fit le chirurgien.

L'agacement de Julius fit place à l'amusement.

– Pouvez-vous imaginer Claes dans un bureau en compagnie d'autres scribes? Il le viderait en moins de temps qu'il n'en faut pour le dire. Il aime sa vie. Il est heureux. Il m'arrive de souhaiter qu'il ne le soit pas. Il laisse les autres faire de lui ce qu'ils veulent. S'il voulait bien s'assagir, s'appliquer, il pourrait, au moins de temps en temps, avoir le dessus.

Le chirurgien montrait maintenant un certain intérêt.

– Et alors? Ce soudain plongeon dans le métier de soldat. Est-ce une idée à lui? Ou bien la seule manière dont la demoiselle pouvait s'en débarrasser?

– Oh, la demoiselle, dit Julius. Bruges a émis des plaintes. Il fallait bien que quelqu'un lui mît un peu de plomb dans la tête. A présent, il apprend pour le moins à se défendre.

– Ah, je vois. Ma pommade, j'espère, durera assez longtemps. Et si jamais, un dè ces jours, il passait à l'attaque?

– Je le voudrais bien, répondit Julius. Nous le voudrions tous. Je prendrais son parti. A vous parler franchement, s'il se mettait en tête d'agir de la sorte, je n'aimerais pas être l'une de ses cibles.

– Oui, fit Tobie d'un ton pensif. J'en suis d'accord. C'est un gaillard, ce Claes. Je me demande si la demoiselle a fait vraiment preuve de sagesse? En lui mettant entre les mains épée au lieu d'un bâton de teinturier?

Julius ne prit pas la peine de répondre. Claes était Claes. Julius le connaissait, au contraire de Tobie. Tout ce qu'on pouvait faire, c'était le pousser sans cesse, dans l'espoir qu'un jour il prendrait l'initiative.

Le lendemain, ils franchirent les portes de Genève. Les neiges des Alpes, à l'horizon, étaient d'une blancheur éblouissante, et le vent en venait tout droit. La ville, accrochée à son promontoire escarpé à l'extrémité du lac, n'était pas bien importante mais elle s'était construite à l'endroit le plus favorable : routes et rivières menaient, au nord, vers la France, au sud-est, vers l'Italie, au sud, vers Marseille et la mer du Milieu. Les marchands y convergeaient pour s'y rencontrer, troquer leurs marchandises, dépenser de l'argent. Les grandes demeures fortifiées bâties en pierre, avec leurs tours qui abritaient les escaliers, avec leurs vastes caves, appartenaient aux négociants. Il y avait des quais bien entretenus au bord du lac, des auberges, des magasins, des auvents de foire bien construits au Molard, près de la Madeleine, et des rangées d'échoppes d'écrivains publics dans le jardin proche de Saint-Pierre. Mais les maisons des citoyens de Genève étaient étroites, faites uniquement de bois. La richesse des marchands ne s'étendait pas à la ville entière.

Providence des marchands, Genève était aussi assiégée de prédateurs. Les ducs de Savoie gardaient généralement le contrôle de la ville, nommaient les évêques de Genève, donnaient à leurs fils le titre de comtes de la cité. Mais l'instable monarque de France portait un œil avide sur ces foires qui dépouillaient Lyon de son commerce. Et le duc de Savoie ne se montrait pas toujours prudent. Il avait accordé son aide au dauphin, le fils du roi de France, brouillé avec son père, et qu'accueillait maintenant le duc de Bourgogne. Il avait permis au dauphin d'épouser Charlotte, la princesse savoyarde dénuée de beauté. De temps à autre, le roi de France pesait de tout son poids sur le duc de Savoie, et, chaque fois, la Savoie et Genève cessaient de comploter, tremblaient de peur. L'une comme l'autre étaient trop vulnérables pour se montrer téméraires.

C'était certes ce qui expliquait pourquoi les marchands qui se mêlaient un peu de banque et les banquiers qui se mêlaient un peu de commerce tendaient toujours à avoir en d'autres lieux de solides succursales. Au premier souffle d'une menace, les avoirs des Médicis se transporteraient mystérieusement sous forme de registres et de papiers anonymes, de l'autre côté des Alpes, pour trouver la sécurité à Florence, à Venise ou à Rome. La maison de Thibault et Jaak de Fleury se couvrait grâce à ses relations avec Bruges et la Bourgogne, par l'entremise des Charetty. Mais elle prenait en même temps grand soin de conserver l'estime de Charles de France.

Ainsi songeait Julius, tandis que la cavalcade, mulets, chariots, soldats et le reste, suivait son chemin par les rues en pente raide, vers l'Hôtel de Fleury, où elle devait décharger et

140

se disperser. Claes, constata le notaire, n'était pas loin de lui; il s'évertuait sur son cheval avec le plus grand sérieux, son casque de fer sur le nez.

Julius se sentit poussé à lui dire :

– Ce ne sera pas un plaisir pour toi, de retrouver monsieur et madame de Fleury. Cette perspective ne m'enchante pas, moi non plus. Ils se sont montrés durs avec toi.

Les lèvres épaisses et mobiles de Claes s'étirèrent parallèlement au bord de son casque.

– Oh, je n'y pense plus. Je m'étais habitué à marcher avec une entrave.

– Ils te traitaient comme un serf, insista Julius. Même après ton départ, les gens en parlaient encore. Tu n'as donc aucune rancune contre eux ?

– J'essaierai, dit Claes, si vous y tenez.

– Ne dis pas de sottises, ordonna le notaire d'un ton bref.

Il éperonna sa monture, se morigéna : parler à Claes était une erreur.

Le notaire des Charetty s'était bien gardé de décrire la famille Fleury en détail, et, du coup, la curiosité du médecin Tobie était en éveil. Ce qui aiguisait sa curiosité, c'était, tout d'abord, Julius lui-même, qui lui apparaissait comme un extraordinaire mélange d'innocence et d'ambition. La veuve de Charetty, Tobie le devinait, avait déçu Julius d'une manière ou d'une autre. Il semblait à présent compter, pour faire fortune, sur ce que pouvait lui valoir une grande compagnie de mercenaires. C'était un excellent comptable, et il avait peut-être bien raison. Tobie, qui avait fait une année durant l'expérience du comportement disgracieux de Lionetto, reconnaissait chez le capitaine Astorre une égale ambition et, peut-être, un même manque de principes mais il avait au moins une certaine considération pour les droits de ses hommes, préoccupation qui n'avait jamais encombré Lionetto. Astorre, se disait Tobie, désirait accéder, avant l'arrivée de l'âge, à tout ce qui, jusqu'alors, lui avait échappé : la haute réputation, la statue couronnée de lauriers élevés sur la Place du Marché. Après une demi-journée passée en la compagnie d'Astorre, Tobie en était convaincu.

Il se savait observé par le capitaine et n'en modérait pas pour autant son style abrasif. Si Astorre ne voulait pas de lui, il pourrait toujours le dire. Mais il voudrait le conserver. Tobie connaissait tout de Lionetto, qui recherchait lui aussi les plus magnifiques récompenses et qui avait juré de se mettre en travers du chemin d'Astorre si celui-ci venait à le gêner. Un jour, quand il lui ferait confiance, Astorre questionnerait Tobie à propos de Lionetto. En attendant, à la seule pensée de Lionetto, le dos du chirurgien se contractait parfois nerveusement.

Mais Astorre aurait des raisons plus valables encore de vou-

141

loir le garder. Tobie était le meilleur chirurgien de ce côté-ci des Alpes et peut-être même de l'autre côté. Peut-être. C'était là, d'une certaine façon, ce qu'il essayait de prouver. Il n'existait pas de cas médical connu dans l'humanité qu'on ne rencontrât en traitant une armée, sinon, peut-être, l'accouchement. Toute l'année précédente, il avait travaillé dans une sorte de furieuse extase. Il avait fait des découvertes, accompli des prodiges qu'il n'aurait jamais crus possibles. Par exemple, la guérison de ce garçon, qui l'avait amené en ces lieux. Claes, ce garçon qui ne devait souffrir aucun mal ·dans la maison des Fleury. Aucun, à tout le moins, jusqu'au jour où Tobie et lui auraient eu une conversation à propos de teinture pour les cheveux, de philtres d'amour et de houx.

L'Hôtel de Fleury était un édifice massif. La cour avala toute la cavalcade ; dans les caves furent entassés les fourrures expédiées par les Doria, les barils de saumon envoyés par les Strozzi, les marchandises des Charetty que Jaak devait écouler, le chargement des cinq marchands qui avaient voyagé avec eux et qui paieraient très cher le privilège de magasinage jusqu'à la prochaine foire.

Les marchandises destinées à l'Italie furent entreposées dans un autre lieu encore, en attendant d'être transférées sur le dos de mulets pour la traversée des Alpes. On régla leur dû aux voituriers lorrains qui repartirent avec leurs chariots et leurs bêtes. Les chevaux destinés à Pierfrancesco furent menés aux écuries avec les plus grandes précautions et logés près de ceux de Jaak de Fleury.

Avec beaucoup moins de précautions, on demanda à frère Gilles d'attendre dans la cour déserte, sous le vent glacial, où il pouvait entendre les voix rauques du majordome des Fleury et de ses acolytes et la rumeur qui allait diminuant des hommes d'armes que l'on conduisait à leurs quartiers. Finalement, il ne resta plus dans la cour que le capitaine Astorre, son adjoint Thomas avec Claes, Julius avec son serviteur africain, le chanteur silencieux et frissonnant et Tobie. Alors, et seulement alors, la massive porte à double battant de l'Hôtel de Fleury grinça sur ses gonds et s'ouvrit. Un serviteur, plié en deux dans une courbette, s'effaça pour laisser émerger sur le seuil la magnifique personne de Jaak de Fleury.

Magnifique, se dit Tobie Beventini, était bien le mot qui convenait. Cette magnificence n'était pas due, comme celle des papes ou des doges, au rang ou à l'apparat, bien que cet homme bénéficiât de tout cela. Il était magnifique par son physique, par sa présence. Un être fait pour commander. Jaak de Fleury était d'une taille supérieure à celle de la plupart des hommes et il était bâti comme un athlète au mieux de sa forme. Ses épaules étaient assez larges pour porter, comme s'il s'agissait de duvet, une lourde robe de velours doublée de zibeline. Son visage, sous le large chapeau orné de pierreries, était lisse, coloré par le soleil, et les traits forts n'étaient pas dépourvus de beauté : le nez solide et droit, à la manière française ; les yeux sombres et intelligents ; les lèvres bien modelées, souriantes ; le sourire lui-même souligné par de luisantes volutes : aux coins de la bouche, sous les hautes pommettes saillantes, et jusqu'aux yeux frangés de longs cils.

Jaak de Fleury déclara :

– Eh bien, Astorre, mon pauvre ami, avec quel retard vous arrivez. C'était à prévoir, bien sûr. Sans doute avez-vous fait de votre mieux pour vous arracher aux sollicitations de votre maîtresse. Les femmes, Dieu les bénisse, n'ont aucun entendement. Vous feriez bien de m'accompagner dans mon cabinet et... Ah, je vois que mon petit notaire vous accompagne. Venez tous les deux. Mon épouse est quelque part par là et prendra soin de vous autres. Est-ce bien un païen que je vois ici ? Il n'entrera pas dans la maison, bien entendu. Ni lui ni ce coquin.

– Ils entreront tous les deux, affirma Julius.

La fermeté de sa voix surprit Tobie.

– Le serviteur, ajouta le notaire, est à moi et il est chrétien. Quant au jeune homme, c'est Claes.

– Claes ? fit Jaak de Fleury, sans le moindre intérêt.

Son majordome attendait ses ordres, une main de fer refermée sur le bras de Loppe, l'autre sur l'épaule de Claes.

– Il a vécu chez vous, précisa Julius.

Les yeux lumineux détaillèrent Claes, depuis le casque cabossé posé sur sa tête jusqu'aux maillons rouillés, rompus de sa cotte de mailles, jusqu'à l'ourlet inégal de son pourpoint, à ses chausses reprisées, aux bottes éculées qu'il portait aux pieds.

– Tant de gens ont vécu ici, reprit Jaak de Fleury. Lequel était-ce ? Celui qui volait ? Ils le faisaient tous. Celui qui prétendait que mon épouse l'avait violé ? Non, celui-là, c'était vous, maître Julius, n'est-il pas vrai ? Celui qui se complaisait étrangement dans la cour de ferme ? Oui, c'était bien Claes. Je l'ai envoyé, si je me souviens bien, là où la pisse pouvait avoir son utilité. Chez les teinturiers, les Charetty. Il a fort bien tourné, je vois.

Claes sourirait, avait dit Julius, et Tobias constata qu'il ne s'était pas trompé. Le sourire était d'une parfaite franchise, sans l'ombre de culpabilité ni d'embarras.

– Tout ça grâce à vous, grand-oncle. Je le leur ai dit, répondit Claes.

– *Grand-oncle* ? répéta le marchand.

Après un premier mouvement de recul, il donna libre cours à un grand éclat de rire.

– Une insulte voulue, je suppose. Une instruction donnée par la veuve, pour me mettre dans l'embarras. Tel aurait pu être le cas, si tu étais mon bâtard et non celui de ma défunte nièce. Mais je te pardonne. Une légère correction, Agostino, et tu enfermeras ce garçon dans la grange. Venez. J'ai froid.

– Monseigneur, nous avons tous froid, dit la voix d'Astorre, rauque et sans expression.

Il leva ses bras courts. Sans effort apparent, l'esclave Loppe se trouva libéré d'une main de l'étreinte du majordome, tandis que l'autre main dégageait l'épaule de Claes.

– Ne vous occupez pas de ces gens de rien. Ils nous appartiennent et nous serviront à l'intérieur. Il y a ici un chanteur réclamé par Cosimo de Médicis et qui meurt de froid. Allons-nous passer toute la journée dans cette cour?

Les beaux yeux de Jaak de Fleury dévisageaient le capitaine.

– Vous lâcheriez ces brutes dans ma maison? dit-il. Pour tous les dégâts qu'ils feront, je réclamerai compensation.

– Vous l'aurez, répliqua Astorre. Et maintenant, pouvons-nous entrer? Nous avons des affaires à régler.

– Ah, les affaires, c'est vrai, fit Jaak de Fleury. Et des affaires de femmes, qui mieux est. Comme elles sont charmantes, dans leur innocence. Dieu nous demande de les protéger, et nous n'y manquerons point. Mais qui nous remboursera le prix de notre protection? Pas l'héritier. Pas Felix, ce charmant jouvenceau, avec ses foucades d'adolescent. Ainsi, mon cher Julius, on n'est plus en mesure de vous payer votre salaire? Vous devez vous battre pour survivre, comme les brutes que vous faisiez profession de mépriser? Comme c'est triste. Et qui est cet homme?

– Un chirurgien, dit Tobie. Tobias Beventini, monsieur de Fleury.

Les yeux se fixèrent sur lui.

– Un parent? demanda Jaak de Fleury. Un parent de Giammatteo Ferrari?

Personne d'autre ne lui avait posé cette question.

– Un neveu, répondit Tobie.

Il sentait sur lui le regard de Julius.

– Vous avez étudié à Pavie?

– Oui, monsieur, dit le chirurgien. J'ai signé un contrat avec le capitaine Astorre. Je souhaite acquérir l'expérience de la guerre.

– Votre oncle n'approuverait pas, fit le marchand.

– Par chance, riposta Tobie, c'est mon affaire et non la sienne. Mon présent souci, c'est ce moine. L'air froid pourrait être nocif pour sa gorge. Messer Cosimo serait déçu.

– Peu m'importe, fit Jaak de Fleury. Les Médicis sont mes débiteurs. Le signor Nori est le responsable de la succursale genevoise des Médicis. Le signor Sassetti, naguère à ce poste, lui rend parfois visite. L'un ou l'autre ne tardera pas à se présenter, pour venir prendre les documents. Nori a beaucoup d'argent et il est sans cesse malade. Une véritable mine d'or pour vous. Vendez-lui un traitement. Il vous paiera. Vendez-lui un traitement contre n'importe quoi : il est convaincu qu'il souffre de tous les maux auxquels on a donné un nom. Allez de ce côté. Mon épouse prendra soin de vous.

Il s'éloigna, suivi d'Astorre et du notaire. Madame de Fleury ne se montrait pas. Au bout d'un moment, Tobie croisa le regard de l'Anglais, Thomas. Il pénétra dans la maison, sa main sous le coude de frère Gilles. Thomas lui emboîta le pas. Le colosse africain et Claes les suivirent lentement, en regardant tout autour d'eux. Un escalier se présenta, et Tobie allait se diriger de ce côté quand un mouvement rapide l'immobilisa. De derrière une porte surgit, entraînée par le jeune Claes, une femme d'âge mûr, effarée, dont une main rougie s'accrochait à son tablier.

– Elle ne me reconnaît pas, déclara Claes, sans cesser de sourire à la femme. C'est Claikine, Tasse. Tu te rappelles Claikine, à dix ans ? Les œufs durs placés sous la poule couveuse ?

– *Claikine*?

Le visage informe, rude comme une pâte à pain, exprima la stupeur, puis la reconnaissance et, enfin, la joie.

– Claikine! Comme tu as grandi!

– Comme une haie. C'est toute l'histoire de mes succès. Et comment se porte Tasse?

Elle laissa retomber son tablier. Claes lui passa sous les aisselles ses deux grandes mains et la souleva bien haut. Elle poussa un cri étouffé, lui sourit, cria de nouveau. Ses cheveux s'échappèrent de sa coiffe en longs rubans gris.

De la porte vint un autre cri, presque aussitôt suivi d'un hurlement.

– Au meurtre! Au viol! Au voleur! clamait madame de Fleury.

11

Il ne pouvait s'agir de personne d'autre, se dit Tobie, avant même qu'Esota de Fleury eût quitté le seuil pour se montrer en pleine lumière. Le bruissement d'une lourde robe, le doux éclat de pierreries, le parfum d'essences exotiques... cette femme était la dame de la maison ou bien une maîtresse. Et personne n'avait parlé d'une maîtresse. Il y avait aussi la voix qui ne manquait pas de musicalité mais qui tremblait de frayeur :

– A l'aide, mon époux! Il y a des hommes dans la maison! Oh, Tasse, Tasse, te voilà perdue de réputation!

La voix montait vers l'aigu, un phénomène familier à Tobie.

– Pose cette femme! dit-il au jeune Claes.

Il ressentait une pointe d'orgueil professionnel en voyant Claes, si peu de temps après sa guérison, capable de soulever de terre une femme adulte et de la maintenir ainsi. Le médecin se dirigea vers madame de Fleury, en proie à une agitation désordonnée. Celle-ci, tout aussitôt, perdit connaissance. Tobie la retint, non sans chanceler quelque peu, et l'allongea sur le sol dallé. Claes, dont le sourire s'était effacé, cessa d'étreindre Tasse la servante et la remit debout sur ses pieds. Le nègre Loppe, sans qu'on eût besoin de le lui dire, décrocha une lampe de sa potence et l'approcha. Tobie se pencha sur l'épouse de Jaak de Fleury.

Il s'attendait certes à voir une femme d'un certain embonpoint. Ce qu'il vit était plus que surprenant. Si son époux était âgé, comme il semblait, d'une cinquantaine d'années, madame de Fleury en avait trente ou même moins. Son visage était sans rides, ses cheveux, découverts et coiffés, comme pour une réception, avec des rubans, étaient d'un beau brun luisant. Dissimulée derrière un masque, et malgré des proportions peu harmonieuses, elle aurait pu éveiller les espoirs d'un homme. Sans masque, elle était, on ne pouvait le nier, fort laide. Tobie, qui détaillait le nez vésiculaire, la mâchoire trop large, le front bas et oblique, les yeux pas plus grands qu'un ongle et étroitement clos, se demanda vaguement quelle avait pu être l'importance de sa dot pour convaincre Jaak de Fleury de l'épouser. Sous le visage, le corps massif était enveloppé de velours. Pas d'enfants, avait dit le notaire. Et tout enguirlandée d'émeraudes. Une main, levée comme celle d'un aveugle, tâtonnait dans la direction du médecin. Il posa dessus sa propre main.

– Ne vous effrayez pas. Nous sommes des invités, madame de Fleury. Nous venons de Bruges. Envoyés par votre parente, madame de Charetty.

Les yeux de la femme s'ouvrirent. Sa bouche fit de même, pour découvrir un vaste assortiment de dents.

– Tasse..., dit-elle. Il la violentait.

Tobie lui passa un bras sous les épaules, l'aida, non sans peine, à se redresser sur son séant.

– Il était heureux de la retrouver, expliqua-t-il. Vous ne le reconnaissez donc pas?

Derrière Tobie, Thomas l'Anglais attendait avec une grimace d'impatience, tandis que le nègre Loppe s'était prudemment retiré dans un coin.

Claes et la servante se tenaient côte à côte. La femme, d'un air apeuré, lança un coup d'œil vers le garçon. Claes avait fixé son regard sur la maîtresse de maison. Son visage était impassible, les fossettes ne s'y creusaient pas, et sa bouche occupait moins de place que d'ordinaire. Mais, soudain, elle retrouva sa ligne familière. Claes déclara :

– Vous ne me prendrez pas à violer une femme quand Julius est dans les parages. C'est lui, l'expert, en ce domaine. Dois-je aller vous le chercher?

La femme fronça les sourcils, fit un faible mouvement contre le bras de Tobie.

– Le petit Claikine? dit-elle.

– Non, le grand Claes, répondit l'apprenti, sans se troubler. Il ne s'approcha pas.

La femme souffla :

– Je me sens...

– Permettez-moi de vous accompagner à vos appartements, proposa Tobie. Je suis médecin. Votre époux aurait dû vous avertir de notre arrivée.

Le visage monstrueux leva vers lui un regard timide.

– Il m'arrive d'oublier, dit-elle. Il y a fort à faire. Du vin pour ses invités. Mes servantes...

– Elles s'occuperont de nous. Nous avons tout le temps. Allons, vous devriez être dans votre chambre. Je vais vous aider. Thomas, Claes, Loppe... restez ici jusqu'à mon retour.

Il remarqua le regard que madame de Fleury jetait à Claes par-dessus son épaule. Il vit aussi que Claes avait déjà reculé discrètement pour s'adosser au mur près de Loppe : il murmura quelques mots à celui-ci et sourit. Tobie crut reconnaître une inflexion de sa propre voix. Tandis qu'il reconduisait péniblement l'infortunée dame de Fleury à ses appartements, il comprit que, cette fois, peut-être, il était tombé par mégarde sur un réseau de relations qu'il aurait mieux valu continuer d'ignorer. Il pouvait s'en tirer : il connaissait sa propre compétence. Mais... la perspective ne promettait pas d'être agréable.

Son impression se vérifia. La maîtresse de maison se fit excuser et ne se montra point au souper. Le maître, lorsqu'il émergea enfin de son cabinet en compagnie d'Astorre et du notaire Julius, semblait fort mécontent. A table, il se limita à quelques mordantes politesses. Les inférieurs, Loppe et Claes, mangèrent peut-être, mais on ne les vit point, et Thomas, qui était présent, apprit bien vite à tenir sa langue. Le maître de Fleury n'avait pas de temps à perdre avec les émissaires de Marian de Charetty, qui n'était rien pour lui. Leurs affaires réglées, il souhaitait être débarrassé d'eux. Un vœu qui ne se réaliserait pas avant le lendemain, pas avant le passage de Nori, de la maison des Médicis.

Ils se partagèrent deux chambres, ce qui était tout naturel. Astorre et l'Anglais occupèrent l'une, avec Claes couché à même le sol. Tobie et Julius eurent l'autre, en compagnie de Loppe. Tobie, victime d'embarras digestifs, se rendit en pleine nuit à l'endroit voulu, dans la cour. En revenant, il fut accosté par une silhouette enveloppée de voiles. Alarmé, il reconnut son hôtesse. Celle-ci, non moins alarmée, murmura des excuses et s'éloigna en toute hâte dans le bruissement de ses longs vêtements. Tobie, avant de se recoucher, prit la peine de vérifier si tous les membres de son groupe étaient à leur place. Dans sa propre chambre, Julius ronflait, et Loppe en faisait autant. Dans la chambre voisine, le sommeil s'était emparé d'Astorre et de son adjoint mais n'avait apparemment pas accablé l'ancien apprenti Claes, nulle part visible.

Il s'endormit, se réveilla dans une chambre vide, au bruit d'un indescriptible vacarme. Il attendit. Ce fut Julius qui, finalement, ouvrit la porte et vint s'asseoir à son chevet. L'ironie se peignait sur son séduisant visage.

– Vous entendez ?

– Je n'ose imaginer ce qui s'est passé, dit le médecin. Mais je pourrais peut-être deviner. Madame a été violée ?

La figure aux traits classiques, au nez droit perdit de sa sévérité.

– Sans doute avez-vous déjà connu une telle situation.

– C'est assez commun. Par le nègre, peut-être, cette fois ?

Le visage qui lui faisait face exprimait quelque amertume.

– Où serait le plaisir ? demanda le notaire.

Tobie se redressa sur son séant.

– Ce n'est pas...

– Mais bien sûr, confirma Julius. Claes.

– Que va-t-il se passer?

– Tout dépend de monsieur Jaak. S'il insiste, ce sera une longue peine de prison. Ou la mutilation...

Il marqua une pause.

– Astorre va tenter d'éviter cela. Moi, je ferai davantage. Je vais veiller à ce que ça n'arrive pas.

Tobie avait déjà rencontré aussi cette sorte de calme. Il déclara :

– Vous ne lui viendrez pas en aide en courant le risque d'être châtié, vous-même. Il suffit à Astorre de jurer que le garçon n'a pas quitté la chambre un instant. Ne peut-il le faire?

– Astorre et Thomas étaient ivres quand ils se sont mis au lit, expliqua Julius. Tout le monde a pu s'en rendre compte. Ils n'auraient rien remarqué, même si Claes avait amené Esota dans la chambre et l'avait couchée entre eux deux.

Le médecin examinait son vis-à-vis.

– Lorsqu'il nous a accueillis, monsieur Jaak a fait allusion à un autre incident. Il vous a accusé, à tort, je suppose. Il s'agit donc là d'un écart que madame de Fleury a coutume de commettre. Son époux est parfaitement au courant. D'autres aussi, peut-être. Une telle accusation contre le garçon tiendrait-elle?

– Oh, oui, répondit Julius. La dame a sa réputation. Ce qui épargnera à Claes l'ultime châtiment. Mais pas le reste. Il est riche, monsieur Jaak, et il a la faveur du roi de France. Et Claes n'était pas dans sa chambre. Vous non plus.

– Je suivais Claes, répondit le médecin. Comment expliquer semblable coïncidence? Je ne pouvais dormir. Je suis sorti dans la cour et l'y ai trouvé. J'ai engagé la conversation avec lui. L'aube pointait, je crois, quand nous sommes rentrés. Craignant de réveiller ses compagnons, je l'ai invité à venir dans ma chambre. Vous avez dû l'y voir quand vous vous êtes réveillé.

Une onde de couleur qui lui allait bien avait envahi la peau bronzée de Julius.

– Mais alors, demanda-t-il, qui a rendu visite à madame de Fleury?

– Un rêve, dit le médecin. Pauvre créature, elle est, de toute évidence, sujette à ce genre de troubles. Je vais lui prescrire une liqueur calmante. Lorsque j'aurai informé notre ami Claes de ses propres déplacements nocturnes. Où pourrai-je le trouver, à votre avis?

La persévérance étant l'une de ses qualités, Tobie découvrit la cave bien fermée qui abritait l'apprenti et, discrètement, trouva le chemin d'une bien utile fenêtre défendue par des barreaux. Elle était à ras de terre. Il s'assit à côté, appela. On lui répondit avec la même prudence. Il arrivait au moins à temps pour faire la leçon à Claes, sinon, constata-t-il, pour lui épargner la première correction qui lui avait été infligée par les valets de Fleury. Ce n'était pas plus grave, déclara le garçon, d'une voix un peu tremblante, que les traitements auxquels Thomas l'avait accoutumé. Mais où donc, demanda aimablement Tobie, Claes se trouvait-il vraiment, la nuit précédente? Son regard plongeait dans la cave, et Claes levait le sien vers lui, l'ombre de Tobie sur son désarmant visage.

Un médecin ne s'étonne jamais de rien. Tobie Beventini était tout prêt à entendre qu'il s'était passé quelque chose entre son ancien patient et la femme de Fleury. Elle était tout à fait capable d'avoir accosté le garçon. Celui-ci, pour des motifs qui lui étaient personnels, se disait Tobie, était tout à fait capable d'en tirer avantage. La vengeance prenait parfois des formes curieuses. Il ne voyait pas Claes sous le même angle que Julius.

L'apprenti expliqua :

– Elle n'est pas normalement conformée. Il l'a épousée pour ses biens.

– Et alors?

– Alors, ça l'aide de se croire désirable. Meester Julius le sait. C'est pour cela qu'il est parti. C'est triste. Mais son époux exploite la situation.

– Alors, pourquoi t'accuserait-il? demanda Tobie. Et où étais-tu, la nuit dernière?

– Avec leurs serviteurs. Je n'ai pas voulu le dire. Je me suis échappé, il y a huit ans, mais beaucoup d'autres n'y sont pas parvenus. Il y a une autre nièce... Peu importe. Quant à l'accusation... C'est seulement pour me punir de m'être échappé. Je n'ai rien à perdre : je pourrais donc parler de la maladie de madame Esota.

– *Une maladie?* fit Tobie.

Claes le gratifia d'un coup d'œil oblique.

– Vous n'êtes pas une femme laide, mariée à Jaak de Fleury.

Tobie examinait le garçon.

– Sans moi, dit-il, Fleury t'aurait détruit. Et ton ami le notaire aussi, fort probablement. Tu es trop miséricordieux, mon cher Claes. Mais, si tu ne livres pas tes propres batailles, tu imposes une lourde charge à tes supérieurs. Peut-être est-ce ce que tu cherches?

Au-dessous du médecin, Claes fit un mouvement, et Tobie perçut un bruissement de paille.

– Le croyez-vous vraiment? demanda Claes. J'espère bien que non. Je ne saurais assez vous remercier d'avoir pris toute cette peine. Mais, en vérité, il n'en était aucun besoin.

– Perdre ton nez ou tes mains serait donc sans importance?

– Cela arrivera ou n'arrivera pas, fit l'apprenti, sans grande assurance. C'est à moi de régler l'affaire, bien ou mal. Sincèrement, je vous remercie pour ce que vous avez fait. Un second sauvetage. Mais, cette fois, je n'ai pas l'intention de mettre d'autres gens en cause.

– Tu n'as pas le choix, dit Tobie. Personne ne l'a.

L'autre garda le silence. Un silence délibéré. Tobie insista :

– Tu n'as jamais pensé à ça ?

– Je pense aux gens qui dépendent de moi, répondit Claes.

Il faisait froid, dans la cave, mais il demeurait parfaitement immobile, les bras étroitement croisés autour de son corps.

– Personne n'a besoin de se charger de mes fardeaux.

– Pas même les gens qui dépendent de toi ?

La question, cette fois, émut un peu le garçon.

– Ni vous ni meester Julius ne dépendez de moi.

– Peut-être pas. Mais tu es notre conscience, dit Tobie. Si nous laissons l'injustice te toucher, nous nous avilissons. Que tu le veuilles ou non, nous devons intervenir. Comme le feront ceux qui te doivent quelque chose. Tu n'as pas ton libre arbitre. Ta maîtresse ne te l'a-t-elle jamais dit, après l'une de tes fameuses escapades ? Mais peut-être est-il injuste de te les rappeler. Cette fois, tu n'as commis aucune faute. Accepte donc une assistance donnée de bon gré.

– Une assistance sollicitée, oui, dit le garçon. Maître Tobie...

Le médecin ne pouvait deviner ce que voulait le jeune homme. Il attendit.

– Maître Tobie, répéta Claes. Ces gens sont déplaisants, mais il n'est pas nécessaire de les châtier. Surtout pas mortellement.

Tobie dévisageait, au-dessous de lui, le petit-neveu et, en même temps, le prisonnier de monsieur Jaak. Il demanda :

– Qui pourrait les châtier mortellement ?

Le visage de Claes s'éclaira quelque peu.

– Le Bon Dieu, peut-être. On ne peut les protéger de ce châtiment-là. Mais quelqu'un, peut-être, avec des potions...

– Je vois, répondit Tobie.

Il réfléchit, reprit enfin :

– Je ne vois aucun danger d'une semblable intervention. Ne te tourmente pas.

– En ce cas, je ne me tourmenterai pas, fit le garçon qui leva vers lui un visage souriant.

Tobie, après l'avoir quitté, sentit le sourire se figer sur ses lèvres, en reprenant le chemin de sa chambre et de son coffret à médecines. Rien n'y manquait encore. Il rabattit le couvercle, tourna la clé. Contre qui ? Astorre et ses acolytes, objets de mépris pour Jaak de Fleury ? Maître Julius, désireux de protéger Claes et de se venger pour son propre compte ? Un complot ourdi par l'un des infortunés serviteurs de Fleury, surpris dans la cuisine ? Ou bien Claes lui-même, effrayé à l'idée d'être entraîné à se protéger lui-même, comme Julius et le médecin, dans leur exaspération, le pressaient de le faire ?

Mais non. Tobie n'en croyait rien. Il ne pensait pas qu'on pût

151

jamais entraîner Claes à agir contre son propre jugement. Il ne l'avait jamais vu qu'une seule fois totalement à bout de ressources, et c'était sur le quai de Damme. A présent, ses motifs étaient probablement plus simples que tout ce que pouvait imaginer Tobie. Plus tristes aussi. Car, si quelqu'un venait à nuire à Jaak de Fleury ou à sa femme, ce serait Claes qui endosserait le blâme.

Pensif, le médecin glissa la clé dans sa bourse et s'en fut à la recherche de son hôte, Jaak de Fleury, afin de lui faire partager l'heureuse nouvelle de la justification de Claes. Au début, monsieur Jaak eut peine à croire que son épouse n'eût pas été violée. Mais, quand Tobie l'eut pris à part pour lui expliquer la nature exacte (en latin) de la regrettable maladie de madame, il commença de retrouver ses couleurs et alla même (en fin de compte) jusqu'à remercier Tobie pour son précieux diagnostic.

Au bout d'un moment, il se rappela que le jeune Claes était enfermé dans une cave et l'envoya libérer. Interrogé sur la compensation due à Claes pour une correction imméritée, monsieur de Fleury promit de réfléchir à la question. Apparemment il n'y parvint pas. La seule compensation que Claes sembla recevoir fut d'une nature toute négative : il garda ses mains et l'intégrité de son visage. Il émergea quelque temps plus tard de la cave, un peu moins exubérant que de coutume mais, par ailleurs, remarquablement calme. Tobie remit à Loppe un peu plus de sa pommade. Claes disparut ensuite dans les écuries, et les besognes de la matinée commencèrent presque comme si rien ne s'était passé.

Personne n'émit l'idée que le chirurgien pourrait rendre visite à son hôtesse dans sa chambre. D'une certaine manière, Tobie le regretta. Il s'était préparé à lui poser des questions, entre Julius planté d'un côté du lit et l'époux de l'autre, afin de protéger le bon renom de la dame. Tobie trouva alors le chemin de la cuisine. On lui offrit un pâté et de la bière, et il eut une longue conversation avec la femme nommée Tasse. Pendant ce temps, Julius accueillait les représentants des Médicis, pour lesquels Jaak de Fleury professait un tel dédain.

Bien des gens pouvaient prétendre dédaigner les Médicis, bien peu pouvaient se permettre de les ignorer. A Londres, Bruges, Venise, Rome, Milan, Genève et Avignon, leurs banques, bien dirigées, contrôlaient les affaires des nations. Et les banques, à leur tour, étaient contrôlées par le chef de la famille, Cosimo de Médicis, le brillant vieil homme tourmenté par la goutte, depuis son palais de Florence.

Il avait des fils pour lui succéder. Mais, mieux encore, il disposait de générations de négociants expérimentés qui se suivaient d'une ville à l'autre. Julius en connaissait quelques-uns. La famille Portinari, dont Tommaso, le jeune homme aux bagues, était le membre le plus jeune, tandis que ses frères veillaient sur Milan. La famille Nori, avec le vieux Simone à Londres et le jeune Francesco ici, à Genève, depuis de nombreuses années. Celui qui entrait à présent avec Francesco Nori était son chef direct, Sassitti, la quarantaine proche, avec son nez romain et ses cheveux courts et bouclés. Il gratifia monsieur de Fleury d'une très sonore et très cérémonieuse salutation, avant de renouer cordialement connaissance avec Julius et d'assener une tape sur l'épaule d'Astorre, le capitaine des Charetty. Astorre avait déjà veillé sur des expéditions. Astorre avait l'habitude de ce genre de réunion. Astorre, remarqua Julius, avait une expression d'une certaine intensité qui lui rappela que le capitaine avait, lui aussi, de l'argent placé, ici, à Genève, s'il fallait croire ce dont il s'était vanté naguère. Monsieur de Fleury, semblait-il, lui aurait offert un taux d'intérêt familial et l'assurance que son argent serait en sûreté s'il devait advenir quelque chose à la compagnie Charetty.

Julius était intrigué : tout en méprisant Astorre, Jaak de Fleury n'en désirait pas moins sa clientèle. Visiblement, il n'était pas homme à laisser ses sentiments personnels influer sur les affaires. De bons mercenaires pouvaient gagner énormément d'argent : une série de succès, une seule mais brillante capture, une saison de pillages pouvaient rapporter de l'or en quantité à toute banque assez heureuse pour attirer leurs placements. Si Astorre décrochait en Italie un contrat de première importance, Fleury en tirerait de gros bénéfices. Julius, lui, avait placé son argent chez les Strozzi. Et Marian de Charetty le savait, que le diable l'emporte. On ne pouvait plus garder un secret, à l'époque actuelle.

Astorre assista donc à toute la séance de ce matin-là. Il s'agissait essentiellement de vérifier les marchandises expédiées de Bruges à Genève et d'en rédiger les reçus. Suivit une inspection des marchandises en transit de Bruges à la résidence des Médicis, en Italie. Les tapisseries furent déroulées, examinées, tout comme l'orfèvrerie. On manda frère Gilles, on le présenta aux personnalités présentes, mais on lui épargna de fournir la preuve de son agilité vocale. On fit sortir ensuite des écuries dans la cour les quatre haquenées qui devaient faire la joie de messer Pierfrancesco.

Tout au long de ces formalités, Jaak de Fleury conserva son air d'ineffable supériorité et ne se montra pas plus affable avec les représentants des Médicis qu'il ne l'avait été avec les serviteurs de sa parentèle éloignée, les Charetty.

Julius, documents en main, se dirigea avec Astorre et les autres vers les chevaux qu'on présentait à leur inspection. Il vit que Claes aidait les palefreniers. Julius se sentait à la fois soulagé et ravi de le retrouver en liberté. A la différence de Felix, qui était un puits de connaissances sur les pur-sang et leurs origines, Claes n'avait pas d'attirance particulière pour les ani-

153

maux. En dépit de la récente raillerie de son grand-oncle, la totalité de son expérience en ce domaine se résumait aux bœufs de trait, au chien qu'il avait peut-être ou non assommé et aux chevaux qui l'avaient démonté avec une belle régularité durant la plus grande partie du voyage jusqu'à Genève. Il était d'autant plus remarquable qu'il se fût pris d'amitié pour les pur-sang des Médicis, et eux pour lui. Les nuits dans la paille en leur compagnie avaient conduit à une sorte de camaraderie. Il leur donnait à manger en cachette. Quand il approchait ces bêtes, elles le caressaient des naseaux, au point que ses oreilles en étaient trempées.

Les animaux et leurs soigneurs s'immobilisèrent devant les deux représentants des Médicis. Claes s'éloignait déjà quand Sassetti s'exclama :

– Tiens, tiens! suis-je dans l'erreur, ou vois-je là un jeune homme de ma connaissance? Claikine?

Claes se retourna. Les cheveux frisés, aplatis par trois semaines sous le casque, avaient tout juste la couleur de la rouille de sa cotte de mailles. Son visage était meurtri, comme d'habitude, et il avait quelque chose qui ressemblait à un œil au beurre noir. Il eut son large sourire.

– Messer Sassetti.

– Et messer Nori, précisa Sassetti. Ainsi...

Des ondes de mécontentement glacial émanaient du seigneur de Fleury. Le représentant des Médicis les ignora.

– Ainsi, te voilà maintenant soldat, à ce que je vois? Avec le capitano Astorre. Tu vas bientôt faire fortune?

Sassetti se retourna vers Julius et le médecin.

– L'enfant le plus turbulent que j'aie jamais vu dans cette maison. Une véritable terreur, pour ma foi? Mais un bon messager, un coursier rapide, *volando*. J'aimerais que mes commis aillent aussi vite que toi...

Sur un sourire, il abandonna Claes.

– Ah, voici les chevaux.

Il exprima sur les chevaux un avis favorable. Il ne restait plus, s'ils ne voulaient pas tous geler sur place, qu'à regagner la demeure pour la remise cérémonieuse des dépêches destinées aux Médicis. Julius envoya Loppe chercher la sacoche, l'ouvrit. Il déplia l'épais papier huilé, en étala le contenu sur la table de monsieur Jaak, de sorte que les sceaux de cire, solides et brillants, se répandirent à profusion, comme un parterre de fleurs.

Il choisit d'abord les plis en provenance des établissements des Médicis : le sceau de Simone Nori, de Londres; le paquet expédié par Angelo Tani, de Bruges, et un autre venant d'Abel Kalthoff, leur agent de Cologne. Tous portaient *il segno*, le dessin en forme de poire, sommé d'un crucifix, avec ces trois marques impériales qui représentaient les Médicis. Tous ces plis étaient intacts, avec leurs sceaux et leur fil blanc. Et tous impénétrables, même s'il en était allé autrement : aucun banquier en Europe n'aurait jamais communiqué à un autre banquier des informations importantes rédigées en clair. Et les codes des Médicis étaient les meilleurs du monde.

Sassetti et son compagnon ne les en examinèrent pas moins sous toutes les coutures, avant de les enfermer dans leurs propres sacs. Ils saisirent ensuite l'occasion, comme le font tous les banquiers, de jeter un coup d'œil négligent sur les autres paquets qui attendaient d'être répartis entre leurs destinataires. Une communication de Marco Corner, le marchand vénitien, à son parent Giorgio, qui se trouvait dans cette ville de Genève. Une de Jacques de Strozzi à Marco Parenti, le marchand de soie, époux de Caterina, la sœur de Lorenzo, qui vivait à Florence. Une autre de Jacopo et Aaron Doria destinée à Paul Doria, à Gênes, aux bons soins du représentant milanais de la banque de Saint-Georges. Une bonne douzaine de plis étaient destinés à la banque des Médicis à Milan, et les différents sceaux portaient des figures nimbées d'auréoles, gravées dans la cire la plus coûteuse.

Sassetti allongea un gros doigt pour en découvrir un.

– L'évêque de Saint-Andrew, en Ecosse, dit-il. Les annates, sans doute. Ou peut-être le produit d'une quête destinée au pape. Je comprends pourquoi notre modeste envoi est si puissamment défendu. Qu'adviendrait-il de l'entreprise du pape contre les Turcs, si l'or ne lui parvenait pas ?

– Mon cher Sassetti, fit Jaak de Fleury. (Les pommettes d'une ligne archaïque luisaient d'ironie dans le beau visage.) Qui aurait pensé que cet homme qui en tenait jadis si fort pour les femmes se prendrait à collecter de l'argent pour fréter un bateau ? La Bourgogne lui viendrait-elle en aide ? Non. Milan lèvera-t-elle un seul doigt ? Et tous ces puants ermites qu'il a fait sortir d'Orient pour joindre leurs saintes mains en une croisade... que veulent-ils, sinon une maison, une pension et assez d'étudiants instruits qui chantent leurs louanges en grec pour la postérité ?

Le marchand haussa ses magnifiques épaules et émit un gémissement des plus civilisés.

– Le roi d'Ecosse doit être fou, pour envoyer de l'argent. Sa sœur, en tout cas, est bel et bien démente. Elle a passé ici des années, fiancée au comte de Genève, jusqu'au jour où le roi de France a fait valoir qu'une telle union était absolument mal assortie. Alors, on l'a renvoyée chez elle.

– Elle était la cousine de l'évêque Kennedy, indiqua Julius. Peut-être y a-t-il une dot à recouvrer.

Les deux hommes des Médicis, qui devaient tout savoir, conservaient une attitude de calme intérêt. Julius prit cela pour un signe, abandonna le sujet. L'argent expédié par l'évêque de Saint-Andrew, il le savait pertinemment, représentait la rançon du frère de Nicholai de Acciajuoli. Si le Grec avait l'intention de venir également quêter dans cette ville, on ne lui rendrait pas service en soulignant le montant de ses recettes.

La conversation faiblissait peu à peu. Monsieur Jaak de Fleury ne faisait rien pour la prolonger. Monsieur Jaak de Fleury, Julius en était parfaitement conscient, n'avait qu'une hâte : se débarrasser des Médicis et voir ensuite tous ses hôtes repartir dès la tombée de la nuit. Monsieur Jaak de Fleury ne se plaisait pas en leur compagnie.

Une difficulté émergea... On était en train de réunir à la banque des Médicis tout un paquet de rapports récents à destination de Milan. Messer Nori les apporterait le lendemain. Et le capitaine des Charetty, il l'espérait, voudrait bien s'en charger. Le prix offert était excellent. Monsieur de Fleury refusa tout net d'accorder plus longtemps son hospitalité. Julius, avec décision, prit rapidement en main la négociation : si Nori s'en allait dès l'instant rassembler les missives, Julius manderait un messager les chercher. Il était heureux d'avoir songé à cette solution. Il fallait choisir le messager. Il se dit que Claes, qui connaissait Sassetti et Genève, méritait bien cette petite excursion.

Il ne lui vint pas à l'esprit que monsieur de Fleury pourrait ne pas être d'accord. Il enferma tous ses documents et s'en fut aider Astorre à charger de nouveau les bêtes de somme. Vint alors le commandement péremptoire de se présenter à monsieur Jaak dans son cabinet. L'entrevue fut éprouvante. Julius en émergea livide de fureur contenue et se dirigea à grands pas vers sa chambre. La première personne qu'il rencontra fut Claes. Le garçon portait les bagages de Thomas.

— Ainsi, te voilà de retour! fit Julius.

Claes le regarda d'un air surpris.

— J'ai dû attendre. Les lettres n'étaient pas toutes prêtes.

Julius se jeta sur un matelas.

— Le vieux monstre était convaincu que tu t'étais enfui ou que tu étais en train de livrer tous ses secrets.

Claes le regarda avec une évidente sympathie.

— A-t-il menacé de vous couper les mains? Non, ils m'ont offert de la bière et ils m'ont posé des questions sur meester Tobie. Je leur ai parlé de Lionetto et de ses rubis en verre rouge.

— Et à propos de Acciajuoli? demanda Julius.

Le front de Claes se plissa.

— Non. Ils ont leur propre manufacture de soie, les Médicis, vous le saviez? Je leur ai parlé de messer Arnolfini. C'est important?

— Non. Il n'y a que des rapports commerciaux entre Arnolfini et la compagnie de Fleury. C'est sans importance, dit Julius. Les Charetty ne s'occupent pas de soie.

– Heureusement, fit Claes. Ce qu'ils ont pu dire de la veuve!
Julius se redressa.

– De la demoiselle? questionna-t-il sèchement.

Claes prit aussitôt une attitude défensive.

– Bon, ils parlaient des femmes dans les affaires. Vous avez
déjà entendu monsieur de Fleury sur le sujet. L'étoffe qu'elle
leur a envoyé ne leur plaît pas. Et elle la vend trop cher, à leur
avis.

Julius ouvrait de grands yeux.

– Sottises. Nous la vendons plutôt au-dessous du cours.

– En tout cas, elle ne se revend pas à ce prix, déclara gaie-
ment Claes. Et elle est moisie.

– Quoi!

– Monsieur Jaak l'entrepose peut-être dans une cave
humide. Celle où j'étais enfermé était pourrie d'humidité. Peut-
être devrait-on le lui dire.

– Oui, peut-être, approuva lentement Julius.

– Vous vous êtes entretenu avec lui. Vous en a-t-il parlé?

– Non. Peut-être aurais-je dû accepter son offre. Il semble
que quelqu'un tire des bénéfices de la compagnie de Charetty.

– Il vous a fait une offre?

– Il voulait que je revienne chez lui, expliqua brièvement
Julius. Il a d'abord tenu à savoir si la veuve avait l'intention de
se remarier, et si Astorre ou moi-même nous proposions pour
le titre de second époux.

– Le capitaine! se récria Claes.

– Oui. Toutefois, il faut lui rendre cette justice, monsieur
Jaak ne semble pas envisager d'un bon œil la présence
d'Astorre à la tête de la compagnie. Il a eu la bonté de me dire
que je ferais un très bon maître pour cette sorte de femme.
Après quoi, lorsqu'il a eu la certitude que cette démarche
n'entrait pas dans mes intentions, il a offert de me reprendre
dans mon ancien poste, à présent que j'avais pu voir quelle
misère c'était de s'accrocher aux jupes d'une femme.

Julius s'interrompit. En temps normal, il n'aurait pas fait
cette sorte de confidences à une jeune garçon comme Claes
mais il avait besoin d'en parler à quelqu'un, et Claes faisait
l'affaire. De plus en plus souvent, Claes faisait l'affaire. Julius
souhaita, et ce n'était pas la première fois, que Claes acquît un
peu de bon sens et fît quelque chose de valable, de manière à se
faire une place dans le monde : on pourrait alors discuter avec
lui.

– Eh bien, fit Claes, ça dépend, comme tout autre chose.
Mais vous avez refusé, je pense.

– Il a alors essayé de m'acheter Loppe. Loppe!

– C'est à cause de sa belle voix, dit Claes, sur un hochement
de tête.

– *Loppe*! Il ne s'agit pas du moine, riposta Julius d'un ton las.
Comment Astorre a-t-il pu s'acoquiner avec un moine?

– Vous pensez à frère Gilles, fit amicalement Claes. Il n'a pas une très belle voix, mais c'est ce que Tommaso a trouvé de mieux quand les Médicis ont demandé un ténor. Celui qui chante des chants grégoriens avec une belle voix de ténor, c'est Loppe, l'esclave guinéen. Il peut apprendre n'importe quoi. Il a vécu chez un Juif, chez un Portugais ensuite et, après cela, chez un Catalan, avant d'être avec Oudenin, puis avec la demoiselle de Charetty et enfin avec vous. Cinq langues et le chant grégorien.

Julius le dévisagea longuement.

– Frère Gilles lui a donné des leçons?

– Non, il a appris tout seul. Frère Gilles en était tout étonné. Ils chantent en contrepoint.

– Et monsieur Jaak l'a entendu, dit Julius.

– Et, naturellement, il veut l'acheter. Ce garçon-là vaut une fortune. L'avez-vous vendu? demanda Claes.

– Non. Je ne vendrais même pas un chien à un tel homme. Mais, si Loppe a une si grande valeur, qu'allons-nous faire de lui? C'était le cadeau d'Oudenin à la veuve.

– J'ai parlé de lui à messer Sassetti. Il pensait que le duc de Milan serait peut-être intéressé. Oudenin ne se froisserait pas si Loppe allait chez le duc de Milan. Loppe, lui, pense que ça lui plairait : je lui ai posé la question. Astorre et frère Gilles seraient contents. Nous pourrions obtenir de meilleurs termes pour le contrat.

Il arrivait à Claes de vous surprendre vraiment, Julius le dévisageait.

– Si, du moins, nous parvenons à lui faire franchir les Alpes, ajouta Claes, pensivement.

12

Le franchissement des Alpes en novembre faisait certes une belle histoire à raconter au retour à la maison, pourquoi pas après tout ? Cela n'avait rien d'un plaisir pour des Africains (ou des éléphants) qui n'avaient encore jamais vu de neige. De courageux jeunes gens avaient relaté comment, les yeux aveuglés, ils avaient été tirés sur un traîneau jusqu'à l'autre versant des montagnes. Quelqu'un avait utilisé une litière montée sur roues, tirée par un bœuf attaché à une longe d'une prudente longueur, tout en tenant son cheval par les rênes.

L'unique concession d'Astorre consista à répartir le chargement entre les chevaux de trait et les mulets et à emmitoufler les quatre haquenées dans des couvertures. Loppe, lui aussi, reçut une couverture au-dessus de laquelle son large visage émergeait à la manière d'un moulage bien émeulé. Il n'était pas heureux.

L'encordage et la répartition des charges étaient du domaine de Claes, qui depuis Bruges, avait fait la preuve de son habileté dans l'art de faire des nœuds dignes d'un marin. La neige scintillait sur les monts du Jura, à leur gauche, et sur les Alpes, à leur droite, mais les rivages du lac étaient encore verts. Sans les charrettes, ils avançaient d'un bon pas. Le vent cruellement froid fouettait et ployait leurs étendards et les plumes teintes de neuf qui ornaient le casque d'Astorre.

Ils pensaient mettre quatre jours, de Genève à l'hospice de Saint-Bernard, au sommet du col du même nom : avec un peu de chance, ils n'auraient pas de neige avant d'avoir quitté le lac et grimpé jusqu'à Saint-Pierre. En fait, ils couvrirent cette première étape en trois jours : la circulation créée dans les deux sens par le congrès réuni par le pape en faveur de la croisade avait damé la neige, en même temps qu'elle fournissait aux auberges comme aux monastères une excellente raison pour être bien chauds, bien approvisionnés et lucrativement efficaces.

Il existait bien sûr d'autres chemins pour passer en Italie. Les armées empruntaient le défilé du Brenner, plus facile et plus propice au ravitaillement. Les Allemands, tel Sigismond du Tyrol, passaient par le Saint-Gothard. Les Français, les Flamands, les Anglais qui ne tenaient pas à longer le lac de Genève pouvaient expédier leurs marchandises par bateau sur le Rhône jusqu'à Marseille et, à la belle saison, embarquer ensuite pour Gênes.

Mais ce n'était pas la bonne saison, et, par ailleurs, Gênes était sous l'autorité des Français. Le capitaine, sa frange d'oreille bleuie par le froid, sa barbe hérissée de cristaux de givre, mena donc sa petite troupe à travers la Savoie, contrôlée elle aussi par les Français, dans la mesure où le roi Charles dictait sa conduite au duc de Savoie. Par ailleurs, comme tout le monde le savait, l'épouse du duc et toute sa famille de Chypre en faisaient autant.

Une girouette, voilà ce qu'était le duc de Savoie. Le pape, son père, mort huit années plus tôt, savait au moins ce qu'il voulait et comment l'obtenir, à défaut de pouvoir regarder la vérité en face. *Un singe louchon* : ainsi avait-on entendu l'actuel pontife qualifier le défunt pape Felix, en latin, naturellement. Les commentaires, discrets et émoustillants, allaient leur train, à propos du pape en exercice, dans toutes les auberges et tous les monastères où la compagnie d'Astorre faisait étape.

Le sujet pouvait paraître épineux, mais il en était d'autres, plus dangereux. A Saint-Maurice se trouvait un groupe d'Anglais, tout raides d'armoiries. On ne pouvait guère leur parler de leur imbécile de roi lancastrien et de ses rebelles yorkistes. Ni de leur reine française, dont on allait, en fait, combattre le frère à Naples. Mieux valait converser du terrible voyage du pape en Écosse, près de vingt-cinq années plus tôt, et de ses conséquences bien connues. D'abord, un bâtard à demi Écossais, prématurément disparu. Ensuite, un pèlerinage accompli pieds nus, qui, par la suite, avait toujours fait souffrir Oius Aeneas. On aurait pu croire que les pieds pontificaux étaient susceptibles d'intéresser le grand docteur Tobias. Mais il se contentait de boire, sans cesser d'observer Claes. Astorre le remarqua.

Lors du repas suivant, un Milanais qui se rendait dans le nord les assourdit sur ce même sujet, jusqu'au moment où meester Julius se sentit obligé de dire son mot pour défendre le pontife.

– C'est vrai, dit le notaire, il a eu un bâtard ou deux. Mais alors, pourquoi ce poétique naufrageur de foyers conjugaux se serait-il donné la peine de recevoir les Saints Ordres, de devenir pape et de consacrer ensuite toute cette énergie à une campagne pour reconquérir Constantinople?

– Vous l'avez rencontré sans doute, hein ? fit le Milanais. Eh bien, certains parlent d'une conversion. Moi-même, si j'avais la conscience aussi chargée, je pourrais faire comme lui. Quoi qu'il en soit, mon duc ne s'en plaint pas. Nulle croisade ne partira aussi longtemps qu'il y aura la guerre au sud de l'Italie. Si le pape veut voir Milan combattre les Turcs, il devra d'abord agir. Il faut qu'il aide Milan à battre ces chiens de Français gloutons qui veulent dévorer Naples.

– C'est bien ce que nous avons entendu dire, remarqua meester Julius.

– On me l'a dit. Oh, ils vous engageront, à Milan. Ce sera l'armée papale, ou bien celle de Milan. Ou l'on vous expédiera directement à Naples, pour aider le roi Ferrante à tenir, si c'est ce que vous préférez. Mais attention, vous devrez prendre bien garde à vous. Il y a par ici de nombreux partisans des Français, qui se rendent au congrès de Mantoue. Ceux-là, ne les dépassez pas, si vous pouvez l'éviter.

C'était là un bon conseil, mais difficile à suivre, sur les hauteurs où la neige tombait et feutrait le sol, comme la laine dans les hangars de tonte, et commençait à obstruer les passages fréquentés. Les chevaux gardaient la tête pendante, les joues des hommes se marbraient, pelaient à vif entre la barbe et les sourcils. Quand ils se mouchaient, leur nasal leur collait aux doigts. A de tels moments, si un groupe humain venait à émerger de cet océan de blancheur, vous le rattrapiez et vous étiez heureux de sa compagnie, parce que l'union faisait la force.

Quand enfin la cavalcade plurilingue atteignit le monastère construit par Bernard de Menthon, le groupe anglais lui-même avait perdu de son intransigeance : ces gens mangèrent et burent avec les autres, dans la moite chaleur du réfectoire et ils commandèrent à leurs serviteurs de répondre lorsque Claes essaya sur eux l'anglais de John Bonkle. Mais, le lendemain matin, ce fut Astorre qui, levé le premier, organisa son convoi pour la seconde et plus difficile étape de leur voyage. Il confia l'encordage à Claes, qu'il dut aller tirer d'une cour où il avait entrepris de réparer une pompe.

La bénédiction que Claes reçut du prieur parut excessive à Astorre, mais peut-être aiderait-elle le garçon à tenir sur son cheval jusqu'à ce qu'ils eussent franchi les montagnes. Ce jeune fou faisait des progrès. Astorre, qui écoutait les bavardages, se rendait compte que Claes était de moins en moins la cible préférée des soldats, bien que certains, parmi les plus brutaux, prissent encore, de temps en temps, le risque de lui jouer de mauvais tours.

Un capitaine moins expérimenté qu'Astorre aurait pu y mettre bon ordre, avant qu'un bras ou une jambe ne fût brisé. Mais cela ne faisait jamais bon effet. Les hommes y voyaient une protection et, en cachette, n'en maltraitaient que davan-

161

tage leur victime. Il revenait à Claes d'apprendre assez vite à se défendre lui-même. C'était ce qu'il faisait. Et ce voyage était bien conçu par le diable pour éreinter des hommes d'expérience, pour ne rien dire des jeunots qui avaient le goût de la rixe.

Astorre alla même jusqu'à exprimer cette pensée devant Tobias qui, en sa qualité d'ancien compagnon de Lionetto, avait jusque-là vécu sous le nuage des plus sinistres soupçons du capitaine. Avec le temps, cependant, le chirurgien s'était révélé un dur-à-cuire selon le cœur d'Astorre, avec une langue acérée capable de ramener à la tâche un soldat négligent aussi durement que Thomas. A dire vrai, Astorre avait passé récemment une partie de son temps à réconcilier Thomas avec l'idée que la compagnie comportait à présent quatre officiers au lieu de deux, et qu'aucune compagnie dotée d'une certaine ambition ne pouvait se contenter de moins.

La rédaction des contrats, des lettres, la tenue des livres, tout cela faisait partie des tâches. Le temps était trop mesuré pour passer la moitié d'une journée à battre le pavé à la recherche d'un notaire, dont on n'était même pas sûr qu'il ne serait pas tenté de vous filouter. Et les bons combattants restaient dans les compagnies qui avaient un bon chirurgien. Une bonne solde, une bonne nourriture et un bon chirurgien, telles étaient les conditions qui maintenaient la cohésion d'une force armée. Un chef qui connaissait son affaire ne prenait pas de risques inconsidérés : il savait comment réserver les efforts les plus durs pour la meilleure chance de butin et, celui-ci, il le répartissait en toute justice.

Jusqu'à présent, il était prêt à le reconnaître, la compagnie avait manqué d'organisation. Pour commencer, elle n'était jamais tout à fait la même. Les hommes sous contrat, pour la plupart, se présentaient lorsqu'ils étaient rappelés, mais pas tous. Certains s'étaient fait tuer. D'autres, durant l'hiver, avaient formé des bandes et s'étaient voués au pillage et aux attaques de grands chemins pour avoir, durant la mauvaise saison, de quoi boire et de quoi manger et des filles en nombre suffisant, ainsi que les armes dont ils étaient censés être équipés. Plus d'une fois, Astorre avait été attiré dans une embuscade par des hommes qu'il avait reconnus et qui s'étaient retirés en découvrant son identité et le nombre de lances qui l'accompagnaient. Nombre de ceux-là se faisaient prendre et étaient pendus ou taillés en pièces avant l'arrivée du printemps. D'autres trouvaient un capitaine qui payait mieux ou qui avait meilleure réputation pour les primes. Certains, enfin, pouvaient même être rétribués par l'adversaire pour ne pas se présenter.

Les compagnies qui réussissaient, les véritables grandes compagnies qui pouvaient s'honorer d'une brillante réputation et fixer leur propre prix dans une guerre importante, étaient celles qui possédaient leur propre chancellerie, à l'image d'un grand seigneur, un conseil, un trésorier, les fonds nécessaires pour les pensions et tout le reste, comme une grande ville. Ces compagnies-là étaient parfaites parce qu'elles restaient homogènes, parce que leurs hommes se connaissaient tous : la plupart du temps, ils ne rentraient même pas chez eux mais, quand la guerre faisait trêve, ils passaient l'hiver (gratuitement) dans des quartiers préparés pour eux et, l'année suivante, ils étaient tous là, prêts à reprendre les combats.

C'était là le but qu'Astorre cherchait à atteindre. Il n'était pas né prince-soldat. Il n'espérait pas atteindre la réputation d'un Hawkwood ou d'un Carmagnola. Il n'espérait pas se voir courtiser par des monarques. Mais, avec l'appui de Marian de Charetty, il pourrait parvenir à une certaine notoriété. Les duchés lui demanderaient conseil. On ne ferait pas seulement appel à lui en sa qualité de chef reconnu d'une petite compagnie. Il serait l'homme auquel on penserait quand on aurait besoin d'un fer de lance pour un siège, pour une bataille d'importance. D'autres hommes viendraient se battre sous sa bannière, et il aurait de quoi les payer. Finalement, peut-être, un prince achèterait la compagnie à la veuve et lui assurerait des quartiers permanents. Il connaissait des capitaines qui avaient reçu des villes en guise de solde et qui avaient pu les conserver par la suite. C'était ce que désirait Astorre. C'était aussi ce que désirait Lionetto. Mais Astorre allait être le premier à réunir les hommes, l'argent, les appuis, les conquêtes. Pour la première fois, cette année-là, la réussite lui semblait possible. Et Lionetto ferait bien de ne pas se mettre en travers de son chemin. Sinon, il l'écraserait.

Certes, la vie n'était pas facile, pendant les grandes campagnes. Ni épouse ni foyer... ou alors, plusieurs, comme pour les marins. Mais les filles à soldats... oui, il en fallait bien. Il devrait en avoir, même pour le petit nombre d'hommes qu'il attendait de Flandre, de Suisse et de Bourgogne. Des femmes pour faire la cuisine et la lessive, pour transformer en foyers les tentes et les huttes, pour entretenir le contentement des hommes. Par moments, il aurait souhaité lui-même revenir au temps où il faisait simplement partie d'un groupe de lances avec tous ses compagnons autour de lui, sans autre souci au monde que celui de trouver un meilleur sobriquet pour le vieux salaud qui les menait.

Mais il se rappelait alors quelle joie c'était d'être le premier, sans personne pour l'empêcher de faire ce qu'il voulait. Une vraie joie, en tout cas, quand on ne traversait pas les Alpes dans une tempête de neige, avec des larmes qui filtraient sous les paupières mi-closes. Ils se trouvaient maintenant sur un sentier où l'on ne pouvait avancer qu'en file indienne, entre deux verti-

163

gineuses falaises de neige. Le cheval d'Astorre n'aimait pas cela. Le capitaine le pressait lorsqu'il s'aperçut que Tobias le médecin s'efforçait d'attirer son attention. Astorre ralentit l'allure, se retourna pour voir ce que désignait le bras tendu du chirurgien.

Derrière les casques calottés de neige de sa compagnie, derrière les têtes dodelinantes des bêtes de somme, s'étendait un long intervalle de désert blanc. Au-delà se dressait un cheval, sans cavalier. Au-delà encore, un creux dans la neige était à demi comblé par une forme qui remuait faiblement.

– Qui est-ce ? demanda Astorre, d'un ton furieux.

Il allait devoir s'arrêter. Toute créature abandonnée dans la neige était vouée à périr. Il fit halte. Derrière lui, la caravane serra les rangs, s'immobilisa à son tour. Le capitaine scruta les visages, reconnut ses officiers, le jeune Claes, le nègre Loppe. Il s'agissait donc d'un de ses soldats, Dieu le damne.

– Il doit être blessé, dit le médecin. Je vais retourner vers lui, si vous pouvez me laisser passer. Mais non. Regardez. Il y a un autre groupe de cavaliers derrière lui. Ils vont le ramasser pour nous.

Le notaire Julius s'était faufilé jusqu'à eux.

– S'ils ne lui tranchent pas la gorge pour lui prendre son armure.

– Il n'en a pas. C'est frère Gilles. C'est le moine du capitaine Astorre qui est tombé de sa selle, déclara Claes l'apprenti.

Il avait le visage à vif mais il était de fort belle humeur, et son casque était emplumé de neige comme celui d'un janissaire.

– Je crois, poursuivit-il, que l'autre groupe est celui des Lancastriens. Les Anglais. Ils ne voudraient pas lui faire de mal. Mais je vais m'assurer qu'il s'agit bien d'eux, si vous permettez ?

A coups de talons, il fit virer son cheval vers la crête la plus proche.

Astorre ne fit pas un geste pour l'arrêter. Il commençait à se lasser de frère Gilles, qui avait rendu on ne savait trop quel service à l'une des nombreuses sœurs du capitaine et récoltait maintenant sa récompense. Les convenances exigeaient néanmoins qu'on allât au secours du moine... à moins, bien sûr, que les circonstances ne rendent le sauvetage impossible. Astorre leva les yeux vers le ciel gris et lourd et jura à voix basse. Tobie et Julius échangèrent un regard entendu. Claes, parvenu sur une plate-forme rocheuse, se dressa audacieusement sur ses étriers et fixa ses yeux larmoyants sur les étendards de la troupe qui approchait. Son visage s'éclaira.

– Tout va bien. C'est la bannière de Worcester. Les Anglais.

Tout le monde parut soulagé. Tobie reprit ses rênes et se prépara à retourner en arrière jusqu'au moine. Astorre poussa un grognement. Seul, l'homme qui gisait dans la neige, voyant qu'on ne faisait rien pour lui porter secours et qu'il était à la merci d'inconnus, leva un bras en signe de détresse. Il ouvrit ensuite la bouche : on la voyait, tache sombre dans son visage blanc.

Astorre se raidit. Par la suite, Tobie se rappela que Claes, au-dessus d'eux, s'était lui aussi immobilisé un instant. Les blasons devaient être alors parfaitement distincts, comme les plumets, comme les caparaçons des chevaux.

Claes ne prêta aucune attention aux Anglais. Les yeux fixés sur le moine, il fit un large mouvement des bras et porta ses deux mains à ses oreilles, dans le geste universel qui signifie que l'on écoute. Ainsi invité, frère Gilles l'appela.

On ne pouvait comparer sa voix à celle de Loppe, mais il était terrorisé. Pour la première fois peut-être de sa vie, il atteignit une note aiguë à l'extrême limite de sa tessiture. Frère Gilles hurla :

– A l'aide!

Et, dans son affolement, répéta son appel à plusieurs reprises.

Astorre avait baissé la tête à la manière d'un taureau. Ses yeux levés vers Claes étaient striés de rouge.

– Fais-le taire, dit-il. Vite.

Claes, qui n'avait plus les mains sur les oreilles, abaissa sur lui un regard interrogateur. Astorre reprit, dans un sourd grondement :

– Fais-le taire. Fais-lui signe de cesser de hurler, ou il va déchaîner une sacrée...

– C'est déjà fait, fit Julius d'une voix tremblante.

Tobie regarda.

Le moine ne criait plus. Il avait levé la tête. Le groupe d'Anglais regardait vers le haut, également. De chaque côté de l'homme étendu, des plumes de neige, légères comme duvet de chardon, tourbillonnaient au flanc des murailles rocheuses enneigées. Des taches grises, des fissures se dessinaient, à mesure que se détachaient des parois des rubans et des blocs immaculés qui se mettaient à glisser vers le sentier où le moine était étendu. Plus haut, un ouragan de neige montrait l'endroit où les premières chutes avaient commencé.

La pente était courte, la force d'impulsion juste assez puissante pour démonter quelques hommes et valoir aux autres un moment désagréable ou deux, sans rien de plus grave. L'atmosphère s'éclaircit un instant. Tobie vit quelques-uns des Anglais, qui avaient été démontés ou qui avaient mis pied à terre, tirer de son trou un frère Gilles à demi suffoqué. Les autres avaient reculé et se tenaient hors de la ligne d'avalanche, attendant que la dégringolade eût cessé. Le calme revint. Le silence qui se rétablit était tel qu'on entendit une sorte de tambourinage, un peu semblable à une charge de cavalerie.

Ce n'était pas une charge de cavalerie.

Julius riait encore lorsqu'il vit l'expression du visage d'Astorre. Il suivit son regard vers les hautes cimes. Là-bas aussi, la neige fumait, se fissurait, envoyait doucement vers eux un grondement qui n'avait rien à voir avec quelques centaines de livres de neige secouées de la face d'une falaise mais signifiait au contraire une avalanche alpine qui déracine des forêts, comble des vallées, balaye du flanc des montagnes hommes et chevaux.

– *En route!* dit Astorre.

Il éperonna sa monture qui, chancelante et trébuchante, se remit en chemin. Julius, sentant son cheval poussé par-derrière, résista, regarda Tobie.

– Allez, dit celui-ci. Je vous rejoindrai.

Après une hésitation, le notaire obéit. Tobie, à coups d'éperons, força son cheval jusqu'au bout du sentier, face à la ruée désordonnée de sa propre compagnie saisie de frayeur. Au-dessus de lui, Claes abandonnait sa plate-forme rocheuse. Au moment où son cheval s'engageait en trébuchant sur la pente, Tobie lui fit face. Les mots, déjà, se pressaient sur ses lèvres : « *Toi et moi, nous retournons là-bas.* » Il n'eut pas à les prononcer. Déjà, Claes, à la force du poignet, avait fait virer son cheval et le poussait vers l'endroit où la première chute avait obstrué le sentier. Plus haut, le bruit de l'avalanche grandissait. Les bouffées de neige avaient fait place à un nuage qui descendait vers eux à grande allure au long du flanc de la montagne. A travers la brume qui montait devant eux, ils distinguèrent un groupe de cavaliers qui avançaient péniblement dans la neige. Certains étaient nu-tête, leurs oriflammes brisés, leurs écus disparus. Les visages d'un blanc cru étaient hagards. Leur chef tirait par la bride la monture du moine. Frère Gilles, sous une carapace de neige, gémissait et tressautait sur sa selle. Une jambe brisée pendait.

– Qui d'autre a besoin d'aide? demanda Tobie. Je suis médecin.

Claes avait déjà mis pied à terre.

Les Anglais étaient tous là, tous en mesure de se remettre en selle, bien qu'un cheval eût été tué. Le moine, sans brutalité mais sans luxe de précautions, fut placé entre les bras de Tobie, et l'homme qui n'avait plus de monture prit sa place en selle. Frère Gilles gémit, et le médecin le retint d'une main. Il fallait faire vite. La vitesse était tout ce qui comptait. Ils allaient devoir vaincre à la course une avalanche, sur des chevaux fatigués... dont l'un portait deux hommes. Claes, de nouveau en selle, était près de Tobie. Ils se mirent en route, glissant et luttant de toutes leurs forces. Le tonnerre des tambours de l'avalanche les attaquait de tous côtés, se répercutait d'un à-pic à l'autre. Ils n'allaient pas lui échapper. Ils ne le pourraient pas.

Le médecin vit le garçon respirer profondément et n'éprouva aucune pitié pour lui.

– Nous devons atteindre le tournant du sentier, là-bas, dit Claes. Il se trouve en dehors du chemin de l'avalanche. Et il y a une corniche pour nous abriter.

Il s'était exprimé en anglais. Un coup d'œil chargé de colère et d'impatience lui montra ce que pensait de sa suggestion le chef de la troupe.

– Il a peut-être raison, fit Tobie. Dans ce cas, autant vaut ralentir. Sinon, les chevaux vont s'effondrer.

Il saisit le regard que lui lançait Claes et ne sut pas trop lui-même pourquoi il venait de lui donner cette marque de confiance. La neige le giflait en plein visage : celle qui tombait du ciel, celle qui était projetée par la chute au long des pentes, et la neige durcie que les sabots des chevaux faisaient jaillir tout autour de lui. A travers toute cette blancheur, il aperçut le tournant du sentier et, derrière, une ombre vague qui était la corniche. Claes qui chevauchait péniblement près de lui rejeta soudain la tête en arrière pour inhaler longuement. Les plis inaccoutumés qui sillonnaient son visage s'effacèrent.

– Ce qui ne veut pas dire, fit Tobie entre ses dents, que tu n'aies pas mérité la plus belle correction de ta jeune vie. Et tu l'auras.

– Oui, je le sais, dit Claes. Nous y voici. Nous sommes sauvés.

Au pied de la paroi de la façade s'ouvrait un trou, assez vaste pour les contenir tous. A bout de forces, ils s'y pressèrent. Au-dessus d'eux, derrière eux, le tonnerre les assourdissait. Tobie songeait au poids de neige qui déchaînait ce vacarme, à la vitesse à laquelle il descendait. La corniche ne les sauverait pas. Si l'avalanche frappait la corniche, elle l'arracherait d'un coup à la façade rocheuse. Mais il fallait courir le risque.

L'avalanche ne toucha pas la corniche. Tous entendirent, quelques secondes plus tard, la masse de neige frapper le sentier où ils avaient cheminé, les grondements de la pierre et le craquement du bois quand des pans de corniche se détachèrent entraînant avec eux des arbres brisés en éclats.

De leur refuge, silencieux sur leurs selles, ils regardaient. Comme, l'avait annoncé Claes, l'avalanche avait frôlé la corniche. C'était là ou bien une prédiction digne du plus savant des astrologues, ou bien une simple affaire de calcul – ou de connaissance des lieux. Claes, après tout, avait été élevé à Genève. Tobie l'entendait justement en parler à l'un des Anglais, un jeune homme basané qui s'était approché de lui, peut-être pour le remercier. Tobie, qui partageait son attention entre eux et le moine, se demanda ce qu'ils pouvaient bien se dire d'autre. Il se fit alors une agitation du côté de l'entrée. Astorre apparut, avec Julius et tous les autres : ils étaient revenus s'assurer que leurs compagnons étaient sains et saufs. Ils n'attendirent pas longtemps. Le choc passé, personne n'avait envie de s'attarder. Les nouveaux arrivants aidèrent Tobie à installer son patient plus commodément et plus sûrement. Après quoi, tous se remirent en route ensemble.

Tobie vit Astorre chercher des yeux Claes qui, prudemment, demeurait invisible. Le chef des Anglais exposa au capitaine Astorre ce qu'il pensait des imbéciles qui hurlaient en pleine montagne, et, à la grande admiration de Tobie, Astorre répondit sans se fâcher. Il ne pouvait guère faire autrement. Publiquement, l'affaire était terminée. Et frère Gilles était le seul à en avoir vraiment souffert.

– Il faudrait lui demander, dit Julius, ce qu'il pense des imbéciles qui encouragent d'autres imbéciles à pousser des hurlements dans la montagne. Avez-vous vu Claes?

– Oui, naturellement, répondit Tobie. Il était juste sous mon nez... Si vous désirez avoir aussi mon interprétation, il espérait une gentille petite avalanche et il en a eu une grosse. Et la peur qui allait avec. Pendant un bout de temps, il est resté aussi blanc que la neige, notre petit ami Claes.

Julius regardait le médecin. Il déclara :

– Je l'ai déjà vu déclencher des réactions qu'il n'avait pas prévues. Je l'ai déjà vu avoir peur. Mais, je vous le dis, sous la frayeur, cette petite brute prend son plaisir. Sinon, il ne recommencerait pas. Ne croyez-vous pas?

Le ton était impatient, mais il y perçait quelque chose qui ressemblait à une vague envie. Tobie, poursuivant son chemin, laissa la question sans réponse.

13

Sous la conduite de son capitaine Syrus de Astariis, connu dans le métier sous le nom d'Astorre, l'avant-garde de la compagnie Charetty pénétra dans la cité de Milan onze jours après son départ de Genève. Sur la verte plaine de Lombardie, les voyageurs apercevaient de très loin les puissantes murailles rouges de la capitale, ses clochers et ses tours. Le duché de Milan, l'un des cinq États d'Italie, était le rival de Venise, l'allié secret de Naples, l'ami déclaré du pape. Le duché de Milan s'étendait de la Toscane jusqu'aux Alpes et il était pour le moment très cher à Florence qui ne pouvait, sans son appui, atteindre ses marchés du nord. Et Florence, à ce moment, c'étaient les Médicis.

La ville de Milan n'était pas quadrillée d'eau comme Bruges, ou Venise. Milan était protégée par les deux cercles concentriques d'une rivière canalisée et par des remparts de belle brique rouge, percés de six portes. Astorre avait l'intention d'entrer par la Porta Vercellina. C'était là un acte chargé de provocation, élaboré durant tout le chemin par Aoste, Ivrea, Vercelli et Novara. A Novara, avait remarqué Julius, ils avaient passé une nuit entière à astiquer leur équipement, à la manière d'une veuve, la veille d'une vente en liquidation.

Julius lui-même remplit son rôle : dès l'aube, il présenta ses papiers à l'entrée du pont-levis et s'exprima dans le pur et persuasif italien qui datait de ses études à Bologne. A midi, il était de retour, avec un permis d'entrée et un document signé du secrétaire du duc, qui leur allouait vin, bois de chauffage et logement à l'Auberge du Chapeau et dans ses dépendances. Une heure plus tard, ils franchissaient les Portes Visconti, passaient devant les terrains de chasse du Castello Visconteo, que l'on transformait présentement, au milieu d'un labyrinthe de grues, d'hommes armés de pelles, en Castello Sforzesco.

En effet, l'héritière des Visconti avait épousé Francesco

Sforza, fils de l'un des plus grands condottieri, Dieu nous protège, qu'eût jamais connus l'Italie. Et Francesco Sforza, depuis neuf ans duc de Milan, était homme à reconnaître des gens de métier lorsqu'il en croisait. La compagnie Charetty défila donc à travers les rues encombrées de Milan, casques, écus et genouillères étincelants, lances dressées à la verticale comme les mâts d'une flotte de guerre. D'autres capitaines, arrachés eux aussi à leurs foyers par le parfum de la guerre, évaluèrent du regard, à travers les carreaux des tavernes, le cheval de bataille d'Astorre qui avançait à pas prudents sur les pavés, son caparaçon alourdi de coûteuses broderies, le cuir de son harnais qui luisait sur son poitrail et enveloppait son arrière-train d'un réseau compliqué.

Le capitaine Astorre, ce jour-là, avait orné son casque de plumes d'autruche. Il avait un col de fourrure qui cachait son oreille déchiquetée et portait des bagues par-dessus ses gants. Ce jour-là, son vœu n'était pas d'appartenir à une lance et de ripailler autour d'un feu, dans une grange, en se plaignant des femmes et des usuriers. Sans doute perdit-il son assurance, le lendemain, quand le grand chancelier ducal le pria à la Cour d'Arengo, l'ancien palais des Visconti situé près de la cathédrale, pour apprendre de sa bouche quels services sa compagnie et lui pouvaient offrir.

Après tout, un homme de guerre se trouvait toujours plus à son avantage sur le champ de bataille que parmi la noblesse où il trébuchait sur son épée. Et Astorre comptait sur les lumières du notaire, qui l'accompagnait. En outre, il amenait un présent magnifique pour le duc, en la personne de Loppe l'Africain : on l'avait habillé d'étoffe cramoisie toute matelassée par-devant, de sorte (disait ce farceur de Claes) qu'avec l'unique recours d'un oreiller, on pouvait s'en faire un lit. On l'avait gratifié, de surcroît, de chausses bicolores et, pour orner son chapeau, d'un écusson aux armes des Sforza, avec la vipère et l'aigle brodées en fil d'or, acheté tout fait dans une échoppe de Vercelli.

En ce qui concernait la veuve, Astorre espérait bien rentrer dans son argent, sous une forme ou sous une autre, comme il était de coutume. Loppe, qui maniait déjà un peu l'italien, n'avait pas exprimé d'avis, à portée de voix d'Astorre, sur sa destination. Non, naturellement. Néanmoins, le capitaine était nerveux lorsqu'ils quittèrent la taverne où sa troupe logeait, pour le palais et il rembarra Thomas qui cherchait à le retenir en lui annonçant que quelque grand signor désirait le voir.

Thomas, un laissé-pour-compte de la guerre anglaise en France, parlait un anglais rustique, un français qui ne l'était pas moins, un flamand abominable et ne connaissait à peu près pas l'italien. Le « grand signor » se révéla être Pigello Portinari, de la banque des Médicis : il venait chercher ses lettres, ses chevaux et son ténor. Julius, déjà en selle, ordonna :

– Dites-lui que nous sommes partis, le capitaine et moi, pour le palais. Nous lui rendrons visite demain. S'il veut ses lettres, il peut les prendre dès maintenant, à condition de signer un reçu. Claes sait où elles se trouvent.

– Je m'en vais chercher maître Tobie, dit Thomas.

– Il n'en est pas question, intervint Astorre.

Maître Tobie se trouvait présentement dans une chambre reculée où, armé d'un couteau, d'une aiguille et d'une boîte d'onguents, il essayait de rendre présentable le ténor endommagé de Cosimo de Médicis.

– Claes va prendre les lettres, Claes lui montre le reçu à signer et Claes, si messer Pigello le désire, les porte jusqu'à la banque.

Claes, se garda bien de préciser le capitaine Astorre, était apprenti dans une teinturerie flamande et il était ainsi préservé, par son statut et son langage, du genre d'indiscrétion que Thomas, sans aucun doute, aurait pu commettre.

Astorre se mit en selle pour rejoindre Julius et l'irréprochable escorte qu'il avait formée pour le court trajet jusqu'au palais. La boue jaillissait de la chaussée fangeuse sur son armure. Ce fut bien pis lorsqu'ils traversèrent la place où se dressait la cathédrale à demi achevée. Ils n'auraient jamais dû, se disait Astorre, toucher à la vieille église. Tout ce qu'il en restait, c'était la façade. Derrière se vautrait la cathédrale, comme un cochon qui a trouvé une truffe. Bientôt, on allait démolir des pans entiers de l'Arengo, pour permettre à la cathédrale de s'agrandir. Le duc, alors, irait s'installer au Castello. C'était misère de laisser couler l'argent comme de l'eau, au lieu de l'employer à des tâches plus urgentes. Les États faisaient faillite, à bâtir des cathédrales.

Ils parvinrent au palais. Astorre s'en souvenait. Il se rappelait aussi les vastes proportions de la cour. Des galeries, une loggia, toutes sortes de gens qui posaient des questions brutales. Le capitaine se remit à aligner des chiffres dans sa tête. Le pire qui pouvait arriver, c'était que le duc ne voulût pas l'engager ou qu'il proposât une somme qui ne leur apporterait aucun bénéfice.

Non. Le pire qui pouvait arriver, c'était que le duc choisît Lionetto au lieu d'Astorre. Et, si cela se produisait, on pourrait y porter remède. Oui, par Dieu, ce serait possible. Il y veillerait.

Dans la taverne, rien ne se déroula comme il l'avait prévu. Pigello Portinari, pour lequel Thomas se prit d'une antipathie instantanée, ne voulait pas être servi par un jeune garçon ni par un Anglais qui s'exprimait comme un paysan. Les dépêches des Médicis n'étaient pas des lettres envoyées par des cousins de la campagne. Ce qu'on lui mandait de Genève, ce que son frère Tommaso avait à lui dire de Bruges, tout cela portait sur des questions dont pouvaient dépendre bien des choses. N'y avait-il donc aucun homme convenable qui parlât l'italien, dans la compagnie Charetty? Claes, qui avait rougi mais restait muet, fut expédié à la recherche de Tobie. Celui-ci abandonna d'un air renfrogné le chevet de frère Gilles et entra à grands pas dans la chambre que partageaient Astorre et ses hommes de confiance. Claes le suivit sans se faire prier.

Tobie vit devant lui un homme qui ressemblait bien peu à Tommaso Portinari de Bruges, et nettement plus âgé. Jouissant, disait-on, de la faveur de la famille ducale, ce Portinari-là était somptueusement vêtu, et les ornements de sa coiffure enroulée en turban attirèrent le regard du médecin lui-même. Tobie, dont le crâne chauve auréolé de poils follets était nu, essuya ses mains ensanglantées sur son tablier maculé et dit :

– Eh bien?

Le visiteur garda son calme.

– Je m'appelle, annonça-t-il, Pigello Portinari, au service à Milan de Piero et Giovanni de Médicis. Vous détenez des papiers pour moi. Si vous voulez bien vous rendre à mes bureaux, ils pourront être convenablement examinés, et vous serez payé.

– Fort bien, fit Tobie.

Il renversa un pouce en arrière.

– Ce garçon s'appelle Claes. Il va vous accompagner sans retard. Si vous souhaitez voir quelqu'un d'autre, il vous faudra attendre à plus tard.

Les sourcils de Portinari se haussèrent.

– Vous êtes en train de dépecer une bête?

Thomas, qui s'efforçait de suivre la conversation menée dans un italien correct, prenait un air menaçant. Claes rougissait de plus en plus.

– Si j'avais un peu de bon sens, répondit Tobie, je ne manquerais pas d'essayer. Vous connaissez la musique?

Pigello Portinari le dévisagea d'un air méditatif.

– Il est de règle..., commença-t-il.

– Votre frère, lui, n'y entend rien, coupa Tobie. Je suis en train d'essayer de sauver la jambe d'un imbécile de moine croassant que votre Tommaso vous envoie pour la chapelle de votre chef, à Florence. Nous l'avons amené vivant de l'autre côté des Alpes. Il est arrivé vivant ici, à Milan. Si vous le laissez mourir parce que vous tenez à me voir faire l'empressé auprès de vous, vous devrez vous en expliquer devant messer Cosimo de Médicis. Et devant le duc.

– Le duc? répéta messer Pigello, calmement.

– Le duc de Milan. Votre duc. Mon oncle est son médecin.

– Votre oncle? Giammatteo Ferrari da Grado?

– Mon oncle, oui. Mon père était le notaire ducal qui, il y a de cela neuf ans, a officiellement transféré le duché des Visconti aux Sforza. Je m'appelle Tobias Beventini da Grado. Le nom de ce garçon, ainsi que je vous l'ai déjà dit, est Claes. Il parle italien. Emmenez-le.

– Avec plaisir. Comme il est heureux, dit Pigello Portinari, que nous nous soyons rencontrés pour dissiper une confusion. Ordonnez à cet excellent jeune homme d'emballer les papiers et de venir avec moi. Peut-être, plus tard, pourrions-nous vous persuader de nous rendre visite au Palais Médicis?

– Quelqu'un s'y rendra sûrement, répondit vivement Tobie. Vous avez quatre chevaux à prendre et à conduire à Florence. Ainsi que frère Gilles, naturellement. Mais ce ne sera pas avant quelques jours. Veuillez m'excuser.

Le médecin s'en fut. Ainsi fit, le moment venu, messer Pigello, suivi par Claes et son sac.

Claes n'était pas encore rentré quand Julius et le capitaine revinrent triomphalement de l'Arengo. Tobie les entendit. Ayant soupé selon ses mérites et bu abondamment, le médecin les mains sous la nuque, était allongé sur sa paillasse. Le claquement allègre des sabots, le timbre de la voix d'Astorre qui s'adressait à tue-tête à Julius lui dirent tout. Ils avaient réussi. Ils avaient enlevé le contrat, la *condotta*.

Et il en était bien ainsi. Une salve d'acclamations, en bas, lui fit comprendre que la bonne nouvelle avait été annoncée à la troupe. Un instant plus tard, le gant matelassé d'Astorre ouvrit d'un coup de poing la porte de Tobie. Le capitaine pénétra d'un air vainqueur dans la chambre, se débarrassa de son monstrueux casque, le tendit, sans même regarder, à Julius, lequel le passa à Thomas qui arrivait derrière. Tobie se redressa sur son séant. Astorre le gratifia d'un coup d'œil satisfait et se mit à arpenter la pièce, sur ses jambes torses articulées comme celles d'un homard. Il débitait sans s'arrêter des dates, des chiffres, des nombres qui avaient trait à l'engagement par le duc de Milan de la compagnie Charetty.

Sa voix, montée au diapason qu'elle prenait sur un champ de bataille, vous faisait vibrer les tympans. Une centaine d'hommes à cheval et une centaine d'autres à pied devraient se trouver à Naples pour le printemps. C'était ce que l'engagement lui demandait de fournir. Et l'on en prendrait davantage s'il pouvait les trouver. Il avait signé un contrat de six mois à neuf cents florins par mois, sans compter le droit au butin. Et, mieux encore, dès ce jour et jusqu'au mois d'avril, des conditions de paiement en proportion du nombre de soldats qu'il conduirait vers le sud cet hiver.

Cicco Simonetta, chef de la Chancellerie, devait verser l'argent sous vingt-quatre heures. Dans six jours, quand les cavaliers et leurs chevaux seraient reposés, lui, Astorre, les mènerait tous jusqu'à Naples. Comment? Que pouvait-il en savoir? On le leur dirait. A pied, sans doute. Ou bien à pied jusqu'à Pise et, de là, vers le sud par la mer. Tout dépendrait, n'est-ce pas, du temps, du lieu où se trouverait l'ennemi, de son activité. Et lui, Astorre, allait envoyer des courriers à toutes les villes et villages des Pays-Bas où des hommes, payés par les Charetty, attendaient l'occasion de se battre. *Venez!* diraient les ordres. *Venez à Naples, et vous ferez fortune!*

Julius, lui aussi, avait le visage empourpré comme s'il avait passé la journée à boire, ce qui n'était certainement pas le cas. Tobie avait des questions à poser. Ainsi, ils allaient rejoindre le roi Ferrante. Ainsi, les conditions étaient plus que généreuses. Mais qu'avaient appris d'autre Astorre et Julius? Que savaient-ils des troupes du pape, de la propre armée du duc et des autres libres compagnies? Les compagnies rivales avaient après tout leur importance. Ils pourraient être amenés à se joindre à l'une d'elles. Il y avait, dit Julius, l'armée conduite par le comte Jacopo Piccinino qui, pour le présent, ne se trouvait certes pas du côté de Naples mais sur la côte opposée. Et le comte d'Urbino était à la tête d'une autre. Le comte d'Urbino, trente-sept ans, borgne et fort brillant, s'apprêtait à épouser la nièce du duc de Milan. Celui-ci, des années plus tôt, avait promis une de ses filles au comte Piccinino lui-même. Les mercenaires faisaient des gendres fort appréciés.

Tobie savait déjà tout cela. Pour ne pas en dire plus, les réponses de Julius étaient plutôt désinvoltes. Tobie s'agaçait de se sentir moins enivré de vin que ne l'était Julius de soulagement et de contentement de soi. Sans se laisser décourager, il poursuivit son questionnaire:

– Et le palais? Qu'en pensez-vous?

Astorre, qui arpentait toujours la chambre, voulut claquer des doigts, avant de faire tous ses efforts pour se débarrasser de ses gants.

– Que des bureaux, c'est tout. Pour les agents des offices, pour les ambassadeurs. Des appartements pour la famille, bien sûr, mais la duchesse n'a que quatre femmes, et le duc n'a pas de train. Aucun. Dieu seul sait ce qu'il va faire de l'Africain, mais nous finirons par l'apprendre. Le secrétaire m'a laissé entendre qu'on lui trouverait un emploi approprié. Je l'espère bien. Ils dépensent de l'argent pour certaines choses. Des précepteurs pour les enfants, par exemple. Ça, c'est de la sottise. Ils tourneront mal, vous verrez. Des discours en latin, à huit ans. Toutes ces bêtises. Nous avons rencontré leur médecin...

Astorre se retourna.

Ah, pensa Tobie.

Astorre se pencha pour amener, comme il le faisait parfois, plus près de Tobie son œil aux paupières cousues.

– Vous ne m'aviez pas dit, fit-il, que vous étiez le neveu de Giammatteo je-ne-sais-quoi. C'est lui. Le médecin du duc.

– Ou le fils de Beventinus je-ne-sais-quoi. Le célèbre notaire du duc, enchaîna Julius, dont le visage luisait.

Tobie s'assit au bord de sa paillasse. Il se pencha pour se servir un cinquième gobelet de vin.

– Je ne vous ai pas demandé de me montrer votre arbre généalogique, déclara-t-il. Par ailleurs, je ne sais pas encore si je vais rester avec vous ou non.

– Doucement, dit Julius.

Adroitement, il ôta le gobelet des doigts de Tobie et, avant que le médecin n'eût pu l'empêcher, le vida d'un trait.

– Si je vous comprends bien, reprit-il, vous laissez entendre que seule votre parenté nous a fait obtenir la *condotta*?

Le visage d'Astorre, qui avait reculé, se rapprocha de nouveau.

– Non, dit Tobie. Je suis brouillé depuis des années avec tous ces gens. C'est pourquoi j'ai failli rester avec Lionetto. Je savais que, s'il venait à solliciter un engagement à Milan, on le lui refuserait. Ainsi, vous voyez, c'est un compliment. On vous a engagés en dépit de ma présence. Buvez donc un peu de mon vin.

– Je vais en envoyer chercher. Où est Claes? demanda vaguement Julius.

– Il a porté les papiers au Palais Médicis. Ils l'ont ensuite renvoyé pour prendre les chevaux.

– Vous l'avez laissé emmener les chevaux? aboya Astorre.

– Il y avait trois vrais palefreniers et Claes. Il était le seul à pouvoir déchiffrer un reçu. Tout va bien. Ils sont arrivés là-bas. Les palefreniers sont revenus et ont fait leur rapport. Claes va rentrer, lui aussi, quand tous les papiers seront en ordre.

– Je pense que je devrais aller le chercher, dit Julius. Il est au Palais Médicis?

– L'une de ces bâtisses? Non, c'est là qu'il a porté les documents. Les chevaux étaient destinés au neveu de Cosimo. Par le Christ, Tommaso a fait assez d'embarras sur ce sujet. Les chevaux sont allés chez Pierfrancesco de Médicis.

Julius se sentait plus lucide que le médecin. Il alla jusqu'à s'asseoir.

– Tobie, dit-il, Pierfrancesco de Médicis est à Florence.

– Je le sais, répliqua Tobie. Mais son épouse est ici. Son frère florentin possède une vaste et magnifique demeure à Milan, et il y passe parfois plusieurs mois d'affilée. Comme présentement. Il y a aussi de vastes et somptueuses écuries. Parce que la famille s'occupe d'élevage de chevaux.

– Qui ça? demanda Julius.

– La famille de l'épouse de Pierfrancesco, répondit Tobie d'un ton patient. Pierfrancesco de Médicis a épousé Laudomia Acciajuoli. La cousine du Grec à la jambe de bois. Vous vous rappelez? Cette mosaïque barbue qui recueillait de l'argent en Ecosse et à Bruges pour payer au sultan la rançon de son frère?

Le médecin marqua une pause.

– A propos de jambes de bois, mon capitaine, reprit-il, vous serez heureux d'apprendre que votre ami frère Gilles survivra. D'ici un mois environ, non seulement il marchera mais il sera en mesure de nous quitter. Si seulement nous avions du vin, nous pourrions boire à cette bonne nouvelle.

Le lendemain matin, les yeux mi-clos sous l'averse, Julius accompagna son capitaine et quatre hommes bien armés à la Chancellerie pour empocher le premier paiement comptant du contrat. Il s'attendait à une cassette de florins. Il reçut seulement une feuille de papier épais adressée à Pigello Portinari, directeur de la banque Médicis à Milan.

– De l'argent sonnant? dit le secrétaire du secrétaire. Nous ne manions pas d'argent. Faites connaître vos désirs à messer Pigello. A l'ancien bureau, près de Sant' Ambrogio. Ou bien au Palais Neuf, près du Castello. Tournez à droite avant d'arriver aux murailles et cherchez l'église Saint-Thomas.

D'une saccade, Astorre pointa sa barbe raide.

– La dernière fois...

– Ça va bien. Prenez le papier, dit Julius. Les Médicis vous paieront. C'est leur manière de prêter de l'argent. Le duc veille ensuite à le récupérer avec un profit.

– C'est de l'usure, déclara Astorre qui posait sur le secrétaire du secrétaire un regard furieux.

– Non, ça n'en est pas. C'est la façon dont Dieu récompense un honnête banquier qui garde un œil vigilant sur le marché de l'argent. Allons-nous-en. Peu importent les anciens bureaux des Médicis. J'ai envie de voir le nouveau palais.

En cheminant sous la pluie, en compagnie d'un Astorre qui continuait à discutailler, Julius se félicitait à part lui. Claes n'était guère en mesure de représenter la compagnie Charetty. Il était temps, pour Astorre et lui, de rétablir l'équilibre.

On s'était plus ou moins inquiété, la veille au soir, en constatant que le reçu pour les chevaux n'avait pas encore été remis entre les mains de Claes. Mais, au réveil, le lendemain matin, les papiers étaient là, à portée de main de Julius. Quelqu'un avait déclaré que Claes dormait, le visage fendu d'un sourire affecté. Ses orteils pointaient de nouveau hors de ses chausses, et il avait rapporté une liste d'adresses. Il allait falloir s'occuper sérieusement de Claes.

Lorsqu'ils arrivèrent au Palais Médicis, ils trouvèrent, là encore, des quantités de sable humide et de mortier. Un long bâtiment, qui faisait partie d'un édifice en pierre de taille commençait à prendre forme. A l'étage s'ouvraient une douzaine de fenêtres en plein cintre, toutes soutenues par des colonnes et parées de guirlandes. Le grand portail d'entrée avait été exécuté par Michelozzi, l'architecte personnel de monsignore Cosimo. On voyait, au sommet vertigineux de l'arc, l'écu des Sforza et des médaillons. De chaque côté se dressaient des sculptures grandeur nature, par couples : deux jeunes et virils guerriers romains et deux ravissantes dames en robes florentines.

Aucun des deux hommes ne pouvait appartenir à la famille de Tommaso Portinari. Julius n'avait pas d'idée non plus sur l'origine des deux dames mais il pénétra dans la cour avec de grandes espérances. *Semper droit* : les deux mots avaient été gravés tout au long de la face intérieure de l'arche. Sans doute pouvait-on les considérer comme un résumé des croyances des Sforza, des Médicis et des Portinari eux-mêmes. Julius, lui, ne possédait pas une telle assurance.

On bâtissait aussi à l'intérieur de la cour. L'édifice était énorme. Une fois terminé, ses pièces de réception et ses appartements particuliers pourraient loger le propriétaire et toute sa maisonnée, s'il lui prenait jamais fantaisie d'y venir. Le reste abriterait sans doute le personnel permanent de la banque, ses bureaux et ses entrepôts.

A l'intérieur, dans une pièce du rez-de-chaussée assombrie de tapisseries, Pigello Portinari et son frère Accerito vinrent les accueillir avec une cérémonieuse cordialité. L'armée romaine n'aurait voulu ni de l'un ni de l'autre. Surtout pas du plus vieux, Pigello. Maigre, à moitié chauve et dépourvu de menton, il n'avait rien de son jeune frère Tommaso, hormis peut-être le long nez pointu. Et une passion pour les bagues : il en portait deux à certains doigts. Mais les bagues de Pigello étaient ornées de gros rubis, de grosses émeraudes, de gros diamants, tous véritables, et ses manches n'avaient pas des revers en peau de mouton. Pigello était riche.

On avança pour Astorre et Julius des fauteuils sculptés. On leur apporta des rafraîchissements. Le nom de Tommaso entra dans la conversation et la quitta presque aussitôt. Quand vint le moment attendu – et l'on ne retint pas les visiteurs bien longtemps –, Pigello, sur le dallage luisant, s'approcha d'une table aussi imposante qu'un sarcophage et abondamment sculptée. Il y prit quelques documents, lut à voix haute quelques passages de certains, en fit signer d'autres. Après quoi, il se munit d'un trousseau de clés et ouvrit les sept serrures d'un grand coffre placé dans un angle de la pièce. Il fallait deux hommes pour en soulever le couvercle, et, à l'intérieur de celui-ci, tout un mécanisme extravagant rappela à Julius l'un des petits coffrets faits par Claes. Du coffre, Pigello sortit un sac.

– De l'or, je pense, dit-il. Oui, je suggère de l'or. Messer Cicco, je le sais, a parlé de florins, mais l'époque n'est pas favorable à cette sorte de monnaie. Pas aujourd'hui. Tout va reprendre son cours, naturellement. Voyons, maître Julius, vous allez prendre acte de cette opération. Après quoi, vous pourrez disposer de ma garde du corps – je donnerai les ordres nécessaires – pour vous escorter jusqu'à l'auberge.

Lorsque, un peu plus tard, il relata l'entrevue à Tobie, il se heurta à son incrédulité.

– De l'or? répéta Tobias. Il vous a *proposé* de l'or, quand la monnaie courante lui aurait coûté moins cher?

– C'est ainsi, répondit Julius.

Il venait de passer plusieurs heures à payer des salaires, dans une atmosphère bruyante, et il était las, il en avait assez des discussions.

– Ne venez pas vous plaindre à moi de sa générosité. Il en a tiré, en tout cas, un nouveau client : Astorre.

– Quoi? fit le médecin.

– Pigello a offert à Astorre un intérêt double de celui que lui versait Fleury, et Astorre a ordonné le transfert de ses avoirs chez les Médicis. Voilà bien une preuve de confiance. De l'avis des Médicis, Ferrante va rester roi de Naples. A moins que vous ne pensiez qu'ils s'efforcent de nous complaire à cause de votre oncle.

– Mon oncle, le médecin du duc? Non, dit Tobie. En votre absence, il m'a rendu visite et il m'a fait savoir haut et clair que, selon lui, je suis du côté du parti perdant. Il faut donc considérer la chose sous un autre angle. Ferrante est battu, Astorre est tué, et les Médicis n'ont plus rien à verser. Ce n'est pas que je m'y intéresse outre mesure, mais Lionetto est-il déjà arrivé en Italie et, si oui, de quel côté se range-t-il?

– Pourquoi? demanda Julius. S'il choisit l'Anjou et les Français, contre Ferrante, vous rallierez-vous à lui?

– Avec mon or? C'est assez tentant, dit Tobie.

Il avait repoussé sa coiffure en arrière, sur son crâne chauve, et son visage avait une expression indifférente.

– Vous auriez dû amener notre génie des chiffres pour compter tout cela. Où était Claes, la nuit dernière? demanda-t-il.

– Deuxième colonne à partir de la gauche, troisième nom en partant du haut, dit Julius. Je n'ai pas encore de copie de la liste, mais on la vend dans la cour, pour acheter de la bière.

– Eh bien, allons en chercher une. Je trouverai bien Claes. Se conduit-il toujours ainsi?

– Je n'en sais rien, répondit le notaire. Je ne m'étais encore jamais trouvé avec lui dans une ville inconnue. Sans doute cherche-t-il quelque chose.

– L'union fait la force, répondit laconiquement Tobie.

Après le départ de Julius, il ne prit pas la peine d'envoyer chercher Claes : il savait par son oncle ce que faisait le garçon, et où. Il se contenta d'enfoncer son chapeau sur sa tête, de brosser la courte robe noire qui était le signe de sa profession. Après quoi, enveloppé de son manteau, il se mit en route vers la ravissante demeure des Acciajuoli.

14

La demeure milanaise des Acciajuoli se situait entre la poussière et la boue de la cathédrale et la poussière et la boue du Castello. On trouvait là des rangées continues de maisons à arcades, en pierre taillée, brique rouge et marbre sculpté. Il y avait des édifices impressionnants, avec des avant-toits, des fenêtres en plein cintre et des armoiries au-dessus des portes. Il y avait des églises, certaines entourées d'enclos. Il y avait des tours, des escaliers, des balcons et, aux étages supérieurs, des avant-corps en bois qui projetaient leur ombre sur la rue et parfois l'enjambaient.

La grosse cloche du Broletto sonnait au moment où Tobie quitta les rues encombrées du marché pour celles où les hommes, plus nombreux, – coiffés de chapeaux hauts, larges ou drapés, ou bien de bonnets noirs qui indiquaient leur profession, et bien au chaud dans de lourdes robes passées sur des damas matelassés – se croisaient ou se hâtaient d'aller s'abriter du froid, Tobie, à son habitude, dévisageait les gens et en tirait des conclusions sur la santé de la ville. Le duc l'avait maintenant bien en main, et elle était bien tenue. Dans ce quartier, pas de mal nourris, d'infirmes, d'estropiés. On les découvrait là où étaient les habitations populaires et les ateliers. Tout comme d'autres afflictions bien connues de l'homme de l'art : les brûlures et les tympans éclatés des armuriers, par exemple.

Mais la misère n'était pas le souvenir le plus vif que gardait Tobie des années où il venait là en étudiant. Il se rappelait la chaleur, le vacarme, la gaîté. L'hiver, à Milan, on se procurait n'importe où des marrons grillés. Il en mangeait avec ses amis, en balançant les jambes sur le banc placé près de l'enclume et en bavardant à tue-tête avec eux et avec les forgerons. C'étaient ces conversations avec les forgerons, se disait-il parfois, qui avaient fait de lui le genre de médecin qu'il était.

La maison des Acciajuoli était de celles que les familles de banquiers aimaient à construire. De vastes proportions, elle s'ouvrait par une belle grande porte à deux battants, non pas sur une salle mais sur un court passage voûté qui débouchait sur une cour carrée, fort agréable même sous la pluie, avec ses plantes vertes disposées sur les pavés. A l'autre extrémité, une rangée de bâtiments solides devait abriter les écuries et, sans doute, les chevaux amenés à si grand-peine pour Pierfrancesco de Médicis, qui avait épousé une Acciajuoli. On entendait miauler quelque part des autours. Sur l'un des côtés, un escalier à balustrade menait à l'étage principal. Le portier, qui n'avait manifesté aucune surprise à l'arrivée du médecin, conduisit messer Tobias Beventini jusqu'en haut des marches. De là, un étroit balcon bordait toute la façade. Un peu plus loin, sur celui-ci, une porte s'ouvrit à son approche. Son oncle était là.

– Eh bien, couillon, fit Giammatteo Ferrari da Grado. Tu ne t'es pas empressé de venir me voir. Tu peux laisser ici ton manteau. T'es-tu préparé à ce qui va se passer?

– J'ignore ce qui va se passer, répondit froidement Tobie. Je ne peux que me répéter. Il n'y a aucun rapport entre ce garçon et moi. Quoi qu'il ait pu faire, il en est seul responsable.

Du temps où il n'était guère plus âgé que Tobias, son oncle était professeur de logique médicale à l'université de Pavie, fondée par un duc de Milan. Au cours d'une longue carrière de trente années, l'oncle Giammatteo n'avait jamais quitté la faculté, sinon pour apporter ses soins au duc actuel, son protecteur. Ou encore, naturellement, pour offrir ses services, s'ils y mettaient le prix, aux gens bien nés, aux hommes célèbres, dont les appels ou la politique avaient su toucher le cœur du duc.

Le jour où Tobie, après avoir de haute main remporté son diplôme, avait préféré aux calmes satisfactions d'une vie universitaire une existence désordonnée en compagnie de marchands et de mercenaires, le maestro Giammatteo s'était lavé les mains de son neveu, l'empêchant ainsi d'exploiter son nom. Une telle démarche et tout ce qu'il avait dit à l'époque ne lui avaient pas attiré l'affection de Tobie. Celui-ci n'appréciait guère non plus que, la soixantaine bien passée, le professeur jouît d'une excellente santé et déployât sur son joyeux visage toutes les caractéristiques positives qui manquaient à Tobie, sans compter une barbe et une belle chevelure d'un brun strié de blanc.

– Est-il ici? demanda le médecin.

– Oh, oui, répondit son oncle. Comme tu le sais, c'est lui qui a amené les chevaux destinés à Pierfrancesco. Messer Agnolo et sa sœur se sont fait un devoir de l'inviter à revenir, avant même de m'envoyer quérir. C'est un garçon fort raisonnable. Nous nous sommes tous mis en frais pour lui parler. Il témoigne d'une charmante gratitude pour tout ce que tu as fait pour lui :

tes soins éclairés à Damme, ton acte de charité à Genève. Nous savons combien vous avez été proches l'un de l'autre. Tu dois bien te douter que, pour avoir quitté si soudainement le capitaine Lionetto, il peut sembler que ce sont les affaires de ce garçon qui t'ont attiré?

– Non. Ainsi que je vous l'ai déjà dit, ce sont les affaires du capitaine Lionetto qui m'ont répugné, répliqua Tobie d'un ton bref.

Les affaires, avait dit son oncle, avec un air matois. Giammatteo avait toujours jeté un regard amusé sur certains écarts. Tobie se sentait rassuré. Voilà donc pourquoi il était là. Cela signifiait au moins que son oncle n'avait pas entendu parler de teinture pour les cheveux, de philtres d'amour ni de houx. Ni même d'une possible fortune entre les mains d'une énigme qu'il pourrait peut-être – ou non – amener à se confier à lui.

– Tout comme, à présent, tu répugnes à Lionetto, à ce que je me suis laissé dire, poursuivait joyeusement son oncle. Ton ancien capitaine se trouve à Milan, en route pour rejoindre Piccinino. Tu serais avisé de prendre garde. Quoi qu'il en soit, ton jeune homme se trouve dans la salle familiale, avec messer Agnolo, sa sœur et quelques amis. Tu ferais bien de m'accompagner pour le reprendre.

– Dans la salle familiale? répéta Tobie.

Le professeur eut un sourire bienveillant.

– Ils jouent aux cartes, je crois.

Cette pièce de la demeure des Acciajuoli n'était guère plus qu'un cabinet aux murs peints à fresque, avec une belle cheminée dans laquelle brûlait en crépitant un brasero. Le reste de la lumière se concentrait dans la pièce sur la table à jouer autour de laquelle quatre personnes étaient assises, tandis que trois autres, debout, se penchaient derrière elles. A l'entrée de Tobie en compagnie du professeur, l'un des joueurs se retourna avec un sourire machinal et leva un doigt.

– Un instant! Nous sollicitons votre indulgence. Marco, Giovanni... nos hôtes boiraient peut-être volontiers une coupe de vin, le temps que nous terminions la partie.

Le serviteur qui les avait accompagnés était reparti. Les deux hommes ainsi interpellés étaient deux des trois invités debout. L'autre était une jeune et jolie fille. Tobie n'en connaissait aucun. Il arbora son sourire professionnel, tout en se livrant à un inventaire précis.

Parmi les joueurs de cartes, celui qui avait parlé devait être son hôte. Cet homme trapu, au teint olivâtre, aux manières autoritaires était sûrement le banquier : Agnolo Acciajuoli, petit-fils de Donato, prince d'Athènes et parent de messer Nicholai, le Grec à la jambe de bois qui avait fait le voyage d'Écosse à Bruges. La femme à son côté était sans doute Laudomia, sa sœur, épouse de Pierfrancesco, l'absent. Ou sa demi-sœur, peut-être : c'était une belle femme, bien plus jeune qu'Agnolo, vêtue à la mode florentine : un réseau de pierres précieuses enveloppait ses cheveux et ses manches, tandis que sa poitrine et son cou étaient élégamment dénudés.

Près d'elle était assis un personnage familier, qui n'était ni grec ni florentin. Un homme mince, au teint sombre, jeune mais sobrement vêtu. La dernière fois que Tobie l'avait vu, c'était dans un milieu tout différent. Dans la troupe d'Anglais lancastriens. Cette troupe qui s'était arrêtée pour ramasser frère Gilles et s'était trouvée prise dans la première avalanche de Claes.

Un Anglais, en ces lieux ?

A ce moment, l'Anglais supposé s'adressa en souriant à Claes dans un français irréprochable qui était de toute évidence sa langue natale. Claes lui répondit poliment dans la même langue, en l'appelant « monsieur Gaston ». La femme, avec un petit rire, posa une carte et s'adressa à son tour à l'apprenti, cette fois en italien. Il répondit aussitôt. Pas tout à fait correctement mais avec les claires inflexions bolognaises qu'il devait tenir de Julius au lieu de l'accent savoyard de ses jeunes années. Il avait très précisément compris la question.

Naturellement, ils jouaient avec lui. L'oncle de Tobie, coupe en main, murmura en latin :

– Pourquoi ne pas le mettre à l'épreuve dans ce langage ou bien en grec ?

Claes, sans quitter ses cartes des yeux, sourit.

– Maestro, ayez pitié de moi, dit-il. Je ne peux en même temps marcher sur les mains et disputer une partie avec de tels joueurs.

Il posa une carte, lança un coup d'œil à Tobie. Son regard traduisait une connivence ravie. S'il l'avait pu, Tobie aurait annulé d'un trait les deux interventions imprudentes qui l'avaient lié à ce dangereux extravagant. Il considérait Claes d'un air furieux, chargé de soupçon.

Le comportement du garçon, Dieu le damne, était parfait : un mélange de déférence, d'audace et de drôlerie simple qui faisait rire ses aînés. Il était propre. Vêtu comme un domestique, certes, mais la livrée Charetty était tout ce que la veuve pouvait se permettre, et, en dépit des hasards du voyage, l'étoffe bleue du pourpoint de Claes avait conservé un apprêt suffisant pour mettre en valeur ses larges épaules de teinturier. Le ceinturon militaire serrait la taille où avait toujours pendu le tablier maculé, et le col montant soulignait une gorge bien faite. On ne pouvait rien changer à son regard immense, à son large sourire, mais ni l'un ni l'autre n'avaient rien d'hébété. C'était là une découverte que Tobie avait faite à Bruges.

C'était de nouveau au tour du garçon de jouer. Les mains qui tenaient les cartes étaient toujours calleuses, mais du moins les bouts des doigts avaient-ils perdu leur teinte bleue. Sous les yeux de Tobie, ils passèrent sur l'éventail de cartes rectangulaires, en tirèrent une, la posèrent sur la table.

Il se fit un bref silence que le médecin, ignorant du jeu, ne sut interpréter. Laudomia, enfin, ses yeux gris froids et limpides, regarda Claes en souriant.

– Encore! fit-elle.

– L'arabe, dit Claes. Vous auriez dû me demander de parler arabe, et vous auriez tout regagné.

Les cartes étaient peintes à la main, en rouge, bleu et or. Le paquet, calcula Tobie, valait bien tout ce que portait Claes, de la tête aux pieds.

– Attendez, intervint le Français nommé Gaston. Avant que nous montrions tous nos jeux, Niccolo, mon ami, quelles cartes avons-nous?

Niccolo.

Tobie regardait Claes, dont le visage s'était coloré.

– Vous ne le savez pas? demanda le garçon. Monsieur, vos pertes doivent être lourdes.

Messer Agnolo intervint à son tour. Il sourit, croisa le regard de l'homme appelé Giovanni, qui vint se poster près de lui.

– Dites-moi, mon jeune ami, fit-il, qu'ai-je en main?

– Une fausse-reine, répondit Claes sans rancune. Voyons, monsieur, vous avez commencé avec un neuf et vous ne l'avez plus lâché. Vous avez ensuite ramassé et gardé un trois et une dame. C'étaient des *bastoni*. Par la suite...

Une par une, il nomma toutes les cartes détenues par l'autre homme et, ensuite, lorsqu'on le lui demanda, toutes celles des autres joueurs. En même temps, Giovanni se penchait pour vérifier ses dires. Tout était exact.

Claes semblait à la fois soulagé et confus.

– Ça me vient de la teinturerie, expliqua-t-il. Les longues listes de recettes, c'est excellent pour la mémoire. Et les couplets. Nous les faisons pour les chanter en travaillant. Quand nous avons fini d'y mettre tous les gens qui nous plaisent, ils peuvent être très longs.

Il regardait autour de lui d'un air obligeant, comme s'il était tout disposé à chanter, en plus, si on l'y invitait. Messer Agnolo demanda :

– Vous entendez ça, Giovanni? Vous avez été teinturier. Nous n'en attendrons pas moins de vous, la prochaine fois que vous jouerez aux cartes avec nous.

Tobie sentait qu'à côté de lui son oncle souriait. Le professeur prit la parole.

– Puis-je vous présenter mon neveu Tobie, ou préférez-vous que nous partions pour vous laisser commencer une autre partie avec ce mathématicien en herbe?

Mais le jeu, semblait-il, était fini. Leur hôte se leva et, avec sa sœur, vint vers eux. Les invités s'assirent ou reprirent leurs places. On fit les présentations. La jolie fille s'appelait Caterina, et son époux, Marco Parenti, était un négociant de Florence qui exportait de la soie vers Athènes et Constantinople. Par ailleurs, il était écrivain. Par ailleurs encore, il n'appréciait visiblement pas le fait que Caterina eût choisi de venir s'asseoir près de Claes.

Giovanni da Castro était le filleul du pape et détenait une charge à la Chambre apostolique. Le Saint Père mettait à profit son expérience des affaires. Avant cela, messer da Castro avait été teinturier. Il y avait là une coïncidence. Un teinturier d'étoffes importées à Constantinople, avant l'attaque par le sultan, six années plus tôt. Il s'en était tiré avec la vie sauve. Il avait de la chance.

Tobie conservait, du moins l'espérait-il, le calme de ses traits. Il se trouvait chez des Acciajuoli. Pourquoi s'étonner que toutes les personnes présentes eussent, un jour ou l'autre, fait commerce avec Constantinople, Athènes ou la Morée? Il lui vint à l'esprit le nom d'un membre de la famille qui n'avait pas été mentionné. Il dit à da Castro :

– Vous avez eu plus de chance que messer Bartolomeo, le frère du Grec à l... du parent de messer Angelo qui a fait le tour de l'Europe pour réunir l'argent nécessaire à sa rançon. En avez-vous des nouvelles? S'attend-il à être libéré quand l'or aura été rassemblé?

Depuis Bruges, le sujet du Grec et de son frère captif n'avait jamais cessé d'aiguiser l'intérêt de Tobie. Il fut surpris de constater que da Castro ne lui répondait pas immédiatement. Ce fut Laudomia, la parente du prisonnier, qui s'en chargea.

– Cher messer Tobias! L'homme est libéré depuis des mois! C'est la banque des Médicis qui a payé la rançon. Ils ont généreusement accepté d'attendre le moment où ils pourront être dédommagés.

– Et, à ce moment, dit Tobie, les taux auront naturellement changé.

Monna Laudomia sourit. Le filleul du pape se mêla à la conversation pour dire vivement, en riant :

– C'est la seule chose qui ne cesse de fluctuer. Mais il fallait bien régler la situation pour permettre à messer Bartolomeo de poursuivre son négoce. A condition, bien sûr, d'y mettre le prix. Les taxes sur les chrétiens sont incroyables. Tout bien considéré, Bartolomeo Giorgio se tirera toujours d'affaire.

– Voulez-vous dire, demanda Tobie, qu'il continue à commercer à Constantinople sous la domination des Turcs? Alors que vous avez dû partir?

Il y eut de nouveau un bref silence. Da Castro haussa les épaules.

– Il y a la religion et il y a les affaires. Il faut parfois choisir.

Non, je n'envie pas sa fortune à Bartolomeo. Je me ferai ici une situation satisfaisante.

– Mais que se passerait-il, reprit Tobie, si votre parrain lançait sa croisade et reprenait Constantinople aux Turcs?

Messer da Castro parut surpris.

– Alors, je pourrai retourner là-bas, si bon me semble, pour reprendre mon négoce. Et messer Bartolomeo pourra poursuivre le sien sans les taxes. Un heureux dénouement.

– S'il survit, dit Tobie. De quoi fait-il commerce? Est-il teinturier, lui aussi?

Encore ce silence. Et ce fut encore Laudomia qui fournit la réponse.

– Bartolomeo est originaire de Venise. Vous pouvez juger difficile de justifier un parent qui demeure fidèle à des païens. Mais le sultan accorde sa faveur aux marchands vénitiens. Le sultan les autorise à conserver leurs propres coutumes, leur propre culte. En échange, ils lui versent beaucoup d'argent. Bartolomeo achète en Orient de la soie brute qu'il revend ou échange à Constantinople contre de la soie tissée, à des marchands comme messer Marco que voici. Il s'occupe aussi beaucoup d'alun.

– *D'alun?* répéta Tobie.

Il s'éclaircit la voix.

Laudomia Acciajuoli le dévisageait.

– Je pensais, dit-elle, que son frère vous l'avait peut-être dit. Bartolomeo dirige les mines de Phocée pour le sultan.

Claes, petit bandit, pensait le médecin. Et ce cher oncle Giammatteo, là-bas, qui examine les poutres du plafond. Dans quoi me suis-je fourré? Dans quoi pensent-ils que me suis fourré? Que dois-je faire? Continuer comme s'il ne s'était rien passé.

– Je comprends pourquoi vous devez espérer cette croisade, dit le médecin.

– Ou une autre source d'alun, enchérit Monna Laudomia. C'est là votre grand rêve, n'est-il pas vrai, messer Giovanni? Que le pontife, votre parrain, vous accorde les droits de prospection des minéraux sur son territoire? Songez à l'importance de cette découverte, si l'on trouvait de l'alun!

Le filleul du pape se leva.

– Je crains, dit-il, que ce ne soit pour le présent une perspective bien éloignée, monna Laudomia, messer Agnolo, je dois prendre congé.

Tobie ne s'en étonna point. Il joua son rôle dans l'échange de salutations et suivit d'un regard absent son hôte qui escortait hors de la pièce le filleul du pape. Son oncle, avec un sourire qui lui déplut, se rassit, non sans affectation. Après un instant, Tobie fit de même. Claes, sur qui il jeta un regard furieux, était assis entre Marco Parenti et son épouse, tous trois s'entretenaient en italien.

Le joueur de cartes français s'était installé sur un escabeau, près de l'oncle de Tobie. L'oncle se pencha pour dire :

– Tobie, tu ne connais pas monsieur Gaston du Lyon.

– Tout au contraire, dit le Français. Monsieur Tobias et moi, nous avons eu, il y a quelques jours, une rencontre enneigée, et il se demande pourquoi je voyageais avec des Anglais.

Tobie, pour le moment, n'avait pas envie de réfléchir à ce que pourrait être la réponse. Il demanda :

– N'avez-vous pas souffert de ce déluge glacé ?

– Pas le moins du monde. Non, si je voyageais avec mylord de Worcester, c'était seulement pour ma sécurité. Il avait l'impression, je crois, que j'étais un loyal citoyen du roi Charles de France et que je me rendais pour mes dévotions à Rome.

– Mais Claes savait qui vous étiez ? dit Tobie.

– S'il le savait, j'en serais fort contrarié. Non, il n'en avait pas idée. Il s'est montré, sinon repentant, du moins poli, en apprenant mon identité.

– Et quelle est-elle ?

– Oh, je suis français, répondit monsieur Gaston. Cependant, je ne sers pas le roi de France, mais son fils en exil, le dauphin. Je suis le chambellan du dauphin Louis et je suis venu passer la morte-saison à Milan pour les joutes de février. Je vis pour les joutes. Elles font ma joie.

– Elles ne font pas la mienne, riposta Tobie. Je passe trop de temps à réparer les victimes.

Il songeait à l'avalanche. Il pensait à Claes, si empressé à réparer les pompes pour recueillir en même temps les bruits qui couraient en Savoie. Quoi qu'en pensât le naïf monsieur Gaston, Claes, Tobie, lui, en était sûr, avait toujours su très précisément qui monsieur Gaston représentait. Même avant l'avalanche.

Le médecin se sentait agité. Pris au piège, même. La conversation entre la jolie fille, son mari et Claes s'était interrompue. Le garçon se dressa soudain entre ses deux amis.

– Maître Tobias ! appela-t-il. Vous avez fait la connaissance de messer Marco et de son épouse. Mais savez-vous qui elle est ? La sœur de Lorenzo !

– Lorenzo ? répéta Tobie.

– Lorenzo Strozzi ! De la maison des Strozzi, à Bruges. Ils viennent de subir un deuil – un frère –, et, en ce moment même, il y a dans ma sacoche, à l'auberge, des lettres de Lorenzo pour monna Caterina et sa mère. Elle les aura demain.

En signe de respect pour ce deuil, le visage de Claes exprimait une sympathie sereine. Il se tourna vers la jeune femme.

– Vous manquez tellement à Lorenzo. Nous essayons bien de l'égayer, mais il a besoin de revenir en Italie.

– C'est ce que j'ai toujours dit, répondit Caterina. Mon frère se languit, Marco. Il a besoin d'avoir sa propre affaire.

186

Claes marqua un certain intérêt. Messer Marco Parenti parut contrarié. Tobie, qui cherchait à tout prix à se tirer d'affaire, entendit de nouveau la voix de la jeune femme et celle de messer Marco qui murmurait, avec toute l'autorité d'un époux :

– Pas maintenant. Pas ici.

Une main s'empara du bras de Tobie pour le tirer à l'écart.

– Eh bien, dit cordialement à son oreille l'oncle éminent du médecin, ne comprends-tu pas à présent la valeur de relations haut placées ? A leur manière, ils ont pris la mesure du jeune homme. Je le trouve, quant à moi, intéressant. Je te félicite de lui avoir accordé ton appui. J'ai pu glisser à monna Laudomia que tu étais, toi, mon neveu, l'homme le plus sûr qu'ils pourraient trouver.

– Trouver pour quoi ? questionna Tobie. *Mon appui* ? Je n'ai rien à faire avec Claes. Pourquoi ont-ils besoin de lui ?

L'oncle parut surpris.

– C'est à cause de ses dons, répondit-il. Tu dois bien savoir combien il était recherché, quand il a quitté Bruges... Et, ajouta-t-il, après une pause, il en sait vraiment beaucoup plus long qu'il ne le devrait.

Tobie pensa à Quilico, mais, décida-t-il, son oncle ne connaissait certainement pas Quilico qui était si bien informé sur ce qui poussait au voisinage des mines d'alun de Phocée. Mais il comprit aussitôt que le professeur était en mesure de tout savoir de Quilico, si Claes l'en avait informé. Mais pourquoi Claes l'aurait-il informé ?

– Il va falloir vous expliquer, dit prudemment Tobie.

– Est-ce bien là un médecin qui parle ? demanda son oncle. Et ton diagnostic, mon garçon ! Tu as été témoin de la partie de cartes. Ce garçon absorbe les langues étrangères, il sait manipuler les chiffres. Que va faire un tel homme d'un service de courrier privé ?

Sous l'effet d'un pur soulagement, Tobie se surprit à sourire. Ainsi, c'était cela. Le service de courrier. Il aurait dû le deviner. Le médecin songeait à la sacoche que Loppe avait portée durant tout le voyage, aux lettres impressionnantes avec leurs fils et leurs sceaux. Quelqu'un qui savait fabriquer des assemblages compliqués avait des doigts assez habiles pour devenir voleur ou faussaire. Et assez d'astuce pour déchiffrer les écritures d'autres hommes. Ceux qui créaient les chiffres destinés aux messages, à la Chancellerie ducale, dans les bureaux des Médicis étaient précisément de cette sorte d'hommes.

Sans cesser de sourire, Tobie reprit :

– Ils achètent ses services ou bien ils l'emploient ? Ou encore, ils font mine de faire l'un et l'autre, avant de glisser dans son vin une drogue mortelle ?

– Ils ont bien dû y songer, répondit son oncle d'un ton calme. Mais pas après avoir découvert que ce garçon était un ami de mon neveu. C'est alors qu'ils ont fait appel à moi pour les conseiller. J'ai été, je suis toujours, heureux de leur venir en aide.

– L'un de mes amis? Merci bien, mais ce rustre est un apprenti teinturier.

– Tu lui as tout de même sauvé la vie. A ce qu'on m'a dit, du moins. Tu l'as suivi jusqu'à Milan. Et tu as fait preuve d'un intérêt intelligent à l'égard d'un renseignement que tu avais recueilli par hasard à Bruges. Ou bien n'as-tu même pas assez de bon sens, couillon, pour comprendre à quoi rime toute cette histoire?

Le sourire de Tobie s'effaça. Jamais plus il ne se fonderait sur des hypothèses. Finalement, ce n'était pas d'un simple service de courrier qu'ils s'entretenaient. Ils parlaient d'alun et, là-dessus, ils en savaient tous – même son oncle – beaucoup plus long que lui. Et ils cherchaient à l'impliquer dans leur histoire. Traiter une affaire avantageuse avec Claes, c'était une chose. Se laisser manipuler par tout le clan Acciajuoli (y compris peut-être Claes) en était une autre.

– Je vois, fit Tobie. Eh bien, s'ils m'en parlent, je refuserai de m'en mêler.

– Aurais-tu peur? demanda son oncle. Lui, il n'a pas peur, ton jeune Niccolo.

– Il n'a rien à perdre.

– Là, tu tiens un argument. Mais peu importe. Tu es déjà impliqué. Tu ne saurais te dégager d'aucune manière.

– Permettez-moi d'être d'un avis différent, répondit Tobie.

Par deux fois, Tobie tenta de prendre congé, par deux fois, il en fut empêché par son oncle. Personne ne lui demanda rien, ne lui offrit rien, sinon à manger et à boire et les lenteurs d'une conversation anodine qui ne fit qu'accroître sa fureur. Privé de l'occasion de s'expliquer, de réfuter, de refuser, il se contenta d'ignorer Claes dans toute la mesure du possible. Comble de l'outrage lorsque, enfin, il parvint à s'esquiver, son oncle lui imposa la compagnie de Claes. Ne logeaient-ils pas tous deux dans la même auberge? insista Giammatteo. Il serait plus sûr, la nuit tombée, pour son neveu et pour le jeune garçon, de faire route ensemble. Messer Agnolo leur prêterait une lanterne.

La rage au cœur, Tobie descendit l'escalier et traversa la cour. Claes agitait la lanterne. L'ombre de Tobie faisait des sauts de grenouille d'un pilier à l'autre et, le menton haut levé, franchissait d'une allure grotesque les murs. Une fois dans la rue, le médecin jura à haute voix. Il se retourna, immobilisa le garçon en lui saisissant le poignet. Il attira ensuite la lanterne vers lui pour l'éteindre.

La faible lumière qui brûlait sous le porche des Acciajuoli lui révéla l'expression de reproche qui se peignait sur le visage de Claes.

– Je ne peux plus lire la liste, à présent, dit celui-ci.

– Quelle liste ? fit le médecin d'un ton bref.

Mais, naturellement, la mémoire lui revint.

Déjà, Claes desserrait le lacet de sa bourse. Des pièces d'argent luisaient au fond.

– Tu jouais pour *de l'argent* ? demanda Tobie, sur le même ton.

– C'est plus intéressant comme ça. De toute manière, ils m'auraient laissé gagner.

Il avait une feuille de papier entre les mains.

– Deuxième colonne...

– Deuxième colonne à partir de la gauche, troisième nom à partir du haut, dit Tobie. Cela, c'était hier au soir, n'est-ce pas ? Quoi qu'il en soit, je n'ai pas l'intention de te retenir. Je rentre à l'auberge.

– Moi aussi, fit Claes. Mais pas tout de suite. Là-bas, on ne peut pas parler. Troisième nom à partir du haut. C'est celui d'un apothicaire, près de Santa Maria della Scala. Passé le coin de la rue.

– Je n'ai pas besoin de parler, déclara son compagnon. Je peux te dire, sans faire un pas de plus, que je ne veux rien avoir à faire avec cette histoire.

Le soulagement se peignit sur les traits de Claes.

– C'est bien ce que j'espérais. Je n'ai rien contre votre oncle mais je lui ai expliqué que je n'avais pas besoin d'un associé. Tout ce qu'il nous reste à faire, c'est de chercher le moyen de vous libérer.

– Je ne me suis pas engagé, répéta Tobie.

– Non, certes. Il vous suffit de décider de la façon d'en convaincre les gens. Ça ne vous prendra pas cinq minutes, et, ensuite, vous n'aurez plus à penser à l'alun.

L'alun. Bon, cela valait la peine de perdre cinq minutes pour se débarrasser de ces sottises.

La boutique de l'apothicaire était naturellement close. Tobie, raidi dans sa décision, demeura en arrière, tandis que Claes tambourinait doucement sur le bois. Finalement, après de bruyants grincements et cliquetis de chaînes et de verrous, la porte s'entrouvrit. L'homme qui les fit entrer portait une chandelle. Il était seul, semblait-il. Au fond de la pièce se trouvait un lit pliant, dont la paillasse s'était affaissée à l'endroit où il s'était assis, et une table sur tréteaux avec un gros quignon de pain et quelques olives. De nombreux boutiquiers se servaient la nuit d'apprentis comme chiens de garde.

L'endroit était plus spacieux qu'il n'y paraissait d'abord. Le comptoir de l'apothicaire était placé près de la porte. On y voyait les balances, un boulier, des sacs de jetons et des récipients. Les drogues et les épices le plus souvent utilisées étaient rangées sur les étagères, derrière le comptoir, dans des jarres de verre, d'étain ou de terre cuite. Un mortier sale était resté sur un escabeau.

L'odeur du lieu vous prenait à la gorge. C'était un mélange de sirops, de soufre et de sel ammoniac, d'onguents et de térébenthine, en même temps que de poivre et de gingembre, de cannelle, d'anis et de muscade, de clous de girofle, de cumin et de safran. Tobie reconnut aussi des confitures et de la peinture, de la cire et du parfum, du vinaigre et des raisins secs. Il y avait quelque part de la moutarde et de l'huile d'armoise. Le médecin éternua.

– Que Dieu vous bénisse, dit Claes.

L'homme à la chandelle les conduisait vers l'arrière-boutique. Ils passèrent devant d'autres étagères, devant quelques ballots de marchandises. Tobie éternua de nouveau.

– Que Dieu vous bénisse, répéta Claes. C'est de l'asthme, peut-être? Votre oncle m'a raconté qu'il traitait la duchesse pour son asthme. Et le pape pour sa goutte. Il dit que le pape, en ce moment même, est assis sous un tuyau d'où coule de l'eau tiède sur sa tête. Peut-être est-ce ce que vous devriez faire. Il dit que le pape n'a plus jamais été le même depuis les mauvais jours qu'il a connus en Écosse, quand il a eu les pieds gelés, et que ses dents se sont mises à tomber. Que Dieu vous bénisse. Mais pas ses cheveux. De longs cheveux dorés, bouclés. Longtemps il les a gardés, ses cheveux, le pape. Que Dieu vous bénisse. Avez-vous voyagé jusqu'en Écosse, meester Tobie?

Ils franchissaient une porte basse, tout au fond de la boutique. L'odeur déjà violente s'épaissit encore. Au plafond pendaient toutes sortes d'objets. Le crâne de Tobie effleura un paquet d'herbes. Il eut un mouvement de recul, reçut un coup léger d'un pilon. Du seuil, il apercevait un lit, un rideau, un autre lit. Il tourna les talons.

La main de Claes se glissa sous son bras, l'obligea à avancer.

– Il n'y a personne, ici, dit le garçon. Nous avons une demi-heure avant qu'il arrive quelqu'un. Ils ne comprennent pas le flamand.

Il attira Tobie dans la pièce, referma la porte sur l'apprenti de l'apothicaire. De ce côté du rideau, il n'y avait que le lit et un coffre bas recouvert de coussins, avec une chandelle posée tout à côté. Claes s'assit sur le coffre, les genoux serrés. Tobie resta debout. Il prit la parole.

– Avant que nous parlions de la manière dont je vais pouvoir me tirer de cette affaire, je tiens à parler de la manière dont je m'y suis trouvé impliqué. Qui y a attiré mon oncle?

Le regard des larges yeux de Claes était paisible.

– Le Grec à la jambe de bois, je suppose, dit-il. Quand je ne me suis pas engagé chez le capitaine vénitien. Il voulait absolument écrire à ses cousins Acciajuoli pour tout leur dire à votre sujet.

190

– Pourquoi? demanda Tobie.

Il éternua, avec passion.

– Parce que vous questionniez Quilico. Rappelez-vous : le médecin des galères qui travaillait au Levant. Le Grec pensait que Quilico pourrait éveiller mon intérêt pour les colonies. Il n'avait pas compris qu'en rapprochant un teinturier, un médecin et le représentant d'une compagnie d'exploitation d'alun, nous pourrions nous livrer à des déductions. Il a dû se faire du souci, je pense. Sans doute aurais-je eu un petit accident s'il n'avait découvert qui vous étiez. Votre oncle est un homme célèbre, hein?

– Ne t'occupe pas de mon oncle, dit Tobie.

Sans y penser, il s'assit sur le lit.

– Le Grec à la jambe de bois, reprit-il. Savais-tu que son frère détenait la concession de l'alun de Phocée?

– Non, pas à ce moment, dit Claes. Anselm Adorne, je crois, le savait.

– Adorne? répéta Tobie.

Il sortit Adorne du fouillis de sa mémoire. Le beau bourgeois de Bruges et son église de Jérusalem, les doges de Gênes qui étaient de ses parents.

– Eh bien, oui, dit Claes. Les Génois exploitent leurs comptoirs commerciaux au Levant depuis deux cents ans. Les Accharia, les Doria, les da Castro, les Camulio. Adorno est l'un des grands noms à Chios depuis presque aussi longtemps. Si l'affaire vous avait intéressé, vous auriez dû faire en sorte de rencontrer Prosper de Camulio, ici, à Milan. Il s'y connaît en alun autant que n'importe qui.

– Da Castro, dit Tobie. Ça, c'est intéressant. Que faisait là, ce soir, Giovanni da Castro? Il y a grande pénurie d'alun dans le monde entier. Le gisement de Phocée est le plus riche, et les Turcs en ont accordé la ferme à Venise et au frère du Grec, Bartolomeo. Il ne peut être de leur intérêt de voir ouvrir une autre mine. Alors, pourquoi recevoir le filleul du pape qui espère rassembler de l'argent pour en découvrir une? Pourquoi nous recevoir, toi et moi, sachant que tu avais appris par Quilico l'existence d'une autre mine et pensant que je le savais, moi aussi?

Les grands yeux brillaient. Claes attendait avec impatience, comme s'il s'agissait de la fin d'un conte pour enfants.

Tobie ouvrit la bouche, éternua. Il sortit un mouchoir. Au travers de la toile, il reprit, du ton le plus mordant possible :

– A mon avis, les Acciajuoli soutiennent en même temps Giovanni da Castro et toi. En échange des bénéfices produits par la nouvelle mine, ils ont l'intention de te payer pour aider da Castro à l'exploiter.

Il se moucha.

– Que Dieu vous bénisse, fit Claes.

Il continuait à fixer sur le médecin un regard éveillé. Tobie demanda :

– N'ai-je pas raison?

– Oh non, répondit le garçon. Je vous demande pardon. Non. Giovanni da Castro n'a pas encore entrepris ses recherches d'alun. Il n'est pas particulièrement pressé. S'il se trouvait là, c'est, je pense, parce que les Acciajuoli seraient contents si je le tuais. Naturellement, les gens qui exploitent l'alun de Phocée ne veulent pas qu'on découvre un autre gisement.

– C'est *ton silence* qu'ils achètent? s'étonna Tobie.

Soudain impressionné, il passa son mouchoir sur son visage pour en effacer l'expression.

– Et le vôtre, bien sûr, dit Claes. A leur idée, vous savez ce que je sais.

Le médecin dévisageait l'ancien apprenti.

– J'aurais bien du mal à soutenir cette impression.

– Et aussi à confirmer les renseignements qu'ils achètent, fit joyeusement Claes. C'est un nouveau contrat. Je leur ai vendu un service de messagers. Voilà pourquoi il y avait là monsieur Gaston, Marco Parenti et la sœur de Strozzi. Ça n'a rien à voir avec l'alun. C'est une affaire tout ordinaire. L'établissement Charetty fournit les messagers, et moi, les renseignements spéciaux. Ils espéraient, m'ont-ils dit, que vous resteriez peut-être à Milan pour diriger le tout. Vous ne fournissez rien. Vous touchez l'argent et vous faites comme si vous agissiez.

Il se tut. Son front se plissa dans une expression de gravité.

– L'ennui, reprit-il, c'est que, si vous ne touchez pas l'argent, ils penseront que vous n'allez pas garder le silence.

– Je te remercie infiniment, dit Tobie. Tu m'as compromis dans un complot destiné à sauvegarder un monopole sur l'alun. Maintenant, tu me mêles à une affaire d'espionnage.

– De l'espionnage? fit Claes. Je n'y connais rien, maître Tobie. Les ambassadeurs espionnent, les envoyés diplomatiques et les agents secrets. Moi, je ne circule pas dans ces milieux-là. Je me contente d'écouter de quoi parlent les employés des courtiers, les intendants des marchands, les forgerons, les voituriers. Ces gens-là savent où vont les chevaux, en quels lieux on rassemble des provisions, on verse de l'argent. Des bavardages, c'est tout. Personne ne prête attention à un jeune gars comme moi.

– Claes, dit Tobie, parle-moi de ce canon destiné au roi d'Ecosse qui a plongé dans le canal. Et de l'avalanche qui s'est abattue sur les Lancastriens anglais. Et de ce fameux don que tu possèdes pour créer des assemblages et manier les chiffres. Essaie ensuite de me faire croire que tu restes assis dans un coin, avec de la paille dans les oreilles, à recueillir les potins d'écurie.

Assis en tailleur, Claes le regardait bien en face. Il avait très exactement l'air d'un garçon qui a de la paille dans les oreilles. Ou d'un ermite bien bâti et bien rasé qui étudie la construction d'une hutte neuve. Tobie sentit monter en lui un flot d'amertume. Il ne voyait aucune raison de ne pas dire très précisément à Claes ce qu'il pensait de lui.

– Tu veux devenir riche, bien sûr, commença-t-il. Tu veux obliger les gens de Bruges à s'incliner devant toi au lieu de te battre. Tu veux de beaux vêtements, des pierres précieuses, une maîtresse qui ne soit pas une servante, et tu veux exhiber tout cela devant Jaak de Fleury et son épouse, devant Katelina van Borselen, le capitaine Lionetto et l'Ecossais Simon. Tu as exploité les connaissances de Julius, tu t'es arrangé pour te débarrasser de lui et d'Astorre en les envoyant guerroyer et tu as maintenant un prétexte pour retourner tout droit à Bruges, avec des secrets à vendre et personne à qui répondre de tes actes, sinon un jeune homme sans étoffe et une veuve qui a besoin pour l'aider de quelqu'un de jeune, d'intelligent et d'actif. Vas-tu l'épouser, Claes? questionna Tobie. Je suis sûr qu'elle t'accepterait. Tu sais t'y prendre avec les femmes.

– Je vous l'ai dit, répondit Claes : je n'ai pas besoin d'associé. Si vous vous êtes trouvé mêlé à l'affaire, c'était par erreur. Vous n'en entendrez plus parler.

Il s'exprimait d'une voix différente. Et il n'avait plus l'air d'un garçon qui a de la paille dans les oreilles.

Tobie demanda d'un ton railleur :

– En dépit du fait que quelqu'un sait que je sais tout ce que tu sais?

– Tout ce qui les intéresse, c'est d'empêcher l'apparition d'un nouveau gisement d'alun. Si vous vous retirez, ils n'ont plus à se soucier de rien. Vous êtes la seule personne qui aurait pu découvrir ce gisement.

Tobie ouvrit des yeux larmoyants. Il éternua et ne reçut pas de bénédiction. Il réfléchit, rapidement, intensément, dans son mouchoir. Il en sortit le nez.

– Je vois, dit-il. Oublions la teinture pour les cheveux, les philtres d'amour et tous ces discours à propos des plantes qui poussent en un même lieu? Quilico *ne t'a pas dit* où il pensait que pouvait se trouver l'alun?

– Il m'a seulement dit que c'était dans le Lazio, une très vaste étendue près de Rome, à l'intérieur des Etats pontificaux. Voilà pourquoi il est inutile de soutenir da Castro. Dès qu'on aura trouvé le gisement, c'est le pape et personne d'autre qui l'exploitera.

– Comme tu as été sage de ne rien me dire, constata Tobie. J'aurais pu m'embarquer moi-même dans cette aventure, avec la protection de mon oncle. Je le pourrais encore, ne crois-tu pas? Trouver la mine, si elle existe, et rapporter des preuves de cette existence. Parce que la compagnie du gisement de Phocée ne paiera pas, sans preuves, pour qu'on la détruise, n'est-ce pas ?

Le visage de Claes avait repris son expression amicale.

– Je ne vois pas pourquoi vous n'agiriez pas précisément ainsi, maître Tobie. Autant que quelqu'un profite des renseignements.

– Pourquoi pas toi ? Tu disais que tu n'avais pas besoin d'associé.

– Oh, fit Claes, ça, c'était à propos du service de messagers. Non. Les gens deviendraient curieux, vous ne croyez pas, si je me mettais à arpenter les collines des semaines durant et à questionner les marchands levantins et les mineurs d'alun. Tôt ou tard, d'autres personnes découvriront le gisement. Il offrait un profit rapide, voilà tout, à quelqu'un qui pouvait dès maintenant lui consacrer un peu de temps.

– Je vois, dit Tobie. Et qu'as-tu raconté aux exploitants de la Phocée ?

Claes déplia ses jambes, les allongea sur le sol, mit ses mains au milieu.

– Qu'ils auront, au printemps prochain, la preuve qu'un autre gisement existe bel et bien. Si vous le voulez, je leur dirai que la preuve vient de vous. Si vous ne le voulez pas, je leur dirai qu'il n'y a pas de gisement.

– Ils ne te croiront pas.

Le garçon, sourit.

– Vous ne risquerez rien.

C'était vrai, naturellement. A cause de Giammatteo.

La flamme de la chandelle tremblotait. Une demi-heure. Elle n'allait sans doute pas tarder à s'éteindre.

– Tu sais, reprit Tobie, que tu mérites ce qui est arrivé. Tu as lancé toute cette histoire. S'ils ne te croient pas, ils te traiteront comme ils espéraient te voir traiter Giovanni da Castro.

– Alors, je dois me hâter, ne croyez-vous pas, de déterrer quelques secrets afin de me défendre.

Son regard était profondément amical. Il ajouta :

– Si vous ne voulez pas prendre tout de suite votre décision, je n'ai pas à dire si vous vous retirez ou non. Les amis de Phocée n'attendent pas mon rapport avant le printemps.

Voilà qui était malin. C'était une offre qui plaisait à Tobie. Et il n'était pas besoin non plus de donner une réponse précise. Évitant toute allusion à la question de l'alun, comme si elle n'avait jamais existé, Tobie déclara :

– Je veux que tu leur dises *dès maintenant* que je n'ai rien à voir avec ton service de courriers.

– Je comprends, dit Claes. Ce sera fait aisément.

– Tu pourras donc garder pour toi tous les bénéfices. Que feras-tu de cet argent ?

194

– J'obligerai les gens de Bruges à me saluer au lieu de me battre, dit Claes. J'en placerai une part.

– Tiens? fit Tobie.

Il se leva du lit, défroissa sa robe chiffonnée.

– Une petite propriété quelque part? Une participation dans une taverne?

– L'une et l'autre. Que pensez-vous des armes à feu?

Tobie, qui détachait de sa robe les plumes qui s'y étaient accrochées, s'immobilisa.

– Tu te lances dans le négoce? demanda-t-il.

– C'est déjà fait, répondit Claes. Le bailleur de fonds, c'est la veuve Charetty. Le capitaine Astorre a besoin d'armes à feu. Et il existe quelques autres domaines où un crédit pourrait être utile, mis à part les achats de biens. Louvain a besoin d'argent frais.

– La veuve? dit Tobie. Tu fais tout cela pour... Est-elle prête à accepter de l'argent de cette sorte de source?

– Il n'y a rien de mal dans un contrat avec un service de messagers, déclara Claes sans se démonter.

– Et elle ignore tout, elle aussi, de l'affaire de l'alun? Il n'y a que le Grec et Adorne. Sais-tu, Adorne me surprend. Un homme qui possède une église de famille et qui protège un monopole turc. Tu ne diras pas le contraire, c'est bien ça, même si les Vénitiens exploitent le gisement?

Une autre pensée vint le frapper.

– Par le Christ! Et, si ce que tu dis est vrai, ils protègent ce gisement aux dépens du *pape*!

Il espérait avoir l'air horrifié. Il avait peur d'avoir la même expression que Claes.

– Je n'ai pas dit qu'Adorne connaissait les détails, déclara le garçon. De toute manière, le négoce et les pensées élevées s'arrangent généralement pour faire bon ménage. On a frappé à la porte.

Tobie avait entendu, lui aussi.

– Tu n'as pas fait en sorte...

Claes se leva. Bien bâti, il paraissait capable, avec sa peau douce et son visage rayonnant, de toutes les prouesses athlétiques dont Tobie avait pu entendre parler. Il imaginait aisément Claes s'ébattant durant des heures et des heures avec une femme ou avec plusieurs. Il y avait deux lits. Toutes sortes de perspectives embarrassantes s'ouvraient devant lui.

– Ne vous inquiétez pas, dit le jeune homme. Personne ne fera plus jamais mention d'alun devant vous, à moins que vous n'abordiez le premier le sujet. Et, pour autant que vous le sachiez, je dirige un service de messagers parfaitement respectable. Je retourne à l'auberge. Restez ici, si vous le désirez.

– Tout dépend, fit Tobie, très calmement.

Il alla jusqu'à la porte, l'ouvrit sur une charmante petite personne qui portait un collier de corail et montrait un sein nu.

– *Cateruzza*! dit-il.

– Deuxième colonne à partir de la gauche, troisième ligne à partir du haut, dit Claes. On m'a dit que vous aviez coutume de venir de Pavie pour la voir. J'ai pensé que vous aimeriez savoir qu'elle continuait à mêler le commerce et les pensées élevées. Je vous laisse la lanterne.

Du seuil qui menait à la boutique, Tobie regarda Claes éviter les bouquets d'herbes et le pilon pour sortir.

Le médecin éternua.

– Que Dieu vous bénisse, dit derrière lui la voix musicale de Cateruzza.

L'éternuement, constata-t-il, semblait avoir dénudé l'autre sein.

Il referma la porte. Il se sentait surpris. Il se sentait pris au piège. Il se sentait prêt à investir tout de suite – et plus vite encore – toutes les grâces qu'il avait reçues dans le giron coquet de Cateruzza.

Tobie, alors, se mit à apprécier Milan. Il vit Claes à plusieurs reprises, pour discuter de questions pratiques. Les femmes, l'alun et l'espionnage ne furent jamais mentionnés entre eux.

L'idée du service de messagers contrariait Julius. Même lorsqu'on lui eut expliqué que l'entreprise serait source de grands profits, il s'obstina dans le ressentiment. Claes ne devait-il pas les accompagner à Naples? Il ne comprenait pas comment, après avoir été assigné à l'armée d'Astorre, Claes pouvait soudain choisir de faire une activité totalement différente. L'attitude d'Astorre, qui ne semblait pas vouloir s'y opposer, l'agaçait plus encore.

Le seul qui semblât marquer de l'intérêt était Thomas, qui en compagnie de Claes, devait se remettre en route vers le nord pour rassembler le reste des mercenaires. Peut-être aussi certains des hommes d'armes qui faisaient leurs délices des imitations par Claes d'Astorre : se frayant un chemin à travers les duchés d'Europe, regroupant des cuisiniers braillards qui devaient lui préparer selon ses goûts de la gelée de veau, du jambon fumé et du hachis de porc frit, jusqu'au moment où il n'existait plus de tente assez vaste pour ses cuisiniers, ses latrines ou son ventre. Claes mimait aussi superbement Lionetto, ce que Tobie n'appréciait pas outre mesure.

Le capitaine Lionetto était arrivé à Milan, et lui et Tobie s'étaient déjà une fois affrontés en public. Lionetto avait un manteau neuf doublé de loir, couvert de pierres qui, cette fois, n'étaient visiblement pas du verre coloré. Quelqu'un avait des largesses pour Lionetto, et Tobie soupçonnait qu'il ne s'agissait pas de Piccinino qui l'avait engagé. Il ne s'agissait pas non plus des Médicis : Lionetto avait colporté sur eux deux histoires scandaleuses et professait à leur endroit le plus profond mépris. Surtout depuis qu'il savait chez qui Astorre avait placé son argent.

Tobie avait parlé de cette rencontre à Astorre, moins pour ébranler la confiance du capitaine dans les Médicis que pour éveiller sa vigilance, pour le cas où Lionetto mettrait trois hommes armés de hachettes, à ses trousses à lui, Tobie. Un tel risque lui gâtait le plaisir qu'il éprouvait à l'idée de passer Noël à Milan. Compte tenu de ses efforts faits pour y parvenir.

Julius s'était plaint aussi du retard. Tobie avait dû faire remarquer que frère Gilles n'était pas présentement en état de voyager. Même si l'intérêt d'Astorre allait faiblissant, il fallait bien que quelqu'un soignât la jambe du pauvre homme. Il s'en chargeait. Et il amènerait ensuite le moine aux Médicis, à Florence. Après quoi, il rejoindrait Astorre, Julius et les autres à Naples, où ils auraient passé l'hiver à s'engraisser, au milieu de sangsues d'une sorte ou d'une autre. A ce moment, les batailles de printemps seraient sur le point de reprendre. Astorre combattrait. Julius compterait les blessés. Et lui, Tobie, les guérirait. Où était l'obstacle?

– C'est cette fille, hein? lui avait dit Julius. Par Dieu, vous êtes de la même trempe que Claes. Je ne le vois plus, lui non plus.

– Ce qui ne va pas chez vous, avait répliqué Tobie, c'est qu'à votre avis, personne n'a autant à faire que vous. Les filles? Claes est au Castello, où il apprend à devenir un petit soldat appelé Niccolo. Le chancelier du duc a insisté sur ce point, s'il est amené à protéger les envois. Moi? Je me rends demain à Piacenza, avec Thomas et Manfred. Nous devons commander les canons pour Fleury, et je vais acheter des armes à feu pour Astorre.

– Il ne m'en a pas parlé, dit Julius. Avec l'argent de la *condotta*?

– Je le suppose. Ou alors, Claes s'est remis à jouer aux cartes pour de l'argent.

Il assena une tape sur l'épaule du notaire, qui était solide et lui fit mal à la main. Tout en se dirigeant vers la porte d'un air satisfait, il ne cessa de faire pivoter son poignet, suivi du regard par Julius.

15

Certains échos, franchissant les Alpes à vive allure à la traîne des envoyés du pape, arrivèrent à Bruges avant Thomas ou Claes. On disait entre autres que le capitaine Astorre avait conclu un contrat avantageux pour la compagnie Charetty et qu'il envoyait quelqu'un pour recruter des hommes d'armes. D'autres bruits, plus sujets à caution, essayaient d'accréditer une rumeur selon laquelle les Charetty avaient emporté un autre contrat aux termes duquel ils assureraient entre la Flandre et l'Italie un service de messagers dirigé par... Mais non. Les plus grands seigneurs, les plus grands marchands de l'Italie du Nord confieraient leurs dépêches à Claes, cet écervelé d'apprenti, qui avait quitté Bruges avec la compagnie tout juste trois mois plus tôt? Était-ce bien possible?

Felix de Charetty, cloué à Bruges avec ses sœurs pendant que sa mère se débattait pour mener ses affaires à Louvain, fut des premiers à entendre cette rumeur et il y crut aussitôt. On pouvait se fier à Claes. Les plus belles escapades, les meilleurs tours avaient toujours eu pour origine une idée de Claes. Felix enviait aux messagers le plaisir qu'ils allaient connaître, avant que tout s'effondrât autour d'eux comme la frasque du Waterhuss. Il tenta d'imaginer la correction que devrait endurer Claes, cette fois.

Quand les gens des campagnes, entrant dans la ville par la Porte Sainte-Catherine, annoncèrent qu'un magnifique cortège du nonce du pape (ce petit évêque Coppini) se dirigeait vers Bruges, et qu'un groupe surmonté de la bannière des Charetty l'accompagnait, Felix appela ses sœurs à grands cris, et enfonça sur sa tête son haut chapeau en poil de castor.

Tilde, aux petits soins pour lui, comme sa mère autrefois auprès de son père, accourut pour lui apporter son manteau et le suivit d'un regard d'envie. A l'âge de Catherine, elle aurait hurlé pour qu'il l'emmenât, mais, à treize ans, on avait sa dignité. Catherine, elle, sautait sur place et tirait sur la manche de sa sœur en se lamentant. Depuis le départ de Claes, Catherine était devenue une femme. Elle aimerait peut-être, se disait-elle, épouser Claes, surtout s'il s'absentait fréquemment et s'il lui rapportait des cadeaux d'Italie.

Bien entendu, l'arrivée du nonce du pape avait été proclamée. Lorsque Felix et bon nombre de ses amis parvinrent à la Porte Sainte-Catherine, les représentants du duc, les sires de Ghistelle et de Gruuthuse, les bourgmestres, le chancelier de Flandre, le doyen de Saint-Donatien, le prévôt et le receveur de Notre-Dame, les ecclésiastiques de Saint-Sauveur, les moines des Frères Mineurs, les Augustins, les Jacobins, étaient tous là, dans la froidure de février, tandis que les trompettes et les tambours de la ville accueillaient l'évêque à cheval avec son escorte.

Derrière, attendant de faire une entrée moins spectaculaire, se trouvait Thomas, l'adjoint d'Astorre. Il avait avec lui une demi-douzaine d'hommes en armes et un personnage coiffé d'un casque pointu, les coudes pris dans d'énormes coudières, les jambes dans des jambières étincelantes, et monté sur un cheval aussi beau que celui de Thomas. Ce personnage, c'était Claes. Sa nouvelle armure se striait des traces de fiente des pigeons dérangés par le son des trompettes. Couleur de terre cuite dans son cadre circulaire, son visage rayonnant gratifiait amis et connaissances du sourire qu'ils se rappelaient, tranquille, radieux. Mieux encore, Thomas souriait, lui aussi. Thomas!

L'héritier des Charetty se fraya à coups de coudes un chemin parmi les rangs respectueux de la foule, ses amis à sa suite, parvint à l'arrière du cortège et agita son chapeau en poil de castor pour saluer les serviteurs de sa mère.

– Qu'est-ce que tu fais là? Retourne à tes bacs à teinture! hurla Felix, en se tordant de rire.

Derrière lui, John Bonkle avait la figure fendue d'un large sourire, et Anselm Sersanders, et Lorenzo Strozzi, et deux des jeunes Cant.

Claes, son apprenti, leva une main enserrée dans un gantelet pour faire un vaste geste explicite. Il dit, en imitant la voix du bourgmestre :

– Mes enfants! Mes enfants! N'oubliez pas la grande cité que vous représentez!

On distinguait à présent, parmi les hommes d'armes et les chevaux de rechange, un groupe de mulets qui attendaient, eux aussi, sous d'énormes ballots enveloppés de toile. Ce fut Lorenzo Strozzi qui dit, après avoir examiné l'équipage :

– Je croyais que les courriers ne s'arrêtaient pas en route pour faire du commerce.

– C'est ce que je lui ai dit, appuya Thomas.

– Du commerce? fit Claes. Il ne s'agissait pas de commerce, mais d'un véritable cadeau, vous seriez le premier à en convenir. Il y avait cette bande de flibustiers...

– De voleurs.

– De voleurs de grands chemins.

– Et tu en es venu à bout? demanda Felix.

– Non, non! répondit Claes. Quelqu'un s'en était déjà chargé, et l'on vendait à bas prix à Dijon leurs vieilles pièces d'armure et leurs armes. Pour la moitié de leur valeur ou même moins. C'était une affaire.

– Et avec quoi as-tu payé? questionna Felix.

Son visage étroit semblait s'être encore amenuisé.

– Sur mes gages, répondit l'ancien apprenti. Et sur ceux de Thomas. Si votre mère n'en veut pas, nous avons le projet de les revendre avec un bénéfice. Mais, naturellement...

– Que veux-tu dire? Tu es à son service. Tout ça lui appartient. Tu ferais bien de m'accompagner jusqu'à l'atelier.

Le sourire de Felix renaissait.

– Et essuie-moi toute cette ferraille. Il n'est plus question de guêtres en cuir bouilli, maintenant, hein? Et tu reçois dans ton lit des princesses qui parlent l'italien.

– Qui parlent? répéta Claes. Laissez-les seulement faire autre chose que chercher leur souffle, et c'en est fini de vous. Thomas pourra vous le dire. Si vous prenez un petit temps de repos, elles appellent leur père à cor et à cri, et, brusquement, vous vous retrouvez duc.

Thomas n'avait pas cessé de sourire.

– Il raconte des histoires, fit-il. Mais ce sont de bonnes filles. Là-dessus, Claes a raison.

– On vous a rapporté quelque chose, dit Claes à Felix.

– Une fille? demanda celui-ci.

Le ton de sa voix disait tout. Il comprit, au silence qui s'installa, que Claes avait compris et qu'il était impressionné.

– Non, répondit-il enfin. Je vois que vous n'en avez pas besoin. Je le garderai. C'était un porc-épic en cage.

Lorenzo Strozzi était retombé dans sa mélancolie.

– Et comment allait meester Julius? s'enquit-il. Et les autres?

Le cortège ecclésiastique avait repris son chemin. Les autres étaient maintenant libres de pénétrer bruyamment à leur tour dans la ville, par les rues étroites où un homme sur deux, sans compter bon nombre de filles, les saluait de la voix.

– Meester Julius se porte bien, pour autant qu'ait pu en juger un humble garçon comme moi. Il passe toutes ses journées dans un palais ou dans un autre, à dresser des contrats, à discuter de tarifs, de vêtements, de provisions et à faire le galant avec de belles dames.

– Et Astorre comme lui? demanda Anselm.

200

– C'est le plus raffiné danseur qui soit. Si vous voyiez Astorre main dans la main avec la duchesse, avec son chapeau tout garni de fleurs, ses volants et ses rubans si longs qu'il faut un page de chaque côté pour les tenir, vous en pleureriez d'admiration. Pour ce qui est du médecin, votre beau-frère ferait bien de prendre garde, meester Lorenzo. Vore sœur est la plus jolie femme de Milan, et meester Tobias n'a pas été le dernier à s'en rendre compte.

– Tu as vu Caterina? fit Lorenzo, dont le regard avait retrouvé son éclat. Et ma mère? Y avait-il des nouvelles de Filippo?

– Et Loppe? Et frère Gilles?

– Les chevaux? As-tu vu Lionetto?

– Et les filles? Dis-nous, comment sont-elles réellement, les filles?

C'était un joyeux retour au pays.

Plus tard dans la soirée, quand les amis furent partis, et que les deux sœurs en extase, les joues rouges et les yeux agrandis, eurent enfin été persuadées de regagner leur chambre, Felix s'installa devant le feu, dans le petit cabinet de travail de sa mère, et parla, parla, tandis que Claes l'écoutait. Un œil plus averti, qui aurait regardé Claes et se serait souvenu de ses longs voyages, aurait pu se demander pourquoi il restait là.

Il avait déjà accompli en partie ce qu'il avait à faire. En l'absence de la veuve, il n'y avait personne à qui faire son rapport. Les bêtes de somme une fois déchargées, les hommes d'armes avaient été envoyés au repos, Thomas avec eux. Claes, alors, avait fait le tour obligatoire des ateliers de teinture, pour se laisser taper sur l'épaule par ses amis et répondre aux questions les moins indiscrètes d'Henninc. Après cela, comme devait le faire un bon courrier, il s'était rendu aux quatre coins de la ville afin de livrer les plis qui lui avaient été confiés. Certaines portes étaient closes, certains marchands absents. Il avait rapporté avec lui les documents qu'il n'avait pu remettre; il devrait prendre une décision en ce qui les concernait. Il lui restait encore à faire certains rapports oraux. Quelques clients, curieux, lui avaient demandé de revenir prendre un rafraîchissement. Demain, il devrait voir Angelo Tani. Non, aujourd'hui. Il était déjà très tard.

– ... C'était après l'explosion, disait Felix.

– L'explosion? répéta Claes.

Il avait naturellement entendu, pour commencer, une longue description de la fille. Celle qui, enfin, avait délivré Felix de sa virginité. Il ne s'agissait pas, comme il se l'était demandé, de Mabelie mais d'une inconnue, venue de Vardenare pour travailler aux cuisines, et les marins ne l'avaient encore même pas touchée. (Oh, oui, les galères de Flandre étaient toujours là. La moitié des matelots, bien sûr, étaient occupés sur les chantiers au calfatage, aux réparations, au radoub, et la ville prenait grand soin de trouver aux autres des occupations, ce qui n'empêchait pas chaque nuit d'être une nuit de carnaval pour ces cochons d'étrangers. Ce qui rappelait à Felix...)

– C'est pour bientôt, la Nuit du Carnaval. Oui, je le sais. J'y serai.

– Quoi d'autre? demanda Claes.

On le lui dit, en détail.

Après le départ de Claes, semblait-il, les pères de la cité avaient perdu tout sens de l'humour. Ils se mettaient dans des états ridicules pour la moindre peccadille. Finalement, la mère de Felix s'était mise en fureur, ce qui était bien d'une femme. Et toutes ces fredaines dont Julius avait parlé? Eh bien, oui, il s'était livré à quelques-unes. Il avait trouvé quelqu'un pour fabriquer des agrafes, et ils avaient acheté quelques feuilles de cuivre venu d'Angleterre sur un bateau qui ne voulait pas jeter l'ancre à Calais. Une femme avait accepté d'assembler des casques. Mais il s'était alors produit toute une histoire à propos du colportage, et il ne savait plus ce qu'avait fait sa mère.

Description détaillée de l'histoire à propos du colportage. Description plus détaillée encore de cette fille magnifique dont le nom était Grielkine. Mabelie, il devait bien le dire à Claes, était présentement l'amie de John Bonkle. Et, maintenant que Felix y songeait, il avait oublié que les Bonkle étaient d'une famille à moitié écossaise, mais peu importait. De toute manière, ce salaud de Simon était reparti pour l'Écosse, l'évêque Kennedy également et le canon aussi. Katelina van Borselen était toujours là, toujours sans époux. Le Grec à la jambe de bois avait quitté la ville, avec sa sébile. Felix ne se rappelait plus son nom. Claes ne l'éclaira pas sur ce point.

Louvain? Oh. Que voulait savoir Claes? Oh, oui, sa mère s'y trouvait actuellement. Elle y passait la moitié de son temps. Juste ciel, le nouveau directeur, là-bas, lui donnait du fil à retordre. On aurait cru entendre Goliath et David, quand sa mère et le bonhomme s'affrontaient. Felix n'était pas capable de les imiter aussi bien que Claes. John, Anselm et les autres s'en seraient étranglés avec leur bière. Ils fréquentaient maintenant une nouvelle taverne : ils s'étaient fâchés avec le vieil idiot qui tenait l'autre. C'était après l'explosion.

– Quelle explosion? demanda gentiment Claes.

Mais, déjà, Felix s'était écarté du sujet. Néanmoins, il avait beaucoup bu et, avant longtemps, légèrement agacé, il se laissa ramener à ses moutons. L'explosion. Et alors? L'incompétence de sots et d'ignorants, comme d'habitude. Une cuve à teindre avait sauté comme un boulet de canon. La pompe aspirante avait été démolie. Le tuyau de vidange s'était fendu. Une quantité d'étoffe et un bain d'écarlate avaient été perdus. Il avait fallu une semaine pour tout remplacer, et sa mère avait écumé de rage durant une bonne quinzaine. Ces fainéants, ces bons à rien! Ils méritaient bien ce dont ils avaient écopé.

– Et de quoi ont-ils écopé? questionna Claes.

– De figures cramoisies, riposta habilement Felix.

Il ménagea le temps d'un éclat de rire.

– Ernout était le pire... Tu te rappelles ce stupide animal? Les autres y ont laissé quelques aunes de peau ici ou là, mais ce n'était rien.

– J'ai cru remarquer quelques figures nouvelles, dit Claes.

– A mon avis, répondit Felix, ce sont tous des neveux d'Henninc, mais, quand je le lui dis, il est furieux. J'ai trouvé un homme qui sait couper le taffetas à la française. Tu vois ce que je veux dire. Mais c'est très coûteux. Combien as-tu payé ces armes que tu as achetées à moitié prix?

Mais Claes, bizarrement, s'était endormi et n'entendit pas la question. Felix lui envoya un coup de pied ou deux, Claes se contenta de grogner et de se retourner sur la banquette qu'il s'était appropriée, ce qui était plutôt sans-gêne, pour un homme à son service. Non sans peine, Felix fit basculer la banquette, ce qui eut pour effet de déposer Claes sur le sol, où il continua de dormir. Felix savait par expérience qu'il serait désormais impossible de le réveiller. Il souleva la cruche pleine d'eau, la vida, au prix d'une attention soutenue, sur le feu. Après quoi, avec quelque difficulté, il prit le chemin de la porte, de l'escalier et de son lit.

De bonne heure, le lendemain matin, il était encore au lit quand Claes partit posément se présenter comme on l'y avait invité, à la banque Médicis. Il s'agissait apparemment d'un fait sans importance. Tobias Beventini n'aurait pas manqué de prêcher la circonspection.

Angelo Tani, le directeur, avait fait montre, en arrangeant cette entrevue, des qualités que les Médicis, avaient su apprécier en nommant cet associé à la tête du comptoir de Bruges, avec cinq cents parts du capital et le droit à un cinquième des bénéfices. Il était assisté par Tommaso Portinari, dont le frère · aîné, Pigello, dans un paroxysme de folie, avait confié à Claes un service de messagers. Tommaso devait donc être là, lui aussi, pour recevoir ce garçon.

Tommaso Portinari, Angelo le savait très bien, était un jeune homme envieux. Envieux même de ses propres frères. Angelo ne tirait aucune joie de la sensation que, de temps à autre, de mystérieux rapports sur ses propres points faibles parvenaient jusqu'à Florence mais il s'en accommodait. L'ambition était un aiguillon pour ses résultats, et sa propre carrière, pour un homme encore jeune, était sans reproche.

Tommaso n'était pas dénué de qualités. Livré à lui-même, il était capable de se tirer d'un procès délicat ou d'apaiser un client mécontent. Mais il aimait aussi s'attirer des patronages flatteurs. Tani avait souvent trouvé dans les registres des transactions, des prêts propres à éveiller ses doutes. Confronté aux critiques, Tommaso allait alors s'entretenir avec son confrère, cet imbécile de Lorenzo Strozzi. En de tels moments, Angelo passait la main dans sa chevelure aux boucles serrées, se saisissait de sa plume et prenait les dispositions nécessaires pour que Tommaso, avec son beau visage ascétique et sa remarquable culture, se rendît à Bruxelles et à Nieppe pour faire l'agréable avec le duc Philippe, son indépendante duchesse et les plus élégants de leurs courtisans.

C'était excellent pour les affaires, et les succès en société tenaient Tommaso en belle humeur. Angelo souhaitait parfois voir Tommaso se marier, plutôt que d'égrener des liaisons prolongées avec de grandes belles femmes stupides. Sans doute, se disait-il, Caterina di Tommaso Piaciti, pareille à toutes les bonnes mères florentines, lui avait-elle interdit d'épouser quelqu'un d'autre qu'une Florentine. Pigello était déjà marié et avait deux fils pleins de promesses. On ne savait jamais. Peut-être, un jour, Tommaso trouverait-il le courage de se faire mander une épouse d'Italie. Ou peut-être, après tout, n'avait-il pas envie de fonder une autre branche de la dynastie Portinari, vieille déjà de plus de deux cents ans. Angelo se demandait souvent ce que pouvaient ressentir les Portinari à servir les Médicis. Mais, à la vérité, les Portinari n'avaient jamais gagné ni fortunes ni villes. Cosimo, lui, avait les deux exploits à son actif.

Angelo Tani entraîna donc Tommaso dans son cabinet de travail, avant l'arrivée du nouveau courrier.

– Je crois qu'il serait sage, Tommaso, lui dit-il, d'oublier que ce jeune Claes a été un apprenti. Il y a, semble-t-il, à Milan, des gens qui le trouvent utile. Nous nous devons de bien l'accueillir.

Tommaso s'était offert une nouvelle bague. La pierre venait d'Orient. Sans doute, une sorte de remise sur les marchandises qu'il avait achetées sur les galères de Flandre.

Les sourcils de Tommaso disparurent sous sa frange à la dernière mode.

– Il tombera des nues. La dernière fois que je l'ai vu, il portait une paire de ciseaux sous le bras, et l'odeur de son tablier se sentait du haut du beffroi.

– Je ne vous demande pas, naturellement, repartit Angelo Tani, de le porter jusqu'au haut de l'escalier et de lui laver les pieds. Mais une courtoise déclaration pour reconnaître que ses mérites ont été justement récompensés ne me paraîtrait pas déplacée. A moins que vous ne préfériez ne pas le rencontrer?

Vain espoir. Vêtu à ravir, et les mains couvertes de bagues, Tommaso se tenait aux côtés de Tani quand la porte de la grande salle s'ouvrit devant Claes. Ce jour-là, le serviteur des Charetty n'avait pas de tablier et il portait aux pieds des bottes courtes au lieu de sabots. Le reste de sa tenue n'avait sûrement pas coûté une fortune. La veuve avait habillé de bleu tous ses gens, avant leur départ pour Milan, et c'était de toute évidence ce que Claes portait ce jour-là : un pourpoint au col rigide, sous une courte jaque sans ornements, une toque à double bord. Il était rasé de très près, et sa vieille bourse usée avait été remplacée par une autre plus neuve, avec une fermeture plus solide. Pour le reste, il n'y avait aucune différence qui sautât aux yeux. Ses joues brillaient, creusées de leurs fossettes. Il dit à Tommaso :

– Vous avez une nouvelle bague. Le duc Francesco en a une semblable. Avec une broche assortie. C'est un de ses orfèvres qui l'a faite. Combien avez-vous payé cette bague ?

Après un instant de réflexion, Tommaso énonça un chiffre. Sur un vague sifflement, Claes s'assit sur le banc qu'on lui désignait.

– Non, je ne pourrais pas vous trouver mieux. Vous avez fait une affaire. Gardez votre fournisseur habituel. Messer Angelo, merci. Ainsi, vous avez pris connaissance de vos lettres ? Tout était en ordre ?

– En excellent état, mon ami, répondit cordialement Angelo.

Il versa du vin dans trois des plus belles coupes, tendit les leurs aux deux autres et s'assit près de Claes.

– Surtout si l'on songe au voyage et au mauvais temps. Vous en aviez certainement d'autres à livrer.

– On aurait pu croire que le monde entier écrivait à son maître, fit joyeusement le messager. Ne seraient-ce que les lettres de messer Nori, à Genève ! Plus que messer Pierfrancesco ne vous en a écrit, je pense ! Et, naturellement, les lettres à faire passer à Lyon. Tout le monde, semble-t-il, achète ses casques à Lyon, ces temps-ci. Ils ne sont pas aussi beaux que ceux de Milan, à ce qu'on dit, mais bien moins chers.

– Moins chers qu'à Bruges ? demanda Tommaso.

Claes, qui buvait, leva les yeux.

– Vous devriez le demander aux Justiniani. Les Vénitiens. Ils en ont acheté quelques-uns, m'a-t-on dit. Ou bien messer Corner pourrait être en mesure de vous renseigner : je lui ai apporté une lettre. On dit que les Vénitiens paient comptant. Bien sûr, ils en ont les moyens. On peut payer comptant et faire crédit, n'est-ce pas, quand on est aussi riche qu'eux et que les Lucquois.

– Les Lucquois ? répéta Angelo Tani. Nos marchands lucquois, à Bruges, sont gens fort capables, nous le savons, mais leur ville n'est certes pas aussi riche que Venise.

Claes prit un air quelque peu surpris.

– Vous avez certainement raison, dit-il. Mais ils accordent de tels crédits sur leurs soieries... vous auriez peine à le croire. En tout cas, cela conviendra à notre duc et à sa duchesse. Je ne serais pas étonné si la Cour entière se montrait toute vêtue de velours ciselé, cette année, pour la procession du Saint-Sang. J'ai remis à messer Arnolfini une grosse missive (de ses bailleurs de fonds, je suppose), et il a eu l'air très content en l'ouvrant.

– Encore un peu de vin, dit Angelo Tani généreusement, en évitant le regard de son assistant.

Le commerce de la soie des Médicis, à Florence, était géré par le beau-père d'Angelo Tani. Deux ans plus tôt seulement, il avait écrit à Florence pour solliciter l'autorisation de vendre de la soie à crédit à la maison de Bourgogne. Sollicité. Pour obtenir l'autorisation de faire un énorme bénéfice. Mais l'accord, lorsqu'il lui était parvenu, était limité par de telles conditions qu'il ne valait à peu près rien. En règle générale, certes, il était en accord avec la politique de crédit de la compagnie. Son contrat définissait clairement ses devoirs. Il ne devait prêter d'argent qu'aux marchands ou aux maîtres artisans. Les ventes à crédit faites à l'étranger à des nobles ou à des membres du clergé étaient strictement interdites, sauf sur consentement écrit des deux fils de Cosimo et de Pierfrancesco, son neveu. Angelo s'en tenait aux règles. Il veillait à ce que Tommaso s'y tînt, lui aussi. Mais, dans toute affaire, il y avait des exceptions.

Il était heureux d'avoir pensé à inviter ce garçon. Il rendait hommage à la perspicacité de Pigello. Il était satisfait de ce nouveau service de messagers et il ne manquerait pas d'exprimer à Pigello son espoir que ce service se poursuivît. Angelo Tani se renversa sur le dossier de son siège. Avec bienveillance, il aiguilla la conversation sur l'état actuel du marché de la soie, avant d'en venir, insensiblement, aux autres plis que le garçon avait transportés. Il fut question des Spinola et des Doria, de la Savoie, de Chypre et du sucre. Du commerce des peaux et de l'effet de la trêve entre les Anglais et les Écossais.

C'était le garçon qui s'était enquis de ce point. Sans laisser à Angelo le temps de répondre, son assistant arbora un sourire charmeur et, oubliant toute prudence, fit étinceler ses bagues.

– Ne compte pas trop sur cette trêve pour tenir bien longtemps à l'écart de cette ville ton noble ami Simon. L'Écosse ne parvient pas à décider si elle doit appuyer le roi anglais, Henry, ou les rebelles yorkistes. Il semble qu'un jour sur deux, des envoyés viennent conférer à Veere avec les van Borselen. Le reste du temps, ils sont à Calais. Quelqu'un t'a-t-il déjà demandé de porter des messages à Londres? Une telle démarche pourrait te faire beaucoup d'ennemis.

Angelo changea de position. Il ne tenait pas à voir ce garçon troublé ou assez effrayé pour quitter Bruges. Si le séduisant Simon était reparti pour son propre pays, son étrange père, ce gros financier français qui s'appelait de Ribérac, allait et venait. Il achetait de la poudre à canon, disait-on, et des armes. A qui? Tani n'en était pas sûr. L'oncle écossais du noble Simon, racontait-on, avait une prédilection pour les armes à feu.

Angelo, qui observait l'expression du garçon, n'y décela aucune trace d'anxiété.

— Et les van Borselen, dit Claes, veulent que le roi Henry continue de régner sur l'Angleterre, je suppose? Comme le voulait l'évêque Kennedy?

— Mieux vaut les considérer comme neutres, répondit Angelo Tani. Comme l'est votre illustre duc.

— Le duc Philippe? fit le messager de fraîche date, avec toute la regrettable candeur de Claes. Mais il préfère les Yorkistes, dit-on. Sinon, il n'abriterait pas chez lui le dauphin. Ce qui me rappelle une chose. Milan possède une très belle ménagerie. J'avais rapporté un porc-épic pour meester Felix, mais il n'en veut pas, et l'on va en faire un prix pour la loterie. A moins que vous n'en ayez envie, messer Angelo.

— Mon Dieu! fit Angelo Tani.

Tommaso sourit mais reprit aussitôt sa gravité en comprenant que l'expression était moins de dégoût que de consternation. Tani répéta :

— Mon Dieu! L'autruche.

— L'autruche? répéta Claes, comme pour l'aider.

Angelo Tani eut un petit geste négligent de la main.

— C'est sans importance. Une requête, dans les dépêches milanaises. Nous nous sommes montrés un peu imprudents en envoyant quatre beaux chevaux à messer Pierfrancesco sans songer à un présent pour le duc.

— Mais, dit Tommaso, messer Pierfrancesco achetait les chevaux. Le duc a son propre élevage.

— Certes. Mais messer Pigello, votre frère, nous a indiqué fort à propos qu'il n'était pas séant de voir la famille Médicis, à Milan, faire plus belle figure que le duc. Nous aurions dû lui envoyer un présent par la même occasion. Un présent spectaculaire. Messer Pigello a suggéré une autruche, prise dans la ménagerie du duc de Bourgogne. Un don gracieux d'un duché à l'autre. Milan l'apprécierait, et il coûterait peu de chose à la Bourgogne. L'animal...

— L'oiseau, dit Tommaso.

— La créature, poursuivit Angelo Tani, serait envoyée à nos frais. Tommaso doit en discuter demain avec messer Pietro Bladelin.

Il fut heureux de voir Tommaso se redresser brusquement. Le courrier se leva.

— Vous avez, je le vois, beaucoup de sujets de préoccupation, et je ne dois pas vous faire perdre tout votre temps. Je vais vous remercier pour le vin, messer Angelo, et reprendre mon chemin. J'ai été enchanté d'entendre vos propos. C'est ainsi qu'on apprend, n'est-ce pas? En prêtant attention aux grands hommes et aux affaires des États.

Sur un respectueux salut, il sortit et maîtrisa son envie de rire jusqu'au moment où il se retrouva dehors et eut passé le premier croisement de rues. De là, il se hâta pour ne pas manquer un rendez-vous tout différent à l'équivoque taverne dont la jeunesse turbulente de Bruges faisait depuis quelque temps la fortune.

On l'abreuva d'injures parce qu'il était propre et on le rudoya avec bonne humeur, au point que son escabeau se brisa, parce qu'il parlait sans cesse de ducs. Lorsqu'il put placer un mot, il conta en bredouillant l'histoire de l'autruche.

Anselm Sersanders, qui savait tout, déclara :

– Le duc n'a pas d'autruche à Bruges.

Le jeune Bonkle, que son sentiment de culpabilité rendait irritable, répliqua :

– Comment le sais-tu? Il doit bien en avoir une, si Sforza la convoite.

– Non. Il en avait bien une, mais elle est morte l'an dernier, affirma Sersanders. Pauvre Angelo. Il va lui falloir envoyer un autre présent.

– Mabelie? suggéra Claes.

John Bonkle devint cramoisi.

Claes le gratifia d'un large sourire.

– Elle n'a pas voulu partir, hein? Ça ne fait rien. J'avais détaché l'étiquette du propriétaire avant de m'en aller. Alors, quoi? Le porc-épic de Felix? Non, le duc en a déjà un.

– Attendez! s'écria Lorenzo Strozzi.

Comme le sujet n'avait rien à voir avec l'argent, tous parurent surpris. Strozzi reprit :

– Attendez! Vous ne vous rappelez pas ce que je vous ai dit? Nous avons une autruche en Espagne. A moins qu'elle ne soit morte. A Barcelone.

– C'était Loppe, fit Claes.

– Non! Une autruche. Messer Angelo peut le dire à Pierre Bladelin. Le duc pourra l'acheter et l'envoyer à Milan, en guise de présent. Elle ne viendra pas de sa ménagerie, mais c'est sans importance.

Ils se regardaient les uns les autres. Ce fut Claes qui assena une grande tape sur l'épaule de Lorenzo.

– Quelles bonnes idées vous avez! Mais bien sûr! Pourquoi n'y ai-je pas songé? Je vais avertir messer Angelo dès que j'aurai vidé mon verre.

– Oh, dit soudain Felix. Non. Tu le lui diras demain. J'avais oublié. Ma mère est de retour de Louvain. Je devais te dire d'aller la voir sans tarder.

La servante, une main posée sur l'épaule de Claes, lui avait déjà demandé ce qu'il voulait, et sans doute le lui avait-il déjà dit. Elle et Claes se souriaient. Il dit, sans tourner la tête :

– Vous avez oublié de me le dire.

– Pas du tout, riposta Felix. Je viens de te le dire. Et tu ferais mieux de te hâter. Elle est de méchante humeur.

– Quand j'aurai bu ma première bière ? demanda Claes d'un ton enjôleur. Ou la moitié de ma première bière ?

– Tout de suite, répondit sèchement Felix. C'est elle qui t'emploie.

Un chœur de prières, sans toutefois une ardeur excessive, s'éleva en faveur de Claes. Felix demeura intraitable. Les sourcils froncés, il regarda autour de lui.

– Il est à mon service, déclara-t-il.

On ne pouvait aller là contre. Claes se leva avec une grimace et s'en fut d'un pas traînant, dans une attitude découragée qui imitait si précisément celle d'Henninc lorsqu'il avait perdu aux dés que les sifflets admiratifs le poursuivirent.

Dehors, il se redressa. Son sourire s'attarda, diminua, s'effaça. Il se mit en route d'un pas égal par les rues qui le ramenaient vers la teinturerie, vers la veuve.

16

Sur le chemin de la teinturerie, Claes regretta de n'avoir pas pris, ce matin-là, son épais manteau de laine. Il faisait froid. Plus froid que dans les Alpes, à cause de l'atmosphère humide.

Il lui était souvent arrivé de s'absenter de la ville. Plusieurs fois par an, la cavalcade Charetty quittait Bruges pour Louvain. Alors suivaient les semaines d'efforts pour arracher Felix aux expéditions de chasse, aux chenils, aux tavernes et aux bordels, afin qu'il assistât à ses cours. Julius, certes, avait pris sa part de ces efforts. Parfois, tous deux avaient atteint leur but. D'autres fois, ils s'étaient sentis las, tous à la fois, d'un monde de responsabilités et s'étaient embarqués dans quelque escapade qui leur avait valu de gros ennuis. A présent, Julius était avec Astorre et peut-être n'aurait-il jamais dû être ailleurs. Lui, Claes, était de retour à Bruges après trois mois d'absence. Une absence qui ne différait pas des autres, semblait-il.

Il y avait eu, peu de temps auparavant, une abondante chute de neige. Celle-ci s'attardait en triangles noircis sur les marches des caves et bordait les chemins de halage à la manière d'un col de dentelle. Là où l'eau de la rivière coulait encore, la glace ourlait le sol gelé des rives, aussi fidèlement qu'un col de dentelle. Là où l'eau était immobilisée, le milieu du lit était encombré de glaces flottantes, soudées les unes aux autres, brisées encore et encore afin de permettre le passage des barges. Le vacarme des haches employées dans ce but retentissait tout le jour. Là, le bord de l'eau, réchauffé par la proximité des maisons, était liquide et sombre. Des chats rôdaient pour guetter les poissons engourdis qui remontaient chercher l'air à la surface. Là aussi, on voyait, comme chaque hiver, accrochée à une perche plantée sur la berge d'un canal, une robe d'enfant raidie par le gel. Bien des gens avaient du mal à se procurer des vêtements, mais personne n'aurait voulu s'emparer de cette robe. Pas avant le jour où l'on aurait retrouvé les parents de l'enfant noyé et où l'on saurait son nom. Parfois, bien sûr, il s'agissait d'un tout-petit, et il n'y avait pas de vêtements à accrocher à la perche.

Claes passa devant la Grue, immobile, ce matin-là. Les hommes le reconnurent, en dépit de sa jaque bleue, mais, avec un cordial geste d'excuse, il passa son chemin. Il ne fallait pas faire attendre la demoiselle. Les portes de l'atelier Charetty étaient ouvertes, mais, quel que fût le convoi ramené de Louvain par la veuve, il n'en restait déjà plus trace. Claes vit dans la cour des hommes auxquels il avait parlé la veille. Ce jour-là, ils ne tournèrent pas la tête vers lui. C'était étrange, à la vérité, de constater à quel point ils lui prêtaient peu d'attention.

De même, dans la maison, il vit de loin passer la cuisinière de la veuve, mais elle se hâta de disparaître. Mauvais signe. Et il n'y avait pas même Henninc pour lui dire où il devait se présenter.

Le bon sens lui souffla qu'elle ne le recevrait pas dans la salle. L'orage, de quelque nature qu'il fût, devait sûrement l'attendre dans le cabinet de travail. Il atteignit la porte et, n'entendant aucun bruit, frappa prudemment.

– Demoiselle! dit-il.

La voix était reconnaissable entre toutes.

– Entre, répondit la voix de la mère de Felix.

Il baissa les yeux sur le loquet qu'il tenait dans sa main. Il l'abaissa brusquement, comme le ressort d'une catapulte, pénétra dans la pièce.

La veuve était assise à sa table de travail. Son visage, comme sa voix, était glacé, rigide. Un homme était assis à côté d'elle. L'homme sourit.

– Peut-être, dit-il, vas-tu prétendre ne pas me connaître?

L'idée avait traversé l'esprit de Claes, mais il l'avait repoussée. Même s'il ne s'était jamais trouvé face à face avec cet homme, il ne pouvait se tromper sur son identité. Pas plus de cinquante ans mais si massivement bâti, si corpulent, qu'il emplissait son siège à la manière d'une courge. Mais d'une courge opulente. Sa robe doublée de martre tombait jusqu'au sol. Ses bajoues se noyaient dans les flots de mousseline, de soie matelassée et de fourrure qui reposaient sur ses solides épaules. Son vaste chapeau portait au revers du bord un écusson d'émaux serti de pierres précieuses. Le même écusson était suspendu à la chaîne qui passait sur ses épaules. Sous le chapeau, le visage au teint frais était large, la bouche petite, les yeux brillants.

Jordan, vicomte de Ribérac, riche et puissant financier de France qui avait assisté (Claes l'avait entendu dire) au banquet d'automne donné en l'honneur du capitaine des galères de Flandre. Oui, on n'en pouvait douter : il s'agissait bien de monseigneur de Ribérac, le père français du noble Écossais, Simon.

211

Personne ne disait mot. Les yeux du gros homme, fixés sur le garçon, continuaient d'étinceler.

– Vous êtes bien connu, monseigneur, dit enfin Claes.

Le gros homme se tourna vers la veuve.

– Pas un changement d'expression! Vous le voyez? Je vous félicite pour votre éducation, demoiselle. Ce garçon est un modèle de sang-froid. Il répond, m'a-t-on dit, au nom bien campagnard de Claes.

Les yeux brillants examinaient Marian de Charetty. Elle y répondit d'un regard hostile. Elle portait, remarqua Claes, une robe empesée jusqu'à la consistance du cuir, et ses cheveux étaient enfermés dans une sorte de gaine. Son teint, trop coloré pour avoir entièrement pâli, ne montrait que deux taches rouges sur les joues, au-dessus desquelles les yeux bleus scintillaient comme des lapis.

– Campagnard? répéta-t-elle. Claes est simplement un diminutif de Nicholas.

– Lui permettre de porter un nom de trois syllabes serait, je pense, aller trop loin, fit monsieur de Ribérac. La forme flamande est, après tout, celle qui convient aux artisans.

– Il est vrai, dit la veuve, que nos artisans valent mieux que l'aristocratie de tout autre pays, mais Claes n'est plus des leurs.

Parfaitement immobile, elle contenait sa colère sans la dissimuler. Claes la dévisagea, avant de reporter son regard sur l'homme. L'homme d'un certain âge, l'homme dangereux.

– Aurait-on fait de lui un bourgeois, depuis son dernier exploit? demanda le gros visiteur. Il a été choisi par des gens bien étranges pour se charger de leurs messages. Eh bien, mon garçon, tu cours vite, n'est-ce pas?

– Quand il le faut, répondit Claes.

– Et tu portes des plis pour les Médicis. Et pour d'autres. Tu les ouvres, n'est-ce pas?

– Je ne le peux pas, s'ils sont cousus de fil et cachetés ensuite.

Les yeux de glace l'examinèrent, avant de se poser, d'un air calculateur, sur les mains qui pendaient à ses côtés.

– Je te crois, je pense. D'ailleurs, même si tu les ouvrais, tu ne pourrais les lire, n'est-il pas vrai?

Les yeux de la demoiselle lui lancèrent un avertissement, mais il n'en avait nul besoin.

– Je sais lire.

Il ajouta d'un ton serviable :

– Je lis ceux que je peux ouvrir, sauf s'ils sont chiffrés.

Le gros homme lui sourit.

– Je suis content de toi. Nous avons une conversation intéressante, n'est-il pas vrai? Tu lis ceux que tu peux ouvrir, tu prends connaissance des nouvelles qui ne sont pas transcrites en chiffre. Et, ces nouvelles, tu les communiques à d'autres, n'est-ce pas? A qui?

– Aux gens qui me paient, répondit Claes d'un ton surpris. Je gagne de l'argent.

– Je n'en doute pas. Mais cet argent, Claes, le gagnes-tu pour toi ou pour ta maîtresse ici présente ? Tu es toujours à son service, n'est-ce pas ?

Claes sourit à la veuve.

– Oui, bien sûr. La demoiselle de Charetty m'emploie.

– Ainsi, tu touches ton salaire et tu lui rapportes tous tes bénéfices. Que c'est aimable à toi. Nous prends-tu pour des imbéciles, elle et moi ?

Un silence.

– Non, monseigneur, dit prudemment Claes.

Le gros homme fit un mouvement.

– Pourquoi donc souris-tu ?

– Parce que j'ai déjà eu cette même conversation. Avec maître Tobias, le chirurgien. Il se demandait si j'avais envie d'être riche, ou puissant, ou bien de me venger d'autres gens.

– Et que lui as-tu répondu ? questionna le gros homme.

– Ce qu'il avait envie d'entendre. Mais cela ne nous a pas empêchés de nous brouiller.

Autre silence.

Le gros homme reprit, d'une voix doucereuse :

– Tu espionnes. N'est-ce pas ?

– Je vous l'ai déjà dit, fit Claes.

– Oui, c'est vrai. Mais tu le fais pour ton propre compte, pas pour la demoiselle que voici. Tu passes beaucoup de temps avec Agnolo Acciajuoli. En as-tu parlé à quelqu'un ? De quelle utilité peuvent être ces rencontres pour la famille Charetty ? Tu te trouves – était-ce par accident ? – sur le chemin de monsieur Gaston du Lyon, le chambellan du dauphin, qui se rendait à Milan pour... pour quoi était-ce donc ? Les joutes ? Et, lorsqu'il renonce tout soudain aux joutes pour se rendre en Savoie, tu es au courant aussi de son projet. N'est-ce pas ? Et tu le vends à celui qui te paie le plus cher.

– Voyons, je serais un sot si j'agissais ainsi, protesta Claes. Si je venais à offenser le duc de Milan, les Médicis ou le dauphin, ils ne me paieraient plus, ne croyez-vous pas ? Il faut penser à ces détails-là, vous savez, dans ce genre de métier.

Sur le visage de la demoiselle, un sourire naquit et s'effaça. Bravo.

– Tu es un garçon qui réfléchit beaucoup, je vois, reprit le gros homme. Alors, quand tu gagnes de l'argent, après mûre réflexion, pour ta maîtresse... pourquoi donc, ensuite, vas-tu l'investir sous ton propre nom ? Et non pas à Milan, mais à Venise ?

Claes lança un coup d'œil à la veuve, avant de baisser la tête.

– Tu devrais répondre, je pense, dit-elle.

– Les Médicis ont fait le transfert.

– De Milan à Venise. C'est ce que m'a dit mon informateur. De toute évidence, ils ont jugé que tes services valaient leur prix.

Claes gardait son regard fixé sur ses bottes.

– Ils en ont jugé ainsi parce que je leur avais fourni de faux renseignements pour Venise. C'était dans une lettre que j'avais ouverte. Elle n'était pas chiffrée.

– Tu as falsifié une dépêche? fit le gros homme.

Le visage de Marian de Charetty avait de nouveau perdu presque toute couleur.

– Tu as perdu la tête, Claes. C'en est fini de toi, dit-elle.

– Mais vous ne direz rien, riposta le garçon d'un ton rassurant. Et nous en tirerons un bon bénéfice.

– Non, je ne dirai rien. As-tu oublié qui est cet homme?

– Oh non, dit Claes.

– J'en suis heureux, fit le gros homme.

Il leva une main.

– Viens ici, rustre.

Claes releva la tête. Docilement, il se leva, longea la table pour se présenter devant le visiteur.

Jordan de Ribérac le regarda.

– Tu as essayé sottement de tuer mon fils. Tu n'as pas réussi. Mais tu essaieras encore, n'est-ce pas? Le jour où tu posséderas de l'argent et une certaine autorité, le jour où les gens ne riront plus de toi et ne te jetteront plus en prison. C'est dans ce but qu'il t'est venu une ambition soudaine?

– Votre fils? Comment le tuerais-je plus aisément si j'avais de l'argent? demanda Claes.

L'autre ne le quittait pas des yeux.

– Tu l'as attaqué.

– C'est lui qui m'a attaqué. Vous ne lui avez jamais auparavant prêté la moindre attention, que je sache. Pourquoi, tout à coup, vous faire son défenseur? Vous ne changerez pas la malignité qui est en lui. Il est trop tard. Vous ne changerez pas la malignité qui est en moi.

– Tu me sous-estimes, déclara Jordan de Ribérac.

– Rien de ce qu'il a fait n'a pu nuire aux Médicis, intervint Marian de Charetty.

Le gros homme se tourna vers elle.

– En transmettant de faux tarifs à son avantage? Demoiselle, c'est du vol, et nous savons tous de quel châtiment est passible le vol. Sait-il de qui il est le bâtard?

La veuve rougit.

– Oui, je le sais, déclara le garçon.

– Oui, dit le gros homme. Quoi que je puisse penser de mon fils, quand quelqu'un porte la main sur un membre de ma famille, j'aime à découvrir tous les renseignements possibles à son sujet. Ce que je crois t'avoir démontré. Parlons donc un peu de bâtardise. Tu sais, dis-tu. Ainsi, tu n'ignores rien de ta pauvre sotte de mère qui forniquait avec des serviteurs?

Le poing qui s'abattit bruyamment sur la table était celui de la demoiselle. Claes regarda son poing, regarda son visage. Elle était cramoisie.

– Monsieur le vicomte, dit-elle, je vous autorise à prendre congé.

Les yeux brillants du gros homme l'examinaient.

– Pourquoi? Cette histoire date de vieilles lunes. Personne ne songe à la contredire. Et vous-même n'avez pas à vous en troubler, demoiselle. Ce garçon n'est pas de votre sang. Son grand-père a épousé votre sœur en secondes noces. Si vous êtes sa grand-tante, c'est seulement par alliance, comme Jaak de Fleury, le marchand genevois, est son grand-oncle. As-tu pris plaisir à lui rendre visite, Claes? s'enquit monsieur de Ribérac. Tu es bien passé par Genève?

– Je ne l'ai pas tué non plus, répondit Claes. J'ai déçu son épouse, mais c'est une autre histoire. Je crois que vous dérangez la demoiselle.

Elle ne lui sut apparemment aucun gré de son intervention. Sa respiration s'était précipitée.

– La demoiselle, dit-elle, est tout à fait capable de faire escorter un visiteur hors de chez elle, si son langage justifie une telle mesure. Est-ce là tout ce qui vous amenait, monsieur de Ribérac? Avertir Claes de ne point lever la main contre votre fils? Je vous l'ai déjà dit, monseigneur, votre fils est un homme vindicatif.

– Vous ne l'aimez pas, dit le gros homme.

Il la détaillait du regard.

– Il est séduisant et il a, je n'en doute pas, beaucoup d'amis. Mais, non, je ne l'aime pas.

– Dame Katelina van Borsolen ne l'aime pas non plus. Vous avez raison. Il a été mal élevé. Et qui, sinon son père, est en mesure de réparer le dommage?

Sa bouche s'épanouit en un sourire, avant de comprimer les multiples mentons et de se modeler en une moue boudeuse.

– Mais je vis en France. A qui puis-je me fier pour m'aider dans ce pays? Qui surveillera les mouvements de Simon? Qui me rapportera ce qu'il fait? Qui m'avertira s'il s'engage dans des entreprises douteuses, s'il noue des attachements indésirables, s'il paraît oublier l'honneur de la famille?

Il s'interrompit, fit un large geste.

– Qui, sinon un jeune informateur qui se trouve déjà sous la menace d'un scandale? C'est toi, mon cher Claes, qui vas devenir, sans qu'il le sache, l'ombre de mon fils. Pour les meilleures raisons du monde, mon espion attitré. Voilà pourquoi je suis ici. Pour t'offrir un emploi.

Claes prit tout son temps pour répondre. Personne n'allait

l'interrompre. Il analysait la proposition comme il l'aurait fait d'un jeu de patience. La moitié des pièces manquaient.

– Parce que, monseigneur, vous souhaitez que je le tue?

Le gros homme sourit sans répondre. Claes poursuivit, plus lentement :

– Ou, peut-être, parce qu'après cette conversation, vous êtes assuré que je ne le tuerai pas, pour le cas où vous en seriez content?

Le sourire s'élargit.

– Quelle subtilité! fit l'autre. Tu vas m'obliger à t'appeler Nicolas, en pensée. Alors, tu acceptes?

De l'autre côté de la table, la demoiselle ébaucha un geste et laissa retomber sa main devant elle. Claes n'y prit pas garde. Debout devant le gros homme, il sentait battre son cœur au travers des semelles de ses bottes.

– Vous oubliez votre qualité d'homme, fit-il délibérément. Même un artisan n'est pas obligé de traiter avec des animaux.

Appuyé des deux mains aux accoudoirs de son fauteuil, l'homme se leva lentement. Aussi grand que Claes et deux fois aussi large que lui, il souleva sa propre masse avec la même sûreté de mouvement que la grue de la ville, jusqu'au moment où il se retrouva dressé en face du jeune homme. Avec un reste de grâce, il poursuivit le mouvement en tendant un bras massif au-dessus de sa tête. La main, chargée de lourdes bagues demeura recourbée au-dessus de sa tête, comme si elle allait ébaucher un salut. Ce fut alors que monsieur de Ribérac l'abattit. La paume creusée resta tournée vers lui. Le dos de la main, qui portait sur un anneau un gros cristal de quartz, fit éclater la peau de la joue de Claes, suivit son chemin précis, de l'œil jusqu'au menton, sans dévier une seconde. Il ramena alors son poignet en arrière, le laissa pendre à son côté. De sous la bague, du sang coula sur le sol.

Marian de Charetty, levée d'un bond, avait saisi sa sonnette pour l'agiter. Claes intervint, posa la main sur son bras pour l'en empêcher. Le gros homme sourit au garçon, lui parla comme s'il ne s'était rien passé.

– Si nous devons échanger des insultes, dit-il, écoute un peu cela. Je t'ai fait une offre. La refuser en termes grossiers fut une erreur de ta part. Dans les semaines à venir, tu remarqueras d'autres indices de l'intérêt que je porte à tes affaires et à celles de ta maîtresse. Tu sauras aussi quand j'aurai dressé mon fils selon mes goûts.

– S'il survit, dit Claes.

Il lâcha le bras de la demoiselle. Le sang qui coulait de sa mâchoire rougissait sa chemise, et il leva une main, dans un vague effort pour l'arrêter.

Le regard du gros homme alla de lui à la veuve. Il soupira.

– Qui peut savoir ce qui l'attend ou ce qui t'attend, toi? fit-il.

Tu te souviendras de ce jour. Surtout, bien entendu, quand tu te regarderas dans un miroir. Ce n'est pas, mon brave coquin, la figure d'un Nicholas, n'est-ce pas?

Marian de Charetty, debout, gardait la main sur la sonnette.

Jordan de Ribérac sourit, dit doucement :

– Demoiselle, vous n'avez pas été très sage. Dieu vous accorde une bonne journée.

La porte se referma sur lui. Ils entendirent s'éloigner son pas pesant. Sans en demander la permission, Claes se laissa brusquement tomber sur un siège, baissa la tête. Entre ses genoux, ses mains s'accrochaient l'une à l'autre, et le sang les éclaboussait.

Il lui arrivait rarement de perdre le contrôle de lui-même. Son corps et son cerveau travaillaient en bon accord, et les mauvais moments, s'il en venait jamais, se passaient toujours dans le secret de la solitude. Cette fois, il n'en allait pas ainsi. La peau de son corps tout entier fourmillait, un essaim de guêpes bourdonnait entre ses os. Il prit conscience de la présence toute proche de Marian de Charetty, qui parlait d'une voix saccadée :

– C'était une agression. Pourquoi ne m'as-tu pas laissée appeler? Je vais avertir les magistrats.

Il ne l'écoutait pas. Sa voix s'éteignit, mais elle était toujours là. Quelque chose effleura sa joue déchirée. Il y porta la main, en un geste de défense, rencontra un morceau de toile. Elle le lui laissa entre les doigts, referma légèrement la main sur son épaule. Son autre main vint se poser sur la nuque du jeune homme, s'ouvrit pour la recouvrir entièrement.

Elle laissa ainsi sa paume, tiède et ferme, comme il l'avait vue faire pour ses enfants. Quand il remua, elle le lâcha. Il vit son visage se pencher sur lui. Le sourire, sur son visage, se nuançait d'angoisse.

– Mon petit, dit-elle, quel retour.

Sous sa coiffe, son front se plissait comme une eau tourmentée par le vent.

Mon petit. Il voulut réfléchir à ces mots, mais ils lui échappèrent. La toile était trempée de sang, mais il la tenait toujours pressée contre son visage. Son autre main, refermée sur son genou, avait envie de le masser, de le pétrir à la manière d'un foulon. Il se mit à parler.

– Pourquoi a-t-il fait une chose pareille?

Il y avait un autre escabeau en face du sien. La main qui le tenait par l'épaule lâcha prise, la demoiselle de Charetty vint s'asseoir, regarda Claes.

– Parce que c'est un mauvais homme, dit-elle. Nous n'avons pas pu te mettre en garde. Il nous a menacés de ce qu'il pourrait te faire.

Après un silence, elle reprit :

– Si seulement nous avions pu te prévenir.

– J'ai deviné, je crois, dit-il. Il voulait me tendre un guet-apens. Il espérait apprendre quelque chose.

Son cerveau, paresseusement, se remettait en marche. Il poursuivit :

– Ses menaces étaient sans importance. Mais vous n'auriez pas dû les entendre, ni ses insultes. Je vous demande pardon. Et vous m'avez défendu.

Déjà, avant les derniers mots, son esprit s'égarait de nouveau. Elle dut comprendre que la première réponse qu'elle lui avait faite ne s'appliquait pas à la bonne question.

– C'était une épreuve, dit-elle. Il s'attendait à ton refus. Claes ?

Elle avait ébauché un mouvement pour se lever. Elle l'interrompit, prit le temps de chercher un linge propre, le lui tendit.

– Dans un moment, j'irai te chercher de l'eau.

Les vêtements du garçon étaient couverts de sang. Il tenait maintenant la toile fraîche sur son visage, se servait de l'autre pour tamponner çà et là, en aveugle.

– Si c'était une épreuve, répondit-il, il ne semble pas y avoir grand doute sur l'issue du procès.

Le plus léger contact du tissu était douloureux. Cela n'avait rien de commun avec les coups de fouet auxquels il était accoutumé. Marqué à vie par une bague. Mieux encore, par une bague d'homme. Personne ne voudrait le croire. Pas Julius, en tout cas. Tobie, peut-être.

Il se retrouva enfin en mesure de régler le problème.

– Oh, pas de magistrats, dit-il. Il n'y a pas grand-chose qui pourrait nous aider. Rien qui vaille même la peine d'en parler. Il a forcé votre porte. Vous n'avez pas pu l'en empêcher. Il aurait été ridicule d'appeler la moitié du personnel à la rescousse. Je regrette seulement que vous ayez dû supporter sa présence.

– Mais il y a tout de même ton visage, protesta Marian de Charetty.

– Non, répondit Claes. Quelle action pourrais-je intenter, avec l'espoir d'un résultat ? Et ce n'est pas à vous de vous en charger. Je ne vous laisserai pas faire. Il ne reviendra plus. Il a une querelle avec son fils et il a tenté de nous y attirer. Il connaît à présent notre position.

Il s'interrompit, voulut sourire mais se ravisa bien vite.

– Oubliez cela, reprit-il. C'est ce que je vais faire. Ce n'est qu'un homme déplaisant, qui a un fils déplaisant et possède un pouvoir trop grand. Je sais pourquoi tout a mal tourné. Vous ne lui avez pas demandé s'il avait soif.

Mais elle ne voulait pas se laisser manipuler.

– Et les menaces ? demanda-t-elle. Elles ne m'ont point paru inoffensives. Qu'as-tu donc fait ?

218

– Vous pourrez juger par vous-même. Permettez-moi d'aller me laver. Quand je reviendrai, je vous dirai tout.

– Tout? répéta-t-elle.

Elle s'était levée, s'était approchée de son cabinet. Elle se retourna, un flacon à la main.

– Tu as d'abord besoin de boire un peu de ceci. Qu'as-tu pris, à la taverne de Felix? De la bière?

– J'aurais dû boire de la bière, répondit-il. Mais ma patronne m'a fait venir au moment où le bord de la chope touchait mes lèvres.

– C'est le vin le plus fort dont je dispose, dit-elle. Ne va pas raconter à Henninc que je me suis mise à boire.

D'un seul long trait, il vida la coupe qu'elle lui avait tendue, la laissa la remplir. Il l'emporta jusqu'au dortoir, désert, se regarda un moment en silence devant le morceau de miroir, avant d'aller chercher de l'eau. La demoiselle lui avait offert son aide, mais il avait l'habitude de cette sorte d'incident. Plus ou moins.

Il eut vite fait. Il nettoya la profonde entaille irrégulière, changea de chemise, frotta les taches de sang sur son pourpoint et ses chausses. En même temps, il maintenait des chiffons de toile sur la blessure qui continuait à saigner par à-coups. Il y avait mis de l'onguent et de l'alun. C'était certes le meilleur astringent. En même temps, cela représentait un petit geste de défi tout personnel.

De retour dans le cabinet de la demoiselle, il trouva sur la table un plateau chargé de mets variés et du vin, encore. La veuve s'était vêtue, du menton jusqu'au sol, de l'une de ses robes habituelles, mais ce n'était plus la même, et le tissu en était plus souple. Elle était un peu pâle. Claes n'avait pas faim mais il fut heureux de boire encore un peu.

– Tu as droit au silence mais de préférence après ton rapport, plutôt qu'avant. T'est-il douloureux de parler?

– Pas sur ce sujet, répondit-il avec assurance.

Ce n'était pas vrai. Son visage le faisait souffrir. La blessure le taraudait, et il la tamponnait sans cesse. Mais le besoin de parler occupait son esprit. Il avait déjà posé sur la table les rapports d'Astorre, les détails du contrat milanais et la missive de Naples, les listes d'hommes et de chevaux, d'approvisionnement et d'équipement, copiées pour elle d'une belle écriture par Julius. Il s'assit sur la haute banquette et, les yeux fixés sur les documents, parla.

La demoiselle s'installa à sa table pour manger. En même temps, elle tenait sa plume de l'autre main, prenait des notes, vérifiait les chiffres.

Claes continuait à boire, par petites gorgées, sans laisser filer son attention. L'un après l'autre, il abordait tous les articles. Le nègre Loppe avait été remis sain et sauf au duc, il y avait une lettre à son propos. Tout ce qui était destiné aux Médicis, y compris les chevaux, était arrivé en bon état. Julius était avec Astorre. Le médecin était resté à Milan, pour soigner frère Gilles après son accident. Un accident sans gravité.

Elle s'en inquiéta néanmoins et reçut en réponse un bref récit qui ne parlait ni d'avalanches ni de Gaston du Lyon. Elle ne posa aucune question à propos de l'exposé non moins bref sur les transactions plus ou moins commerciales qui s'étaient traitées chez Jaak de Fleury. Claes mentionna l'acquisition qu'il avait faite à bon marché, en revenant vers le nord, de quelques pièces d'armure, pour le cas où Astorre aurait besoin de rééquiper quelques hommes ou d'en engager d'autres. Cette fois, elle posa quelques questions. Il y répondit, sans aller plus avant. Pas tout de suite.

Il passa alors à son propre travail et en parla avec prudence. Il avait remis les factures, les lettres et il avait découvert un marché sûr pour un bon service de messagers. Il allait falloir organiser des relais de courriers, trouver des chevaux, mais il avait déjà obtenu des engagements qui couvriraient les frais. Il nomma des clients à Milan : parmi eux, Pigello Portinari et les amis florentins de Pierfrancesco Médicis. Il avait reçu des promesses des Strozzi, des Génois et des Vénitiens et même de la Curie. Le secrétaire du duc avait paru favorablement impressionné : il se pourrait, lui avait-il déclaré, qu'il lui confiât de temps à autre des dépêches. Il faudrait quelqu'un à Bruges pour former les messagers et diriger les relais. Peut-être aussi quelqu'un à Milan. Il appartiendrait à la demoiselle de choisir les hommes. Les reçus étaient là, ainsi que les lettres de change.

La veuve posa sa plume, étudia les reçus. Elle les examinait de plus en plus lentement. Lorsqu'elle reposa le dernier sur la table, elle leva les yeux vers Claes.

– Il s'agit de très grosses sommes, dit-elle.

– Oui, demoiselle, répondit-il.

Il soutenait son regard.

Elle reprit :

– Ce sont là, et tu le sais très bien, des paiements qui sortent de l'ordinaire pour un service de courrier, n'est-il pas vrai ? A la vérité, ce n'est pas ce service qu'ils paient, hein ? C'est de cela que parlait Jordan de Ribérac. Ce sont des rétributions pour des renseignements déjà obtenus ou achetés d'avance, c'est bien cela ?

Il avait redouté de se voir contraint à s'expliquer là-dessus.

– N'importe quel État paie pour obtenir des renseignements, et n'importe quel courrier ouvre des plis. Autant vaut que le bénéfice soit pour nous plutôt que pour d'autres.

– Je t'aurais cru, dit-elle, si monsieur de Ribérac n'avait insisté sur ce point. Il a mentionné les noms des Acciajuoli et de Gaston du Lyon. Je ne les vois nulle part.

– Parce que ce sont des clients indirects, expliqua le garçon. J'ai rencontré Gaston du Lyon, et il pourrait bien nous recommander au dauphin. Les Acciajuoli sont les amis florentins de Pierfrancesco Médicis. Les Médicis sont nos clients. Ils ordonneront, je l'espère, à leur comptoir de Bruges, de faire appel à nos services. J'ai vu Angelo Tani ce matin.

La diversion resta sans effet.

– J'attends que tu me dises pourquoi Ribérac a tenu à les citer. Les Acciajuoli, je suppose, sont des parents de l'homme que tu as blessé à Damme?

La joue de Claes commençait à enfler. Il répondit :

– Ceux que j'ai vus sont originaires de Florence. L'autre branche de la famille est restée en Grèce : ils sont devenus ducs d'Athènes et princes de Corinthe, jusqu'à l'arrivée des Turcs. Depuis, bien entendu, ils ont été capturés ou exilés.

Il jeta un coup d'œil à sa maîtresse. Elle haussa les sourcils, les tint levés ainsi.

– Ou bien ils commercent avec les Turcs, ajouta-t-il à regret. C'est ce que laissait entendre le vicomte.

– Quel genre de commerce? demanda-t-elle.

– N'importe lequel. La soie, naturellement. Ils importent déjà de Lucques, et les Médicis sont à deux doigts de négocier avec eux. Naturellement, étant chrétiens, ils ne devraient pas le faire.

Il la vit essayer de déchiffrer son expression, mais elle détourna le regard.

– Et alors? reprit-elle. Qu'est-ce qui t'intéresse chez les Grecs, et pourquoi les Grecs s'intéressent-ils à toi? Nous ne vendons pas de soie. Et ils teignent leurs étoffes à Constantinople.

– Ce serait utile si le pape lançait sa croisade. D'avoir des relations là-bas, je veux dire.

Elle le dévisagea.

– Tu refuses de me mettre au courant. Mais, si quelque chose tourne mal, je serai perdue, tout comme toi. Tu as entendu Ribérac.

– Il n'y a rien à savoir, affirma-t-il.

– Et tout le reste de ce qu'il a dit? insista-t-elle. Les plis que tu portes? Je n'ai jamais connu personne de plus habile que toi à découdre une missive, à imiter un sceau ou à déchiffrer un code. Dieu soit loué, les Médicis n'ont rien à craindre : ils changent de code chaque mois, mieux encore, ils se servent de l'hébreu.

Il y eut un silence. Claes, de la pointe de son couteau, tournait et retournait des morceaux de viande. Il ne trouvait rien à dire et dut payer pour cette faiblesse.

– Loppe! s'exclama Marian de Charetty. Loppe était l'esclave d'un Juif. Et tu espionnes, naturellement. Pour et contre n'importe qui, sans doute. Et les Médicis ne vont pas manquer de le découvrir. Tu finiras riche, mais pendu. Du moins est-ce ce qui arriverait si je te laissais faire. Mais il n'en sera rien. Tu vas retourner là-bas, annuler ce contrat et rejoindre Astorre à Naples. M'entends-tu ?

– Comment pourriez-vous m'empêcher de continuer ? demanda-t-il.

– Je peux te désavouer.

– Alors, vous recevrez mes bénéfices comme un présent de ma part. Désavouez-moi, certes, si vous avez peur. Mais pas tout de suite, c'est inutile. Et, demoiselle, ajouta Claes, pouvez-vous vraiment croire que je vous mettrais en danger ?

Assise très droite, elle ne le quittait pas des yeux.

– Claes, dit-elle, la duplicité est mortellement dangereuse. L'exercer lorsqu'on a un ennemi comme Ribérac est stupide. Ces gens qui sont tes clients sont jaloux et puissants. Il a parlé du dauphin. Si le dauphin t'engage et découvre quelque raison de douter de ta loyauté, autant vaudra pour nous fermer l'entreprise et nous exiler.

– Je sais tout ça, dit Claes. On ne peut éviter ce genre de risques. En ce qui concerne le dauphin, je n'ai pas l'intention de jamais le tromper. Il est bien trop rusé, pour un prince.

Il se fit un silence qu'il ne comprit pas. La demoiselle, à son tour, piqua la pointe de son couteau dans un morceau de viande et se mit à jouer avec.

– Felix serait de ton avis, déclara-t-elle enfin. Depuis un mois, toute la maison résonne de louanges sur le dauphin. Ou sur ses chiens courants. C'est la même chose.

Il attendit. Elle n'ajouta rien. Il reprit :

– Vous avez donc passé beaucoup de temps à Louvain. Felix a dû y trouver quelque distraction.

– Oui, c'est vrai, le dauphin et lui se sont rencontrés à Louvain, répondit la veuve. Mais rien, je peux te l'assurer, n'a jamais surpassé la splendeur de cette première invitation à la Cour, à Genappe. J'ai cru que Felix allait s'évanouir. Et tu t'es sans doute pâmé en l'écoutant. Je présume qu'il t'en a parlé toute la nuit.

– Il a parlé toute la nuit, avoua le garçon. Mais, j'ai regret à vous le dire, j'ai dormi la moitié du temps. Peut-être, un jour, Felix m'emmènera-t-il là-bas. Tout dépend de ce que vous désirez me voir faire, en ce qui concerne le service de courrier. Si vous me permettez de le diriger pour vous, je ne pourrai pas repartir avec Thomas pour rejoindre Astorre.

Marian de Charetty déclara :

– J'avais cru comprendre que tu avais déjà renoncé à ton poste auprès du capitaine Astorre et que tu me mettais devant un ultimatum : ou bien tu dirigeais le service de courrier pour mon compte, ou bien tu le prenais au tien. J'aimerais bien savoir comment tu te proposes de réunir à toi seul l'argent nécessaire.

La vie était faite de sourires ébauchés, qui s'arrêtaient sur les lèvres. Claes répondit :

– Je m'adresserais aux Médicis. Mais, naturellement, les bénéfices resteraient constamment à votre disposition. Vous avez conçu le projet et avancé les premières dépenses.

Elle réfléchissait.

– Tu participerais toi-même au transport?

– Oui, peut-être. Il me faudrait passer quelques semaines à Bruges, afin de tout préparer. Il me faudrait ensuite retourner à Milan, pour confirmer les contrats. Après quoi, très probablement, je partagerais mon temps entre les deux villes. Si Bruges consentait à me recevoir de temps à autre. Sans doute le ferait-elle. Ce serait son intérêt.

Il connaissait l'obstination de la demoiselle. Elle passait et repassait sur ses lèvres le tuyau de sa plume. Elle finit par poser celle-ci sur la table.

– L'entreprise a besoin d'argent. Astorre et Julius ont œuvré pour obtenir une bonne *condotta*. Après tout ce que tu m'as dit, j'imagine quel travail doit représenter cette liste que tu m'as présentée. Tu l'as fait pour nous, et je serais bien méprisable si je ne souhaitais pas te remercier et te récompenser. C'est entendu, je serai ton bailleur de fonds. Oui, tu pourras diriger le service au nom de la famille Charetty, à condition de me tenir précisément informée, jour après jour et minute par minute, de ce que tu feras, mon ami Claes.

Elle s'interrompit, avant de demander :

– Tu n'as pas peur? Même après ce qui s'est passé aujourd'hui?

Il ne tentait pas de dissimuler son soulagement. Ce n'était pas seulement du soulagement, c'était du bonheur.

Le large sourire dont il gratifia la demoiselle rouvrit la plaie de sa joue. Il y appliqua vivement un morceau de toile mais continua de lui sourire.

– Vous ne le regretterez pas, affirma-t-il. Non, vraiment. Et ne pensez plus à ce qui s'est passé. Aujourd'hui ne se reproduira pas. J'ai quelque chose d'amusant à vous conter.

Au lieu de lui rendre son sourire, elle marqua de la colère.

– Quelque chose d'amusant, dit-elle. Il me plairait de l'entendre. A propos de quoi? Des Turcs? De la guerre en Italie? De Felix? De Simon? De monsieur de Ribérac? De l'explosion?... Non, gardons pour un autre jour l'explosion et quelques autres problèmes. De quoi parle ton histoire amusante?

Sa voix était grinçante. Il comprit tout à coup à quel point elle était lasse. C'était contre elle, à présent, qu'elle était furieuse, et non plus contre lui. Le morceau de toile bien serré entre ses doigts, il lui adressa le plus grand, le plus chaleureux, le plus enveloppant sourire en son pouvoir.

– Eh bien, voilà, dit-il. A la vérité, c'est une histoire d'autruche.

17

Cet après-midi-là, dans Bruges, on n'en eut que pour la figure déchirée de l'apprenti des Charetty qui était parti afin de devenir soldat. La maisonnée en eut la primeur, quand elle vit le jeune gaillard galoper bruyamment de tous côtés, monter et dévaler les escaliers, pour rassembler les documents et d'autres choses, dont il avait besoin, disait-il, pour les courses qu'il avait à faire avant la Fête. Ceux qui lui avaient parlé la veille juraient qu'à l'arrivée dans la cour son visage était intact. Ce n'était pas l'œuvre de quelque mari à l'esprit borné : il avait passé à la maison toute la nuit précédente. Un ou deux marchands étaient venus chercher leurs plis, et il y avait eu la visite de ce gros seigneur français, mais la veuve aurait appelé à grands cris les magistrats, si le gros seigneur avait ainsi blessé Claes.

Quand on lui demandait ce qui lui était arrivé, Claes racontait chaque fois une histoire différente. Certaines étaient proprement prodigieuses. Aucune ne pouvait être un seul instant prise au sérieux. Quel farceur, ce Claes!

Lui-même avait songé à rester à la maison, mais il y avait bien trop à faire. Felix n'était pas rentré : autrement dit, il se trouvait encore à la taverne. Lorsqu'une autre heure se fut écoulée, tout le visage de Claes avait enflé, et l'un de ses yeux était mi-clos. Il referma sa sacoche, prit son manteau et s'en fut faire ses visites. Chacun des gens qu'il rencontra avait sa propre explication à proposer sur l'origine de cette entaille spectaculaire : la plus courante, et de loin, était que la veuve l'avait fouetté.

Ce jour-là, libre de son temps, il rencontra dans Bruges tous ses amis et connaissances à la fois. Il lui semblait étrange, dans ces lieux familiers, d'entendre les commandements des cloches et de ne pas leur obéir. Il n'avait pas à sortir les étoffes de la cuve pour partir d'un petit trot chancelant avec son équipe, afin de les étendre, avant que les cloches de midi les appelassent pour le dîner. Il n'avait pas à se joindre aux autres pour les repas ou pour les prières. A venir faire son rapport à son maître d'atelier ou à sa patronne. Il n'était plus à l'abri d'un groupe. Le groupe auquel il appartenait maintenant n'était pas des plus sûrs.

Ainsi qu'il l'avait soupçonné, Felix se trouvait là où il l'avait laissé. Il s'y installa, parce qu'il le fallait bien. Ce n'était pas un endroit bien plaisant : une taverne qui ne servait pas de vin mais seulement de la bière pour les artisans, et les artisans voyaient d'un mauvais œil les jeunes gens fortunés comme Felix occuper les bancs à longueur de journée et accaparer l'attention du patron. A l'arrivée de Claes, Felix et ses compagnons avaient déjà dîné et se défiaient à la boisson. Les plus lucides remarquèrent aussitôt sa joue déchirée. Dans des convulsions de rires ils rivalisèrent, naturellement, à qui trouverait la meilleure explication. Felix, arraché à sa torpeur, entendit le nom de sa mère associé à quelque évocation fantastique et grossière. Il sauta sur ses pieds et, tête basse, chargea celui qui venait de parler.

Trois de ses amis finirent par le calmer et le persuader de passer ses humeurs sur le jeu de boules de l'établissement qu'ils fréquentaient. En chemin, Felix changea d'avis. Glissant et patinant sur les pavés verglacés, sur les sentes gelées, il les mena sans barguigner, sous une légère averse de neige, jusqu'au Burgh : là, la queue pour la loterie serpentait en grognant contre le froid tout au long du mur des bureaux du trésorier et sur deux des côtés de l'église Saint-Donatien. Un certain nombre d'hommes bien bâtis, portant l'uniforme de la ville, s'assurait qu'en dépit du froid et de l'impatience, la foule ne se livrait à aucun débordement.

Figé sur place, l'héritier de la famille Charetty examina la queue d'un œil farouche, avant de sourire subitement. Felix, le bruit en avait couru, avait été pris à partie, lors des dernières fortes chutes de neige, par un groupe de buveurs, des ouvriers, qui l'avaient jeté hors de sa taverne préférée. Et ils étaient là. Ils attendaient, sur le temps qu'ils devaient à leurs patrons, le moment d'acheter leurs billets de loterie. Qui plus est, ils étaient sans défense, à moins d'être prêts à renoncer à leurs places dans la queue.

– Felix, dit Anselm Sersanders.

– Felix, dit Bonkle.

Sourd à leur appel, Felix se baissa, non sans avoir attendu, pour s'élancer, que le dernier agent eût tourné les talons. Ses visées étaient périlleuses, et Claes, avec soulagement, trouva la parade.

– Il n'y a pas encore assez de neige, Felix. Venez. Colard nous fait signe.

Les fabricants et les vendeurs de livres se trouvaient habituellement dans la cour de Saint-Donatien mais, par temps mauvais, ils abandonnaient leurs étals pour se mettre à l'abri. La petite pièce occupée par Colard était située au-dessus des cloîtres et imposait aux estomacs des visiteurs un droit de passage particulier : elle était maintenue à une température à vous soulever le cœur par les flammes des chandelles et par le brasero, sans parler de la fumée ni de la puanteur chimique des encres.

Ce jour-là, flammes et fumée étaient repoussées vers l'intérieur par l'air et par la neige qui pénétraient à travers la fenêtre ouverte d'où il avait fait signe aux jeunes gens. Dans les secondes qu'il leur avait fallu pour gravir l'escalier, il s'était réinstallé à sa table. Il avait retroussé ses manches de chemise jusqu'aux coudes, et ses cheveux en broussaille étaient pelucheux du côté où il écrivait en serrant de près la chandelle.

La langue entre les dents, le teint coloré par une bonne santé, il achevait une ligne d'écriture française appliquée : son poignet velu se déplaçait sur le vélin, tandis que ses yeux revenaient sans cesse au manuscrit latin posé sur son lutrin.

– *La Pénitence d'Adam*, lut Felix. Il y a des images ?

Les lèvres du traducteur s'étirèrent à chaque extrémité, laissant pour l'instant la langue là où elle était. Il dit ensuite :

– Deux mots encore. Attendez. Non. Pas d'images, ajouta-t-il.

– Ha ! Menteur ! J'en ai trouvé une ! proclama Felix.

– Posez ça !

Sans tenir compte de l'interdiction, Felix avait déjà pris en main la miniature et l'examinait d'un air connaisseur. Il la tournait et la retournait.

– Eh bien, voici un Adam tout à fait convenable, déclara-t-il. Mais Ève ! Il te faudra placer sa main ailleurs. Ça pourrait bien ne pas être Ève. Ce pourrait être un autre Adam.

– Il lui faudrait un modèle, dit Claes. Rappelez-vous : il a la mémoire courte, Colard.

Colard se retourna brusquement, sans toutefois modifier la position de ses mains. Ses yeux étincelaient de fureur.

– Posez ça. Ce n'est pas moi qui l'ai peint.

– Je pourrais lui trouver un modèle, suggéra John Bonkle.

– Mais ce n'est pas lui qui l'a peint, remarqua Claes.

– Alors, qui ? demanda Anselm Sersanders.

– Personne de votre connaissance. D'ailleurs, il a déjà un modèle, expliqua Colard, à bout de résistance. Elle se promène tout le temps avec la main à cet endroit-là. Si jamais il a besoin d'un Adam pour faire le pendant, je lui recommanderai l'un de vous autres, espèce d'animaux. J'ai de la bière, mais, si vous n'en voulez pas, il vous suffit de ne pas faire ce que je vous dis.

Le dialogue était très au point. Les jeunes gens aidèrent Colard à trouver la bière et les chopes, en grimpant par-dessus des boîtes, des caisses, des piles de papier, en fouillant entre les tas instables de manuscrits posés sur des planches. Anselm, qui venait de célébrer son anniversaire, envoya prendre chez un rôtisseur deux couples de pigeons à la moutarde. Là encore, c'était la coutume. Ils s'amusèrent à taquiner Colard, pendant que celui-ci bâfrait bien plus que sa part.

– Profites-en, fit Felix d'un air sombre. A partir de mercredi, nous mangerons des anguilles.

– Mais il y aura d'abord le Carnaval! dit joyeusement John Bonkle.

C'était un garçon qui aimait la joie.

– Eh bien, Collinet, qui vas-tu emmener? demanda-t-il.

– Allons, allons, Jannekin, intervint malicieusement Felix. Il y a bien plus intéressant : qui va t'accompagner? Si c'est Mabelie, tu ferais bien de prendre garde. Claes que voilà lui a donné du bon temps. Il est bien coté. Tu pourrais la perdre à nouveau.

– Tais-toi, fit John avec colère.

Il lança un rapide coup d'œil à Claes : celui-ci souriait sans visible rancœur, ce qui avait pour effet de faire perler tout au long de sa joue des gouttes de sang. Il dut, en jurant, chercher un mouchoir dans ses poches.

– Mabelie fait ce qu'elle veut, reprit John. Elle ne sera pas avec moi. Tu sais bien que le Carnaval n'est pas fait pour ça.

– Ton père t'a mis sur le marché du mariage, hein? dit Felix.

C'était là, tout le monde le savait, la véritable raison d'être du Carnaval. L'une des rares occasions où riches et pauvres se mêlaient dans les rues de Bruges et rencontraient, sans cérémonie, sans aucun engagement de part et d'autre, des jeunes femmes auxquelles ils n'avaient pas été présentés.

Oh, il n'y avait pas de mélanges de classes. Les masques avaient beau être bien ajustés, les riches se distinguaient – par leurs vêtements, leurs domestiques en livrée. Les gentilshommes pouvaient compter sur l'hospitalité des grandes maisons qui offraient de la musique, des rafraîchissements, des danses. Tout homme noble qui courait les rues et rencontrait une dame de qualité pouvait (telle était la coutume) lui montrer son nom inscrit sur un papier et, si elle en était d'accord, faire d'elle sa compagne pour toute la soirée et pour n'importe quels jeux de son choix... mais il devait jurer de n'en rien dire.

Telles étaient les règles, et elles fonctionnaient fort bien. Des couples se formaient, dans une relative liberté, et une relative bienséance, et des contrats avantageux s'ensuivaient souvent. Toutefois, on veillait étroitement sur les plus jeunes. A treize ou quatorze ans, une fille ou un garçon suivait ses impulsions, et c'était ainsi que se nouaient les unions malheureuses.

– Voyons, dit Colard Mansion, John est d'âge à être marié. Tout comme vous. Qu'a prévu votre mère?

Felix le dévisagea.

– Fais-tu tout ce que dit ta mère? Je n'ai pas envie de m'encombrer d'une autre femme. Pas avant d'avoir quelque peu profité de ma liberté. J'emmène Grielkine. A qui d'autre pensais-tu?

Claes ouvrit la bouche.

– Et toi, tu emmènes Tilde et Catherine, ajouta Felix avec humeur.

– Qui, moi? fit Claes. Qui en a décidé?

– Moi. Je n'ai pas à faire tout ce que dit ma mère. Si seulement elle se mariait elle-même.

– Tu le voudrais? demanda John, surpris. Avec qui va-t-elle au Carnaval?

– Oudenin, s'il arrive à la convaincre, répondit Felix. Mais, bien sûr, c'est sans intérêt. Non, ce qu'il faudrait à ma mère, c'est quelqu'un de riche. Quelqu'un qui ait une seigneurie, un domaine, un titre.

– Quelqu'un comme Jordan de Ribérac? dit Claes.

– Eh bien, oui. Il est riche, non! Et il pourrait empêcher sa pourriture de fils, Simon, de nous traîner en justice toutes les cinq minutes.

– Tu dis des sottises, Felix, déclara Anselm Sersanders. S'il te déplaît que ta mère gouverne ta vie, tu n'aimeras certes pas davantage abandonner toute la compagnie à un parâtre. Après tout, c'est toi, l'héritier.

Les boucles s'étaient de nouveau défrisées autour des pommettes saillantes. Les yeux de Felix étaient obscurcis par la bière. Il répliqua :

– Qu'on me fournisse en chiens de meute, en boissons et en armures, et je laisse à n'importe qui la satanée entreprise.

– En armures? répéta Claes.

Felix émit un rire creux.

– Tu croyais apprendre à devenir un soldat sous le commandement d'Astorre, hein? Astorre!

Le regard de John Bonkle allait de l'un à l'autre. Sersanders, devant l'air d'incompréhension polie de Claes, entreprit une explication.

– Depuis ton départ, Felix est devenu un expert à la joute. N'est-ce pas, Felix? N'était que la demoiselle se refuse à payer tout ton équipement... pas tout de suite.

– C'est un détail, affirma Felix. Pas besoin d'équipement pour montrer ce que peut faire un homme. Pas de bâtons, hein, Claes? Des épées, peut-être? Ou des lances épointées, si tu sais te tenir à cheval. Tu sais te tenir à cheval?

– Il faudra demander à Thomas, répondit Claes.

Sersanders déclara en souriant :

– Si tu arrives à arracher là-dessus une réponse à Felix, tu en sauras plus que nous tous. Il s'est trouvé un maître à Louvain. Le seul problème, c'est que tout ça coûte un peu cher, de sorte que nous comprenons tous son point de vue : si le Carnaval lui vaut un riche beau-père, peu lui chaut qui il est. C'est ainsi que tu l'entends, Felix ?

– Oudenin, fit Claes. Je l'ai toujours dit. Et Felix pourra épouser sa fille. Colard, pourquoi nous avez-vous fait signe ?

– Quoi ? dit Colard, qui avait pris une feuille de vélin et s'y était absorbé.

Il la posa sur la table.

– Tu nous as fait signe, répéta patiemment Sersanders.

– Je vous ai fait signe, acquiesça Colard. Message. Votre oncle veut vous voir. Et Claes aussi, s'il a des plis à lui remettre. Il est chez Giovanni Arnolfini.

– Colard, dit Claes, nous sommes ici depuis une heure. Deux, peut-être.

– Ça ne fait rien. Mais il ne fait plus très clair, c'est vrai. Vous feriez peut-être mieux de partir.

Sersanders dit gravement :

– Oui, peut-être. Claes ?

– C'est entendu. Je viens. Felix ?

Felix ouvrit les yeux.

– Quoi ?

– Que disiez-vous de vos deux sœurs, pour demain ? Votre mère vous a bien demandé de les emmener au Carnaval, n'est-ce pas ?

– Et moi, je te dis de les emmener à ma place.

Felix ouvrit les yeux un peu plus grand.

– Tu ne vas pas prétendre que tu peux me dire non ?

– Felix ! protesta Sersanders. Tu n'es pas juste. Et ta mère n'approuverait pas, de toute manière. C'est-à-dire...

– Alors, il faudra bien qu'elle s'en accommode. Il n'y a personne d'autre. Oudenin, certes, serait enchanté, mais, Dieu soit loué, c'est bien la dernière personne à qui elle ferait appel. Il y a toujours Henninc, mais Claes lui-même, vous en tomberez d'accord, vaut encore mieux. Malgré cette figure. A propos, dans quelle méchante querelle t'es-tu encore fourré ?

– C'est le porc-épic qui m'a attaqué, expliqua brièvement Claes. Très bien, j'accompagnerai vos sœurs, mais à une condition : vous direz à votre mère que vous me l'avez demandé et vous obtiendrez son accord. Sinon, je tombe malade de la peste.

– La peste, c'est vous tous, déclara Colard sans acrimonie. Ça vous ennuierait de vous ôter de ma lumière ?

Dehors, ils se séparèrent. Felix, Bonkle à sa suite, se mit, un peu tardivement, en chemin vers le jeu de boules. Claes, en compagnie d'Anselm Sersanders, se dirigea vers le marché, puis vers l'hôtel consulaire des Lucquois, où vivait le riche marchand Arnolfini qui logeait chez lui l'oncle de Sersanders, l'élégant Anselm Adorne.

Il était malaisé de se hâter. La neige ne tombait plus. Elle s'était changée en une boue couleur sépia sous les piétinements des ouvriers envoyés par la cité et par les guildes pour décorer la place, l'hôtel de ville, le beffroi, l'arrière-port et toutes les demeures alentour dont elles étaient les obligées : on préparait le Carnaval du Mardi-Gras, le lendemain.

Des charrettes pleines de lanternes en papier disputaient leur place à des brouettes pleines de chandelles. On dressait des auvents de toile afin d'abriter de jour les foules amassées pour le tirage de la loterie et, de nuit, pour participer au Carnaval. Des porteurs de nouvelles, mandatés par la ville, se frayaient un chemin dans la foule pour faire savoir, qui avait fait banqueroute, qui était mort, qui allait se marier, qui avait besoin d'une nourrice. Des nouvelles intéressantes, à condition de pouvoir les entendre.

Des hommes plantaient des clous pour y accrocher les drapeaux. Des peintres peignaient. Des haquets, chargés de barils de vin et de bière, roulaient à grand fracas de taverne en taverne, traînés par des chevaux ronds comme des citrouilles, la tête ornée d'une plume insolente qui leur retombait sur l'œil. Une bande de gamins braillards poursuivait un tonneau à deux jambes, qui avait naguère contenu de la bière mais contenait présentement Poppe, un vendeur de bière au gingembre frelatée, qui devait maintenant parcourir toutes les rues pour expier son erreur.

Anselm lui lança une amicale boule de neige qui lava plus ou moins l'œuf écrasé sur son front. Claes et lui s'arrêtèrent pour gratifier d'une ou deux autres Witken le tisserand, lié à un poteau et enveloppé dans sa propre étoffe défectueuse, pour lui rappeler que tisser par temps de gel était illégal.

Les deux victimes leur répondirent par des jurons, mais sans rancœur. On fraudait la loi. On se faisait prendre. On supportait la peine. La prochaine fois que Claikine se mettrait dans un mauvais cas, Witken et Poppe prendraient joyeusement leur revanche. Avec du crottin, peut-être bien.

L'hôtel consulaire de Lucques se trouvait dans la même rue que la demeure de Pierre Bladelin : passé la Bourse, avec tous les placards de la loterie, près de la maison des marchands génois. Parvenu à destination, Sersanders fut surpris de se voir renvoyer avec une mission : son très illustre oncle le priait d'avoir la bonté d'aller retrouver ses cousines, Katelijne et Marie, qui patinaient non loin de là avec leur frère sur la Minnewater, et de leur dire que leur père les rejoindrait bientôt.

Sersanders, un brave garçon, ne trouvait rien à redire contre les petites cousines, même si, parfois, il trouvait qu'il en avait assez entendu sur les exploits à Paris de leur frère Jan. Mais, doté d'autant de perspicacité que de gentillesse, il s'éloigna sans protester, laissant là Claes.

Claes, à la suite du majordome, traversa l'hôtel lucquois jusqu'à une petite cour, gravit un escalier et se retrouva en présence de trois hommes assis à une longue table recouverte d'une riche étoffe. L'un des hommes était son hôte, Giovanni Arnolfini. Un autre était Anselm Adorne. Le troisième, qu'il connaissait de vue, était William, le gouverneur des marchands anglais à Bruges. Le garçon, immobile, maîtrisa sans peine une envie machinale de sourire.

– Mon cher Claes! s'exclama messer Arnolfini. Qu'as-tu donc fait à ton visage?

La question, sans aucun doute, devenait lassante. Si l'on avait été cruel, on aurait pu poser la même à messer Arnolfini. Il y avait vingt-cinq ans que Jan van Eyck avait peint cette pâle figure au menton fendu, avec ses paupières sans cils et son nez en tuyau de drainage, ridé au bout comme une groseille verte. Giovanni Arnolfini, main dans la main avec sa future épouse.

Eh bien, monna Giovanna avait encore des boucles plus ou moins rousses, mais meester van Eyck était mort, et messer Arnolfini, à en juger par son apparence, était à moitié mort. Tout ce qu'il restait du tableau était le miroir convexe, bien que l'un des émaux fût de date récente, et le lustre accroché au plafond, avec ses six bougies qui brûlaient poliment. Tout tendait à la distinction, chez messer Arnolfini et ses parents de Londres, de Bruges et de Lucques. De marchand de soie, il était devenu le trésorier du duc Philippe. Il détenait la ferme, pour quinze mille francs chaque année, de l'impôt astucieux levé par le duc sur toutes les marchandises – comme la laine anglaise – qui allaient à Calais ou en venaient en passant par Gravelines. Il achetait des tissus pour la garde-robe du dauphin de France. Et il prêtait de l'argent au dauphin.

– Monseigneur, c'était un accident, dit Claes. Vous vouliez avoir des nouvelles de Milan?

Le visage blême et intelligent s'éclaira d'un sourire.

– Je les ai déjà, par les lettres que tu as déposées pour moi. Non. Je désirais te présenter à messer William, le gouverneur anglais que voici. Et j'ai des instructions pour toi. Les lettres que tu apportes d'Italie pour monseigneur le dauphin doivent m'être remises.

Il y avait là quatre éléments d'information qui seraient peut-être suivis d'autres. La première démarche était évidente. Claes répondit:

– Bien volontiers, monseigneur. Monseigneur a-t-il des instructions par écrit?

Oui, il les avait.

– Et l'armure, monseigneur? reprit le garçon.

– L'armure?

Le marchand se pencha en avant, indiqua d'un doigt tendu l'escabeau placé de l'autre côté de la table. Claes s'y assit.

– L'armure de monseigneur le dauphin. Le présent que lui a offert l'an dernier mon noble seigneur le duc de Milan. L'envoyé de monseigneur le dauphin avait entrepris de la rapporter vers le nord, à l'automne, si j'ai bien compris. Mais il a dû la laisser à Genève. Chez un prêteur sur gages. Pour payer les frais de son propre retour.

– Et alors? dit messer Arnolfini.

Ses deux invités examinaient avec intérêt les belles poutres du plafond.

– Comme j'avais de l'or sur moi, reprit Claes, j'ai racheté l'armure. Je l'ai déposée en sûreté en l'Hôtel de Charetty, avec les lettres de monseigneur le duc à l'adresse de monseigneur le dauphin. Je vais vous apporter le tout sans tarder.

– Tu l'as rachetée avec ton propre argent? demanda Arnolfini.

– Oui, bien sûr. Sur le conseil de monsieur Gaston du Lyon. Qui se trouve à Milan pour les joutes.

Il y eut un silence. Messer Arnolfini demanda :

– Et tu as, mon brave Niccolo, la reconnaissance en ta possession? Par écrit?

Le garçon l'avait. Dans sa bourse.

– Alors, reprit messer Arnolfini, permets-moi, quand tu apporteras l'armure, de te rembourser au nom de *el mio monsignore el delphino*. A présent, dis-nous, si tu le veux bien, quelles nouvelles tu rapportes de ceux que tu as rencontrés au cours de ton voyage. Par exemple, l'évêque de Terni, monseigneur Francesco Coppini?

– Un illustre homme d'Église, dit Claes. On lui a confié le soin de rassembler des fonds pour la croisade de Sa Sainteté. En Flandre, plus précisément. Sa Sainteté a déjà déclaré qu'elle désespérait d'obtenir l'assistance de l'Angleterre, déchirée par la guerre, et de l'Écosse, trop reculée à l'extrême limite de l'Océan. Sa Sainteté n'en a pas moins envoyé l'évêque Coppini, afin qu'il se rende là-bas s'il le peut, même s'il est bien petit.

– Se rendre où cela? demanda le gouverneur anglais, en excellent flamand.

On pouvait s'y attendre, de la part d'un fils de la ville de Norfolk, occupée par les Flamands, qui travaillait depuis quinze ans à Bruges. Claes était au courant, comme tout le monde, de l'amitié qui liait le gouverneur et Adorne et qui remontait à leur adolescence. Comme de l'amitié entre le gouverneur et le libraire Colard.

Le garçon regarda l'Anglais bien en face.

– L'évêque Coppini doit se rendre en Angleterre, je suppose, meester Willem. Pour réconcilier le roi Henry avec son parent d'York. Ou peut-être doit-il aller à Calais, pour réconcilier le fils du duc d'York avec le roi Henry. Je ne saurais le dire, n'étant pas sur un pied d'intimité avec monseigneur l'évêque.

Bien que nous ayons, il est vrai, beaucoup vu son chapelain à Vigevano.

– Ah, fit messer Arnolfini. Et le chapelain de l'évêque désespérait-il, lui aussi, de voir s'apaiser la guerre en Angleterre, et une brave armée anglaise se mettre en route contre les hordes païennes?

Sourire était encore douloureux. Claes s'en abstint.

– Si j'ai bien compris, monseigneur, dit-il, le chapelain de l'évêque avait grande confiance dans les pouvoirs de l'évêque pour résoudre la querelle anglaise. Et pour la résoudre assez rapidement, peut-être, pour permettre à une armée anglaise de partir se lancer avec confiance dans la bataille. Mais contre qui...

– Oui? intervint le gouverneur anglais.

– Contre qui, répéta tristement Claes, j'ai été incapable, monseigneur, de le discerner clairement.

Sa réponse leur apportait, comme il en avait eu l'intention, tout ce qu'ils désiraient savoir. Car c'étaient là trois hommes qui n'étaient pas du parti du roi lancastrien anglais Henry mais de celui du prétendant d'York et, par voie de conséquence, du parti du dauphin de France, du duc de Milan et du roi Ferrante de Naples. Pour qui Astorre et sa compagnie nouvellement formée allaient partir livrer bataille.

Il fallut à Claes une certaine ingéniosité pour aiguiller la conversation, à partir de ce point, vers son propre intérêt pour les armes, mais il finit par y parvenir. Il reçut avec humilité les conseils que pouvaient lui donner les trois hommes. On passa ensuite à la loterie de la ville, dans laquelle, il n'y avait pas bien longtemps, la veuve de meester van Eyck et un ami du gouverneur avaient été deux des gagnants.

– J'espère bien, mon ami, dit Adorne, que tu n'as pas attendu pour prendre ton billet. Qui sait ce que tu pourrais gagner?

Claes n'avait pas acheté de billet mais il n'allait pas manquer de le faire.

– Viens, accompagne-moi d'abord pour m'aider à rassembler mes enfants terribles, dit l'oncle de Sersanders. Mais tu n'oublieras pas d'apporter les lettres et l'armure à messer Arnolfini?

Non, il n'oublierait pas.

Les trois hommes se levèrent. On échangea des adieux. Sans trop de surprise, Claes se retrouva dans les rues de cet aprèsmidi, en route vers l'arrière-port, aux côtés du grand homme Adorne dont le visage ascétique était enfoui dans ses fourrures.

– Tu m'as apporté des lettres de mes parents de Gênes, dit-il. As-tu d'autres nouvelles?

Un entassement de sacs les sépara.

– Que pourrais-je vous dire, monseigneur? demanda Claes lorsqu'ils se rejoignirent. Votre parent Prosper Adorno deviendra doge quand le roi de France perdra le contrôle de Gênes. Mais qui peut dire quand cela sera? Messer Prosper a de nombreux amis, mais ils ne veulent pas être nommés.

– Du moment que ce sont des amis..., fit Adorne. Ma famille a donné, tu le sais, de nombreux doges à Gênes. A cause des comptoirs de commerce levantins, ils n'ont jamais manqué de fortune. Mais l'arrivée des Turcs a tout changé.

– La perte de la Phocée, dit Claes. J'en ai entendu parler à Milan. Beaucoup de gens à Milan en parlent. Il semble bien dommage, meester Anselm, que Venise détienne à présent la ferme. Certes, les Acciajuoli ne sont pas de cet avis. Mais voilà un homme de valeur comme messer Prosper de Camulio qui attend seulement qu'on lui offre sa chance. Et, bien sûr, Bruges en souffre aussi. Les Charetty comme tout le monde.

– C'est vrai, fit Adorne. Il m'est revenu que tu te souciais des affaires de ta maîtresse. Je t'en félicite.

Claes réussit, sans sourire, à exprimer franchement son plaisir.

– La demoiselle, déclara-t-il, est la meilleure maîtresse qui puisse se trouver, mais je n'ai pas d'expérience. J'aimerais, monseigneur, avoir un jour votre avis. La demoiselle de Charetty désire étendre ses affaires, et j'en aurais peut-être le moyen, je pense.

– Je n'occupe plus, tu le sais sans doute, de poste officiel dans cette ville. Toutefois, rien, ou presque, de ce que Bruges, recèle de biens à vendre n'échappe à ma connaissance. Nous en discuterons.

– Monseigneur, dit Claes, comment vous remercier? Une rencontre nous serait profitable à tous deux, j'en suis sûr. Mais voyez donc : voici vos enfants et Anselm, votre neveu.

Ils étaient arrivés à l'arrière-port, ce qui était fort dommage. Là, sur la blanche surface de la Minnewater gelée, deux des filles les plus âgées d'Adorne poussaient des cris aigus, sous le regard morose de son fils aîné, Jan. Avec eux se trouvaient non seulement son neveu mais un groupe venu de Zélande. Le secrétaire et chapelain de Sa Seigneurie avait amené Charles, le petit prince de Veere, et les cousines du père de celui-ci, Katelina et Gelis van Borselen, étaient avec eux.

Les jeunes gens aperçurent Adorne et, avec plus ou moins de succès, s'élancèrent vers lui sur leurs patins. La première arrivée fut Katelina van Borselen, que Claes avait vue auparavant trois fois. A Damme, lorsqu'elle riait sottement avec le seigneur Simon. Chez Adorne, elle avait fait le reproche au Grec de s'exprimer en grec. Chez la demoiselle, enfin, elle avait présenté ses excuses... bien à contrecœur, mais des excuses néanmoins... pour avoir éveillé la mauvaise humeur de Simon.

C'était elle qui, la première, l'avait mis en garde contre Jordan de Ribérac.

Ce jour-là, elle semblait en de meilleures dispositions et elle était en beauté. Son visage aux traits vigoureux, avec ses sourcils bien marqués et son menton arrondi, était vivement coloré. Des mèches de cheveux bruns échappés de son capuchon retombaient devant ses oreilles, comme ceux de Katelijne. Elle s'arrêta adroitement devant Anselm Adorne, en les rejetant en arrière, avant de le saluer en souriant. Son regard alors se posa sur Claes. Elle plissa le front puis haussa les sourcils.

– Et voici notre tout nouvel ambassadeur. On vous a rebaptisé Niccolo, me dit-on. Avec un couteau, semble-t-il.

Le ton n'avait rien de blessant, mais Adorne, qui attachait un grand prix aux bonnes manières, fronça les sourcils à son tour et s'éloigna vers ses enfants, laissant Claes debout sur la rive de l'étang.

Il dit prudemment :

– Vous parlez de ma figure, demoiselle ? Je me suis allongé par terre pour laisser quelqu'un passer sur moi en patinant.

L'expression de la jeune fille était celle de Julius lorsqu'il regrettait de s'être un peu laissé emporter. Claes, qui ne ressentait à son égard aucune hostilité, ajouta :

– Il s'agissait seulement d'un petit accident. Le nom, lui aussi, est accidentel. Les Milanais le préfèrent à la forme flamande. Ça n'empêche personne de m'appeler Claes.

– Ou tout autre chose, fit Anselm Sersanders, qui arrivait dans le grincement de patins mal ajustés. Regarde, j'ai emprunté ça. Tu veux essayer ?

Il faillit tomber. Une fillette de treize ou quatorze ans, petite et grosse, déclara :

– Tu patinais avec moi.

– Eh bien, patine avec Claes, plutôt, dit Anselm. Il est très habile.

– C'est un serviteur ! protesta la grosse fille.

Claes lui sourit.

– Mais les serviteurs sont là pour ça. Je patine à côté de vous, et vous me dites en quoi je peux vous servir. Regardez. Je vais patiner à la manière du contrôleur Bladelin. Il fait des embarras mais il n'est, après tout, que le serviteur du duc. C'est ainsi qu'il patine.

Il acheva d'attacher les patins et passa sur la glace, face à la fillette. Il modifia son visage de manière à ressembler au contrôleur Bladelin sur le point de s'adresser à une grande dame. C'était douloureux, mais le jeu en valait la chandelle. Il exécuta un salut compliqué, oscilla dangereusement sur ses pieds et présenta son bras à l'enfant. Il l'invita d'un ton maniéré, avec un abominable accent français. C'était l'une des voix les plus faciles à imiter. Fascinée, la fillette le regarda avant de se retourner vers Katelina van Borselen. Il comprit alors, un peu tard, qu'il devait s'agir de la sœur cadette de celle-ci. Bon, tant pis. Il répéta :

– Distinguée demoiselle, accordez le privilège ?

Il prit dans la sienne la main docile de l'enfant, s'éloigna avec elle en patinant.

– Fais-le encore, demanda-t-elle.

Il imita de nouveau Pierre Bladelin. Il imita les deux bourg-mestres. Il patina audacieusement, à la manière du neveu libertin du duc, flamboyant, assuré, jusqu'à la chute catastrophique à la fin du parcours. Il patina avec concentration et gravité, à la manière du fils rien moins que libertin du duc, le comte de Charolais, et le petit Charles, qui était son filleul, se tordit de rire. Il patina à la manière de Jehan Metteneye, lorsqu'il ouvrait un ballot d'étoffe et proposait un prix. A la manière du prévôt de Saint-Donatien, quand il s'efforçait de garder sa place dans la procession du Saint-Sang, et à celle des hommes qui actionnaient les roues de la Grue, quand ils avaient bu trop de bière.

Ses amis ne cessaient de réclamer l'une de ses spécialités : Olympe, la tenancière du bordeau de la ville, mais il leur résista. Ce qu'il faisait était destiné aux enfants, qui avaient maintenant formé le cercle et qui hurlaient de rire en se cramponnant les uns aux autres. Il imita tous les personnages qu'ils voulurent, à l'exception des pères et mères et des personnes présentes. Il avait été trop souvent fouetté. Il garda Gelis avec lui, au centre du cercle, fit d'elle sa partenaire. Le pauvre visage terreux de la fillette rayonnait de plaisir.

Ce fut Adorne qui mit fin aux réjouissances : il appela ses enfants, chercha l'occasion de croiser le regard de l'artiste.

– N'oublie pas, ami Claes, dit-il, tu as des lettres à porter à messer Arnolfini.

Il attendit de voir le garçon arriver sur ses patins, un bras passé autour de la taille de l'enfant. Une bande de jeunes, déçus, le suivaient. Katelina van Borselen était restée près de lui pour attendre sa sœur. Elle ne disait rien. Le jeune homme les rejoignit. La petite Gelis, les sourcils froncés, déclara :

– Je veux continuer.

– Je n'en doute pas, fit Katelina, mais il ne faut pas trop fati-guer ton compagnon. Il doit conserver son énergie pour le Car-naval, demain, lorsqu'il devra divertir des dames plus âgées.

La blessure de Claes s'était rouverte dans son visage enflammé. Il arrêta le sang à l'aide de son mouchoir, s'assit et, d'une seule main, s'efforça de délier ses patins. Sersanders s'approcha pour l'aider, tout en parlant par-dessus son épaule :

– Ah, le Carnaval ! Vous ne devinerez jamais avec quelles belles dames Claes va le passer. Faut-il le leur dire ?

– Viens, Gelis, commanda Katelina van Borselen.

– Avec qui ? demanda Gelis.

Anselm Sersanders releva la tête.

– Eh bien, avec Mathilde et Catherine, les deux jeunes sœurs de Felix de Charetty. Felix vient d'en décider ainsi. Ne vont-ils pas bien s'amuser ensemble ?

– Je veux y aller, moi aussi, dit Gelis.

Sa sœur Katelina intervint :

– Tu y vas. Avec Charles.

– Je veux y aller avec cet homme-là.

Claes, qui avait beaucoup de mal à se débarrasser de l'un de ses patins, se couvrit la figure de son mouchoir.

– Mais c'est... commença Katelina.

Elle s'interrompit pour reprendre :

– Mais qu'adviendra-t-il de Charles, s'il n'a pas d'amis pour l'accompagner ? Ce serait cruel.

– Il aura le père Dieric et meester Lievin, répliqua sa sœur. Et beaucoup d'autres enfants, tu le sais fort bien. Je veux y aller avec quelqu'un de plus âgé.

Il devenait impossible de passer plus de temps sur ce patin. Claes leva les yeux et, inévitablement, croisa le regard irrité de Katelina von Borselen. Il se tourna vers la fillette trop grasse :

– Eh bien demoiselle, pourquoi n'y point aller avec votre charmante sœur ?

La charmante sœur s'empourpra, et il en éprouva quelque regret. Elle avait sûrement quelque rencontre déjà prévue. Sinon, ses parents avaient dû faire en sorte que de beaux messieurs dignes d'elle croisent son chemin, le lendemain soir. Elle avait dix-neuf ans et elle était toujours fille.

Une tête plus vieille, plus sage trouva une solution au problème. Anselm Adorne proposa :

– Peut-être cela ferait-il l'affaire si la demoiselle de Charetty permettait à ses deux filles de se joindre à notre petit groupe familial, demain soir. Notre ami Claes serait le bienvenu, lui aussi.

– Mais... objecta la grosse fillette.

– ... Comme le serait la jeune demoiselle, si elle consentait à laisser pour un temps le fils de son cousin, Charles.

– Je vais avec lui, s'obstina Gelis.

Obligeamment, Claes se retourna vers l'enfant qui le poussait du doigt, se redressa pour se mettre d'abord à genoux puis debout. Il s'adressa à Anselm Adorne :

– C'est beaucoup de bonté de votre part. La demoiselle de Charetty vous sera fort reconnaissante, tout comme moi. A quelle heure... ?

– Viens par ici, dit le seigneur de l'Hôtel de Jérusalem. Jan ramènera les enfants à la maison. Demoiselle, vous voudrez bien me pardonner...

Katelina von Borselen lui pardonnait bien volontiers mais elle posait sur Claes un regard dépité.

En s'éloignant avec lui, Anselm Adorne déclara :

– Puisque tu me parlais d'armes, j'ai souhaité mentionner la réserve que gardent les Chevaliers dans l'Hôpital Saint-Jean. Ici, précisément. Mon père en avait la garde. Il disait souvent que l'hôpital ferait mieux de réduire ses collections et de les remplacer par des lits pour les malades.

– C'est peut-être vrai, dit Claes.

Il connaissait la tour qui abritait les armes. Au passage, il la mesura d'un regard méditatif.

– A moins, naturellement, que les armes ne soient trop vieilles ou en mauvais état.

– Tout au contraire, répliqua Adorne. Je n'ai pas la clé. Sinon, je te les aurais montrées. Il y a là des brigandines, des heaumes, des jambières. Des cottes de maille en bon état, de l'époque de Hannequin. Des piques et des lances. Et même quelques épées.

– Eh bien, je peux vous le dire, monseigneur : j'en connais beaucoup qui seraient heureux de les avoir. Une fois qu'on a acheté les armes à feu, il reste peu d'argent pour le reste. En ce moment même, le capitaine Astorre fait des achats à Plaisance. Chez messer Agostino qui fond des canons pour le Saint-Père lui-même. L'un s'appellera Silvia, d'après son propre nom. Un autre Vittoria, qui était le nom de la mère du pape. Et le troisième Enea, comme s'appelait le pape au temps de s... Avant d'avoir besoin de canons. Enea peut lancer un boulet à travers un mur de vingt pieds, oui, monseigneur.

– Mieux encore que le canon de Mons ? Tu as sans doute appris, dit Adorne, qu'il était parvenu sain et sauf en Écosse, comme il devait forcément le faire en fin de compte. Nos chemins se séparent ici. Ou du moins devons-nous nous quitter ici, si tu veux avoir l'assurance de te procurer un billet de loterie. Et, demain, tu amèneras à l'Hôtel de Jérusalem les enfants de ta maîtresse, toutes prêtes pour le Carnaval. Au coucher du soleil, dirons-nous ?

– Au coucher du soleil, répéta Claes.

Il salua de la tête, regarda Adorne s'éloigner. Il était content.

Il devait aller chercher les lettres destinées au dauphin pour les remettre à messer Arnolfini, ainsi que la toile qui contenait l'armure rachetée pour le dauphin. Il devrait retourner au Burgh pour acquérir un billet de loterie (un autre). Il devrait retrouver Felix, le dégriser, essayer de découvrir ce qui n'allait pas avec meester Olivier, à Louvain. Il devrait commencer à sonder, discrètement, certains négociants qu'on lui avait nommés comme étant possesseurs de propriétés dont ils pourraient souhaiter se séparer.

La séance de patinage lui avait donné faim et, par certains côtés, lui avait fait du bien. La matinée était déjà loin, comme l'étaient les menaces de cette matinée. Il s'arrêta une vingtaine de minutes à l'une de ses tavernes préférées pour y manger un plat de tripes arrosé d'un pot de bière, avec bon nombre d'amis et de connaissances, y compris Thomas qui parut heureux de le revoir. Après quoi, plein d'énergie, il se mit en route pour remplir l'emploi du temps qu'il s'était fixé.

18

L'arrivée des galères vénitiennes et le temps du Carnaval. Les deux merveilles d'une année d'enfant. Elles avaient manqué à Katelina van Borselen, à l'époque où elle vivait en exil auprès d'une reine exilée, en Écosse. Elle se rappelait y avoir songé, dans la maison de son père, ici, à Bruges, juste avant que Simon de Kilmirren l'eût emmenée dans le jardin pour tenter de l'enlacer. Et elle, petite sotte indépendante qu'elle était, elle l'avait repoussé.

C'était en septembre, au temps des galères. On était maintenant en février, le temps du Carnaval qui allait décider si, oui ou non, on allait l'expédier tout droit en Bretagne pour y être dame d'honneur de la duchesse veuve, autre sœur du roi d'Écosse. Autre veuve fortunée, aussi, qui avait aujourd'hui une trentaine d'années. Lors des fiançailles, disait-on, son futur époux, averti que la future était quelque peu faible d'esprit et connaissait à peine la langue qu'il parlait, n'avait marqué aucune contrariété. C'était fort bien ainsi, avait répondu ce gentilhomme. Il lui suffirait de savoir distinguer sa chemise de son pourpoint. Il l'avait par deux fois rendue mère, avant de faire d'elle une veuve. Elle avait donc dû se tirer d'affaire.

Eh bien, si elle-même, Katelina, désirait devenir une veuve, il lui faudrait d'abord être une épouse, et cette soirée devrait en décider. Ainsi l'avait souligné sa mère, une femme énergique que Katelina n'aimait guère, et qui avait à présent pris en main le destin de sa fille. Devant l'indifférence bien affichée de la jeune fille, elle avait choisi, sur une liste de gentilshommes à sa convenance, trois élus et elle avait rendu des visites amicales à la mère de chacun d'eux. En ce moment même, tandis que Katelina assise avec ses parents, contemplait la Place du Marché, à ses pieds, certains jeunes hommes de bonne famille l'épiaient probablement et se mettaient d'accord sur celui qui se placerait masqué sur son chemin ce soir-là, à la nuit close, une banderole à la main. Mais peut-être aussi décidaient-ils tous de prétexter un engagement antérieur.

La place était bordée de maisons comme celle-ci, dont le propriétaire vidait les lieux lors de réjouissances publiques, afin de permettre à des gens de qualité d'admirer le spectacle par les fenêtres et de profiter des rafraîchissements prévus pour eux. Confort appréciable, surtout lorsqu'il avait neigé, comme ce jour-là. Les tapisseries jetées sur les entablements des fenêtres étaient poudrées de blanc. La neige recouvrait les redans des pignons à cinq ou six étages, mouchetait la brique brune des murs, se logeait dans les creux de toutes les sculptures compliquées autour des fenêtres et des portes.

Les statues du puits communal qui se trouvait juste devant étaient coiffées de blanc, tout comme le bastion carré de la vieille halle de commerce qui occupait l'extrémité de la place, sous la masse du beffroi.

On se servait maintenant du porte-voix installé sur le toit du beffroi afin de publier, le jour durant, les résultats de la loterie. Le bailli, l'écoutète et les deux bourgmestres étaient présents, sur la tribune de bois érigée tout spécialement, en compagnie des officiers du Trésor, bien entendu, de quelques échevins et des commissaires des quartiers. Tous portaient leurs chapeaux les plus élaborés, leurs robes les plus riches, en bleu, en vert, en rouge très coûteux ou en noir plus coûteux encore, tous serrés sous le grand dais, orné de masses de verdure et de drapeaux. Des braseros pétillaient de chaque côté, et des petites tables étaient disposées çà et là : on y voyait apparaître de temps à autre des cruchons d'étain et des plats couronnés de vapeur.

Ce n'était pas là, pour les Pères de la Cité, la manière la plus confortable de célébrer le Mardi-Gras. En revanche, la loterie, bien gérée, pouvait rapporter une excellente somme à la ville. Il y avait toujours de généreux donateurs, en particulier ce jour-là, à la veille de la vérification des poids.

Deux préposés venaient de soulever avec précaution un porc-épic en cage. La foule était si dense, sur la place et dans les rues alentour qu'elle était pratiquement immobilisée, agitée seulement de cris d'excitation et de violents remous de têtes en coiffes ou bonnets, comme sur un champ de trèfle un brutal coup de vent. Les enfants qu'on portait sur les épaules, les seuls libres de leurs mouvements, agitaient les bras.

Un porc-épic, certes, n'avait aucun intérêt pour une blanchisseuse, un briquetier, un pêcheur, pas plus que n'en auraient une paire de gants, un verre à vin, un tambour ou un faucon. En pareils cas, les lots de valeur s'échangeaient en quelques minutes contre de l'argent. Katelina aperçut dans la foule le majordome de son père : il attendait patiemment, parmi les spectateurs les mieux vêtus, pour savoir à qui serait attribué le bon genet d'Espagne. D'autres, elle le savait, convoitaient l'évangéliaire offert par le duc, ou le chien de chasse, ou bien encore le tableau religieux. Parfois, un riche membre d'une guilde – un cordonnier, un boucher, un tailleur, un charpentier – gagnait un prix comme ceux-là et le gardait. Il pouvait s'agir aussi d'un seigneur de Bruges ou des environs, car la loterie était annoncée un peu partout. Mais, la plupart du temps, les lots étaient des sommes d'argent, et chaque proclamation était accueillie par des hurlements de surprise et de joie.

Le porc-épic, constata la jeune fille, causait de l'agitation en deux endroits : parmi une troupe de porte-clés de la Steen, qui l'avaient apparemment gagné, et parmi une réunion de personnes pareillement vêtues du bleu Charetty. Les femmes de la maisonnée, remarqua Katelina, portaient des châles neufs, et les hommes des bonnets nouveaux et des nœuds de ruban sur leurs jaques. La demoiselle, leur maîtresse, petite, rondelette, courtoise, telle qu'elle l'avait vue lors de leur unique rencontre, avait une réputation de marchande avisée, exigeante avec son personnel, qui n'avait pas peur de tenir tête à un homme et de lui dire sa façon de penser si elle en avait envie. Mais elle connaissait aussi, semblait-il, l'art d'une bonne gestion : l'abandon de temps à autre de la rigueur et la générosité.

La veuve elle-même ne se trouvait naturellement pas sur la Place du Marché, mais, en y regardant de plus près, Katelina reconnut son fils, Felix : il portait un étonnant vêtement plissé garni du haut en bas de fourrure noire et blanche et une toque de fourrure posée de guingois d'où pendaient apparemment des queues d'hermine. Il se tordait de rire, accroché aux bras de deux amis dont l'un, tout vêtu de bleu, était le grand apprenti appelé Claes. Celui qui était parti pour l'Italie afin de se battre et qui, inexplicablement, en était revenu. Celui qui, la veille, au patinage, avait si fort diverti Gelis.

La blessure rouge et gonflée de son visage était bien visible, même si, ce jour-là, l'enflure avait diminué. Il s'était montré discourtois lorsqu'elle l'avait interrogé là-dessus. Bien entendu, elle n'avait pas exprimé sa question dans les termes qu'elle aurait employés pour un égal, mais il n'avait aucun droit de lui en vouloir. Après tout, en cette soirée de l'automne précédent, prenant considération que Simon s'était mal conduit envers Claes, elle s'était rendue tout spécialement chez la veuve. Du moins, cette fois-ci, Simon n'était-il pas responsable de l'avoir défiguré. Simon était en Écosse.

Le jeune Felix attira de nouveau son regard par un autre éclat de rire. Elle comprit que ce garçon, Claes, avait gagné quelque chose. Une pièce d'armure. Non, un lot symbolique : un seul gantelet de maille, que lui remettait un homme en bonnet jaune, un convalescent de l'Hôpital Saint-Jean, qui devait en avoir fait don à la loterie. Debout sur l'estrade, Claes, qui avait ôté son bonnet de laine, répondait en souriant aux questions. Il avait l'allure du soldat qu'il n'était pas. Certains des cris qui montaient de l'assistance venaient assurément de gorges féminines. Le garçon paraissait en avoir pleine conscience, mais il ne se détourna pas pour saluer.

A la vérité, pensait Katelina van Borselen, tout en acceptant une sucrerie qu'elle passa à sa jeune sœur omnivore, ce jeune coureur de jupons était plutôt intelligent, ce qui était bien la dernière qualité qu'on attendît d'un domestique. L'esprit était l'apanage d'un amant, si l'on en avait un. Chez un mari, c'était inespéré.

Elle songea de nouveau aux trois noms de prétendants possibles qui constituaient la liste de sa mère. Deux d'entre eux, d'âge déjà mûr, étaient les héritiers de modestes seigneuries, l'une près de Gand, l'autre voisine de Courtrai. Le troisième, le meilleur parti, était membre de la famille de Gruuthuse, l'une des plus grandes et des plus anciennes de Bruges, au sein de laquelle sa cousine Marguerite avait trouvé un époux quatre ans auparavant. Guildolf de Gruuthuse, un charmant garçon de quinze ans, était déjà trés expérimenté. Si elle l'épousait, elle aurait devant elle la perspective de vingt années de maternités, en compagnie d'un époux de quatre ans plus jeune qu'elle. Elle n'aurait pas grande chance de devenir une riche veuve.

Une pensée lui traversa l'esprit : elle avait été bien peu prévoyante en refusant avec une telle passion l'époux d'âge mûr qu'on lui avait présenté en Écosse. Elle comprenait même, avec un coup au cœur, que son père ne s'était pas montré alors aussi insensible qu'elle l'avait cru. Elle s'apercevait enfin qu'elle avait laissé derrière elle le monde teinté de rose des rêves enfantins. La vie réelle était différente. On s'y adaptait, tout en travaillant à profiter de tous ses avantages.

Elle détourna les yeux de l'agitation fébrile qui animait la Place du Marché, entreprit de parcourir du regard les fenêtres et les balcons pour y trouver les armes de seigneurs de Gand et de Courtrai ou le canon, symbole de la maison de Gruuthuse.

Marian de Charetty passa la journée avec Tilde et Catherine, ses deux petites filles. En compagnie d'autres membres de la Guilde des Teinturiers, de leurs épouses et de leurs enfants, elle avait suivi une partie de la distribution des prix de la loterie. Quand celle-ci tira à sa fin, et que la foule commença de se disperser, elle permit aux fillettes de l'emmener d'une boutique à l'autre et d'acheter ou de manger ce qu'elles voulaient. Elles admirèrent les nains et les jongleurs, jetèrent des pièces de monnaie dans le bonnet de l'homme au chien savant, devinèrent le poids d'un cochon, virent un homme à deux têtes dans une cage, une jeune fille qui arborait une barbe, un animal mi-cheval mi-vache, avec une crinière à un bout et, à l'autre, des pis que l'on pouvait traire. On vendait des fromages fabriqués avec le lait, et Catherine voulait en acheter un, mais sa mère ne le lui permit point.

Ce fut là qu'elle rencontra Lorenzo Strozzi. La mémoire lui revenant, elle lui demanda poliment comment évoluait son projet d'importer une autruche pour Tommaso. Tout en écoutant sa réponse (il avait appris d'un capitaine de navire que l'oiseau se trouvait toujours à Barcelone et il avait envoyé des messages par terre et par mer pour le faire expédier à Sluys sans perdre un instant), elle remarquait la tension qui raidissait les épaules étroites, le visage olivâtre. Comme toujours, elle pensa à Felix. Juvénile, irresponsable, exaspérant... du moins Felix n'avait-il pas cet air hanté des jeunes Italiens qui devaient travailler à la pleine lumière de la rivalité entre cousins employés dans les autres places commerciales de leurs énormes familles, à Londres, Florence, Naples ou Rome.

En qualité de mère, elle s'efforçait de diriger et d'éduquer Felix, son fils unique. Lorsqu'il la défiait ou lui résistait, elle était folle d'exaspération, mais était-ce donc cela, l'alternative ? Alessandra, la mère de Lorenzo, condamnée à Florence à une pauvreté distinguée, après l'exil et la mort de son époux, n'avait jamais cessé de pousser en avant ses trois fils et ses deux filles. Le plus jeune de ses fils était mort, à présent. Filippo, l'aîné et le plus capable, avait reçu la meilleure formation et il était maintenant honorablement placé dans l'affaire familiale du cousin de son père, Niccolo di Leonardo Strozzi. Lorenzo avait quitté l'Espagne afin de venir travailler pour le frère de Niccolo, qui dirigeait l'établissement des Strozzi à Bruges. Mais, sous l'influence de l'éducation d'Alessandra et celle de leur fierté et de leur ambition, ses fils considéraient leur situation comme un esclavage. A Florence, Alessandra vendait ses biens, leur envoyait de l'argent et des conseils. Lorenzo et son frère échangeaient des lettres entre Naples et Bruges, formaient des projets, intriguaient et se torturaient.

Ni l'un ni l'autre ne pouvait rentrer à Florence, qui les avait bannis en même temps que leur père. Ni l'un ni l'autre, remarquait Marian, ne cherchait à se marier, pas plus que ne l'avait fait Tommaso Portinari. Si l'on ne pouvait trouver une bonne épouse florentine, on ne nouait aucun engagement durable. Et si le vieux Jacopo Strozzi mourait à Bruges, Lorenzo, fils d'un cousin, serait-il son héritier ? Non, l'affaire irait au frère établi à Naples. Et le frère établi à Naples, au vu d'un Lorenzo âgé de vingt-sept ans et avide d'argent, pourrait bien juger plus sûr de nommer lui-même un directeur et de laisser Lorenzo faire le garçon de courses pour les Médicis. A propos d'autruches, par exemple.

Lorenzo achevait son récit. La veuve demanda en souriant :

– Vous avez, j'en suis sûre, une cavalière pour ce soir? Felix me dit qu'il a trouvé quelqu'un mais il ne m'a pas confié le nom de la jeune fille.

Catherine, la bouche pleine de pain d'épices, intervint :

– Nous, nous allons avec Claes.

Pour Lorenzo, les enfants étaient des livres clos. Sans doute se rappelait-il certaines discussions animées, car il rougit en répondant :

– Oui, je le sais.

Marian en fut amusée. Sans réfléchir, elle dit :

– C'est Felix qui a tout arrangé, si j'ai bien compris.

Mais elle vit Tilde lever les yeux au ciel et reprit d'un ton égal :

– A la vérité, tous trois ont été invités à se joindre aux Adorne, ce qui ne manquera pas de les divertir. Oh, retrouver ses treize ans !

– On devrait avoir treize ans éternellement, déclara Lorenzo en s'inclinant devant elle pour aller rejoindre ses compagnons.

Le froid venant, elle ramena ses filles à la maison, pour leur donner une collation, préparer leurs robes, peigner leurs longs cheveux, disposer sur chaque front le bord d'une coiffe coûteuse, rouge pour Tilde, bleue pour Catherine. Les deux ailes de velours, qui retombaient jusqu'aux épaules, prêtaient au visage de chaque enfant une attrayante pureté. Et le bavolet, frangé de fils d'or, mettait en valeur les frêles épaules bien droites sous le manteau. Les robes très ajustées, décolletées en carré, étaient de velours, ornées d'hermine autour des poignets étroits. Les Adorne n'auraient pas à avoir honte des filles de la veuve.

Elles avaient à présent douze et treize ans. Ce n'étaient plus des enfants. Ce regard courroucé, de la part de la douce Tilde, le lui avait rappelé. Que faire ? Elle comprenait trop bien pourquoi Felix s'était déchargé au profit de Claes du devoir de les escorter. Mais il lui était déjà arrivé d'agir de la sorte, et Claes était fort capable de déjouer une telle tactique. Marian ne pensait pas non plus que Claes fût ignorant des sentiments de Tilde à son égard. Plus que la plupart des gens, il avait le don de pénétrer les pensées d'autrui. C'était Tilde qui avait parlé à sa mère du coffre ouvert dans la chambre de Claes et de la boule « chauffe-mains » en vermeil qui s'y trouvait. Un cadeau rapporté de Milan. Mais à qui destiné ?

Le chauffe-mains n'avait jamais été offert, du moins dans cette maison, et la veuve redoutait de savoir pourquoi. Par ailleurs, Claes avait jugé bon à l'occasion de cette soirée de Carnaval, si longtemps attendue, de promettre sa compagnie à ses deux filles. Toutefois, quand il vint les chercher, il était plus joyeux que jamais. Son visage était serein, autour de la cicatrice encore enflammée. Ses hauts-de-chausses bleus, son pourpoint, sa jaque étaient en parfait état, et il avait orné son chapeau d'une queue d'hermine prise à Felix. Mise à part cette livrée de bon usage, il n'avait, à la connaissance de Marian, acheté aucun vêtement. Rien d'autre qu'une bourse solide et des bottes courtes qu'il portait ce soir-là. Aux yeux de ses amis, il restait ce bon vieux Claes, le joyeux drille. Aux yeux de Marian de Charetty, cette discrétion était le fruit d'une décision parfaitement consciente : un signe de non-agression pour faciliter son retour provisoire au sein du troupeau. Elle imaginait la réaction de Felix si Claes avait fait sa réapparition vêtu à la dernière mode de Milan.

Arrivait-il à Claes, se demanda-t-elle, d'éprouver l'envie de tels atours? Elle décida que non. Du moins jusqu'à présent. Si cela lui arrivait un jour, ce serait sûrement sous l'influence d'une femme. La petite servante Mabelie fréquentait maintenant John Bonkle : Felix l'avait révélé par inadvertance. Felix lui-même, elle en était à peu près certaine, s'était trouvé une fille du même genre. Elle ne pouvait rien empêcher dans ce domaine. Julius, qui lui rendait bien des services, l'avait déçue sous ce rapport. Et c'était là l'un des rares domaines où l'orgueil de Felix ne lui permettrait pas de prendre conseil de Claes.

Les jeunes gens échappaient-ils, avec l'âge, à ces passions imprudentes? La jolie figure entrevue au coin d'une haie les tenterait-elle toujours, jusqu'à l'âge – et même au-delà – où le bon sens leur dicterait de fonder une famille s'ils ne voulaient pas être surpris démunis par la vieillesse? A quel moment de sa vie un homme revenait-il à lui pour découvrir qu'il avait besoin de sécurité? Peut-être, chez certains, ce moment-là n'arrivait-il jamais.

La maison de Marian était déserte. Épouse de Cornelis, elle aurait tenu table ouverte pour les amis de son mari, tandis que les jeunes sortaient dans leurs habits de Carnaval et passaient la nuit à des plaisirs tenus secrets. Veuve, elle avait déjà accepté l'hospitalité des autres teinturiers. Elle ne voulait pas les rejoindre chez eux, ce soir-là, comme membre d'une génération déjà mûre, celle de Cornelis, qui n'était pas la sienne. Elle ne voulait pas non plus se joindre à la foule sur la Place du Marché, la foule des couples, des amants, en qualité de mère, de veuve, de chaperon. Mais rester seule chez elle n'avait rien d'agréable.

Elle fut donc surprise et ravie quand, une heure ou deux après le coucher du soleil, un serviteur des Adorne se présenta à sa porte : on sollicitait sa présence pour la soirée à l'Hôtel de Jérusalem. Les jeunes, expliqua l'homme, étaient tous partis, et la demoiselle Margriet avait pensé qu'elle pourrait se trouver seule, libre de se joindre à la famille jusqu'au retour de ses filles. Ou même, si elle le désirait, passer la nuit là-bas.

Elle pria le serviteur de l'attendre, se prépara rapidement, ferma ses portes à double tour et confia la maison à son portier. Lorsqu'elle se retrouva dans la rue familière, elle prit le temps de s'immobiliser un instant. Docilement le serviteur des Adorne, torche en main, fit de même. Mais ce soir-là, point n'était besoin de lumière. La neige avait fondu. Demeuraient seulement quelques motifs étincelants sur les maisons et sur les édifices, teintés de rose, de pêche, de lilas et de vert-feuille par les lanternes en papier qui, dans chaque rue, se groupaient comme des oiseaux devant les fenêtres, les portes, les murs et les encorbellements.

Ce soir-là, toutes les lampes étaient allumées au-dessus des portails, et les niches qui abritaient des statues de saints étaient nettoyées et illuminées. Comme en réponse, toutes les tours, tous les clochers des églises étaient soulignés par les lumières scintillantes des lanternes à chandelles et se détachaient sur le ciel sombre et glacé. Même dans cette rue éloignée du centre, circulait une foule de gens aux joues roses, emmitouflés dans de gros manteaux, et elle entendait au loin de la musique.

Marian de Charetty se mit en route. La soirée, qui n'avait rien promis, contenait à présent la promesse d'une compagnie agréable. A tout le moins.

Sous ce même ciel magique, l'ancien apprenti appelé Claes divertissait, avec toute l'habileté d'un artiste, une bande de jeunes de tous âges. Il avait pour l'aider le pur enchantement des lanternes. Tous marchaient le visage levé. Du haut du dos rond de chaque pont, avec ses statues peintes, ses chandeliers à plusieurs branches, ses plantes vertes, ils découvraient un pays enchanté qui se reflétait dans l'eau. Les canaux étaient tissés de cheveux d'ange, et les visages des enfants, qui en tiraient leur éclat, étaient aussi brillants.

Après les lumières, vint l'extase de la Place du Marché, bien plus extraordinaire qu'à l'heure du tirage de la loterie, avec toutes ses boutiques éclairées où l'on vendait de merveilleuses friandises : fruits, amandes au sucre, noisettes, figues, raisins secs. Elles étaient surmontées de drapeaux, et des drapeaux encore décoraient tout le pourtour de la place et les toits de la Waterhalle et de la Vieille Halle, illuminées de lanternes.

Il y avait tant de lumières, un tel concours de peuple qu'on ne sentait pas vraiment le froid. De toute manière, des braseros étaient installés aux coins des rues, et les boutiquiers proposaient des boissons chaudes ou de la soupe. Trois hommes s'activaient autour d'un four monté sur roues : avec la célérité de diables de l'enfer, ils poussaient la pâte à une extrémité du four, en retiraient à l'autre bout des pâtés brûlants, tandis que leurs pratiques, épaule contre épaule, les entouraient, mangeaient et crachotaient, le visage rougi par la lueur des braises.

Il y avait encore des braseros à l'autre extrémité de la place, sur l'estrade que l'on avait débarrassée pour y loger les musiciens de la ville – trompettes, cornemuses et tambours, timbales et violons – et le chœur municipal, dont les chanteurs enveloppaient leurs précieuses gorges dans les pans de leurs chapeaux. Leurs chants n'étaient pas ceux qu'on aurait entendus dans une taverne, mais, quand les tambours et les violons se mettaient à jouer, les enfants commençaient à sautiller, puis c'était au tour des adultes. Un cercle se formait ici ou là pour une danse campagnarde mais se rompait bientôt, parce qu'il n'était pas l'heure, et que l'ordre régnait encore.

On avait, bien sûr, démonté l'échafaud : Witken le tisserand avait purgé ses deux jours de peine, et Poppe, officiellement, était parvenu à la fin de son humiliation par le tonneau. Ce tonneau, cependant, il le portait toujours, complètement ivre, sous la bruyante surveillance de ses amis. Les matelots commencèrent alors d'apporter sur la place les cordes qu'ils installaient toujours, tout en haut du beffroi, pour danser dessus avec des cerceaux. Certains d'entre eux étaient ivres, aussi, mais, il fallait l'espérer, ce n'étaient ni ceux qui allaient attacher les cordes ni ceux qui danseraient dessus.

A ce moment, les jeunes personnes que Claes avait sous sa garde, étaient déjà passablement excitées.

A ce moment aussi, un certain nombre de faits s'étaient deja produits.

D'abord, Jan Adorne les avait quittés. Encore étudiant, il n'était pas en quête d'épouse. Mais, à quinze ans, il était indubitablement en quête d'autre chose qu'un groupe de petites filles. Les petites filles, qui ne se considéraient pas comme telles, lui en voulaient de son dédain.

Les deux sœurs Adorne très policées s'entendaient tout naturellement avec Claes. Il les faisait rire, inventait des tours, les présentait à de drôles de gens (quand le père Bertouche ne l'en empêchait pas) et les laissait se livrer à des distractions intéressantes, que leur mère n'aurait jamais permises (quand le père Bertouche avait le dos tourné). Elles aimaient ses histoires et le contact sur leur dos de ses grandes mains habiles, tandis qu'il les guidait dans la foule. Elles étaient certes trop grandes pour qu'il les prît sur ses épaules, mais, de temps à autre, il prenait entre ses doigts la taille mince de Katelijne et la soulevait pour lui permettre de tout voir.

Alors le père Bertouche toussotait ou tapait sur l'épaule de Claes. Il toussait en partie pour exprimer sa désapprobation mais aussi parce qu'il souffrait d'un gros rhume. En même temps, les pieds endoloris, il avait visiblement hâte de retrouver son confortable logement à l'Hôtel de Jérusalem. Le chapelain n'était donc pas d'un grand secours pour Claes, d'autant que les petites Charetty ne tenaient aucun compte de ses avis.

Catherine parce qu'elle était devenue folle de surexcitation, et Tilde parce qu'elle était la dame d'élection de Claes, ce qui l'isolait pour la durée de la soirée du reste de l'humanité.

Ce fut là l'erreur de Claes. Elle vint, comme l'avait soupçonné sa maîtresse, d'une compréhension très lucide de ce qui se passait dans l'esprit de sa fille aînée. Blesser Tilde, ce soir-là, en la traitant comme une enfant parmi les autres, était inconcevable. Claes, en accord avec cette pensée, annonça donc que Tilde, en qualité d'aînée des sœurs de Felix, devait occuper la place de mère et serait sa compagne officielle. Sur le moment, l'idée paraissait raisonnable. Tilde s'était empourprée de joie, et il avait pris soin de continuer à divertir les autres enfants tout en accordant à la toute jeune fille une attention exagérément courtoise qu'elle pouvait accepter avec plaisir sans la prendre au sérieux. Ce fut alors que Catherine, stimulée par le bruit et les lumières, l'étrangeté de la soirée, commença de perdre la tête.

Lorsqu'il arrivait à Felix d'exploser, Claes le soustrayait à l'attention publique pour trouver ensuite un moyen de le libérer de son trop-plein d'énergie. Il n'en allait pas de même avec une jeune personne qui ne cessait d'arracher sa main à celle du malheureux chapelain pour se jeter au plus épais de la foule. Une foule qui, à présent, n'était plus aussi sage ni aussi sobre et qui commençait à se laisser ballotter de côté et d'autre par un autre élément : les jeunes nobles, vêtus de soies et de fourrures, le visage dissimulé sous des masques grotesques et merveilleux, allaient par groupes d'une demeure à l'autre, avec leurs serviteurs et leurs musiciens, et ils étaient d'humeur à souffleter l'enfant sans défense qui viendrait à les bousculer – ou même capables de la prendre par le bras pour l'emmener avec eux.

Par deux fois, Claes rattrapa Catherine et la ramena de force, dans un tourbillon de rires et de cris aigus. La seconde fois, Tilde leva la main et lança un bon soufflet à sa sœur qui, cette fois, hurla pour de bon et, la main sur sa joue, les yeux pleins de larmes, regarda Tilde d'un air furieux. Les petites Adorne les dévisageaient avec stupeur. Le chapelain émit un bruit qui ressemblait à la protestation d'un cheval qu'on fait trotter dans la boue.

– Hé! fit Claes.

Il referma sa main chaude sur le poignet de Tilde, passa l'autre bras autour des épaules de Catherine. Il secoua légèrement le poignet de l'aînée, éleva la main crispée.

– Regardez un peu ce poing! Vous me faites peur! Comment puis-je escorter une dame qui risque de me frapper à tout instant?

Catherine gloussa. Il se tourna vers elle.

– Et, doux Seigneur, voyez un peu le père Bertouche. Il ne

peut surveiller tout le monde, n'est-ce pas, pendant que je cours après vous ? Il va devoir vous ramener toutes à la maison, et nous manquerons les danseurs de corde, le feu de joie et le feu d'artifice. Et vous ne vous êtes même pas encore fait dire la bonne aventure.

– Je veux me faire dire la bonne aventure, annonça Catherine.

– Mais je ne peux pas vous faire confiance, non ? Il va donc me falloir veiller à ce que vous ne vous sauviez pas une fois encore.

Sans desserrer son étreinte sur le poignet de la fillette, il déboucla sa ceinture, la passa dans celle de Catherine, l'attachant ainsi à lui.

C'était ce qu'elle voulait. Ses larmes oubliées, elle lui prit le bras, l'entraîna vers l'échoppe de l'astrologue. Près de lui, Tilde marchait d'un pas contraint.

– Ma mère l'aurait souffletée, dit-elle.

Elle n'était plus la seule et unique compagne du jeune homme. Catherine sautillait de l'autre côté de Claes.

– Bien entendu, fit celui-ci, il faut donner un soufflet si tout le reste échoue, et s'il se présente quelque danger. Mais il est bon d'essayer d'abord d'autres solutions.

– Felix te frappe bien, répliqua Tilde.

Après un bref silence, elle reprit, sans lui laisser le temps de répondre :

– Mais, évidemment, ma mère ne le fait pas.

Un rugissement monta de la foule. Les danseurs de corde venaient d'apparaître au sommet du beffroi. Spontanément, Marie, Katelijne, Catherine, le père Bertouche et même Mathilde levèrent la tête vers eux. Claes, sans être vu, poussa un soupir de soulagement et d'amusement qui tira sur sa cicatrice. Une voix autoritaire, aussi aiguë que le son d'un sifflet, s'écria :

– Ah, vous voilà ! Où étiez-vous donc ? On vous avait dit de m'attendre ! Vous n'avez même pas essayé !

Hérode, où es-tu ? On avait moins de peine à faire traverser les Alpes à des chevaux de somme. Une petite créature corpulente traînait ses coûteuses fourrures pour arriver jusqu'à lui. Il l'avait déjà vue... Ah, Gelis. La plus jeune des van Borselen, avec qui il avait patiné, et qui avait tenté d'accaparer ses services pour la soirée. Dieu merci, fendant la foule pour la rejoindre, arrivaient un homme en livrée et une servante enveloppée d'un manteau, une coiffe blanche sur la tête. Près de Claes, Tilde tourna la tête, et, l'instant d'après, le chapelain l'imita.

La petite van Borselen levait vers Claes un visage sévère. Les chevaux, on leur passait un sac sur la tête, et c'était fini. Un sac avec un peu d'avoine au fond, et ils étaient parfaitement heureux.

La jeune van Borselen reprit :

– J'ai apporté un manteau et un masque, pour le cas où vous n'auriez pas les moyens de vous les offrir. Tenez.

Le serviteur, sans regarder personne, passa à sa maîtresse un long rouleau d'excellente étoffe, sur lequel reposait un assemblage de plumes de belle taille. Gelis tendit le tout à Claes.

– Demoiselle, nous serons heureux de vous voir vous joindre à nous, déclara-t-il. Nous espérions votre arrivée. Mais nous sommes trop nombreux pour une mascarade. Vous connaissez les demoiselles de Charetty ? Et, bien sûr, les demoiselles Adorne. Le père Bertouche...

Le père Bertouche, son nez enflammé plongé dans son mouchoir, considérait avec animosité cet accroissement de son petit troupeau.

– Nous n'avons certes aucune intention de participer à une mascarade, déclara-t-il. A la vérité, nous nous demandions si, à la fin de ce spectacle, nous ne ferions pas bien de reprendre le chemin de la maison.

– J'aimerais rentrer, fit Tilde.

De l'autre côté de Claes apparut le visage maussade de Catherine. Près du prêtre, les deux petites Adorne chuchotaient. L'aînée, Marie, murmura quelque chose en rougissant.

– Que dites-vous ? demanda le père Bertouche.

La petite van Borselen le regarda avec impatience.

– Elle dit que sa sœur a besoin de rentrer. Vous n'avez donc pas de servante avec vous ?

Le chapelain dégagea son nez de son mouchoir. Sa lèvre supérieure avait un éclat ocré sous les lumières. Il semblait frappé de détresse. Claes sourit.

– C'est un problème banal, dit-il. Je veux bien l'emmener si elle désire se sentir plus à l'aise. Je connais ici bon nombre de filles.

La détresse de la petite Adorne, pauvre enfant, était aussi manifeste que celle du chapelain.

– Je veux rentrer, articula-t-elle d'une voix étranglée.

– Fort bien, décida Gelis van Borselen. Prenez ma servante. Matten, accompagne-les. Aide la demoiselle, si elle en a besoin. Inutile de revenir.

Jésus...

– Dans ce cas, nous allons tous retourner à l'Hôtel de Jérusalem.

La grosse fille le dévisagea.

– Je ne bouge pas d'ici, répliqua-t-elle. Et j'ai renvoyé mon serviteur. Je resterai seule, si vous refusez de tenir vos promesses. Et vous aviez promis.

Avec une rapidité indésirable mais compréhensible, le groupe qui avait été réuni autour de lui était en train de se dissoudre. Claes détacha Catherine, trouva quelques mots à dire à

Tilde et au chapelain qui battait en retraite, mais saisit en même temps la phrase essentielle dans la déclaration de Gelis. Il se lança juste à temps à la poursuite du serviteur qui s'éloignait déjà, le ramena en le tirant par le bras. L'homme semblait effrayé.

A juste titre.

— Je lui ai commandé de partir, dit la fillette. Sinon, il entendra parler de l'affaire par mon père.

— Et moi, répliqua Claes d'un ton ferme, je lui commande de rester. Sinon, c'est par moi que votre père entendra parler de l'affaire. Où avez-vous pris ce manteau et ce masque ?

— Je les ai empruntés.

Elle leva le menton, ce qui améliora très légèrement la perspective.

— Je n'en doute pas. Et, si vous les rapportez à temps, personne n'en dira peut-être rien. Je vais donc vous faire une proposition. Je vous accorde dix minutes ici, pour regarder les danseurs de corde. Dix minutes pour danser avec quelques-uns de mes amis. Dix minutes encore pour admirer le feu d'artifice et le feu de joie. Ensuite, notre ami que voilà et moi, nous vous ramènerons à votre sœur.

Gelis déclara :

— Je ne loge pas avec Katelina. Je loge chez monseigneur de Veere, où se trouve Charles. Voulez-vous savoir pourquoi ?

Ce n'était pas une méchante fille. Claes avait devant lui la perspective inattendue, à la fin de l'aventure, de passer une heure ou deux comme bon lui semblerait. Avec qui il voudrait.

Il écouta sans impatience l'information qu'elle tenait à lui faire connaître, la trouva, en vérité, presque aussi intéressante que la jugeait Gelis.

19

Tandis qu'on ramenait les enfants à la maison, les masques commencèrent de se répandre par les rues. Parmi les vêtements de futaine, apparurent de chauds manteaux de velours doublés de fourrure qui laissaient entrevoir sous leurs plis une manche emperlée, une frange de fils d'or, un brocart de soie. Voisinant avec les bonnets de feutre, les modestes capuchons, les coiffes blanches, passaient tout à coup un griffon, un bouffon, un aigle. Une licorne se retournait pour mieux voir une cheville bien tournée, un navire toutes voiles dehors s'éloignait en riant, une chèvre, un Charlemagne prenaient le temps de lancer une pièce pour avoir une sucrerie.

Katelina van Borselen n'était pas encore dans cette foule. Le manteau qu'elle allait porter s'étalait sur une table, près de la grande fenêtre, dans la demeure de ses parents. De temps à autre, elle passait devant cette fenêtre, pour voir si les trois prétendants choisis par sa mère l'attendaient déjà. La maison était déserte, mis à part les portiers. Ils étaient là pour protéger la demeure, car les autres serviteurs avaient reçu permission de sortir ou se trouvaient avec les parents de Katelina chez le seigneur de Veere. Ils étaient là aussi pour protéger la jeune fille, au cas où son escorte n'apparaîtrait pas ou se révélerait indésirable. Ou bien encore dans l'éventualité – le cas s'était quelquefois présenté – où un cavalier se prendrait de querelle avec un autre, la laissant sans personne.

D'ordinaire, cependant, il ne se passait rien de déplaisant. Le prétendant présentait son rouleau de papier ou de vélin, se voyait choisi ou bien congédié avec courtoisie. Anonyme sous son masque, il ne perdait pas la face devant un rival qui attendait au même moment. A moins, évidemment, qu'il ne fût assez sûr de lui pour avoir amené ses porteurs de torches en livrée, ses pages, ses serviteurs. C'était précisément, constata la jeune fille en jetant un nouveau coup d'œil par la fenêtre, ce qu'avait fait Guildolf de Gruuthuse.

Elle ne l'avait pas vu arriver. Il attendait déjà sous l'avant-toit des maisons d'en face. Il ne portait pas de manteau. Au-dessus du cou, on ne voyait que le poil, les orbites et les crocs d'une magnifique tête de léopard. Entre le cou et les pieds, les lumières révélaient une courte tunique bordée de fourrure et la courbe négligente de ses hauts-de-chausses, de mi-cuisses au sol. Une main gantée s'appuyait sur sa hanche. Dans l'autre, en pleine lumière, il tenait le petit rouleau de mascarade. Derrière lui se groupaient, le canon de Gruuthuse sur chaque épaule, six serviteurs en livrée. L'un deux tenait un luth enrubanné, comme il aurait tenu un chat par la queue.

Le prétendant, pensa Katelina, venait tout juste de prendre la pose : on distinguait encore la bande d'amis qui l'avaient accompagné, d'où montaient des appels et des rires. Tandis qu'elle observait la scène, d'autres passèrent, et il y eut des échanges de plaisanteries. C'était tout à fait normal. Dès qu'elle apparaîtrait, le prétendant reviendrait aux usages de la chevalerie. Elle devait descendre. Elle devait d'abord s'assurer qu'il n'y avait pas d'autre candidat – mais était-ce vraisemblable ? Avec la plus grande discrétion, elle se rapprocha de la fenêtre pour examiner la rue.

Il y avait bel et bien un autre candidat. Un homme, tout à la fois plus grand et plus large que Guildolf, attendait sereinement, rouleau en main, près du portail de la demeure. Il était seul, sans le moindre serviteur, le moindre signe qui pût révéler son identité. De son apparence générale, elle ne pouvait rien voir : son manteau l'enveloppait de son masque à ses bottes. Le masque lui-même était à peine visible dans la lumière incertaine. Il semblait fait de plumes.

Katelina hésita, avant de prendre son manteau et de descendre lentement l'escalier de la maison de son père. Elle traversa la cour, dit quelques mots à l'un des portiers qui ouvrit le portail. Elle franchit le seuil.

L'inconnu était certes le plus proche, mais elle se devait de remercier les deux hommes de leur présence. Elle fit une révérence à destination du léopard mais se tourna, comme il était naturel, vers le prétendant qui se trouvait près d'elle. De nouveau, elle s'inclina pour un salut des plus cérémonieux, tendit la main pour recevoir le rouleau.

Il mit un genou en terre pour le lui présenter. Le masque accrocha la lumière : une tête de hibou. Le nom inscrit sur le papier était celui du prétendant de Courtrai. Étrange, elle l'imaginait de petite taille. De l'autre côté de la rue, Guildolf de Gruuthuse se disposait à la rejoindre et traversait avec élégance la chaussée pavée.

Fort bien. Il n'y avait pas d'autre prétendant. Elle devait choisir entre le fauve et l'oiseau. Près d'elle, l'oiseau s'était relevé et riait sous cape. Les prétendants étaient censés ne pas prononcer un mot. Dans un flamand aisé, mêlé d'un subtil accent français, celui-ci fit une brève déclaration :

– Choisissez-le si vous y tenez, mais il joue du luth comme un boucher et chaque matin, à table, il presse ses furoncles. De là l'idée du léopard. Lorsqu'il retire enfin son masque, on s'est habitué à ses taches. Quant au reste de son corps, il le réserve à sa nuit de noces.

Elle faillit s'étrangler. Elle se maîtrisa, mais l'effort lui fit venir les larmes aux yeux. Les belles jambes et la tête de léopard arrivaient devant elle. La fortune des Gruuthuse. Vingt années de maternités. Des furoncles.

Katelina van Borselen gratifia Guildolf de Gruuthuse d'une autre révérence mais remit doucement le petit rouleau dans les mains qui le lui avaient offert.

– Mon cher seigneur, vous me faites grand honneur mais vous avez été devancé par un autre. Dieu vous accorde une soirée et une nuit de joie, et puissions-nous boire un jour ensemble en toute amitié.

Il apparut extrêmement déconcerté. Il était improbable, se dit-elle, qu'il lui arrivât de boire un jour avec elle ou avec tout autre membre de sa famille. Sa mère, espérait-elle, qui était à l'origine de ce fiasco, saurait le réparer avec la même habileté. Elle l'en jugeait bien capable. Après tout, c'était sa mère qui avait lancé pour ainsi dire trois invitations. Il fallait bien que quelqu'un fût déçu. L'idée que trois personnes eussent pu l'être n'avait naturellement pas traversé l'esprit de sa mère.

Katelina, elle, ne s'en souciait guère. Ce qui importait à ses yeux, c'était de savoir si, oui ou non, le déroulement de la soirée serait de nature à ne pas la laisser déçue, elle, Katelina. Elle plongea dans une profonde révérence. Le jeune Gruuthuse la salua et s'éloigna, suivi, en désordre, par son entourage où chaque visage portait une expression différente. L'homme qui tenait le luth se livra, derrière le dos de son maître, à une mimique que la jeune fille espéra avoir mal comprise. Une sorte de rugissement sourd, sous le masque de son compagnon, lui révéla qu'il avait, lui aussi, remarqué la manœuvre. Elle comprit qu'elle avait choisi un homme vulgaire et en éprouva fugitivement un sombre pressentiment.

Peut-être en eut-il conscience car il lui adressa un salut d'une ampleur démesurée, avant de lui présenter son bras et de poser la main sur celle de la jeune fille. Il s'engagea ainsi avec elle dans la rue, à la suite des courtisans richement vêtus qui les avaient précédés.

La première cour grande ouverte à laquelle ils parvinrent était celle du contrôleur Bladelin. Le soir du Carnaval, les gens de qualité n'avaient pas besoin d'autre passeport que leurs tenues, leurs masques, leurs bijoux. Le couple passa sous le porche d'entrée, se retrouva dans le jardin illuminé par des lanternes où la lueur des braseros se reflétait dans le vin qu'ils burent dans leurs verres. Du haut d'une tour, flûtes, violons et violes filtraient à travers les bavardages que paraphrasait un petit tambour diligent.

Les visiteurs circulaient, déambulaient, s'en allaient. Sous les arbres apparut une mouvante arcade de danseurs qui, les bras haut levés se tenaient par les mains, et dont les larges manches se balançaient sous les fleurons de monstrueuses et magnifiques coiffures. Celles des femmes, en cette nuit glaciale de février, s'épanouissaient comme des camélias ou comme des lis, ou semblaient délectables, comme des gâteaux de pâte feuilletée, des échafaudages de sucreries liées d'angélique.

Katelina, ce soir-là, avait abandonné le fameux hennin. Sa servante avait tressé des mèches de ses cheveux, pour les passer dans une mince résille ouvrée par un orfèvre, et coiffé le reste en une lourde natte faufilée de ruban, assez longue pour se trouver prise sous le velours de ses jupes lorsqu'elle s'asseyait. Ce soir-là, son collier d'or à quatre rangs, venu de Lyon, reposait sur sa peau nue, au lieu d'orner la sempiternelle guimpe de mousseline, et elle portait des bagues à presque tous les doigts.

Son compagnon, découvrit-elle, n'en avait aucune, pas même un anneau sigillaire. Cela confirmait ce qu'elle avait déjà deviné, même si, respectueux des règles, il n'avait pas repris la parole. Il savait se conformer aux usages. D'abord elle accorda ses pas aux siens : ils passèrent de la maison de Bladelin à celle récemment construite des Ghistelhof et, de là, à celle de Vasquez, du palais de Jean de Gros aux Sept Tours, puis à la maison de la Guilde des Archers. Ils s'aventurèrent dans la magnifique demeure des Gruuthuse, sans y rencontrer de léopard, aboutirent enfin dans les jardins du Princenhof, en invités du comte de Charolais, alors absent. A ce moment, non sans hésitation, Katelina osa prendre part aux danses et découvrit qu'elle n'avait aucun motif d'inquiétude : son compagnon connaissait toutes les figures et les exécutait avec adresse. Lorsqu'elle s'enquit d'un rafraîchissement, il la servit scrupuleusement, sans oublier certains de ses amis sur leur passage. Il se prit à en faire rire à en perdre le souffle par la manière dont il jonglait avec leurs assiettes et faisait apparaître et disparaître leurs couteaux. Il n'était pas vulgaire, constata Katelina avec soulagement, il savait être amusant. Il n'avait pas ôté son manteau, ne la touchait pas, sinon pour la tenir par la main ou par le coude. Elle remarquait seulement qu'il faisait en sorte de la faire boire abondamment.

Elle ne s'en troublait pas pour autant. Elle laissait la soirée s'écouler à sa guise, sachant ce qui se passerait ensuite. Le moment viendrait où il la reconduirait chez elle, dans la maison où il n'y avait personne, sauf les portiers : ceux-ci les laisseraient entrer tous deux. Elle mènerait son compagnon jusqu'au parloir de sa mère. Là, pour le remercier de l'avoir escortée, elle lui offrirait du vin, requerrait le privilège de voir son visage. Et il ôterait son masque.

Ses amies sollicitées de lui conter la suite avaient rarement été explicites. Si une jeune fille se sentait conquise, la famille du prétendant rendait visite à celle de la future fiancée, et l'on se mettait d'accord.

Cela, c'était le lendemain. Ce qui arrivait durant la nuit en question s'enveloppait naturellement de discrétion. Et cela ne pouvait mener bien loin. La maison était déserte, certes, mais elle ne le resterait pas la nuit durant. Et, somme toute, comme en des circonstances normales, vous conviez votre prétendant agréé chez vous, et il acceptait.

Cela signifiait le mariage. Tout simple, si vous rameniez chez vous l'homme qui convenait. Moins simple, dans le cas contraire.

Rien que d'y penser, la fatigue la prenait : elle trébucha pour la seconde fois, et son compagnon la retint.

– Vous devez être lasse, dit-il. Désirez-vous que je vous reconduise chez vous?

C'étaient les premiers mots qu'il prononçait depuis qu'il l'avait saluée. Elle n'y décela pas la moindre pointe d'accent de Courtrai.

– Ce serait préférable, je crois, répondit-elle.

Elle ajouta :

– Quand vous aurez ôté votre masque.

Ils s'étaient immobilisés face à face. Elle s'attendait à le voir lui obéir. Mais le masque aux yeux fixes de hibou tourna d'un côté à l'autre, dans un geste de refus explicite. Elle attendit un instant, pour voir s'il allait céder. Il n'en fit rien. Alors, les sourcils froncés, elle lui tourna le dos, s'éloigna. Au bout d'un moment, il la rattrapa, la reprit par le coude, et elle lui en fut reconnaissante.

Au seuil de sa maison, le portier de service reconnut le masque et, en serviteur bien dressé, ouvrit les battants en leur souhaitant sans sourire une bonne soirée. Il les précéda pour aller ouvrir la porte de la demeure, avant de s'assurer que toutes les lampes brûlaient.

Katelina se dirigea vers le parloir de sa mère. Elle avait beaucoup bu mais, en prévision de ce moment, elle avait pris ses précautions pour ne pas être mal à l'aise. Son compagnon, de son côté, s'était calmement absenté de temps à autre. Autre caractéristique de l'homme préparé à toute situation. Elle allait donc découvrir à présent d'où lui venait une telle maîtrise.

Le feu avait baissé dans l'âtre. Elle s'en approcha pour le raviver, et il dit, dans le même flamand correct :

– Prenez garde à votre manteau.

Elle attendit, avant de s'agenouiller, lui permit de passer derrière elle et de dégrafer le vêtement. Elle sentit ses doigts effleurer la lourde masse de ses cheveux. Tandis qu'elle remettait du bois au feu, il traversa la pièce, posa le manteau sur un tabouret.

Elle se releva, se retourna : il ne s'était pas défait de son vêtement ni de son masque.

– Vous allez maintenant, lui dit-elle, recevoir votre récompense pour vos galanteries de cette soirée. Il ne s'agira, je le crains, que d'une autre coupe de bon vin, mais au moins pourrez-vous vous asseoir et me permettre de vous l'apporter.

Souriante, elle avait atteint l'armoire. L'homme n'avait toujours pas bougé. Elle prit deux coupes, un flacon, se dirigea vers la banquette placée près du feu. Elle reprit :

– Je comprends. Il y a une tête de hibou derrière cette tête de hibou?

Le manteau était de couleur bleue, de lourde étoffe, et tombait tout droit jusqu'au sol. Il ne fit pas un geste pour l'ôter. Un peu impatientée, elle posa sur un tabouret les coupes et le flacon. Ainsi penchée, elle sentit une mèche de cheveux lui retomber sur l'épaule. Elle releva la tête pour la remettre en place, s'aperçut dans le même temps qu'en la débarrassant de son manteau, il avait libéré toute sa chevelure.

Elle fit volte-face, une question dans le regard. Elle trouva son compagnon immédiatement derrière elle. Le masque n'était qu'à quelques pouces de son visage.

– Et maintenant, dit-il, au reste de ces beaux atours.

D'un brusque mouvement, elle échappa à ses mains. Son mouvement avait été si rapide que son collier était resté entre les doigts de l'homme.

– Oh, non, fit-elle. Ceci ne fait pas partie du marché.

Le hibou demeura où il était. Impossible de savoir s'il était consterné, furieux ou simplement patient.

– Je n'ai passé aucun marché, déclara-t-il.

Sans hâte, il avança vers elle.

Katelina se trouvait entre un fauteuil et le mur.

– Oh, mais si, dit-elle. Ma mère a pris les arrangements. Votre papier vous donne droit à une soirée passée en qualité de cavalier. Vous devez à présent vous estimer satisfait. Si vous désirez davantage, vous pourrez venir la trouver demain.

Le souffle court, elle se tut.

Il s'était immobilisé près du fauteuil.

– Si je désire davantage, moi? fit-il. Mais c'est bien vous, demoiselle, qui avez agencé tout ceci, n'est-il pas vrai? Vous saviez, quand vous avez vu le rouleau de papier, que je ne venais pas de la seigneurie de Courtrai. Vous saviez, quand vous m'avez ramené chez vous, que je n'étais pas l'un des trois prétendants choisis par votre mère. Personne n'a passé de marché. Personne, sinon vous-même, ne m'a autorisé à me trouver ici. Et dans quel but, sinon celui-ci?

— Ce n'était pas dans ce but, répliqua Katelina.

— Était-ce pour jouir des charmes de ma conversation? J'ai passé toute la soirée dans le silence. En raison de la sympathie qui existait entre nous? Nous ne nous étions encore jamais trouvés en tête-à-tête. Pour quelle raison m'avez-vous donc amené ici, sinon pour aviver mon désir et satisfaire le vôtre? Douce demoiselle, tout le monde sait que vous êtes vierge et vous soupçonne de l'être bien malgré vous. Pourquoi le rester plus longtemps?

Non seulement tout allait de travers, mais la situation empirait d'instant en instant. La voix de l'homme elle-même avait changé. Katelina déclara:

— Vous aurez peut-être peine à le croire, mais le viol ne faisait pas partie de mes prévisions... Le mariage, peut-être, ajouta-t-elle, après un silence.

Avait-il fermé la porte à clé?

Le masque émit un rire bas.

— Vous étiez prête à accueillir une demande en mariage de la part de l'homme pour lequel vous m'aviez pris! Sottise, chère demoiselle. Je compte bien vous épouser, mais seulement après vous avoir initiée aux très particulières délices de la condition de femme. Je crois qu'alors, sans qu'il soit besoin de trop de persuasion, vous vous estimerez satisfaite de devenir mon épouse. Je suis, déclara le hibou, du moins me l'affirme-t-on, un homme doté de pouvoirs exceptionnels. Puisque votre cœur n'a pas d'inclination pour mon fils, je suis tout prêt à les mettre tous à votre disposition.

— Votre *fils*? s'exclama Katelina.

Elle le vit, au même instant, rejeter en arrière son grand manteau. Les mains de courtisan, qui l'avaient si habilement servie, se portèrent vers l'amusant masque de hibou. Les doigts qui l'avaient menée d'une danse à l'autre saisirent le masque de chaque côté, le soulevèrent précautionneusement. Dessous apparurent les traits de Jordan de Ribérac.

— Simon vous déplaît-il à ce point? demanda-t-il. Il m'arrive de m'interroger sur ce point. Mais, de toute évidence, il est trop offensé pour demander votre main et, par ailleurs, il doit d'abord régler une querelle personnelle. Du moins le croit-il. Il va découvrir, je pense, à son retour, que quelqu'un d'autre s'en est chargé à sa place. Le rustre a encore ses deux yeux mais il se souviendra de moi toutes les fois qu'il se verra dans un miroir. J'ai horreur des paysans et des gens qui les fréquentent, affirma le vicomte de Ribérac. Vous vous en apercevrez quand vous viendrez en France. Je ne saurais, sinon, vous faire un enfant.

Claes. C'était cet homme qui avait marqué Claes. Et que disait-il encore? Elle s'appuya des deux mains sur le dossier du fauteuil.

– Vous voulez des enfants pour supplanter...

Avec un charmant sourire, il l'interrompit.

– Un fils unique... quel otage à offrir au destin! Un homme fortuné a besoin de plus d'un fils.

– Vous avez une épouse, dit-elle.

Jordan de Ribérac sourit de nouveau.

– Il existe bien des moyens de se débarrasser d'une épouse. Tandis qu'une femme capable de produire des enfants est aimée de Dieu et des hommes, ce que nous démontrerons, vous et moi, si Dieu le veut. La porte est fermée à clé, et j'ai acheté le bon vouloir des portiers, demoiselle Katelina. Je vais me dévêtir, et, de votre côté, si vous le voulez bien, vous remettrez du bois au feu. Il y a ici un courant d'air. Je le sens déjà.

La porte qui donnait sur le reste de la maison était fermée à clé. Celle qui se trouvait dans l'angle opposé de la pièce ne l'était pas. Elle menait à un escalier, une cour, une poterne qu'elle savait comment franchir.

Elle s'approcha du feu, comme pour le ranimer. Ribérac était bel et bien en train de se dévêtir. Il dégrafa sa robe, entreprit de dégager ses bras puissants du matelassage intérieur. Elle n'attendit pas plus longtemps. D'un bond, elle fut à la petite porte, se jeta dans l'escalier qu'elle descendit quatre à quatre, en relevant ses jupes des deux mains.

Elle entendit son visiteur jurer, se mettre à sa poursuite. Ses pas résonnèrent sur les premières marches, au moment où elle franchissait les dernières, et dévalait dans le jardin. Des arbres, des arbustes en pots, la fontaine se dressaient sur son chemin. La neige, accumulée en banquettes, se refermait sur ses pieds. Elle manqua la porte de la poterne, la retrouva, découvrit que le froid en avait bloqué les verrous. Elle les martela de ses poings. Derrière elle, elle entendait les pas de Jordan de Ribérac.

Le premier verrou céda. Le second fit de même. Elle ouvrit le battant à la volée, s'élança dans Steenstraat, tout illuminée, grouillante d'une foule en liesse. Les passants les plus proches se tournèrent vers elle en souriant, et elle laissa aussitôt retomber ses jupes. Elle était saine et sauve. Inutile d'appeler à l'aide. Il lui suffisait de traverser la place pour atteindre l'Hôtel de Veere, où se trouvaient ses parents et Gelis. Sans doute, se dit-elle, Ribérac avait-il menti en prétendant avoir acheté le bon vouloir des portiers, mais la question pouvait attendre le lendemain.

Elle se fondit dans la foule qui avait envahi la rue, cette foule de gens du commun qui chantait, qui riait. Elle jeta un coup d'œil en arrière. Jordan de Ribérac avait franchi la poterne.

Sans manteau, sans chapeau, il la regardait de loin. Il avait abandonné la poursuite et se contentait de la suivre des yeux par-dessus la houle de têtes qui les séparait. Sa masse importante abandonna enfin son immobilité. Accompagné par son ombre, il prit délibérément la direction opposée.

Il lui avait proposé tout à la fois le mariage et le viol dans sa propre maison. Après qu'elle eut passé une soirée avec lui. Après qu'elle l'eut invité chez elle, cordialement.

Certes, il l'avait trompée. Le nom qu'il lui avait montré n'était pas le sien. Il n'avait pas sollicité l'approbation de ses parents. Elle devrait tout leur dire : elle avait besoin de leur protection. Mais personne d'autre n'aurait à savoir ce qui s'était passé. Déjà, elle imaginait l'expression du visage de sa mère. Le fils du seigneur de Courtrai, sa mère ne l'ignorait pas, avait six pouces de moins que le père de Simon.

Tremblante, elle hâta le pas. Il devait être l'heure du feu d'artifice et du feu de joie. Elle allait sans doute trouver dans les parages le groupe du seigneur de Veere et de ses invités, avec Charles, Gelis et un cercle rassurant de serviteurs. Elle ne se trompait pas : elle voyait bien Gelis, à quelque distance. Mais Gelis était seule, suivie d'un unique serviteur au visage blême. Gelis criait quelque chose de sa voix suraiguë. La détresse déformait son visage joufflu. Au sein d'un folâtre tourbillon de Carnaval, ses supplications véhémentes ne rencontraient qu'indifférence.

Katelina, une nouvelle fois, releva ses jupes et courut en direction de sa jeune sœur. Elle cria son nom, ouvrit les bras pour accueillir l'enfant qui jouait des coudes pour se précipiter vers elle. Sans larmes, sans cris, Gelis déclara :

– Ils ne veulent pas me croire. Nous avons tout vu du haut de la tour. Deux hommes ont surgi et ils ont emmené Claes. Je crois qu'ils l'ont tué.

Claes, encombré de Gelis et de son serviteur, avait eu l'impression d'être engagé dans l'épuisante conclusion d'une journée particulièrement épuisante. La vie étant ce qu'elle était, il n'aurait pas été autrement surpris de se retrouver devant de nouvelles complications. Le danger, il n'y pensait pas le moins du monde.

A la vérité, les mòments passés avec la fillette n'avaient pas été difficiles. Il avait trouvé des amis qui les avaient acceptés dans leurs danses. Il avait obtenu pour Gelis une place d'où elle pourrait admirer les jongleurs. Un homme de sa connaissance avait consenti à les mener tout en haut de la chapelle Saint-Christophe, d'où ils regarderaient le feu d'artifice. Une fois qu'elle avait obtenu ce qu'elle voulait, Gelis était facile à manier. Elles étaient toutes les mêmes.

Après cela, il cessa d'être maître de la situation.

Il installa Gelis et son serviteur dans la tour. Il redescendit en courant pour retrouver et remercier son camarade. Il fit demi-tour pour remonter, et un remous de la foule faillit lui faire perdre l'équilibre. Quand le calme revint, il découvrit qu'il avait été entraîné sur la moitié du chemin vers la Waterhalle et, mieux encore, qu'il servait de soutien à une paire d'ivrognes qui refusaient de le laisser aller. Finalement, l'un des ivrognes leva un bras hésitant. Le bras devait se terminer par autre chose qu'une main : lorsqu'il retomba sur sa tête, Claes ressentit seulement la première douleur aiguë, avant de sombrer tout soudain dans l'inconscience.

Il fut réveillé par le bruit d'une respiration haletante et comprit que c'était la sienne : sa poitrine vibrait et gémissait parce qu'il n'y avait presque pas d'air, là où il était. Ses sens lui revinrent lentement, l'informèrent d'une douleur intolérable qui s'attaquait à la fois à sa tête et à son visage déchiré et de la probabilité qu'il fût non seulement aveugle mais totalement paralysé.

Tandis qu'il cherchait un peu d'air, l'intelligence fit justice de cette absurdité. Il n'était pas paralysé : ses jambes étaient engourdies parce qu'il était recroquevillé dans un espace réduit. S'il ne voyait rien, c'était parce qu'il faisait noir. Il déplia ses doigts malhabiles, trouva les parois de sa prison : du bois.

Un cercueil, sans doute. Ou quelque chose qui devait en tenir lieu. Il avait la bouche grande ouverte, comme celle d'un poisson. Ses lèvres, il le sentait, étaient étirées, ses narines desséchées, distendues. Il avait mal à la nuque et dans la poitrine. Une vague de faiblesse vint le tourmenter, reflua. Du bois. Il pouvait se libérer d'une prison de bois, si les parois étaient assez minces. S'il ne s'agissait pas, en fait, d'un cercueil. S'il ne s'agissait pas, en fait, d'une tombe, avec de la terre au-dessus et tout autour de lui.

Essaye.

Il avait déjà les genoux remontés sur la poitrine. Il les ramena plus haut encore, avant de lancer violemment les deux pieds contre les parois. Totale résistance, obstinée, absolue. Une autre vague de faiblesse vint lui révéler qu'il n'avait plus de forces en réserve pour faire une nouvelle tentative de ce genre.

Si le bois était partout aussi épais... Et le couvercle ? Change de position. Respire lentement. Lève d'abord une main, puis l'autre. Explore.

Il n'y avait pas seulement ce bois mais aussi une odeur familière. Ce n'était pas un rectangle. Ce n'était pas l'odeur de la corruption. Une odeur aussi fragile que la maigre bouffée d'air qui la lui apportait. Elle s'associait curieusement avec des souvenirs de tous les jours. Avec des filles. Avec des tavernes. Avec des bons moments du passé. L'odeur du vin de Malvoisie. Il n'était pas dans un cerceuil. Il se trouvait dans un baricaut.

Il eut envie de rire, mais, continuellement, la conscience lui échappait. Son esprit lui dit : « Si... »

Il oublia à quoi il avait pensé.

Il se souvint. Son esprit lui dit : « S'il s'agit d'un baricaut... » C'était important. Il s'y accrocha. Il crispa les poings. Il aspirait de longues bouffées superficielles d'un air chargé de vapeurs d'alcool. L'envie de rire le reprit, mais il la maîtrisa. S'il s'agissait bien d'un baricaut, il devait y avoir une bonde.

Tâte. Ses mains raidies passèrent sur les courbes rugueuses. Pas de bonde. Tâte ailleurs. Cela, c'était plus difficile. C'était changer de position, tomber dans un demi-sommeil, en émerger, changer encore de position. Quand il dormait, sa tête et sa poitrine cessaient de le faire souffrir. Pourquoi avoir bougé ?

La raison lui en échappait. L'inquiétude recula. Il demeura immobile. De temps à autre, il perdait le souffle, pressait sa main contre sa poitrine. Le dos de sa main frôla quelque chose. Non, rien. Un trou.

La bonde. C'était là ce qu'il cherchait.

Comme dans une immense léthargie, il leva la main, enfonça ses doigts dans le trou. Tout au fond. Jusqu'à l'autre côté du baricaut. Et il rencontra une autre paroi de bois. Pas une bonde. Le flanc d'un autre baricaut.

Il se trouvait dans un tonneau dont la bonde était ouverte. Mais le tonneau était parmi d'autres, et le trou de la bonde était recouvert. Il ne pouvait pas s'en sortir. S'il voulait de l'air, il lui faudrait faire rouler le baril sur lui-même. Et, s'il parvenait à le faire rouler, d'autres barils, au-dessus de lui, pourraient tout aussi bien bloquer la bonde. L'effort que demanderait cette manœuvre risquait de lui faire absorber le peu d'air dont il disposait. S'il perdait vraiment connaissance, il suffoquerait.

Bon. S'il lui fallait épuiser cet air, pourquoi ne pas l'utiliser pour crier ? Mais jusqu'où porterait un cri émis d'un tas de baricauts ? Ceux-ci étaient-ils même encore à Bruges ? Y avait-il des passants près de là ? Quelqu'un, n'importe qui ? S'il usait la même énergie pour tenter de modifier la position du baril, le bruit ainsi produit serait peut-être aussi fort ?

Ce n'était pas vraiment de la pensée, mais plutôt une sorte de long rêve décousu. Parvenu à ce point, il aspira soigneusement tout l'air qui restait dans sa prison. Il se souleva, se jeta de tout son corps contre les parois du tonneau, sur les côtés, vers le bas, avec toutes les forces qu'il put rassembler.

Le bois cognait avec un bruit retentissant contre le bois. A l'intérieur de sa prison, le vacarme éveillait des échos pareils à ceux d'un coup de canon, explosait dans son crâne vide. Ses mâchoires cliquetaient à chaque choc d'un baril contre un autre. Elles cliquetèrent plus fort encore lorsque se produisit un nouveau vacarme retentissant. Le baricaut de Claes avait frappé son voisin avant d'être frappé par un autre.

Une troisième collision suivit, l'ébranla tout entier, comme un oiseau dans sa coquille. Ses genoux, ses épaules entrèrent en contact brutal avec les douves de chêne. Sa joue fendue soutint tout à coup le plus fort du choc. Il en perdit le souffle mais comprit en même temps ce que cela signifiait : le baricaut s'était en partie retourné.

Après cela, il perdit toute notion de ce qui se passait : le baril tressautait, cahotait en une série de secousses intolérables, tel un arbre assailli de coups de hache. Son esprit, annihilé par la souffrance et le manque d'air, cessa de lui dire quoi que ce fût. Le mouvement, pareil à celui d'un arbre qui s'abat, devint de plus en plus languissant. Les coups s'espacèrent, devinrent plus lents, plus lourds. Le dernier, juste au-dessus d'une épaule, parvint à se faire sentir à travers le drap bleu de la demoiselle de Charetty. L'arête d'un autre baril avait pénétré le sien et s'était immobilisée contre son épaule.

Sa jaque bleue toute neuve. Elle la ferait réparer. Elle ferait l'affaire de quelqu'un d'autre. Ou bien elle servirait à tapisser le panier du chien de Felix. Il s'endormit. Pauvre Tilde. Il se réveilla.

Il ne cherchait plus son souffle. Il souffrait de la tête, de l'épaule. A bien y réfléchir, il souffrait de tout le corps. Mais il ne cherchait plus son souffle, parce que le baricaut qui avait fracassé le sien laissait filtrer un filet d'air. Et de lumière. De l'air et de la lumière encore jouaient sur son estomac, au-dessus duquel (grâce, s'affirma-t-il, à un ineffable don de pilotage) la bonde du baril s'ouvrait à présent.

Il avait réussi. Il était maintenant en mesure de respirer. Il ignorait dans quel entrepôt il se trouvait, mais son baricaut prenait l'air. Il pouvait appeler à l'aide. Ou bien recouvrer assez de force pour échapper aux parois de bois. Ou encore, s'il le fallait, faire rouler stupidement le tonneau jusqu'à la liberté. Il lui suffirait de reprendre son souffle, de se mettre en position d'appliquer son œil au trou pour identifier le lieu où il était et procéder ensuite à son propre sauvetage.

Dans son crâne, la douleur frappait à grands coups, mais il la sentait à peine. Il n'avait qu'une question à poser à son ange gardien. Saint Nicholas. Saint Claikine. Ne riez pas. Ce sont les vapeurs du vin. Ne riez pas mais dites-moi : pourquoi la lumière qui passe par la bonde est-elle de ce rouge éclatant ?

Pieds en l'air, épaule basse, tête basse. L'œil au trou de la bonde. Réponse : elle est d'un rouge éclatant parce que, quelque part, quelque chose brûle.

Le feu chez un tonnelier, chez un brasseur ? C'est dangereux, mon ami Nicholas. Mais il y a des gardiens, des trompes d'alarme, une foule de gens, des seaux d'eau... Une foule? Tout le monde est sur la Place du Marché, pour profiter du Carnaval.

J'étais sur la Place du Marché. J'ai reçu un coup sur la tête alors que j'étais sur la Place du Marché. Deux hommes n'ont pas pu me porter à travers cette foule et m'amener jusqu'à la cour d'un brasseur. Ils n'en ont pas eu besoin. Il y avait, sur la Place du Marché, un haquet chargé de barils. Il leur suffisait, dans l'obscurité, de me jeter sur la tête un baricaut, à la manière d'un filet à papillons. De clouer le couvercle, avant de porter leur fardeau jusqu'au haquet. Et de me jeter sur le chargement.

Un haquet, en plein Carnaval? Un haquet chargé de tonneaux de goudron, en route pour le feu de joie. Cette année, comme toutes les autres, le feu de joie n'avait rien du tas de fagots, élevé par un paysan. Ce n'était pas pour Bruges, ça. Bruges attachait une vieille barge au Pont Saint-Jean, la remplissait de barils de goudron et y mettait le feu.

Il se trouvait à bord de la barge, en plein feu de joie, et le rugissement des flammes, les cris de la foule couvriraient fort bien la voix d'un homme en train de brûler.

Tu as de l'air. Tu as ton esprit. Tu aimes réfléchir. Sers-toi de tout cela.

Le trou de la bonde, contre son œil, était tourné vers l'enfer récemment allumé à l'avant de la barge. Au contraire, les douves fendues, contre son épaule, livraient passage à une lumière diffuse. Il fallait donc fuir par là, et vite. Ce qui n'avait été que lumière, de l'autre côté du trou, devenait à présent une chaleur ardente, à mesure que baril après baril, le goudron s'enflammait, explosait en rideaux de flammes.

Il se servit de ses pieds pour frapper, cette fois de toute son énergie. Mais les douves et les planches du fond ne cédèrent pas. Alors, peut-être le couvercle avait-il été cloué un peu trop hâtivement. Non sans peine, il leva une main au-dessus de sa tête, poussa. Les clous cédèrent. Une moitié du couvercle s'ouvrit. Pas le temps d'en faire davantage. De sa main libre, il tâtonna, trouva une prise, écarta son baricaut de celui qui l'avait plus ou moins éventré. Du coup, il provoqua un nouveau déplacement qui le tourna, le retourna et faillit bien briser le bras qui dépassait au-dessus de sa tête.

Il ramena ce bras à l'intérieur, au moment où l'éboulement gagnait de la vitesse. Son baricaut roulait sur lui-même, comme bon nombre de ses compagnons. Par le couvercle à demi ouvert, il entendait vague sur vague de clameurs. Tout Bruges était rassemblé au bord du canal, pour admirer le feu de joie et le feu d'artifice...

Jésus...

Si le mouvement continuait ainsi, lui-même et les barils pourraient bien tomber de la barge en flammes.

Si un autre baricaut venait frapper le couvercle mi-ouvert du sien, il pourrait être tué. Quand le couvercle mi-ouvert toucherait l'eau, il pourrait être noyé. Rester là et mourir par le feu était peut-être réellement préférable.

Cette idée lui parut très amusante. Il comprit qu'il était un peu ivre. En de telles circonstances, c'était plus drôle encore. Partagé entre le rire et les hoquets, il était secoué de côté et d'autre par son baril qui roulait et rebondissait en même temps que ses voisins. Lorsqu'il tomba dans le canal, Claes eut une vue rapide de la foule rassemblée sur la berge et des visages qui, sous les lumières, brillaient de joie. Il entendit les sifflets sans méchanceté à l'encontre de ces idiots de la municipalité qui étaient en train de perdre une douzaine de barils mal amarrés. Parmi tous ces visages, il distingua, étincelants comme des diamants, ceux des deux ivrognes rencontrés à Saint-Christophe. Cette fois, ils avaient tous leurs esprits, et c'était lui qui était ivre.

Le canal était à moitié gelé. Certains barils se mirent à danser sur l'eau. D'autres s'écrasèrent sur les glaces flottantes. Le sien fut parmi ces derniers. La base se défonça, deux douves se disjoignirent mais le cerclage tint bon. Vaguement, Claes se rendit compte qu'il se trouvait toujours dans son tonneau qui glissait de lui-même sur la glace. Si les deux hommes le voyaient, ils le soulèveraient sûrement à eux deux pour le rejeter dans le feu. Il devait donc appeler à l'aide.

Il venait d'atteindre cette conclusion quand la glace flottante s'immobilisa. Le baricaut bascula, tomba et heurta l'eau glacée. Celle-ci entra dans le baril par un bout, en sortit par l'autre. Trempé, à demi noyé, il se retrouva dans une mare qui se balançait autour de lui. Le baricaut, qui flottait, vint heurter la berge. Personne ne vint le soulever. Personne ne l'avait remarqué.

Claes, étourdi, réfléchit. Il étendit les jambes, les projeta contre la base déjà brisée du baril. Ses pieds la traversèrent. Le froid de l'eau l'engourdissait. Il banda les muscles de ses bras pour appuyer fortement ses coudes à l'intérieur du tonneau et, en se servant de ses jambes, avança sans bruit à l'abri de la berge. Il y avait non loin de là une pente ménagée de la rive jusqu'au bord de l'eau, pour faire boire les chevaux. Il pourrait, en ce lieu, se glisser hors du baricaut pour se mêler à la foule. A moitié ivre et dégouttant d'eau, avec deux de ses ennemis à quelques pieds de lui. Peut-être aussi celui ou ceux qui les avaient payés.

Il avait à présent si froid qu'il pouvait à peine respirer. Autre ironie, mais il n'avait plus les moyens de rire. Le baril vint cogner contre le plan incliné qu'il cherchait. Du bout d'un pied, il chercha la terre ferme, la trouva et essaya, en dépit du froid qui le paralysait, de repousser sa prison et d'en émerger.

Pendant qu'il s'y efforçait, la lumière qui passait par le haut du baricaut disparut tout à coup derrière deux silhouettes. Quelqu'un saisit fermement le tonneau à deux mains, le repoussa brutalement sur lui, avant d'en arracher le couvercle l'instant d'après.

Il n'eut pas le temps de découvrir qui était là. Sa tête était maintenant totalement cachée par un objet qu'on venait d'enfoncer dans le baril. Une voix familière demanda d'un ton irrité :

– Faut-il que nous retrouvions partout cet ivrogne? Eh, vous! Vous vous prenez pour un ami de Poppe?

Poppe. Le marchand de pain d'épices enfermé dans un tonneau.

– Mettez-vous à trois, ordonna la voix. Regardez-le. Il n'est même pas capable de se tenir debout.

Elle ignorait s'il pouvait marcher. Lentement, il se redressa, le corps toujours prisonnier du baricaut. Seule sa tête émergeait, dissimulée par ce dont elle l'avait coiffée. Un masque de Carnaval. Une abondance de plumes. Une voix masculine déclara :

– J'ai ramené Poppe chez lui il y a longtemps. Je le croyais encore là-bas.

– Eh bien, il en est reparti. Vous ne voyez donc pas?

Doux Jésus. Une voix d'enfant, cette fois. La sœur. Les deux jeunes van Borselen devaient être là.

Gelis. Mais oui, Gelis, du haut de la tour, avait dû voir ce qui s'était passé. Elle avait reconnu les deux faux ivrognes. Elle avait averti sa sœur aînée de ne pas révéler son identité. Mais comment allaient-elles expliquer la présence de Poppe complètement trempé dans un baril plein d'eau? Il n'était pas besoin d'explications. Il suffisait de l'amener au sein d'une foule qui le prendrait pour Poppe. De cette manière, personne ne pourrait lui faire de mal. Jusqu'au moment où ils se retrouveraient devant la maison de Poppe.

Le baril était incroyablement lourd. Peut-être y avait-il des poignées à l'intérieur de celui des punis. Ou bien un couvercle spécial, ou encore des chevalets pour les épaules. Celui-ci, il devait le porter à moitié, tandis que des gens se cognaient à lui par-derrière et de chaque côté. Il devait y avoir un groupe nombreux tout prêt à l'escorter. Un gars bien vu, ce Poppe. Claes se demandait où il habitait. Il se rendait compte qu'il trébuchait sans cesse : sans la présence de ceux qui l'entouraient, il aurait titubé d'un côté à l'autre de la rue. De temps à autre, à travers les fentes de son masque, il apercevait le visage ingrat de la fillette, livide d'inquiétude. Parfois aussi, celui de la demoiselle : un pli se creusait entre les noirs sourcils, mais aucune inquiétude ne se peignait sur ses traits. Il s'agissait plutôt d'une expression d'intense concentration.

Les gens ralentissaient. Les gens s'immobilisaient. La maison de Poppe. A l'intérieur de laquelle Poppe dormait certainement, avec son épouse et ses enfants. Pourquoi la demoiselle ne montrait-elle aucune anxiété? Elle était maintenant tout près de lui. Et la petite Gelis se tenait de l'autre côté.

Quelqu'un dit : « Soulevez ça! »

Le baricaut fut enlevé. La voix de la demoiselle ordonna :

– Sortez vite et courez!

Il s'agissait plutôt, eut-il envie de répondre, de se baisser plus ou moins, avant de s'étaler de tout son long. Mais à peine s'était-il débarrassé du tonneau que quelqu'un – la demoiselle – le prit par le bras, l'entraîna à l'écart. Le baril demeura là où il était, apparemment toujours occupé.

– C'est Gelis, expliqua la demoiselle. Elle va le poser dans un instant et disparaître. Tout ira bien. Gelis se tire toujours d'affaire. Je lui ai dit d'aller chez de Veere.

Claes claquait des dents sans pouvoir s'arrêter. Son crâne semblait sur le point d'éclater. Le froid glacial sur son visage changeait l'entaille de la veille en coup de hache. Son cerveau avait gelé, lui aussi. La demoiselle reprit :

– Je vous mène à Silver Straete. La maison est vide.

Il se rappela sa surprise en constatant que les van Borselen laissaient leur poterne ouverte. Il se rappela avoir été conduit dans une cuisine éclairée par les restes d'un grand feu. Sur le seuil, incapable de maîtriser ses frissons, il s'était immobilisé. Il se rappela très clairement avoir entendu la demoiselle lui ordonner :

– Déshabillez-vous!

– Non, répondit-il.

Elle ne perdit pas un instant, il fallait lui rendre cette justice. Elle traîna le grand baquet de bois, y versa des cruches et des cruches d'eau froide et, après s'être protégé les mains, souleva le vaste chaudron accroché dans l'âtre et remplit le baquet avec le contenu brûlant.

– Je vais me changer, moi aussi, dit-elle. Déshabillez-vous et entrez là-dedans.

La solide étoffe bleue se déchira lorsqu'il voulut ôter sa jaque. Finalement, il se débarrassa de tous ses vêtements en même temps, en venant s'appuyer au mur de la cuisine. Il se cramponna au bord du baquet, ce qui ne l'empêcha pas de faire déborder l'eau en s'y laissant tomber trop soudainement. Il posa ses bras sur le bord. Tous ses sens se brouillaient, reprenaient leur netteté. Finalement, ils l'abandonnèrent pour tout de bon. Le feu, regarni par la demoiselle avant qu'elle eût quitté la pièce, devint une belle flambée qui conservait au baquet et à son contenu toute leur chaleur.

Claes s'endormit.

20

Longtemps plus tard, Claes, né Nicholas, tourna paresseusement la tête sur son bras.

Une cuisine. La cuisine bien tenue, bien équipée d'une maison où l'argent ne manquait pas, où flottait une bonne odeur de poulet.

Il tourna un peu plus la tête.

Un baquet de bois. Une table bien récurée. Dessous, deux lits pliants. Dessus, quelques bougies. Un mur couvert d'ustensiles de cuisine de fer et en cuivre et d'instruments à longs manches en fer et en bois. Un buffet sculpté, mi-ouvert, révélait des écuelles de bois, de terre cuite, d'étain et de cuivre et quelques assiettes d'étain. Sur le sol, une cruche en cuivre, un garde-manger, un seau. Une boîte à sel. Un banc, sur lequel était assise une jeune femme aux cheveux bruns, vêtue d'une robe ample.

Quant à lui, semblait-il, il était nu et entourait ses genoux de ses bras.

Son esprit se refusa à lui en fournir immédiatement la raison. La jeune femme affichait un calme absolu, mêlé d'un soupçon d'amusement. A quelle réaction s'attendait-elle? Claes n'en avait aucune idée. Il lui rendit son regard avec un calme tout semblable. L'effort lui fit tourner la tête. Celle-ci était déjà douloureuse. Son corps tout entier était douloureux. Il détacha son regard de la jeune fille, le laissa glisser jusqu'au feu. Ses vêtements, étalés devant l'âtre, séchaient.

Les souvenirs lui revinrent. Cette jeune femme était Katelina van Borselen, qui avait passé des vêtements secs. Une fine chemise de toile, recouverte d'un ample manteau jeté sur ces épaules. Ses cheveux étaient défaits.

Fort bien. Commençons par le commencement. Il s'assura, pour sa propre tranquillité d'esprit, que sa présente position respectait les règles de la bienséance. A leur arrivée, se rappela-t-il, elle avait dit que la maison était déserte. Il ramena ses yeux sur elle. Elle le regardait toujours. Elle ne l'épiait pas, non. Elle l'observait, à la manière dont Colard examinait une peinture soumise par un inconnu.

– Je m'étais endormi, il me semble, dit-il.

– Une heure, répondit-elle. Il n'y a encore personne à la maison.

– Grand merci d'avoir fait sécher mes vêtements.

– Vous pourrez les remettre dans une heure ou deux. Sortez de l'eau. J'ai fait réchauffer du bouillon.

Il avait déjà connu des variantes d'une telle situation, dans des maisons de bain ou ailleurs. Elles aboutissaient toujours à certains ébats. Dans ces cas-là, la fille n'était pas Katelina van Borselen, et il ne venait pas tout juste d'échapper au danger de perdre la vie. Les apparences étaient donc trompeuses. Il décida de se montrer aussi direct que possible.

– Vous me prenez au dépourvu, dit-il.

Elle le gratifia d'un coup d'œil méprisant.

– Croyez-vous que je n'aie jamais vu d'homme dans toute sa nudité? Mes parents dorment nus, tout comme mes serviteurs et mes cousins.

Il n'y avait pas de serviette à la portée de Claes. Sans se troubler, il empoigna le bord du baquet, se hissa par-dessus. Il exhiba devant la jeune fille tout ce qu'il lui plairait de voir de son dos en se dirigeant sans hâte vers le feu. Il prit sa chemise encore humide, s'en enveloppa les hanches, en noua serré les pans pour la maintenir en place. Ses doigts étaient tout fripés d'avoir longuement trempé dans l'eau, et quelqu'un avait disloqué tous ses muscles. Pour tenir son équilibre, il posa une main sur la cheminée, se retourna en souriant.

– Voyons un peu : il a été question de bouillon de poulet.

Elle n'avait pas bougé de son banc. Elle répondit d'un ton froid :

– Si vous en voulez, servez-vous. Il est là-bas, près du feu.

Il laissait sur son passage des traînées d'eau. Il vit qu'elle s'en était rendu compte mais que, dans son humeur du moment, elle ne s'en souciait pas. Il régnait d'ailleurs dans la pièce une lourde chaleur. Il remua le contenu de la marmite accrochée à sa chaîne avant de s'approcher du buffet pour y prendre deux écuelles. Il économisait l'énergie qui commençait à lui revenir. Il avait besoin de ce bouillon et il espérait pouvoir en prendre un peu avant que l'hostilité, pour une raison qui lui échappait, se transformât en guerre ouverte. Il remplit la première écuelle, la posa, avec une cuiller, devant la jeune fille.

– La demoiselle désire-t-elle aussi manger? demanda-t-il.

Il lui avait, semblait-il, posé un problème. Elle répondit, d'un ton plutôt bref :

– Nous mangerons tous les deux à table.

Il y avait un autre banc, du côté opposé. Il posa sa propre écuelle, s'assit.

– Dieu garde l'hôtesse, dit-il.

Elle n'avait pas l'air d'avoir envie de ce bouillon. Il leva son écuelle, la vida immédiatement. Le breuvage était chaud, nourrissant, il chassa le goût insistant de l'eau du canal et les relents de Malvoisie. Il reposa l'écuelle.

– Vous m'avez sauvé la vie deux fois, dit-il. D'abord, au canal et, maintenant, avec ce potage. Je ne vous en ai pas encore remerciée.

Elle avait des questions à lui poser, il n'en doutait pas. Lui-même en avait quelques-unes. Par exemple, qui, en dehors d'elle-même et de Gelis, avait vu ce qui s'était passé. Ou encore, comment s'était-elle trouvée là, sans escorte. Et pourquoi, après l'avoir sauvé, elle n'avait pas donné l'alarme ou fait venir ses parents ou les magistrats. Et pourquoi il était là, dans cette maison. S'il s'était agi de quelqu'un d'autre, il aurait eu sa réponse. C'était une énigme, à approcher avec prudence, comme les messages codés des Médicis. Il ne pouvait rien faire d'autre que lancer un commentaire et espérer qu'une conversation s'ensuivrait.

Rien ne vint. Dame Katelina plongeait sa cuiller dans l'écuelle et la relevait, sans répondre. Il attendait patiemment.

C'était une belle fille, bien faite, comme un beau morceau de bois travaillé au tour. Ses seins, sous la chemise, étaient ronds et petits, comme des oranges d'Espagne. La toile était si fine qu'on distinguait le changement de ton, là où s'arrêtait la blancheur de sa peau. Claes ramena par degrés son regard sur son écuelle, ce qui lui donna le temps d'exercer sur lui-même une certaine discipline.

Il connaissait sa réputation, en grande partie méritée. Il aimait les femmes. Il les aimait, bien sûr, parce qu'elles lui prodiguaient le plus grand plaisir de la vie et le moins onéreux. Mais il appréciait en même temps leur compagnie, il aimait les faire parler. Cette fille était vierge. Il en était convaincu. En ce domaine, il manquait quelque peu d'expérience. Les filles de ce rang qui s'offraient étaient généralement trop jeunes pour être responsables de leurs actes. On n'en prenait pas avantage. Parfois, avec une femme plus âgée, c'était un acte de bonté.

La demoiselle n'avait pas l'air de vouloir parler. Elle regrettait déjà à demi ce qu'elle avait fait. Il serait aisé de rendre la situation intolérable, afin de l'amener à lui demander de partir. Un comportement un peu rustre ferait l'affaire. Mais, elle, que ferait-elle, alors? Mieux valait lui venir en aide.

– Savez-vous, demoiselle, demanda-t-il, si meester Simon est à Bruges?

La cuiller s'immobilisa aussitôt.

– Ce n'était pas lui le responsable, dit-elle.

Elle rougit.

– Il n'est pas à Bruges.

Ce n'était pas une servante. Elle avait saisi ce qu'il avait en tête. Elle allait maintenant lui demander de partir. Il repoussa l'écuelle, fit un mouvement décidé pour se lever. Elle déclara, avec une soudaine violence :

– Ils voulaient vous faire brûler vif.

Il se laissa retomber sur le banc, répondit prudemment :

– Ils n'ont pas réussi, grâce à vous, demoiselle. Je crois savoir qui ils sont. Ils ne recommenceront pas. Ne vous tourmentez pas. Dites à votre sœur que tout va bien.

Il l'observait. Elle n'avait pu se trouver seule dans la rue. Il devait savoir si quelqu'un d'autre était dans le secret. Il reprit :

– C'est votre sœur qui est venue vous chercher?

La question l'alarma. Elle repoussa son écuelle d'un geste affolé, se leva, passa derrière Claes pour s'approcher du feu. Là chauffait une serviette rayée qu'il n'avait pas remarquée. Elle se pencha pour la prendre. Il s'était retourné sur son banc et la regardait faire. La lumière du feu jouait dans les plis de sa chemise, et il s'aperçut qu'elle avait laissé sa robe sur la table à tréteaux. Elle se retourna, la serviette dépliée entre ses mains. Elle ne répondit pas à sa question mais demanda :

– Est-ce lui qui vous a ouvert la joue?

– Simon? fit-il, figé sur place. Non.

– Je ne parlais pas de Simon mais de son père. Jordan de Ribérac.

Il eut l'impression de se retrouver dans le baricaut, tant le coup fut violent. La veille, elle n'avait rien deviné de l'origine de sa blessure. Et elle était maintenant en mesure de l'attribuer à Jordan de Ribérac. Et de laisser entendre en même temps – car c'était bien à cela qu'elle faisait allusion, n'est-ce pas? – que Jordan de Ribérac était responsable de sa mésaventure de la soirée. Pourtant, elle n'avait pas appelé à l'aide.

Elle avait mis en boule la serviette et la tenait devant elle, comme pour s'en protéger.

– Vous l'avez rencontré ce soir? questionna-t-il. Monseigneur de Ribérac?

– Il m'a proposé le mariage, répondit-elle.

Le mariage! Il la dévisageait avec la plus franche stupeur. Les lueurs du feu dansaient et miroitaient sur sa peau comme des feux follets.

Elle avait parlé avec amertume. Comme si Jordan de Ribérac lui avait offert autre chose que le mariage. Il n'avait guère pu le faire dans la rue. C'était donc ici, dans la maison déserte. Mais comment Jordan de Ribérac avait-il pu se faire recevoir dans la maison d'une jeune fille sans suivante? D'une seule manière.

Claes détendit ses mains crispées. Il demanda doucement :

– Il était masqué? Et il vous a dit qu'il voulait me faire du mal?

– Quelque chose de la sorte, fit-elle d'un ton las. Il m'a dit qu'il avait réglé la querelle entre Simon et vous. Il disait vrai, bien sûr. Il pensait avoir amené ces hommes à vous tuer. Nous pouvons en témoigner, Gelis et moi. Je dirai tout à ma mère et à mon père. Il sera châtié.

Elle tordait la serviette entre ses mains. Elle tenait à voir Ribérac châtié.

– Peut-être a-t-il payé des hommes pour se débarrasser de moi, dit Claes. Mais je me demande quelles preuves nous en avons. Quelqu'un d'autre l'a-t-il entendu me menacer?

Il y avait un tabouret, près de la cheminée. Elle s'y assit. Sa chevelure était d'un brun teinté de roux, à la lumière des flammes, et ondulée là où on l'avait nattée.

– Il est venu ici, dit-elle. Je suis la seule personne à laquelle il ait parlé. Il était mon cavalier pour la soirée. Je l'avais pris pour... quelqu'un d'autre.

Tout cela, il l'avait deviné.

– Et les deux hommes qui m'ont attaqué? reprit-il. Il nous faudrait des témoins, ou quelqu'un qui les connaisse, qui soit au courant de leurs relations avec monseigneur. L'accuser sans cela, ce serait lier votre nom au sien d'une manière qui vous déplairait. Il serait capable de déformer fort méchamment ce qui s'est passé.

– Je n'en sais rien, dit-elle. J'ignore qui étaient ces hommes. N'avez-vous aucune preuve contre lui?

– Rien qui serait de quelque utilité. Écoutez-moi. Vous ne devez plus être mêlée à cette histoire. C'est ma bataille, de toute façon, même si je suis heureux que vous en ayez fait la vôtre pour un peu de temps. Sinon, j'aurais cessé de vivre. A présent, oubliez ce qui m'est arrivé. Dites seulement à vos parents que monsieur le vicomte vous a trompée et vous a fait une proposition inconvenante. Il ne devrait plus vous importuner.

Il l'observait. Il vit se peindre sur son visage le soulagement mais aussi la déception. Il avait dit ce qu'elle souhaitait lui entendre dire. Il lut encore la résolution.

– Peu importe à présent que monsieur le vicomte ou qui que ce soit me fasse des avances, dit-elle. On ne tardera pas à me marier à quelqu'un d'autre. Il est bien dommage, en vérité, qu'il ne soit rien advenu. Ç'aurait été aussi bien.

Il comprit alors précisément pourquoi il était là. Elle avait dix-neuf ans. Elle était intelligente, capable. Mais, en ce domaine, elle raisonnait comme Gelis. Comme il aurait pu le faire avec Gelis, il demanda doucement:

– Elle est pour moi, cette serviette?

Elle avait oublié la serviette. Elle l'apporta et, d'un geste hésitant, la lui posa sur les épaules, comme telle avait sans doute été son intention de prime abord. Ses mains s'attardèrent. Elles tremblaient. Il leva l'une des siennes, l'amena à lui faire face, la fit asseoir près de lui, à courte distance. La lumière des flammes traversait le tissu de sa chemise, et le garçon en tira une révélation. Il te faut donc, Claes, de la discipline pour deux. Voyons comment tu vas t'en tirer.

– Demoiselle, dit-il, le monde est plein d'hommes à marier. Ne soyez pas cruelle envers eux sous prétexte que certains de vos prétendants vous déplaisent.

– Vous ne vous mariez pas, vous, riposta-t-elle.

Il n'avait pas l'intention de suivre cette ligne de raisonnement. Il en prit une autre, s'exprima simplement, afin de la convaincre.

– Un jour, je me marierai. Personne ne doit trop attendre, certes. Mais, qui que soit ma future épouse, elle pourrait regretter d'avoir suivi un caprice.

– Moi, j'attends trop, dit-elle. Ce que je veux n'existe pas. Alors...

Un discours compassé n'était donc plus d'aucune utilité. Il allait falloir rendre explicite ce dont ils parlaient. Il le regrettait, parce qu'elle finirait par le haïr. Il lui lâcha la main, se leva, se trouva à son tour baigné de lumière.

– Alors, vous m'élisez pour remplaçant. Merci, mais je n'en suis pas flatté, déclara Claes. Et vous vous trompez. Bien des hommes seraient capables de vous rendre heureuse.

Elle avait, elle aussi, abandonné tout faux-semblant.

– Montrez-moi comment, demanda Katelina van Borselen. C'est mon désir. Vous n'encourez aucune responsabilité.

Il se leva, la considéra de toute sa hauteur.

– Mais si, bien sûr. Nous ne sommes pas de même souche. Cela pourrait tirer à conséquence.

– Il n'y aura aucune conséquence, affirma-t-elle. Sinon, je me serais bien gardée de vous amener ici. Avez-vous peur d'autre chose? Ou suis-je moins belle que celles auxquelles vous êtes accoutumé? Dans ce cas, pourriez-vous me recommander à un ami?

Elle parlait, comme à Damme, avec une extrême âpreté. Des larmes perlaient sur ses cils.

– Oh, bon Dieu, fit-il.

Il s'agenouilla, lui reprit les deux mains.

– Écoutez, ce que vous perdriez, vous le perdriez à jamais.

– Vous en vanteriez-vous? questionna-t-elle.

Elle ajouta aussitôt:

– Non, pardonnez-moi. Je vous connais mieux que cela, j'en suis sûre.

– Vous ne me connaissez pas du tout, affirma-t-il, en désespoir de cause.

Il émanait d'elle un parfum raffiné. Il tenta d'empêcher ses mains de trembler, d'obliger son esprit à fonctionner. Brusquement, elle dégagea une de ses mains, la posa sur son épaule nue. Ses doigts descendirent, glissèrent sur le dos meurtri, de plus en plus bas.

Pourriez-vous me recommander à un ami?

– Je vais vous montrer ce que c'est, dit-il. Aussi lentement que je le pourrai, afin de vous permettre de m'arrêter avant que nous n'allions trop loin. Après cela, j'essaierai de m'arrêter si vous me le demandez. Si je ne vous obéis pas, vous devrez employer la force. J'ignore ce que vous savez des hommes.

La joue de la jeune fille était contre la sienne, et il la sentit sourire. Il sentait aussi les battements précipités de son cœur. Elle parla comme si sa gorge la faisait souffrir.

– Gelis prétend que vous êtes l'amant le plus passionné de Bruges, s'il faut en croire les filles auxquelles elle a pu poser la question. Vous leur dites toujours, semble-t-il, que vous êtes capable de vous arrêter, mais elles ne vous le demandent jamais.

C'était une enfant. Parce que deux hommes s'étaient montrés cruels avec elle, parce que sa mère s'était comportée sans tendresse, il allait devoir la séduire.

A moins que ce ne fût le contraire.

Ou ni l'un ni l'autre. Il allait la soulever dans ses bras, l'emporter jusqu'à sa chambre et la déposer, comme le feraient ses amants futurs, sur son lit. Il avait l'intention, ensuite, avec autant de précautions que le lui permettrait sa surabondante vigueur, de la dévêtir, de la caresser et de la mener, aussi tendrement que possible, à travers les premières étapes compliquées d'une séance d'amour partagé. Après quoi, si elle ne lui demandait pas de s'arrêter, il voulait arriver avec force au but qu'elle désirait, afin que, sa vie durant, elle se souvînt d'un plaisir tout neuf, et non pas d'une souffrance nouvelle.

Comme la plupart de ses plans les mieux élaborés, tout alla comme il le souhaitait, mis à part qu'il s'endormit après l'amour, ce qu'il n'avait pas prévu.

Il s'éveilla dans un lit. Il tenait entre ses bras une jeune femme plongée dans un profond sommeil, dont les longs cheveux étaient répandus sur son corps. Dans l'inconscience, le visage apparaissait tout différent : chaudement coloré, paisible, satisfait. Un sourire errait encore sur ses lèvres, et Claes sourit, lui aussi, sans nul doute pour les mêmes raisons. Mais, ramené à la réalité, il se tourna vers la fenêtre. Dieu soit loué, il faisait encore nuit. Les serviteurs, c'était certain, ne rentreraient guère avant l'aube, et les parents plus tard encore. Néanmoins, il aurait dû être parti depuis longtemps.

En temps normal, il savait précisément combien de temps faire durer le plaisir. A quel moment il devait l'amener à son point culminant. Combien de temps il fallait accorder aux politesses d'après l'amour. Mais cette fois, sans aucun doute, la situation n'était pas normale. Tout d'abord, par exemple, il lui fallait ranger la cuisine, faire disparaître ses vêtements.

Précautionneusement, il se dégagea de l'étreinte de la jeune femme, sortit sans bruit de la chambre. Dans la cuisine, le sablier l'informa qu'il disposait de quatre heures environ avant l'aube. Sans prendre le temps de s'habiller, il se mit en devoir de tout remettre en ordre. La pièce, pensa-t-il, avait maintenant le même aspect qu'au moment où Katelina, après l'avoir guidé à travers le jardin, l'y avait fait entrer. On ne s'aviserait pas qu'il manquait du bouillon. On ne remarquerait pas non plus la disparition de la serviette. Il regarda autour de lui, ramassa ses vêtements, hésita. Il pouvait s'habiller là et s'en aller, comme il l'aurait fait s'il ne s'était pas endormi. Dans ce cas, aussi, il aurait pris congé d'elle dans les formes.

Pour l'heure, il ne savait trop que faire. Elle paraissait heureuse. Elle avait été heureuse : de cela, au moins, il était convaincu. Au moment du plus grand plaisir, elle s'était accrochée à lui comme si les portes du paradis se refermaient sur elle. Par la suite, elle avait très peu parlé mais elle l'avait longuement caressé, comme s'il représentait une nouvelle possession. Et il s'était endormi.

Il se sentait heureux. Le comportement au lit des femmes bien nées n'était pas une découverte pour lui. Certaines ne faisaient pas mystère de leurs désirs, elles se montraient franches et amicales, dans vos bras ou en dehors. Certaines voulaient des amants-serviteurs, prêts à les fouetter au lit et à ramper à leurs pieds le reste du temps. Cette fille-là ne faisait partie ni de l'une ni de l'autre de ces catégories. Claes se demandait ce qu'il avait fait d'elle. Peut-être, après ce premier pas, prendrait-elle, au lieu de se marier, toute une suite d'amants. Jusqu'au moment où elle finirait par ne plus prendre garde au calendrier ni aux politesses : viendraient alors malheur et déshonneur.

Peut-être tout se passerait-il bien. Peut-être, à présent, se contenterait-elle d'attendre un mariage approprié. Peut-être même l'espérerait-elle. Claes eut un léger sourire, à la pensée du genre d'époux, jeune ou vieux, que sa famille lui proposerait. Peut-être aurait-il dû garder certaines limites dans leurs ébats. Mais c'était une fille délicieuse, bien tournée, courageuse. De ses autres qualités, il ne savait rien, pas plus qu'elle ne pouvait le connaître, en dépit de ce qu'elle prétendait. Depuis leur première rencontre, ils n'avaient guère échangé que quelques phrases. Ce n'était pas pour son esprit qu'elle – comme tout autre femme – le désirait. Il en avait pris pleinement son parti.

Il décida de remonter à l'étage et d'ouvrir la porte de sa chambre. Si elle voulait le voir partir, il lui suffirait de feindre le sommeil. De toute manière, elle pouvait compter sur lui, elle le savait, pour la saluer, lors de leur prochaine rencontre, comme un serviteur salue une dame.

Le rai de lumière qui soulignait le bas de la porte lui dit qu'elle s'était levée et qu'elle avait allumé une chandelle neuve. Peut-être aussi s'était-elle habillée. Les vêtements qu'il tenait d'une main devant lui devraient tenir lieu de convenances. Il voulait en finir, d'une façon ou d'une autre. Il ouvrit la porte.

Elle avait remplacé la chandelle, ramassé le drap tombé du lit mais elle ne s'était pas habillée. Assise au bord du lit elle leva la tête à l'entrée de Claes. Il regarda la longue ligne du mollet, du genou, de la cuisse et tous les endroits où il avait posé ses lèvres. Son regard détailla encore la peau blanche de ses bras, les côtes frêles, les seins menus et ronds. Et les lèvres, qu'elle tenait entrouvertes. Elle se mit debout, et il remarqua la légère irrégularité de son souffle. Elle s'avança vers lui, les yeux fixés sur sa main, sur les vêtements froissés qui lui servaient de protection.

– Il faudrait les plier, dit-elle. D'ailleurs, ils sont gênants.

Elle les fit tomber de ses doigts, prit leur place.

Cette fois, il n'y eut aucun préliminaire. La fois suivante, ils se prolongèrent, au contraire. La troisième fois, alors que, dehors, le ciel s'éclairait déjà, ce fut un assaut désespéré qu'il tenta vainement de contenir, de maîtriser.

Au beau milieu de cette lutte, une porte claqua, en bas. La jeune femme se débattit contre son compagnon, le contraignit à continuer. L'explosion qui en résulta les paralysa l'un et l'autre durant de longs moments. Ils retombèrent enfin sur le lit que secouaient les battements de leurs cœurs. Même si la porte s'était ouverte, ils auraient été incapables de bouger.

Elle ne s'ouvrit pas. Bien au-dessous d'eux, des pas traînants trahissaient la présence d'une servante, pressée de tirer de l'eau et de ranimer les feux avant le retour de sa maîtresse. Katelina, les ongles incrustés dans la peau de Claes, dit :

– Ne pars pas. On peut passer par le jardin. Ma mère ne sera pas ici avant des heures.

Il restait immobile, le visage enfoui dans ses bras. On pouvait bien parler de maîtrise de soi... Il souleva la tête.

– Demoiselle, dit-il.

– *Demoiselle!* répéta Katelina van Borselen.

Il se tourna sur le côté pour la regarder. Elle était à présent très pâle, bien différente de la fille en fleur du premier moment de séduction. Sa peau était moite, ses cheveux en désordre, et de profonds cernes bleutés soulignaient ses yeux.

– Quel autre nom puis-je vous donner? demanda-t-il. Je vous ai pris quelque chose de précieux. Je vous ai peut-être donné ce que vous désiriez. Si c'est mal, c'est mal. Mais vouloir plus qu'une seule nuit... ce serait de la gloutonnerie, de notre part à tous les deux.

Elle n'avait pas encore songé à un problème de fierté. Il la vit alors y réfléchir.

– Si vous étiez... un homme de loi... m'épouseriez-vous? demanda-t-elle.

C'était si désarmant, si cruel à la fois. D'un geste plein d'affection, il lui prit la main.

– Même si j'étais un homme de loi, vous me seriez encore bien supérieure.

Elle ferma les yeux, les rouvrit.

– On m'a dit que vous étiez intelligent. Je vous crois encore plus intelligent qu'on ne le pense. Vous auriez sûrement dû étudier pour être clerc. Pourquoi artisan?

– Parce que cela me plaît. J'ai appris à lire, c'est vrai. Mais ma mère est morte. Aujourd'hui, j'ai tout ce qu'il me faut.

– Vous mentiez, je crois, quand vous avez dit que vous envisagiez de vous marier un jour.

– Oui, avoua-t-il, je mentais. Mais cela ne veut pas dire que je puisse m'interposer de nouveau entre vous et votre futur époux.

Elle demanda, comme une enfant:

– Vous n'en avez pas envie?

Il se redressa, demanda crûment:

– Me le demanderiez-vous? A moi, un serviteur?

Elle s'était levée, elle aussi.

– Vous n'êtes pas un serviteur. A mes yeux, vous êtes Nicholas.

– Parce que j'ai fait ce que j'ai fait, vous n'osez plus penser à moi sous le nom de Claes. Mais je suis un serviteur. Et un mauvais serviteur. Je suis allé trop loin, Katelina. Mais ce qui a pris possession de moi prendra quelque jour possession d'un autre homme. Vous n'avez pas besoin d'un modèle pour époux. Vous portez en vous-même le plaisir. Et vous le savez.

Elle ne répondit pas. Elle le regarda s'habiller. C'était sans doute la première fois, se dit-il, qu'elle voyait un homme couvrir son corps. Elle devait se demander si ce serait la dernière. Il ne pouvait plus rien ajouter ni rien faire. Quand il fut prêt, il s'approcha du lit, abaissa son regard sur elle. Alors, elle parla:

– S'il était au courant de ce qui s'est passé, Jordan de Ribérac vous tuerait, je suppose.

L'idée était venue à l'esprit de Claes. Il répondit:

– Il n'en saura rien. Ne vous mettez pas en souci.

Le visage de Katelina était livide.

– Pourquoi vous a-t-il marqué au visage? demanda-t-elle.

– Il voulait que j'épie Simon pour son compte. J'ai refusé.

– Pourquoi?

– Pourquoi j'ai refusé? Parce que, si un jour Simon est tué, je ne veux pas être accusé de sa mort. Famille scélérate. Ils se détestent.

278

Il y réfléchit un instant.

– Claes? fit-elle d'une voix étrange.

Il la regarda, mais elle dit seulement :

– Soyez prudent.

– Oui, certes. Je dois partir.

Elle était assise, immobile, le drap l'enveloppait comme une robe de nonne. Il ne tenta pas de la prendre dans ses bras. Il se pencha, lui saisit les doigts, les porta à ses lèvres à la manière d'un gentilhomme.

Elle frissonna. Il s'en alla très vite.

Il ne savait pas qu'une fois, une seule, il l'avait appelée Katelina. Il ne comprenait absolument pas ce qu'il avait fait.

21

Gris comme une migraine, le premier jour du Carême se leva sur la cité de Bruges, et la fumée, à regret, commença de monter des cheminées. Dans la belle demeure bien tenue des Adorne, les enfants se levèrent, on fit leur toilette, on les habilla, et ils partirent tous ensemble pour entendre la messe à la Jerusalemkirk, avec les parents, les invités et les serviteurs. Au retour, les invités rompirent le jeûne et partirent. Parmi eux, la veuve de Charetty et ses deux filles qui saluèrent d'une charmante révérence la demoiselle Margriet. Celle-ci les embrassa.

Les deux fillettes, dans un silence qui ne leur était pas habituel, furent ramenées chez elles par un serviteur, tandis que leur mère se rendait à l'hôtel de ville, où la cité avait coutume de marquer ce jour par un festin de poisson d'eau douce arrosé de bon vin. Marian ne savait pas où se trouvaient les membres mâles de sa maisonnée ni comment ils avaient passé la nuit, et elle ne s'en préoccupait point.

Tilde, elle, l'avait passée à pleurer. Personne ne pouvait en vouloir au père Bertouche (qui gardait le lit, ce jour-là) d'avoir ramené les quatre fillettes. Il était dommage que la jeune van Borselen fût venue jeter le trouble dans le petit groupe mais Claes avait bien dû finir par se soustraire à ses attentions. Quelqu'un – une servante, ou bien peut-être sa sœur Katelina – devrait retrouver la jeune Gelis et la ramener à la maison. Ce n'était pas l'affaire de Marian de Charetty.

Sans doute Felix avait-il passé toute la nuit avec sa nouvelle conquête. A présent qu'il savait comment on s'y prenait, elle devrait, supposait-elle, lui parler : sinon, la moitié des servantes de Bruges prétendraient être enceintes de ses œuvres. A défaut d'un père, la meilleure solution, dans une telle situation, était une épouse.

Elle avait besoin d'aide pour Felix. Mais les épouses avaient des pères. Déjà, elle tombait à chaque instant sur Oudenin, le prêteur sur gages. Après le dîner, elle regagna sa demeure à temps pour l'inspection annuelle des poids et mesures. Claes, constata-t-elle, l'avait devancée : il était déjà à l'œuvre, vêtu d'une chemise et d'un très vieux pourpoint. Elle le laissa en paix, se rendit aux cuisines, y trouva Felix qui cajolait l'une des servantes. Il avait gagné à la loterie un sac de grelots et voulait qu'on les cousît sur les vêtements de Claes.

Ceux-ci se trouvaient déjà dans la cuisine : on les repassait, après avoir réparé un grand accroc. Claes avait été poussé dans le canal, déclara la servante, qui croyait visiblement à cette version des faits. Felix, les yeux trop brillants après une nuit sans sommeil, n'y croyait visiblement pas. Marian non plus. Claes avait le même regard que Felix, et la cicatrice enflammée traversait une joue couleur de suif.

Le mercredi des Cendres. Un jour qu'elle avait toujours détesté.

Un peu plus tard, il y eut une brève scène, quand Claes vint chercher ses vêtements et trouva son pourpoint et sa jaque couverts de grelots. Contraint de les enfiler par Felix et ses amis, il prit immédiatement la porte. Un moment après, il était de retour avec un troupeau de chèvres. Il les mena, toutes tintinnabulantes, à travers la maison, les fit monter à la chambre de Felix où, bêlant d'inquiétude, elles défèquèrent un peu partout. Felix était furieux, mais ses amis, qui hurlaient de rire, lui montrèrent la drôlerie de la chose. Un homme vint nettoyer la pièce. Quelqu'un décousit les grelots. Claes qui avait enfilé ses vieux habits, se procura les clés de l'une des caves et fit atteler une charrette. Un moment après, la veuve vit le véhicule sortir de la cour. Claes tenait les rênes, et l'un des apprentis était avec lui.

Felix était sorti, sans voir sa mère, sans lui demander son autorisation. Henninc, sévèrement questionné à propos de la charrette, répondit qu'à son avis, rien de bon n'était sorti de la tentative de faire d'un apprenti un soldat. Six mois plus tôt, on avait connu un bon garçon qui n'aurait jamais songé à partir dans une charrette de sa maîtresse, en prenant sur le temps dû à sa maîtresse et sans avoir demandé permission.

– Mais que voulait-il en faire? demanda Marian.

– Il est allé chercher ce qu'il a gagné à la loterie, répondit Henninc. Il n'avait rapporté qu'un gant de maille, mais c'était peut-être le gage d'un lot plus important. Il pourrait avoir un bouclier à prendre, ou bien un heaume.

– Ou tout bonnement l'autre gant, fit Marian de Charetty. Auquel cas, il aura l'air d'un imbécile, avec sa charrette, hein? Très bien. Nous avons d'autres préoccupations. Montrez-moi les balances qui ont été retouchées.

La charrette ne reparut pas avant un certain temps. Des amis vinrent chercher Catherine. A son retour, elle raconta qu'il y avait des étals de fruits secs sur la Place du Marché, et qu'elle y avait vu la jeune van Borselen, de plus méchante humeur que jamais. Gelis, la grosse fille. Elle n'avait à peu près rien dit du fait qu'elle avait eu Claes pour escorte au Carnaval, sinon qu'elle ne s'était jamais tant ennuyée de sa vie et qu'elle était rentrée seule chez elle. Elle n'avait pas dit avec qui Claes était parti, mais, écoutez plutôt : Gelis avait un nouveau chauffe-mains. Et devinez ce que c'était ?

Une pomme en vermeil, naturellement. Marian de Charetty se demanda avec lassitude si Claes l'avait offerte avant ou après avoir eu ses vêtements couverts de grelots. Mais peut-être l'avait-il emportée la veille au soir. On ne savait jamais qui l'on pourrait avoir besoin d'acheter – ou de récompenser – lors d'un Carnaval.

A la tombée de la nuit, alors que tout le monde était dans la maison, la charrette rentra dans la cour, et la veuve entendit ouvrir la porte de la cave. Il y eut un bruit de piétinement qui se prolongea longtemps. Après quoi, l'apprenti, l'air joyeux, frappa à la porte de la maîtresse : de nouvelles marchandises venaient d'arriver, annonça-t-il. La demoiselle aimerait-elle les voir et en faire l'inventaire ? Elle jeta un châle sur ses épaules, prit une lampe et sortit, son trousseau de clés cliquetant à sa taille. Le vent soufflait sous le voile tuyauté qui lui couvrait la tête, tiraillait les godrons qui convenaient à une matrone, les plis qui passaient sous son menton. Claes était seul dans la cave, agenouillé au milieu de sacs, à la lumière de plusieurs chandelles. Marian referma la porte.

Il tourna la tête vers elle.

– Regardez, dit-il.

Elle s'approcha, se pencha. Certains des sacs étaient déjà vidés de leur contenu. Derrière se trouvaient des coffres dont Claes soulevait les couvercles. Elle vit, d'abord, un emballage de paille, puis l'éclat atténué du métal. Une cuirasse d'acier, et une autre au-dessous. Des épaulières, empilées les unes dans les autres, des cuissots, des coudières. Un sac était rempli de ce qui aurait pu être des choux, mais il s'agissait en fait de casques, de style germanique. Un autre coffre contenait des armures. Marian en laissa retomber le couvercle, s'assit dessus, sans rien dire.

Claes, qui travaillait vite, vérifia le contenu des derniers sacs. Il prit ensuite une chandelle, la fit tournoyer dans un geste extravagant et l'apporta pour la poser sur le coffre, près de la demoiselle.

– Eh bien ? fit-il.

– J'avais entendu dire que tu avais gagné un gantelet de maille.

Il avait le sang au visage, la respiration un peu courte, après tant d'efforts. Mais personne n'avait un sourire aussi épanoui que celui de Claes. Il se jucha sur un tonneau.

– Il y a deux douzaines d'autres gants là-dedans, en provenance de l'Hôpital Saint-Jean. Si quelqu'un pose des questions, c'est tout ce que j'ai gagné. Vous me les avez achetés, et Thomas les emportera vers le sud pour les donner à Astorre. Naturellement, il prendra le reste aussi, mélangé à ce que j'ai acheté en revenant vers le nord. Tout cela nous permet d'équiper cinquante hommes de plus que nous n'en avons promis par contrat. Ils fournissent les chevaux, et nous fournissons l'équipement.

Il s'adressait à elle comme à un autre homme, ce qui lui arrivait souvent, à présent. Elle détacha les yeux des manches retroussées, des meurtrissures qui couvraient ses avant-bras.

– Et quelle somme vais-je te donner pour ce baril de gants? Mieux vaudrait que je le sache, je pense.

– Ce ne sera pas bien cher. Ils sont usagés. J'inscrirai la somme dans le registre. Naturellement, vous ne me donnerez rien. Tout ça vient de l'arsenal de l'hôpital, par arrangement avec la famille Adorne. Il n'y a aucune trace de la transaction, et aucun de nous n'a jamais entendu parler de rien, sinon du baril de gants.

Il faisait froid, dans la cave, et les trois ou quatre chandelles que Claes avait allumées ne réchauffaient guère l'atmosphère. Mais Marian de Charetty était bien trop obstinée pour le laisser se tirer aisément d'affaire. Les mains croisées sur ses genoux, elle reprit :

– Comment as-tu payé tout cela?

– Avec des promesses, répondit-il. Je vous le dirai quand messer Adorne et moi, nous aurons eu notre entrevue. J'ai découvert par hasard quelque chose d'intéressant, à Milan. Une chance de profit pour la famille Adorne et la compagnie Charetty. Messer Adorne n'en connaît pas encore les détails mais il est disposé à offrir cette contribution à titre d'investissement. Et, comme je vous le disais, nous pourrons mettre cinquante hommes de plus sur le champ de bataille, que l'opération réussisse ou non.

– Oui. J'avais bien compris que tu voulais me voir acheter une armée pour Astorre. Mais je ne vois par d'armes, dans tout ceci.

– Non, c'est vrai, dit Claes. Je vous ai dit que messer Tobie se rendait à Piacenza. Il a mission d'acheter des armes et de la poudre pour Thibault et Jaak de Fleury. Je lui ai demandé de se procurer en même temps cinquante *schiopetti* pour Astorre. Des escopettes.

– Et de les payer? insista-t-elle.

– Vous savez, déclara-t-il, c'est un système merveilleux. La banque des Médicis soutient Milan et le roi Ferrante de Naples.

De la sorte, leur directeur à Milan – c'est le frère de Tommaso, Pigello – est tout diposé à nous faire l'avance de l'argent pour les escopettes en même temps que pour le recrutement par Thomas de cinquante hommes de plus que n'en attend Astorre. Nous allons donc trouver le duc de Milan pour lui offrir cinquante splendides soldats, à condition qu'il nous dresse une autre *condotta*. Et, avec l'argent de cette *condotta*, nous remboursons Pigello et les armuriers, et il nous reste encore une bonne somme.

– Le capitaine Astorre, dit-elle, n'a donc pas été mis au courant de ce merveilleux projet?

– Il n'aime pas les armes à feu, expliqua Claes. Mais messer Tobie les apprécie, lui. Et Thomas aussi.

– Mais meester Julius ne les aime pas, lui non plus, dit la veuve. Ou bien aurais-tu oublié que j'ai fait accompagner la troupe par un notaire grassement payé dont le rôle, aurais-je cru, était de s'occuper précisément de tout ce qui concerne les commissions, les contrats, les achats?

Le sourire abandonna les lèvres de Claes pour se transformer en une petite moue gonflée qui dénotait la réflexion. Il leva les deux mains, les noua sur sa tête et plissa les paupières contre une invisible averse.

– Ce n'est pas une question si difficile, si tu n'as pas mal à la tête, dit-elle.

Il abaissa ses mains. Son sourire, vite épanoui de nouveau, reconnaissait l'allusion.

– Elle est difficile, si, en ce qui concerne Julius. C'est un homme habile. Il préfère vous écouter, vous et Tobie, plutôt que moi.

– Autrement dit, fit-elle d'un ton brusque, Tobie a pris ta vraie mesure, ce qui n'est pas le cas de Julius. Alors, pourquoi ne pas le dire?

– Felix a-t-il beaucoup bu? questionna-t-il.

Il ne laissait jamais un malentendu s'installer entre eux sans y couper court. Elle aurait dû s'en souvenir. Elle répondit:

– Oui. Tu lui manquais. Les grelots... Les chèvres...

– Oui, je vous demande pardon. Mais je n'ai pas beaucoup de temps pour découvrir un point de départ. Vous lui donnez de l'argent?

– Pas de quoi s'acheter une armure de tournoi.

Il ne la quittait pas du regard.

– Ni pour ses queues d'hermine, ajouta la mère de Felix.

– Alors... commença-t-il.

Il s'interrompit. Elle entendit ce qu'il avait perçu. La voix de Felix qui appelait de l'extérieur.

– Devrions-nous... commença-t-elle.

– Non. Laissons-le tout voir, décida Claes. Sans lui fournir de détails. Il s'agit simplement d'une petite tractation secrète dont il ne doit rien dire. Il se taira. Cette compagnie est la sienne.

– Mais...

La porte s'ouvrit sur Felix et ses queues d'hermine. Ses yeux rapprochés étaient pleins de soupçons.

– On m'a dit que vous étiez ici tous les deux, dit-il.

– Je l'espère bien, répliqua Marian de Charetty. J'avais donné des ordres pour qu'on t'envoie ici dès que tu condescendrais à rentrer. Où étais-tu?

– En ville. Qu'est-ce que c'est que tout ça?

Il prit la chandelle de la main de Claes et fouilla un peu partout, tandis que sa mère lui parlait. Il revint avec un heaume muni d'une pointe et l'enfonça sans crier gare sur la tête de Claes, ce qui le fit grimacer de douleur. Felix recula d'un pas, émit un petit rire gloussant.

– Il n'y a pas plus laid que ça, fit-il, sinon ce que tu portais lors de ton arrivée. Pourquoi ne pas t'offrir un équipement complet que tu nous achèterais?

Marian de Charetty, rigide, ouvrit la bouche. Mais Claes ne lui laissa pas le temps de parler.

– J'ai tout ce qu'il me faut, affirma-t-il. D'ailleurs, vous voudrez sûrement choisir pour vous-même ce qu'il y a de mieux là-dedans.

– Ce qu'il y a de mieux? répéta Felix. Ce sont là tenues de bataille pour des soldats qui piétinent dans la boue.

– J'ai fait erreur, dit Claes.

– C'est bien mon avis. Tu ne penses pas sérieusement que je voudrais paraître...

– Non, bien sûr. Voyez-vous, j'ai reçu toutes ces leçons du capitaine Astorre. J'avais oublié que ce n'était pas votre cas.

Marian de Charetty intervint.

– J'ai froid. Felix, prends cette lampe et éclaire-moi jusqu'à la porte. Claes, c'en est assez. Souffle les chandelles et ferme la porte à clé.

Claes se leva docilement. Felix, le dos tourné à sa mère, s'interposa sur son chemin.

– Que veux-tu dire par là? Astorre t'aurait instruit, et pas moi? Pourquoi crois-tu que ma mère l'ait engagé?

– C'est votre père qui l'a engagé. Comme garde du corps.

– Et quel genre d'entraînement attends-tu donc d'un garde du corps?

Felix n'avait jamais aucune peine à changer de terrain, surtout lorsqu'il était furieux. Il ajouta:

– Bon Dieu. Tu passes une semaine en compagnie d'un simple soldat de second ordre et tu me fais tout un discours sur la façon de se battre. Un homme bien né ne s'instruit pas par des corps à corps dans une arrière-cour. Il s'entraîne à la joute. Crois-tu que j'aie appris d'Astorre ce que je sais là-dessus?

Claes, qui attendait patiemment, se pencha devant Felix pour éteindre une chandelle.

– Alors, qui vous a enseigné? demanda-t-il.

Felix reprit son souffle, se ravisa.

– Tu n'es pas payé pour poser des questions. Tu es payé pour faire ce qu'on te dit. Souffle ces chandelles.

Il s'écarta. Claes éteignit le reste des chandelles, tandis que Felix, armé de la lampe, marchait à grands pas vers la porte. Sa mère le suivit. Venue de l'ombre, la voix de Claes les suivit :

– Le capitaine Astorre enseigne aussi la joute.

Felix tourna la tête avec un rire glapissant.

– Et tu te crois capable de me battre à la joute?

– Je n'ai pas de cheval. Ni de lance.

La voix de Claes était mélancolique.

Felix se retourna d'un bloc.

– Eh bien, il n'y a là aucune difficulté. Je te prêterai ce qui te manque. Compose-toi une belle armure. Nous considérerons cela comme un prêt. Et je demanderai aux autres d'ériger des barrières hors les murs, disons demain. Nous verrons alors ce que tu sais faire. Si tu en as le courage.

– Felix. Claes! intervint Marian de Charetty.

Son fils, toujours portant la lampe, passa devant elle, traversa la cour et fit claquer la porte de la maison, laissant dans l'obscurité la cave et la cour. La veuve, derrière elle, entendit Claes rire sous cape. Elle entendit un frottement, et la lueur d'une autre chandelle apparut, protégée du vent par la main du jeune homme. Il avait ôté son casque et avait l'air un peu plus sérieux.

– Il voulait une armure de tournoi, dit-il. Il doit déjà l'avoir. Je pensais à la Fraternité de l'Ours Blanc. Leur grand tournoi a lieu après Pâques.

– Il n'essaierait pas de s'y inscrire! protesta-t-elle, les yeux exorbités.

– Mais si, peut-être. Avec les appuis qu'il faudrait, il serait accepté. Anselm Adorne n'était pas beaucoup plus vieux quand il a pris la lance pour la première fois.

– Mais il avait eu des leçons. Tous les Adorne ont été entraînés par des maîtres de joute.

– Peut-être Felix en a-t-il trouvé un. Je n'en serais pas surpris. Il semble fort assuré.

Il s'était mis en marche, mais elle demeurait immobile.

– Et toi? demanda-t-elle.

– Je ne sais pas grand-chose, avoua Claes. J'espère que nous serons à armes égales. Quoi qu'il arrive, il faudra qu'il gagne. Alors, inutile de nous mettre en souci. Il ne peut rien arriver à Felix. Et ce sera la première fois que je me serai fait battre armé de pied en cap. Plusieurs fois, à la Steen, j'aurais aimé pouvoir le faire, je vous le garantis.

Il fallut deux jours pour mettre sur pied la déplorable confrontation entre Felix et le serviteur de sa mère. Felix se chargea de la plupart des dispositions. Il recruta ses amis et entreprit, en grinçant des dents, de se livrer à des préparatifs à la mesure d'une guerre. Puis, à mesure que le temps et ses amis faisaient sur lui leur œuvre, il commença, à son ordinaire, d'oublier sa colère pour prendre son plaisir. Il résolut de montrer ses talents, d'exhiber son armure et d'obtenir une victoire décisive sans causer trop de mal à son bon ami Claes, même s'il se montrait parfois trop tapageur. Il emporterait ainsi, naturellement, la gageure qui s'était réduite, sur l'insistance de sa mère, à une paire de gants de maille.

Il vint à l'esprit de Felix qu'il n'était pas censé posséder une armure, en dehors des réserves habituelles de la maison. Il y prit ce qu'il lui fallait mais ne put s'empêcher de sortir de sa cachette son propre heaume, magnifiquement orné d'une tête d'aigle et d'un panache de plumes rouges. Il demanda à Guildolf de Gruuthuse de prétendre qu'il le lui avait prêté. Il commençait à envisager l'assaut avec plaisir. Un certain nombre de ses amis, passionnés par les préparatifs, empruntèrent des chevaux à leurs pères et demandèrent à se joindre à la joute. Une paire de très graves officiers civils de la ville vinrent trouver Felix pour l'informer que cette sorte de rencontre était interdite, à moins d'être organisée comme il convenait, même s'il s'agissait seulement d'un jeu. Au terme de "jeu", il perdit tout sang-froid, et John Bonkle dut apaiser les émissaires en leur glissant un peu d'argent.

Le grand jour se leva, humide et froid. La maison tout entière, semblait-il, se vida de ses occupants.

Mais non, quelle sottise. Les ateliers de teinture, comme il se devait, étaient pleins, tout comme celui des foulons, et la maison vibrait sous les pas de ses serviteurs. Felix, lui, s'enfuit, avec la troupe désordonnée des jeunes gens qui l'accompagnaient, et Claes partit à son tour, ainsi qu'un groupe de chevaux indolents, une brouette chargée de pièces d'armure, et des banderoles de fer dont la peinture coulait encore.

Depuis longtemps déjà, Marian de Charetty avait cessé de ressentir la moindre appréhension à propos de cette ridicule affaire. Il n'était plus question de méchanceté, à présent. Tous ces jeunes gens étaient assez grands pour maintenir l'ordre, et elle comptait sur Claes pour garder son fils et lui-même de tout dommage réel. Elle se tenait maintenant derrière les vitres de sa fenêtre et regardait, à travers les losanges inégaux, le visage de Felix, tout animé, et, à côté de lui, Claes qui allait et venait en donnant de la voix, dans une délirante imitation du personnage passionné qu'était le capitaine Astorre, le grand absent. Les autres, Bonkle, Sersanders, Cant, le jeune Adorne, se tordaient de rire. Claes lui-même, elle le voyait, elle le savait, ressentait un bonheur sans nuages.

Ils revinrent quatre heures plus tard. Il ne s'était rien passé de grave, mis à part une foulure (subie par Sersanders) et la facture pour trois cochons, que Felix avait poursuivis et cloués au sol avec la pointe d'un oriflamme lorsqu'ils s'étaient aventurés dans la lice où ils avaient dérangé son cheval. Au retour, ils avaient fait une halte pour exhiber leurs armures et fêter le succès. Cela, Marian de Charetty le déduisit du vacarme qui précéda son serviteur Claes, tandis qu'il gravissait l'escalier qui menait à son cabinet de travail. Il frappa bruyamment à la porte, entra en multipliant les excuses parce qu'il portait encore ses gants de maille : on avait parié qu'il serait incapable, sans les ôter, de boire dans un gobelet. Le visage de Claes était écarlate, sa cicatrice cramoisie.

– S'il faut que tu t'asseyes, dit la veuve, ce fauteuil, je pense, est le plus solide. Ainsi, tout s'est bien passé ?

Il s'assit. Son récit ressembla à un repas servi plat après plat. Il souriait de toutes ses dents.

– Pour ça, oui. Je ne me rappelle pas avoir ri... Oui, tout s'est très bien passé. Aucune anicroche. A part les cochons. Nous... Il faut que je vous conte l'histoire des cochons.

Il lui conta l'histoire des cochons, mais elle se refusa à sourire. Le visage de Claes, brouillé de sueur, d'égratignures et de larmes de rire, était horrible à voir, et il ne pouvait même pas l'essuyer : il était incapable d'ôter ses gants, et elle n'était pas disposée à l'aider.

Cela ne paraissait pas le gêner autrement. Elle déclara :

– Je suis heureuse que tu aies passé de bons moments. Ce devait être plus intéressant que de gagner tes gages à la teinturerie.

A travers l'ivresse, elle éveilla son attention.

– Demoiselle, dit-il, je vous demande pardon.

Si elle voulait être aussi franche que lui, elle devait exprimer ce qu'elle avait à l'esprit. Elle devait lui dire, d'un ton accusateur : "Pourquoi es-tu si heureux, et si souvent ?"

Mais elle se contenta de lui demander :

– Et Felix ?

– Il promet beaucoup, répondit-il, et il a du courage. Tout le courage du monde.

– Mais il n'est pas encore assez habile pour prendre part au tournoi de l'Ours Blanc ? insista la mère de Felix.

– Certainement pas. Non. Pas encore. Mais, parce qu'il est brave, il refuse de reconnaître ses points faibles. Il prendra des risques, se mettra en danger. Il faudrait l'empêcher de se présenter au tournoi de Pâques. L'en empêcher à tout prix.

Un moment, elle garda le silence. Elle essayait de s'imaginer dans la peau du personnage qui interdirait à Felix ce qui lui tenait le plus à cœur. Elle demanda finalement :

– Jusqu'à quel point y aurait-il du danger ? Avec des épées émoussées, des lances mouchetées...

– Il reste que des hommes se font tuer, répondit Claes. Et il se passe certaines choses qui ne sont pas des accidents. A supposer que quelqu'un veuille détruire votre entreprise?

Elle le dévisageait. Elle se leva, fit le tour de sa table, tendit la main.

– Pour l'amour de Dieu, fit-elle avec irritation, enlève ces gants. Felix ne peut être considéré comme le chef de l'entreprise.

Elle tirait sur un gant, dans un cliquetis de métal.

– D'ailleurs, qui donc souhaiterait aller jusque-là?

– Felix est l'héritier, insista Claes.

Il présenta le second gant, avant de regarder le mouchoir qu'elle lui tendait.

– C'est la deuxième fois que vous devez me donner de quoi m'essuyer. Vous devez même être étonnée que je sois dressé à la propreté.

Après un silence, il reprit :

– A ce propos, si vous vous souvenez de la première fois, vous devez aussi vous rappeler certaines menaces.

Elle était restée debout, un gant dans chaque main.

– Jordan de Ribérac?

Claes baissa les yeux sur le mouchoir.

– L'autre soir, j'ai eu une rencontre avec deux de ses hommes. Pas très agréable. Et n'allez pas songer à porter plainte : rien ne pourrait être prouvé. De toute manière, il a maintenant regagné la France. Mais l'aventure m'a donné à penser. Par exemple, cette explosion qui s'est produite en mon absence?

Elle s'assit, les gants posés sur ses genoux, le regarda.

– J'ai eu l'impression, poursuivit-il, qu'il ne s'agissait pas d'un accident. Je me suis fait montrer la nouvelle cuve, la pompe neuve. Quelque chose n'allait pas dans l'assemblage. Dans moins d'une semaine, vous auriez eu un autre accident.

– Mais qui...? commença-t-elle.

Il secoua la tête.

– Quelqu'un que Henninc ne connaissait pas mais qui avait toutes les références voulues. Je lui ai bien dit de ne faire faire de réparations que par des hommes qu'il connaît bien. Mais, c'est sûr, n'importe qui peut se laisser acheter. Et, si vous avez des ennuis ici, vous pourriez en avoir aussi à Louvain.

– Nous en avons déjà eu, dit-elle.

– Je le pensais bien. Le temps m'est compté mais je me demandais si je ne devrais pas aller voir ce nouveau venu. Olivier, c'est bien ça? Felix aimerait peut-être m'accompagner. Et je me suis dit que j'aimerais aussi passer à Genappe.

A six ou sept lieues au sud de Bruxelles, le château fortifié de Genappe était, récemment encore, le pavillon de chasse préféré du duc de Bourgogne. Jusqu'au jour où le dauphin Louis, héritier du royaume de France, avait fui pour demander refuge à son cher oncle, et où son cher oncle le duc lui avait fait présent de Genappe : il y serait chez lui aussi longtemps qu'il lui plairait de défier son propre père.

Claes se proposait de rendre visite au dauphin de France. Claes, son serviteur. Son remarquable Nicholas, totalement maître de lui-même. Qui était si heureux, si souvent.

Manifestement, il n'y voyait pas malice.

— En ce cas, dit-elle, tu ferais bien de t'assurer que ton pourpoint est convenablement réparé.

Le vaste regard s'emplit d'admiration. La bouche mobile s'étira en un sourire de totale et sereine compréhension.

— Et, dit-il, par la même occasion, je ferai recoudre tous les grelots ?

22

Pâques, cette année-là, tombait à mi-avril. L'idéal, décida Claes, serait de se rendre à Genappe juste avant. Pour le cas où les circonstances changeraient, il plongea dans un regain d'activité.

Quand arriva la mi-mars, Marian de Charetty était une riche propriétaire : elle possédait trois entrepôts voisins du sien, une taverne située près du marché au poisson et, pour un prix qui l'épouvanta – une maison et des magasins dans Spangnaertstraat. Cette voie, dont le nom signifiait la Rue d'Espagne, se trouvait au cœur du meilleur quartier commerçant de Bruges, près du Pont Saint-Jean, en face, de l'autre côté du canal, des maisons de négoce anglaise et écossaise, à moins de trois minutes du service des douanes, de la Bourse, des consulats de Florence, de Venise et de Gênes et de la Loge des Frères de l'Ours Blanc. Elle avoisinait aussi une maison dont Anselm Adorne était le propriétaire.

Felix se vit confier la tâche de remettre en état la taverne. Au grand étonnement de tous, il s'y attela avec vigueur, apporta bon nombre d'excellentes innovations et ne causa d'autre inquiétude que son excessive sévérité dans ses relations avec son personnel et ses clients. L'un des jeunes Metteneye, qui avait accidentellement souillé de ses vomissures l'une des tables neuves de Felix, fut plus que surpris de se voir mettre à la porte sans cérémonie et de s'entendre dire de ne plus revenir avant d'avoir appris à bien supporter son vin. La mère de Felix, sur une visite de la mère des Metteneye, fut tenue de présenter des excuses.

L'argent qui avait payé tout cela avait été trouvé, semblait-il, en partie par un prêt, en partie dans les bénéfices d'un placement fait par Claes chez les Médicis de Milan.

Thomas, à son arrivée avec deux cents fantassins et cavaliers vers la fin février, trouva sur place le logement, le couvert, la bière et le fourrage qui l'attendaient, ainsi qu'un train de mulets et de charrettes de louage chargés de pièces d'armures. Thomas, descendant de trois générations de soldats sans terre laissés en France par une série de pardonnables défaites anglaises compliquées d'une série d'impardonnables trêves anglaises, commença d'éprouver des sentiments plus cordiaux pour les étrangers qui n'étaient pas mal du tout si l'on prenait soin de leur appliquer de temps à autre un bon coup de pied là où ça faisait le plus mal.

Au bout d'une semaine d'indescriptible désordre, Thomas et sa petite armée se mirent en route afin de rejoindre maître Tobias à Milan sur leur chemin vers le sud, vers Astorre et Naples. L'accompagnèrent un chapelain extrêmement bourru appelé Godscale, originaire d'Allemagne du Nord, et un arbalétrier hongrois du nom d'Abrami, tous deux découverts par Claes. La fonction du chapelain, expliqua celui-ci, consisterait à aider Julius dans son travail et à empêcher Tobie de se mêler de tout, en même temps qu'il rappellerait à la troupe que toute désobéissance aux ordres d'Astorre serait immédiatement punie de la mort et du feu de l'enfer. Abrami aiderait Thomas à se croire capable de tout régenter, tout en se chargeant de faire ce dont Thomas était incapable.

Marian de Charetty écoutait, questionnait, objectait, discutait et, de temps à autre, gagnait sur un point.

La pompe de la cour avait été remise en état, et un homme, amené d'Alost, avait pour seule tâche de surveiller l'équipement, de rester en bons termes avec Lippin et d'obéir aux ordres de Henninc. Henninc était content, et l'homme, qui dépendait directement de la veuve et recevait souvent des instructions toutes différentes, était discret et très capable. Qui, dans le réseau de contacts de Claes, l'avait recommandé, n'était pas encore évident. Godscale, Marian le savait, était le frère du chapelain de la Guilde des Peintres : elle soupçonnait Colard Mansion de l'avoir présenté à Claes. Le Hongrois, étonnamment, était un parent de l'épouse d'un marin, à Sluys. Le nouvel adjoint de Henninc, qui parlait le flamand comme un indigène, répondait au nom de Bellobras, ce qui éveillait encore chez Felix un amusement sans pareil.

Quand elle ne se préoccupait pas de prêts, la veuve elle-même se sentait d'humeur à sourire. Jamais auparavant elle n'avait connu de bouleversement aussi allègre. Ni dans sa jeunesse ni du temps de Cornelis. Tout au long des pires excès de sa vie d'apprenti, Claes s'était toujours montré d'un maniement facile. A présent qu'elle l'employait, semblait-il, comme intendant de sa maison, elle s'éveillait chaque matin l'esprit vif et curieux de découvrir quelles étonnantes batailles elle aurait à livrer, quelles nouvelles expériences, quelles nouvelles acquisitions, quelles nouvelles aventures elle allait connaître avant la fin de cette journée. Jamais elle n'était déçue. Jamais elle n'avait vu personne travailler ainsi sans compter dans tant de domaines divers. Elle interprétait les excès du passé comme un simple trop-plein de toute cette énergie et elle ne pouvait que remercier le ciel qu'il n'y en eût pas eu davantage. La rapidité, évidemment, était essentielle : Claes devait regagner Milan, à cause du service de messagers. Cela aussi, il l'avait organisé. Elle avait demandé à être tenue au courant et elle l'était, dans le moindre détail. Apparemment, il s'agissait de recruter des cavaliers et d'analyser des renseignements à propos de chevaux, de logements, de péages et d'autres messagers. Les succursales à Bruges d'un certain nombre de banques, dont celle des Médicis, faisaient alors connaître qu'elles étaient disposées à confier sous contrat certaines dépêches aux Charetty. L'un des nouveaux courriers était déjà parti vers le sud, avec une sacoche et une garde bien armée.

Mais certains directeurs, comme Angelo Tani, désiraient un service plus personnel, et Claes était toujours prêt à satisfaire les demandes. Il emporterait les lettres. Il devait de toute manière se rendre à Milan pour s'assurer que tout allait bien de ce côté. Tani s'attendait à voir Claes partir dès que la dernière dépêche arriverait de Londres. Et dès que Tommaso recevrait des nouvelles satisfaisantes de l'autruche. Avait-elle, oui ou non, été expédiée par la compagnie Strozzi sur un navire catalan à Majorque ?

Les galères de Flandre, après s'être attardées plus longtemps que de raison, avaient repris courage et fait voile pour Londres, où elles chargeraient des marchandises anglaises, avant de commencer le long voyage de retour jusqu'à Venise. La question était de savoir si le roi d'Angleterre Henry, qui avait le souci d'une guerre civile, réquisitionnerait les galères pour son usage personnel. Les marchands de Bruges, de Londres et de Southampton attendaient avec anxiété.

L'évêque Coppini, dans sa sainte mission de paix, était parti en longeant la côte vers Calais, alors tenue par les Anglais, pour y converser avec les rebelles, le comte de Warwick et Edward, fils de l'adversaire du roi. On disait qu'on avait également vu à Calais un certain nombre d'Ecossais. On disait que le roi d'Écosse avait changé d'avis : il avait à présent des entretiens secrets avec les deux partis, au lieu de privilégier le Lancastrien qui régnait, et il avait envoyé des messagers au duc de Bourgogne pour lui demander s'il pouvait lui procurer d'autres canons.

On racontait que le roi d'Écosse envoyait à Bruxelles quelques émissaires, sous l'habit de marchands; et que l'un d'eux pourrait bien être Simon de Kilmirren. Vous vous rappelez Simon, celui qui avait fait tout ce tapage à propos de son chien, après avoir découvert le jeune Claes en compagnie d'une fille dans la cave? Celui qui, à Sluys, avait pris le parti de Lionetto contre Astorre et les Charetty? Qui avait bïen failli tuer le jeune Claes avec une paire de ciseaux de tailleur? A moins que ce ne fût le contraire...

La veuve entendit les commérages. Elle se trouvait alors à la maison des merciers où elle négociait un contrat qui avait trait à la teinture de laine brute – l'une des activités dont elle se réservait encore le contrôle. Suivirent trois rencontres différentes, dans trois quartiers différents. Elle y fut accompagnée par Claes mais ne trouva pas l'occasion de lui parler en tête-à-tête. En revenant du troisième rendez-vous, qui avait eu lieu à Saint-Lievens, il l'écouta enfin et ne parut pas troublé.

– Monseigneur Simon? Il n'a pas de raison de vous en vouloir. Dans peu de temps, je serai loin de lui. Il risque plutôt d'avoir fort à faire avec son père, surtout s'il intrigue en faveur du roi James ou de l'évêque Kennedy. J'ai appris aujourd'hui certaines bonnes nouvelles.

Ce matin-là, elle aurait aimé avoir avec lui une discussion approfondie à propos de Simon de Kilmirren. Mais elle voulait préserver son énergie. Elle se sentait épuisée. Personne ne veut négocier avec un subalterne. Partout où allait Claes, elle devait l'accompagner, mener les discussions. Jusqu'au moment, disait Claes, où Felix serait prêt. Sans aucun doute, il avait raison. Felix, passé maître dans l'art de tenir une taverne, devait encore découvrir l'aiguillon qui le pousserait à s'intéresser à des domaines moins spectaculaires de l'entreprise. Il y faudrait peut-être longtemps. En attendant, elle le savait, Felix pratiquait toujours, en secret, sa passion pour la joute. Finalement, elle répondit à Claes, sans manifester grand intérêt :

– Vraiment? Quelles bonnes nouvelles?

Il se tenait bien à cheval, à présent. Il tourna vers elle sa tête coiffée de bleu, lui sourit.

– Encore quatre rencontres. Non. Parlons sérieusement. Le capitaine Lionetto, présentement allié au condottiere Piccinino, dépose maintenant ses fonds chez nos bons amis Thibault et Jaak de Fleury, à Genève. Ne sont-ils pas bien assortis?

– Je me sens moins charitable que toi, riposta sa maîtresse. Lionetto, dis-tu, a été engagé par Piccinino? Il se bat donc, comme nous, pour le roi Ferrante. Lui aussi, par conséquent, reçoit de l'or à pleines mains du duc de Milan et du pape. La guerre terminée, quel que soit le vainqueur, Jaak de Fleury sera riche, et Lionetto aura fait fortune. C'est bien le principe, n'est-ce pas? Quel que soit le vainqueur, les mercenaires récoltent leur argent. Et voilà pourquoi tu m'as persuadée d'envoyer à Astorre tous ces hommes en supplément.

– Mais oui, vous ferez fortune, vous aussi, déclara joyeusement Claes. C'est tout de même une bonne nouvelle. Qu'avez-vous l'intention de faire, demain?

– Rien, répondit avec conviction Marian de Charetty.

– Eh bien, c'est parfait. Je me suis dit que j'allais faire ce petit voyage à Louvain, dont nous avions parlé. Felix pourrait m'accompagner, avec votre autorité pour mettre à la porte votre nouveau directeur. Et nous poursuivrions ensuite jusqu'à Genappe.

Elle tira sans le vouloir sur les rênes de sa monture, avant de la pousser en avant d'un coup de talon, pour éviter d'être rejointe par ses domestiques. Elle montait mieux que lui, se dit Claes. Son manteau était parfaitement repassé, et le capuchon en était solidement épinglé sur son truffeau et sa coiffe, de sorte qu'il ne pouvait s'échapper un seul cheveu. Son tapis de selle était du bleu Charetty, bordé d'écarlate. Le mors et la bride étaient garnis d'argent.

– Felix n'ira pas à Genappe, dit-elle, si tu y vas aussi. Et qui a parlé de renvoyer Olivier? Tu ne le connais même pas.

– Moi? fit Claes. Je n'ai aucune opinion, dans un sens ni dans l'autre. Mais Felix pourra entendre le pour et le contre et juger par lui-même. Un avant-goût de l'enfer et du gibet. Le pouvoir seigneurial.

– Et Genappe? demanda la mère de Felix.

Claes sourit.

– J'y vais. Et Felix n'osera pas m'y laisser aller sans lui.

Quatre jours plus tard, Olivier, qui avait dirigé un temps l'entreprise Charetty à Louvain, se retrouvait sans emploi. L'enquête qui avait précédé avait pris presque tout un jour, et son congé lui fut signifié avec aplomb par le jonkheere Felix de Charetty. Maître Olivier, dont les oreilles avaient bourdonné de certaines rumeurs venues de Bruges, avait déjà commencé de faire ses paquets. On lui permit de les terminer, après avoir signé un certain nombre de documents. Le soir venu, il cédait la place à un jeune courtier, que Claes avait amené à tout hasard pour vérifier la comptabilité. Felix permit à Claes de le mettre au courant et s'en fut initier ses camarades d'université à la vie dans le monde des affaires. Lorsqu'il revint, à l'heure où le ciel pâlissait, il y avait encore de la lumière dans le bureau directorial. C'était à proprement parler un gaspillage de cire. Mais il tombait de sommeil, ce qui le dissuada d'ouvrir la porte pour infliger une remontrance.

Au réveil, il découvrit une maison déserte. Un repas froid l'attendait sur la table. Toutefois, d'un coup d'œil par la fenêtre, il vit la cour, remarquablement propre, et un groupe rassemblé au centre. Ces gens écoutaient Claes, qui, assis sur une brouette, leur parlait. Le courtier, un garçon roux avec lequel Felix avait parfois joué aux quilles, se tenait près de lui, l'air attentif. Tandis que le jeune homme observait la scène, la réunion se termina. Les hommes se dispersèrent. Claes et le courtier se dirigèrent ensemble vers la boutique des prêts sur gages et les magasins. Felix descendit.

– Ah, vous voilà, dit Claes. Si vous avez déjà mangé, nous ferions bien de repartir. Les gens des châteaux n'aiment pas qu'on les fasse attendre. Vieux proverbe persan. Avons-nous besoin d'emmener quelqu'un? Nous pourrions nous rendre seuls à Genappe. Aidez-moi à sauter en selle, je vous trouverai de quoi dîner.

La bataille à propos de Genappe avait recommencé. La première salve, à Bruges, avait été lancée par la mère de Felix. Felix devait se rendre à Louvain et examiner avec Claes la manière dont le nouveau directeur menait l'affaire. Il resterait avec Claes, qui souhaitait aller jusqu'à Genappe. Il rentrerait ensuite à la maison. Felix avait refusé catégoriquement, et sa mère l'avait mis à la porte de la pièce.

Seconde salve lancée par Henninc. Quels hommes Félix allait-il emmener à Louvain et à Genappe? Felix n'allait pas là-bas.

Surprise de Henninc. Sans doute allait-il donc devoir demander à ce mêle-tout de Claes quels hommes il voulait. Que le jonkheere Felix voulût bien lui pardonner, mais il aurait cru que la veuve aurait assez de bon sens pour ne pas envoyer un serviteur pour ce genre de mission. Claes à Genappe! Monseigneur le dauphin allait se demander quelle mouche piquait les gens de Bruges.

Retour de Felix chez sa mère. Évidemment, si Felix n'avait pas envie de représenter la famille, Claes devrait se rendre seul à Louvain. Elle-même ne pouvait quitter Bruges. Le cas d'Olivier devait être réglé d'urgence. Quant à Genappe, Claes en savait plus qu'elle sur le sujet.

Sorti pour se mettre à la recherche de Claes. Felix le trouva. Il déclara à Claes qu'il comprenait, bien sûr, la nécessité d'une visite à Louvain, pour voir ce que mijotait ce nouveau directeur. Mais qu'en était-il de cette visite au dauphin?

Le dauphin? Genappe. Genappe était un nom qu'on pouvait faire claquer, et Felix ne s'en privait pas.

Ah, Genappe? Mais oui, il en était question. Claes avait envie d'aller voir un ami à Genappe, mais, naturellement, il ne s'agissait pas du dauphin. C'était un homme d'armes qui faisait partie de la maison du dauphin. Raymond du Lyon, il s'appelait. Ça ne prendrait pas bien longtemps. Juste un après-midi à cheval, à partir de Louvain, et il n'aurait peut-être plus une autre occasion de voir Raymond. Si Felix n'y tenait pas, il n'était pas obligé de l'accompagner.

Felix (dit Felix) était loin de tenir à se rendre à Louvain, à plus forte raison n'était-il guère disposé à soutenir l'équipée d'un serviteur jusqu'à Genappe. Mais la visite à Louvain était importante, il en avait conscience. Il ne pouvait pas laisser un apprenti représenter la famille Charetty. Il irait.

Felix abandonna d'autres projets, annula des rendez-vous et

quitta Bruges avec Claes et quelques hommes. Il était d'une humeur exécrable qui se prolongea deux jours durant, sur les trois que prit le voyage. Mais, à Bruxelles, Claes lui trouva un bon bordeau et une auberge où la chère était merveilleuse. La femme du propriétaire, par ailleurs, voulait savoir comment on tenait la meilleure taverne de Bruges. En touchant Louvain, Felix était tout prêt à régler l'affaire.

Mais voilà que Genappe revenait sur le tapis.

– Tu ne penses jamais à ta maîtresse, hein? dit Felix. Tu prends sur son temps et tu empruntes ses chevaux pour je ne sais quelle visite privée, alors que ses intérêts à Louvain sont menacés, et qu'elle l'ignore encore. Je retourne tout droit à Bruges pour lui faire mon rapport, et tu viens avec moi. C'est un ordre.

– Fort bien, répondit paisiblement Claes.

Le soleil d'avril lui hâlait la peau et renvoyait dans ses fossettes l'inexorable bleu de sa livrée. Il ajouta:

– Mais je vais être obligé d'envoyer quelqu'un vers le dauphin pour lui expliquer la chose. Il nous attend ce soir.

– Quoi? fit Felix.

– Vous dormiez, dit Claes. Mon ami Raymond a envoyé un message ce matin. Monseigneur le dauphin souhaiterait nous voir tous les deux. C'est un grand honneur pour un garçon de ma sorte.

– Ce le serait si tu t'y rendais, fit Felix d'un ton bref. J'irai seul. Je leur dirai que tu es malade.

Claes ne discuta point, ce qui déplut à Felix.

– Évidemment, dit l'apprenti, vous pourriez leur expliquer ça tout de suite.

Il avait gardé la même voix conciliante.

– C'est l'escorte, là-bas, qui nous attend pour nous conduire à Genappe. Je crains bien de leur avoir déjà parlé, mais peut-être croiront-ils que je me suis senti mal subitement. Je pourrais tomber.

Il promena sur la cour un regard calculateur, avant de reculer. Déjà, ses mains lissaient ses hanches pour préparer sa chute.

Tout ça, comprit soudain Felix, était complètement stupide. Et comique, en même temps. Il commençait à émerger de sa mauvaise humeur. Il poussa un gémissement. Claes, aussitôt, leva les yeux, sourit largement.

– Pensiez-vous vous tirer d'affaire, dit-il, en prétendant que ce bon sang de heaume vous avait été prêté par Guildolf de Gruuthuse? S'il lui avait appartenu, vous seriez à présent couvert de pustules. Allons, venez. Pas moyen d'y échapper. Vous n'avez jamais su mentir.

Felix demanda:

– Ma mère sait-elle...?

– Oui, bien sûr, votre mère sait que vous mijotiez quelque chose. Et la moitié de Bruges avec elle. On pense que le dauphin, qui était à la chasse, est venu jusqu'ici. Vous l'avez rencontré, vous avez parlé de chiens, et il s'est pris d'amitié pour vous. Vous êtes allé à Genappe, et il a demandé à l'un de ses maîtres d'armes de vous enseigner quelques principes de l'art de la joute. Quelqu'un vous a alors prêté des pièces d'armure qui n'étaient pas à sa taille. Mais qu'est-ce qui vous a pris de ne rien dire?

– On m'a donné l'armure, dit Felix. En présent. Je savais qu'elle ne me permettrait pas de la garder. Ce serait mauvais pour les affaires. Les clients penseraient que les Charetty complotaient avec le dauphin. C'est ce qu'on dit, tu sais. Tous les pays qui haïssent la France ont des agents à Genappe qui complotent avec le dauphin. Pour l'aider à reprendre à son père toutes les terres qui lui appartiennent. Et afin de profiter de ses faveurs, lorsqu'il deviendra roi de France à la mort de son père.

– Si je comprends bien, vous ne complotez pas avec le dauphin? dit Claes. J'en suis bien déçu. Je pensais pouvoir me joindre à vous et recevoir, moi aussi, une armure de tournoi.

Felix éclata de rire.

– A mon avis, tu n'as pas vraiment la tournure, dit-il. Mais, tu sais, j'ai pensé à quelque chose.

– A quoi?

– La prochaine fois que tu concluras une affaire, donne-m'en le profit, au lieu de le remettre à ma mère et je m'achèterai l'armure. Ainsi, je ne devrai plus rien à personne.

– C'est parfaitement vrai, approuva Claes. Après ça, votre mère pourra vendre votre armure et retrouver son profit.

– Certainement pas, fit Felix.

– Alors, nous penserons à une autre solution, dit joyeusement Claes. Mais plus tard. Venez. Prenons la route de Genappe, si nous devons y aller.

Plus attrayante que le plat pays autour de Bruges, la région aux douces ondulations qui entourait Louvain était connue à la fois de Felix et de son serviteur. En ce début du printemps, chaque tournant du chemin était un délice et, pour Felix, porteur de promesses. Il avait oublié la présence importune de Claes. Felix était un homme d'importance, invité par des princes.

Claes, habitué à son tempérament, le regarda engager la conversation avec l'un après l'autre des membres de l'escorte envoyée par le dauphin. Ils lui répondirent avec courtoisie. Aucun d'eux n'égalait l'héritier de la teinturerie Charetty pour la splendeur coûteuse d'une tenue du dernier cri. Claes, qui s'était efforcé de ne pas la détailler de trop près, en retenait l'impression de bords en fourrure et de volants violets. Et Felix portait certainement un chapeau d'une considérable hauteur.

Claes espérait que la randonnée allait être un plaisir pour Felix : il n'était pas du tout sûr de ce qui les attendait l'un et l'autre à Genappe. Jusqu'alors, le dauphin s'était servi d'Arnolfini comme intermédiaire. Une rencontre comme celle-ci – si toutefois elle avait lieu – forgerait un lien direct entre Genappe et Milan. Si elle avait lieu, comment se déroulerait-elle ? Claes n'était pas au fait des usages des princes. Le comte d'Urbino, l'hiver précédent, était le plus grand seigneur qu'il eût jamais rencontré. Leurs entrevues avaient été brèves et s'étaient déroulées sur le champ de manœuvres. Il ne s'était pas agi de l'union de deux esprits. Les esprits auxquels il était accoutumé, mis à part des camarades de travail et Felix et ses amis, étaient des gens comme Julius et la veuve. S'entretenir avec Anselm Adorne demandait un peu plus de prudence. Comme avec les Grecs : Acciajuoli et sa sœur Laudomia. Le professeur était une nouveauté, mais seulement pour un bref laps de temps : son esprit fonctionnait selon des lignes prévisibles. Celles de Tobie l'étaient un peu moins.

Les nobles... Le seul ennui, avec eux, c'était la différence de coutumes qui pouvait, au début, déguiser la manière dont ils allaient vous attaquer. C'était certainement vrai de Jordan de Ribérac qui était, on pouvait le supposer avec toute l'ironie qui convenait, l'homme du rang le plus élevé auquel il avait eu à faire, hormis Urbino.

Il s'agissait aujourd'hui d'un fils de roi. Un fils de roi, avait dit Marian de Charetty, qui mettait son point d'honneur à paraître pauvrement vêtu, cordial avec chacun, familier même, et d'une piété ostentatoire. Mais il avait mené des armées à vingt et un ans. Il avait régné sur le Dauphiné. Il avait comploté pour s'emparer de seigneuries en Italie. Il avait défié son père le roi en épousant une simple fillette de douze ans, issue de la maison de Savoie, parce que les terres du père lui fourniraient une solide base de bataille. Il avait tant et tant mis son père au défi que le roi de France avait, par la terreur, amené le duc de Savoie à désavouer Louis, son gendre, pour reconnaître le roi de France comme suzerain. Il y avait eu ensuite la fuite du dauphin Louis en Bourgogne. A Genappe, où il complotait avec Milan et le duc de Warwick contre le roi son père et ne souhaitait pas, naturellement, voir les rumeurs se répandre par le fait de courriers à moitié idiots.

Claes, grâce à de multiples sources, avait recueilli de nombreux renseignements sur le dauphin, mais c'était finalement la veuve qui l'avait le plus aidé. C'était au moment où elle était parvenue à l'acculer, lui avait demandé pourquoi il se rendait là-bas. Il le lui avait dit.

– Les messagers sont toujours un danger. Nous en savons tous trop long. Et brusquement, ce n'est pas seulement l'homme du dauphin, Gaston du Lyon, mais les Médicis et les

Sforza qui se servent de moi. Vouloir savoir pourquoi est une question de simple bon sens. Comme de savoir qui je vois. Et ce que je sais.

La veuve en avait éprouvé un choc. Au bout d'un moment, il avait compris pourquoi, s'était empressé d'ajouter :

– Mais Felix, naturellement, ne sait pas qu'il parle plus qu'il ne le devrait. J'en suis convaincu. Toutefois, si nous le mettons en garde, si nous l'amenons à interrompre ses visites à Genappe, ils penseront qu'il y a quelque chose à cacher.

– Alors, pourquoi y vas-tu ?

– Pas parce qu'il est en danger. Seulement pour montrer que je sais ce qui se passe. Je n'ai pas demandé à voir le dauphin. Je proposais seulement d'emmener Felix voir Raymond, le frère du chambellan. Ils sauront à quoi s'en tenir. Si le dauphin souhaite nous voir, il le dira.

– Et si c'est toi, Nicholas, qu'il veut voir ? avait dit la veuve. Une fois déjà, je t'ai questionné sur lui. Tu m'as dit, je crois, qu'il était beaucoup trop malin, et que tu ne pourrais compter le tromper.

Lorsqu'elle l'appelait Nicholas, c'était parce qu'elle était furieuse ou bien effrayée. Il se rappelait les circonstances où il lui avait fait cette réponse. Elle était alors à la fois furieuse et effrayée, et lui aussi. Plongé dans ses souvenirs, il en oubliait de répondre.

– Tu devras donc prendre une décision, non ? lui avait-elle dit. Claes ou Nicholas ? Lequel des deux montreras-tu au dauphin ?

Il n'était qu'une seule personne, pas un monstre de foire, et il s'était mis à rire. De toute manière, il n'existait aucun doute : quoi qu'il pût arriver, il allait se trouver minutieusement mis à l'épreuve, et sur un plan nouveau pour lui. Il s'en était senti très fier jusqu'au moment où il avait compris que c'était là une preuve de son inexpérience. A présent, la visite à Genappe était toute proche. A présent, il écoutait Felix lui répéter une fois de plus, tandis qu'ils chevauchaient :

– Et tu t'agenouilles *trois fois*. En entrant et en sortant. Pour l'amour du ciel, n'oublie pas, ne me tourne pas en ridicule.

Claes, une fois de plus, éclata de rire. Sans doute ne s'en souviendrait-il pas. Pauvre Felix. Pauvre Claes. Bonne chance, Nicholas.

23

Rapidement, Claes s'aperçut que l'impeccable escorte qui était venue les chercher, Felix et lui, les avait fort écartés de la route de Genappe. Ils chevauchaient à travers champs. Après avoir traversé un taillis, ils entendirent, montant de l'autre côté d'une éminence tapissée d'herbe nouvelle, un bruit de voix nombreuses, de sabots de chevaux, d'aboiements frénétiques. Un cor lança son braiment.

Au-dessous du chapeau d'une hauteur vertigineuse qui le coiffait, le plaisir colorait le visage que Felix tourna vers son compagnon.

– Le piqueur de monseigneur le dauphin! fit-il. C'est sûrement lui. Personne d'autre n'a le droit de chasser ici. A présent, tu vas voir. Des chevaux d'un noir de jais. Il n'en veut pas d'autres. Et les chiens. Il en a une nouvelle paire...

– Monsieur ne se trompe pas, confirma le capitaine de l'escorte.

Il n'avait pas prononcé un mot depuis une heure, et Claes le considéra avec stupeur. Le capitaine continua de s'adresser à Felix.

– C'est pour cette raison même que monseigneur le dauphin nous a ordonné de vous amener par cette route. Vous ne serez pas fâché de chasser?

Claes regarda les volants violets, la huque matelassée bordée de martre, le cône orné de glands qui surmontait la tête de Felix et qui serait capable de cisailler la basse branche d'un pin.

– Mon cher capitaine, s'écria le jeune homme, j'en serai honoré!

Le capitaine sourit. Le capitaine poussa son cheval qui passa du trot au petit galop. Felix l'imita. Ainsi firent les autres membres de la troupe, excepté Claes, qui tomba de sa monture. Le capitaine et Felix, déjà loin devant, franchirent l'éminence sans rien remarquer. Les autres cavaliers, qui avaient sûrement vu la chute, poursuivirent leur chemin comme si de rien n'était. Le dernier des hommes, qui dut franchement contourner le garçon, se pencha sur sa selle, prit le cheval de Claes par les rênes et l'emmena.

Claes se redressa sur son séant, lui cria de l'attendre. Le dernier cavalier, menant toujours son cheval, s'éloigna sans réagir, franchit la pente dans une direction différente, à une allure régulière. Claes, assis, les mains pendantes entre ses genoux, reprit longuement son souffle et lança un appel musical. Le cavalier disparut derrière l'éminence. Claes aperçut encore un ultime détail de l'escorte : les deux oreilles du cheval qui se découpaient sur l'horizon.

La selle était tombée en même temps que lui, sur l'herbe, à quelque distance. Tout près, une houe était enfoncée dans la terre. Un homme s'y appuyait, dans une posture extravagante. Ses pieds, la partie de son corps la plus proche du garçon, étaient chaussés de bottes rapiécées, déformées. Il avait le bonnet de feutre, les manches retroussées et la courte tunique d'un paysan. Il tourna vers Claes un visage tubéreux, édenté.

– Tiens, fit-il, regardez-moi ça. Le nouveau faucon nous a apporté une selle.

Il leva le menton, qui reposait sur ses mains jointes, se renversa lentement en arrière pour lever vers le ciel des yeux chassieux. Claes ne bougea pas.

– Il pourrait bien laisser tomber le cheval, la prochaine fois, dit-il. A votre place, je me méfierais.

La houe frémit. Les lèvres de son propriétaire, froncées sur les gencives nues, s'entrouvrirent, lancèrent dans l'espace un brouillard de salive.

– La prochaine fois, il pourrait bien nous apporter un homme. Ça ne m'étonnerait pas, ajouta le vieux. Vous allez attraper la mort, à rester assis sur l'herbe. De l'herbe qui n'est pas à vous. On a pendu un homme à cet arbre, la semaine dernière.

– Je me demandais ce que vous plantiez, dit Claes.

Les rayons du soleil dansèrent sur un autre jet écumeux. Le vieux demanda :

– Vous avez peut-être faim ?

Le garçon rejeta la tête en arrière pour mieux rire. Peu lui importait si son rire avait le son du soulagement. C'était bel et bien du soulagement.

– J'ai toujours faim, répondit-il.

– Des grands gaillards comme vous, fit le vieux. J'en ai vu de votre sorte, au temps de la moisson. Capables de manger pour souper la valeur de la moisson. Ils sont là-bas. Je dois vous prendre votre épée et votre dague.

Claes lui sourit.

– Où les retrouverai-je ?

Les joues hérissées de barbe brillèrent au soleil.

– Si vous revenez, elles seront sous la houe.

– Et ma selle ?

Le vieux laissa choir son outil. Il s'était retourné, et l'on voyait à présent le couteau de chasse accroché à sa ceinture. La lame à deux tranchants semblait neuve. Il se frotta les mains pour en faire tomber la terre, les essuya sur sa tunique et attendit de voir Claes se lever.

– Il vous faut un cheval, avant d'avoir besoin de la selle. La sangle est cassée.

La sangle, il le savait déjà pertinemment, avait été tranchée. Sans discuter, Claes se leva. Il détacha sa modeste épée, son couteau, alla les déposer à côté de la houe. Quand il se redressa, les yeux chassieux étaient tout près des siens, dans un relent de sueur et de linge crasseux qui évoquait l'odeur des vêtements déposés chez un prêteur sur gages.

– Suivez le ruisseau jusqu'aux arbres, dit le vieux. Et mangez bien. Mangez bien, mon garçon. Mon garçon, vous devez avoir rudement faim.

Louis, dauphin de France, soupait en plein air. Parmi les arbres auxquels conduisait le ruisseau, on avait édifié, avec le bois de l'année précédente, un léger pavillon de chasse dont les deux petites pièces étaient pour le moment désertes. Les convives, peu nombreux, mais à l'étroit entre les paniers d'osier et les fioles posés un peu partout, s'étaient installés sur le terrain herbeux qui s'étendait devant la construction. Un peu plus loin, le cliquetis des mors définissait l'endroit où les chevaux attachés paissaient.

Tous ces hommes étaient habillés très simplement, même si l'étoffe de leurs vêtements de chasse, la qualité de leurs ceintures, de leurs bottes et de leurs éperons prouvaient qu'ils n'étaient pas des serviteurs, bien qu'ils ne fussent pas servis.

Non. Un seul homme, le plus proche du pavillon, était servi par les autres qui, pour ce faire, pliaient le genou. Un homme qui ne tourna pas la tête à l'approche de Claes. Un seul membre de la compagnie le vit venir, se leva et vint à sa rencontre. Claes ne reconnaissait personne mais il savait que l'homme assis près de la cabane était le dauphin, et que les autres devaient être de ses intimes. Le bâtard d'Armagnac, alors, et le seigneur de Montauban. Jean d'Estuer, peut-être, seigneur de la Barde. Jean Bourré, le secrétaire. Et quelqu'un de bonne naissance qui faisait office de garde du corps... probablement celui qui s'approchait maintenant de lui. De plus près, il ressemblait étrangement à quelqu'un que Claes avait d'abord rencontré dans les neiges savoyardes.

– Monseigneur Raymond du Lyon ? dit Claes. Je suis heureux de faire votre connaissance.

– Et moi, la vôtre, monsieur Nicholas, répondit l'autre.

Sous le bord de son chapeau, on voyait des cheveux sombres, comme ceux de Gaston, et il avait des épaules de jouteur. Son sourire aimable et franc révélait trois dents cassées. Il ajouta :

– Vous n'avez souffert aucun mal, je l'espère, de notre méthode pour vous séparer des autres ? Nous avons vainement cherché un moyen moins pénible.

– C'est celui qui m'est le plus familier, répliqua Claes. Votre frère pourrait vous le dire.

Raymond du Lyon sourit de nouveau mais ne répondit pas. Il préféra déclarer :

– Monseigneur le dauphin souhaite vous parler. Venez.

Le prince, assis sur un coussin, ses jambes aux genoux cagneux étendues devant lui, répondait assez bien à la description que faisait de lui la rumeur publique. On découvrait, sous le bord étroit du chapeau en pain de sucre, le nez mince et tombant, les lèvres charnues, le menton petit. *L'homme le plus soupçonneux qui soit*, avait dit de lui quelqu'un. La jolie Margaret d'Écosse, qui l'avait épousé à onze ans, et que son beau-père avait gâtée, était morte à vingt ans, toujours intraitable, refusant avec intransigeance de lui donner des enfants, grâce à un régime à base de pommes vertes et de vinaigre. Charlotte de Savoie, mariée à douze ans et de physique ingrat, avait déjà, à vingt ans, été deux fois grosse et n'avait aucune chance de se voir gâtée par le père de Louis. Le dauphin avait vu son père pour la dernière fois treize ans plus tôt. Depuis, il était allé se réfugier en Bourgogne, et son père avait lancé son fameux sarcasme : *Le duc de Bourgogne a accueilli un renard qui dévorera ses poulets.*

Il était en train de les dévorer, enveloppés dans une serviette. Claes s'approcha. Il se rappela qu'il ne devait pas rendre Felix ridicule et s'agenouilla les trois fois prescrites, pendant que le dauphin posait sa viande et s'essuyait les lèvres et les mains. Claes s'inclina sur les doigts qui sentaient à la fois le renard et le poulet. On le fit asseoir sur l'herbe, on lui donna une côtelette et une cuisse de poulet, baignées de sauce. Un cruchon de bois apparut, rempli de vin de Bordeaux.

Le dauphin prit la parole en français. Quelque malformation du palais, des dents ou même de la langue obscurcissait quelquefois son élocution, ce qui ne l'empêchait pas de parler vivement.

– Mon bon Nicholas, dit-il, je me trouve devant un problème qui réclame un esprit jeune. Monsieur le bâtard, où est ce document ?

L'un des seigneurs se leva sans mot dire, ouvrit sa bourse et tendit un papier au dauphin. Non, c'était un parchemin, couvert de figures et de signes.

Le dauphin le tendit à Claes.

– Tu étais, je le sais, à Louvain, avec ton jeune maître, Felix. Je t'ai vu, quand le bon recteur, monsieur Spierinct, faisait ses cours. Il a dressé ce tableau pour moi mais il m'arrive parfois, quand mon pauvre esprit est encombré par les affaires, de ne plus m'en rappeler la clé. Traduis-le-moi.

C'était l'horoscope d'un astrologue, rédigé en latin et en grec. Chacun savait que le dauphin avait recours à ses propres astrologues. L'un d'entre eux était sans doute présent.

Claes ou Nicholas? Nicholas posa sur le dauphin son regard grave.

– Oui, monseigneur. J'ai déchiffré le code des Médicis.

Il sentit un mouvement, derrière lui. Le regard aigu en face de lui était tranchant comme le couteau du vieil homme.

– Allons, dit le dauphin, tu as avancé ton cavalier mais tu me traînes après toi. Un coup à la fois. Es-tu capable d'interpréter ce document?

– Pardonnez-moi, monseigneur.

Claes prit le parchemin, le parcourut des yeux. Au bout d'un moment, il déclara :

– Je le lis bien jusqu'à cet endroit. Après, je devrais le corriger. Le copiste a fait une erreur.

L'un des convives se tenait debout près de lui.

– Vous entendez, cher seigneur, dit le dauphin. Mon copiste a commis une erreur. Montre-la à ce seigneur, Nicholas.

Ce développement était prévisible, lui aussi. Tout en parlant, Claes, mentalement, mettait un point final à ses calculs. Il les revit, du début à la fin. Il leva alors le parchemin, se servit de son manche de côtelette pour préciser ses explications.

– Voici les chiffres faux. Au lieu de quoi, nous devrions avoir quelque chose de cette sorte.

A mi-chemin du discours, l'autre homme s'écria :

– Cela suffit!

Il avait les joues en feu. Il déclara :

– Monseigneur le dauphin, il a raison.

Il y eut un bref silence. Le dauphin semblait surpris.

– Apportez donc du vin à ce garçon, dit-il, un autre plat! Faut-il donc qu'il brandisse un os de viande pour nous rappeler notre misérable hospitalité? Mon ami Nicholas, je suis content de te connaître. Nous jouons sur le même échiquier. La seule question, c'est celle-ci : sommes-nous du même côté du damier?

– Seigneur, répondit Claes, monsieur Gaston pourrait vous le dire. Je suis au service d'une bourgeoise de Bruges. Sa compagnie de mercenaires a été engagée par le duc de Milan pour aider le roi Ferrante, à Naples. Je suis son courrier, et mes services ont été requis par le duc, par la compagnie des Médicis et par vous-même, pour porter dépêches et nouvelles. Je vous ai apporté des messages de monsieur Gaston et du seigneur duc de Milan. Par l'intermédiaire de messer Arnolfini, j'ai été bien payé.

Le dauphin sourit.

– Cela n'est qu'une première indication de la chaleur de nos sentiments pour toi. Une telle relation doit reposer sur la confiance, n'est-il pas vrai ? Par exemple, il ne serait pas opportun que les messages à moi envoyés par monsieur Gaston ou par le seigneur duc tombassent en d'autres mains. Toutefois, mon illustre père, avons-nous découvert, est pleinement informé que monsieur Gaston est resté à Milan et même qu'il a fait visite en Savoie en mon nom.

Le dauphin leva le bras, dessina de la main un rapide signe de croix qui repoussait l'inquiétude.

– Certes, mon père le roi ne trouverait rien à redire à cela : ma famille est doublement liée à la Savoie. Les échanges de nouvelles sont tout naturels.

La main se lança en avant, attrapa le bras de Claes comme dans une serre.

– Tu ne le sais que trop, mon garçon. Thibault et Jaak de Fleury, à Genève, sont de tes parents, m'a-t-on dit.

Claes déclara :

– Monsieur Gaston connaît ma situation. Je suis un petit-neveu de basse extraction. Je ne leur dois rien, et ils préfèrent ne rien avoir à faire avec moi. Ils ont une héritière légitime. Je n'ai rien à gagner ni à perdre, si vous décidiez de gagner leur fidélité.

– Je te crois, certainement, dit le dauphin. Même s'il pouvait se trouver un mauvais esprit pour prétendre qu'un pot-de-vin versé de ma part à monsieur Jaak de Fleury pourrait bien trouver, en partie au moins, le chemin de ta poche. Et que, même après avoir accepté un pot-de-vin, la famille pourrait bien être assez malhonnête pour servir secrètement mon père. A la vérité...

Il marqua une pause, et Claes baissa les yeux.

– A la vérité, monsieur Gaston m'informe que messieurs Thibault et Jaak ont refusé de renoncer à leur fidélité à l'égard de mon père et du duc de Savoie. Il leur a pourtant offert une somme considérable. Comme je le disais, mon père est informé des visites de mon chambellan. Sans doute grâce à ton grand-oncle et à sa famille. Mais tu prétends n'avoir rien à faire avec eux.

– Monseigneur, dit Claes, vous êtes parent des Anjou.

Il sentit, cette fois encore, le léger mouvement dans son dos. De nouveau, le regard noir se pointa sur lui, au-dessus du long nez pointu. Le dauphin leva la main, l'abattit, une seule fois, sur le bras du garçon, le ramena en arrière.

– Nous voici de nouveau en train de jouer aux échecs, dit-il. De quelle audace nous faisons preuve. Mais est-ce là ce que tu peux faire de mieux pour me convaincre de ta bonne foi ? Ne vas-tu pas nous tirer à tous tous les secrets, tout l'argent possibles, avant de décamper de la maison de la bonne dame qui t'emploie ? Pour fuir à Venise, peut-être. J'ai appris de la meilleure source que tu avais épargné un petit pécule, et nous sommes bien sûr au courant de la haute estime en laquelle te tiennent les Acciajuoli. Comment être certain que les secrets de mes dépêches resteront en sûreté entre les mains d'un déchiffreur de codes tel que toi ?

Le dauphin avait joint le bout de ses doigts. Son regard était tranquille. Claes réfléchissait. Les autres hommes avaient cessé de manger. Ils parlaient à voix contenues, sans prêter d'attention apparente à la discussion. L'astrologue, dont il ignorait toujours le nom, les avait rejoints. Un homme émergea des arbres sous lesquels s'abritaient les chevaux. Il regarda autour de lui, rentra vivement dans l'ombre, mais Claes avait eu le temps de le voir.

– Monseigneur, dit-il, voilà bien l'ennui avec les messagers. On ne peut jamais être sûr. On peut les récompenser si généreusement qu'ils s'attachent à vous plus qu'à votre adversaire. Mais on ne sait jamais si l'adversaire n'en fait pas tout autant. On peut les menacer et, s'ils commettent une faute, on les tient, évidemment. Mais le seul moyen sûr est de ne pas les engager. Monseigneur, ma maîtresse est bien payée par le duc et par les Médicis. Vous n'avez aucun besoin de m'employer.

Le dauphin cueillit un brin d'herbe, le tint à bout de bras pour mieux l'étudier. Il replia son bras, fit tourner le brin d'herbe devant ses yeux.

– Tu as parfaitement raison. Quel avantage pourrais-je espérer, qui compense un tel danger ?

Claes contemplait le sombre visage du prince.

– Vous pourriez m'engager pour porter seulement des messages anodins et confier les autres à des courriers mieux accrédités, si toutefois vous disposez de tels hommes.

Le brin d'herbe tournait toujours.

– Que voilà un bien regrettable manque d'ambition ! Voilà un garçon capable de se montrer plus malin qu'un astrologue mais qui ne sait pas comment tirer de l'argent de ses talents !

Le dauphin leva les yeux.

– Jean, mon compère, que savez-vous des écritures chiffrées ?

Bourré, le secrétaire. L'un des hommes assis se leva, s'approcha, mit un genou en terre.

– Trop peu, monseigneur.

– Et nous avons ici un expert.

Le brin d'herbe se pointa vers Claes.

– Mon ami, reprit le dauphin en s'adressant au garçon, ton talent vaut de l'argent. Tu ne le comprends donc pas ? Beaucoup d'argent. Pourvu qu'il soit entièrement à notre service. Messer Cosimo, messer Cicco sont mes très bons amis, mais leurs chiffres sont déjà les meilleurs au monde. C'est nous, qui nous essoufflons à leur suite, qui avons besoin de tes talents.

Le regard de Claes allait du prince au secrétaire. Il dit humblement :

– Certes, monseigneur. J'en serais honoré. En vérité, un serviteur peut seulement accomplir ce que lui permettent ses capacités, et, dans certains domaines, mon intervention pourrait ne causer que dommages. Monseigneur me comprend ?

– Naturellement, approuva le dauphin, qui sourit à de la Barde.

– Par ailleurs..., poursuivit Claes d'un ton hésitant.

– Oui ?

– Je supplie le dauphin de me pardonner. Mais, plus je passe de temps à ce genre d'activité, moins je peux en donner aux affaires des Charetty. Monsieur Felix, vous le savez, est un jeune homme fort capable, qui tiendra un jour dignement sa place à la tête de son commerce, mais, pour le moment, il se consacre à d'autres plaisirs.

Le prince eut un grand geste des deux bras.

– Vous entendez, mes amis ? Voici qu'on me reproche mon hospitalité ! Voudrais-tu donc me priver de la compagnie de ce charmant jeune homme ? Lui aussi, je m'en flatte, en serait chagriné. Quelle joie il a connue à visiter nos chenils, à monter nos chevaux, à s'initier aux arts martiaux !

Claes garda le silence. Le dauphin laissa retomber ses bras.

– Tu as raison. Le devoir l'appelle. Sa famille a besoin de lui. Je ne l'attirerai plus loin de ses bacs à teinture. Mais que vais-je lui dire ?

– Il en aura le cœur brisé, je le sais, dit Claes. Je ne sais si j'oserais suggérer à monseigneur une dernière invitation pour quelque jour de grande fête, où la présence de monsieur Felix à Genappe ne pourrait l'incommoder ? Le deuxième dimanche après Pâques, par exemple ?

Les yeux du prince retinrent les siens, avant de se poser sur le secrétaire.

– Soit ! Il en sera fait ainsi, déclara le dauphin. Mon ami monsieur Bourré va en prendre note. Le jeune monsieur Felix recevra son invitation. Et nous veillerons à ce qu'il ne s'y dérobe pas. C'est bien là ce que tu souhaites ?

– Très précisément, répondit Claes. Monseigneur, tout cela devrait nous profiter à tous. Je vous suis fort reconnaissant.

– Très bien ! fit le dauphin.

Il jeta le brin d'herbe, posa une main sur l'épaule de son secrétaire pour se mettre debout. Au-dessus des bottes, ses genoux étaient décidément cagneux. Plus haut, les cuisses maigres mais musclées disparaissaient sous la courte tunique de chasse. Son regard, sous le chapeau en pain de sucre, se posa sur le reste du petit groupe. Déjà, tout le monde s'était levé précipitamment et s'activait à refermer les paniers, à les ranger. Des arbres venait le bruit des piaffements de chevaux. Le dauphin ramena les yeux sur Claes, qui s'était levé, lui aussi, mais se hâta de plier le genou.

– Nous nous comprenons, déclara le dauphin. Tu es un brave garçon et tu me serviras bien. Monsieur Bourré, que voici, t'enverra quérir, et aussi monsieur Arnoulphin, que tu connais déjà. Tu as été récompensé, j'espère, pour l'armure?

– Jusqu'au dernier sol de la reconnaissance de gage, dit Claes avec gratitude.

Le prince fronça les sourcils.

– Nous aurions dû mieux faire. Monsieur de la Barde!

Le plus richement vêtu de la suite s'avança.

– J'y veillerai, monseigneur.

Le sourire du dauphin s'adressa de nouveau au garçon.

– Tu as bien compris, mon enfant. Tu ne quitteras pas ce pavillon habillé d'étoffe d'or, avec des bagues à tous les doigts ni même avec des pièces d'or dans ta bourse. Mais, en conséquence de ce jour, tu ne seras pas un pauvre homme. A condition seulement que tu sois loyal, et tu le seras. Tout autre solution ne saurait être envisagée. A présent, que Dieu t'accompagne.

Claes s'inclina sur les doigts durs, avant de se relever et de partir à reculons. Il se cogna à Raymond du Lyon, qui le prit par le coude et l'entraîna à une douzaine de pas de la clairière. Le cheval du garçon l'y attendait, tout sellé : la sangle avait été réparée. L'homme d'armes expliqua :

– Tu as été étourdi par ta chute, et un paysan s'est occupé de toi. La chasse n'est pas loin. Tu sais où retrouver tes armes?

– Sous la houe, répondit Claes. A moins que quelqu'un n'ait volé la houe. Il est bien tard pour repartir.

Raymond du Lyon montra ses trois dents cassées.

– Ton jeune monsieur Felix a déjà reçu un message du maître d'hôtel du dauphin : il regrettait que son maître eût changé ses projets, et qu'une rencontre ne pût avoir lieu à présent. Mais une chambre a été retenue pour vous deux, sur votre chemin de retour vers Wavre. Il n'y aura rien à payer.

– Monsieur Felix en sera bien content, remarqua Claes.

Il eut tôt fait de retrouver ses armes. Il prit congé du frère de Gaston et s'éloigna.

Il se sentait quelque peu hors d'haleine, comme en février, lorsqu'il était sorti de l'eau glacée. Quelque part, sous le choc, un sentiment de plaisir le disputait à une fort raisonnable appréhension.

24

En robe de cour et coiffée d'un hennin, Katelina, sous la bannière des de Veere, suivait à cheval les rues de Gand, en compagnie de ses parents et d'une splendide escorte. Elle portait sur elle la permission de son suzerain, le duc Philippe, de se rendre en Bretagne où elle serait dame d'honneur de la duchesse douairière. Le lendemain, elle devait passer en Zélande. Les chambres étaient retenues dans l'une des plus belles auberges de Gand. Ils pénétraient dans la cour quand le père de la jeune fille s'arrêta une fois de plus pour saluer quelqu'un de connaissance, sur quoi son épouse, sa fille et les serviteurs, avec soumission, en firent autant.

Katelina découvrit alors qu'il s'agissait du fils de Marian de Charetty et que, derrière lui, se tenaient deux valets d'écurie et Claes. Claes, qu'elle n'avait pas revu depuis le lendemain du Carnaval, au petit matin. Claes qui, très courtoisement, avait accepté ce qu'elle lui avait enjoint de prendre et qui, ensuite, avait recommencé, elle était heureuse de s'en souvenir, purement pour le plaisir. A moins qu'il ne fût plus habile encore qu'elle ne l'avait pensé.

Pas une seule fois, ni le lendemain ni par la suite, elle n'avait eu honte de ce qui s'était passé. Elle avait fait le bon choix. Elle n'avait pas été brutalement traitée. Son initiation, elle était toute disposée à le croire, s'était faite, étant donné les circonstances, avec plus de considération qu'elle en aurait pu attendre de la part d'un époux comme le fils du seigneur de Courtrai ou même comme Guildolf de Gruuthuse, sans parler de Jordan de Ribérac et de son fils, si déplaisant. Elle en était reconnaissante à Claes.

On aurait pu penser qu'elle serait pressée, pour la première fois, d'étudier les listes de prétendants, jeunes et vieux, que sa mère lui présentait avec insistance. Que, poursuivie par cette étrange souffrance qui, à présent, l'habitait, elle rechercherait la compagnie des jeunes hommes qui papillonnaient autour d'elle. Il n'en était rien, et c'était ridicule. On disait qu'un caneton, éclos hors de la présence de sa mère, s'attachait à la première créature qu'il voyait. Que le Ciel la préservât de rechercher le reste de sa vie quelqu'un qui, contraint de plonger dans une baignoire, s'exprimerait comme... aurait la mine de... la traiterait comme l'avait fait ce jeune Claes.

Elle pensait tout particulièrement à leur prochaine rencontre. En dépit de la différence de leur condition, Claes et elle se reverraient forcément dans les semaines à venir. Elle pouvait se fier à lui, croyait-elle, pour ne pas témoigner de familiarité. Mais les circonstances exigeaient un certain changement d'attitude, une cordialité particulière, même en public. Elle devait s'y préparer, et lui aussi.

Elle s'aperçut que, de toute manière, elle était curieuse de savoir ce qu'il était devenu. Elle découvrit qu'en qualité de courrier, sa position s'était quelque peu améliorée, que sa maîtresse l'initiait aux divers domaines de ses affaires. Claes accompagnait Marian de Charetty à des réunions professionnelles; au lieu d'être traité en simple serviteur, il pouvait s'asseoir sans rien dire derrière elle et parfois prendre des notes, comme s'il était meester Julius. Certes, une femme respectable avait tout intérêt à réunir en une même personne un serviteur et un garde du corps. Lorsqu'ils parlaient de Claes, les gens continuaient à rire.

Depuis la nuit du Carnaval, elle l'avait entrevu une seule fois, le lendemain matin, quand toute la maisonnée avait été attirée vers les fenêtres par un bruit de grelots inaccoutumé. Intriguée par la gaieté générale, elle y était allée, elle aussi. Elle avait vu Claes passer en dansant. Ses vêtements bleus tout froissés étaient bizarrement parsemés de clochettes de chèvres, et tout un troupeau trottinait derrière lui. En réponse aux rires, aux appels, il avait joyeusement rendu saillie pour saillie, sans cesser de parcourir du regard les fenêtres. Du haut de la sienne, la jeune fille avait essayé de lui faire comprendre par son sourire le sentiment de liberté et de tendresse qu'elle éprouvait ce matin-là. Elle avait fait, de ses deux mains, un geste qui disait : Tout va bien.

Et voilà qu'ils se retrouvaient. Il paraissait plus vieux. En l'espace de six ou sept semaines, cela semblait impossible. Mais, sous l'empire de tâches différentes la physionomie changeait. L'existence qu'il avait menée, enfermé dans des caves, dans des hangars de teinture, dans la chaleur et les vapeurs délétères, lui avaient formé une apparence qu'elle se rappelait plus ronde, plus douce. Les yeux démesurément larges qui la contemplaient à présent avaient une expression amicale, voilée, confuse, un peu intimidée. Confuse, pensa-t-elle, parce qu'il ne s'attendait pas à cette rencontre. Mais, de toute évidence, il n'était rien arrivé de fâcheux. Elle était en route vers la Bretagne, et il allait sans doute bientôt partir pour Milan. L'entaille aux bords déchiquetés ne sautait plus aux yeux : ce n'était plus qu'une large marque rose, comme une traînée de peinture sur sa joue. Il portait le même pourpoint, la même jaque qu'elle avait séchés pour lui devant le feu. L'accroc avait été réparé, l'étoffe était bien entretenue, bien repassée.

Le jeune Felix, en revanche, avait l'air d'avoir subi quelque dommage. La moitié des volants violets étaient déchirés, et il portait un chapeau qui n'allait pas avec le reste. Katelina vit que son père lui posait des questions. Un peu en arrière, Claes répondait par un petit salut au sourire de sa mère. Son regard passa sur Katelina elle-même, et son sourire s'épanouit lorsqu'il examina la flèche aiguë de sa coiffure.

La mère de la jeune fille avait de l'estime pour Claes qui avait été pour Gelis, la nuit du Carnaval, un irréprochable cavalier. Le serviteur, grassement payé, avait ramené Gelis à la maison, cette nuit-là, comme s'il ne s'était rien passé. Régler l'affaire avec les portiers de son père s'était révélé plus simple encore. Personne, apparemment, ne leur avait graissé la patte. Ils avaient vu un homme masqué partir avec elle et revenir en sa compagnie. Ils ne l'avaient pas vu ressortir parce que, expliqua Katelina, il était reparti presque aussitôt par la poterne. Sa mère, qui l'écoutait, se montra d'abord encline à considérer avec sévérité la manière dont elle avait éconduit Guildolf de Gruuthuse. Katelina avait exposé le plus vaguement du monde qu'elle l'avait renvoyé dès le début de la soirée et non pas à la fin. Guildolf, supposait-elle, ne s'en vanterait point. Quant au comportement de Jordan de Ribérac, elle l'avait tu à ses parents.

Le vicomte de Ribérac avait quitté Bruges dès le lendemain. Elle avait eu quelque peine à s'en assurer. Claes, apprit-elle, s'était renseigné, lui aussi. Elle en ressentit un certain soulagement et le sentiment d'être protégée. C'était ridicule. Si une chose était assurée en ce monde, c'était la mort de Claes, si jamais Ribérac découvrait ce qui s'était passé.

Elle-même avait ses parents pour la préserver de tout danger. Mais ses parents, de nouveau, parlaient de prétendants. Cette fois, il n'était plus question de faux-fuyants. Elle refusait le couvent. Elle avait donc choisi la Bretagne. Si la vie répugnait à lui ouvrir ses portes, elle les forcerait.

Non. C'était déjà fait.

Celui qui l'avait aidée dans cette expérience était maintenant tout occupé à les refermer. Oui, le jonkheere Felix passait lui aussi la nuit à Gand. Non, Claes le regrettait, mais il n'avait pas retenu de chambres dans cette auberge pour le jonkheere Felix et lui-même. Ils allaient loger ailleurs. Ne l'avait-il pas dit au jonkheere Felix ? Il avait dû oublier.

312

Le père de Katelina, dans sa bienveillance, n'insista pas pour faire changer d'avis les deux jeunes gens. L'auberge était fort coûteuse. Au contraire, il invita le fils de son vieil ami Cornelis à se joindre pour dîner à lui-même et à sa famille. Naturellement, il amènerait Claes, qui avait pris grand soin de leur petite Gelis. C'était, pensa Katelina, un véritable tribut au changement d'attitude de Bruges devant les nouvelles perspectives d'avenir de Claes.

Ravi, Felix accepta, et son messager, qui n'était pas du même avis, ne put protester.

Claes, c'est ainsi que l'avait appelé le père de Katelina.

C'était le nom par lequel tout Bruges le connaissait. Peut-être n'en accepterait-on jamais un autre. C'était aussi le nom que, depuis cette fameuse nuit, elle continuait, avec une grande détermination, à lui donner dans son esprit. Elle n'avait pas oublié ce qu'il lui avait dit, et qui était vrai.

Le petit groupe se sépara pour un moment. Felix de Charetty et son compagnon allaient installer leurs chevaux et leurs bagages dans quelque autre auberge. Ils revinrent ensuite, en qualité d'invités, partager le souper de Florence van Borselen.

Celui-ci avait réservé une pièce pour son usage personnel et invité quelques autres convives, tous bourgeois de Gand, avec une ou deux épouses et une seule jeune fille. Son propre clerc était présent, et, par une aimable prévenance, on en avait fait le voisin de Claes. La pièce était petite, dallée d'un pavage bien propre. La longue table était couverte d'une belle nappe de toile ornée d'un travail à jours. Assise sur les bancs qui l'entouraient sur trois côtés, la compagnie, servie par les gens du père de Katelina, but et mangea tout en poursuivant une bienséante conversation. Katelina observait les regards furtifs que jetait sur Claes la seule autre jeune fille présente. Apparemment, il n'avait rien remarqué, mais elle était convaincue du contraire. Le clerc et lui semblaient avoir une foule de choses à se dire.

La mère de Katelina, comme on pouvait s'y attendre, parlait de Bruxelles. Le jeune Felix, après quelques propos sur le sujet, ne tarda pas à s'en lasser et se lança dans un récit détaillé et plutôt attendrissant de la chasse à courre à laquelle il avait participé avec la meute du dauphin. Le père de Katelina parla des attraits de Louvain, de ses professeurs et, courtoisement, de l'affaire que possédaient là-bas les Charetty, en abordant les domaines dont, à son avis, Claes aussi bien que Felix serait capable et heureux de parler.

– Vous oubliez, mon père, intervint Katelina, que Claes a abandonné ce métier pour devenir porteur de dépêches.

Sa mère tapota la main de son époux.

– Mais oui, meester Florence, vous l'aviez oublié. Tout comme le superbe chauffe-mains en forme de pomme que notre jeune Gelis a reçu de Milan. Une ville magnifique, m'a-t-on-dit. Mais le chapelain de la princesse a été scandalisé en voyant la manière dont les dames se blanchissaient le visage. C'est un homme large d'esprit, mais cette façon de se peindre lui a paru inacceptable. C'est lui qui nous l'a raconté.

Le père de Katelina écoutait rarement ce que lui disait son épouse, ce qui, pensait la jeune fille, avait dû contribuer pour beaucoup à son humeur égale.

– Des dépêches? fit-il à présent. Cela doit vous conduire dans quelques lieux intéressants. Êtes-vous messager pour le dauphin?

Les deux trompeuses fossettes se creusèrent dans les joues de Claes. L'autre fille – qui était-ce donc? Katelina n'avait pas entendu les présentations faites par son père – leur lança un coup d'œil mais attarda son regard sur Claes.

Celui-ci déclara :

– Jonkheere Felix, je le sais, chasse à courre avec la meute du dauphin, mais il y a des limites au nombre de personnages de haut rang que nous fréquentons. Toutefois, je porte des messages pour Angelo Tani, pour la banque Strozzi et pour les Doria.

– Eh bien, même si tu n'as pas rencontré le dauphin, je le connais, moi, affirma Felix.

Ses cheveux, pour une fois soigneusement bouclés, dansèrent lorsqu'il se tourna vers son hôte et son hôtesse.

– Un bien charmant château, Genappe. Vous le connaissez, je pense?

Non, ils ne le connaissaient pas. Il entreprit donc de le leur décrire. En l'écoutant, Katelina douta qu'il l'eût entièrement visité ou qu'il s'y fût trouvé bien souvent. Mais peut-être était-ce aussi bien. Tous les complots, supposait-on, naissaient à Genappe. Si les Charetty passaient pour en être trop proches, cela ne ferait aucun bien à leur négoce.

La mère de la jeune fille déclara :

– A mon avis, rien ne vaut une bonne vie de famille. Et de grandes maisonnées de serviteurs et des pavillons dans chaque forêt où l'on chasse sont loin d'égaler les joies véritables qu'elle procure. Voyez plutôt le roi de France, malade et privé d'affection, en dépit de ses douzaines de robes de soie et de ses pourpoints rouges et verts. Et son fils est son pire ennemi.

Le père de Katelina se permit un sourire.

– On ne saurait dire qu'il manque d'affection, à ce qu'on raconte, ma chère. A la vérité, si vous voulez bien m'excuser, c'est l'amour, prétend-on, qui serait la cause de sa maladie. Vous avez raison toutefois : c'est bien triste. Qu'un fils n'aime pas son père, passe encore : c'est naturel chez un homme devenu adulte. Mais, pour un père, donner libre cours à sa haine contre son fils... c'est contre nature.

– Et monseigneur le duc de Bourgogne! reprit son épouse.

Qu'a-t-il d'autre qu'un fils unique? Charmant, pieux, des mœurs les plus pures. Le plus remarquable propriétaire terrien de toute la Hollande. Aussi courageux qu'on pourrait le souhaiter : il mène son bateau par les mers les plus dangereuses. Il ne rêve que de prouver sa valeur sur le champ de bataille. Et voyez à quel point il déteste son père, et combien son père le déteste! Cette terrible querelle! Sans le dauphin, ils auraient pu s'entretuer. Quoi qu'il en soit, la pauvre duchesse a quitté la Cour. Et, à présent, quand le dauphin emmène le jeune Charles à la chasse, le duc est furieux. Le roi de France, dit-on, a proposé, en manière de plaisanterie, de prendre pour sien le fils du duc, puisque son propre fils lui préférait le duc. Voyez ce que peuvent faire les biens et le pouvoir!

Les convives, qui avaient déjà rencontré l'épouse de Florence van Borselen, souriaient prudemment et gardaient un silence circonspect. Katelina et son père, à leur habitude, attendaient la fin de la tirade. Le moment venu, le père de la jeune fille dit seulement.

— Je vous conseille de surveiller vos paroles, ma chère. Sinon, vous verrez Katelina épouser un homme sans un sou vaillant, de crainte que ses héritiers ne se croient un beau jour obligés de se retourner contre elle pour la déchirer.

Il n'avait pas nommé Simon de Kilmirren, dont il avait un jour qualifié les relations avec son père de « contre nature ». Celui que, naguère, Katelina avait vaguement envisagé d'épouser.

Felix s'était empourpré. Claes lui lança un coup d'œil, hésita à parler, se ravisa. Felix déclara :

— Je ne dis pas que le dauphin ait raison, ni le comte de Charolais. Mais les hommes n'ont pas toujours envie d'obéir aux ordres. Qu'il s'agisse ou non de terres ou de pouvoir.

— Vous avez tout à fait raison, appuya le père de Katelina. A la vérité, il arrive même aux femmes de s'opposer aux ordres. Mais, dans certaines familles, les effets en sont plus graves que dans d'autres. La discorde entre princes peut amener la ruine d'un pays. Une dispute entre père et fils peut évidemment causer la perte d'une affaire. Une querelle entre un pêcheur et son fils aura peut-être pour conséquence que le bateau ne pourra être lancé, et qu'un gagne-pain sera perdu. Voilà pourquoi un roi voudra avoir de nombreux bâtards, afin de disposer, à défaut de ses fils, d'hommes de son propre sang sur lesquels il puisse compter. De là vient aussi qu'un homme de famille modeste sera fidèle à ses oncles et à ses cousins, parce qu'il pourrait avoir besoin d'eux. Plus d'un a trouvé chez un neveu un fils plus sûr que celui qu'il avait engendré.

Jamais Katelina n'avait entendu son père parler ainsi. Elle comprit que la présence de Claes le bâtard lui avait échappé. Elle reporta son regard de l'autre côté de la table pour rencontrer celui de ce même bâtard, légèrement amusé, légèrement rassurant. Mais l'attention de la jeune fille fut alertée quand sa mère explosa.

Sa mère explosait souvent, et la maisonnée attendait alors que la crise passât. Apparemment, elle était profondément offensée à la seule idée que son propre mari pût rêver de faire passer l'enfant d'une autre femme avant ses deux propres filles bien-aimées, pures et sans tache. Les autres dames présentes, elle en était convaincue, étaient de son avis. Elle trouvait révoltant le nombre des bâtards du duc. Son époux essayait-il de lui dire que les deux filles illégitimes du dauphin représentaient, elles aussi, une ligne de conduite politique ? Et que dire alors... ?

Le principal invité, doté d'une belle assurance et d'une certaine connaissance de la famille Borselen, découvrit qu'il était bien tard, et qu'il méritait d'être châtié pour avoir si longtemps empêché meester Florence et son épouse de prendre du repos. Mais leur hospitalité avait été si bienveillante, si passionnante leur compagnie, qu'ils ne pouvaient blâmer qu'eux-mêmes.

Les convives se levèrent. La jeune inconnue demanda l'aide de Claes pour quitter la table. Il avait des yeux stupides, comme ceux d'un singe exotique. C'était tout à fait vrai. Et les muscles qui gonflaient ses vêtements lui venaient d'avoir brassé des étoffes dans un bac à teinture. Les fossettes frémirent. La fille, ses yeux brillants levés vers lui, lui parlait. Il lui répondit. La fille souriait.

– Katelina ! appela son père. Vous rêvez. Accompagnez les dames, je vous prie.

Elle les aida scrupuleusement dans leurs préparatifs de départ, non sans un certain plaisir un peu aigre. Elle les vit franchir le portail de l'auberge, fit demi-tour pour rejoindre son père et le clerc. Elle se heurta alors à quelqu'un. Claes la retint, d'une paume presque invisible posée sous son coude.

– Elle attend, dit-il, la réversion de trois boulangeries à Alost. Qu'en pensez-vous ?

Comme s'il l'avait lissée d'un coup de fer brûlant, la souffrance disparut. Katelina leva la main et, quand celle de Claes retomba, elle la prit dans la sienne, la serra, malgré lui. Les lumières de la cour de l'auberge brillaient sur l'un et sur l'autre. Elle vit les yeux de son compagnon aller d'abord vers son père, qui attendait sur les marches, puis revenir vers elle. Elle maintenait dans l'ombre la main qu'elle n'avait pas lâchée. Il souriait.

– Oh, madonna, dit-il, il faut rentrer.

En elle, une autre souffrance, déjà, était née.

Son père redescendait, l'air impatient. Katelina dit à haute voix :

– Demain matin, donc. Ma suivante vous remettra le paquet.

Père, vous n'y trouvez pas à redire? Claes a eu la bonté de se charger d'une transaction pour moi.

Son père souriait, lui aussi.

– Vous êtes un brave garçon, déclara-t-il. Le jeune Felix ne saurait être en de meilleures mains. Je regrette seulement que vous ne puissiez passer tout votre temps à Bruges. Mais la jeunesse parle, n'est-ce pas? Et l'ambition aussi. Vous réussirez. J'en suis convaincu.

A cet instant, Felix, à qui Dame Nature plutôt que la jeunesse avait parlé avec une gênante soudaineté, réapparut pour répéter ses cérémonieux remerciements et prendre congé. Avant même d'avoir quitté la cour, il entreprit de réprimander Claes pour n'avoir pas eu le sens de réserver des chambres dans cette même auberge. Claes qui, d'ordinaire, répliquait et le ramenait à la bonne humeur, se montra moins communicatif qu'il ne l'aurait dû.

C'était la faute de van Borselen. Il ne fallait pas inviter les serviteurs à la table des maîtres. Sinon, ils se croyaient tout permis.

Katelina se retira dans sa chambre. C'était le privilège d'une dame de mettre les jeunes gens à l'épreuve et de les tourmenter. Si Claes ne venait pas, l'affaire était close. C'était un domestique et un lâche.

S'il se présentait, s'il faisait confiance à sa suivante, au pouvoir de Katelina d'acheter des connivences, de se montrer discrète, il était trop sûr de lui-même et manquait de galanterie. Et c'était un menteur, après tout ce qu'il lui avait dit.

Il vint avant l'aube. Elle dormait. Ce fut sa suivante qui l'éveilla. Lorsqu'il ouvrit la porte et la referma derrière lui sans faire le moindre bruit, elle était redressée sur son séant et maintenait très haut le drap, bien serré autour d'elle. Une chandelle, placée en retrait de la porte, avait été allumée. La jeune fille avait libéré ses cheveux de la natte qu'elle tressait pour la nuit. Elle les vit se refléter dans les yeux de son visiteur, comme si elle l'avait appelé pour lui servir tout bonnement de miroir. Elle y voyait ses cheveux, le drap, ses épaules nues.

Resté près de la porte, il dit doucement:

– Vous avez des ennuis?

Sa voix était rassurante, mais, sur son visage, transparaissait une inquiétude à laquelle elle ne pouvait se méprendre. Oui, bien sûr. C'était ce qui l'avait amené.

La fierté exigeait qu'elle le détrompât, avant de le renvoyer. Les exigences de sa chair l'en détournèrent. Elle avait la gorge sèche.

– Oui, murmura-t-elle.

Il vint aussitôt jusqu'au lit, s'agenouilla pour mettre leurs yeux au même niveau. Elle voyait briller les poils naissants, au-dessus de sa lèvre gonflée et le long de sa mâchoire. Ses yeux, même lorsqu'il ne souriait pas, étaient soulignés d'un croissant de rire, tout prêt à se plisser quand il se sentirait de nouveau heureux.

Elle avait laissé sa main sur la couverture. Elle vit celle de Claes s'en approcher, par simple sollicitude, pour la recouvrir, elle sut qu'elle n'allait pas pouvoir s'empêcher de trembler. Il effleura sa peau, et elle frissonna de la tête aux pieds.

Elle avait beaucoup appris, en une seule nuit. Elle lut sa réaction sur son visage soudain adouci. Elle le vit essayer de la maîtriser. Mais, lorsqu'il voulut s'écarter, elle l'attrapa par la main. Le drap glissa jusqu'à ses hanches. S'il se dirigeait vers la porte, il devrait la traîner derrière lui. Et jusque dans la rue. Tout son corps se déchirait intérieurement, commençait de son propre gré à s'élever jusqu'à la cime vers laquelle elle avait voulu qu'il l'entraînât. Elle cria : "Oh, aide-moi", mais, au moment même où il cédait à son propre désir, elle pensa qu'il était trop tard.

Il était fort expérimenté. Il la fit passer du lit au sol et, en quelques secondes, il était avec elle, cette fois avec une insistante violence. Elle était déjà toute proche du sommet de la jouissance, mais il la martela durement pour l'y maintenir, plongée dans une agonie de plaisir. Au dernier moment, avec une sauvagerie qui transcendait les calculs de l'expérience, il les amena tous deux à l'orgasme en se joignant à elle.

Elle demeura gisante, plongée dans une sorte d'inconscience qui pouvait être le sommeil. A son réveil, elle se retrouva dans son lit, le drap soigneusement ramené sur elle. Tous ses membres, lui semblait-il, s'étaient dissous. Là où avait régné un désir douloureux, elle ressentait toute une série d'étranges tiraillements qui n'avaient rien de commun avec le déchirement aigu de son initiation. Il lui vint à l'esprit, curieuse pensée, que, la fois précédente, elle était simplement devenue une vierge violée. Cette fois, en quelque sorte, elle avait été transformée en véritable femme.

Toujours par Claes. Était-il parti ? Non, ce départ aurait été trop discourtois. Alors, toujours habillé, attendait-il son réveil ?

Elle changea de position, sentit le contact de son épaule nue tout près de la sienne. Sa tête était enfoncée dans l'oreiller voisin du sien. Pour la réconforter, pour recevoir ses confidences, il s'était montré plein d'égards. Pour d'autres raisons aussi, sûrement. Même Claes n'aurait pu atteindre si vite le plaisir s'il ne l'avait pas désirée.

Il bougea à son tour, se souleva sur un coude, non pas vers elle mais vers la ruelle. Quand, à demi assis, il se retourna, il tenait un gobelet en étain déjà rempli d'eau. Au lieu de le lui offrir, il le posa sur le lit.

— Restez un moment étendue, lui conseilla-t-il. Parfois, quand cela se passe ainsi, les premiers mouvements peuvent causer des douleurs dans la tête.

Elle lui obéit. Son corps s'apaisa, le poids qui pesait sur son front disparut. Même en cet instant, il ne cherchait pas à cacher son expérience. Au bout d'un moment, elle bougea, se redressa légèrement, prit le gobelet et le vida. Il se dégagea du drap pour placer le gobelet sur le sol. Elle regarda les muscles jouer sur tout son corps, de l'épaule aux côtes, des côtes à la hanche, de la hanche à la cuisse. Lorsqu'il se retourna, elle lui laissa voir qu'elle l'examinait.

– Un jour, dit-elle, j'ai vu un jeune taureau au labeur. J'ai eu du mal à croire à ce que je voyais. Combien d'autres femmes avez-vous montées, aujourd'hui?

Il s'immobilisa sans ramener le drap sur lui, mais l'expression de son visage se figea.

– Aucune, demoiselle, répondit-il.

Katelina le dévisageait.

– Je vois. D'où, sans doute, le... ce brillant exploit. Si je ne m'étais pas trouvée là, qu'auriez-vous fait? Vous seriez allé au bordeau?

Il n'évita pas son regard.

– Les hommes seuls y vont, dit-il. C'est un droit que la société nous reconnaît. Je viens d'y laisser Felix.

– Autrement dit, dit-elle, je vous ai permis d'économiser quelque argent?

Il laissa passer un autre moment. Son coude s'enfonçait dans l'oreiller, ses yeux restaient fixés sur ses mains croisées devant lui. Il reprit enfin :

– Vous disiez que vous étiez enceinte.

– C'est vrai, je l'ai dit.

Elle haletait un peu, de colère, d'affolement.

– Vous aimez mon corps, ajouta-t-elle.

Il sourit légèrement, à ses propres mains.

– Je n'ai donc pas su le cacher.

– Si j'étais votre épouse, continua-t-elle, vous pourriez en jouir toute la nuit, et tout le jour. M'épouseriez-vous pour un tel avantage? Ou bien pouvez-vous mieux faire avec d'autres femmes?

Il releva la tête, disjoignit ses doigts. Il tendit la main vers celle de Katelina, la serra contre lui, légèrement repliée.

– Vous êtes sans égale, dit-il. Mais, demoiselle, nous devons parler d'autre chose. Vous n'avez rien dit de Jordan de Ribérac à vos parents?

– Non. Je leur ai dit que le jeune Gruuthuse m'avait accompagnée.

– Ils s'attendent donc à le voir vous épouser.

Elle le dévisageait.

– Cela ne vous est-il pas venu à l'idée? demanda-t-il. Et, s'il tient suffisamment à devenir votre époux, il pourrait bien être heureux de se prétendre votre amant. Vous voyez, il est inutile de vous lier à moi.

Avec une ombre de sourire, il marqua une pause. Mais elle ne répondit pas, et il reprit avec application :

– Si vous ne voulez pas de lui, vous devrez, naturellement, raconter à vos parents ce qui s'est réellement passé. Ils vous viendront en aide, si vous choisissez un autre époux ou si vous décidez de ne pas vous marier avant que tout soit fini. On envoie fréquemment les jeunes filles bien nées à l'étranger, pour leur accouchement, et l'enfant est mis en nourrice.

Katelina avait soudain l'impression que tout lui échappait. Elle s'attacha à un seul point.

– *Tout dire à mes parents!* Ils vous écorcheraient vif!

Il eut un léger haussement d'épaules.

– Si je restais en Flandre, oui, bien sûr. Mais il existe d'autres pays. Et, à moins que vous n'acceptiez d'épouser le jeune Gruuthuse, ils doivent connaître l'origine de l'enfant pour vous protéger. Jordan de Ribérac s'est trouvé seul chez vous avant moi. S'il entendait la moindre rumeur à ce propos, il pourrait revendiquer la paternité de l'enfant et vous obliger au mariage.

– Impossible, fit vivement Katelina.

– Il le pourrait probablement, à moins que je ne puisse lui démontrer qu'il y perdrait gros. Connaissez-vous Andro Wodman?

Un banquet donné l'année précédente, en l'honneur du capitaine des galères de Flandre. Elle y avait fait la connaissance de Jordan de Ribérac. Et elle avait entendu son père parler d'un Écossais, du nom d'Andro Wodman, qui faisait partie de la suite de Ribérac. Elle s'en souvenait mais elle ne dit rien.

– Non? fit Claes. Eh bien, c'est un archer, dans la garde du roi de France. Je l'ai vu aussi bien en compagnie du vicomte de Ribérac que dans... dans le voisinage du dauphin. Il a tenté de se cacher de moi.

Claes dégagea ses mains, les croisa de nouveau.

– Par ailleurs, poursuivit-il, monsieur de Ribérac en sait plus long qu'il ne le devrait sur Gaston du Lyon, l'émissaire secret du dauphin.

Claes, au voisinage du dauphin? Elle demanda :

– Que dites-vous là? Que le grand Jordan de Ribérac a été acheté par le dauphin, et que le roi n'en sait rien?

– Je le crois, oui. Le vicomte en sait beaucoup plus long qu'il ne le devrait.

Comment Claes pouvait-il le savoir? Des bruits, recueillis dans des bureaux, des tavernes, des bordels? Des allusions, des idées bizarres qui donnaient naissance à quelque rumeur mensongère? Jamais auparavant il n'avait abordé ce sujet. Peut-être, alors, n'était-il pas au courant. Et, auparavant, elle avait encore eu une réputation à sauvegarder. La cicatrice de la blessure infligée par Ribérac zébrait la joue de Claes d'une trace luisante. Katelina la regarda, regarda les yeux du garçon, qui n'exprimaient aucune animosité. Elle le croyait.

– Vous avez donc des preuves? dit-elle.

– Quelques faits seulement. Mais je trouverai toutes les preuves qu'il vous faudra si monsieur le vicomte vous effraie ou s'il tente de vous forcer contre votre gré. Il vous suffira de me le dire. Adressez-vous à moi si je peux faire autre chose.

Après un silence, il ajouta brièvement :

– Je pensais que vous me détesteriez.

Elle ne le détestait pas. On ne déteste pas un serviteur. Si elle avait été furieuse contre lui, c'était seulement parce qu'elle éprouvait honte et colère contre elle-même.

– Après tout ce que vous avez dit, déclara-t-elle, c'est sûrement à vous de me haïr. Je vous ai entraîné à faire ce que vous avez fait. Je vous ai affirmé qu'il n'y avait aucun risque. Un enfant né de ces relations pourrait vous perdre plus que moi. A moins, naturellement, que vous ne m'épousiez.

Elle le lui offrait pour la seconde fois et, pour la seconde fois, elle attendit sa réponse. Elle ne comprit pas ce qui l'avait trahie. Son insistance. Le ton querelleur de sa colère, au lieu d'une explosion d'accusations et de douloureuse anxiété.

Il laissa retomber ses mains, la regarda. Ses yeux plongeaient jusqu'au tréfonds de son esprit. Elle détourna son regard.

– Vous n'êtes pas grosse et vous n'avez aucun ennui, dit-il d'un ton égal.

Elle était Katelina van Borselen, celle à qui la honte n'avait plus fait baisser la tête depuis sa petite enfance. Pourtant, les yeux à terre, elle ne répondit pas. Elle sentit le mouvement rapide qui le fit s'éloigner d'elle.

– Pourquoi? demanda-t-il.

A en juger par sa voix, il s'était immobilisé, debout près du lit. Il n'avait pas essayé de se rhabiller, de se couvrir. Quand elle le regarda, il se tenait bien droit, dans une attitude inconsciemment naturelle, comme les hommes qu'elle prétendait bien connaître. C'était un homme dans toute l'acception du terme, qui attendait l'explication qui lui était due. Il connaissait la réponse mais, cette fois, il voulait la lui faire dire.

– Vous ne seriez pas venu sans cela, fit-elle.

– Et tout est-il plus facile, à présent que je suis venu? demanda-t-il.

Elle secoua la tête.

– Que va-t-il donc se passer? Je suis votre serviteur, certes, en toutes choses. Mais pas pour cela.

Elle chercha à se défendre.

– Je parlais de mariage, dit-elle.

– Sérieusement? Non, demoiselle. Vous vouliez seulement découvrir comment vous vous rangiez dans un nouveau domaine de conquête. Vous n'avez pas d'égale. Je vous l'ai déjà dit. Je n'ai aucune intention de me marier. Je vous l'ai dit aussi. Et un mariage avec moi est bien la dernière chose au monde que vous puissiez désirer.

Il interrompit brutalement la salve de paroles. Son visage, d'où la patience s'était presque effacée, prit soudain une expression d'exaspération amusée. Il poussa un soupir, avec le bruit d'une vessie qui se dégonfle.

– Katelina, ce que vous désirez, c'est ce que vous venez de recevoir, et cela, n'importe quel époux vous le donnera.

Joliment étendue sur toute la longueur du lit, elle ressentait une souffrance qui l'anéantissait.

– Vous ne voulez plus jamais rien obtenir de moi, bien que je sois sans égale ?

– J'en ai envie, c'est vrai. Je vous désire, c'est vrai. Mais c'est fini. A jamais. Nous nous servons l'un de l'autre comme des prostitués. Vous ne le voyez donc pas ?

– Si, je le vois, dit-elle. Et j'en suis d'accord. De toute manière, nous ne serons plus jamais seuls ensemble. Mais nous le sommes à présent, pour la dernière fois, et nous pouvons nous porter soulagement l'un à l'autre. Venez, je vous en prie. Venez ici. Je vous en prie, revenez.

Il ne pouvait lui opposer un refus, pensait-elle, pas plus qu'il ne pouvait dissimuler le désir qu'il avait d'elle.

Mais, tout au contraire, il se pencha brusquement pour éteindre la flamme qui trahissait ce désir. Après quoi, il s'habilla dans l'obscurité, se dirigea vers la porte. Du seuil, il dit seulement :

– Adieu. Adieu, demoiselle.

25

Le lendemain, pour la première fois de sa vie, **Claes** se fâcha pour de bon en public. Il avait prévu de mettre à profit la chevauchée de Gand à Bruges pour préparer Felix au rapport que sa mère attendait de lui. Claes lui rappela les raisons du renvoi de messer Olivier de Louvain, lui remit en mémoire les changements auxquels le remplaçant, avec l'aide de Felix lui-même, allait procéder. Felix alangui par les excès de la nuit était irritable.

Cette fois, Claes ne parvint pas à venir à bout de l'humeur de son compagnon, peut-être parce qu'il n'était pas lui-même en veine de raillerie imaginative. Felix se déclara parfaitement avisé de ce que sa mère voulait connaître. Il en avait assez de ce sujet de conversation qui, de toute façon, n'était pas du ressort de Claes. Fort d'une longue expérience, celui-ci renonça à poursuivre. Ils approchaient de Bruges quand Felix, qui avait retrouvé sa gaîté, prononça le nom de Mabelie.

Tout le monde plaisantait Claes sur ses conquêtes. Il l'acceptait avec philosophie et ne se sentait nullement tenu de confier à qui que ce fût ses véritables sentiments vis-à-vis d'une fille ou d'une autre. Depuis son retour, il était bien trop occupé pour ce genre d'aventures. Hormis celles qu'il n'avait pu éviter. Felix lui avait dit que John Bonkle avait gagné les faveurs de Mabelie. John étant un bon garçon, Claes en avait pris son parti et avait fait en sorte de le mettre à l'aise et de faire comprendre à Mabelie qu'il ne se reconnaissait aucun droit sur elle.

Il ne s'attendait pas le moins du monde à parler de Mabelie avec Felix, et moins encore sur la route qui les ramenait de Gand. En vérité, tout commença par un sujet apparemment beaucoup plus dangereux.

– Je ne vois pas, dit soudain Felix, pourquoi je ne pourrais pas montrer mon armure dès maintenant. De toute manière, tu es au courant. Tu pourras dire que les hommes du dauphin me l'ont prêtée. Tu me la nettoieras, et je la porterai pour le tournoi de l'Ours Blanc.

– Vous êtes donc inscrit? demanda Claes.

– On m'a accepté. Avant notre départ. Il ne reste plus que deux semaines juste pour m'entraîner. C'est le plus important tournoi de Flandre. De France. Et même d'Europe. Tout le monde y sera. Le seigneur de Ghistelle. Le seigneur de Gruuthuse. Le comte de Charolais, peut-être. Et ceux des chevaliers de la Toison d'Or qui le pourront. Tu le sais bien : celui qui remporte la lance devient Forestier pour toute l'année et va de maison en maison avec ses amis...

– Tout cela coûte très cher, remarqua Claes.

Il battit des paupières.

– Avez-vous trouvé de l'argent aussi?

Il parlait à voix contenue, pour n'être pas entendu des valets à leur suite.

Felix le gratifia d'un large sourire.

– Tu n'as pas deviné? C'est vrai, tu ne peux pas savoir comment ça s'est fait. Comme pour Mabelie.

– Mabelie?

Le sourire de Felix, sous le chapeau de paille d'emprunt, s'élargit encore.

– J'ai racheté Mabelie à John Bonkle.

– *Quoi*? se récria Claes.

Il arrêta net sa monture. Les valets, derrière lui, l'évitèrent de justesse. Felix, toujours souriant, continua d'avancer, puis se trouvant seul, fit demi-tour et revint, sans perdre son sourire. Les valets hésitèrent, consultèrent des yeux Claes, qui regarda autour de lui. Il vit un bouquet d'arbres, décida d'un ton bref :

– Nous mangerons là-bas. Allez-y et attendez-nous.

Felix ne bougeait pas. Ses yeux étincelaient.

– Aha! fit-il. Tu aurais bien voulu penser à ça, hein?

Claes posa les poings sur sa selle, s'y appuya.

– De l'argent a changé de mains en contrepartie des faveurs de Mabelie? John Bonkle te l'a vendue?

– Il a commencé par refuser, mais il avait acheté un chapeau en fourrure, sans en parler à son père, et il n'avait pas de quoi le payer.

– Pauvre John Bonkle. Comment a-t-il annoncé la chose à Mabelie?

Le sourire de Felix s'estompait.

– Comment le saurais-je? Il lui a dit, je suppose, qu'elle devrait désormais s'adresser à moi. Dès mon retour de Louvain. Ce soir.

Claes ne bougeait pas.

– Et Grielkine? demanda-t-il.

De nouveau, le sourire s'effaça.

– Grielkine? Et alors? dit Felix. Où est la loi qui décrète

qu'on ne peut pas avoir une fille différente chaque nuit, si l'on en a envie? En tout cas, toi, tu ne t'en es jamais soucié.

– Dites-moi, reprit Claes, que ferez-vous si Mabelie ne vient pas vous retrouver?

Felix le regarda d'un air furieux.

– Bien sûr qu'elle viendra.

– De John Bonkle, elle passe à vous. Comme ça. En sachant qu'elle a été achetée. Si elle vient, qu'est-ce que ça fait d'elle?

– Je m'en vais, déclara Felix.

Il éperonna son cheval.

Claes tendit vivement le bras, s'empara de la bride. Le cheval de Felix recula nerveusement, piaffa. Felix brandit sa cravache. Claes abattit le tranchant de sa main sur son poignet. Felix poussa un cri, lâcha la cravache. Ses doigts pendaient, inertes.

– Coquin! s'écria-t-il. Tu m'as abîmé la main. Je ne pourrai pas...

– Elle sera comme neuve dans dix minutes, répliqua Claes. Quand nous en aurons fini avec cette conversation. Si Mabelie ne vient pas vous rejoindre ce soir, que ferez-vous?

Felix était blême de fureur. Le souffle sifflant entre ses lèvres serrées, il dévisageait Claes.

– Je l'ai achetée, répondit-il enfin. Si elle ne vient pas, j'irai la chercher.

– Chez Adorne?

Felix esquissa un sourire déplaisant.

– Pas forcément. Il faudra bien qu'elle sorte à un moment ou à un autre.

– Et, dans ce cas, vous l'enlevez de force, vous l'emmenez dans un endroit tranquille et vous la violez. Et vous répétez cet exploit toutes les fois que vous avez envie d'elle? Ou bien croyez-vous qu'elle se laissera faire, après la première fois?

– C'est probable.

La colère maintenait en place le mauvais sourire qui ne lui était pas naturel.

– Jusqu'au jour où quelqu'un d'autre voudra l'acheter, et où vous la revendrez?

– A t'entendre, on dirait... Et en quoi cela te regarde-t-il? cria Felix.

– Si je parle comme s'il s'agissait d'un trafic d'esclaves, c'est parce que c'en est bien un. Vous traitez Mabelie comme vous traiteriez Loppe. Pis encore. A mon avis, personne n'a jamais violé Loppe sans son consentement. Vous êtes à la tête de l'une des meilleures compagnies de négoce de Bruges, ou vous ne tarderez pas à l'être. Et vous achetez et vendez une jeune fille comme vous le feriez d'une marchandise. Le noble Simon lui-même n'agirait pas ainsi. Peut-être a-t-il pris sa virginité, mais elle est allée à lui par amour. Croyez-vous qu'elle soit venue à moi pour de l'argent? Ou vers John Bonkle? Oui, certes, elle devrait se marier. Elle ne devrait pas passer d'un galant à un autre, pas davantage que... Oui, c'est vrai, j'ai eu des filles différentes en des nuits différentes. Mais du moins sans tromperie. Nous ne promettons le mariage à personne, ni un attachement durable. Nous faisons ça, hommes et femmes, simplement pour l'amour. Mais là! vous traitez Mabelie comme une putain qu'on a achetée.

Il y eut un silence. Claes, le souffle court, écoutait les échos de sa propre voix et pensait qu'il s'était conduit comme un imbécile. Il n'avait laissé à Felix aucune porte de sortie, aucun moyen de sauver la face. Et, même si Felix l'ignorait, il savait fort bien ce qui l'avait poussé à parler ainsi.

– Parfait, dit Felix. Rachète-la moi. Et pas avec un billet de la banque Médicis. En espèces. Avant ce soir.

Il y eut un autre silence.

– Comme vous voudrez, dit calmement Claes. Dans ce cas, vous ne m'en voudrez pas si je fais diligence. J'ai beaucoup à faire.

Il lâcha les rênes de Felix, reprit les siennes, fit pivoter son cheval. Sur la route, il le lança au trot, puis au petit galop, sous le regard des valets à l'abri du bosquet, puis se retourna vers l'endroit où il avait laissé Felix. Felix ne l'avait pas suivi.

Il faisait encore jour quand Claes franchit la Porte de Gand, l'une des portes de Bruges, plusieurs heures en avance sur le reste de sa petite troupe. Il avait décidé, et il n'avait toujours pas changé d'avis, que Felix présenterait à sa mère le rapport sur Louvain. Il fut donc heureux de découvrir que la demoiselle de Charetty et ses filles étaient absentes. Henninc, toutefois, commença de glapir une litanie de lamentations alors qu'il menait vers les écuries son cheval écumant. La pompe était de nouveau tombée en panne. L'un des bacs avait une fuite. Il y avait eu une rixe entre trois des ouvriers de l'atelier, et les autres faisaient grise mine. L'homme qui avait vendu dernièrement à la veuve une partie de ses biens immobiliers voulait à présent faire machine arrière et prétendait avoir la preuve que la vente était illégale. Un sac de guède était moisi. La veuve avait engagé un nouvel homme de loi. Les Florentins, les Lucquois et même le secrétaire du légat du pape étaient venus trouver la veuve. Ils avaient pris toutes dispositions pour que le premier courrier Charetty – ça, c'était lui – partît très vite pour l'Italie, parce que leurs coffrets à dépêches débordaient. Il y avait un paquet qui l'attendait, fermé du sceau de ce médecin chauve. Dès que Claes serait arrivé, quelle que fût l'heure, Anselm Adorne voulait le voir.

– Quel accueil! fit Claes.

Il lui sembla qu'Henninc avait cru qu'il se plaignait. Il n'en était rien. Il se sentait envahi d'un plaisir sans mélange à la perspective de tout régler. Il confia son cheval à un palefrenier, se lança en courant à travers la maison, en criant compliments et injures à droite et à gauche sur son passage, non sans se saisir du paquet expédié par Tobie.

Tout en se déshabillant, il lut la lettre, s'interrompit au beau milieu pour la relire. Il noua ensuite un morceau de toile autour de sa taille, descendit en hâte dans la cour pour réparer la pompe une fois de plus. Pendant ce temps, quatre hommes vinrent l'un à la suite de l'autre lui exprimer leurs griefs, jusqu'au moment où ils furent rappelés à l'ouvrage par un jeune homme de bonne apparence, doté d'un nez en faucille et vêtu d'une courte robe noire.

Claes se redressa, essuya ses mains sales sur son tablier : il avait essayé de persuader la veuve d'engager quelqu'un pour seconder Julius ou le remplacer pendant ses absences. Il s'était présenté trois candidats, tous de bonne réputation. La veuve en avait donc choisi un. Le meilleur, espérait-il.

L'homme aux traits accusés, qui semblait proche de la trentaine, déclara :

– Je suis messer Gregorio. J'ai déjà envoyé chercher quelqu'un pour réparer la pompe. Je préférerais que vous me fassiez sur l'heure votre rapport sur Louvain. La demoiselle de Charetty ne va pas tarder. Elle tenait à l'entendre le plus tôt possible.

C'était bien le meilleur. Fils d'un Lombard autrefois ami du défunt père de la demoiselle, il avait étudié la loi à Padoue, puis avait été, pendant quelques années, employé subalterne au Sénat de Venise. Après un séjour à Asti, il était revenu en Flandre où son père avait tenu une boutique de prêteur sur gages à Furnes. Il était habitué, aurait-on pu dire, à traiter uniquement avec ses supérieurs.

– Tout de suite, messer Gregorio, dit Claes. Jonkheere Felix a demandé à être présent, lui aussi, quand le rapport serait présenté à la demoiselle. Il sera ici dans une heure.

L'homme de loi, qui ne connaissait pas Felix, hésita.

– Dans ce cas, finit-il par déclarer, vous pouvez aussi bien finir de réparer cette pompe. Soyez là quand jonkheere Felix arrivera.

Claes hocha la tête. Dès que l'homme eut tourné le dos il mit la pompe à l'essai : elle fonctionnait maintenant parfaitement. Il appela quelqu'un pour tout ranger à sa place et disparut dans la maison, afin de se nettoyer et de passer une fois de plus sa livrée bleue. Après quoi, il mit dans sa poche la lettre de Tobie, emprunta un mulet aux écuries et s'en fut au trot vers l'Hôtel de Jérusalem. En route, il fit deux visites.

Dès son retour, Marian de Charetty vit venir à elle meester Gregorio. L'homme nommé Claes, lui annonça-t-il, avait fait une brève apparition mais ne s'était pas présenté en son étude, comme Gregorio le lui avait demandé. Et le jeune maître, son fils Felix, était censé être sur la route de Bruges et n'était pas encore arrivé.

Claes était rentré sans Felix. Il était arrivé quelque chose. Felix avait-il voulu chasser Claes ? Claes avait-il accepté un emploi ailleurs et n'était-il revenu que pour rassembler ses affaires ? Non : il aurait à tout le moins veillé le lui dire en face.

La veuve remercia messer Gregorio et lui demanda d'attendre qu'elle l'appelât. Elle passa ensuite dans son propre cabinet de travail et apprit, de la bouche de Henninc, que la pompe était réparée, mais que l'agitation rôdait encore dans les ateliers. Il ne dit pas un mot de Gregorio, preuve que sa colère contre cet intrus n'était pas encore apaisée. Le fait que la pompe avait été réparée par Claes, et que tous ceux à qui il avait parlé étaient apparemment contents signifiait sûrement qu'il n'avait pas l'intention de partir. Ce qui ferait sans doute plaisir à la jeune Catherine, sinon à la jeune Tilde. Marian de Charetty posa bruyamment ses registres sur la table et concentra son esprit sur ses affaires.

Felix survint alors. S'il semblait plus ou moins en loques, annonça-t-il, c'est qu'il avait été entraîné à la chasse par les hommes du dauphin. Il entreprit de lui conter l'aventure. Il ne parlait pas de Claes, et Marian soupçonna qu'il avait dû apprendre par Henninc le retour du garçon et qu'il savait déjà que Claes ne l'avait pas encore vue. Elle n'eut pas le temps de poser la question : Gregorio frappait à la porte. Elle lui avait demandé d'être présent, se rappela-t-elle. Il était juste de lui apprendre ce qui se passait à Louvain.

Meester Gregorio avait à peine eu le temps de s'asseoir quand la porte s'ouvrit à la volée sur le jeune ami de Felix, John Bonkle. La demoiselle de Charetty ouvrit de grands yeux. John Bonkle s'immobilisa sur le seuil, rougit.

– Je vous demande pardon, demoiselle, dit-il. On m'a informé que Felix se trouvait ici.

– Il y est, en effet, confirma la mère de Felix. Fort occupé, je le crains. S'agit-il d'une affaire urgente ?

– Non... Oui, fit John Bonkle.

Il ne passait pas pour un esprit particulièrement délié.

– Felix, reprit-il, il me réclame huit livres parisis avant ce soir. Je ne peux pas payer une somme pareille, espèce de sale bâtard.

Les yeux dépourvus d'expression de Felix se tournèrent vers sa mère.

John Bonkle pâlit.

– Je voulais dire... Je vous demande pardon, demoiselle. Une façon de parler, c'est tout... Mais je ne peux pas payer, Felix.

– Payer quoi ? Pourquoi ? demanda le jeune homme.

– Te payer. Pour lui. Pour elle, expliqua Bonkle. Tu sais bien.

– Me payer à cause de quoi? insista Felix.

Mais, lentement, son visage virait à l'écarlate.

– Pardonnez-moi, demoiselle, répéta John Bonkle... Mais Claes exige huit livres parisis avant ce soir. Sinon...

– Sinon... quoi? demanda doucement Marian de Charetty.

Il y eut un silence.

Marian de Charetty se leva. Dans le trousseau accroché à sa ceinture, elle choisit une clé et se pencha pour ouvrir l'un des coffres placés contre le mur. Elle en tira un sac et une balance, rapporta le tout jusqu'à la table. Elle inclina le sac qui déversa sur le tapis vert un flot de pièces d'argent. Elle les pesa une à une, en écarta quelques-unes, trouva un autre sac pour y mettre les pièces qu'elle avait choisies. Elle plaça provisoirement la balance sur une pile de lettres, près de laquelle se trouvait un exemplaire des tarifs de teinture. Les prix étaient soigneusement recopiés en face des échantillons de laines teintes.

– La balance a été vérifiée récemment, dit-elle à John Bonkle. Vous pouvez vous y fier, je crois.

Elle parlait calmement, tout en soupesant le sac dans sa main.

– Dois-je vous remettre ceci? Ou bien à Felix? Ou encore à Claes?

– A moi, dit vivement Felix.

Elle considéra l'aîné de ses enfants, devenu à présent un homme.

– Volontiers, dit-elle. Mais il te faudra, naturellement, me dire à quoi tu destines cet argent.

Silence. Finalement, à regret, Felix déclara :

– En réalité, cet argent appartient à John. Je le lui dois. Il est à lui.

Elle se tourna vers John.

– Est-ce vrai?

Visiblement incapable de parler, il hocha la tête.

– Alors, reprit la demoiselle, je suis heureuse de vous le remettre de la part de Felix. Il pourra me rembourser selon ses moyens, et je ne lui réclamerai pas un gros intérêt. Vous êtes satisfait, John?

John hocha la tête.

– Alors, adieu, dit Marian de Charetty. A nous, maintenant, Felix. Dis-moi ce qui se passe dans notre succursale de Louvain. Dans le détail. Avec tous les chiffres que tu as rapportés de là-bas. Commence par le commencement, dis-nous tout.

Elle ne doutait pas que Claes eût préparé Felix. Manifestement, ce n'était pas le cas.

Quand, enfin, Claes arriva au petit trot, la réunion était terminée, le cabinet désert. Felix avait rejoint sa taverne favorite, meester Gregorio ses travaux austères, et la demoiselle de Charetty était installée devant le feu qui brûlait dans la salle, là où Katelina van Borselen l'avait trouvée naguère. Comme alors, elle examinait des documents. Elle connut le retour de Claes par sa chambrière qui lui demanda si elle consentait à le recevoir. La manœuvre était habile : il veillait à ne pas soulever l'hostilité de serviteurs plus haut placés. Sans doute, à strictement parler, n'aurait-elle pas dû recevoir un homme à son service en tête-à-tête dans la salle. Meester Gregorio, par exemple, ignorait que Claes était chez elle depuis son enfance. Ou que, l'année précédente, elle était restée à son chevet lorsqu'il était malade. Ou encore qu'elle se trouvait là le jour où un homme puissant l'avait défiguré à vie.

On le fit entrer. Ce large sourire spontané. Ces cheveux transformés en algues parce qu'il était trempé de sueur, après une journée d'intense activité. Elle fronça le nez. Le sourire s'élargit encore.

– Je devrais vous demander pardon. Mais c'est l'odeur de l'argent, dit-il.

Elle se redressa dans sa cathèdre, le dévisagea.

– Je préférerais avoir les huit livres parisis, déclara-t-elle.

Il avait l'esprit vif.

– Ah, fit-il. John Bonkle? Qui l'a payé? Pas vous?

– Apparemment, dit-elle, il s'agissait d'une dette de la maison Charetty. Contractée par qui et pour quoi? Ce n'était pas très clair. La seule certitude, c'est que tu essayais de la faire payer. J'ai dit à Felix qu'il me rembourserait quand il pourrait.

Claes rejeta la tête en arrière pour rire à pleine gorge, longuement.

– Felix ne me pardonnera jamais, dit-il. Nous nous sommes querellés, sur la route du retour. Je vais tout arranger.

– Tu y parviendras sans doute. Je dois te dire que je n'ai pas la moindre idée de ce qui s'est passé à Louvain, mis à part le départ d'Olivier, auquel Felix avait trouvé un remplaçant. Était-il même présent?

– Oui, dit Claes. Mais il n'est pas facile pour lui de reprendre tous les fils de l'histoire. Ça viendra. La demoiselle aimerait-elle m'entendre dire comment je l'envisage?

– J'aimerais que quelqu'un me dise quelque chose, déclara Marian de Charetty. A mon avis, tu devrais t'asseoir là-bas, pas trop près. Et dis-moi aussi ce que tu entendais par « l'odeur de l'argent ».

Il en vint donc à lui parler, non seulement de Louvain, mais aussi de Tobie Beventini et de son oncle, de Quilico et du filleul du pape, de Prosper Camulio de Médicis et des parents, à Milan et à Constantinople, de Nicholai Giorgio de Acciajuoli, le Grec à la jambe de bois. De tout cela était né le premier germe d'une vaste idée.

Lorsqu'il se tut, elle demeura coite un moment.

– Et Tobias a découvert où se trouvait cette mine? reprit-elle.

– Oui, dit Claes.

Son teint s'était coloré, sa respiration s'accélérait, ses yeux brillaient. Il ajouta :

– Je ne pensais pas qu'il y parviendrait. Ou qu'il consentirait à s'associer avec nous. Il a bénéficié de l'aide de messer Prosper. Il est ambassadeur au service des Milanais mais, à titre privé, c'est un ami des Adorno.

– Un ami aussi d'Anselm Adorne? dit-elle. De là ton succès à la loterie. Je croyais t'avoir entendu dire qu'il s'agissait là d'un monopole exclusivement vénitien?

– Jusqu'à présent, précisa-t-il.

Un peu de sa joie s'était évanouie. La demoiselle ne montrait pas le ravissement attendu. Il poursuivit, comme s'il présentait un rapport ordinaire :

– Aucun des Génois ne sait où se trouve la mine. Ils savent seulement que le territoire fait partie des États du Pape. Toutes les preuves concernant le site, les réserves, la qualité sont maintenant préparées, vérifiées et seront présentées par-devant notaire ce printemps au bénéfice des seuls Vénitiens. Alors, ils nous paieront.

– Comment? s'informa-t-elle.

– De plusieurs manières. C'est à voir. Voilà pourquoi je dois me rendre à Milan. Du moins est-ce une des raisons.

– Je vois, dit-elle.

Elle changea de position dans sa cathèdre, rejeta ses manches en arrière, selon deux plis nouveaux, parfaitement formés, et plaça ses mains l'une sur l'autre sur sa jupe.

– En somme, dit-elle, tu parles de t'approprier une partie des bénéfices obtenus à partir d'une source unique au monde d'alun de grande qualité?

– Pendant deux ans tout au plus, précisa-t-il. Peut-être moins. L'argent ne demande qu'à être ramassé. Et cela vous permettrait de donner plus d'ampleur à votre négoce.

– C'est vrai. L'entreprise, dit-elle. Peut-être devrions-nous en venir aux détails. Peut-être devrions-nous voir dans quel état tout ceci va laisser l'entreprise. Ainsi, tu as bien entendu parler des incidents dans les ateliers?

Chez Claes, la flamme aveuglante de l'enthousiasme s'était éteinte, mais son attitude restait parfaitement naturelle.

– Oui. Ils n'arrivaient pas à mettre la main sur l'homme qui veille à l'entretien de la pompe. Le bac qui avait une fuite aurait dû être réparé. Ce sont là de petits ennuis. Votre meester Gregorio devrait être en mesure d'y remédier.

– Tu as entendu parler aussi, poursuivit-elle, des méchantes querelles dans les ateliers et de la colère de Henninc. C'était à cause de meester Gregorio. Il est là à ta suggestion. Qu'il soit le meilleur candidat possible, je n'en doute pas. Mais il n'est encore d'aucun secours avec les gens. Tu es au courant de la revendication de propriété?

– J'ai réglé le litige, dit Claes. Je suis passé là-bas en me rendant chez meester Adorne. Leurs prétentions étaient mal fondées. Meester Gregorio aurait dû s'en rendre compte, lui aussi. Il se fera à son rôle.

– C'est ce que je me suis dit, moi aussi, dit Marian de Charetty. A la vérité, quand j'ai senti venir les ennuis, j'ai eu une conversation avec lui et avec Henninc. Apparemment, je n'ai pas dit ce qu'il fallait. Et pour Louvain?

– Olivier vous abusait, comme je vous l'ai dit. En vérité, il était payé, je crois, pour vous abuser. Voilà pourquoi j'ai choisi Cristoffels. Naturellement, je ne me suis pas assuré officiellement de ses services. Vous devrez le voir et prendre vous-même votre décision. C'est un homme capable, honnête, et je l'ai mis en garde contre tout rapace éventuel.

– Tu parles, si je comprends bien, de Jordan de Ribérac? La dernière fois que nous en avons parlé, tu semblais fort rassurant.

Les lèvres de Claes se gonflèrent, s'amincirent.

– Je ne sais trop de qui je parle. Mais une entreprise prospère a ses rivaux. On fait aussi bien d'être prudent.

Marian de Charetty se renversa dans sa cathèdre pour le mieux regarder.

– Et quand repars-tu pour l'Italie? La semaine prochaine?

Cette fois, aucune expression particulière ne se manifesta sur le visage de Claes. Il dit seulement:

– Pas avant le tournoi de l'Ours Blanc.

– Dans deux semaines, donc. Me voilà devant une affaire à Louvain qui se trouve sous une menace imprécise et qui, pour l'heure, est dirigée par un inconnu que je n'ai pas même rencontré. A Bruges, j'ai une autre affaire qui souffre encore d'une mauvaise gestion et de l'absence de son notaire habituel, à présent remplacé par un autre inconnu qui, tout éclairé qu'il puisse être, sème le trouble parmi les gens qui œuvrent pour moi. J'ai acquis certaines propriétés, et cela soulève des problèmes juridiques. Je me suis aventurée dans un service de courrier où les secrets rapportent de l'argent mais signifient aussi un danger physique. Je suis engagée dans des prêts considérables. Les gardes du corps, qui formaient une modeste troupe levée pour protéger d'autres marchands et pour payer leur entretien en se mettant au service de princes voisins, ont maintenant crû en nombre, en armes et en armures et forment à présent une unité dans une guerre entre États. Je suis ainsi responsable de tueries, exposée à des réclamations concernant des dommages, y compris ceux qui pourraient être causés par des disputes entre capitaines rivaux.

Elle regardait Claes, s'efforçait de chasser de sa voix toute trace de lassitude.

– Tu m'as suggéré toutes ces activités. J'y ai souscrit. Je les ai toutes organisées avec toi. J'en suis flattée, reconnaissante. Tu pensais, à juste titre, qu'il me plairait d'être riche, que j'aimerais voir mes affaires s'étendre et prospérer, que je désirerais transmettre quelque chose de grand au fils de Cornelis, qui est aussi le mien. Tu me croyais capable de tout diriger, tu te disais que, le moment venu, Felix prendrait ma suite.

Elle marqua une pause, fit effort, une fois encore, pour maintenir le calme de sa voix.

– Mais, mon cher enfant, je suis incapable de gérer tout cela. Quelle que soit leur bonne volonté, Cristoffels et Gregorio, Henninc et même Thomas et Julius, qui sont là-bas, en Italie, ne sont pas assez habiles pour m'aider à le faire convenablement. Quant à Felix, je le sais, et tu dois le savoir aussi, maintenant, il ne le peut pas, ne le veut pas. Jamais, je crois, il ne fera autre chose qu'utiliser cette entreprise pour en tirer de l'argent... quand il lui faut huit livres parisis pour... pour je ne sais quoi.

Elle le regardait droit dans les yeux.

– Je ne peux le garder à la tête de cette entreprise. Ton merveilleux coup de maître, qui devait me valoir une fortune, est au-delà de mes moyens. Je ne puis y souscrire d'aucune manière.

– Je pensais voir plus vite des progrès chez Felix, dit-il.

Il surprit son mouvement d'exaspération, ajouta très vite :

– C'est bon. Oui, je sais. Il n'arrivera pas à maturité assez tôt. Mais il possède l'étoffe qu'il faut. Je m'en suis rendu compte. N'attendez pas trop peu de lui. C'est en partie ce qui a causé le malaise entre vous.

Il se tut. Elle déclara :

– Voilà ce que j'attends de toi. Des observations sincères. Même à mon propos.

Autre silence. Le front plissé, Claes posait sur le feu un regard fixe. Il reprit :

– Oui, je sais. Vous êtes la personne idoine pour assurer la bonne marche d'une affaire mais vous n'avez pas l'expérience nécessaire pour donner le branle à une autre. C'est ainsi. Par ailleurs, vos établissements sont trop éparpillés. Voici une proposition : dès que Cristoffels aura remis bon ordre à Louvain, vous devriez céder là-bas les activités de teinture et de prêt sur gages et transférer ici, à Bruges, le change et le prêt proprement dit, sous votre direction. En six mois, vos commis, vos compagnons seront habitués les uns aux autres, et vous à eux.

– Je te l'ai déjà dit, protesta-t-elle, je ne peux, à moi seule, faire face à tout cela pendant six mois. Et, si même j'y parvenais un temps, cela ne saurait durer. Même si je m'entourais des

plus judicieux conseillers, des compagnons les plus indus-
trieux, des hommes de loi les plus sagaces, je serais impuis-
sante à mener à bien cette entreprise d'alun que tu as en tête.

Il continuait à réfléchir.

– Cela, dit-il, je m'en chargerai. Et les voyages n'y porte-
raient pas préjudice. Mais il faudrait à Bruges, une affaire sûrement menée. Vous avez raison.

Elle se demandait si elle devait articuler sa suggestion.

– Du temps où tu étais irresponsable, dit-elle, les Pères de la
Cité désiraient se débarrasser de toi. Au vu du travail accompli
au cours des sept dernières semaines, ils n'auraient plus
d'objections, je pense, si tu décidais de rester.

– C'est vrai, constata Claes. J'ai réussi, semble-t-il, à me tenir
éloigné de la Steen. Mais là n'est plus vraiment l'obstacle.

Elle l'interrompit.

– Tes contrats? Nous pourrions sûrement trouver un autre
maître chevaucheur?

Toujours sans la regarder, il sourit.

– Personne qui s'y connaisse en chiffre. J'en sais déjà trop.
Les Médicis n'accepteront pas un changement. Le dauphin non
plus. De toute manière, ce que j'apprends tournera à votre
avantage. Il est même possible que je me ménage assez de
temps, entre deux voyages pour veiller sur Bruges, jusqu'au
moment où vous pourrez remettre cette responsabilité à des
gens de confiance.

Il fit un geste contenu pour annoncer une explication.

– L'obstacle véritable, c'est qu'aucun de vos serviteurs,
même le plus humble, ne saurait recevoir d'ordres de moi, à
commencer par Henninc et meester Gregorio. Pis encore :
Felix et Astorre, Tobie et Julius. Il vous faut quelqu'un comme
Gregorio. Quelqu'un d'habile, chargé d'autorité. Je peux aspirer à diriger une affaire. Je ne peux m'imposer à des bourgeois
ou des nobles. J'ai dix-neuf ans. Je suis un artisan de basse naissance, instruit à la diable. Et les gens clabauderaient.

Il leva les yeux vers Marian de Charetty, lui sourit. Elle dit
alors ce qu'elle croyait ne jamais lui dire.

Les mots lui vinrent tout simplement, parce que la pièce était
tranquille, parce que les mots lui venaient sans crainte, devant
le feu.

– Tu pourrais devenir un bourgeois par mariage, lui dit-elle.

Elle le connaissait mieux que quiconque. Elle savait qu'un
mime inné est un acteur inné. Jamais elle ne saurait, parce
qu'il ne le permettrait jamais, s'il avait envisagé cette éventualité, s'il avait espéré – ou redouté – qu'elle la lui suggérerait. Le
regard qu'il fixait sur son visage ne lui apprenait qu'une chose :
il cherchait, à son tour, à comprendre ce qu'elle désirait réellement. Elle reprit :

– Ne crains rien. Un mariage véritable ressemblerait à

l'inceste, n'est-ce pas? Je parle seulement de recourir au mariage pour la forme.

Il reprit alors vivement son souffle, comme si elle l'avait accusé de se montrer discourtois.

– Je vous demande pardon, dit-il. Une décision comme celle-ci... elle ne se prend pas à la légère.

Elle se demanda ce que les yeux du garçon lisaient dans les siens. Dans toute la mesure du possible, elle conservait une expression impersonnelle, amicale.

– Je t'ai simplement invité à réfléchir à une solution, expliqua-t-elle. Rapproche-toi un peu. Ce n'est pas là un sujet pour les oreilles indiscrètes.

Il lui sourit. Il la comprenait, elle le savait. Elle voulait le voir de plus près. Elle désirait lui exprimer sa confiance dans l'interprétation qu'il donnerait à sa démarche. Elle lui demandait, il le comprit, de s'asseoir un peu plus près d'elle, pas davantage. Il obéit, s'installa, les bras croisés sur ses genoux. A la lueur du feu, sa cicatrice se mouvait comme la mèche d'un fouet. Il déclara :

– Je peux vous donner une opinion aussi impartiale que possible. Vos gens seraient épouvantés. Les meilleurs seraient tentés de vous quitter. Les plus mauvais resteraient, dans l'espoir de tirer parti de la situation. Ceux qui n'ont pas la possibilité de partir travailleraient avec la plus mauvaise volonté du monde, pour vous comme pour moi. Vos filles seraient bouleversées, effrayées, pour le moins. Quant à Felix, il quitterait la maison, soit pour en appeler à la sympathie de ses amis, soit pour émigrer en pays étranger.

– Tu peins là un terrible tableau, dit-elle. Mais poursuis. Qu'arriverait-il d'autre?

– Vous le savez fort bien. Les marchands de la ville m'accepteraient parce qu'ils ne pourraient faire autrement, mais leurs familles n'en auraient cure. Vos amies, découvririez-vous, seraient moins hospitalières que par le passé, elles se trouveraient curieusement empêchées de vous rendre visite ici. Chacun remarquerait que votre entreprise tire profit des renseignements que je recueille au cours de mes voyages. On ferait moins appel à mes services de courrier, les grands négociants au moins. A mesure que l'entreprise prospérerait, les rivalités se feraient plus féroces qu'il n'est normal. Les concurrents, les fournisseurs qui, jusque-là, vous ont traitée avec clémence s'efforceraient à qui mieux mieux de l'emporter sur vous et sur moi. Et, dans le même temps où vous perdriez vos amis, je perdrais les miens.

– Oui, sans aucun doute, dit-elle.

Elle abandonna, avec une certaine raideur, le siège qu'elle avait si longuement occupé.

– Tu m'as répondu dans le détail. Personne n'y gagnerait. Je vendrai donc. '

Il se leva si brusquement qu'elle prit soudain conscience de ce qu'il devait penser.

– Je veux dire, ajouta-t-elle, dès que tous les problèmes auront été réglés, et que ton avenir, en particulier, aura été assuré.

– Grand Dieu, s'écria-t-il. Me jugiez-vous capable de vous soupçonner de vouloir me forcer la main? Vous avez subvenu à mes besoins depuis mon enfance. Je peux à présent faire seul mon chemin, s'il le faut. Mais ce qui me plairait le plus serait de vous servir.

Elle le regarda.

– Je le regrette mais je ne peux continuer. Je préfère vendre alors que je suis encore fière de mon commerce et de moi-même.

– Ne voulez-vous pas vous rasseoir? demanda-t-il.

Elle restait debout, hésitante. Il la ramena vers sa cathèdre, l'y installa. Cette fois, il se laissa tomber sur le sol, non loin d'elle, la tête à hauteur de ses genoux, comme le faisait Felix, du temps où il était plus jeune et jouait sur le dallage.

– Si vous vendez, dit-il, que ferez-vous de l'argent? Vous achèterez une maison plus cossue? Vous recevrez des épouses de teinturiers? Vous collectionnerez des livres? Vous donnerez à Felix tous les chevaux, toutes les armures qu'il demandera? Vous vous mettrez à la broderie? Tous ces gens qui travaillent pour vous se retrouveront au chômage, à moins que leurs nouveaux maîtres n'acceptent de les employer. Vous n'aurez plus aucune occupation, aucun intérêt, aucune place dans la société sinon celle de riche veuve. Est-ce là ce que vous désirez? Vous seriez morte avant une année.

– Alors, que faire? questionna-t-elle.

– Dans six mois, déclara Claes, je vous aurai rassemblé une escouade de gens en qui vous pourrez avoir confiance. Je pourrai toujours vous aider à remplacer ceux qui ne siéront pas. Je passerai ici le plus de temps possible. Donnez-moi le titre de scribe, d'assistant, de valet, ce que vous voudrez. Vous êtes capable de vous tirer d'affaire.

– Oui, certes. Je peux dire à Cristoffels ce qu'il doit faire. Vendre Louvain. Ramener le bureau de change – c'est bien ce que tu as dit? – à Bruges et lui donner de l'extension. Former Gregorio. Ouvrir les caves dans la nouvelle propriété. Veiller à ce que Felix – si toutefois il survit au tournoi – ne ruine pas la taverne. Jouer mon rôle dans le commerce de l'alun. Tout cela, seule. Oui, certes, je peux le faire.

Elle entendait sa propre voix s'enrouer sous l'effet de la souffrance qui lui déchirait la gorge. Elle se tut.

Claes lui tourna le dos. Elle n'eut pas besoin d'avoir recours à son mouchoir. Ses joues n'étaient pas mouillées de larmes, même si sa vue était un peu trouble, à cause de la lumière. Les cheveux de Claes, auréolés par la lueur du feu, étaient secs, à présent. Lorsqu'il les brosserait, ils seraient droits et lisses, avec, au bout, d'étranges crêpelures, comme s'ils avaient été roussis. Quand il était jeune, dans le dortoir des apprentis, il devait comme tous ses camarades, faire toilette pour se rendre à la messe, et elle avait toujours aimé le voir, en ces moments : sa haute taille, qui le distinguait des autres, son visage bouffon, creusé de fossettes, son regard aimable, observateur. Lorsqu'il avait gardé le lit, brûlé de fièvre, après sa blessure, elle lui avait brossé les cheveux. Tobias l'avait soigné. C'était l'une des raisons qui l'avaient engagée à demander au médecin de travailler pour elle.

Claes avait toujours été enclin au commerce des femmes. Elle le savait. Parmi les nombreux éléments tacites qui l'avaient amené à décliner sa proposition, il y avait celui-là, elle n'en doutait pas. Elle ne pouvait prétendre qu'il ne constituait pas une difficulté. S'il devenait son très jeune époux, il veillerait à ne pas la ridiculiser en tissant à Bruges des intrigues amoureuses. Ailleurs, peut-être, avec circonspection, supposait-elle. Elle ne pouvait lui imposer le célibat. Elle allait avoir quarante ans et elle pouvait vivre encore une vingtaine d'années.

Toutes les répercussions dont il avait parlé lui avaient évidemment traversé l'esprit. Le mépris des épouses de teinturiers ne la tourmentait pas. Elle n'avait pas d'amies intimes. Certes, Tilde plongerait dans la détresse, et Felix lui donnerait du fil à retordre. Certes, elle perdrait le soutien de Julius et des nouveaux directeurs, qui jugeraient leur prestige compromis. Mais Claes lui-même, avec tous ses talents, était capable d'atténuer le choc, d'amener les gens à changer d'avis. Il savait ce qu'il fallait faire avec Tilde et même, probablement, avec Felix. Si certains employés partaient, il serait là pour en trouver d'autres. Le monde des marchands, avait-il dit, se mettrait à l'œuvre pour lui barrer la route. Si cela était, elle savait d'avance qui en sortirait vainqueur. Elle se demanda, comme il lui était bien souvent arrivé de le faire, comment des hommes intelligents avaient pu ne pas soupçonner ce qu'elle-même avait découvert.

Certains d'entre eux, se rappela-t-elle, n'y avaient pas manqué. Toutefois, c'était Claes lui-même qui leur en avait fourni, en fin de compte, l'occasion. Autrement dit, lui aussi commençait à être las de tâches trop simples, de milieux trop simples, peut-être même d'amis trop simples. S'il avait pris le temps d'y réfléchir, il se serait peut-être rendu compte que rien de tout cela ne lui manquerait. Mais, bien sûr, il avait réfléchi. Derrière toutes les objections impartiales se dissimulaient les plus subjectives.

Il lui donnait le temps de se remettre. Elle était remise. Elle déclara :

– J'aurais dû te dire que j'étais fière de toi. Tu comprends bien que la seule défaillance en cette affaire a été mienne. Tu m'as crue capable d'une activité que je n'ai pas le courage d'exploiter, et j'en suis flattée.

Il était assis devant le feu, les mains nouées autour de ses genoux remontés. L'accroc de sa jaque, soigneusement raccommodé, avait commencé de se rouvrir sur son large dos. Au son de la voix de Marian, il se tourna légèrement vers elle, sans changer de posture. Elle lui trouva un visage étrangement vieilli. Il parla comme s'il ne l'avait pas entendue.

– Vous avez eu des prétendants, dit-il.

C'était une affirmation sans nuances. La réponse devait être obligatoirement positive. Elle ne voulait pas penser à ses raisons.

– Je ne veux d'aucun d'eux, fit-elle.

Il reprit, d'une voix lente :

– Des deux solutions, le mariage, en fin de compte, serait préférable à la vente de vos établissements.

Elle découvrit en elle un amusement mal assuré. Il s'en aperçut, poursuivit, avec un faible sourire :

– Je pense à vous. Au début, ce serait comme si l'on demandait au bourgmestre et aux échevins de coucher avec le porc-épic de Felix. Il y faudrait, pendant longtemps, de la prudence, de la réflexion, de l'attention et un travail de tous, devant de nombreuses rebuffades et certaines réactions déplaisantes. Et je devrais partir presque immédiatement, vous laissant affronter seule ce qui pourrait survenir. Mais, si Gregorio est l'homme que je crois, je pourrais lui confier en partie le projet d'exploitation de l'alun. Ainsi engagé, il vous aiderait.

L'expression de la demoiselle devait être fort troublée car il en resta là, avant de reprendre :

– Puis-je revenir sur le sujet ? Je ne savais trop si vous l'aviez abandonné. Par exemple, vous ne m'avez pas laissé le loisir de vous communiquer ma liste impartiale des avantages d'une association dans la direction d'une affaire. Je vous ai toujours respectée, admirée, honorée. C'est, en ce qui me concerne, l'avantage principal. En vérité, j'ignore s'il m'en faudrait d'autres. Qui plus est, je possède un prétexte pour voir l'évêque Coppini qui pourrait, j'en suis sûr, nous fournir la dispense nécessaire, puisqu'il existe un lien de parenté. Je suis le petit-fils illégitime de la première épouse du mari de votre défunte sœur. Je ne me trompe pas ?

Il était prêt à revenir sur sa décision. Lui mettre sous les yeux le lien de parenté était toutefois sa manière à lui de lui rappeler qu'il y avait là un autre facteur à considérer, en sus de la différence d'âge et de situation sociale. Pourtant, de telles unions mal assorties se nouaient dans de grandes familles où, en dehors de tout autre considération, il fallait transmettre les biens et s'assurer des héritiers.

Avec un contrat de mariage, ce n'était pas cela qu'elle achèterait, mais les talents de Claes pour les affaires. Elle avait déjà son héritier, Felix, et ses deux filles. Peut-être avait-il, de son côté, autant de bâtards, engendrés au petit bonheur. Cela non plus, elle n'avait pas l'intention de jamais le savoir. Elle s'aperçut qu'elle envisageait la situation comme si elle était réelle, comme s'il avait fermement accepté sa proposition, alors qu'il n'en était rien.

Elle quitta sa cathèdre. Dès le premier mouvement, il roula sur lui-même, se mit debout à son tour, pas trop près et sans sourire.

– Pouvons-nous parler franc? demanda-t-elle. Mon négoce a besoin d'un homme à sa tête, et je t'ai demandé de prendre cette place en m'épousant. Crois-tu pouvoir le faire?

Elle se demandait si l'épuisement qu'elle ressentait se lisait sur son visage. Claes, lui, n'avait pas l'air las. Il était simplement plus calme qu'à l'ordinaire. Il ne s'approcha pas d'elle. Il sentait le cheval, le cuir, la sueur, mais elle ne fronça pas le nez.

– J'y ai bien réfléchi, dit-il. C'est la meilleure solution. Meilleure pour moi aussi. Du moins est-ce ce que je pense pour le moment. Peut-être y a-t-il des éléments qui nous échappent, parce qu'il est tard, et que nous parlons depuis bien longtemps. A mon avis, nous ne devrions pas en dire davantage, ce soir. Demain matin, aussitôt que vous le désirerez, voulez-vous m'envoyer quérir?

Ses yeux, de nouveau, scrutaient le visage de Marian. Il ajouta :

– Ce n'est pas de l'ingratitude. Je mesure ce que vous m'offrez. Je veux que vous y pensiez encore.

– Je comprends, dit-elle. J'en suis d'accord. Prends tout le temps qu'il te faudra. Laissons cela, si tu préfères, jusqu'à ce que tu sois prêt à partir.

Il répondit aussitôt.

– Non. Demain. De bonne heure.

– Je t'enverrai quérir demain.

Le visage un peu crispé de Claes se détendit soudain. Il la gratifia d'un sourire rassurant et, après une brève hésitation, ajouta :

– Alors, je vous souhaite la bonne nuit, ma maîtresse. Sans tristesse ni souci. Quoi qu'il advienne, rien ne vous atteindra si je peux l'en empêcher.

Ma maîtresse, avait-il choisi de l'appeler : il évitait ainsi les formules trop cérémonieuses et celles qui ne l'étaient pas assez. Il savait toujours ce qu'il fallait faire. Ou presque toujours.

– Bonne nuit, répondit-elle.

Il lui sourit encore, et quitta la pièce. Le regard fixé sur la porte fermée, elle se demandait ce qu'il aurait pu dire d'autre, quel autre geste il aurait pu faire. Il n'y en avait pas, se dit-elle. Une nuit de réflexion, pour l'un et pour l'autre. Et, le lendemain, une décision qui devait absolument être prise de fort bonne heure, pour leur éviter à tous deux un embarras prolongé. Ou bien – qui aurait pu l'en blâmer ? – pour des raisons purement pratiques de la part de Claes. S'il devait maintenant poursuivre cette transaction chargée d'embûches avec Venise, il devait rassembler des renseignements précieux et se livrer à de nombreux calculs, avant de partir pour l'Italie. Tout cela avec tout ce qui devait encore être réglé. La question de Felix, par exemple.

Marian de Charetty se renversa dans sa cathèdre. Elle posa sur le coussin sa tête drapée de mousseline sur une armature métallique et, sur les accoudoirs, ses bras étroitement gainés de leurs manches. Elle découvrit, tristement, que son cœur battait à la façon d'un gros tambour. Elle avait forcé Claes à prendre sa décision. Mais il ne le regretterait jamais. Jamais. Jamais.

26

La première des vagues de choc fut essuyée par meester Gregorio d'Asti, qui connaissait depuis seulement une semaine sa nouvelle maîtresse, la veuve de Charetty. L'ouvrier Nicholas, il ne le connaissait que depuis leur unique et brève rencontre, près de la pompe. Il avait cru comprendre qu'on l'appelait Claes.

Le lendemain matin, très tôt, meester Gregorio venait tout juste d'attacher les rubans de son bonnet et de passer sa robe lorsqu'il fut appelé par Marian de Charetty. Il la trouva, le teint un peu trop coloré, assise à sa table de travail. La balance était restée sur la table, tout comme les registres, l'encrier, les plumes. Le tarif des teintures aussi, avec les colonnes faites de pinceaux de laine multicolores. A l'extrémité de la table était assis le garçon de la pompe, dans la livrée ordinaire des Charetty. Il avait la tête baissée et, ô surprise, il laissait courir sa plume au long de colonnes de chiffres ou de noms, sur la première feuille d'une épaisse liasse qui reposait sur son genou.

Il releva la tête et sourit à l'arrivant mais aussi à la demoiselle de Charetty. Petite femme rondelette et non dénuée de charme, elle affichait une expression propre à inspirer le respect. Elle s'éclaircit la voix.

– Meester Gregorio, dit-elle. Merci d'être venu. Il ne s'agit pas, à la vérité, d'une question professionnelle, bien qu'il me plaise à dire que je suis heureuse de vous avoir parmi nous. J'espère que votre travail vous plaira. Nous avons, Nicholas et moi, besoin de votre aide pour un sujet personnel.

Nous. Nicholas et moi. Lorsqu'elle l'avait reçu, avant son engagement, elle avait parlé de l'affaire comme lui appartenant en propre. Son fils n'était pas présent. Le garçon, lui, était là. Claes, devenu Nicholas. On avait besoin de son aide pour un sujet personnel? Meester Gregorio d'Asti, qui en son temps avait rédigé de nombreux contrats, de nombreux testaments, de nombreuses déclarations, attendit calmement. Son regard alla du garçon à une zone placée juste au-dessous de la ceinture de sa patronne. L'âge rendait la chose improbable, mais on ne savait jamais. A moins que le garçon ne fût un bâtard récemment reconnu.

– Je serai heureux de faire de mon mieux, déclara-t-il cérémonieusement.

Le garçon, remarqua-t-il, souriait de nouveau à la femme, dont la nervosité se transformait inopinément en un humour involontaire. Elle reprit :

– Il ne s'agit pas, je dois vous le dire, d'une grossesse, ni d'une adoption. Claes, qui utilisera désormais son véritable nom, Nicholas, est le fils illégitime d'une parente éloignée. Ses origines sont parfaitement vérifiables. Il a été formé dans cette maison depuis sa prime jeunesse, dans un emploi évidemment subalterne. Il connaît toute l'affaire sur le bout du doigt. C'est aussi, et vous devez m'en croire, un jeune homme aux dons tout à fait exceptionnels.

Meester Gregorio sourit avec complaisance. Ce garçon avait certainement un physique exceptionnel. On voyait des yeux comme les siens, des lèvres gonflées, sans ligne bien définie, comme les siennes, chez les faibles d'esprit. Même ce large front bas, sans une ride. Il s'était entaillé la joue. Toujours souriant, il était revenu à ses papiers.

Meester Gregorio déclara d'un ton approbateur :
– A ce que je vois, il sait lire et écrire.

– En effet, dit la veuve de Charetty. Vous avez naturellement passé les registres en revue. Vous y avez trouvé les transactions poursuivies depuis la mi-février, ainsi que la relation des négociations que j'ai menées, accompagnée de Nicholas. Il vous faut savoir que toutes ces réunions ont été organisées par Nicholas. Il a suggéré ces acquisitions, en a évalué le coût et hormis la préparation officielle des documents et les accords définitifs, que j'ai moi-même conclus, les a conduites de bout en bout. Il est beaucoup plus capable que moi, meester Gregorio. Plus capable qu'aucun des hommes que j'ai employés jusqu'alors. Il espère, aidé par nos conseils à tous, faire de mes établissements une grande entreprise florissante. Mais, vous le voyez, il n'est pas de condition suffisante pour exercer une quelconque autorité. J'ai donc parlé avec lui de la manière dont je pourrais la lui conférer.

Elle se tut.

Gregorio d'Asti, qui était féru de litanies religieuses et qui avait un faible pour les lectures théâtrales publiques, avait l'impression d'avoir été invité à participer à l'une de celles-ci. Il devait jouer son rôle.

– Vous désirez vous marier ? Mais c'est excellent ! s'écria-t-il. Je serais naturellement très heureux d'aider à dresser l'acte notarié.

Elle le regarda comme par-dessus le bord de lunettes invisibles. Ses manches, ce matin-là, étaient d'une facture beaucoup plus recherchée qu'à l'ordinaire, et, si ses cheveux demeuraient entièrement couverts, c'était par une sorte de turban de brocart, au lieu du voile habituel soutenu par une armature qui évoquait une machine de siège.

– Vous avez manifestement l'intention, dit-elle, de venir me trouver, après le mariage pour me présenter votre démission. Vous n'en ferez rien, je l'espère. Nous avons besoin de vous. Et nous sommes sur le point de gagner beaucoup d'argent.

Il n'en doutait point. Il se demandait ce que le garçon comptait vendre. S'il était vraiment à la base de ces transactions, il était sûrement fort habile. Il était bien capable d'épouser la femme, de la dépouiller et de déserter avec tout l'or acquis au bout d'un mois.

– Une partie de cet argent, expliqua Marian de Charetty, la future épouse, proviendra de l'expansion naturelle des différentes activités des présents établissements. Bien que Nicholas ait été pour beaucoup dans cette expansion et bien qu'il soit décidé à continuer à l'aider de ses conseils, il se refuse à en tirer profit. Toutes les affaires et tous les biens immobiliers que je possède actuellement, y compris la succursale de Louvain, qui appartenait à mon père, doivent être entièrement protégés, de sorte que les bénéfices ne puissent revenir qu'à moi et, après moi, à mon fils. Tout ce que Nicholas gagnera, en agissant comme mon agent, me reviendra également et je lui paierai un salaire convenu.

Tout cela était intéressant : elle savait se protéger. Le jeune homme, à en juger par l'expression de son visage, n'en était pas décontenancé. Non. Mais, après tout, il n'avait aucune raison de l'être.

Meester Gregorio prit la parole.

– Veuillez me pardonner, mais vous avez bien un fils et deux filles ? Ils attendent de vous un éventuel héritage et une dot ?

Le garçon griffonna quelque chose, leva les yeux vers la femme.

– Voilà, fit-il. Je savais que nous avions oublié quelque chose. Je pourrais fort bien passer mes journées sur des coussins de drap d'or, et, de votre côté, vous pourriez vendre Henninc et me couvrir de diamants, si bien que Felix devrait mendier dans sa taverne, tandis que Tilde et Catherine épouseraient des balayeurs des rues. Vos dépenses et mes gages doivent être contrôlés. Ce qui entraîne des curateurs, une comptabilité irréprochable et une vérification indépendante des registres.

Il se tourna vers le notaire.

– Nous en sommes déjà arrivés à la conclusion qu'il s'agissait moins d'un mariage que du remaniement d'une loi contractuelle. Voilà pourquoi nous avons besoin de vous. Nous voulons que la cérémonie prenne place ce matin.

Les profanes se livraient toujours à ce genre de déclaration. Gregorio d'Asti déclara :

— Il n'est guère probable, je le crains, que nous y parvenions.

— Mmm, fit le garçon. A mon avis, cela pourrait se faire. J'ai envoyé un message à meester Anselm Adorne. Dès que nous aurons étudié les problèmes les plus délicats, je vous laisserai, vous et la demoiselle, établir un contrat. Messer Adorne peut réunir l'écoutète, le notaire public et peut-être l'un des bourgmestres pour représenter la ville. J'irai rendre visite en sa compagnie au doyen de la Guilde des Teinturiers, à meester Bladelin et à l'évêque de Terni pour obtenir une permission spéciale. A lui aussi, j'ai envoyé un message. Avant midi, nous pourrons avoir assez de gens assemblés à l'Hôtel de Jérusalem pour en finir selon les règles avec le contrat civil. Après quoi, l'évêque ou, à son défaut, le chapelain de meester Anselm pourra célébrer la messe de mariage dans la Jeruzalemkerk, et tout sera dit.

Gregorio regarda la veuve. On aurait dit qu'en dépit d'elle-même, elle se sentait un peu étourdie. Étourdi ne décrivait pas son état à lui, Gregorio. La femme ne s'était pas trompée sur un point. Le garçon avait un cerveau. Il était dangereux. Une certaine compassion pour Marian de Charetty s'éveilla chez l'homme de loi :

— Je vois, dit-il. Vous avez tout prévu. Mais pourquoi une si grande hâte ? Puis-je vous le demander ?

Le jeune homme soutint son regard avec une franchise apparente.

— Parce que tout le monde va réagir précisément comme vous, et l'on sera partout en émoi. Dès que les épouses auront eu vent de l'histoire, il ne sera plus question de mariage : elles intimideront leurs maris. Nous voulons une réunion d'affaires tout à fait normale, au cours de laquelle sera conclu un bon contrat qui protègera chaque partie.

— Excepté vous-même, à ce que je vois, dit Gregorio avec sympathie. Si, comme vous l'affirmez, vous désirez être exclu de tout gain financier, directement ou indirectement, par l'intermédiaire de votre future épouse, mis à part les gages convenus. Mais de quoi vivrez-vous, par exemple, si, ce qu'à Dieu ne plaise, elle venait à mourir ? L'héritage reviendrait alors à son fils, et il serait libre de se passer de vos services. Je présume, puisque vous n'en avez pas parlé, qu'il n'a pas eu son mot à dire dans cet arrangement ?

— Là, dit Marian de Charetty, réside l'autre difficulté. Mon fils a dix-sept ans, il est vif. Je veux que ce mariage soit conclu, si possible, avant qu'il n'en ait entendu parler. Je dois dire, poursuivit-elle après un silence, que nous ne sommes pas d'accord sur ce point. Nous agissons ainsi que sur mon insistance. Je ne veux pas voir Felix se mêler à l'avance de mes décisions personnelles. Ce sera bien assez difficile par la suite. Et, si la loi requiert normalement son consentement ou sa présence, nous devrons trouver un moyen de tourner la loi.

Gregorio affirma :

– C'est possible, si l'Église est indulgente. Mais, si votre fils est prêt à la vindicte maintenant ou plus tard, ce contrat lui en donne le pouvoir.

Le jeune homme intervint.

– Il a besoin de tous les pouvoirs que peut lui accorder la loi, sous réserve des droits de sa mère. Qu'il n'y ait aucun doute là-dessus. Felix ne nous causera aucun ennui, ni à moi ni à vous quand vous le connaîtrez mieux. Il est jeune, voilà tout. En ce qui concerne l'argent, je peux en trouver en dehors des entreprises Charetty, meester Gregorio. La demoiselle, je crois, a fait allusion à une nouvelle spéculation. Cette affaire sera mienne, menée avec mes propres associés, et ne coûtera rien à la famille Charetty qui, bien au contraire, pourra, je l'espère, en bénéficier. Et vous aussi, si l'envie vous en prend. Voilà pourquoi – puisque, j'en suis sûr, vous vous êtes posé la question – meester Anselm sera disposé à nous aider. Vous pouvez penser qu'il représente un garant d'une certaine stature, et que je suis un peu moins irresponsable que je n'en ai l'air. Le temps seul vous le prouvera. En attendant, tout ce que nous vous demandons, c'est de dresser un contrat. Êtes-vous épouvanté ?

Gregorio était stupéfait, empli d'une admiration horrifiée. Il éprouvait le désir violent de mettre la main, avant que cette réunion se terminât, à un contrat de mariage qui posât toutes les conditions que ce couple voulait apparemment voir remplies – précisément, pleinement, légalement. Un contrat si bien ficelé que, quelles que fussent l'envie de tricher du garçon, les illusions de la femme, il ne pût jamais être rompu. Alors, se disait-il, il prendrait plaisir à rester là un certain temps, pour voir ce qui arriverait.

La deuxième personne informée fut Anselm Adorne. Un pli lui fut remis au moment où il se levait de son prie-Dieu pour conduire, après leurs dévotions matinales, son épouse, sa famille et ses serviteurs hors de la Jeruzalemkerk, l'église privée construite par son père et son oncle. Il lut une lettre de plusieurs pages aux lignes serrées, dont le contenu l'amena à poser la main sur le bras de son épouse pour lui dire :

– Avant que vous n'entamiez vos devoirs de maîtresse de maison, nous avons à parler, vous et moi. Il sera bon, ensuite, d'arranger la grande salle. Nous aurons des invités ce matin.

Elle prit le temps d'aller donner des instructions aux cuisines et vint ensuite le rejoindre dans leur chambre.

Elle était un peu nerveuse. Pas inquiète, non, puisque tous leurs enfants étaient près d'eux, même Jan, revenu de Paris pour la fête de Pâques. Et, après seize années de mariage, elle connaissait bien son prudent et courtois époux et ses bons sentiments. S'il était arrivé quelque chose au père Pieter, dans sa paisible retraite chez les Carthusiens, aux oncles et tantes, aux frères et sœurs, aux innombrables cousins et cousines, neveux et nièces des familles Adorne et van der Banck, il le lui aurait dit immédiatement.

Elle ne songeait pas aux affaires. Elle connaissait évidemment certains de ses nombreux intérêts. Lorsqu'il l'avait épousée, Margriet van der Banck avait quatorze ans et elle était orpheline, mais elle avait reçu une bonne éducation. C'était une bonne mère, et elle avait une connaissance sans faille du gouvernement de la maison. C'était son affaire, et elle n'avait aucun motif de vouloir se mêler de celles d'Anselm. Sauf, naturellement, lorsqu'il s'agissait d'une question qui affectait leur avenir commun. Cette histoire d'alun, par exemple. Il lui en avait confié tous les détails. Elle souhaitait encore qu'il n'y touchât point.

Elle s'alarma donc lorsque, après s'être installée pour entendre quelque nouvelle palpitante, une nomination, une acquisition, elle l'entendit aborder le sujet même qui la tourmentait. Il était question de l'alun et de cet ouvrier teinturier, ce très gentil jeune Claes, qui s'était montré si aimable avec Marie et Katelijne et qui, voulait-on vous faire croire, avait inventé toute cette dangereuse négociation, avec le soutien d'on ne savait trop quel médecin italien. Loin de le soutenir, il utilisait probablement Claes à cause de ses relations avec Anselm. Pourtant, semblait-il, Anselm faisait confiance aux capacités de ce jeune homme.

Mais bien peu d'hommes étaient aussi brillants qu'Anselm. Il l'avait épousée à dix-neuf ans. A vingt ans, il était conseiller à Bruges et, la même année, il remportait son premier prix dans le tournoi de l'Ours Blanc. Anselm était un bourgeois mais, par ses origines, c'était un aristocrate, parent de doges. Ce garçon, lui, était un artisan. Et voilà qu'Anselm lui disait :

– Vous vous souvenez, bien sûr, du jeune Claes, de la maison Charetty. Ceci est une lettre de lui. Il sera ici dans un moment, afin de nous demander notre aide pour Marian de Charetty. L'entreprise a pris une telle expansion qu'elle a maintenant besoin d'un associé. A son avis, Claes est la personne la plus capable de diriger l'affaire mais, naturellement, il n'est pas de la condition souhaitée. Elle a décidé d'y remédier, semble-t-il, en envisageant de faire de ce jeune homme son époux.

Margriet ne put retenir un cri étouffé. Anselm leva les yeux, avec cette expression dont il était coutumier.

– Ma chère, dit-il, c'est leur affaire. La demoiselle est bien décidée. Elle veut que les contrats de mariage soient dressés et signés ce matin même et me supplie de me charger des formalités. Claes hésite à me le demander mais il sait qu'elle aimerait recevoir la bénédiction de l'Église. Il nous sollicite donc d'autoriser la signature à prendre place ce jour dans notre grande salle et de permettre ensuite la célébration de la messe dans la Jeruzalemkerk.

Parce qu'il avait paru la désapprouver, Margriet garda le silence un moment. Mais elle dut bien, en fin de compte, donner libre cours à ce qu'elle pensait.

– Il croit que vous lui êtes redevable. Sinon, il ne vous aurait jamais demandé ce service. Voilà la première conséquence désastreuse de votre association.

Il posa la lettre près d'elle et s'assit.

– C'est évident. Mais il y a une autre raison. Marian de Charetty ne se trompe pas, je le sais. Il serait capable mieux que quiconque de gérer ses affaires, si sa position sociale ne l'en empêchait présentement.

Margriet van der Banck protesta :

– Ce n'est pas tout, vous le savez bien. Épouser son propre apprenti, au lieu de rechercher un homme d'expérience, au lieu de choisir un second époux de son âge et de son rang, cela va faire d'elle un sujet de raillerie dans toute la ville. Claes ! Un charmant garçon mais tellement indiscipliné qu'il s'attire des bastonnades à loisir. Toutes les fois qu'il revenait de Louvain, mes amies enfermaient leurs servantes. A quoi peut-elle bien penser ?

– Il s'est assagi, affirma Anselm. Vous lui avez permis d'accompagner nos filles au Carnaval. Peut-être est-il prêt pour le mariage. Peut-être, ma bien-aimée, ont-ils de la tendresse l'un pour l'autre.

Il hésita.

– Bien que sa lettre, j'en dois convenir, ne dise rien de tels sentiments. Un accord professionnel, voilà comment il présente l'affaire.

– Peut-être est-ce *elle* qui a de la tendresse pour *lui*, déclara Margriet. C'est ce que dira la rumeur publique. Voilà un homme jeune et vigoureux qui attire les femmes. Il n'aurait aucune peine à la prendre au piège. Un accord ! Oui, je n'en doute pas. Felix sera déshérité, et ces deux pauvres petites...

– Non, répliqua Anselm. Il est parfaitement clair sur ce point. L'entreprise demeure la propriété de la demoiselle et de ses enfants. Son propre homme de loi et l'écoutète dresseront un contrat qui l'exclura lui-même de tous les bénéfices. Il ne désire rien d'autre que la tâche de diriger l'affaire, ce qui représente pour lui, dit-il, une satisfaction et une récompense suffisantes. Je le crois. C'est ce qui m'a décidé.

– Vous l'aiderez donc ? demanda-t-elle. Oui, je le suppose. A cause de cette autre affaire. Vous l'admirez. Pour ma part, je ferai naturellement de mon mieux, parce que vous êtes mon époux, et parce que cette pauvre femme, qui me fait pitié, aura besoin d'une amie sincère. Ses enfants aussi. Que va dire le fils ?

– Si j'en crois la lettre, il ne sera mis au courant qu'après la cérémonie. C'est là le vœu de sa mère, et non celui de Claes. De Nicholas, plutôt : je pense que nous devons l'appeler ainsi désormais.

Il se leva, s'approcha d'elle, lui mit la main sur l'épaule.

– Vous vous tiendrez donc près d'elle, pendant la messe de mariage ?

– L'église ! s'écria Margriet, dans un sursaut. Il va falloir préparer l'église ! Oui, je serai près d'elle. Une matrone sera préférable à une jeune fille. Nous aurions pu, toutefois, apprécier la présence d'une fille d'un certain rang : Katelina van Borselen, par exemple. Mais elle est en chemin vers la Bretagne. L'événement va contrarier Gelis et quelques autres fillettes qui s'étaient mises à rêver.

– Sans compter de plus grandes filles, fit ironiquement son mari.

Ce jour-là, quand la cloche du travail sonna midi sur toute la ville de Bruges, chez les Charetty, les foulons et teinturiers, les tendeurs et les coupeurs, les charretiers, les manœuvres, les magasiniers, les garçons d'écurie ôtèrent leurs tabliers maculés sous la surveillance de Henninc et allèrent chercher leur repas chez eux ou dans les cuisines Charetty. Parce que meester Gregorio et la veuve étaient sortis pour affaires sans dire où ils allaient, les compagnons, les ouvriers étaient un peu plus bruyants que de coutume, tout en regrettant l'absence de Claes, habituellement présent pour les amuser. L'un d'eux, pendant que Henninc avait le dos tourné, tenta bien d'imiter la veuve, comme le faisait parfois Claes, mais sans l'égaler.

A l'intérieur de la Jerusalemkerk, la cloche fut entendue aussi par le petit groupe assemblé devant l'autel peint, avec ses crânes et ses échelles, les instruments de la Passion, où la courte silhouette de Francesco Coppini, évêque de Terni, célébrait un mariage. Sur la table d'autel, recouverte d'une nappe brodée par Margriet van der Banck elle-même, se dressait la croix de vermeil qui contenait le fragment de la croix du Christ rapporté de Terre Sainte par le père et l'oncle d'Anselm. De chaque côté de l'autel, une double volée de marches étroites conduisait à la galerie supérieure, délimitée par une balustrade blanche, éclairée par d'invisibles fenêtres placées haut dans la tour. Cette galerie avait été construite par les Adorne à l'imitation de celle de l'église du Saint-Sépulcre, lieu de leur pèlerinage, et pour lui rendre honneur.

La tenue de l'assistance faisait honneur, elle aussi, à l'élégance de l'édifice raffiné. Margriet portait sa belle robe de brocart, dont la haute ceinture montait jusqu'à la pointe de son large col d'hermine, et son hennin à double pointe. Anselm et leurs amis du conseil et des guildes étaient venus dans les robes de leurs offices, qui leur tombaient jusqu'aux chevilles, avec des revers ou des collets de satin ou de fourrure. Ils étaient coiffés de solides chapeaux de feutre de toutes tailles. Sur entente préalable, il n'y avait aucune femme parmi eux.

Par manque de temps, la mariée était vêtue comme le matin : sous une coiffure qui dissimulait entièrement ses cheveux, une petite robe d'étoffe rigide, avec des sur-manches soigneusement fixées et un décolleté carré qu'elle avait orné d'un très beau pendentif. La peau, ainsi découverte pour la première fois sous son menton, était, constata Margriet, lisse, blanche et parfaitement acceptable. Elle avait aussi de beaux yeux bleus, des dents saines et, d'ordinaire, un teint joliment coloré.

Le garçon, lui aussi, était vêtu comme il l'était lorsqu'il était arrivé pour prendre toutes les dispositions nécessaires. Du moins ne portait-il pas la livrée bleue des Charetty qui aurait fait de cette occasion mieux qu'une comédie, une véritable farce. Le pourpoint de serge sombre lui allait assez bien pour être le sien propre, probablement acheté sur son salaire en Italie. Il portait par-dessus une tunique ouverte sur les côtés, de la longueur qui aurait pu convenir à un clerc mais faite d'un tissu, non pas noir – trop onéreux, pouvait-on penser, pour sa bourse – mais vert foncé. Ses cheveux, soigneusement disciplinés, se rebellaient contre les limites que leur imposait un béret incliné sur le côté, totalement dépourvu d'ornement. Ses hauts-de-chausses, vert foncé eux aussi, étaient sans doute la seule paire non raccommodée que Margriet lui eût jamais vu porter. Jamais non plus elle ne l'avait vu sans un sourire.

Après la messe, on commença, dans une ambiance guindée, de servir un repas de noces à toute l'assistance dans la grande salle. Quelqu'un évoqua soudain les galères de Flandre, et la conversation, dès lors, roula comme si elle ne devait jamais s'arrêter sur ce sujet, le plus cher au cœur et à la bourse de tout marchand de Bruges. Ainsi, Alvise Duodo, cet imbécile, avait emmené les galères de Flandre à Londres, avant de reprendre la route de Venise. Comme de bien entendu, le roi d'Angleterre les avait réquisitionnées, parce qu'il avait besoin de navires contre la famille d'York. Angelo Tani et Tommaso étaient malades d'horreur. Pas seulement à cause de la perte de tissu. Mais la succursale de Londres recevrait-elle ses balles de paume ? Doria avait envoyé des trompettes et du fil métallique pour une clavicorde. Jacopo Strozzi avait expédié des cure-dents et des cartes à jouer. Les marchandises devaient-elles être déchargées ou resteraient-elles à fond de cale, pendant que les navires rebroussaient chemin pour aller combattre dans le détroit d'autres Anglais partis de Calais ?

L'évêque Coppini ne parlait guère. Il était dans ses attributions de se rendre à Calais afin de réconcilier les Anglais de cette ville avec les Anglais d'Angleterre qui avaient réquisitionné les galères de Flandre. Excellente idée, certes. Mais, dès le moment où, sa mission accomplie, la paix serait conclue, le pape serait en mesure de lancer sa croisade pour reprendre Constantinople. Le roi de France, le duc de Bourgogne et le roi d'Angleterre (peu importait celui qui sortirait vainqueur de la querelle de succession) n'auraient d'autre choix que d'armer une flotte et des troupes pour lui venir en aide. Alors les galères de Flandre pourraient, la prochaine fois, se trouver réquisitionnées à Sluys par le duc Philippe, en même temps que les barges écossaises, les pontons portugais, les navires normands, les caravelles bretonnes et les lourds vaisseaux en provenance de Hambourg. Comment un marchand pouvait-il survivre en une telle époque? On avait besoin d'un astrologue.

– Vous pourriez accaparer le marché du poisson, suggéra le marié.

Il s'était jusque-là montré déférent dans ses rares commentaires et non pas grossièrement stupide.

– Les bateaux de pêche sont à peu près les seuls qu'on ne puisse envoyer en croisade. Mais la fin du Carême est trop proche pour en tirer grand profit.

La plaisanterie n'était pas trop mauvaise, et ils avaient bu assez du vin de Candie de meester Anselm pour rire de bon cœur. En fait, un ou deux d'entre eux se prirent à penser, secrètement, que le garçon avait bien pu toucher, sans le savoir, à un sujet qui méritait d'être étudié de près.

Les invités se séparèrent d'excellente humeur. Ils semblaient plutôt enclins, maintenant, grâce à la part qu'on les avait amenés à prendre dans le mariage, à se montrer indulgents, plutôt que critiques. On leur avait dévoilé tous les termes du contrat, pourquoi il avait été rédigé et qui il favorisait. De cette façon, la seule qui fût valable, les plus grandes maisons de Bruges auraient connaissance des faits.

Après le départ de l'évêque, du bourgmestre et des juristes, Margriet van der Banck passa le bras autour des épaules joliment dodues de la mariée et l'entraîna dans sa chambre. Son nouveau notaire, l'alerte meester Gregorio, était déjà reparti pour la maison Charetty. Là, dès le retour du couple, la nouvelle du mariage serait annoncée à ses gens par la demoiselle elle-même, accompagnée de son époux. Pour être exact, après qu'elle aurait tout dit à son fils et à ses filles.

C'était là une perspective intimidante, après une matinée difficile. La demoiselle était pâle de fatigue. Il n'y avait rien qu'on pût traduire par des mots. Margriet la serra contre elle, tenta de lui faire comprendre, sans rien dire, qu'elle était une amie. C'était une femme fière, la petite veuve de Cornelis. Sans rien abdiquer dans cette étreinte, elle s'accrocha un instant à Margriet. Après quoi, elle s'écarta et remercia calmement son hôtesse.

Plus tard, quand les jeunes mariés furent partis, Margriet retraça la scène pour Anselm, mais, contrairement à son attente, il ne lui dit mot de son entretien avec le jeune Nicholas.

En réalité, il n'y avait rien à raconter. Adorne, après avoir guidé son invité jusqu'aux lieux d'aisance, les utilisa à son tour. En regagnant sa chambre, il arriva juste à temps pour voir le jeune marié, jusqu'alors d'un inébranlable sang-froid, frissonner et s'asseoir, comme si la foudre était entrée par la fenêtre. Il entendit les pas d'Adorne sur le dallage, se retourna.

Anselm s'arrêta, abaissa son regard sur lui.

– Combien de temps avez-vous dormi, la nuit dernière, ami Nicholas ? Pas du tout, je suppose.

Suspendus au cœur d'une bataille, les hommes gonflaient ainsi leurs poumons, afin de chasser brusquement la souffrance en même temps que l'air. Ainsi fit Nicholas, en souriant. Toujours souriant, il secoua la tête. Anselm se demanda où et comment le garçon avait passé sa dernière nuit de liberté. De sa jeunesse, en quelque sorte. Il dit d'un ton léger :

– Tout jeune marié a le droit de passer une nuit en compagnie de ses amis.

Il escomptait une réponse de la même veine. Au lieu de cela, les yeux de Nicholas regardaient ailleurs, comme s'il était déjà distrait par d'autres sujets.

– Oh, non, dit-il. Je l'ai passée dans ma chambre.

Anselm Adorne le dévisagea. Puis, attirant un tabouret, il s'y assit, sans quitter du regard le profil impassible.

– Nicholas ? fit-il. Vous ne voudriez pas revenir en arrière si vous en aviez la possibilité ? Au temps où vous vous leviez au son de la cloche tellière, où vous deviez remuer les étoffes dans les bacs à teinture, où vous ne fréquentiez que des gens simples et des enfants ? Ce serait un péché, étant donné ce que vos talents peuvent apporter au monde.

– L'argent ? dit Nicholas, comme s'il s'adressait à la tablette de la fenêtre. J'étais heureux quand je n'avais rien. Et je savais rendre les autres heureux comme moi.

– Certes, dit Adorne. Mais c'était la besogne de votre jeunesse. Il vous fallait davantage. Vous êtes parti de votre plein gré.

– C'est vrai, dit Nicholas.

Anselm Adorne l'observait. Inutile de lui dire : Vous avez choisi cela. N'avez-vous pas prévu ce que serait cette vie ? N'avez-vous pas compris que vous vous n'étiez pas prêt à la mener ? Il pensait : Il faudra bien qu'il la mène, pour le bien de cette pauvre femme. Que faire pour lui venir en aide ? Pas question de noyer son inquiétude dans l'alcool, c'est certain.

– Mon épouse et la demoiselle doivent avoir beaucoup à se dire, annonça Adorne. Pendant que vous attendez, aimeriez-vous que j'aille voir si Marie et Katelijne en ont fini avec leurs leçons? Jamais elles ne me pardonneraient si je vous laissais partir sans qu'elles vous aient vu.

Il ajouta, après un bref silence :

– Elles ne savent rien, bien sûr. Et peu leur importerait, si elles savaient.

Anselm Adorne était un homme qui cherchait à comprendre les sentiments d'autrui. Il était arrivé à Margriet de le mettre en garde : *On peut cerner de trop près. D'ailleurs, Anselm, vous vous trompez quelquefois.* Cette fois, il ne se trompait pas, même si le jeune homme réagit seulement en disant, au bout d'un moment :

– Rien ne me plairait davantage.

Anselm Adorne, sans trop de hâte, se mit en quête de ses filles, les ramena dans la chambre où les attendait leur ami Claes, souriant, un motif en fils de laine déjà à demi formé sur ses mains tendues.

Quand la nouvelle épousée fut prête à rejoindre sa demeure, son jeune mari présenta aux époux Adorne des remerciements bien tournés et, pensa Anselm, sincères. D'un mouvement plein d'aisance, il souleva le manteau de la demoiselle, le lui plaça sur les épaules. Elle leva les yeux vers lui. Toute sa couleur lui était revenue en même temps, cela se voyait, que son courage.

Dieu juste, quel mariage! Quel mariage!

Adorne, demeuré sur les marches avec Margriet, souhaita un bon voyage à la demoiselle et à son époux qui s'éloignaient sur leur barge. Anselm ne remarqua pas que son fils Jan, l'étudiant, était entré dans la maison. Comme tous les étudiants, il mourait de faim. Tout en engloutissant les restes du festin demeurés sur la table, il questionna les servantes, en reçut une réponse incroyable. Une réponse que rien au monde n'aurait pu le convaincre de garder pour lui.

27

Le son retentissant de la cloche tellière ne pénétra même pas l'entendement de Felix de Charetty : blessé à vif par une double perte, celle d'une grosse sommes d'argent et celle d'une fille, il avait sauvegardé sa fierté en s'invitant au Poorterslogie, le lieu où se réunissait la Société de l'Ours Blanc. C'était l'emblème de cette société, perché à l'angle le plus avancé du bâtiment, qu'avait, disait la rumeur publique, étreint un jour cet idiot de Claes, juste après avoir traversé le canal à la nage et mis en morceaux le chien de Simon de Kilmirren.

C'était l'époque où, tout fol qu'il était, on s'amusait en compagnie de Claes. Il ne se mêlait pas, en ce temps-là, d'indiquer à Felix ce qu'il pouvait faire ou ne pas faire avec une fille comme Mabelie. A dire vrai, Felix n'était pas fâché de la tournure qu'avait prise l'affaire. En fin de compte, Mabelie n'éprouvait pas le moindre désir de quitter John Bonkle, et John Bonkle n'avait pas envie de se débarrasser d'elle.

Aujourd'hui, pour faire bonne impression, Felix s'efforçait de ne pas boire de bière. La Société de l'Ours Blanc, dont les magnifiques joutes ouvraient les fêtes d'après Pâques, était extrêmement fermée : elle n'acceptait parmi ses membres que des hommes de la noblesse ou de la haute bourgeoisie. Les drapiers, les merciers, les fourreurs parvenaient tout juste à s'y introduire. Les propriétaires de biens fonciers aussi, naturellement. On ne tenait pas à admettre les membres des guildes, même si la confrérie faisait des exceptions en faveur des changeurs et des taverniers les plus importants. Fils de changeur, Felix était tout juste qualifié. Jamais il ne parlait de teinture ni de foulage et il se sentait assez intimidé dans ce bel édifice, bâti près du pont qui enjambait le canal, de saluer des hommes qu'il avait vus en compagnie de sa mère et d'accepter leur invitation à boire un gobelet de vin.

Il lui vint à l'esprit que, s'il devait fréquenter ces lieux, il aurait besoin de beaucoup plus de pécunes. Déjà, elles lui faisaient défaut pour s'entraîner chaque jour en vue de la joute. Certes, il avait son armure et quelques-unes des armes nécessaires. Mais il lui fallait d'autres lances, un bouclier supplémentaire, et, le plus important, deux chevaux, des bêtes puissantes.

Il en avait un chez lui, à l'écurie : celui dont se servait son père pour impressionner la population quand venait son tour d'être capitaine de l'une des compagnies de garde sur les murailles de la ville, Felix avait nourri le projet de s'en faire prêter un autre. Un des de Walle s'y était presque engagé. Mais nombre des familles de sa connaissance prenaient part, elles aussi, au tournoi. Les Breydel, les Metteneye, les Bradericx, les Helewyn, les Themseke. On s'inscrivait au tournoi de père en fils, pour tenter de remporter le cor, la lance ou l'Ours lui-même. Dans les grands jours, la crème de la Cour de Bourgogne venait à Bruges prendre part à l'épreuve. Des hommes comme Jacques de Lalain et le bâtard de Bourgogne.

Il fallait à Felix un meilleur cheval. Et un bouclier de rechange. Il ne pouvait vraiment, n'est-ce pas ? se mesurer à de magnifiques chevaliers avec un équipement de fortune. Il se mêla avidement aux conversations sur les joutes, glana tout ce qu'il pouvait apprendre. Il aurait dû venir avec un membre expérimenté de la confrérie, comme Anselm Adorne. Tant pis si Adorne l'avait traité en enfant, le jour où Claes avait fait basculer le canon dans l'eau, rapporté le hennin à la fille et brisé la jambe de bois du Grec.

Il vit Jan Adorne lui faire signe du seuil et se dit qu'il ferait aussi bien l'affaire. Sans doute, à quinze ans, était-il trop jeune pour participer au tournoi, mais il devait être venu souvent au Poorterslogie avec son père. Felix brandit son gobelet pour l'inviter à venir le rejoindre. Sa manche, dans le mouvement, faillit faire basculer un flacon. Il avait fait des frais de toilette : des rubans tout au long de ses manches et un pourpoint entièrement matelassé qui, prétendait fort justement son tailleur, mettait son torse en valeur. En pensant à la foule, il avait choisi un chapeau tout en hauteur, de préférence aux coiffures démesurément larges qu'il portait habituellement. Il eût souhaité seulement que son col ne fût pas aussi strictement boutonné sous son menton : il avait du mal à regarder vers le bas et à garder ses manches d'importuner les gens assis sur les banquettes.

Jan, de loin, lui faisait toujours signe. Agacé, Felix se rapprocha et comprit la raison de son manège. Ils étaient là tout un groupe. Bonkle était présent, tout comme Sersanders et Lorenzo Strozzi, parmi d'autres. Étonnant, la façon dont Lorenzo Strozzi s'arrangeait constamment pour échapper à l'entreprise du cousin de son père. Ou peut-être la cloche avait-elle déjà sonné pour le repas de midi. Non. Il avait déjà dîné. Il devait être plus tard. Parvenu à l'huis, il déclara :

– Je n'ai pas l'intention de sortir. Je suis occupé. Qu'est-ce que vous voulez?

– Felix, fit Jan.

Il n'en dit pas davantage. Les autres, autour de lui, ne disaient rien non plus. Ils avaient de drôles de figures. Comme s'ils avaient quelque chose à lui annoncer, sans trop savoir si c'était une bonne plaisanterie ou un désastre. Un instant, Felix s'inquiéta. Mais l'un des jeunes écornifleurs laissa échapper une sorte de long ébrouement qui rappelait le bruit d'une poissonnière en pleine ébullition. Il se plia en deux, les mains serrées entre les jambes. Un peu de mucus atterrit sur les boutons de Felix qui l'ôta d'un air dégoûté.

Il ne se passait rien de grave, manifestement, si c'était aussi risible que cela. Le jeune homme avait l'impression qu'il s'agissait du début d'une bonne farce. Dirigée contre lui.

– Si vous n'avez rien à dire, je rentre, annonça-t-il. Tu n'as pas ton bon sens, Jan, d'amener ici de tels vauriens. Adieu.

Il s'effaçait pour laisser entrer avant lui l'un des échevins de la ville quand la voix de Jan Adorne l'apostropha de nouveau. C'était intolérable. Raide de colère, Felix se retourna une dernière fois pour cracher en direction de ses amis :

– Allez-vous en! Partez! Allez-vous en! Je ne veux plus vous voir!

– Felix! hurla Jan Adorne. Claes l'apprenti a épousé ta mère!

La porte se referma sans que Félix s'en aperçût.

Un autre garçon répéta, en articulant soigneusement, à la manière d'un professeur.

–. Ta mère s'est mariée avec Claes.

– Claes l'apprenti, précisa une autre voix, au dernier rang.

Le secourable garçon reprit :

– Dans la maison de Jan. Ce matin même.

C'était donc là leur farce à ses dépens. Felix sentait son visage se gonfler de rage. Derrière le groupe de ses prétendus amis, un charretier, la face fendue d'un sourire, avait ralenti l'allure de son cheval. Deux drapiers, qui sortaient du Tonlieu en discutant, s'arrêtèrent pour voir ce qui se passait. Dans le dos de Felix, la porte s'était rouverte et, cette fois, elle restait béante, tandis qu'à l'intérieur, des têtes se tournaient vers eux.

Transporté de fureur, Felix repoussa devant lui le groupe hésitant de ses bourreaux. Écarlate, il lança d'une voix sourde :

– Je vais vous en donner, moi, du mariage de Claes avec ma mère! Je vais vous apprendre à venir jusqu'ici faire du scandale devant mes amis! Quand j'en aurai fini avec vous tous, vous souhaiterez n'avoir jamais vu le jour. Et ma mère ira voir ton père, Jan Adorne!

Devant son assaut, tous avaient reculé le plus loin possible. Serrés les uns contre les autres de l'autre côté de la rue étroite ils le regardaient. Derrière lui, un seigneur des plus cossus gravit les marches avec un compagnon et, dans un petit rire, pénétra dans la Société de l'Ours Blanc, en laissant la porte béante. Son compagnon demeura sur le seuil pour retenir le battant et fut rejoint par deux autres amis. Lorenzo Strozzi conseilla :

– Tu devrais aller parler au père de Jan. Il te dirait tout. Mais c'est la vérité.

Ils s'étaient déjà joué de méchants tours, les uns aux autres. Se mettre dans un mauvais pas et s'en sortir était courant. Mais tout se passait entre jeunes et parmi d'autres jeunes, pas devant le Poorterslogie. Déjà, tout en s'efforçant de traiter le problème, Felix, qui n'était pas le plus imaginatif des garçons, se sentait paralysé par une telle monstruosité sociale. Aux paroles de Lorenzo, son estomac, sentant l'approche d'un obstacle imposssible à franchir, commença d'éprouver des douleurs fulgurantes comme les éclairs d'un orage d'été. Son esprit conscient, lui, était simplement sous l'influence de la fureur. Il se lança en avant, leur cracha des injures à la face.

Cette fois, ils tinrent bon. Ils se laissèrent malmener. L'un d'entre eux, de temps à autre, essayait bien de parler mais c'était pour trouver le poing de Felix tout près de sa bouche. La situation était ridicule. Lorenzo, le premier, se reprit. Il se pencha, voulut, avec les meilleures intentions, prendre Felix par le bras. Felix lui mordit cruellement la main. Lorenzo déclara avec colère :

– Fort bien. S'il refuse d'y croire, c'est son affaire.

Et il s'éloigna.

Les plus jeunes des garçons se rapprochèrent. John Bonkle, le visage empourpré, dit :

– Oh, ça suffit. C'est de mal en pis. Tu n'aurais jamais dû le lui dire ici, Jan.

Jan Adorne se retourna.

– Il le fallait bien. Il refusait de sortir. Il faut bien qu'il soit au courant, non? Sinon il va rentrer chez lui et trouver...

– ... au lit... fit l'un des plus jeunes, celui qui avait lâché cet ébrouement.

– ... le nouveau père de Felix! fit un autre. Claes!

Pris de fou rire, ils se tenaient l'un à l'autre en vacillant. Derrière, à l'entrée de l'Ours Blanc, un certain nombre de membres échangeaient des regards, et le bruit, à l'intérieur, avait considérablement diminué. Ce fut Anselm Sersanders qui s'en rendit compte. Il se pencha en avant et, cette fois sans encombre, prit Felix par le coude.

– Vous autres, ordonna-t-il, allez-vous en. John, aide-moi. Jan, tu ferais mieux de venir avec nous.

Felix, après avoir eu la tête en feu, se sentait tout à coup glacé. Il demanda :

– Qu'est-ce... Ce n'est pas vrai?

Il marchait, entre Jan Adorne d'un côté, et le cousin de Jan,

Anselm, et John Bonkle, de l'autre. Son pourpoint était grand ouvert, révélant sa chemise tachée, et ses chausses, il le sentit, étaient humides.

Derrière lui, un groupe d'hommes s'entretenaient sur le seuil du Poorteslogie. Son estomac se rebella. Il dit désespérément :

– J'ai besoin de... Ce n'est pas vrai, n'est-ce pas ?

Ils se trouvaient au cœur même du quartier des affaires de Bruges mais ils surent lui trouver un coin isolé pour se soulager, sous les encouragements, cependant, d'un groupe de bateliers ivres. Ils lui firent ensuite descendre la berge du canal et trempèrent son mouchoir dans l'eau. Il tremblait.

– Jamais, dit-il, vous n'aviez rien fait de plus... C'était cruel. Une méchante manière, déloyale, abominable...

Il les vit se regarder l'un l'autre. La pierre qui lui avait pesé sur l'estomac lui obstruait à présent la gorge. Il reprit :

– Je vais à la taverne. Je ne veux plus vous voir.

Mais ils ne bougeaient pas. Lui non plus. Tout son corps fut secoué de haut-le-cœur. Le malaise passé, il enfouit son visage au creux de ses mains et sanglota.

John Bonkle lui posa une main sur l'épaule, fit une grimace à l'adresse de Jan Adorne.

– Vas-y, dit-il. Il vaudrait mieux qu'il entende ce que tu sais.

Ce fut Henninc, qui, tout en détaillant la tenue inhabituelle de sa maîtresse, lui apprit que jonkheere Felix était allé au Poorterslogie. Jusqu'à présent, Henninc et le reste de la maisonnée ne savaient rien. Au retour de l'Hôtel de Jérusalem, Nicholas avait conduit la demoiselle dans la maison et y était resté, lui aussi. On ne pouvait annoncer la nouvelle aux gens de Marian de Charetty avant d'en avoir fait part à son fils. Et le fils de la famille, suggéra Nicholas, non sans ironie, pouvait tout aussi bien l'apprendre à l'intérieur qu'à l'extérieur.

Marian de Charetty demeurait silencieuse. Elle pensait à la nouvelle qui devait se répandre par la bouche des témoins de la matinée. Felix trouverait bien amer de l'apprendre par la rumeur publique mais son orgueil l'empêcherait de faire un esclandre dans un lieu comme l'Ours Blanc. Il rentrerait vite à la maison. Nicholas avait demandé à sa future épouse de parler avant tout à son fils. Elle aurait été plus avisée de l'écouter. Il ne lui en avait pas fait le reproche. Sans doute ne lui reprocherait-il jamais rien, pas plus que Henninc n'y songeait. Il ne lui appartenait pas de le faire, même si, lorsqu'il était question d'affaires, et qu'il oubliait sa position, il lui parlait d'égal à égal.

Elle tenait à se débarrasser au plus tôt d'une autre déplaisante corvée et avait prié meester Gregorio de lui envoyer Tilde et Catherine dans sa chambre. Elle avait bien répété d'avance les mots qu'elle allait employer pour tout leur dire. Elle leur offrit, simplifiée, la version que connaissaient Adorne et les autres. Parce que Claes était intelligent et habile, et parce qu'ils avaient tous pour lui beaucoup d'affection, elle lui avait demandé de l'aider à diriger ses affaires, afin qu'il restât pour toujours avec eux. Mais un homme et une femme qui habitaient ensemble devaient se marier. Claes, qu'elles devaient apprendre à appeler Nicholas, était donc maintenant son second époux. Bien sûr, il ne remplacerait jamais leur père. Elles devaient le considérer comme elle le faisait elle-même. Comme un ami.

Catherine se montra déconcertée. Dorénavant, Claes rapporterait d'Italie des présents pour sa mère, et non pour elle. Elle fut rassurée. Tout serait comme auparavant. S'il y avait des présents, tout le monde, bien entendu, en aurait sa part. Simplement, Claes travaillerait dans la maison et non plus dans la cour. Et il faudrait l'appeler Nicholas. Catherine se jugea satisfaite.

Tilde, elle, était devenue très pâle. Elle déclara :

– Aucune, parmi nos amies, n'a vu sa mère épouser un serviteur.

Sans laisser à Marian le temps de répondre, sa fille cadette interrompit avec indignation :

– Claes n'est pas un serviteur!... Nicholas.

– Qu'est-il donc? demanda Tilde. En avez-vous parlé à Felix?

– Je lui en parlerai dès qu'il sera là, dit Marian. Tilde, vous avez toutes deux raison, Catherine et toi. Nicholas est un serviteur parce qu'il est né dans cet état. Mais quelqu'un, parmi vos relations, connaît-il une femme qui ait épousé un jeune homme aussi avisé? Vous savez qu'il diffère par ses qualités de tous ceux qui travaillent dans la cour, même Henninc.

– Avez-vous songé à prendre Henninc pour époux? s'inquiéta Tilde. Pourquoi pas Oudenin de Ville? Il a votre âge. Aurez-vous un enfant?

Marian lança un regard scandalisé à sa fille. Elle ne s'attendait pas à cela. Elle entendit la voix indignée de Catherine.

– C'est notre mère et elle n'a pas besoin d'autres enfants.

– Vraiment? dit Tilde. Alors, c'est notre nouveau père qui nous en donnera. Encore que nous aurons bien du mal à savoir si ce sont les siens ou ceux de Felix.

– Que veux-tu dire? demanda posément Marian.

– Vous ne voyez donc rien! Ne savez-vous pas qu'ils se vendent leurs maîtresses? Mabelie est passée de Simon de Kilmirren à Claes, puis à John Bonkle et à Felix qui la lui a achetée. C'est ainsi qu'il réclamait les huit livres parisis.

La porte s'ouvrit sur Nicholas. Marian se redressa lentement. Tilde, tournant le dos à sa mère, marcha droit sur le jeune homme. Parvenue devant lui, elle cracha sur ses vêtements et sortit de la pièce.

Catherine levait un petit visage tout chiffonné.

– Oh, mon Dieu, de la mauvais humeur, fit Nicholas, en frottant soigneusement son pourpoint avec son mouchoir. Croyez-vous que cela tache?

Il s'assit, sans cesser de frotter le tissu.

– Je me demande... reprit-il. Qu'en penses-tu, Catherine? Crois-tu qu'elle s'habituera à cette idée? C'est très difficile de patiner avec quelqu'un un jour et de découvrir le jour suivant qu'il va désormais patiner avec toi chaque hiver.

Catherine s'accrochait à sa mère, mais son visage s'éclaira. Elle dit toutefois d'un ton de reproche:

– Elle a dit que tu avais vendu Mabelie à Felix.

– Je suis sûr que non, riposta Nicholas en souriant. Mabelie m'a bien déçu. Sais-tu qu'elle m'a préféré John Bonkle? Après quoi, un soir, Felix a trop bu et il s'est dit qu'il pourrait la racheter à John. Mais on n'achète pas des gentilles filles comme Mabelie. Elle est toujours la bonne amie de John. As-tu un bon ami?

– Je t'aime bien, déclara Catherine.

– Allons, tant mieux, dit Nicholas. Mais tu vas être obligée de me partager avec Tilde et ta mère. Et tu sais que Tilde est bouleversée. Alors, il faut que nous soyons très calmes et très gentils avec elle jusqu'à ce qu'elle s'habitue à tout ça. A présent, tu vas rester avec ta mère. Chère dame?

Marian prit Catherine sur ses genoux, leurs deux joues souriantes appuyées l'une à l'autre. Je ne dois pas oublier. Je ne dois pas oublier qu'il est avec moi. Je ne suis pas seule.

– Oui, Nicholas? dit-elle.

– J'ai demandé qu'on m'envoie Felix, lorsqu'il arrivera, afin qu'il me voie avant de voir sa mère. Voulez-vous m'accorder cette faveur?

La veille encore, elle aurait refusé. Ce jour-là, elle savait déjà qu'elle ne pourrait venir à bout de Felix. Dieu juste, elle n'était même pas capable de venir à bout de Tilde. Elle approuva d'un signe.

– A mon avis, continua Nicholas, mieux vaut laisser Tilde seule aujourd'hui. Catherine, voudrais-tu, pour cette nuit, coucher avec ta mère? Vois-tu, Tilde est furieuse et elle pourrait dire des choses qu'elle ne pense pas. Mais ça lui passera.

Catherine le regardait.

– Je ne sais pas, dit-elle. J'espérais que tu m'épouserais, mais Tilde, je crois, pensait réellement qu'un jour, elle serait ton épouse et qu'elle aurait des enfants. Voilà pourquoi elle a été si fâchée par cette histoire de Mabelie. Elle regardait toujours si Mabelie avait grossi, si elle allait avoir un petit enfant.

Nicholas retrouva son sourire.

– Eh bien, si jamais elle en a un, ce sera celui de John Bonkle. Moi, je n'ai pas l'intention d'avoir des enfants, je peux te le dire. Tilde et toi, vous me suffirez.

– Et Felix, précisa Catherine.
– Et Felix, confirma Nicholas.
Par-dessus la tête de la fillette, il regardait la mère.

Très vite après cela, la nouvelle d'un délectable petit scandale commença de se répandre dans Bruges. Parce que, ainsi que l'avait déclaré quelqu'un, Felix avait tout ce qu'il fallait pour devenir un homme, il rentra seul chez lui, cet après-midi-là, traversa la cour et pénétra dans la maison. Là, meester Gregorio, qui guettait son arrivée, se plaça sur son chemin.
– Jeune maître?
L'appellation le surprit. Mais il crut comprendre : l'événement qui s'était déroulé dans un tel mystère était probablement encore ignoré ici même. D'un air neutre, il se prépara à entendre ce que l'homme avait à lui dire. Sersanders lui avait prêté son manteau, pour dissimuler le pourpoint gâté et tout le reste. Anselm s'était montré très gentil, bien que son oncle eût été l'un des traîtres. Tous les amis de Felix, à bien y réfléchir, avaient finalement été très gentils. Chacun d'entre eux l'aurait bien accueilli pour la nuit. Mais il fallait encore affronter le lendemain matin. Et les visages de leurs parents.
Gregorio, qui avait pris l'air d'un homme chargé d'un message, avait apparemment changé d'avis. Il hésita avant de dire :
– Pardonnez-moi, jonkheere, je crois que vous avez appris une nouvelle.
Le dos de Felix se raidit.
– Vous êtes au courant, je vois, dit-il.
Le visage anguleux de l'homme ne se radoucit pas.
– Simplement parce qu'on m'a demandé de rédiger le contrat qui sauvegardait vos intérêts. Votre mère nourrissait l'espoir de vous trouver ici à son retour. Dans le cas présent, elle espère votre visite quand vous aurez vu Nicholas... Elle a connu une dure et pénible journée, ajouta Gregorio, après une pause.
– Claes, dit Felix.
– Peu lui importe, j'en suis sûr, le nom que vous lui donnez. Je devais vous dire qu'il est disposé à vous retrouver dans votre chambre, si vous l'y mandez.
Le mander. Claes, le dos nu, attendant patiemment son châtiment. Claes, le modèle de soumission, qui ne tenait rigueur à personne quand ses combinaisons échouaient, quand on brisait ses inventions. Eh bien, aujourd'hui, on allait le contraindre à regretter ce qu'il avait fait, et il s'en souviendrait jusqu'à la fin de ses jours. Felix allait parler, mais il se souvint qu'aux yeux de cet homme, Claes était l'époux de sa mère.
– Ayez la bonté, dit-il, de demander à Nicholas de se présenter dans ma chambre d'ici une dizaine de minutes. Je désire me changer. Ensuite, j'irai voir ma mère.

L'homme hocha la tête et s'éloigna.

Felix trouva dans sa chambre Tilde endormie sur son lit, le visage gonflé par les larmes. Il la réveilla, la prit dans ses bras, lui caressa les cheveux tandis qu'elle essayait de parler entre des hoquets de pleurs. Ils étaient ainsi enlacés quand ils entendirent frapper à la porte : Claes était là. Sans lâcher sa sœur, Felix lui cria :

– Tu arrives trop tôt. Retourne là où tu loges habituellement.

La surprise avait coupé court aux sanglots de Tilde. Elle leva les yeux vers son frère.

– Tout ira bien, lui dit-il. Je vais tout arranger. Essuie-toi les joues et va dans ta chambre. Catherine s'y trouve ?

– Non, je ne crois pas. Nicholas a décidé qu'elle devrait passer la nuit avec notre mère. Elle prend son souper en bas.

– Alors, va, Tilde. Je viendrai te rejoindre.

Après le départ de sa sœur, il passa une chemise et des chausses propres, enfila un pourpoint. Derrière la porte, Claes l'attendait, adossé aux boiseries du couloir. Il déclara :

– Vous savez bien où je couche. On ne peut y deviser seul à seul.

Felix retint le battant, laissa entrer son visiteur, referma la porte. Il n'avait encore jamais vu le pourpoint sombre que portait Claes. La chemise, elle, n'était pas très neuve.

– On m'a annoncé la nouvelle au seuil du Poorterslogie, commença Felix. C'est peut-être toi qui avais machiné cela aussi.

– Votre mère pensait vous trouver ici, dit Claes. Il me faut vous parler. Ensuite, vous la rejoindrez promptement. Elle a besoin de vous.

– Comment l'as-tu amenée à agir ainsi ? demanda Felix.

Il était à peu près vain de poser des questions. Claes, il le savait, aurait toutes les réponses. Jamais il n'avait voulu reconnaître l'intelligence de Claes. Julius non plus.

– J'ai déployé trop rapidement vos affaires, expliqua le garçon. Vous serez bientôt prêt à les diriger, mais, en attendant, votre mère n'a personne à qui faire confiance. Elle m'a proposé une association, sous forme de mariage. Sans plus. Je n'ai aucune part dans vos biens, ils vous appartiennent en propre à tous deux, elle ou vous. Je peux vous dire, puisque ce sera de notoriété publique, que je respecte et honore votre mère, et qu'il n'est pas question pour moi de partager sa chambre. La famille est propriétaire de tous les biens et commerces. Je suis. moi, le compagnon de la famille et son facteur.

– Depuis quand nourrissais-tu ce projet ? questionna Felix.

– Nous en avons parlé pour la première fois hier au soir et nous avons pris la décision ce matin, répondit Claes.

– Et tu l'a mis vivement à exécution, pour le cas où je m'y opposerais ? Sans doute le puis-je encore.

– Non, affirma Claes. Tout a été prévu. De toute façon, la nouvelle doit commencer à se répandre. Revenir en arrière ne ferait qu'empirer la situation sans rien changer aux faits. La rapidité, c'était pour couper court aux commérages, et aussi parce que je dois bientôt partir pour l'Italie. Et auparavant, j'ai beaucoup à faire. Je comptais sur votre aide...

– Souvent, tu l'imitais, dit soudain Felix. Dans le temps...

Il s'interrompit.

– Il y a longtemps de ça, déclara Claes. Je vis ici depuis l'âge de dix ans. Croyez-vous que je pourrais vous faire tort, aux uns ou aux autres?

Felix songea à la berge du canal. Un son, qui commençait comme un rire incrédule, sortit de sa bouche. Il faisait face à Claes. Ni l'un ni l'autre n'avait bougé, depuis le début de l'entrevue.

Il reprit:

– Tu l'as convaincue d'épouser un homme de peine de vingt années plus jeune et de lui donner la responsabilité de ses affaires. De préférence à moi. Je suis l'héritier Charetty. Elle n'a besoin d'aucun autre homme dans ce rôle. Les ouvriers ne le supporteront pas. Et, comme tu n'es qu'un serviteur, élevé par ses soins à elle, la ville n'acceptera pas de croire au conte merveilleux selon lequel vous vous êtes mariés pour sauvegarder nos biens. On pensera qu'elle... qu'elle...

La voix de Felix se brisa.

– A mon avis, reprit-il, Tilde ne voudra plus jamais sortir.

Claes, pour la première fois, fit un mouvement. Felix dit d'un ton cinglant:

– Et tu prétends que tu ne veux pas nous faire de mal. Tu as bel et bien désiré nous en faire à tous. Toutes ces fois où tu offrais l'autre joue. Toutes ces corrections que tu acceptais. C'est la revanche que tu avais en tête, n'est-ce pas?

Il avait eu tout le temps d'y songer: sur la berge du canal, sur le chemin du retour. Il n'avait pas confié à ses amis toutes ses réflexions, mais ils ne l'avaient pas contredit lorsqu'il lui était venu à l'esprit que Claes savourait enfin une vengeance merveilleuse, raffinée. Ils ne pouvaient pas le contredire. C'était vrai. Il ne pouvait y avoir aucune autre raison. Sa mère était une vieille femme. Et Claes était capable de faire faire à presque tout le monde ce qu'il voulait. Surtout les femmes.

– Une revanche sur quoi? questionna le garçon. Personne ne m'a fait de mal. J'ai de l'affection pour vous.

Il s'y prenait toujours ainsi pour apaiser la cuisante douleur d'un aiguillon: il refusait de se battre.

– Si tu as de l'affection pour nous, pourquoi nous exposer à un scandale public? demanda Felix. Pourquoi faire de ma mère un objet de raillerie? Pourquoi ruiner l'avenir de Tilde, celui de Catherine? Que crois-tu que j'aie ressenti, devant le Poorterslogie? Que crois-tu que j'éprouverais si je me tenais à l'écart pour regarder mon propre valet diriger les établissements de ma mère? Et quel bénéfice tirerons-nous, si nos ouvriers se refusent à prendre tes ordres, si les marchands nous tournent le dos et se moquent de nous. Tu es peut-être habile mais quelle expérience possèdes-tu, comparée à la leur? Tu ruineras notre crédit? Et, dans ce cas, il ne restera plus rien, ni pour moi, ni pour ma mère, ni pour mes sœurs.

– Si ce mariage ne s'était pas fait, déclara Claes, votre mère aurait vendu l'établissement. Ou bien elle aurait épousé Oudenin.

– L'un ou l'autre aurait mieux valu, fit Felix. Quoi qu'il en soit, nous allons faire pour le mieux. Tu pars dès ce soir. Tu peux prendre un cheval. Je te donnerai assez d'argent pour te mener jusqu'à Genève. Jaak de Fleury t'accueillera chez lui, je n'en doute pas. Tu es le bâtard de sa nièce. Sinon, tu te trouveras toi-même de l'ouvrage. Cela te sera facile, j'en suis sûr. Tu découvriras bien une affaire à diriger pour quelqu'un d'autre. Ou bien, à présent qu'on t'a appris à te battre, tu pourrais te faire engager par un condottiere. Mais tiens-toi à l'écart d'Astorre et de notre compagnie. Tu n'en fais plus partie. Nous ne voulons plus rien avoir à faire avec toi. Est-ce clair?

– Oui, tout à fait clair, répondit Claes. Vous devriez en parler avec votre mère. Et si elle allait ne pas être d'accord? C'est elle qui tient les cordons de l'escarcelle.

Felix ouvrit de grands yeux.

– Tu me menaces?

– Non. J'espère seulement que vous trouverez à vous employer. Voyez-vous, pour elle, vous passez avant tout le reste, et il en sera toujours ainsi. Mais, si vous lui demandez, en ce moment précis, de choisir entre vous et moi, la simple fierté l'obligera à me choisir, moi. Vous feriez mieux de tenter la chose un peu plus tard.

– Les amis de mon père... La ville te chassera.

– Peut-être.

– Henninc s'en ira.

– Rien ne vous empêche de le faire revenir, une fois que j'aurai été chassé de la ville. Écoutez. Une seule erreur, et je suis fini, vous le savez... Bien avant que j'aie eu le temps de ruiner le commerce de votre mère. Vous n'avez pas besoin de vous montrer pour aider ou pour approuver. Gregorio peut m'accompagner aux réunions. Si je l'ai suggéré, c'est parce que vous pourriez ainsi garder un œil sur moi. Mais vos conseils seraient sans nul doute bienvenus. La mise à la porte d'Olivier est la meilleure chose qui ait pu arriver à Louvain.

Il avait réponse à tout. Où que se porte la pensée, il était là, il vous y attendait déjà. Il devait avoir tout étudié. Un contrat de mariage irréprochable. La mère de Felix avait été si adroitement gouvernée qu'elle était convaincue qu'il s'agissait là de la meilleure des solutions. C'était à lui que revenait la triste besogne de la désabuser. A moins qu'il ne pût lui prouver...

Claes reprit :

– Nous devons annoncer la nouvelle aux ateliers et aux domestiques de la maison avant qu'ils ne s'arrêtent pour la nuit. Votre mère s'en chargera. Votre présence n'est pas indispensable. Mais pourquoi ne pas aller la trouver dès à présent pour vous assurer que tout a vraiment été fait selon ses désirs ? S'il en est autrement, je ne vous en voudrais ni à l'un ni à l'autre. Vous ne pourrez pas rompre le mariage, mais je partirai. Gregorio réunira tout le monde, et nous leur ferons part de la décision finale. Est-ce assez juste ?

– Pas vraiment, dit Felix. Tu as disposé d'une nuit et d'un jour pour l'amener à se décider. Et, avant cela, j'en suis sûr, des semaines pour l'y préparer. Moi, je dispose de quelques minutes.

– Mais vous êtes son fils, dit Claes.

Felix était décidé à affronter sa mère. Il ouvrit la porte et dit à Claes :

– Regagne ton logement et attends.

Et Claes s'en fut, sans résistance, comme s'il n'était pas le mari de sa mère. Felix sentit sa gorge se serrer une fois de plus. Il attendit, le temps de se reprendre. Enfin, il sortit pour aller frapper à la porte de sa mère.

Être seul pour la première fois à dix-sept ans est une chose effrayante.

Il était arrivé un certain nombre de fois à Felix de se trouver ainsi, devant la porte du cabinet de son père, à rassembler assez de courage pour frapper, pour entrer, pour affronter la colère de Cornelis devant quelque frasque indigne du fils unique et adoré de Cornelis.

Cornelis n'avait jamais vraiment su qui était Felix. Sa mère, elle, le savait, et il lui était souvent arrivé de le gifler plus sévèrement que son père, mais elle avait toujours été là, au second plan, sévèrement compréhensive. Même lorsqu'il se rebellait contre elle, il se sentait en sécurité. Ce n'était plus le cas. Il se sentait tellement vide que sa main ne tremblait même pas lorsqu'il la leva enfin pour cogner à la porte de sa mère. Il avait froid, c'était tout.

Il n'entendit pas de réponse et frappa de nouveau, pas bien fort. Il comprit alors que le son qu'il avait perçu l'instant d'avant était la voix de Marian, lui demandant d'entrer. Elle le lui disait encore, pour la seconde fois. Précautionneusement, il poussa le battant.

Sa mère était seule dans son cabinet, assise derrière sa grande table. Raide comme lorsqu'elle recevait Henninc ou Julius. Toute la lumière de la fenêtre tombait sur Henninc ou sur Julius, et très peu sur elle-même. La seule différence dans son attitude était qu'elle avait posé les coudes sur le tapis vert et croisé ses mains devant ses lèvres, comme si elle soufflait dedans pour les réchauffer. Plus haut, ses yeux, sans doute, inspectaient ses vêtements propres, son teint brouillé. Peu lui importait qu'elle vît le mal qu'elle lui avait fait. Elle le méritait bien. Il s'approcha alors encore un peu, s'aperçut qu'elle avait les yeux clos.

Quelques pas de plus l'amenèrent tout près de la table. Au lieu de le regarder, elle plissa plus étroitement les paupières. Enfin, elle ouvrit les yeux, abaissa ses mains. Sa voix, quand elle parla, aurait pu faire croire qu'elle avait la langue collée au palais.

– Ton compagnon te comprenait mieux que moi, dit-elle. Nicholas m'a suppliée d'aller te trouver ce matin pour tout te dire.

Il se tenait devant elle.

– Vous diriez cela de toute manière, fit-il.

Depuis qu'elle les avait rouverts, les yeux de sa mère n'avaient pas quitté son visage. Elle reprit :

– Regarde-moi comme un adulte regarde un autre adulte. Pense à Nicholas comme le ferait un adulte. Pense à tout ce que tu sais de lui, de moi, de toi. Aucun de nous trois ne mentirait à un autre.

Il s'aperçut que sa respiration était redevenue normale, se redressa légèrement.

– Mais vous ne m'avez rien dit. De peur, sans doute, que je ne m'oppose à cette union.

– Oui, fit-elle.

Il aurait voulu l'entendre continuer, protester, s'expliquer, lui donner matière à nourrir sa colère.

– Ainsi, dit-il, peu vous importait ce que j'éprouvais, n'est-ce pas ? Votre seul désir était d'en finir avec le mariage avant que j'entendisse parler. Vous saviez que ce serait... que je serais...

– Je savais que tu le jugerais inconcevable, oui. Voilà pourquoi j'espérais pouvoir tout arranger afin de te donner le temps d'y réfléchir. Felix, tu connais parfaitement Nicholas. Le crois-tu capable de vouloir me prendre au piège du mariage dans son propre intérêt ? Vraiment ?

Claes ? D'un bout à l'autre de l'année, à ses côtés. Mais...

– Voyez-vous, dit Felix, il est très habile.

Le visage de Marian de Charetty se détendit, comme si elle savait ce que lui coûtait cet aveu.

– Il est sagace, aussi, insista-t-elle. Si tu penses que tu auras du mal à garder la tête haute en public, tu dois savoir qu'il éprouve la même impression. Il sait ce que vont dire les gens. Et moi aussi. Nos raisons pour agir de la sorte doivent donc être bien puissantes, ne crois-tu pas ?

– Vos affaires, dit Felix.

Il prononça le mot d'une voix monocorde, sans le mépris incrédule qu'il avait éprouvé lorsqu'il avait encore des sentiments.

Il poursuivit :

– Il vient de me dire que c'était pour préserver vos affaires jusqu'au moment où je pourrai les mener. Comme si j'en avais envie à ce prix. Comme si mon père aurait jamais consenti, vous aurait jamais demandé de... de...

– D'épouser l'un de ses apprentis, acheva sa mère à sa place.

Il l'entendit respirer profondément.

– Non. Ton père n'aurait jamais voulu cela. Mais ton père est mort. Moi, je suis toujours là. Quant à l'affaire elle n'est plus telle que ton père l'avait fondée. Elle est déjà bien différente, et ne cessera de croître. Je veux l'accompagner dans sa croissance, passer mes jours à penser à elle. Toutefois, je ne puis le faire sans aide. Tant que tu ne seras pas prêt, il me faut un homme à mes côtés. Felix, je ne veux pas d'un homme qui prendrait la place de ton père. Je veux simplement un ami.

Elle se tut un instant, avant de continuer :

– Et l'on saura, je te le promets, que Nicholas n'est rien d'autre qu'un ami.

Il se sentait de nouveau les joues brûlantes : de tels détails n'auraient pas dû être évoqués, même vaguement. Tout avait l'air si raisonnable. Mais il était l'héritier, et Nicholas était à peine plus âgé que lui. Et Nicholas, tout le monde le savait, était à son service.

Sa mère avait repris la parole.

– Les hommes possèdent des dons différents à des âges différents. Il arrive qu'on doive rester à l'écart pour voir quelqu'un d'autre remporter le prix, mais nous aurons notre tour. Seul, un esprit mesquin voudrait en retenir un autre sur la route du succès. En la personne de Nicholas, nous avons un ami, toi et moi. En toi, j'ai un fils. Quel événement pourra jamais changer cela ?

Quelque chose glissa sur la joue de Felix, mais il était incapable d'imaginer qu'il pleurait sans le savoir.

– Il vient d'affirmer qu'il partirait si vous le désiriez, déclara-t-il. Il a dit que je ne pouvais pas espérer vous voir me choisir plutôt que lui en ce moment, mais que je pouvais vous le demander, et que ce serait peut-être possible par la suite.

Sa mère prit un certain temps pour répondre. Elle demanda ensuite :

– Comment pourrais-je te choisir au lieu de lui ? Tu es mon fils. Où que tu sois, tu es choisi. Et, Felix comment t'enrichiras-tu si Nicholas nous quitte, sans nous associer à ses projets, si notre négoce tombe en ruine, si je dois abandonner tout ce qui a fait ma vie ? Est-ce ainsi qu'un homme prend sa place dans le monde ?

Il comprit alors, à la fraîcheur qui envahissait son menton, qu'il pleurait bel et bien. Il dit :

– J'étais au Poorterslogie.

Il serra les dents contre la douleur qui lui étreignait la gorge. Entre ses paupières papillotantes, il lança un coup d'œil vers la table. De nouveau, elle avait porté les mains à sa bouche, puis à son front. Ainsi abritée, elle dit :

– Je voudrais pouvoir recommencer toute cette journée pour t'épargner cette épreuve. Tu aurais dû être averti. J'ai eu tort. Pour être juste, c'est moi qui devrais partir. Peut-être, un jour, Nicholas et toi déciderez-vous de me quitter. Je le mérite.

Ses lèvres s'étaient déformées, comme pour un sourire ironique. Elle abaissa alors ses mains, et il lui vit un visage strié de larmes, des larmes qui roulaient sur une peau déjà luisante de pleurs. Il se lança alors dans ses bras et leurs joues mouillées se pressaient l'une contre l'autre. Pour la toute première fois, elle avait avoué une erreur. D'un adulte à un autre, avait-elle dit.

Dans les propos décousus qui suivirent, il s'entendit lui assurer qu'il désirait la voir heureuse. Il comprit, sans qu'aucun mot eût été prononcé, qu'un peu du bonheur de sa mère était lié à la présence de Nicholas. Ce n'était pas absolument nouveau. C'était là, somme toute, le fondement de sa détresse. La tête posée sur le genou de sa mère, il se laissa caresser les cheveux jusqu'au moment où il eut repris son sang-froid. Il dit alors :

– C'est fait. Eh bien, si vous le souhaitez vraiment, je vous aiderai.

Un adulte pouvait se permettre de se montrer magnanime. Il était son fils. Elle était femme, assez faible pour avoir besoin du concours de Claes, son valet. Il pouvait faire cela pour elle. Ce que ce sacrifice entraînerait, dans le détail, il préférait n'y point songer. Ce jour-là, au moins, sa pauvre mère pouvait se reposer sur lui.

Il attendit qu'elle lui posât un baiser sur le front. Elle hésita, se contenta de lui caresser et de lui tapoter l'épaule quand il se remit debout. Ses yeux humides, inquiets, l'observaient. Il renifla ses larmes, se pencha et l'embrassa fermement.

28

Messer Gregorio travaillait sans bruit, un œil sur la porte ouverte. Il entendit le pas de sa maîtresse et il était déjà debout lorsqu'elle pénétra dans la pièce. Elle venait lui demander de rassembler, comme convenu, tous ses gens dans le plus vaste des hangars et d'y placer une caisse pour y monter. Ses paupières étaient un peu rougies, mais elle parlait calmement, sans un tremblement dans la voix. Elle ajouta :

– Henninc vous aidera. Je l'ai prié de venir dans ma chambre, afin de lui annoncer la nouvelle en premier.

Irréprochable. Irréprochable du début à la fin. Seul, le retard apporté à faire part à son fils de l'événement avait constitué une erreur. On voyait mal comment le serviteur de ce fils pourrait y remédier.

Gregorio d'Asti fit ce qui lui avait été demandé. Bientôt, Henninc, le visage empourpré, les lèvres serrées, le rejoignit. Tout comme lui-même, remarqua Gregorio, Henninc ne faisait aucune réponse aux questions de ses sulbaternes. Très vite, dans un tapage semblable à celui d'une volée d'étourneaux, se déversa, de la maison et des ateliers dans la remise, la somme de ceux qui étaient au service des Charetty. Des journaliers teinturiers aux gamins qui s'occupaient de la sellerie ; de la royale autorité de la cuisinière aux servantes qui lavaient les sols et épluchaient les légumes.

La demoiselle parut enfin, dans sa plus belle tenue. Son nouvel époux ne l'accompagnait pas. Elle était au bras de son propre fils, Felix de Charetty, assez pâle, et vêtu d'une jaque qui n'était pas assortie à son pourpoint. Une porte claqua. L'architecte de toute l'affaire traversait la cour d'un pas décidé. Les têtes se tournèrent vers lui. Les sourires, remarqua Gregorio, étaient dépourvus de rancœur. Claes, en retard, faisait son apparition. Devenu courrier, il était à présent plus important qu'eux tous, mais c'était toujours Claes. De loin, grand et bien bâti, il avait assez bonne allure.

Il pénétra dans la remise, sans ombre de triomphe, de honte ou d'embarras sur le visage, et chercha Gregorio du regard. Il le trouva, en compagnie de Henninc, assez près de la demoiselle et de son fils, sans être cependant à leurs côtés. Nicholas fendit la foule pour les rejoindre et tourna la tête vers la veuve. Celle-ci monta sur la caisse. Un grand silence se fit.

Ce n'était pas la première fois qu'elle convoquait une telle assemblée. Après tout, elle dirigeait l'entreprise depuis la mort de son époux. Elle commença par les remercier pour l'aide qu'ils lui avaient apportée et pour leur loyauté. Elle poursuivit en parlant de la période difficile consécutive à la mort de son mari, des changements dans le genre de travail que demandaient les clients, des différentes sortes d'affaires qui rapportaient de l'argent ou n'en rapportaient pas. Il avait été prouvé, dit-elle, au cours de l'année précédente, que les affaires convoitées par les Charetty étaient profitables et à condition d'évoluer avec son temps, pouvaient l'être davantage encore. Elle était heureuse de leur en faire part : elle espérait qu'ils pourraient tous rester avec elle pour partager une richesse probable.

Dans toutes ses activités elle avait été grandement assistée. En tout premier lieu par Henninc. Par messer Julius, absent pour l'heure, qui reviendrait et l'aiderait plus encore. Mais aussi par l'un d'entre eux. Par Claes, qu'ils avaient appris à appeler Nicholas depuis qu'il était devenu courrier. Depuis six mois, une grande partie des bonnes idées sur la conduite des établissements étaient venues de Claes. Il possédait un don dans ce domaine. Il aurait pu mettre ce don au service d'autres marchands et les mener ainsi au succès. Mais, afin de le convaincre de rester avec la maison Charetty, elle avait pris, elle, la propriétaire, une importante décision.

Nicholas était un jeune homme de bel avenir. Elle faisait donc de lui son associé. Comme auparavant, Henninc dirigerait les ateliers et ferait bénéficier Nicholas de ses excellents conseils, comme il l'avait fait pour elle. Messer Gregorio remplacerait mester Julius en attendant son retour et le seconderait ensuite. Et, ajouta-t-elle, son propre fils Felix se tiendrait aux côtés de Nicholas, pour s'assurer que tout se passait bien et, le moment venu, pour prendre la place de sa mère comme autorité suprême.

Elle marqua une pause, dans l'attente des murmures, des exclamations, des mouvements de têtes. Gregorio, discrètement, observa ses compagnons. Henninc, encore très rouge, regardait droit devant lui, sans voir personne. Le jeune Felix se tenait rigide aux pieds de sa mère et considérait les assistants d'un air furieux, comme s'il les haïssait. Près de lui, Nicholas, immobile, concentrait toutes ses facultés d'observation. Il scrutait tout le monde, constata Gregorio, depuis son épouse jusqu'à ces hommes qui avaient dû être ses amis, autour des cuves à teinture.

La veuve reprit la parole :

– Vous devrez vous montrer très compréhensifs avec Nicholas : il a assumé, pour notre bien à tous, une très vaste tâche. Mais vous pouvez, je crois, me remercier de n'avoir pas amené un inconnu parmi nous. Vous vous connaissez, Nicholas et vous. Il est ici depuis longtemps. Naturellement, ce choix a soulevé une autre difficulté. Je suis veuve, vous le savez, et vulnérable comme toute femme. Je n'ai pas souhaité prendre un époux qui aurait pu me plaire mais vous déplaire à vous qui faites aussi partie, d'une certaine façon, de ma famille. Je me trouve à présent devant l'obligation de partager ma maison et la plupart de mes occupations avec Nicholas.

Felix baissa les yeux. Nicholas, au contraire, leva les siens vers celle qui parlait. Marian de Charetty le regarda, lui sourit. Elle poursuivit, d'une voix égale :

– Il existait, semblait-il, une seule solution raisonnable. Je lui ai demandé si, sans préjudice de l'affaire, dont il refuse de détenir la moindre part, il accepterait de combiner ses nouvelles tâches avec un mariage. Il a donné son accord. Un contrat de mariage entre nous a donc été signé ce matin.

Silence. Puis un son semblable à un gémissement, sur un fond de murmure. Enfin, un grondement de paroles. Les notes les plus aiguës venaient de femmes. Les sourires, Gregorio les vit sur les visages des femmes. Et il devina leur pensée, aussi distincte que si elle avait été criée dans la joie : un garçon vigoureux dans son lit! Vive la veuve!

La veuve elle-même souriait aussi. Un sourire un peu figé mais réel. Si elle tremblait, on n'en voyait rien. Elle avait du courage. Il lui en avait fallu pour accepter une telle situation.

Une femme hurla : « Un ban pour la demoiselle! » Ce furent des femmes qui entamèrent le ban, mais, au troisième vivat, la plupart des hommes s'étaient joints à elles. Leurs visages étaient aussi différents les uns des autres que ceux des hommes qui vont livrer bataille. Ils ne savaient pas encore ce qu'il ressentaient.

Marian de Charetty reprenait :

– Merci. Il semblait bon de marquer l'occasion. Le soleil brille encore, je vois. Si vous voulez bien passer dans la cour, Henninc fera appel à quelques-uns d'entre vous pour l'aider à sortir un tonneau de vin, afin que vous puissiez boire à notre santé. Et à la vôtre. Et au nom des Charetty aussi.

C'était fini. La demoiselle, avec l'aide de son fils, descendait de sa caisse. Non sans quelque hésitation, certains s'approchaient déjà pour lui parler. Elle commença de leur serrer la main, l'un après l'autre. Elle leur souriait, leur disait quelques mots. Henninc avait disparu, sans rien dire, pour remplir sa mission. On vit Nicholas le suivre des yeux, mais un ou deux des hommes, parmi les plus exubérants, s'approchèrent de lui. Bientôt, un petit groupe l'entoura, de plus en plus nombreux.

Il ne fit aucune tentative, remarqua Gregorio, pour rejoindre la demoiselle et transformer l'occasion en une réception nuptiale. Les plaisanteries les plus grasses, il semblait ne pas les entendre. S'il était question de son travail ou du leur, il répondait avec empressement, avec enthousiasme même, de sorte qu'il convainquit les compagnons qui se pressaient de plus en plus nombreux autour de lui. Finalement, entouré d'un cercle d'auditeurs, il se fit d'un vieux baril un siège. Au bout d'un moment, des rires fusèrent. D'autres ouvriers traversèrent la cour pour les rejoindre.

Il restait encore assez de monde autour de la demoiselle pour satisfaire l'équité. Messer Gregorio s'approcha.

– Demoiselle, dit-il, mes félicitations. Le contrôleur du duc n'aurait pu mieux parler, ni plus sagement.

– J'avais Felix pour me conseiller, répondit-elle, en se tournant vers son fils. Le vin arrive-t-il?

Il était arrivé. Sans hâte, la foule qui entourait Nicholas se dispersa puis se reforma, autour de la table sur tréteaux où l'on disposait les gobelets. Le vin fut versé. La veuve, alors, leva son gobelet à la prospérité de tous. Après quoi, avec son fils, elle repartit vers la maison. Gregorio, intéressé, attendit.

– J'aimerais naturellement, dit Nicholas, rester ici à m'enivrer avec tous mes amis, mais vous et moi, je crois, devons rentrer. J'ai dit à Henninc qu'ils pouvaient s'emplir la panse une demi-heure durant.

Gregorio conserva son air grave. Il retint à grand-peine le désir de demander de but en blanc comment Felix de Charetty s'était laissé convaincre.

– Qu'est-ce qui vous a retardé? demanda-t-il plutôt.

– Une lettre de ... Une lettre, répondit son nouveau maître. Côte à côte, ils se dirigeaient vers la maison.

– J'en parlerai plus tard à la demoiselle. Je dois partir pour l'Italie le plus tôt possible. Le lendemain des joutes.

– Des ennuis? dit meester Gregorio.

– Des ennuis, oui, dans le sens où j'avais espéré disposer de plus de temps pour tout arranger. Ce n'est pas juste vis-à-vis de vous ou de la demoiselle. Je ferai tout ce que je pourrai avant de partir. En un sens, il n'est pas mauvais de quitter la ville assez vite. Le scandale s'éteindra de lui-même. On me cherchera publiquement querelle, mais pas à la demoiselle.

– Qui donc irait vous chercher querelle? demanda Gregorio.

– La personne à laquelle vous pensez, répondit Nicholas sans animosité. Rendons-nous à la table. Nous allons boire le meilleur vin.

Gregorio pressa le pas.

– Et l'Italie? Que se passe-t-il en Italie?

– Ce qui se passe en Italie, répondit son nouveau maître, c'est que Jacopo Piccinino a changé de côté.

L'idée était si éloignée des cuves à teinture, d'un mariage et du vin dégusté dans une salle que Gregorio fronça les sourcils.

– Le condottiere? fit-il. Il était, je pense, au service du roi Ferrante de Naples. Oui, je vois. La compagnie Charetty et le capitaine Astorre assistent à présent une armée affaiblie. Piccinino est passé aux Angevins?

– Piccinino est maintenant du parti du duc de Calabre. Oui. Ils atteignaient le seuil.

– Mais qu'y pouvez-vous? demanda messer Gregorio en ouvrant de grands yeux.

– Je dois inverser à moi seul le cours de la guerre, dit Nicholas. Non. Il y a avec Piccinino un nommé Lionetto. J'aurais horreur de le compter dans le parti adverse.

– Je ne comprends pas, fit Gregorio.

– Non, et c'est tout aussi bien, lança gaîment l'extraordinaire jeune homme. Sinon, vous feriez demi-tour pour partir sans tarder. Je vous avertis : ne restez pas ici si vous souhaitez mener une vie paisible.

Avec la nuit vint l'épuisement, pour Marian de Charetty. Les discussions, les dispositions à prendre les avaient menés fort avant dans la soirée dans la grande salle. Tilde, qui ne s'était pas montrée pour boire une coupe de vin, y avait fait son apparition à l'heure du souper, qu'elle partagea avec Felix, Catherine, Nicholas et sa mère. Les traits figés, le visage gonflé, elle avait à tout le moins répondu quand on lui parlait et, placée près de sa mère, lui avait tenu étroitement la main. Nicholas la laissa en paix et parla de joutes.

On put voir l'idée s'ancrer dans la tête de Felix et y prendre forme. On le vit, au lieu de s'exprimer par monosyllabes, commencer à guider la conversation. Personne ne s'étonna quand il dit, d'une voix forte :

– Tu as bien déclaré, n'est-il pas vrai, que nous allions bientôt, ma mère et moi, recueillir les fruits de tes entreprises? Je présume, dans ce cas, qu'elle pourrait m'offrir un cheval ou deux et un bouclier, non?

La réponse de Nicholas, calmement favorable, se heurta au refus sans ambages de la demoiselle. Elle se tourna vers Nicholas. Il déclara :

– Je ne vois pas pourquoi nous refuserions sa demande. Il est l'héritier de cette affaire. Il doit faire bon effet à l'Ours Blanc.

La veuve le dévisageait. Elle commença :

– Je croyais...

Mais elle s'interrompit brutalement.

– Vous pensiez que c'était une bien grande dépense. Moi

aussi. Mais vos gens n'ont pas bu la moitié du vin que j'avais prévu pour cet après-midi, et le mariage n'a pas coûté cher.

Il lui souriait. Le regard de Tilde, perplexe, allait de l'un à l'autre. Marian comprit que, tout naturellement, il l'avait amenée par surprise à commettre un acte de générosité.

Le repas achevé, Tilde et Felix s'en furent. Catherine était déjà endormie dans le grand lit. Pour la première fois, Marian se retrouva seule devant le feu de la salle avec son mari. Nicholas. Cornelis. Cornelis avec qui elle avait partagé une nuit de noces. Mais elle avait clairement fait entendre à Nicholas qu'il n'y en aurait pas. Il avait acquiescé. Il avait même fait en sorte que Catherine passât la nuit avec elle. C'était lui, aussi, qui avait mis au point toutes ces déclarations communes pour faire bien comprendre au reste du monde les conventions sur lesquelles reposait son mariage. Il avait fait tout cela pour elle, elle le savait.

Pour la même raison, il n'allait pas tarder à la quitter pour la chambre qu'il avait choisie pour lui-même, dans une autre aile. Après être allée se pencher sur Catherine, elle lui avait offert, à son retour, une dernière coupe de vin et avait remarqué, à la lueur du feu, qu'il avait les paupières lourdes. Elle se demanda s'il avait passé, lui aussi, une nuit sans sommeil ou s'il avait connu un repos tranquille, sans rêves.

– Je vous demande pardon, dit-il soudain. Vous devez être fatiguée, comme moi.

Il parlait comme s'ils ne s'étaient jamais trouvés ensemble. Comme si elle ne l'avait jamais soigné, le temps où il gisait là-haut sur ses oreillers, agité de songes fébriles.

– Je ne crois pas, répondit-elle, qu'il y ait encore un sujet au monde dont je veuille parler. Ah, si. Les joutes.

– Il n'y participera pas. Vous avez ma parole.

– Après tant de dépenses? demanda-t-elle en lui souriant plus largement. Deux chevaux? Un bouclier?

– Voyez comme je me suis montré généreux de votre argent. Cela lui procure... Cela lui donnera un avantage auprès de ses amis.

– Autrement dit, il pourra se vanter de tirer profit de ta bonne volonté?

– Quelque chose de ce genre. Il le mérite, d'ailleurs.

Ses paupières se fermaient.

– Dieu juste, il faut que je m'en aille, dit-il.

Il rouvrit les yeux, se mit debout.

Il marqua alors une hésitation. La demoiselle, restée assise, envahie d'une douloureuse lassitude, tenta de le contraindre sans paroles à ne rien ajouter.

– Vous allez probablement dormir, dit-il. Je serai toute la matinée dans la cour ou dans le cabinet de travail. Faites-moi quérir, si vous avez besoin de moi.

373

Il la gratifia de l'un de ses sourires spontanés. Ses yeux étaient déjà tout ensommeillés. Elle lui rendit son sourire.

– Bonne nuit, Nicholas, dit-elle.

Elle le regarda se diriger vers la porte. Une main sur la clenche, il se retourna, reprit son souffle pour prononcer quelques mots mais se ravisa, se contenta d'un autre sourire.

Elle aurait dû se tenir coite. Mais elle demanda :

– Quelle remarque allais-tu faire ?

Il restait immobile, avec ce léger sourire.

– C'était une faveur que j'avais décidé de ne pas solliciter.

Le ton de la voix de Nicholas disait clairement qu'elle n'avait pas à se formaliser.

– Eh bien, tu as changé d'avis, à présent. De quoi s'agissait-il ? demanda-t-elle, intriguée.

– Je ne connais pas la couleur de vos cheveux.

Elle redressa le menton. La chaleur du feu lui brûlait la peau. Le regard des larges yeux, qui s'attardait tout somnolent sur elle, exprimait toutes sortes de qualités désarmantes : l'affection, l'espièglerie, la prière. Le visage bien lavé, juste avant la messe, le regard pétillant de joie à l'idée de quelque innocent complot.

Marian de Charetty abandonna son siège près des flammes et, souriant, retint les yeux de l'enfant Claes, tandis qu'elle ôtait les épingles de la coiffure en turban qu'elle avait portée tout le jour. Elle n'avait pas eu le temps, ce matin-là, d'épingler sa chevelure, comme elle le faisait habituellement. Elle souleva le chapeau raidi par son armature, secoua la tête. Les cheveux se déroulèrent, coulèrent sur sa poitrine, son dos, ses épaules. Ils avaient la couleur des manches de sa robe : le ton profond du noir de fumée, mêlé à l'ocre de certaines terres, avec les échos vermillons du cinabre. C'était la première chose qu'elle avait apprise : comment teindre une étoffe de manière à flatter sa chevelure. Cornelis la comparait à la soie de Cathay.

Son second mari posait maintenant sur elle son large regard apaisant.

– Oui, je pensais bien ne pas me tromper, dit-il avec simplicité.

Naturellement, il connaissait la couleur de ses cheveux. Elle avait beau les tenir étroitement couverts, la naissance avait bien dû s'en révéler, un jour ou l'autre, sous la coiffure. Il savait qu'il n'y avait là aucune trace de gris dont elle pût avoir honte. Elle lui sourit.

– La prochaine fois, dit-elle, ils seront noirs. J'en change la couleur tous les cinq jours. A quoi servirait, autrement, de posséder une entreprise de teinturerie ?

Cette fois, le sourire de Nicholas s'élargit.

– Ce serait, je crois, une cause d'annulation. A demain.

Il ferma la porte. Elle se rassit. Sa chevelure miroitait autour d'elle.

29

Si la fête de Pâques n'était pas tombée entre son très extraordinaire changement d'état et le tournoi de l'Ours Blanc, la vie aurait pu être plus difficile pour Marian de Charetty. Dans les circonstances présentes, dès le matin qui suivit son mariage, la propriétaire de la maison Charetty vaqua avec obstination à ses démarches habituelles dans les entrepôts, les marchés, les bureaux, dans des rues qui vibraient du furieux cliquetis des métiers à tisser, des sifflements asthmatiques des pompes, du grondement des voitures à bras et des charrettes : la ville se hâtait d'en finir avec le labeur afin de se préparer aux exigences de l'Église et aux plaisirs des festivités qui allaient suivre.

Par pure curiosité, bien entendu, les gens l'accueillaient cordialement. Les amis sincères faisaient de leur mieux pour lui donner à penser qu'elle avait fait le bon choix, même s'ils étaient intimement persuadés du contraire. Les hommes d'affaires, avant toute transaction, avaient tendance à remarquer en passant mais joyeusement qu'ils devaient se tenir sur leurs gardes, maintenant qu'elle disposait de ce jeune homme pour la conseiller. Les amis de la famille Adorne se montraient à la fois polis et prudents.

Seuls, les enfants n'étaient ni l'un ni l'autre. Ils n'étaient pas nombreux, mais elle savait, lorsqu'elle entendait des rires étouffés derrière un parapet de pont, sous une volée de marches ou du seuil d'une maison, qu'ils étaient l'écho d'une réaction d'adultes : les paroles d'une mère scandalisée ou d'une servante stupéfaite.

Elle ne se sentit réellement blessée qu'une seule fois : le jour où trois voix aiguës d'enfants commencèrent à psalmodier *Mankebele! Mankebele!*... Isabelle la boiteuse, l'usurière légendaire. Elle ne chercha pas du regard d'où elles provenaient et n'en parla à personne.

Comme il l'avait promis, Nicholas avait passé sur les lieux la première matinée après le mariage et, depuis, une part de chaque journée. Un tel comportement était, bien entendu, de la plus haute importance. Il fallait apaiser les réactions dans les ateliers, panser les dignités froissées, créer un nouveau régime qui fût acceptable, et durable en son absence.

Tous deux avaient grand besoin de Gregorio, et c'était à Gregorio que Nicholas consacrait le plus clair de son temps et de son savoir-faire. Les talents du juriste ne faisaient aucun doute. Mais il devait encore faire la preuve qu'il pouvait s'entendre avec les subalternes , les comprendre. Nicholas avait piqué sa curiosité, Marian s'en rendait compte, mais il s'agissait là d'un intérêt vaguement sceptique. Avant de l'engager plus avant dans l'affaire, elle devait s'assurer de sa loyauté. En l'espace de deux semaines, sans compter Pâques. Nicholas, avec l'aide de Gregorio, prit de multiples décisions. On trouva des locataires pour certains des nouveaux bâtiments. On mit des ouvriers à l'œuvre pour réparer et transformer certains des autres. Nicholas voulait des entrepôts plus vastes, plus accessibles. On laissa donc la teinturerie, sous l'autorité de Henninc, de Bellobras et de Lippin, là où elle était, sur la rive du canal, où les odeurs et les eaux usées offensaient moins de gens. Marian de Charetty continuait à diriger l'ensemble.

La maison d'habitation et son bureau y restèrent, mais la coûteuse demeure de Spangnaertstraat devint le centre administratif de l'affaire. Marian avait là un autre cabinet de travail, assez spacieux pour y recevoir clients ou amis, si elle le souhaitait. La pièce la plus vaste était réservée à Nicholas et Gregorio qui y avaient chacun sa table, et aux secrétaires. On engagea deux autres commis, ainsi qu'un jeune garçon de courses. On prit aussi une gouvernante et un homme à tout faire, chargé entre autres de la petite écurie.

En tout cela, Marian de Charetty savait que Nicholas avait raison. Déjà, au temps où l'affaire était plus modeste, il lui avait fallu batailler pour obtenir la tenue de registres sommaires, et elle n'avait guère aidé la situation en insistant pour que Julius consacre la moitié de son temps à Felix. Le rôle fourni par Astorre, le premier depuis des années, avait encore aggravé les choses. Les contrats se traduisaient par des registres, en double pour le moins. Quand un homme se battait pour vous, il fallait enregistrer son nom, l'endroit où vivaient sa famille et ses parents, ainsi que ses armes, son armure et tous les détails de son cheval, y compris ses marques distinctives. Ces livres-là étaient généralement empilés sur des planches, avec les registres qui concernaient la teinturerie et ceux qui avaient trait aux prêts sur gages, ainsi que les livres en double de Louvain, qui devraient être vérifiés et corrigés. Au cours de l'une des brèves réunions quotidiennes, Nicholas lui avait demandé si elle consentirait à ce qu'on fît venir Cristoffels, afin de discuter de l'avenir de Louvain.

Gregorio, lui aussi, avait son mot à dire. Les projets à long terme, Nicholas ne les lui confiait pas, les prenait entièrement sous sa responsabilité. Marian de Charetty croyait être au courant de presque toutes ses occupations. Il lui faisait fidèlement ses rapports. Toutefois, lorsque tombaient sous ses yeux les suscriptions des lettres qu'il envoyait à Genève, Milan, Venise ou Florence, elle ne pouvait se défendre d'un certain malaise. Cette aventure particulière était trop importante. Il l'avait rassurée. Tout était fait sous son nom à lui. Si l'aventure échouait, il serait seul, avec ses autres associés, à en souffrir. Cela ne l'empêchait pas d'être inquiète.

Elle ne se cachait pas que tout n'allait pas pour le mieux. En son absence, certains demandaient à Claes d'où il tenait son autorité, soit par réelle ignorance, soit pour le décontenancer. Un jour, à sa grande fureur, quelqu'un avait envoyé à Marian un coursier pour lui demander sa confirmation. Nicholas avait réagi avec équanimité. Il préférait ce comportement, avait-il déclaré, aux fournisseurs qui lui présentaient des visages souriants et des chiffres falsifiés.

Elle apprit du gouverneur anglais que Nicholas voyait beaucoup Colard Mansion. Elle se demanda s'il employait son ami pour les lettres qu'il ne pouvait confier à ses scribes. Ce fut seulement plus tard, lorsqu'elle prit connaissance de quelques feuillets qu'il lui avait laissés qu'elle saisit la vérité : son écriture, naguère trop rapide pour être claire, avait changé : elle était toujours aussi rapide mais nettement plus lisible.

Aussi étonnant que cela puisse paraître, il trouvait le temps pour d'autres activités. La société de tir à l'arc, qui n'était pas trop exigeante sur le choix de ses membres, l'avait accepté : il y passait chaque jour une heure, pour s'exercer au tir et se faire connaître des autres sociétaires. Il rendait également visite au petit fondeur qui avait fabriqué certaines pièces d'armure réclamées par Astorre et qui, en son temps, avait été maître d'armes. Ce fut Felix qui apprit la nouvelle à sa mère : Nicholas, apparemment, renouvelait ses connaissances récemment acquises en arts militaires. Pour protéger tout l'argent qu'il espérait bien amasser, suggéra Felix.

La trêve conclue le jour du mariage n'avait pas tenu. A présent, Felix rapportait de temps en temps à sa mère les commérages qu'il recueillait à propos de Nicholas. A moins de quitter la pièce, ce qui lui arrivait parfois, elle ne pouvait l'en empêcher. Jusqu'à présent, il ne lui avait pas révélé grand-chose qu'elle ne sût déjà. Par bonheur, d'ailleurs, Felix passait le plus clair de son temps à s'entraîner. Il avait acquis le reste de son équipement en vue du tournoi. L'ensemble était beaucoup plus magnifique et beaucoup plus onéreux qu'il n'était raisonnable, mais, puisque Nicholas n'avait pas soulevé d'objections, elle n'en avait pas fait non plus. A mesure qu'approchait la date du tournoi, elle s'efforçait de n'y pas penser, même si, à chaque repas, Felix, les yeux étincelants, énumérait les noms des grands personnages qui allaient prendre part à la fête.

Les yeux étincelants, mais d'un air de défi effrayé. Il était vulnérable avant le mariage de Marian, il l'était maintenant deux fois plus, dans sa bravade. Elle souffrait pour lui, se demandait comment il supportait de se sentir déchiré entre l'envie de la mépriser et le désir de la défendre. Un jour, il était rentré à la maison avec une joue meurtrie mais n'avait pas fourni d'explication. L'épouse d'un des clients de Marian l'avait gratifiée d'un récit admiratif : son cher fils, Felix, avait défendu sa mère, quelques jours plus tôt, en réplique à l'une de ces sottes donzelles de Damme qui avait oublié ses bonnes manières. La fille du prêteur sur gages, c'était. La fille d'Oudenin.

A la maison, Felix passait son temps en compagnie de ses sœurs ou bien avec Henninc et ses adjoints. Il ignorait Gregorio. Sans doute pensait-il (et il n'avait sans doute pas tort) qu'il était en train de se laisser gagner à la cause de Nicholas. A Nicholas lui-même, Felix n'adressait pour ainsi dire pas la parole mais, souvent, il passait de longs moments à l'observer. Ses yeux avaient alors un regard étrange qui, curieusement, rappelait Cornelis à Marian. Un regard calculateur.

Pour Pâques, Marian de Charetty ne reçut personne. Cela lui était d'ailleurs rarement arrivé depuis la mort de Cornelis. Quelques invitations lui parvinrent. L'une émanait de la famille Adorne qui la conviait, ainsi que les siens, à passer la journée à l'Hôtel de Jérusalem. Tilde et Catherine accompagnèrent leur mère et Nicholas. Felix avait un autre engagement. On les traita avec une bienveillance discrète, et elle en fut reconnaissante.

L'invitation de Wolfaert van Borselen était une tout autre affaire. Tout d'abord, il était l'époux d'une princesse écossaise – l'une de ces six sœurs royales qui devaient allier le roi d'Écosse à la moitié de l'Europe : la France et la Savoie, la Bretagne, le Tyrol, la Zélande.

Marian de Charetty avait rencontré la princesse et son époux. Ils menaient grand train, elle le savait, à Veere, où se trouvait leur résidence, et ils n'étaient jamais moins que cérémonieux dans leur grande demeure citadine de Bruges, où Nicholas et Marian avaient été invités à souper.

Le grand jour venu, la demoiselle, dans sa chambre, toutes ses toilettes étalées autour d'elle, réfléchit à ce qui les attendait. Elle pensait bien voir Charles, le fils du couple, âgé de huit ans. Elle rencontrerait sans doute Louis, seigneur de Gruuthuse, dont l'épouse était une van Borselen, et peut-être Guildolf, parent des Gruuthuse, qui n'était pas encore marié. Florence van Borselen et son épouse seraient certainement présents, mais pas leur fille Katelina, qui se trouvait en Bretagne. Marian se remémora l'incident, à Damme, auquel était mêlée la jeune fille et qui s'était terminé par une correction pour Nicholas. Felix, Julius et Claes. Les ennuis dont ils étaient cause.

La demoiselle avait les yeux humides. Résolument, elle appliqua son esprit à la question du choix d'une toilette. Il n'était pas bien grand. Sa plus belle robe, sa coiffure la plus élaborée. Elle cacherait ses cheveux, comme d'ordinaire. Elle ne se faisait aucune illusion. Rien qui évoquât la jeune mariée. Rien de juvénile. Rien qui fût différent, afin de décevoir les observateurs avides. Ils n'avaient pas à savoir que le soir, seule, elle ôtait les épingles de sa chevelure et la laissait en liberté pour son propre plaisir.

A la requête de Nicholas lui-même, elle avait passé en revue sa garde-robe. C'était encore Felix qui, d'un ton moqueur, avait laissé tomber que l'ami Nicholas fréquentait maintenant la boutique d'un tailleur. Ce qu'il portait n'avait toutefois pas changé. Elle en déduisait qu'il avait eu besoin de remplacer certains vêtements. Mais elle remarqua que les pourpoints, les jaques, les chausses, bien que toujours taillés dans les mêmes tons neutres, étaient mieux coupés et d'étoffes respectables, ainsi qu'il convenait à un représentant de la demoiselle. Il avait fait faire aussi une robe chaude, garnie sobrement.

Elle eut la curiosité de consulter les registres; aucun de ces articles n'y était mentionné. Le fait avait peu de signification. Il pouvait fort bien faire un bénéfice et le dépenser en une matinée, sans qu'elle en sût jamais rien. Mais, sans savoir pourquoi, elle avait l'impression qu'il avait payé d'une autre façon. Sans commentaire, elle avait soupesé la robe et donné son approbation. Elle convenait à l'occasion, et lui-même ne la déparerait pas.

La soirée, finalement, fut un grand plaisir, au prix de quelque tension et de beaucoup d'efforts. La demeure était pleine de gens et de bougies de cire. Derrière le bruit des bavardages, on entendait le son des trompettes. Tous ceux qu'elle s'était attendu à voir étaient là, et bien d'autres encore. Elle conversa avec l'épouse de Louis de Gruuthuse. Celle-ci, spirituelle et amicale, lui confia que le jeune Nicholas et son intérêt pour la poudre à canon avaient fort intéressé son époux.

Elle fit la connaissance de Guildolf de Gruuthuse, qui lui plut et qui, à quinze ans, était dans bien des domaines plus mûr que Felix.

Elle rencontra le père de Katelina van Borselen, qui la complimenta sur son apparence. Il avait hâte, lui confia-t-il, d'en apprendre davantage sur ce service de messagers qu'avait créé le jeune Nicholas. Comme elle pouvait voir, Bruges se peuplait déjà d'Écossais, venus pour la procession du Saint-

Sang et pour la foire. Il serait bien surpris si Marian ne trouvait pas parmi eux de nouveaux clients désireux d'expédier des lettres en Italie.

Elle vit qu'assistaient à la réception un certain nombre d'Écossais, comme il était naturel. Wylie. George Martin. L'homme qu'on appelait Sandy Napier, avec lequel Nicholas s'entretenait. Quelques-uns, sans doute, s'étaient trouvés parmi les passagers de l'évêque Kennedy l'année précédente, à Damme. Elle se demandait si l'un ou l'autre d'entre eux se rappelait l'affaire de l'apprenti Claes et du canon, et ce qu'ils devaient en penser à présent. Le visage de Napier, constatat-elle, ne reflétait qu'un intérêt animé.

Au souper, elle se trouva placée près de Jean de Ghistelles, grand-veneur de Flandre, époux de la sœur de Gruuthuse. Nicholas, qu'on ne repérait plus par ses merveilleux éclats de rire, était assis assez loin d'elle, au-delà du comte Franck et près d'une très jeune fille, très replète, en qui elle reconnut, après réflexion, la fille cadette de Florence van Borselen. Gelis, qui avait tant fait pleurer Tilde, au Carnaval. Marian de Charetty lui sourit, d'un bout à l'autre de la table. Si Nicholas n'avait eu un tel génie avec les enfants, elle l'aurait pris en pitié.

En vérité, il méritait qu'on le plaignît. Dès que Nicholas se vit sous le regard impassible de la grosse fille, à table, il sut qu'il frôlait le désastre. Mais dès l'instant où la demoiselle avait accepté l'invitation, c'était le risque à courir. Il n'avait pas manqué, quelque temps auparavant, de rendre visite à Florence van Borselen et à son épouse, afin d'éprouver leur réaction à son union précipitée. En privé, la femme, pensait-il, avait dû se montrer cinglante mais, en sa présence, elle suivit l'exemple donné par son mari, qui traitait le mariage avec une courtoisie désintéressée.

Felix, évidemment, avait depuis longtemps publié à son de trompe l'histoire de son souper à Gand. Et une oreille attentive pouvait comprendre que Nicholas faisait partie des convives. Rien de propre à bouleverser qui que ce soit. Il y avait en revanche, matière à bouleverser nombre de gens avec le fait, par exemple, que la nuit du Carnaval, Claes avait été sauvé d'une mort presque certaine par les sœurs Borselen. Un fait qui n'était pas venu à la lumière pour toutes sortes de raisons.

L'une de celles-ci, que Gelis devait connaître, était que sa sœur avait choisi de passer le début de soirée en tête-à-tête avec Ribérac. Et qu'il avait tenté, fort de cette invitation, de violer Katelina. L'autre, que Gelis connaissait certainement, c'était que lui, Nicholas, et Katelina avaient passé seul à seule chez elle une grande part de la nuit. Et, selon toute vraisemblance, il avait obtenu ce à quoi Jordan de Ribérac aspirait.

La cajolerie serait sans effet. Le charme pas davantage. Le

nouvel époux de Marian de Charetty arrangea les plis de sa robe fourrée et s'adressa à sa jeune voisine d'une voix que personne ne pouvait entendre.

– Je vous demande de m'écouter calmement, sinon, je raconte à tout le monde ce qui s'est passé entre votre sœur et le seigneur de Ribérac.

– Ce n'est pas vrai! s'exclama-t-elle, le visage écarlate.

– Je dirai que c'est vrai, insista Nicholas. Et finissons-en du reste. Un, la demoiselle de Charetty n'attend pas d'enfant. D'accord?

– Mais elle en aura, dit Gelis van Borselen.

– Deux, ça ne vous regarde pas, mais il se trouve que ce mariage est un arrangement d'affaires. Elle n'en aura donc pas.

– Ce serait possible, dit Gelis.

– Elle n'en aura pas, répliqua-t-il calmement.

– Il vous faut donc vous débarrasser de Felix, reprit-elle. Lors des joutes, dimanche prochain.

L'idée qu'une langue cynique pourrait colporter cela l'avait effleuré. Il ne s'attendait pourtant pas à la trouver là, à la table du souper.

– Il ne lui arrivera rien, affirma-t-il.

– Vous savez bien qu'il n'est pas de taille. Vous l'avez mis à l'épreuve tout exprès. Et vous lui avez acheté toutes ces pièces d'armure.

– Je dois l'empêcher de se faire blesser. Dans le cas contraire, le blâme retombera sur moi.

– Alors, vous l'avez déshérité? demanda la grosse fille.

Elle était démoniaque. Il répondit:

– Pourquoi ne pas demander à voir le contrat de mariage? Felix n'est pas déshérité. Sa mère et lui perçoivent toujours tous les bénéfices. S'ils meurent demain l'un et l'autre, je n'ai droit à rien.

Les yeux de Gelis étaient fixés sur la robe fourrée.

– C'est très joli, dit-elle.

– J'ai le reçu dans ma bourse, répliqua Nicholas. Et maintenant, cessez de fouiller dans mes affaires et rappelez-vous que j'ai de quoi nuire à votre sœur beaucoup plus douloureusement que vous ne pouvez me nuire à moi.

– C'est déjà fait, déclara Gelis.

D'autres assiettes arrivèrent, furent posées devant eux. Des mains habiles chargées de flacons de vin passèrent par-dessus leurs épaules.

– Vous lui avez envoyé des messages par pigeons voyageurs, sans doute, fit Nicholas.

– Je lui ai écrit, dit Gelis. Elle n'a sans doute pas encore reçu ma lettre. Elle vous en a envoyé une. Je l'ai lue.

– Elle avait dû le prévoir. Vais-je la lire ou non?

Elle était assise dessus. D'une secousse, elle tira de sous sa jupe une liasse de feuillets repliés, dont le sceau était complètement brisé. Elle la tendit à Nicholas. Il la glissa dans sa bourse.

– Dites-moi une chose, demanda-t-il.

– Quoi? fit l'enfant.

– Considérez-vous que la demoiselle de Charetty a nui à votre sœur, elle aussi?

Les yeux s'ouvrirent tout grands dans le visage qui avait retrouvé son teint brouillé habituel.

– Qu'a-t-elle à voir ici? C'est vous qui avez fait ce que vous avez fait, dit Gelis van Borselen.

La situation devenait claire.

– Ah, dit Nicholas. Je pensais que vous vous attendiez à me voir l'épouser.

– *L'épouser*! se récria la sœur de Katelina.

Elle éclata d'un rire désagréable.

– Une dame n'épouse pas un apprenti.

– Vous en êtes donc d'accord : si quelqu'un doit souffrir dans cette situation, c'est la demoiselle qui m'a épousé.

Gelis lança un coup d'œil vers l'autre bout de la table.

– C'est une sotte, déclara-t-elle.

– En l'occurrence, oui, peut-être. Mais, dans tous les autres domaines, non. Avez-vous l'intention de lui faire du mal?

– Vous ne craignez rien, dit-elle. Je ne peux rien faire, n'est-ce pas, sans salir la bonne renommée de Katelina ou sans blesser votre imbécile maîtresse? Vous n'avez pas pris plaisir à me retrouver ici. Et vous ne prendrez aucun plaisir à la prochaine lettre que vous recevrez de Bretagne, si jamais vous en recevez une. Et vous aurez moins de plaisir encore quand Felix se fera tuer au tournoi, et que ce sera sur vous qu'en retombera la faute.

Il reprit son souffle, mais elle ne lui laissa pas le temps de parler. Ses yeux luisaient.

– Oh, je sais, vous prétendez que tout ira bien pour lui. Moi, je peux vous dire le contraire. Et je peux même vous dire pourquoi, si vous ne le savez déjà. Les noms des Écossais viennent d'arriver. Les Écossais qui vont participer aux joutes. Y compris le meilleur d'entre eux. Simon de Kilmirren.

– Voyons, laissez-moi réfléchir, dit Nicholas. Oui, je me rappelle. Une histoire de chien.

– Et d'une fille appelée Mabelie, fit méchamment Gelis.

Cette nuit-là, dans sa chambre, Nicholas lut la lettre venue de Bretagne.

Katelina, remarqua-t-il, ne faisait pas plus confiance que lui-même à sa sœur. Même pour une paire d'yeux trop bien avisés, la lettre ne contenait aucun message personnel. Le voyage s'était déroulé dans des conditions raisonnables. Son emploi, pensait-elle, ne manquerait pas d'un certain aspect amusant.

Elle insérait quelques extraits des rumeurs qui agitaient la Cour, y compris une information que Nicholas connaissait déjà : le fils de la duchesse s'était attaché la maîtresse du roi de France qui, disait-on, lui aurait transmis la petite vérole avant septembre.

La principale nouvelle, et le but évident de la lettre, le fit rire aux éclats. Il mit les feuillets de côté et se promit de rendre visite, dès le lendemain, à Lorenzo Strozzi. Il ne transmit pas à la mère de Felix ce qu'il avait appris sur Simon. Elle l'apprendrait bien assez tôt. Curieusement, ce fut Gregorio qui aborda le sujet quand Nicholas le rejoignit à la maison neuve, après une matinée de travail qui avait débuté dès l'aube.

Il restait moins d'une semaine avant son départ, et il avait commencé sa tournée de collecte des dépêches. Chez Jacques Doria, collègue d'Adorne, calmement autoritaire, qui lui avait remis une sacoche pour Gênes. Chez Angelo Tani et Tommaso, l'un très homme d'affaires et l'autre nettement réservé, tous deux offensés par son refus de partir avant le lundi. Chez Arnolfini, pour y prendre des lettres destinées à Lucques, lettres qui lui furent remises avec un amusement languissant mais sans commentaire. C'était Arnolfini qui lui avait transmis l'or promis par le dauphin pour services sur le point d'être rendus. Avec cet or, Nicholas avait acheté ses vêtements et, du moins l'espérait-il, un homme.

Arrivé dans Spangnaertstraat, il traversa le vaste bâtiment pour gagner son grand bureau. Il posa la main sur l'épaule de chaque comptable et commis, salua Gregorio, se laissa tomber sur un siège et attira vers lui ses papiers. Ils travaillèrent jusqu'à midi. La cloche retentit, les jeunes gens reçurent l'autorisation de descendre se restaurer.

– J'ai quelque chose à vous demander, dit Gregorio.

– Oui ? fit Nicholas, sans lever la plume de son papier.

– C'est à propos des joutes de dimanche. On raconte que notre Felix va avoir bien du mal. Avec je ne sais quel Écossais qui se considère comme un ennemi mortel.

– Simon de Kilmirren. C'est vrai.

Nicholas saupoudra de sable ce qu'il avait écrit, leva les yeux pour rencontrer un regard sombre étonnamment dur.

– Il fait partie des personnes que je dois vous demander de surveiller durant mon absence, dit-il. Il est beaucoup plus désireux de me nuire à moi qu'à Felix mais j'ai bon espoir de l'en empêcher. J'ai promis à la mère de Felix qu'il ne participerait pas au tournoi, et il n'y participera point.

– Alors, il vous faudra l'enlever de force, fit ironiquement Gregorio. Il ne va pas reculer à présent.

– Bah, on ne sait jamais. Et maintenant, j'ai une question à vous poser. Vous n'étiez pas dans votre chambre toute la nuit dernière, ni la nuit d'avant ?

Le regard sombre se fit plus dur encore. Gregorio se renversa sur son siège.

– Vous me payez aussi les heures de nuit?

– Bruges, expliqua Nicholas, est le cœur vivant de toute bonne rumeur publique flamande. Si l'on installe une dame avec tant de soin, il s'agit généralement d'un arrangement permanent. Et, si vous avez d'un côté un arrangement permanent, il m'est venu à l'esprit que vous pourriez en concevoir un autre par ailleurs. Avec la compagnie qui vous emploie, par exemple.

Il attendit, subit l'examen attentif de son compagnon.

– Vous m'espionnez? questionna Gregorio.

Nicholas lui sourit largement.

– Ce serait inutile. La maîtresse de Tommaso habite la maison voisine de celle de votre amie. Tommaso Portinari. Quand il part, le matin, on le sait au cliquetis de ses bagues. Vous ne me permettriez pas de faire sa connaissance, je suppose?

Il était un peu tôt pour aborder ce sujet, mais le temps manquait. Il connaissait la vivacité d'esprit de l'homme de loi. Gregorio, il l'espérait, écarterait l'idée qu'on voulait soumettre sa maîtresse à examen. Il saisirait, espérait-il, la vérité : c'était sa maîtresse qu'on invitait à examiner Nicholas. Dont elle avait dû, bien sûr, entendre beaucoup parler. Et à propos duquel, certainement, elle nourrissait de profondes réserves. Gregorio avait haussé les sourcils. Il ne souriait pas : cela lui arrivait rarement. Il ne se renfrognait pas non plus.

– Maintenant? demanda Gregorio.

– Pourquoi pas? fit Nicholas.

Le premier choc passé (ils avaient surpris la jeune femme en train de laver ses cheveux), la rencontre se déroula étonnamment bien. Elle servit aux deux hommes un excellent repas. Elle s'appelait Margot. Elle était de bonne éducation et non dénuée d'intelligence. Elle suivit la conversation engagée sur un ton railleur, hormis en trois occasions où Nicholas fit mention d'un endroit, d'une personne ou d'un objet qui concernaient les affaires Charetty. En ces trois occasions, Nicholas put constater qu'elle ignorait de quoi il parlait mais n'en était pas surprise.

En quittant la maison, il déclara :

– Elle me plaît beaucoup. A mesure que notre commerce prospérera, vous serez en mesure de la loger plus confortablement.

Gregorio marchait lentement.

– Je ne suis pas sûr d'apprécier ce que vous avez fait là.

On ne pouvait guère répondre à une telle remarque. Nicholas continua d'avancer à ses côtés.

Gregorio reprit :

– Il n'y avait pas d'autre moyen, je suppose, d'obtenir des preuves dans le temps qui vous reste. Cela signifie-t-il qu'on garde un œil sur elle?

– Grand Dieu, l'œil de qui? demanda Nicholas en souriant. Celui de Tommaso, peut-être : elle est assez belle pour ça. Mais non. Je vous ai dit que je vous ferais peut-être une proposition, et la voici. Elle a trait à une affaire que je mène, mais il ne s'agit pas de celle qui concerne les Charetty. Autrement dit, je prends les risques, mais la famille Charetty partagera les bénéfices. Le point délicat c'est que tout doit se dérouler dans le secret le plus absolu. J'ai un seul associé, qui se trouve à présent en Italie, et j'ai besoin d'un juriste sur le silence duquel je puisse compter. Si mon affaire échoue, il vous restera toujours votre emploi auprès de la demoiselle... à moins, bien entendu, qu'elle n'échoue à cause de vous. Je ne le crois pas. Mais on a vu des gens manquer à leur parole.

Gregorio ne répondit pas immédiatement. Il déclara enfin :

– Nul ne peut dire qu'il ne se brouillera pas avec un maître pour en trouver un autre. Ce sont choses qui arrivent. Vous n'aimerez peut-être pas mon comportement, quand vous me connaîtrez mieux. Vos projets me déplairont peut-être, quand vous me les exposerez. Mais je tiens à vous fournir une précision. Il se trouve que la loi m'intéresse plus que l'argent. Et un homme de loi ne garde pas bien longtemps sa pratique, s'il communique des secrets. Je vous quitterai peut-être mais je ne trahirai rien de ce que vous faites.

– Allons, tant mieux, dit Nicholas. Quand vous rentrerez cette nuit, venez jusqu'à ma chambre. Je vous confierai ce que vous ignorez encore, et, très probablement, vous ferez vos paquets pour nous quitter. En attendant, je dois m'arrêter ici pour voir Lorenzo Strozzi. Ce repas était réellement *excellent*.

– Il faudra revenir, dit l'homme de loi.

Apparemment, il parlait sérieusement.

Lorenzo n'avait plus adressé la parole à un seul membre de la maison Charetty depuis le pénible épisode qui s'était déroulé devant le Poorterslogie. Il fut tenté de faire dire par le portier qu'il était sorti mais, avec une fureur résignée, regarda Nicholas pénétrer dans son bureau et s'asseoir sans en être prié. Toujours sans en être prié, Nicholas lui exposa la raison de sa visite.

Dès le troisième mot, Lorenzo n'avait plus envie de l'interrompre. Au dixième, seule l'horreur demeurait sur son visage. A la fin, il se contentait de poser sur Nicholas un regard fixe en répétant :

– *Naufragée*!

– Au large de la côte de Bretagne. C'est ce que m'a dit mon informateur. Mais sauvée et en bonne santé. La seule autruche qui ait été ramenée saine et sauve au rivage. L'ennui, c'est qu'elle a été saisie, dans l'attente que cette histoire de naufrage et d'épave soit réglée. Une affaire délicate. Il n'y a pas beaucoup de gens, en Bretagne, qui savent comment on nourrit une autruche.

– Et son gardien? suggéra Lorenzo. Elle doit bien avoir un gardien. De toute manière, quelqu'un a bien dû faire appel à un arbitrage? C'est pour le duc de Milan. Un émissaire. Il faut envoyer un émissaire.

– Mais, objecta Nicholas, tenons-nous à voir le duc mis au courant de nos difficultés? Rappelez-vous, c'est la maison de Médicis qui s'est employée à procurer une autruche au duc de Milan, et c'est vous qui avez dit...

Il s'interrompit.

– On vous a payé pour l'autruche, et vous avez dépensé l'argent?

Lorenzo Strozzi le dévisageait.

– Comment pourrais-je le dépenser ici? fit-il avec amertume. Je l'ai expédié à Florence, afin que ma mère garde cette épargne jusqu'au jour où nous monterons notre propre commerce en Italie avec notre propre argent. Pas en épousant une vieille femme.

– Je ne connais personne qui ait fait ça, dit Nicholas. Et, si la dame était raisonnable, elle ne remettrait certainement pas à un nouvel époux de l'argent appartenant à sa famille ou à elle-même. Soyons sérieux. Voulez-vous que je m'assure de ce qui se passe en Bretagne, ou préférez-vous vous en charger? Si vous ne trouvez pas un autre bateau, l'animal sera peut-être obligé de continuer à pied. A moins qu'on ne l'offre à quelqu'un du cru. A vous alors de la racheter.

Lorenzo le regardait fixement.

– Les autruches marchent-elles? demanda-t-il.

– Je ne crois pas qu'elles volent, répondit Nicholas. Je suppose toutefois qu'elle pourrait apprendre, si on lui accordait une semaine ou deux. Si elle vole au-dessus de Calais, la guerre anglaise prendra fin, les bateaux s'éperonneront les uns les autres.

– Ce n'est peut-être pas une affaire d'importance à vos yeux..., commença Lorenzo.

– Très bien. Message pour la Bretagne. Où est-elle, qui la détient, la nourrit-on et peut-elle marcher? On va croire que nous parlons du dernier bâtard du duc... Lorenzo, tout va bien. Ne prenez pas les choses tant à cœur. Je la retrouverai pour vous et je ferai en sorte que les Médicis ne s'en prennent pas à vous. En ce qui concerne votre mère et Caterina... Je pars lundi, pour le cas où vous voudriez me confier des lettres. Gratuitement. Vous me paierez en œufs d'autruche.

Lorsqu'il quitta enfin Lorenzo, il avait l'impression, sans en être tout à fait sûr, qu'il avait l'air moins inquiet que lors de son arrivée.

30

Il restait quatre jours avant le dimanche. Nicholas dit tout à Gregorio de la mine d'alun. L'homme de loi devint d'une pâleur jaunâtre et demeura ainsi une demi-heure durant. A la fin de cette période, le sang lui revint par degrés au visage et il se mit à prendre des notes. Après cette conversation, remarqua Nicholas, Gregorio fronçait les sourcils toutes les fois qu'il le regardait. Informée qu'il faisait désormais partie intégrante des deux affaires, Marian de Charetty convia le juriste à passer quelque temps dans son cabinet. Lorsqu'il en émergea, il paraissait un peu plus calme.

Le jeudi, la mère de Felix se procura la liste définitive des concurrents de l'Ours Blanc. Elle y trouva le nom de Kilmirren. La découverte que toute la maisonnée était déjà au courant l'emplit de fureur. D'une manière très marquée, elle se garda de montrer son angoisse ou de faire appel à Nicholas, les rares fois où il était présent. Après ce dimanche (quoi qu'il pût arriver ce jour-là), elle allait de toute façon perdre Nicholas. Lorsqu'elle ne pensait pas à Felix, c'était à cela qu'elle songeait.

Nicholas était obligé de partir, elle le savait. Les rétributions qu'il avait déjà reçues, celles, plus considérables encore, qui lui étaient promises dépendaient des renseignements de toute sorte qu'il emportait à Milan. Il devait voir les Médicis à propos de l'argent qu'ils avaient avancé pour permettre à Tobias d'acheter des armes à feu et à Thomas de recruter ses cinquante hommes supplémentaires. Il devait recevoir la nouvelle condotta et prendre toutes dispositions pour en réinvestir le produit.

Il devait découvrir, par les messages qu'avaient dû laisser Tobias et Thomas, Julius et Astorre, où se tenait la compagnie, et quels étaient ses besoins, ses perspectives d'avenir.

Il devait glaner, officiellement, auprès de toutes ses nouvelles relations, les renseignements qu'il rapporterait avec lui, en même temps que de nouvelles dépêches. Certains étaient rédigés en code et de la plus haute importance. D'autres donnaient simplement des tarifs commerciaux, qui pouvaient être utiles à leur propre entreprise en même temps qu'à d'autres. Et certaines, qui provenaient des Acciajuoli et des autres, avaient trait au projet qui lui faisait peur.

Il allait se faire accompagner d'une garde solide, même si ce n'était pas la troupe armée qui était partie avec Astorre. Et, cette fois, c'était l'été. Il voyagerait plus vite. Mais, si vite qu'il allât, il serait absent durant deux mois au moins, plus longtemps peut-être. Il allait la laisser seule pour affronter l'hostilité de Simon. Peut-être même celle de Jordan de Ribérac. Cette perspective la troublait. Après réflexion, une idée lui vint à l'esprit : il existait une alternative.

Sans l'inquiétude qui la rongeait, elle aurait pu aborder son projet d'une manière différente. Mais, en l'occurrence, le vendredi matin dès l'aube, elle se plaça sur le chemin de Nicholas, alors que, frais et joyeux, il descendait l'escalier quatre à quatre.

– Assieds-toi là, dit-elle.

Ils étaient seuls. les chambres étaient désertes. Il s'assit promptement sur la marche désignée et prit un air attentif. Elle-même prit soin de s'installer quelques marches plus bas, croisa les mains sur sa robe.

– Tu fais confiance à Gregorio ? demanda-t-elle.

– Oui, c'est vrai.

– Au point de le laisser gérer seul l'affaire pendant deux semaines ? Gregorio en est-il capable ?

– Non.

– Je croyais...

– Non, vous ne venez pas avec moi, dit Nicholas. Demoiselle, ajouta-t-il.

Elle laissa échapper un léger sifflement d'exaspération. Toujours ces mêmes raccourcis. Elle reprit, du ton dont elle usait avec Henninc.

– Pas jusqu'à Milan. Je me propose d'aller avec toi jusqu'à Dijon, où vit le mari de ma sœur, et, de là, à Genève, pour rendre visite à mon beau-frère Jaak et à sa chère épouse. Ne crois-tu pas que je doive leur dire qui j'ai épousé ?

– Pas du tout.

– A mes seuls parents ? insista Marian de Charetty.

Elle le regardait décider de quelle manière il allait réagir.

– Votre sœur est morte, dit-il, et Thibault, qui doit approcher des soixante-dix ans, n'a plus tous ses sens depuis des années. Vous ne feriez que l'attrister, et vous aussi, probablement. Il ne m'a témoigné aucun intérêt depuis la mort de ma malheureuse mère.

– Il a eu une fille de son second mariage, dit-elle. Avec ma sœur.

Le visage de Nicholas restait parfaitement calme.

– Adelina. Elle avait cinq ans lorsqu'on m'a envoyé chez Jaak. Elle doit être mariée, à présent.

Maria de Charetty demanda :

– Et tu n'as pas envie de la voir ? Ni de voir le père de ta mère, avant sa mort ? Lui en veux-tu à ce point de t'avoir envoyé chez Jaak ? Du moins a-t-il agi en ta faveur, par la suite, quand il a su comment on te traitait. Il t'a fait confier à Cornelis et à moi.

Cette fois, les traits de Nicholas s'adoucirent.

– C'est vrai, dit-il. Je l'en dois remercier. Mais je ne suis pas forcé de le voir. Voulez-vous me pardonner, voulez-vous m'accorder ce refus ? Si vous êtes véritablement convaincue que vous devez lui rendre visite, je pourrais vous laissez là-bas, avec une escorte qui vous ramènerait ici saine et sauve.

– Et Jaak, à Genève ? demanda-t-elle.

Brusquement, il lui sourit.

– J'ignore ce que vous avez en tête à ce sujet. Tenteriez-vous, par hasard, de les éblouir pour mon compte ?

Elle lui rendit son sourire.

– En partie, oui. Pourquoi ne pas me laisser m'amuser ? Que pourrait bien nous faire Jaak, à toi ou à moi, maintenant ?

– Vous insulter, dit-il. Et je ne pourrais me tenir là et le laisser faire.

– Tu as donc toujours peur de lui ?

Après un silence, il répondit :

– Je suis capable, à présent, de le comprendre.

– Mais physiquement ?

– Oh, physiquement, il me fait peur. Oui. Encore.

– Tu aimerais pouvoir te battre contre lui ? Le vaincre ? Le dominer ?

Le vaste regard n'exprimait que surprise.

– Jaak de Fleury, dit-il, a au moins trente ans de plus que moi. Si j'ai peur de lui, il me fera peur jusqu'à la fin. Que pourrais-je faire, physiquement, qui ait un sens ?

Elle déglutit, voulut parler, ravala ses paroles. Elle déclara enfin :

– Je t'ai demandé ce que tu ressentais à son égard. Cela ne veut pas dire que je m'attende à vous voir tous les deux vous battre à propos de mon mariage. Je souhaite beaucoup lui rendre visite. Et je ne crois pas que cela te ferait du mal. S'il m'insulte, tu seras là pour me défendre verbalement. Tu en es capable. Je le sais.

Il garda le silence.

– Et Thibault, reprit-elle, est plus âgé, malade. Lui rendre visite n'est qu'un acte de clémence, sûrement. Il vous a gardés, ta mère et toi. Lorsqu'il t'a renvoyé, c'était parce qu'il ne pouvait plus s'occuper de toi.

Après une pause, elle continua :

– Tu es sans doute en mesure de me faire changer d'avis. Pourtant, j'ai grande envie d'y aller. En ces deux lieux. Je ne le proposerais pas si je pensais que c'est dangereux pour toi.

Les coudes sur les genoux, il avait scellé ses lèvres de ses deux mains, et son regard passait plus loin qu'elle, jusqu'aux ombres du rez-de-chaussée. Elle comptait sur lui pour deviner tous les arguments qu'elle n'avait pas utilisés et pour se faire sa propre idée des mobiles qui la poussaient. Si l'idée était fausse, tant mieux. Elle le vit finalement prendre sa décision. C'était comme s'il avait parlé, comme s'il avait dit : *oui, je peux m'en tirer*. Mais il n'exprima pas tout de suite son agrément. Il dit :

– Que va penser Felix ?

– Rien qui puisse nous flatter, toi ou moi, répondit Marian de Charetty. Tu as voulu un circuit triomphal, et, dans ma faiblesse, j'en suis tombée d'accord. Une mesquine revanche sur Jaak de Fleury. Et, naturellement, un avertissement. Jaak ne peut plus désormais toucher au petit Claes qui a derrière lui la veuve de Charetty.

Il avait depuis longtemps mis le doigt sur cette raison, la seule réelle.

– J'aimerais, dit-il, que Felix nous connaisse comme nous semblons le connaître. Oui. Certainement. Si vous en avez un tel désir, faisons ainsi.

Il passa ensuite une heure dans la cour, avant de partir rejoindre Gregorio dans Spangnaertstraat. Au milieu de la matinée, elle le savait, il devait avoir un entretien avec Jehan Metteneye.

La rumeur lui avait appris de quels moyens Nicholas s'était sans doute servi pour amener Gregorio à se lier à leurs intérêts. Comment il avait vaincu un préjudice tout naturel chez Jehan Metteneye, elle n'en avait aucune idée. Son épouse n'avait adressé la parole ni à Nicholas ni à Marian elle-même depuis leur mariage. Nicholas surpris dans une cave en compagnie d'une jolie fille. Elle s'efforçait de n'y point songer. Les hommes étaient des hommes. Il lui était arrivé de souhaiter que Cornelis fût moins sérieux. Sans doute Jehan Metteneye avait-il, lui aussi, ses secrets et, dûment sollicité à l'étuve ou au champ de tir, les avait-il échangés contre les confidences de Nicholas. Pour attirer l'intérêt de Jehan Metteneye, un jeune homme devait se servir de tous les moyens dont il disposait. Ce qu'elle ignorait ne pouvait la faire souffrir.

En attendant, elle devait songer à Felix et à la rencontre de l'Ours Blanc. Son fils dormait. Elle ne l'aiderait pas en s'inquiétant. Elle devait dresser ses plans comme s'il allait émerger sain et sauf, heureux et victorieux de la joute de dimanche.

390

Comme s'il était vraiment probable qu'elle fût libre de se mettre en route le lundi, pour deux semaines, vers la Bourgogne et la Savoie.

Dans ce cas, il y avait de terribles listes à dresser, de multiples dispositions à prendre. Les tâches dont elle s'occupait habituellement devraient être prises en charge par Gregorio. Voilà pourquoi, évidemment, Nicholas s'était rendu si tôt à Spangnaertstraat. Elle devait se souvenir qu'il était humain, qu'il y avait des limites aux fardeaux dont elle pouvait lui charger les épaules. Mais, jusqu'à présent, elle n'en avait pas trouvé.

Quand, plus tard, ce même matin, trois cavaliers pénétrèrent dans sa cour, elle était occupée avec Henninc dans son cabinet, et elle ne prêta pas attention au bruit qui se faisait dehors. Cinq minutes après, Felix, les joues empourprées, faisait irruption dans la pièce.

– Mère!

Derrière lui s'avançait un homme luxueusement vêtu de velours, coiffé d'un couvre-chef drapé, le tout agrémenté de pierres précieuses. Elle le connaissait. Roland Pipe, de la maison de Charles, comte de Charolais, le terrible fils du duc de Bourgogne.

Elle se leva, fit une révérence. Henninc se plaqua contre la boiserie. Le receveur-général s'inclina. Felix déclara :

– Mère! Le comte a demandé... Der Roland m'apporte une invitation de monseigneur de Charolais. Une invitation personnelle. A une grande chasse. Une chasse spéciale à Genappe, dimanche. Je dois partir dès maintenant. Immédiatement.

– Quel honneur! dit Marian de Charetty.

Elle fit asseoir son visiteur, fit signe à Henninc d'apporter du vin et s'assit à son tour. Rougissante, souriante, haletante. L'image même d'une mère bourgeoise confondue par la faveur faite à son bourgeois de fils.

L'image d'une mère qui remerciait Dieu que son fils n'eût plus à trouver un prétexte pour affronter les lances ennemies au tournoi de l'Ours Blanc, ce dimanche. Quand l'héritier de votre suzerain commandait, aucun prétexte n'était acceptable. Une mère qui remerciait Dieu et quelqu'un d'autre, pensait-elle.

Au retour de Nicholas, beaucoup plus tard, Felix était déjà parti. Nicholas s'assit et laissa les ouvriers teinturiers lui conter toute l'histoire. La cour entière bourdonnait de la grande nouvelle. Les gens, pour la plupart, étaient déçus. Il était bon, certes, que les hauts seigneurs eussent enfin reconnu la valeur de la bonne famille Charetty. Mais où étaient, à présent, le plaisir et l'orgueil tout particuliers de se trouver parmi la foule, au tournoi, et de crier : « Le voilà! Voilà notre jeune maître! »?

Un homme qui, naguère, partageait sa potée de choux avec lui dit à Nicholas :

– Pourquoi ne pas prendre sa place, Claes? L'armure est là.

– Ça, c'est une idée, approuva-t-il. A moi la gloire! Je serais Forestier. Je vais te montrer. Venez, pourquoi ne pas s'y mettre tous?

Quand sa maîtresse s'approcha de sa fenêtre afin de découvrir la raison de tous ces cris, de ces rires, ils avaient installé une corde pour faire office de lice et se chargeaient par couples, l'un monté sur le dos de l'autre, avec des marmites pour casques et des bâtons à fouler pour lances. Ils brisèrent l'un de ceux-ci, et la voix de Henninc retentit pour une sévère réprimande. Mais l'un des adversaires se débarrassa de son casque, et Henninc resta coi devant l'époux de sa maîtresse.

Nicholas sauta à terre.

– Je paierai le bâton. J'ai eu tort de les distraire de leur travail. Nous nous réjouissions seulement de l'honneur fait à jonkheere Felix.

Les hommes, le visage fendu d'un sourire, se hâtaient de tout remettre en ordre et se dispersaient. S'il le fallait, ils travailleraient plus tard pour regagner le temps perdu. Ils étaient tous heureux, constata la demoiselle, et Henninc, qui connaissait ses gens, avait assez de bon sens pour s'en rendre compte. Il sourit à son tour, d'un sourire un peu pincé avant de déclarer:

– C'est bien dommage en ce qui concerne le tournoi, mais c'est en même temps un honneur, comme vous le disiez, ami Nicholas.

Nicholas, tout de suite après, monta l'escalier en courant, frappa à la porte du cabinet, poussa le battant.

– Ma récompense? fit-il.

Elle plissa le nez.

– Oui, je sais, continua-t-il. C'est l'odeur du soulagement, cette fois. Je pensais que mon plan, si soigneusement calculé, avait fait long feu.

– Mais tu en avais de rechange, dit-elle.

– Oh, oui. Trois dresseurs de chiens et la maîtresse de Gregorio. A vrai dire, je n'en avais pas encore parlé à Gregorio.

Il lui fit un large sourire.

– Ai-je droit à un peu de vin, très bon, très fort? Felix est bien parti, alors?

Elle lui sourit à son tour. Son menton tremblait. Elle raidit la mâchoire.

– Le traitera-t-on comme il faut? demanda-t-elle.

– Mais bien sûr. En réalité, c'est le dauphin qu'il va voir. Pour la dernière fois, sans doute. Mais ce sont tous gens bien élevés. Ils ne lésineront pas.

Il marqua une pause.

– L'ennui, c'est que vous serez partie lorsqu'il reviendra. Lui en avez-vous parlé?

– Parlé de la tournée triomphale? Oui.

Le dos tourné, elle versait une généreuse rasade de vin.

– Lorsqu'il y réfléchira, il sera content. Il sera le maître ici, jusqu'à notre retour. Et il n'aura pas à assister à mon départ.

Elle lui tendit son gobelet, demeura un instant immobile.

– Je n'en sais rien. Il n'est pas bien compliqué. Il est un peu comme Tilde, je crois. Tous les deux aiment bien te voir ici, à t'échiner pour eux.

La réponse le soulagea visiblement. Les ridicules fossettes, qui avaient disparu depuis un jour ou deux, étaient revenues.

– Si je ne sais pas quand je dois me tenir à ma place, dit-il, je ferais aussi bien d'en payer le prix ici même au lieu de suivre au loin un chemin de velours. Felix doit connaître les chemins de velours. Cette fois-ci, tout particulièrement. Il aurait dû me prêter son armure pour me rendre à Genève. Il m'est venu une idée.

Elle alla s'asseoir.

– Je peux tout supporter, à présent. De quoi s'agit-il?

– Pourquoi ne pas partir dimanche, pendant le tournoi? Les routes seraient libres. A moins que vous ne teniez à y assister?

– Non, fit-elle en frissonnant.

– Alors?

– Il n'y aurait personne pour nous aider. Tu n'obtiendrais même pas qu'un garde du corps nous accompagne, je n'en serais pas surprise.

Il prit un ton persuasif pour lui répondre, et elle comprit qu'il avait déjà tout prévu. Un autre plan de rechange. Il avait décommandé les gardes du corps. Il en avait trouvé d'autres, ainsi qu'une escorte pour elle, chez l'ancien maître d'armes qui dirigeait la fonderie. Les domestiques personnels de Marian étaient prêts à partir, tout comme la cuisinière de Spangnaert-straat. Gregorio lui trouverait une remplaçante. Tous les bagages pouvaient être faits le lendemain.

Elle l'observait.

– Quand arrive Simon? demanda-t-elle.

Il lui sourit.

– Demain. Mais je ne peux nous éloigner d'ici aussi tôt. Et les routes seraient encombrées.

– Il sera encore là lors de mon retour, dit-elle. Et peut-être Ribérac aussi.

Le sourire bienveillant n'avait pas varié.

– Ils vous ont menacée, c'est vrai, mais je suis le véritable objet de leur sollicitude, ne l'oubliez pas. De toute manière, ils ne viendront pas ensemble. Ils se détestent. Même dans le cas contraire, j'ai dit à Gregorio ce qu'il devrait faire. En mon absence, il reprendra le cabinet de Julius. La nuit venue, vous ne laissez entrer personne.

– Vraiment?

– Sauf sur invitation, bien entendu. Les chemins de velours existent en tous lieux, ou le devraient.

Son large sourire la mettait au défi de le prendre au sérieux. Elle se demanda avec humour qui était censé suivre avec elle lesdits chemins. Gregorio avait sa maîtresse. Metteneye, son épouse. Tous les clients de Marian étaient déjà mariés. Restait Oudenin, peut-être. Ou bien, peut-être, Henninc... Elle se fit des reproches. Nicholas avait pensé à sa sécurité, lorsqu'elle serait de retour. Qu'il se souciât aussi de ce qu'elle ferait alors, c'était trop attendre.

Au côté d'une jeune femme extrêmement séduisante et suivi par une double file de ses gens, Simon de Kilmirren suivait à cheval, ce samedi, les rues bruyantes de Bruges. Derrière lui, son page, son écuyer, ses garçons d'écurie portaient son bouclier et ses armes et menaient ses magnifiques chevaux. Des cavaliers en livrée conduisaient les mulets de bât et tenaient les bannières frangées d'or qui flottaient et claquaient au vent depuis Calais.

Simon lui-même avait revêtu son armure de tournoi et portait son casque dont les longues plumes vertes retombaient sur son bras. Son visage au teint clair, à l'ossature précise et délicate exprimait un ennui bien né. Les gens se retournaient sur son passage. L'or de sa chevelure découverte, l'argent étincelant qui le vêtait n'étaient pas ce qu'on voyait chaque jour, même parmi les grands chevaliers. Surtout parmi les grands chevaliers qui, souvent, avaient fait don d'un œil ou d'une série de belles dents au dieu de ces fausses batailles.

Après son passage, le désordre des activités reprit le dessus. Les concurrents, leurs serviteurs et leurs chevaux, les dames et leurs escortes, les spectateurs accourus de plusieurs lieues à la ronde, tout cela, chaque année, se traduisait par un travail acharné, un commerce florissant et, naturellement, de l'argent. La renommée, aussi, pour l'importante cité de Bruges, qui recevait la fine fleur de la chevalerie. La fierté, tout comme l'intérêt, inspirait les charpentiers qui, de jour comme de nuit, maniaient le marteau pour dresser les lices et les tribunes sur la Place du Marché ; les peintres qui achevaient blasons et bannières ; les agents de la ville qui se hâtaient en tous lieux, en compagnie des officiers de l'Ours Blanc : il fallait décorer et nettoyer les rues, préparer les festins, veiller au protocole des processions, des cérémonies, des présentations, assurer le divertissement et la maîtrise de tous ces concurrents d'élite dispersés un peu partout.

Le lendemain, les participants aux joutes, chacun avec sa suite, iraient en lente procession de l'Abbaye d'Eckhout, là-bas, derrière la maison de Louis de Gruuthuse, jusqu'aux lices de la Place du Marché. Ce soir-là, Simon de Kilmirren logeait, à son ordinaire, chez Jehan Metteneye. Comme le voulait la coutume, sa bannière, son écusson, ses armoiries ornaient l'entablement de la fenêtre de sa chambre.

Il s'était d'abord libéré de Muriella et de ses dames, à la demeure de son hôtesse. Il était fort content d'elle. Elle était riche : son frère, Écossais devenu Anglais, faisait du commerce à l'Étape de Calais. Elle était brune, par contraste avec sa propre blondeur, et d'une beauté saisissante, vêtue de rouge et coiffée de cet extraordinaire hennin qui ressemblait à un papillon. Rien de tout cela, toutefois, ne pouvait rivaliser, il en était conscient, avec une chevelure d'or, une armure d'argent et des plumets verts.

Le frère, John Reid, ne semblait pas hostile à un contrat de mariage, tout en laissant clairement entendre qu'il préférerait remettre la jeune fille à un homme titré. Mais, comme Simon, tout à fait par hasard, l'avait mentionné, son oncle titré, en Écosse, était âgé, et, même si son père titré en France était malheureusement tenu par les affaires à l'écart de son fils et unique héritier, il possédait une seigneurie prospère. Il s'agissait-là, probablement, d'une arme à double tranchant. La fortune de son père avait sans doute déjà été cédée par écrit à quelque lot de moines ou bien à une maîtresse, afin d'en priver son fils détesté. Et, même si son père ne pouvait, selon toute vraisemblance, déshériter son fils de ses terres, le roi de France, certes, le pouvait, s'il apprenait ce que Simon avait fait à Calais. Néanmoins, John Reid avait marqué un certain intérêt. Sur la foi de ses déclarations, Simon avait reçu l'autorisation d'accompagner Muriella.

La présence d'une suivante ne le dérangeait pas pour le moment. Le soir allait se dérouler le grand festin au Signe de la Lune, sur la Place du Marché. Déjà, le Forestier, le champion de l'année précédente, devait défiler à travers la ville avec ses hérauts, ses cornemuses et ses tambours pour saluer toutes les grandes dames et toutes les jeunes filles bien nées que la Fraternité souhaitait voir assister au banquet.

Muriella l'accompagnerait à cette soirée qui, prudemment, se terminerait de bonne heure afin que, prudemment, il pût la reconduire chez elle. Après cela, un accueil éprouvé de longue date l'attendait déjà ailleurs, comme c'était toujours le cas avant un tournoi. Un accueil facile, expert, et rapide. De cette façon, on ne perdait pas de temps en préliminaires ni en esquives. Après tout, en l'honneur de sa dame, il souhaitait s'en tirer le lendemain glorieusement.

Alors, quand la dame l'aurait regardé sortir vainqueur des lices, quand elle aurait dansé avec lui, bu dans sa coupe, pour regagner comme chaque soir son lit froid, elle pourrait commencer à songer au court voyage de retour à son côté. Alors, elle rêverait, comme font les femmes, de mettre à l'épreuve son chevalier. Et, dans quelque auberge du bord de la route, elle trouverait le moyen, il n'en doutait pas, de le délivrer, avec douceur et prévenance, de l'inconvénient mineur d'une suivante.

Ensuite, s'il en avait toujours envie, il demanderait sa main au frère, en même temps que la dot qui lui avait été aux trois quarts promise.

En attendant, chez Metteneye, tout en veillant au logement de ses serviteurs, de ses chevaux, de son équipement, Simon se montra chastement courtois à l'égard de l'épouse de Jehan Metteneye, toujours aussi coquine, aussi grassouillette qu'elle l'était restée dans son souvenir. La jeune Mabelie n'était plus là, bien entendu. La femme n'en fit pas mention, pas plus que de la liaison avec le valet Claes. Après son départ de Bruges, la dernière fois, des voyageurs qui passaient par l'Écosse étaient, pendant un certain temps venus le trouver pour le régaler de la réconfortante nouvelle du rétablissement de son jeune ami. Par la suite, on lui avait conté comme il avait été encouragé à quitter Bruges pour aller faire le soldat en Italie. C'était, supposait-il, la fin d'un fauteur de troubles.

Ce fut John de Kinloch, le chapelain écossais, qui lui ôta ses illusions. Maître John, en robe noire tachée, le rencontra dans l'escalier et, au lieu de s'effacer, saisit l'occasion de le complimenter sur la splendide armure dont il avait tant entendu parler et sur le pourpoint raffiné qu'il avait maintenant revêtu, avec, il pouvait le constater, une manche gauche digne d'un roi. Il remarqua ensuite, sans bouger, que Simon devait être très intéressé par les dernières nouvelles du jeune Nicholas.

– Pardonnez-moi, dit Simon. Je ne vois pas de qui vous parlez.

Il jeta un coup d'œil vers le bas de l'escalier. Metteneye approchait. Sauvé.

– Oh, fit John de Kinloch. Vous l'avez connu sous le nom de Claes. Qui aurait cru, quand on désespérait de sa vie, que tout cela arriverait ?

La qualité du sourire de Kinloch s'expliquait. Simon lui sourit en retour, élargit son sourire au profit de Jehan Metteneye, qui s'engageait à présent dans l'escalier. Il dit, avec un amusement poli :

– J'ai appris qu'il était en Italie. Il y a donc fait fortune ? Est-il capitaine ?

Les deux hommes se mirent à rire. Kinloch se déplaça sur le côté. Metteneye prit sa place sur la marche. Il pointa un doigt sur la poitrine de Simon.

– Vous voilà bien attrapé, dit-il. Jamais vous ne devineriez. Non. Ici même, à Bruges, le jeune coquin. Il a épousé la veuve Charetty et il dirige son affaire tout entière !

– *Épousé ?* fit Simon. Sûrement pas !

– Oh, tout à fait légalement, déclara le chapelain.

Il souriait de plus en plus largement, le diable l'emporte. Il avait eu ce qu'il cherchait. Simon renonça à déguiser ce qu'il éprouvait. Le chapelain reprit :

– Naturellement, ils sont parents, mais il doit y avoir une dispense. Je m'étonne que l'évêque Coppini ne vous en ait pas touché mot quand vous étiez tous deux à Calais. C'est lui qui a célébré la messe de mariage. Avec le chapelain d'Anselm Adorne.

Coppini, ce bâtard. Mais non, bien sûr : il ne savait rien de Mabelie, ni du canon ni du chien. Pas plus que des ciseaux. Mais Anselm Adorne, lui, était au courant, et il avait aidé à faire ce mariage. Un mariage! Et qui d'autre trouvait maintenant Claes amusant, parmi les hommes qu'il rencontrerait lors du tournoi? Metteneye en avait parlé avec un tolérant amusement. Metteneye, qui avait voulu corriger Claes avec les meilleurs d'entre eux!

Les deux hommes l'observaient toujours. Simon déclara :

– Étant donné tous les ennuis qu'il a causés, vous me surprenez véritablement. Il doit bien y avoir vingt années de différence entre Claes et la pauvre femme. Et il dirige toute l'entreprise, dites-vous?

– Ouais, fit Metteneye. Et vous ne sauriez croire les progrès qu'il y a apportés. Il a acheté des armes, de l'artillerie, il a formé une grande compagnie de mercenaires et l'a envoyée combattre à Naples. Il a créé un service de courrier privé entre la Flandre et les États italiens. Il a développé la teinturerie et les prêts sur gages. Il a acheté des bâtiments, mis de nouvelles gens à la tête des établissements...

– Tout cela avec l'argent de la veuve? J'ignorais qu'elle valût si cher, remarqua Simon.

– Oh, elle a pas mal d'argent, déclara Metteneye. Mais l'essentiel se fait par prêts et promesses. Là est l'avantage d'avoir très vite lancé la compagnie d'Astorre et le service de courrier. Les Médicis le soutiennent, tout comme les autres avec lesquels il a signé des contrats. Il est de leur intérêt, voyez-vous, de lui prêter de l'argent.

Le chapelain restait là, épanoui. D'autres personnes arrivaient dans le couloir, au rez-de-chaussée.

– Il doit avoir ensorcelé la pauvre femme, semble-t-il, déclara Simon. J'espère qu'elle ne se réveillera pas un beau matin pour découvrir que son époux, son affaire et son argent ont disparu tous ensemble.

Jehan Metteneye hocha la tête.

– C'est ce que dit ma Griete, fit-il. Et peut-être y a-t-il dedans une part de vérité. Mais ils ont fait des merveilles, chez eux. Vous devriez passer par là avant leur départ, demain.

– *Ils s'en vont?* releva Simon. Le jeune époux, prétendez-vous, abandonne Bruges avant les joutes? Je pensais le découvrir, tout vêtu de drap d'or, à la meilleure fenêtre! Peut-être même rompant une lance en l'honneur de sa vieille épouse. On a admis le fils de la veuve, semble-t-il. Il ne devrait donc pas y avoir d'obstacle à l'entrée dans les lices d'un bâtard sans terres.

Une telle déclaration n'était pas bien avisée. Les Metteneye, comme les Charetty, étaient d'ascendance bourgeoise, et sans terres, bien que l'origine des familles fût ancienne.

– Je n'ai rien contre les joutes, dit Metteneye. Notre famille y a toujours pris part, et le jeune Pieter y sera demain. Mais les affaires doivent parfois passer avant tout. Le jeune homme emmène son épouse, si j'ai bien compris, pour rendre visite aux Hôtels de Fleury, à Dijon et à Genève. Ce sont des parents et, sans aucun doute, des clients importants. Quant au jeune Felix...

Le chapelain, tout souriant, hocha la tête et passa devant lui. Metteneye, un peu rouge, continua de dire ce qu'il savait.

– Le jeune Felix, pourrait-on dire, a fait mieux que de participer à un tournoi. Il a reçu une invitation personnelle pour chasser avec le comte de Charolais. Remise par le receveur du comte. Malheureusement pour le même dimanche. Que pouvait-il faire? Mais j'ose dire, ajouta Jehan Metteneye, que vous trouverez demain un adversaire digne de vous pour rompre une lance. Mais nous sommes sur votre chemin, et vous devez être pressé.

Pressé, il l'était plus ou moins. Toutefois, il prit encore le temps, comme on le lui avait conseillé, de passer devant les vastes bâtiments bien entretenus des Charetty, derrière leur long mur. Il fit quelques visites. Après quoi, encore pensif, il alla retrouver la brune et majestueuse Muriella.

La soirée se déroula fort agréablement. Le banquet était généreux, et ses compagnons les plus proches plaisaient à Simon. Il conversa avec eux d'aimable façon, tout en poursuivant sa cour badine auprès de la jeune femme, dont les joyaux contribuaient certainement à rehausser son propre prestige auprès des personnages titrés de Bruges. Il avait trouvé, chez quelqu'un qui lui réservait ce genre de présents, une rose qu'il avait offerte à Muriella, et elle lui avait permis de lui caresser les doigts lorsqu'il y avait posé un baiser. Il évita ensuite tout excès de satisfaction en consacrant une attention particulière à la dame qui accompagnait son voisin de table. Elle y répondit avec ardeur.

Ainsi qu'il l'avait espéré, le banquet ne se prolongea pas outre-mesure. Il escorta sa compagne, bien entourée, jusqu'à sa demeure, prit congé d'elle avec une tendre courtoisie. Puis il renvoya sa suite, partit à travers des rues moins fréquentées, dans tout l'anonymat de son manteau à capuchon. Ses pensées vagabondes revenaient à la jeune fille, à sa peau blanche, à ses cheveux sombres, aux plaisirs explicites que le reste de son corps pouvait encore lui offrir. Lorsqu'il arriva devant la maison de Betkine, il brûlait d'une étrange énergie qui, mise à l'épreuve, lui apporta quelques moments de plaisir intense et refusa à plusieurs reprises de s'apaiser.

Il ne pouvait passer en ce lieu la nuit entière. Il y resta deux fois plus longtemps qu'il ne l'avait prévu. Quand il s'en fut la Place du Marché était brillamment illuminée. On repérait, à des murmures occasionnels, les endroits où la ville avait posté des gardes pour veiller sur les constructions de bois, de lattes et de toile jusqu'au moment où pointerait le jour du tournoi. Sur son passage, il entendit les reniflements des porcs omni-présents, les cris aigus des chats, les vagissements assourdis, derrière une fenêtre éclairée, d'un nourrisson exigeant, une volée de ronflements, issue d'un entrebâillement de volets, le clapotis de l'eau du canal, le froissement de quelques débris soulevés par le vent, le bruit sourd de pas solitaires qui traver-saient un pont. Et, de différents endroits, des aboiements confus.

Il avait perdu un beau chien, naguère, dans ces parages. Et une jolie fille, dodue à souhait.

Le vent s'était levé. Il apportait une rumeur étrange. Simon, immobile sur la Place du Marché, tendit l'oreille. On aurait dit qu'à la limite de la ville, on répétait le tournoi du lendemain. La reproduction, en miniature, des hurlements, du rugissement de la foule, aussi faible que la mer dans le souffle d'un mol-lusque.

Le vent ramena la rumeur. Quand éclata au-dessus de sa tête le premier coup de cloche, Simon fut un moment assourdi. Un autre coup résonna, un grondement violent, qui ébranla le bef-froi. Et un autre. Un autre encore.

Quelqu'un cria. Une lumière derrière une fenêtre. Une autre suivit. Une porte claqua. La cloche continuait d'égrener ses coups sourds. Une voix les domina, une voix amplifiée qui, du haut du beffroi, proclamait ce qui ressemblait à une injonction du Tout-Puissant. Une voix d'homme qui parlait par la grande trompette. La grosse cloche, pour un incendie. La trompette parlante, qui indiquait l'endroit : la teinturerie et la demeure de la famille Charetty.

Certes, dans d'autres temps, tout bâtiment était construit de bois et de chaume : le feu pouvait, en une heure, réduire en cendres une ville entière. A présent, la brique, la pierre, les tuiles et l'ardoise pouvaient résister, mais les escaliers, les han-gars étaient en bois, et il y avait, à l'intérieur des maisons, des poutres, des boiseries.

La ville avait, pour ses responsabilités, toute la considération qui convenait. On trouvait dans chaque quartier une réserve de seilles et de balais. A l'appel de la trompette parlante, les hommes savaient ce qu'ils devaient faire. Car Bruges était une ville qui vivait du tissu, qui trônait jour et nuit sur les balles de toiles entassées dans ses caves, avec tous les autres produits qu'un marchand devait emmagasiner.

Les entrepôts d'un prêteur étaient remplis d'étoffes, sous la forme de vêtements mis en gage. Et une teinturerie, naturellement, renfermait autre chose que des pièces de tissu et des ballots d'écheveaux de laine. Il y avait les teintures elles-mêmes. Les barils de crocus jaune. Les sacs de noix de galle séchée, pour les beaux noirs précieux, et les sacs de blocs de bois du Brésil, pour le rouge cramoisi. Les bottes d'herbe aux juifs suspendues aux solives. Les plateaux de guède en poudre ou en granules. Les vessies emplies de nerprun, de vert de sève ou de mûrier. Les tonnelets de laques, de gommes, de résines. Les hangars pleins de cendres et de tonneaux à vin vides, qu'on devait nettoyer et brûler. Et, d'une cour à l'autre, les bacs en bois, les outils, les cadres à tendre les étoffes, les arcades à lainer empilées les unes sur les autres. Et les alignements d'écheveaux et de pièces d'étoffe teintes, qui reliaient la teinturerie à la maison puis aux magasins, en un dessin sans fin, semblable à quelque jeu de patience magique fait de laine.

Simon de Kilmirren rebroussa chemin pour se diriger vers le lieu où, maintenant, la distante rumeur se faisait plus distincte, en dépit des bruits mieux définis qui l'entouraient. On voyait, à la couleur du ciel, qu'il y avait bien là-bas un incendie, et qu'il prenait de l'ampleur.

Des gens le dépassaient en courant, dans un fracas de seaux. Un instant arrêté, il les suivit sans se presser. Ce qui devait se passer serait achevé avant son arrivée.

C'était vrai, naturellement. Quand il parvint au lieu du sinistre, le feu venait de s'emparer de la maison d'habitation et gagnait sur la cour. La rue, était une masse mouvante de gens à demi nus qui criaient.

La cour était encombrée d'hommes qui se bousculaient. On sortait les chevaux. Des cascades d'eau, des arcs argentés fendaient l'air, se résolvaient en une vapeur blanche, sifflante. A mesure qu'avançait la ligne de feu, celle des seaux et des balais commençait de battre en retraite. Des débris enflammés jaillissaient maintenant de la maison, retombaient sur les sacs et les caisses tirés dans la cour. Simon se fraya un chemin plus avant, passa devant un homme d'âge mûr en bonnet de nuit qui se débattait avec un sac de cochenille, son ventre nu proéminent tout taché d'écarlate. Simon demanda à quelqu'un :

– Que sont devenus les habitants de la maison?

L'homme auquel il s'adressait ramassait des registres, tombés en désordre sur le sol : sans doute les avait-on lancés d'une fenêtre de l'étage. Il répondit :

– Les chiens nous ont réveillés. Nous avons fait sortir tout le monde, je pense.

Il portait un pourpoint noir ouvert sur son linge de corps. Son visage, au nez en écope, était noir, lui aussi, creusé par l'effort.

Simon lui dit :

– Écoutez, je vais m'occuper de ça. Allez voir ce que vous pouvez sauver d'autre.

Il attendit de voir l'homme s'éloigner. Après quoi, méthodiquement, il jeta les registres, un par un, au cœur des flammes. A ce moment, la chaleur fit reculer tous les sauveteurs, et il se contenta, lui aussi, de rester avec les autres sur la chaussée pour regarder brûler l'entreprise Charetty. Pendant ce temps, le bruit et les cris s'éloignaient de chaque côté, où l'on arrosait et vidait les maisons les plus proches.

Autour de Simon, la foule s'était divisée en petits groupes plus ou moins silencieux : on n'entendait que des sanglots étouffés, là où des femmes s'accrochaient à des amis ou à des proches qui les réconfortaient. Dans l'un de ces groupes, il reconnut l'homme auquel il avait parlé récemment, auprès d'une femme petite mais avenante, à la magnifique chevelure. Elle tenait contre elle deux jolies fillettes au visage gonflé de larmes. Il les remarqua tout d'abord à cause de l'espace vide laissé tout autour d'elles, comme par déférence. Presque aussitôt, il comprit qui elles devaient être.

La beauté de l'incendie avait maintenant atteint son paroxysme. Les étranges et précieuses substances alimentaient un bûcher rouge et jaune d'un extraordinaire éclat, strié de verts salins, de jaunes acides et d'un violet troublant. De temps à autre, dominant le rugissement mêlé de crépitements, une détonation, un sifflement annonçaient un ruban d'argent, un panache de gomme-gutte ou bien une flèche d'écarlate qui crachait des étincelles. La cour inondée reflétait le spectacle.

Le vent tourna soudain. Le linceul de fumée noire et sa puanteur virèrent vers la chaussée. Comme réveillée tout à coup, la foule s'anima. La maison, moitié en flammes, moitié en cendres, n'était plus une menace, maintenant que le vent avait changé de direction. Les habitations les plus proches étaient sauvées. Les silhouettes qui se pressaient de toute part commençaient à s'éloigner une à une. Immobile, la femme qui devait être Marian de Charetty les regardait. Simon vit l'homme en pourpoint noir lui parler doucement. Il s'éloigna ensuite, entreprit de regarder autour de lui. Bientôt, la foule l'entoura. Il devait, bien entendu, trouver de quoi loger tous les gens de la veuve.

Mais veuve, elle ne l'était plus. Et ce qu'elle attendait était évident. Et tout naturellement une silhouette se détacha du dernier groupe d'hommes noircis de suie, se dirigea d'un pas vigoureux, sur ses pieds nus, vers la femme et ses deux fillettes. Cet immortel jeune salaud. Ce Nicholas.

Quelle expression avait-il ? Une couche de suie et de sueur la dissimulait. Là où la chemise détachée ne le couvrait pas, son corps montrait des traces de peau brûlée aussi bien que de saleté. Mais Simon distingua la blancheur de ses dents. La plus jeune des filles abandonna l'épaule de sa mère pour courir vers lui. Nicholas l'entoura étroitement de son bras, lui posa un baiser sur le front. Après quoi, la tenant toujours à son côté, il s'avança et, d'une seule main attira dans une même étreinte silencieuse l'autre fille et la femme. Les longs cheveux en désordre de la mère flottaient autour d'eux.

Ce qu'il dit ensuite, Simon ne put l'entendre, mais le regard de la femme parlait pour elle. En vérité, aucun témoin de la scène ne pouvait douter d'une façon précise de ce qu'il l'avait amenée à se marier. Son jeune mari se sépara doucement d'elles trois. Il appela l'homme en noir qui se retourna pour lui répondre, regarda autour de lui, vit Simon, le désigna du doigt. Dans son manteau noir et ses habits de fête en satin, un peu froissés par Betkine, Simon attendit que Nicholas se fût approché. Sous la suie, le visage du jeune homme était blême.

– Dans un monde aussi plein de bonnes petites affaires, demanda Simon, pourquoi en épouser une qui sent si mauvais quand on la chauffe ? J'ai appris que vous aviez l'intention de vous sauver, dès demain, pour vous mettre en sécurité. Mais, vous voyez, nous nous rencontrons quand même.

On pouvait bien l'appeler à présent Nicholas, mais c'était le garçon qui endurait sans broncher toutes les corrections qu'il avait devant lui.

– Gregorio, dit-il seulement, m'apprend qu'il a laissé tous nos registres entre vos mains.

– Gregorio ?

Simon regardait autour de lui.

– L'homme de loi en noir. Évidemment, il ignorait qui vous étiez, ajouta le jeune homme.

Simon reconnut l'homme en noir, lui sourit. L'homme fit quelques pas vers eux.

– Oh, un autre courageux employé trempé dans l'urine. Dites-lui de ne pas approcher. Si, du moins, c'est l'homme dont vous parlez. Je ne l'ai jamais vu auparavant, ni lui ni vos malheureux registres. Êtes-vous sûr, mon cher Nicholas, que votre homme de loi n'a pas jugé plus expédient de les rejeter dans les flammes ? Cela s'est vu.

Le fameux Gregorio était arrivé près des deux hommes. Il se tourna vers le jeune homme que, Dieu le préserve, il devait être forcé de considérer comme son patron.

– Qu'en a-t-il fait ? questionna-t-il.

– Il les a rejetés au feu, j'imagine, répondit Nicholas. Cet homme est un gentilhomme du nom de Simon de Kilmirren. J'ai ici l'occasion de vous répéter ce que je vous ai dit l'autre jour. S'il tente de pénétrer dans l'un de nos bâtiments, de s'adresser à l'un de ceux qui œuvrent ici ou de parler à la demoiselle contre sa volonté, vous devrez appeler immédiatement meester Metteneye ou meester Adorne.

Simon considérait les yeux de clown du garçon, élargis et blancs comme des cloques dans le visage noirci.

– Il doit certainement exister, déclara-t-il, une insulte qui vous contraindrait à vous conduire en homme. Toutefois, par Dieu, je ne puis imaginer laquelle. Au cours d'une existence quelque peu mouvementée, je n'ai jamais rencontré, meester Gregorio, de serviteur aussi lâche que celui qui se dit votre maître.

Il sourit, s'éloigna. Aucune riposte ne le poursuivit. Il ne tourna pas la tête pour voir si le jeune homme le suivait des yeux.

– Je suppose, dit Gregorio au bout d'un moment, que vous avez vos raisons.

Nicholas se tourna vers lui.

– Je n'en sais vraiment rien. Nous avons mieux à faire que nous inquiéter de querelles.

– Les registres... commença Gregorio.

– Ils ne sont pas irremplaçables. Et, si vous vous disposez à me demander si c'est lui qui a mis le feu, je l'ignore.

– Mais vous allez bien essayer d'en avoir le cœur net?

– Non, c'est vous qui allez le faire. Vous aurez de l'aide. La ville s'inquiète fort de ce genre d'accident. Toutefois, je ne pense pas qu'on trouve quelque chose.

– Et les prêts, dit Gregorio. Les nantissements pour tous ces prêts et les revenus qui vous étaient nécessaires pour les rembourser...

– Oui, c'est vrai. L'incendie n'aurait pu survenir à un plus mauvais moment. Celui qui l'a allumé comptait là-dessus. Et l'on comptait probablement aussi voir la moitié d'entre nous périr par le feu. Mais personne n'est mort. Et c'est là, réellement, tout ce qui compte.

La demoiselle s'était approchée, avec ses filles.

– N'était-ce pas...?

– Venu m'exprimer ses regrets? Pas tout à fait. Nous en reparlerons plus tard. Pour le moment, voyons ce que nous avons à faire.

Nicholas partit pour Genève le mardi, deux jours seulement après la date prévue. Il emmenait l'escorte qu'il avait déjà engagée, les mulets et ses propres chevaux, arrachés aux écuries avec leurs harnais. Il avait aussi récupéré dans les écuries ses sacoches de selle, toutes préparées pour le voyage. Il emmenait également, contre tous les avis contraires, une seule charrette, chargée de ballots d'étoffes à l'intention de Jaak de Fleury.

Derrière lui restaient les sacs et les coffres que Marian de Charetty avait préparés en vue de ce même voyage et qui représentaient à présent tout ce qu'il lui restait en vêtements et objets de parure. Il n'était plus question de cette expédition. Tout comme Gregorio, elle avait d'abord cru que le départ de Nicholas lui-même était, lui aussi, annulé. Tout au long de cette nuit-là, la plus longue de toute sa vie, elle n'eut pas l'occasion d'y songer. Avec une hospitalité spontanée, les voisins accueillirent les pauvres gens sans toit. L'un des bourgmestres arriva en bonnet de nuit, amenant avec lui l'un des médecins de la ville pour soigner leurs brûlures. Une garde fut placée autour des ruines encore fumantes, afin de protéger tout ce qui pourrait être récupéré une fois les cendres refroidies. Winrik, le changeur, accompagna ses amis jusqu'à cette partie de la maison où, sous les ruines, se trouvait une masse d'argent fondu qui représentait le contenu des coffres de gros de Marian. Le lendemain, le Trésor enverrait ses fonctionnaires, et la demoiselle pourrait peut-être se voir rembourser une partie de sa valeur. Tout le reste, billets à ordre et nantissements, avait disparu. De même que toutes les réserves de la teinturerie, hormis un sac ou deux des teintures les plus précieuses, que Henninc lui-même avait sortis.

A l'aube, Marian, Nicholas et Gregorio s'étaient retrouvés, noircis, épuisés, dans le refuge miraculeux mais pas encore payé de Spangnaertstraat. Assis autour d'une table de bois blanc, ils avaient mangé une soupe et parlé. Ce n'était pas très raisonnable, mais, trop lasse pour dormir, Marian de Charetty avait bien gagné le droit d'exorciser ses pires craintes en dressant des plans d'avenir, tandis qu'elle avait des hommes prêts à l'écouter et à l'aider.

Gregorio, que tenait éveillé la persistante étrangeté de leurs relations, regardait Nicholas prendre des décisions à la place de la demoiselle. La Foire de Mai s'ouvrait moins de deux semaines plus tard, et l'on y participerait quand même. L'entreprise de Louvain leur fournirait des marchandises à vendre. La Guilde les aiderait en leur accordant des crédits pour les achats et, sans doute, en leur fournissant un emplacement partagé avec un autre marchand. Spangnaertstraat et les autres propriétés achetées par Nicholas ne valaient rien pour abriter la teinturerie. Mais la première allait devenir à la fois leur demeure et le siège de leurs bureaux, cependant que les autres bâtiments, s'ils n'étaient pas déjà loués, pourraient loger quelques-uns des serviteurs et des ouvriers. La taverne, peut-être, en accueillerait certains. Les autres pourraient aller à Louvain.

Louvain, au lieu de perdre en importance, serait, en attendant, maintenu sous l'autorité de Cristoffels. A Bruges, la cour trop vaste, avec ses nombreuses activités, ne valait pas la peine d'être remise en état. Ils allaient désormais viser à des travaux de qualité, en teinturerie, commerce et courtage. Leur teinture surpasserait celle de Florence. Ils accepteraient des gages de valeur qui demandaient des entrepôts sûrs mais de dimensions restreintes. Ils rechercheraient les prêts à intérêts élevés, soigneusement dissimulés.

C'était là, Gregorio le savait, la ligne de conduite que favorisait Nicholas. Il l'avait compris bien avant l'incendie. Il prit la parole.

– Vous parlez d'opérations de finance liées à un commerce de luxe. Je n'ai rien contre. Mais d'où viendra l'argent nécessaire pour l'organiser dès maintenant ? Vous devez faire vivre un grand nombre de gens. Vous vous êtes endetté pour acheter ces propriétés et les autres. Des étoffes qui appartenaient à des clients ont été brûlées : on va vous demander de les rembourser, tout comme vos propres étoffes achetées à crédit. Vos nantissements ont disparu, de sorte que chaque prêt représente une perte sèche. Et ceux qui voudront récupérer leurs gages ont un recours contre vous. Vous avez acheté des armes à crédit. Les frais engagés pour la compagnie de mercenaires pourraient bien être plus importants que les gains. Si votre capitaine est fait prisonnier, si vos soldats connaissent une grave défaite, vous devrez peut-être régler des rançons ou des dédommagements. Vous pourriez vous retrouver dépourvu de moyens pour remplacer les hommes, les armures, les chevaux, pour remplir le reste de votre contrat et, certainement, pour en trouver un autre. Voici le risque auquel vous êtes à présent exposé, sans entreprise pour l'amortir.

Gregorio se tut, baissa les yeux devant les traits tirés, figés de la veuve. Elle avait relevé ses cheveux d'un brun plutôt attrayant et jeté un manteau sur sa robe de nuit. L'homme de loi s'était demandé s'il valait mieux la laisser se retirer, réconfortée par les rêves d'un jeune homme, mais il avait décidé qu'en fin de compte, il serait plus généreux de la mettre devant la réalité. Il reprit :

– Demoiselle, je regrette de devoir vous le dire. Tout ce que vous pouvez vraiment vous permettre, c'est de renvoyer tous vos gens, moi y compris, et de vous replier sur Louvain, après avoir revendu toutes vos propriétés nouvelles et remboursé quelques-uns de vos créanciers. Par ailleurs, il n'est plus question pour Nicholas d'envisager son projet concernant l'alun.

Sur ces derniers mots, il releva la tête, sincèrement désolé. Les yeux bleus de la demoiselle étaient fixés sur lui. Elle les tourna vers Nicholas.

Celui-ci déclara :

– Non seulement Nicholas continue d'envisager le projet concernant l'alun mais il part mardi pour y mettre la dernière main. Ce plan, à lui seul, nous remettra sur pieds. On croirait, à vous entendre, qu'il ne s'est jamais produit de naufrage, d'inondation ni de famine. Cet incendie est un désastre pour nous, pas pour le reste de la communauté. On va nous soutenir. On va prolonger notre crédit. Si on ne le fait pas par confraternité, ce sera par intérêt bien compris. J'y veillerai. Vous oubliez les fameux contrats pour le service de courrier. Nous ne sommes peut-être pas en mesure de vendre beaucoup d'étoffe mais nous pouvons vendre de l'information.

Gregorio, en effet, avait oublié cela.

– Les dépêches? dit-il.

– Elles sont dans cette maison, répondit Nicholas. Je ferais une autre sorte de figure, dans le cas contraire.

– Mardi? dit la demoiselle.

Nicholas se tourna vers elle.

– La teinturerie a toujours été sous votre autorité. Vous connaissez la Guilde, vous connaissez les problèmes mieux que personne. Nous disposons de demain et de lundi pour prendre toutes les dispositions, vous, Gregorio, Henninc et moi-même. Cristoffels est déjà en route. Et, dans quelques jours, Felix sera de retour.

Il marqua un temps, reprit:

– Il vaut mieux pour tout le monde que je parte dès maintenant. Je n'irai pas à Dijon, bien entendu. Mais je porterai l'étoffe à Genève et, de là, j'irai tout droit à Milan. Je reviendrai le plus vite possible, vous pouvez y compter.

– A Genève! répéta vivement la demoiselle.

– Ils ont commandé l'étoffe. L'argent nous sera utile.

Gregorio, dont les paupières se fermaient, se redressa sur son siège.

– Si vous parlez, dit-il, de Thibault et Jaak de Fleury, ils n'ont pas payé la dernière livraison. Nous ferions mieux, sûrement, de garder l'étoffe pour la foire.

– Vous avez peut-être raison, fit Nicholas.

Il regardait la demoiselle, lisait sur ses traits, semblait-il, une expression qui avait échappé à Gregorio. Il s'adressa à elle.

– Auriez-vous oublié Felix? Nous avons eu de la chance qu'il ne se soit pas trouvé là, pour se comporter avec une téméraire bravoure. Il vous dira, à son retour, avec quelle maladresse nous avons pris la situation en main.

La demoiselle lui sourit. Un moment plus tard, elle se leva, se dirigea lentement vers le lit de fortune qui avait été dressé pour elle.

La porte refermée, Gregorio se tourna vers son compagnon.

– Elle vous doit beaucoup, déclara-t-il. Mais écoutez mon conseil. L'intelligence ne suffit pas pour se tirer de ce mauvais pas. Il y faut de l'expérience, de la prudence. Vos plans ont toujours été risqués par nature. Pourtant, vous tenez toujours à les mettre à exécution. Vous avez appris très vite. Votre assurance a grandi plus vite encore. Et vous ne possédez toujours pas l'expérience.

Nicholas le dévisagea. Il surprit Gregorio avec l'un de ses sourires les plus épanouis, qui se termina en un bâillement à se faire craquer la mâchoire.

– Mon ami Goro, dit-il, croyez-vous que je ne sache pas tout cela? Mais, si tout ce que vous avez dit est vrai, ce qui est le cas, il nous faut beaucoup d'argent, très vite. Et, que j'aie ou non l'expérience, je vais me le procurer.

31

Ignorant – et de ce fait l'esprit libre de tout souci – que l'entreprise Charetty était en cendres derrière lui, et que, pis encore, la veuve Charetty n'était plus une veuve, Thomas, l'adjoint au capitaine, poursuivait sa route vers le sud pour se battre, accompagné par quatre escadrons de lances et cinquante hommes tout prêts, sinon parfaitement capables de le faire, à utiliser les armes à feu que lui avait fournies cette jeune terreur, Claes.

Avec lui avançaient aussi les deux hommes, Godscale et Abrami, choisis eux aussi par Claes. Thomas découvrait qu'il était heureux de leur présence. Abrami, arbalétrier hongrois entraîné en Allemagne, en savait plus long que lui sur les armes à feu. Godscale n'était pas seulement un clerc : il était aussi apothicaire. Quand les piqûres infligées par les taons s'infectaient, comme c'était souvent le cas, Godscale faisait merveille avec ses pommades et ses poudres. Thomas savourait cette randonnée vers le sud, en dépit de la racaille de palefreniers et de valets qui accompagnait toujours une longue campagne.

Cela, c'était le mauvais côté de la tâche. Le bon côté, c'étaient les femmes. La veuve leur abandonnait toujours, à Astorre et à lui, le soin d'organiser cet aspect de l'affaire, et il lui arrivait rarement d'en discuter les frais. Après tout, on ne s'attend pas à voir un combattant rechercher de quoi manger, ni moudre son propre grain, ni laver son propre linge. C'étaient là travaux de femmes. Et, quand un homme cessait de se battre, il demandait autre chose, pour occuper ses loisirs, qu'un jeu de dés ou un verre de vin.

A Naples, ils ne manqueraient pas de femmes. Une armée en attente de combat les attirait comme ces bon Dieu de taons, et elles vous mordaient aussi cruellement : si elles ne le faisaient pas, les combats qui se déroulaient pour les avoir s'en chargeaient. Il était donc préférable d'emmener quelques bonnes filles de votre connaissance. Il y avait même dans les charrettes une ou deux épouses, dont l'une allaitait son enfant. C'était le premier bébé qu'avait vu Thomas, mais il en arrivait parfois d'autres. C'était au père de choisir. Un homme ne touchait qu'une seule paye. A lui de savoir s'il voulait, avec ça, nourrir plus d'une bouche.

Thomas et sa cavalcade traversèrent les Alpes sans incident.

A Milan, il prit livraison des armes à feu. Il connut en même temps une surprise, mais n'en fut pas indûment bouleversé.

Il atteignit Naples à la fin d'avril, après un certain nombre d'esquives tactiques, et trouva une ville à peu près invisible sous des averses de pluie froide. Il avait envoyé une estafette pour avertir Astorre de son arrivée et il espérait bien qu'il restait encore quelques logements convenables, avec des sols secs et pas plus de rats dans le chaume qu'un homme ne pouvait en supporter.

Le château était assez vaste pour abriter tous les commandants et tous les capitaines, en même temps que ce royal bâtard aragonais qu'on appelait Ferrante. Mais loger les hommes, c'était un autre problème. Certaines villes vous reléguaient dehors, entre les murailles et les défenses extérieures, et bâtissaient pour vous des huttes de bois. Parfois, vous deviez monter vos propres tentes. D'autres fois encore, on vous logeait dans une famille qu'on pouvait contraindre à vous accueillir.

Thomas, à son arrivée, fut heureux de voir Julius, le notaire de la veuve, qui l'attendait aux portes en compagnie d'un homme bien vêtu qui était, apparut-il, le commissaire napolitain. Avec une certaine satisfaction, il regarda l'homme passer rapidement en revue, du haut de son cheval, la file des hommes, des charrettes et des bagages et, au retour, faire un signe d'approbation. On fournit à Thomas un clerc et un homme d'armes et, avec Julius, il entreprit d'installer tout le monde.

Durant tout ce temps, impossible de bavarder. Astorre, son capitaine, était en expédition. Cela, il l'apprit. Le notaire lui demanda ensuite comment s'était passé le voyage, et si tout allait bien à Bruges. Tout allait pour le mieux, répondit Thomas. Le capitaine Astorre était-il toujours le même vieux salaud? Julius, avec un bref sourire, affirma que Thomas le reconnaîtrait sans peine.

Thomas lui jetait de temps à autre un coup d'œil et le trouvait bien changé. C'était un homme bien bâti, avec le genre de figure osseuse, aux traits marqués, qu'on s'attend à voir chez un combattant. Astorre avait déclaré plus d'une fois qu'il ne serait pas surpris si la veuve l'accueillait dans son lit, un de ces jours : ils passeraient tous, alors, sous l'autorité de meester Julius. Mais, s'il en était ainsi, elle n'avait pas hésité à l'envoyer en Italie, et il n'avait pas hésité à partir. Et, s'il existait à Bruges une seule femme qui eût approché meester Julius plus que l'encrier posé sur son bureau, il n'en avait jamais entendu parler.

Qu'avait-il donc de changé, à présent? Il avait perdu cet éclair de diablerie, voilà. Cette étincelle qui l'amenait à se mêler à toutes les fredaines de Claes et du jeune Felix. Peut-être ceux-ci lui manquaient-ils. Ou peut-être était-il jaloux de Claes, dans sa convenable tenue bleue de courrier, de Claes que les banquiers saluaient d'un signe de tête, et à qui ce vieux Henninc ne flanquait plus de taloches. Ou peut-être avait-il pris Astorre à rebrousse-poil, ce qui n'était pas difficile, surtout quand on était soldat. Peut-être encore en avait-il tout bonnement assez de Naples et de la pluie. On s'en fatiguait aisément, lorsqu'on n'était pas homme à femmes. Thomas, qui avait fait plusieurs fois le tour de toutes les femmes des charrettes durant le voyage de Bruges à Naples, prenait Julius en pitié.

Julius, lui aussi, se prenait en pitié. Il en avait assez de Naples, assez de la pluie et, plus encore, de la féroce compagnie, depuis trois mois, de Syrus de Astariis, qui lui enseignait à garder ses vétérans en alerte, pendant qu'on attendait l'arrivée du reste de la compagnie.

Comme l'armée hétéroclite du roi, le groupe d'archers et de cavaliers d'Astorre avait passé la majeure partie de l'hiver à l'intérieur de Naples. De temps en temps seulement avait lieu une sortie, dans le but de suivre à la piste les rares mouvements de l'ennemi, conduit par Jean de Calabre et par cet Orsini, le prince de Tarente.

A l'intérieur des murailles, ils prenaient leur part des violents affrontements entre les compagnies, pour ne rien dire des véritables bagarres qui les maintenaient en forme. Rien de tout cela ne tracassait Astorre, qui se contentait de maintenir son contrôle sur son petit groupe, un art dans lequel sa compétence était inégalable. Mais, à mesure que passaient les semaines, Julius se prenait à souhaiter la venue de Tobie, qui était censé rejoindre le sud quand frère Gilles serait guéri et qui, jusqu'à présent, n'avait pas fait le moindre mouvement vers le sud. En l'espace de trois mois.

Julius s'apercevait que Tobias lui manquait. Il lui manquait parce que c'était l'unique personnage civilisé avec lequel il pouvait parler de la famille Charetty. De la veuve et de Felix. Et de ce terrible Claes, sans cesse battu, qui aurait dû être là, pour lui tenir compagnie, pour l'écouter. Et, plus ou moins, pour se perfectionner.

Ce jour-là, donc, tard dans la soirée, dans la petite chambre occupée au château par le capitaine, Julius se laissa enfin tomber sur un siège avec Thomas et les deux nouveaux, Godscale et Abrami.

– Bon, dit-il. Donnez-moi maintenant toutes les nouvelles.

– Je savais bien que vous deviez vous poser des questions, répondit Thomas. Trois cents florins de plus par mois que ce qui avait été convenu. Alors, qu'est-ce que vous en dites?

Julius attachait sur lui un regard vide.

– Pour les hommes qui manient les armes à feu, précisa Thomas.

Il fronça les sourcils.

– A quoi vous attendiez-vous? Neuf cents florins, on avait promis au capitaine, dans la condotta. Nous avons à présent cinquante hommes de plus, bien entraînés. J'ai obtenu la promesse du secrétaire du duc. Trois cents florins de plus. Attendez que le capitaine soit au courant.

Julius fit effort pour aligner son esprit sur les préoccupations de Thomas.

– Astorre va être ravi, dit-il. La veuve aussi. Thomas, voilà véritablement une bonne nouvelle. Vous avez négocié l'affaire avec l'aide de meester Tobias?

Thomas était d'humeur expansive. Par ailleurs, il se souciait peu de passer pour un homme qui prenait la peine de lire. Il répondit :

– Avec l'aide de meester Godscale. Meester Tobias n'était pas là.

Julius le dévisagea.

– Il n'est pas encore à Plaisance? Ou à Florence? Frère Gilles se trouve-t-il encore à Milan, Thomas?

Celui-ci eut un large sourire.

– Je voudrais que vous entendiez les bonnes histoires de frère Gilles. Mais non, il est guéri, et on l'a envoyé à Florence, à ce qu'on dit. Meester Tobias est bien allé à Plaisance, puisqu'il a pu nous procurer les armes. Il a pris son temps. Il n'est pas revenu à Milan avant la fin février.

Il marqua un temps.

– Et alors? fit vivement Julius.

Le même sourire s'élargit sur le visage de Thomas.

– Eh bien, il en est reparti. Pour les Abruzzes.

Julius le regardait sans comprendre. Il voyait, en esprit, la côte ouest de l'Italie, depuis Rome, jusqu'à l'endroit où il se trouvait présentement, dans le château de Naples, où il se préparait à combattre pour le roi Ferrante. En même temps, il imaginait l'autre côté de l'Italie, la côte est, et l'étendue de terre au long de la mer qu'on appelait les Abruzzes. Une étendue de terre d'un grand intérêt, puisque, prétendait la rumeur, une armée avançait dans cette direction, celle de Jacopo Piccininio, à la solde à présent du duc Jean de Calabre, et bien décidé à unir ses forces à celle du duc Jean, en préparation d'un suprême assaut contre Naples.

– Pourquoi Tobias irait-il dans les Abruzzes? demanda Julius.

Le sourire de Thomas était décidément fixé sur son visage. Il répondit :

– Oh, il n'y a pas là de secret. Il est allé rejoindre le capitaine Lionetto. Il est revenu à Lionetto, le gars avec qui il était avant de passer chez le capitaine Astorre. Attendez un peu que le capitaine Astorre apprenne ça. On ne pourra plus le tenir. Il faudra le lier de chaînes pour l'empêcher d'aller se battre à lui seul contre le comte Piccinino, le capitaine Lionetto et meester Tobias.

Toute cette nuit-là, Julius, incapable de dormir, songea à l'événement. Il n'aurait pas dû en être surpris. Depuis Bologne, il s'était accoutumé à être lâché. Chaque homme, il le savait, se préoccupait de son propre intérêt : il ne fallait pas en attendre davantage. Il n'avait pas très bien connu Tobias. Il l'avait trouvé coléreux, impatient, souvent intolérant, mais raisonnablement juste dans ses rapports avec autrui et précis dans ses jugements. Julius en était venu à compter sur sa présence, plus qu'il n'en avait conscience. Il aurait dû savoir qu'en fin de compte, l'argent aurait l'avantage.

Lorsqu'Astorre revint avec son petit groupe de combattants, il apparut qu'il était déjà au courant de la trahison de Tobias. Après quelques banales obscénités, il laissa tomber l'affaire. La perte de son maître cavalier l'aurait tourmenté davantage. D'ailleurs, ils avaient maintenant Godscale, et il était apothicaire, non ? Il s'y entendait en pommades et en blessures ? Un médicastre en valait un autre.

C'était, si l'on prenait la peine d'y réfléchir, une réaction prévisible, chez Astorre. Mais, au regard de Julius, accoutumé à interpréter l'inclinaison de la barbe et la lueur dans la fente qui subsistait de l'œil recousu, il semblait bien y avoir autre chose. Il attendit de se trouver seul avec le capitaine et lui demanda :

– Qu'est-ce donc qui vous tracasse ? Vous prévoyez une véritable attaque ? Une bataille à proprement parler ?

– Oh non, je ne crois pas, répondit Astorre. Le duc Jean possède là-bas une force importante et une bonne quantité de places fortes tenues par des barons qui n'aiment pas Ferrante. Nous ne sommes pas encore assez forts pour effectuer une sortie et les balayer.

– Pouvons-nous nous permettre d'attendre ? questionna Julius. Piccinino descend sur la côte est. Et le roi de France, dit-on, a massé des troupes à Lyon : elles attendent l'occasion de traverser les Alpes pour aider le cousin du roi, le duc Jean.

– C'est bien possible, fit Astorre. Mais il se peut aussi qu'il n'en soit rien. On penserait qu'il a, pour l'instant, les mains bien occupées, avec l'Angleterre et la Bourgogne, et qu'il n'a pas la liberté de lancer des hommes armés en direction de l'Italie. En ce qui concerne le comte Piccinino, il doit d'abord gagner le sud des Abruzzes et traverser ensuite l'Italie, pour rejoindre ses amis d'ici. Il trouvera l'affaire plus ardue qu'il ne le croit, surtout si l'armée milanaise se met à sa poursuite. Non. Si c'est une bataille que vous attendez, il vous faudra encore patienter.

– Alors, vous avez eu d'autres nouvelles?

– Oh oui, confirma Astorre. Des nouvelles, j'en ai. Thomas, venez vous asseoir. Meester Julius que voici voudrait entendre mes nouvelles et il doit les connaître. Vous aussi vous pourrez alors décider si, oui ou non, vous allez rejoindre Lionetto, comme ce foutu Tobias. Je sais maintenant pourquoi il l'a fait. Pardieu, oui, je le sais.

Thomas regardait fixement Astorre. Julius, le cerveau complètement vide, l'observait, lui aussi.

Le capitaine prononça un seul nom :

– Claes.

– Claes? répéta Thomas.

– Claes est devenu un espion? dit très lentement Julius.

– Un espion! rugit Astorre.

Des têtes se tournèrent vers lui. Il remplaça le rugissement par une véritable salve.

– Ce serait bien possible. Je suis disposé, à présent, à croire n'importe quoi, de la part de cette petite brute. N'importe quoi. Thomas, ça te dit de travailler pour Claes? De lui lécher les bottes pour avoir de quoi boire? De lui dire merci pour une paire de bottes neuves?

Thomas, perplexe, commençait à s'empourprer. Julius, de son côté, rougissait aussi et réfléchissait furieusement. Claes, le courrier docile. Le plus battu, le plus joyeux de tous les serviteurs de Bruges. Claes, habile à manipuler les chiffres, et qui avait peut-être enfin suivi les bons conseils de Julius.

– La demoiselle l'a-t-elle fait quitter les ateliers pour travailler aux écritures? demanda-t-il.

– Les écritures! hurla Astorre. Sainte Mère de Dieu, cette insensée l'a *épousé*!

Julius éclata de rire. Il ne cessa de rire durant les questions inquiètes posées par Thomas, durant les explications enflammées d'Astorre, qui suivirent. Le capitaine dressait le catalogue de tous les désastres qui les attendaient, depuis l'injure infligée à leur dignité jusqu'à la faillite prochaine de l'entreprise, qui ferait d'eux tous des mendiants s'ils ne pouvaient supporter d'être aux ordres d'un jeune étalon outrecuidant, qui possédait au moins un talent, pardieu, que tout le monde connaissait, pardieu, et qui lui avait servi, pardieu, à se faufiler là où les hommes convenables ne pouvaient arriver.

Après cela, Julius se rappelait s'être suffisamment remis pour déclarer que, si Tobias avait quitté Milan, il devait avoir d'autres raisons que les déplorables noces de la demoiselle, qui n'avaient alors pas encore eu lieu. Mais Astorre, tremblant de rage, ne voulait rien entendre.

– S'il y a eu mariage, c'est parce qu'ils ont assez souvent couché ensemble pour provoquer un scandale. Cette ordure de Claes! Peut-être est-ce Tobias qui l'a poussé! Peut-être est-ce *Lionetto*! Peut-être Lionetto est-il le nouveau capitaine de la compagnie Charetty! Il est en route vers le sud pour nous nettoyer tous et épargner aux nouveaux mariés de nous verser notre paye! Je le tuerai!

– Qui ça? demanda Julius.

– Tous! rugit Astorre, avec une logique irréprochable.

Après quoi, il se retira pour aller se saouler à mort, au point de chercher querelle au colosse le plus vigoureux qu'il put trouver et de sortir victorieux du combat.

Julius passa deux jours à le calmer plus ou moins, sans toutefois éliminer, au bénéfice du roi Ferrante de Naples, le noyau d'une animosité qui fermentait et qui annonçait, comme l'avait naguère conjecturé Thomas, une chance de détruire, sans l'aide de quiconque, l'opposition tout entière.

Julius, quant à lui, n'éprouvait ni colère ni envie, mais un plaisir grandissant et une curiosité qui ne l'était pas moins. Pour une raison inconnue, tout avait commencé. Et maintenant, qu'en découlerait-il?

Une semaine avant que la nouvelle de son mariage eût atteint Julius, Nicholas se mit en route pour Milan. Il laissait derrière lui, à Bruges, une femme courageuse et deux fillettes en pleurs. Il laissait aussi Gregorio, et Cristoffels qu'on attendait d'une heure à l'autre. Il leur faisait confiance à tous deux. Ensemble, ils pourraient commencer sans lui le travail de restauration. Et, d'ici trois ou quatre jours, Felix aurait terminé son séjour à Genappe et serait prochainement rendu à sa mère.

En fait, trois jours après le départ de Nicholas, le jeune changeur Cristoffels, parti de Louvain, arriva à Bruges. Il ignorait tout de l'incendie et s'attendait à trouver la veuve et son nouvel époux déjà partis pour Dijon et Genève. Abasourdi par l'annonce de la destruction de la teinturerie, Cristoffels ne répondit pas aussitôt aux questions précises de la veuve concernant son fils, Felix. Mais il se reprit, la rassura sans tarder. Le jonkheere se portait bien. L'accueil qui lui avait été fait à Genappe avait été de toute évidence fort agréable. En partant de là, il avait fait étape à Louvain, afin de changer de chevaux avant de repartir vers le sud avec ses serviteurs. Autrement dit, ne sachant rien de l'incendie et, par voie de conséquence, du changement de projets de sa mère, jonkheere Felix s'était mis en tête de les rattraper en route, elle et meester Nicholas. Jusqu'à Dijon, pour le moins. Et droit vers Genève, s'il ne les avait pas rejoints plus tôt.

Parvenu à ce point, Cristoffels se tut: il n'aimait guère l'expression de la demoiselle. Il jeta un coup d'œil à Gregorio, qui ne lui fournit aucune aide. La demoiselle dit enfin:

– Je suis heureuse de savoir où se trouve Felix. J'ai d'abord pensé qu'il vaudrait la peine de le poursuivre. Mais il ne tardera pas à retrouver Nicholas et il apprendra ce qui s'est passé. Nous le reverrons la semaine prochaine, je pense.

Cristoffels demeura discrètement silencieux. Il avait très exactement retracé ce qu'avait dit Felix, quand il avait décidé de rejoindre sa mère et le nouvel époux de celle-ci. Il n'avait pas décrit l'expression du visage de Felix, quand il avait fait part de son projet.

Felix lui-même, qui chevauchait vers Dijon, montrait le même visage à ses serviteurs. Ceux-ci, en conséquence, retenaient leurs bavardages habituels et se résignaient au genre de lugubre randonnée qui allait de pair avec les humeurs chagrines du jonkheere.

A Dijon, il fit une brève halte et repartit sans sa mère et sans Claes. Non, il fallait maintenant l'appeler Nicholas, si l'on ne voulait pas connaître la cravache du jeune Felix. Le jonkheere était méchamment disposé et cela n'avait rien d'étonnant : son orgueil ne tolérait pas la moindre critique à l'égard de la vieille dame, et il était naturellement fou de colère contre Claes. Nicholas. Dieu juste, comment se rappeler qu'il fallait l'appeler Nicholas, quand on lui avait gagné aux dés la jarretière d'une fille, deux mois plus tôt seulement?

Il avait donc manqué sa mère à Dijon, et ils devaient tous poursuivre leur chemin jusqu'à Genève. Il n'était guère difficile de savoir pourquoi. La vieille voulait exhiber à tout le monde son nouvel époux, et le jonkheere tenait à lui gâcher son plaisir. Du moins était-ce ce qu'on en pouvait déduire, quand on connaissait le jeune Felix. Ce n'était pas un mauvais jouvenceau. A dire vrai, il vous faisait pitié, de temps à autre. En tout cas, lorsqu'il ne vous cinglait pas de sa langue et de sa cravache.

On était à la mi-mai, saison de l'agnelage, de la verdure nouvelle, des vergers en fleurs, des rivières bondissantes et des forêts profondes peuplées d'une vie sauvage fort animée. Felix ne voyait rien de tout cela. Il dormait dans les auberges choisies pour lui par ses serviteurs, mettait la main à sa bourse pour payer la nourriture, la boisson, le lit, les péages, les dons de charité et pensait à sa mère et à Claes. Nicholas.

A Genève, il se mit en quête de la maison, des entrepôts, des écuries de Jaak de Fleury, dont la nièce, subornée par un serviteur, avait donné naissance à Claes.

Felix n'avait encore jamais rencontré Jaak de Fleury ni son épouse Esota, pour qui Claes avait travaillé étant enfant. Claes leur rendait maintenant visite, sans aucun doute aussi richement vêtu que pouvait le permettre l'argent des Charetty. Non pas Claes mais Nicholas, marié à la propriétaire du patrimoine Charetty et riche, désormais.

Car tout était naturellement bien différent de ce que Felix avait espéré, ce jour-là, dans le cabinet de sa mère, quand, entre adultes, il avait accepté la présence de Nicholas dans le cercle familial. Nicholas ne faisait pas partie du cercle familial. Il en était le chef. Il n'était pas l'ami de la mère de Felix. Il était son maître. Nicholas, le valet de Felix, qui avait ensorcelé sa mère, au point qu'elle l'avait supplié, lui, Felix, de ne pas intervenir et de laisser à Nicholas sa chance dans la vie! La chance de faire valoir son piètre triomphe devant leurs parents à tous deux. *Voici la vieille femme, mon épouse. Et voici son fils, Felix. Mais ne lui prêtez aucune attention. C'est moi qui commande, à présent.*

Il avait appris par Cristoffels cette expédition de sa mère. Pour commencer, le choc avait été si brutal que Felix n'avait su que faire. Maintenant, s'il lui arrivait de pleurer, c'était de rage. Il s'efforçait de mettre un frein à ses pensées. Un marchand ne montrait jamais ce qu'il éprouvait. C'était ainsi que se faisaient les bonnes affaires. C'était ainsi qu'on prenait le dessus sur un homme avec lequel on négociait.

La demeure enfin découverte, le portier se refusa à les laisser entrer. Felix dut se présenter lui-même et user de toute son autorité. Jaak de Fleury pouvait se considérer comme un grand négociant, un grand changeur, mais il prenait des étoffes pour le compte des Charetty, achetait et vendait, exactement comme les Charetty. La mère de Felix, pour autant que cela comptât, était sa belle-sœur. Même si Jaak de Fleury n'attachait guère d'importance à cette parenté, semblait-il. Même si Felix de Charetty n'avait certainement aucun désir de prétendre à cette sorte de concession.

On n'en devait pas moins laisser entrer sans discussion l'héritier Charetty. A moins que sa mère et Nicholas ne fussent déjà dans la maison. A moins que...

Non. Quelqu'un venait. Un homme de haute taille, vêtu d'une robe en magnifique brocart aux manches fendues et traînantes, sur un pourpoint à col haut, en soie brochée; il avait sur la tête un chapeau drapé plus large que celui de Felix et deux fois plus coûteux. Il portait une chaîne d'or autour des épaules et une quantité de bijoux discrets. Ses pommettes luisaient, volutées comme les masques d'une miséricorde. Seuls, ses yeux, largement ouverts, sombres et abondamment frangés de longs cils, ne montraient aucun éclat, en dépit du léger sourire qui découvrait les belles dents.

– On m'annonce, dit Jaak de Fleury, qu'un jeune parent est à ma porte. Je suis venu tout aussitôt. Je suis débordé d'ouvrage. Ma table est couverte de papiers. J'attends des visiteurs dans une heure et j'ai de nombreuses lettres à écrire. Mais, à ces mots, j'ai tout interrompu. Un jeune parent, qui désire me parler. C'est vous, je suppose?

Felix, fasciné, ne quittait pas du regard les dents blanches.

– Oui, répondit-il.

Les belles dents se découvrirent une fois de plus dans un sourire qui laissait deviner une trace de lassitude.

– Oui, répéta Jaak de Fleury, d'un ton encourageant. Vous me permettrez, je l'espère, de vous faire compliment de votre fort beau chapeau, poursuivit-il. Il est rare, véritablement, de voir à Genève une aussi extraordinaire réalisation, tout comme la coupe exceptionnelle de la jaque.

Derrière Felix, l'un de ses serviteurs changea de position. Le jeune homme avait chaud. Il se demandait pourquoi cet homme le retenait sur le seuil, à parler d'habillement.

– Je vous remercie, monsieur, dit-il. Je chassais à Genappe.

Le regard des yeux noirs se fit plus aigu. Il y eut comme un soupçon de silence. Puis un sourire d'une vraie spontanéité étira la bouche petite. Jaak de Fleury s'écria :

– A Genappe ! Mon jeune parent est allé chasser avec le dauphin ! Voilà bien, en vérité, une gloire qui rejaillit sur votre pauvre relation de Genève ! Maintenant, mon garçon, dites-moi, quel est votre nom ?

– Je l'ai déjà donné à votre majordome. Je suis Felix de Charetty, de Bruges. Je suis venu jusqu'ici dans l'espoir d'y trouver ma mère.

– Votre mère ! répéta son parent, consterné. Vous êtes Felix de Charetty. Il existe en effet quelque part un lien de parenté par mariage. Vous ne vous trompez pas. Et vous espériez retrouver votre mère dans cette maison ?

– Elle n'y est pas ? questionna Felix.

Il avait toujours aussi chaud mais, en même temps, une certaine irritation le gagnait. L'homme était peut-être riche et, apparemment, il était amical, mais il se tenait toujours à l'intérieur de la cour, une main couverte de bagues posée sur l'huis ouvert, tandis que Felix de Charetty piétinait à l'entrée, avec hommes et montures.

– Nous ne l'avons pas vue ici ! déclara monsieur de Fleury. Et elle n'a pas annoncé sa venue, pauvre femme. Sans aucun doute, elle a besoin d'aide.

– Vous faites erreur, déclara Felix. Elle n'a aucun besoin d'aide. Elle voyageait simplement vers le sud, en compagnie de... Elle avait simplement l'intention de vous faire visite.

– Mon cher garçon..., dit Jaak de Fleury.

Il avait si totalement changé de ton que Felix oublia son irritation pour le dévisager.

– Mon cher garçon, si vous avez passé quelques jours à Genappe... est-il possible que vous n'ayez pas eu de nouvelles de Bruges ? Que vous ne soyez pas passé par Bruges, avant de prendre la route du sud ? Qu'en fait, vous ne sachiez rien des terribles, terribles nouvelles ?

– Quelles nouvelles? questionna Felix.

Les deux serviteurs qui le flanquaient firent un pas en avant. Tous trois, comme des imbéciles, contemplaient le personnage prospère devant eux.

– Mon pauvre, pauvre garçon, reprit Jaak de Fleury. Les biens des Charetty se sont volatilisés en cendres le mois dernier, la veille du tournoi de l'Ours Blanc.

On les invita enfin à entrer. Les serviteurs, les chevaux, les bagages disparurent. Le cœur battant à tout rompre, Felix, sur les pas de Jaak de Fleury, gravit un escalier, suivit des couloirs. Il se cognait à son guide quand le marchand s'arrêtait pour répondre à des questions, se retrouvait distancé lorsqu'il fouillait son esprit à la recherche d'autres demandes.

Sa mère, la chère femme, était en vie, tout comme les sœurs de Felix. Personne n'avait péri. La maison, les ateliers, les réserves, tout avait brûlé. Une tragédie. Une véritable tragédie, alors que, au dire de chacun, la dame était déjà fort endettée par suite d'investissements imprudents. Monsieur de Fleury avait entendu des rumeurs d'une autre sorte, même s'il n'avait pas l'intention d'offenser le fils de la dame en les lui répétant. Il était question d'un mariage avec un certain laveur de vaisselle. Ces bruits, qui ne reposaient sur rien, faisaient tort à la réputation d'une maison et à celle des hommes qui la gouvernaient.

– Mais, évidemment, fit Jaak de Fleury, il n'existe plus d'entreprise Charetty, hélas. Les rumeurs n'ont donc plus aucune importance. Vous prendrez un peu de vin?

Il venait enfin de pénétrer dans une salle et faisait signe à son visiteur ahuri de prendre un siège.

– Je dois retourner là-bas, annonça Felix.

– Oui, certainement. Mais après avoir bu un peu de vin et pris quelque repos. Mon épouse va nous apporter le nécessaire. Esota! Esota! Voici Felix de Charetty, dont les biens ont récemment été totalement détruits par un incendie, à Bruges.

Le marchand se retourna tendrement vers Felix.

– Mon épouse, ajouta-t-il, aimait votre mère avec ferveur. Mais la voici.

Felix, déjà à Bruges par l'esprit, se leva et demeura debout, indifférent à tout. Une femme, qui faisait penser à une tourte, entra dans la pièce. Elle avait la pâleur d'un pudding enfilé dans un boyau de soie, les cheveux teints enroulés sur des rubans. Elle marcha vers le jeune homme, leva deux bras poudrés et drapés, l'y enferma. Le nez de Felix plongea dans la chair molle, trouva un vide, l'obstrua. Il reprit haleine, se libéra.

– Felix! fit Esota de Fleury, la main sur son épaule. Pauvre enfant sans mère!

La peur se ralluma dans les yeux de Felix, qui tourna la tête. Le sourire de Jaak de Fleury se voulait rassurant.

– Esota! Ce garçon va croire que sa mère est morte, alors qu'elle n'a aucun mal. Elle est ruinée mais elle n'a aucun mal.

Dans une face aussi large, les yeux d'Esota étaient brillants mais petits. Ils demeuraient fixés sur le jeune homme. Sa main glissa le long du bras de Felix, se saisit de ses doigts. Elle le conduisit ainsi jusqu'à la banquette, s'y assit près de lui, sans lâcher les doigts emprisonnés entre ses paumes.

– Il n'a tout de même plus de mère! protesta-t-elle. Cet horrible mariage, imposé à une veuve sans défense! Comment pourrez-vous nous pardonner? Votre mère violée par un coquin sorti de nos cuisines!

Jaak de Fleury, à la place de sa femme, versait le vin destiné à Felix.

– Mais ce n'est qu'une rumeur, Esota, dit-il. Nous n'en parlerons pas.

– C'est vrai, affirma Felix.

Ils le dévisageaient. Au bout d'un moment, il s'en aperçut, se reprit, respira profondément.

– Non, pas le viol, précisa-t-il. Si telle est la rumeur, je vous serais obligés de la nier. Nicholas et ma mère ont dressé récemment un contrat de mariage qui n'était qu'un arrangement. En dépit de ses humbles origines, Nicholas, ma mère en est convaincue, possède un grand sens des affaires et peut l'aider à diriger les établissements. Ce contrat lui apporte toute l'autorité nécessaire.

La femme lui lâcha les mains.

– Nicholas! fit-elle d'un ton amusé.

– C'est son nom de baptême, je suppose, remarqua le marchand. Nous, naturellement, nous pensons à lui sous le surnom qu'on lui donnait dans les cuisines. Il est rare qu'un tel changement de fortune arrive à un jeune garçon. Un don pour les affaires, disiez-vous! Ainsi, désormais, les biens de votre mère lui appartiennent pour moitié?

– Non. Il ne touche pas autre chose qu'un salaire. A présent, il ne touchera plus grand-chose, dit Felix. Il n'y a plus rien.

– Sauf des dettes, dit Jaak de Fleury.

Il s'assit, son gobelet en main, le contempla pensivement.

– A moins qu'il n'y ait ailleurs de l'argent dont nous ignorons tout. Un grand sens des affaires, disiez-vous?

– Il y a des biens immeubles, répondit Felix. Et Louvain. D'autres investissements, aussi. Nous trouverons des solutions.

– Vous ne croyez pas qu'il y ait de l'argent quelque part? De l'argent liquide? questionna Jaak de Fleury. Si je pose la question, c'est que, généralement, dans les cas d'incendie volontaire, quelqu'un en tire profit, mais cette fois, apparemment, il n'y a personne.

– Un incendie volontaire? répéta Felix.

Son estomac, qui avait commencé de se calmer, se remettait

à faire des siennes. Ses cheveux, bouclés très serré ce matin-là, se défrisaient sous la chaleur. Il reprit :

– Quelqu'un aurait donc *mis le feu*?

– A ce qu'on raconte, dit le marchand. Ni vous ni votre mère, cela va de soi. Quelqu'un qui aurait une raison d'en vouloir au nouveau maître, peut-être. De quoi d'autre pourrait-il s'agir? Bien que, je dois le dire, je me suis demandé... Ah, j'entends des voix, en bas. Sans doute votre beau-père qui arrive.

Felix ne répéta même pas le mot. Il se contenta de dévisager son bourreau. Jaak de Fleury sourit.

– Nicholas. C'est bien votre beau-père? Vous ignoriez qu'il se trouvait à Genève, où il a rendu visite à Francesco Neri, des Médicis? Je me demandais si ma pauvre demeure allait recevoir sa prochaine visite. Après votre arrivée, cher enfant, j'ai envoyé quelqu'un chez Francesco pour m'assurer que Nicholas passerait bien par ici. Vous ne voudriez pas le manquer. Et je dois reconnaître... Je dois reconnaître, répéta le marchand qui se leva pour aller poser son gobelet sur une table, que je suis plein de curiosité. Pourquoi, après un tel désastre, n'est-il pas à Bruges, afin d'aider son épouse, en son heure de besoin, grâce à ce grand sens des affaires dont nous avons entendu parler? Qu'est-ce qui peut bien l'amener à Genève? Et où, je me le demande, pense-t-il se rendre quand il quittera la ville? Si généreux que soit son salaire, il y a des limites, j'imagine, à ce qu'il pourra lui procurer. Comme tout cela est intéressant.

Il était encore debout quand la porte s'ouvrit. Felix se leva à son tour. Jaak de Fleury sourit à son épouse.

– Esota, ma chère, dit-il, vous vous souvenez de Claes qui est à présent le beau-père de Felix? Par affection pour Felix, je désire que vous le receviez dans votre salle. Il n'en abusera pas, j'en suis sûr.

L'homme de haute taille, resté sur le seuil, pénétra dans la pièce. C'était, Felix le vit, Nicholas et non pas Claes. Nicholas, le visage bruni par le grand air et non pas couvert de la sueur blafarde des ateliers de teinture. Nicholas, non pas vêtu de la livrée bleue des Charetty mais de solide étoffe brune et verte, avec une jaque sans manches passée sur son pourpoint, des bottes de cavalier résistantes et un baudrier de cuir qui soutenait son épée dans un fourreau uni. Nicholas, avec un béret à bords assujetti sur les mèches frisées de ses cheveux d'un brun terne. Ses yeux grands ouverts parcoururent la pièce, reconnurent la femme, s'arrêtèrent sur Felix. Dans leur profondeur, celui-ci lut plusieurs expressions différentes. La dernière, bien reconnaissable, était l'inquiétude.

– Tu n'es pas surpris? demanda Felix.

– Pas si vous êtes, de Genappe, venu tout droit ici. Votre mère est toujours à Bruges.

– C'est ce qu'on m'a dit. La maison a brûlé. Que fais-tu donc ici?

– Je recouvre des dettes. Et je vends des étoffes.

Nicholas n'imitait personne, il ne faisait pas de grimace, il ne lançait pas de plaisanteries, il ne souriait même pas. Il parlait comme il avait toujours parlé, depuis que la mère de Felix l'avait initié aux affaires. Il s'exprimait comme tous les mornes marchands que lui-même, Felix et (parfois) Julius avaient naguère tournés en ridicule.

– Tu recouvres des dettes? Chez qui? demanda Felix.

Il avait oublié Jaak de Fleury et son épouse, l'un toujours debout, l'autre assise derrière lui.

– Chez Thibault et Jaak de Fleury, j'espère, répondit Nicholas.

Derrière eux, Jaak de Fleury prit la parole.

– Mon cher Claes! J'en vois bien la nécessité. Mais je crains que nous ne devions rien à ta maîtresse.

Le regard de Nicholas abandonna Felix.

– En arrivant, monsieur de Fleury, dit-il, j'ai eu un mot avec votre majordome. Il demande à votre clerc de préparer une liste de ce que vous nous devez. Pour ce que vous ne pourrez régler immédiatement, il me faudra un document notarié spécifiant le montant de la dette. J'ai aussi apporté, monsieur, l'étoffe que vous aviez commandée. Le paiement pour cette livraison serait apprécié par la demoiselle. Vous aurez à cœur, je n'en doute pas, de l'aider de toutes les manières.

Jaak de Fleury sourit. Ses pommettes saillantes brillèrent : en direction de son épouse, du serviteur qui versait du vin, des deux jeunes gens qui se tenaient devant lui.

– Allons, dit-il, asseyons-nous. Ce ne sont pas là questions à traiter à la hâte. Pour commencer, l'argent manque à Genève, actuellement. Pour tout dire, je m'étonne que tu aies transporté ton étoffe si loin dans le sud. J'aurais cru que la Foire de Bruges t'en aurait procuré un meilleur prix. Tout dépend, naturellement, de l'usage que tu veux faire de l'argent. Ou des billets à ordre.

– Je pensais que c'était évident, répondit Nicholas. Il faut rebâtir l'affaire.

– Oui, naturellement. Tu vas donc regagner Bruges avec tout l'argent que tu auras ramassé – chez moi et, sans aucun doute, chez les Médicis. Et les dettes qui subsisteront? Reviendras-tu les recouvrer aussi?

– Monsieur, dit Nicholas, vous serez informé du lieu et de la manière dont vous pourrez remplir vos obligations.

– J'ai ouï-dire, reprit Jaak de Fleury, que tu montrais une préférence pour Venise. Est-ce là qu'ira l'argent de l'étoffe?

– Il ira à Bruges, intervint Felix. S'il y a ici de l'argent qui nous est dû, je m'en chargerai.

– Sans gardes du corps? dit Jaak de Fleury. Votre habile Nicholas et ses hommes d'armes ne seront pas avec vous. Vous avez bien parlé de retourner à Bruges, mais il n'en a rien dit. Si j'en crois les Médicis, il fait route, au contraire, vers Milan. Après cela, qui peut dire où ils se retrouveront, l'argent et lui?

Nicholas changea de position mais ne fit aucun effort pour s'asseoir. Une grimace, soudain, apparut bel et bien sur son visage. C'était le genre de grimace qu'il faisait, Felix s'en souvenait, quand il prenait une décision, contre sa volonté. Il demanda à Felix :

– Vous a-t-il dit que j'avais allumé cet incendie?

– L'as-tu fait? riposta le jeune homme.

Le marchand, semblait-il, ne s'était pas trompé. Nicholas avait épousé sa mère; il avait changé en argent liquide tout ce qu'il avait pu, l'avait caché quelque part pour faire disparaître ensuite à la fois l'entreprise et les preuves. Certes, il ne le reconnaîtrait pas, s'il avait l'intention de retourner à Bruges. Mais, sûr d'échapper au châtiment, il pourrait bien le confesser. Auquel cas, lui, Felix, le tuerait.

– Non, affirma Nicholas, il y a d'autres candidats. Votre mère connaît leur existence. Comme je n'ai pas de preuves, vous feriez mieux de rentrer tout droit à Bruges avec l'argent. Prenez mon escorte, ce sont des hommes de Bruges. J'en engagerai une autre.

– Il n'en est pas question, décida Felix. Tu reviens à Bruges avec moi. Immédiatement. Ligoté sur ta selle s'il le faut. Monsieur de Fleury m'aidera sans aucun doute.

Jaak de Fleury se leva et, d'un pas délibéré, alla jusqu'à la porte. Là, il se retourna, bloquant ainsi la sortie.

– Avec joie, fit-il.

Nicholas le regarda tristement.

– C'est ennuyeux, dit-il.

– C'en est fini de tes manigances, veux-tu dire, lui lança Felix avec colère.

– Non, répliqua Nicholas. Il serait bien simple de partir, naturellement. Mais vous ne pouvez pas vraiment recouvrer sans moi les dettes et les documents. En vérité, je suis sûr que les employés de monsieur de Fleury sont au-dessus de tout soupçon, mais je sais dans le détail ce qui est dû et comment le vérifier. Peut-être pourrait-on m'emmener, chargé de chaînes, à l'endroit où se trouvent les registres? Ou peut-être le commis pourrait-il les apporter?

Sa voix était grave, mais quelque chose, dans l'expression de son visage, éveillait la méfiance de Felix. Celui-ci hésitait. Si Nicholas était là pour recouvrer de l'argent, personne, c'était vrai, ne pouvait l'obtenir mieux que lui. Après cela, lui, Felix, n'aurait plus qu'à se charger de la somme et à ramener Nicholas à sa mère, sous bonne garde. On verrait bien, alors, ce qu'étaient ces mystérieuses caches à Venise. Venise!

Finalement, on fit venir dans la salle les commis et leurs registres et l'on apporta une table. Nicholas s'y installa, en face d'un Jaak de Fleury amusé, entouré de ses gens debout. Durant la demi-heure qui suivit, le marchand continua d'afficher une sorte d'amusement, ponctué par des soupirs qui exprimaient clairement son ennui : chaque question courtoise était suivie d'une autre question courtoise, à mesure qu'étaient consultées page après page, de façon que le doigt de Nicholas pût retrouver, avec un calme parfait, les preuves du débat. Ou plutôt les preuves de ses arguments : Nicholas ne se laissait entraîner dans aucun débat. Les objections, lorsqu'il y en avait, provenaient des serviteurs de Fleury, qui se tournaient parfois vers leur maître quand un point semblait perdu.

En fin de compte, la liste des sommes d'argent dues par Thibault et Jaak de Fleury à la famille Charetty se montait au double de la première estimation du majordome. Il y avait même quelque argent versé au titre d'arrhes. On le plaça dans un coffret avec les documents visés et signés par un notaire public. Felix, qui se rongeait les ongles, regarda la clé tourner dans la serrure. Nicholas se tourna vers lui :

– Felix, vous désiriez rapporter ce coffret à Bruges. Je vais vous accompagner. Voici le coffret, voici les clés. Plus tôt nous serons de retour, et mieux cela vaudra.

Les yeux de clown retenaient le regard du jeune homme. Felix hésitait. Il avait hâte de s'éloigner des mains grasses et parfumées de la femme, du regard sombre et amusé de son époux. On disait que Nicholas avait eu l'intention de passer en Italie. Peut-être ses projets n'avaient-ils pas changé. Une fois en route vers Bruges, rien ne l'empêcherait d'arracher l'argent à Felix, pour faire volte-face. Il avait avec lui des hommes d'armes.

Apparemment, Nicholas avait l'impression qu'il était parvenu à gagner la confiance de Felix. Il sourit.

– Vous vouliez, si je me souviens bien, me ligoter sur ma selle. Monsieur de Fleury vous y aiderait, sans aucun doute. Peut-être même vous fournirait-il quelques hommes, si vous ne tenez pas à vous fier aux miens. Mais il est possible que vous ne jugiez pas cette mesure nécessaire.

Comme tous les serviteurs, il était devenu trop sûr de lui. Felix, pour sa part, jugeait que toutes ces précautions ne seraient pas inutiles. Il se tourna vers monsieur de Fleury pour le lui dire. Il n'en parut pas moins surpris lorsque monsieur de Fleury, non content de l'approuver, réagit aussitôt. Un signe de tête de monsieur Jaak, et son majordome, fort amicalement, se retrouva tout près de Nicholas. Monsieur Jaak quitta la pièce, avec ses commis, afin de rassembler des hommes, des vivres et des chevaux. La cassette était restée sur la table. Félix demeura donc à sa place et supporta, avec une patience anormale, la main câline d'Esota de Fleury.

Nicholas était immobile, son gardien près de lui. Au bout d'un moment, un valet revint chercher le majordome et la dame de Fleury. Il apportait une clé de la salle. Le majordome, avec un regard menaçant à l'adresse de Nicholas, sortit aussitôt, mais la dame, elle, n'était pas pressée. Elle fit signe au valet de s'éloigner, répéta son geste, avec colère, quand elle le vit hésiter. Néanmoins, l'homme obtempéra, referma la porte et tourna la clé de l'extérieur. Il avait laissé la cassette. Felix demeura donc, en l'embarrassante compagnie d'Esota de Fleury et du serviteur qui était son beau-père.

Felix attendait le retour de Jaak de Fleury. Il semblait bien longtemps absent. Nicholas faisait les cent pas, et Felix le suivait des yeux. Il le vit même aller jusqu'à la fenêtre et saluer quelqu'un de connaissance, qui se trouvait dans la cour, comme s'il n'avait aucun sujet d'inquiétude. Ce fut seulement quand Nicholas revint, mouchoir en main et s'inclina courtoisement devant la demoiselle qu'un détail parut étrange à Felix. Il se retourna.

Mais, déjà, le mouchoir, vit-il, était solidement fixé sur les lèvres pleines et rougies de la demoiselle. Déjà, le bras de Nicholas se projetait vers sa tête. La main tenait un flacon habillé d'une épaisse vannerie. Felix voulut crier, mais sa bouche se trouva bloquée par une grande main familière qui dégageait une odeur d'encre fraîche, comme celle de Collinet Mansion.

Le coup qui lui fut asséné coïncida, chez Felix, avec une pensée ridicule, qui fut la dernière avant l'inconscience totale. Si Collinet Mansion était là, Claes ne devait pas être loin.

Claes allait lui venir en aide.

32

Felix de Charetty, qui avait quitté son foyer à la mi-avril pour aller chasser à Genappe avec le comte de Charolais et le dauphin de Vienne, ne revenait pas. A Bruges, on savait un peu partout que le jeune homme avait pris la direction du sud, dans l'intention de rattraper sa mère et le garçon avec lequel on le voyait toujours. Nicholas, qui avait épousé la demoiselle.

Il y en avait pour trouver plutôt bizarre que Nicholas fût parti ainsi, tout de suite après l'incendie. Toutefois, la veuve était fort bien assistée, avec ce nouveau notaire très actif, Gregorio, et ce Cristoffels, de bonne réputation parmi les changeurs qui traitaient avec lui. En vérité, on n'en revenait pas de ce qu'ils avaient tous accompli, en quelques semaines, pour relever le commerce des Charetty.

Malgré tout, on constatait une différence chez Marian de Charetty. On pouvait penser ce qu'on voulait de ce mariage, mais le garçon s'entendait aux affaires et il lui était fort utile. A présent, il n'était plus près d'elle, et son fils non plus. Là résidait le mystère. D'une manière ou d'une autre, le jeune Felix avait sûrement rejoint Nicholas. Il avait appris la nouvelle de l'incendie. Comme tout garçon de son âge, il aurait dû avoir grande hâte de rentrer, pour retrouver sa mère, la réconforter, l'aider. Le mois de mai s'acheva, la première semaine de juin arriva, Felix n'était toujours pas de retour.

Dans Spangnaertstraat, les deux jeunes sœurs de Felix ne voyaient aucune raison de s'inquiéter. Comme le leur avait expliqué leur mère, Nicholas et lui avaient pu se manquer. Felix avait peut-être fait un très long chemin, avant d'apprendre les événements de Bruges. Catherine, en l'absence de Felix, s'amusa beaucoup à la Foire de Mai et à la procession du Saint-Sang. Elle s'était remise de la perte de ce qu'elle possédait de plus précieux : ses robes, ses jouets les plus anciens, la courtepointe qu'elle avait confectionnée, le coffret qu'un homme de Dantzig lui avait offert.

On lui faisait à présent de nombreux cadeaux parce qu'on avait pitié d'elle, et, en échange, elle racontait l'incendie dans tous ses détails, les plus effrayants surtout. Ses souvenirs se précisaient de jour en jour, l'histoire en devenait meilleure, et elle trouvait toujours de nouveaux auditeurs à qui la narrer.

Tilde, elle aussi, se remettait mais plus lentement. Jamais elle ne reverrait certains objets qui avaient appartenu à son père. Parfois, le soir, elle pensait à Felix : elle se rappelait le petit poignard qu'il portait sur lui, son caractère emporté. Lorsqu'ils se rencontreraient, espérait-elle, Nicholas penserait à dire à Felix les mots qu'il fallait, comme il savait si bien le faire. Au début, elle avait jugé que Nicholas s'était fort mal conduit, et qu'aucun d'entre eux ne devrait plus jamais lui adresser la parole. Mais, par la suite, elle commença de penser que la faute incombait à sa mère. A présent, depuis l'incendie, elle était si triste pour sa mère qu'elle leur avait pardonné à tous deux. Au moins, à son retour, Nicholas vivrait dans la même maison, et sa mère serait heureuse.

En ce début de juin, ni Felix ni Nicholas n'étaient à Bruges. Tilde espérait ardemment leur retour. Elle avait une robe neuve, puisque les autres avaient brûlé, et l'on avait dû la renforcer de bougran. Bien entendu, sa mère ne parlait pas de prétendants pour le moment : un époux signifiait une dot, et il fallait d'abord songer aux affaires. Sa mère était parfois très pâle, elle parlait avec brusquerie parce qu'elle travaillait trop, mais elle avait annoncé, il y avait tout juste quelques jours, que tout allait très bien, exactement comme l'avait voulu Nicholas. Tilde avait alors pensé qu'elle allait aborder le sujet des prétendants, mais elle s'était levée, avait quitté la pièce.

Les Adorne aussi parlaient de Nicholas, mais avec plus de réserve : Anselm et son épouse n'étaient pas du même avis sur le projet qui les unissait, eux et le jeune homme. Pourtant, hors de chez lui, Anselm Adorne passait beaucoup de son temps à discuter sur ce sujet, surtout quand il se trouvait au consulat de Gênes, avec les Doria et les Spinola.

A la banque des Médicis, Angelo Tani et son adjoint, Tommaso, reçurent les représentants de la veuve. Comme l'avait prévu Nicholas, ils se montrèrent activement secourables en matière de prêts et indulgents lorsqu'il s'agissait de dettes. De temps à autre, ils s'enquéraient auprès de Jacques et Lorenzo Strozzi, au sujet de l'autruche milanaise. Pour avoir des nouvelles de l'autruche, Lorenzo Strozzi avait pris l'habitude de s'en remettre à la petite sœur de Katelina van Borselen. Selon la dernière lettre en provenance de Bretagne, l'animal était encore vivant mais il avait été confisqué et il ne pourrait pas être placé à bord d'un bateau avant qu'une difficulté juridique fût aplanie.

426

Gelis van Borselen, qui, à l'époque, rendait de fréquentes visites à l'Hôtel de Jerusalem et à Spangnaertstraat, avait prié Lorenzo Strozzi chez son père pour entendre la lecture de ce passage de la lettre de Katelina. Elle trouvait Lorenzo maussade mais romantique. Il avait juré, disait-on, de ne pas se marier avant d'avoir une affaire bien à lui. Gelis espérait bien tenir d'autres conversations à propos d'autruches.

Elle ne dit rien, ni à ses parents ni à Lorenzo, du reste de la lettre de Katelina. Quand Gelis fit sauter le cachet de cire et lissa les feuillets, elle ne découvrit aucune mention de Nicholas ni du mariage : ses propres lettres n'avaient pas atteint Katelina. Pas plus que celles de quiconque. Un navire avait dû faire naufrage.

Il ne lui restait plus qu'à tout narrer de nouveau, en ajoutant, cette fois, le récit du mystérieux incendie chez les Charetty, la manière dont Nicholas était parti, trois jours plus tard, et la disparition du jeune Charetty. Il n'avait pas été tué dans un tournoi, mais on l'avait simplement éloigné de Bruges et on ne l'avait pas revu depuis. Personne ne pouvait en vouloir à Nicholas, ce qui n'aurait pas été le cas si Felix avait péri.

Tel était l'homme qu'elle et Katelina s'étaient donné tant de mal pour tirer du canal, la nuit du Carnaval. Katelina n'aurait jamais dû le ramener à la maison. Ce n'était pas comme si elle était déjà mariée. Et, si elle n'y prenait garde, elle serait perdue de réputation, et même Guildof de Gruuthuse envisagerait de se tourner dans une autre direction.

A en croire la lettre de Katelina, la Cour, en Bretagne, valait toutes les autres. Le duc François et le roi de France partageaient la même maîtresse, Antoinette... quelque chose. Katelina parlait d'elle comme si elle la voyait constamment. Sans doute prenait-elle plus de plaisir en sa compagnie qu'en celle de la vieille duchesse, la sœur du roi d'Écosse, qui semblait acariâtre en même temps qu'un peu sotte et qui refusait de rentrer chez elle pour s'y remarier à présent que son époux était mort.

La Cour, contait Katelina, pullulait d'Écossais, venus pour tenter de toucher le reste de la dot de la vieille duchesse qui n'avait jamais été versé. Katelina disait encore que Jordan de Ribérac s'était présenté un jour à la Cour de la part du roi de France, qui lui devait de l'argent et se reposait sur lui en de multiples affaires. Elle disait aussi que Jordan de Ribérac chevauchait souvent jusqu'à la côte pour y surveiller ses expéditions par mer. Elle-même, prétendait-elle, faisait comme si elle ne le connaissait pas, mais il avait eu le front de lui baiser la main et d'engager la conversation devant la duchesse, comme s'il ne l'avait jamais insultée, comme s'il n'avait jamais tenté de tuer Nicholas. Katelina priait Gelis de demander à Nicolas de lui écrire.

Katelina était une niaise.

A la fin de la première semaine de juin, un messager, envoyé par le direteur de la banque Médicis à Genève, arriva à Bruges, chargé de papiers pour Angelo Tani. Et d'une lettre qu'il remit à Marian de Charetty. Elle venait de son époux, Nicholas. Il se hâtait de lui affirmer que tout allait bien, et que Felix était en sécurité près de lui. A cause de l'argent qu'il transportait, ajoutait-il, il semblait préférable que Felix l'accompagnât en Italie et revînt à la maison en même temps que lui. L'expérience, ajoutait-il, pourrait être bénéfique au jeune homme. Suivaient quelques informations détaillées et d'autres suggestions valables à propos d'opérations de commerce. Les formules qui terminaient la lettre étaient tout ce qu'elle devaient être. C'était une lettre charmante. Marian de Charetty, à sa lecture, en déduisit que Felix se conduisait mal, et que Nicholas n'avait eu d'autre moyen que de l'attacher à ses pas. Elle n'éprouvait aucune crainte pour son fils. Son inquiétude était la même que celle de Tilde : Felix, quand ses projets étaient contrariés, pouvait blesser quelqu'un.

Felix de Charetty était bien incapable de blesser qui que ce fût, au moment où l'agréable lettre adressée à sa mère était composée et écrite. On ne pouvait le considérer comme un danger pour personne, sinon pour lui-même : il essayait de se détacher du cheval sur lequel on l'avait ligoté ou d'entraîner l'animal à l'écart du convoi. Son crâne résonnait encore douloureusement du coup qui l'avait abattu chez Jaak de Fleury.

Comment s'y était pris Nicholas pour le faire sortir de la maison et de la cité de Genève, il l'ignorait encore. La précieuse cassette se trouvait naturellement entre les mains de Nicholas. Les hommes d'armes qui l'entouraient avaient tous été engagés par Nicholas. Ses deux serviteurs étaient là, eux aussi, moins solidement attachés sans doute parce qu'ils n'avaient pas les mêmes motifs de vouloir s'échapper, quitte à risquer sans argent le voyage de retour. Depuis le moment où Felix avait repris conscience sur le dos d'un cheval, la troupe chevauchait comme si elle avait le diable à ses trousses.

Certes, Jaak de Fleury avait dû lancer à leur poursuite ces hommes d'armes dont il avait parlé, afin de sauver Felix. Ou même requis l'aide d'un officier du duc de Savoie. D'un instant à l'autre, ils allaient être rattrapés, arrêtés.

Il n'en fut rien. Quelle que fût la ruse employée par Nicholas, aucune troupe de cavaliers vengeurs ne les dépassa. Quand, sur leurs chevaux qui trébuchaient, ils quittèrent les rives du lac pour entamer la pente qui montait vers la passe, Felix comprit que personne ne viendrait à son secours. S'il voulait rapporter chez lui le coffret et découvrir le reste de l'argent des Charetty dont on l'avait délesté, il devrait y pourvoir seul.

Ce soir-là, son nouvel ennemi se sentait, semblait-il, assez sûr de lui pour courir le risque de prendre une chambre dans une auberge. Monté sur un cheval mené à la bride, mains liées, pieds attachés sous le ventre de l'animal, Felix vit l'homme dépêché en avant pour prendre toutes les dispositions.

Le jeune homme avait refusé de donner sa parole de ne pas s'échapper. Il avait gardé un mutisme total. Lors de la première halte, il s'en souvenait, il avait recraché le vin que lui présentait Nicholas et, quand on lui avait détaché les mains, il avait fait de son mieux pour étrangler son ancien compagnon. On n'osait donc le faire entrer nulle part. On prenait en plein air repas et repos, à l'écart de la route. Jusqu'à ce soir-là.

Il s'était demandé comment Nicholas espérait l'empêcher de créer un tumulte dans un lieu public. C'était bien simple : sans lui ôter ses liens, on le bâillonna et, enveloppé de son manteau à capuche, on le porta à demi à l'intérieur, comme s'il était ivre. Il respira une odeur mêlée de nourriture, de charbon de bois et de bière, entendit une confusion de langages, le piétinement de pied bottés, le vacarme des tables à tréteaux, des plats et des chopes. Ses pieds rencontrèrent des marches, et l'idée lui vint à l'esprit d'y lancer des coups de pieds, mais, avant qu'il l'eût mise à exécution, des mains vigoureuses le prirent sous les aisselles, le soulevèrent et l'emportèrent ainsi vers l'étage. Il revit Claes, soulevé ainsi. C'était à bord des galères de Flandre. Juste avant qu'on le précipitât à la mer.

En avait-il vraiment autant souffert ? Tout ce temps ? Leur en avait-il voulu, les avait-il détestés, lui, Julius, Jaak et la mère de Felix ?

Une porte s'ouvrit, on le posa de l'autre côté, on l'y retint d'une seule main. Le battant fut refermé, le tumulte du rez-de-chaussée s'éteignit, une clé tourna dans la serrure. Felix tirait sur le bras qui l'empêchait de bouger. Il secouait la tête de tous côtés, à la manière d'un destrier, pour faire tomber le capuchon. Sa tête devenait horriblement douloureuse. La seconde main vint ressaisir son autre bras. Il résista, se sentit partir en trébuchant à reculons, fut poussé sans douceur sur un lit bas. On le libéra de sa capuche, mais le bâillon demeura en place.

Debout devant lui, Nicholas l'observait. Il dit :

– Vous entendez ce silence ? Il vous donne une idée de l'épaisseur de la porte. De toute façon, mes compagnons sont juste derrière. Ne perdez donc pas votre temps à crier. J'ai besoin de manger, de dormir un peu, et vous aussi. Mais je veux d'abord vous parler.

Une chose intriguait Felix depuis quelque temps : pourquoi Nicholas ne les avait-il pas tués tout de suite, ses serviteurs et lui ? Bien entendu c'était simplement parce qu'il avait peur d'être poursuivi. A présent libéré de cette crainte, il pouvait s'arranger pour faire mourir Felix plus commodément et, peut-être, en faire rejeter le blâme sur quelqu'un d'autre.

Felix n'avait aucun désir de s'entretenir avec son meurtrier.

Fort ostensiblement, il ferma les yeux pendant que l'autre homme parlait encore, s'allongea sur le dos, le menton pointé en avant. La caractéristique d'un marchand, c'était sa dignité. Il espérait bien donner aussi l'impression de s'ennuyer. Son cœur et ses poumons qui, eux, ne s'ennuyaient pas, se refusaient à coopérer.

– Voyons, fit Nicholas, si je suis disposé à vous faire des excuses, vous pourriez à tout le moins garder les yeux ouverts. Avez-vous toujours aussi mal à la tête?

Silence. Le grincement d'un tabouret sur le sol. La voix de Nicholas se fit de nouveau entendre, de plus bas. Le ton semblait soumis.

– Je ne crois pas, déclara-t-il, qu'à votre place, j'aurais le courage de rester étendu ainsi. Vous devez penser que je vais vous couper en morceaux et les envoyer à votre mère. Je vous ai frappé sur la tête parce que je devais vous emmener. Je devais vous emmener parce que je ne pouvais pas vous laisser partir seul avec l'argent et que je ne pouvais pas vous accompagner. Je ne pouvais pas vous accompagner parce que je dois me rendre à Milan. Je dois me rendre à Milan parce que votre mère, Anselm Adorme et un tas d'autres gens sont mêlés à une opération de commerce des plus secrètes qui va vous rendre riche. Si riche que l'incendie n'aura même plus d'importance. Mais seulement si j'arrive à Milan. Et seulement si d'autres gens ne viennent pas à connaître ce secret. Des gens comme Jaak de Fleury.

Felix ne bougeait pas. Sa tête le faisait souffrir.

Nicholas reprit :

– A présent que nous en sommes à ce point de mes révélations, je vais vous enlever votre bâillon. J'ai une dague, Felix. Vous n'en êtes pas convaincu, je le sais, mais vous n'êtes pas de taille à me maîtriser. Je vous demande seulement de m'écouter. Après, vous pourrez me poser toutes les questions que vous voudrez. Et, après ça, je vous donnerai ma dague. Si vous avez envie de sortir d'ici, vous le pourrez.

Des doigts lui relevèrent la tête. Felix ouvrit les yeux. Le bâillon se détacha de sa bouche sèche. Il y eut un haut-le-cœur, ravala sa salive, eut un autre haut-le-cœur. Nicholas versait dans un gobelet le liquide contenu dans un flacon. Il dit :

– Recrachez-le, si vous y tenez, mais c'est un bon vin de Candie, et vous en avez besoin. Tenez, j'en ai bu un peu. Avalez maintenant la moitié empoisonnée.

Il y avait un sourire dans sa voix. Felix ne sourit pas. Quand le gobelet fut porté à ses lèvres, il but. Il avait toujours les mains liées.

– Je vais maintenant attendre que tu me donnes ta dague. J'ouvrirai la porte, et tes hommes me tueront dès que je franchirai le seuil.

– Mais vous m'aurez d'abord tué, remarqua Nicholas. Allons, écoutez-moi. Vous avez reçu un coup sur la tête, ou quoi?

– Je commencerai à te croire, déclara Felix, quand tu m'auras délié les poignets, quand tu auras renvoyé tes hommes, quand tu m'auras laissé appeler le patron de cette auberge pour qu'il m'aide à te renvoyer sous bonne garde à Genève. Tu pourras parler autant qu'il te plaira, à Genève.

– Pas d'un monopole sur l'alun, remarqua Nicholas.

Son regard s'était concentré, son front se plissait, comme chaque fois qu'il voulait vous fixer quelque chose dans l'esprit. Il poursuivit :

– Vous avez une réputation d'entêtement, vous savez. Pas comme John, ou Sersanders, ou les autres. On avait l'impression que vous pourriez bien oublier à quel point le projet était secret et en parler. Mais vous êtes un marchand, c'est votre métier, et, puisque vous êtes ici, vous pourriez tout aussi bien vous trouver à Milan quand tout sera réglé. Vous rappelez-vous le Grec à la jambe de bois?

Le vin de Candie était excellent. Nicholas avait rempli le gobelet, et Felix le vida de nouveau. Son mal de tête s'apaisait, une chaleur se répandait dans son estomac. « *Vous souvenez-vous...?* » Nicholas avait commencé comme il l'avait souvent fait, pour retracer un exploit et broder sur le sujet. D'un mouvement saccadé de l'épaule, il avait évoqué l'austère Grec barbu et sa claudication, toute la comique affaire. Le canon plongé dans l'eau, les lapins. La nuit à la Steen. Le jour où les conduites d'eau avaient éclaté.

Felix se redressa contre ses oreillers.

– Un monopole sur *l'alun?* dit-il.

– Oui.

Nicholas s'était rassis sur l'escabeau, le flacon entre ses deux mains. Il paraissait examiner le récipient. Soudain, les ridicules fossettes se creusèrent dans ses joues, disparurent aussitôt.

– Qu'y a-t-il? demanda Felix.

Nicholas leva les yeux.

– Rien.

Felix, non sans irritation, attendit la suite.

– Je réfléchissais, c'est tout, ajouta Nicholas. J'aurais bien voulu vous voir assis là et être moi-même Felix de Charetty.

– Avec une mère, souligna Felix dont l'irritation grandissait.

Pourquoi lui dire maintenant qu'il aurait aimé être Felix de Charetty? C'était le cas de la plupart des gens.

Il avait réussi, en tout cas, à rappeler à ce bâtard la place de chacun. Les grands yeux s'embrumèrent, se baissèrent.

– C'était stupide de ma part. Je vous demande pardon. Parlons de l'alun. Vous en avez déjà vu. Ces boucauts de poudre blanche, dans la teinturerie. Tout le monde en a besoin, pour fixer les couleurs dans les étoffes. Il assouplit les peaux, et le parchemin dure plus longtemps. Il améliore aussi le verre et le papier.

– Je sais tout cela, affirma Felix.

– Je n'en étais pas sûr. Alors, vous savez probablement d'où vient cette matière. L'alun le plus médiocre arrive d'Afrique. D'Espagne. De toute la côte ouest de l'Italie, dans des terres de volcans comme Lipari et Ischia. La meilleure qualité se trouve à l'extrémité byzantine et turque de la Méditerranée. Et, durant des centaines d'années, cet alun-là est resté aux mains des Génois. Cela aussi, vous le savez sûrement. Pendant des années, il arrivait à Bruges dans des navires génois, et ceux qui s'en occupaient étaient les Adorne et les Doria, petits-cousins des Adorno et des Doria, à Gênes. Là est la relation entre Anselm Adorne et l'Écosse. Antonietto Adorno, doge de Gênes, visitait l'Écosse au siècle dernier, pour recouvrer les sommes qui lui étaient dues pour des livraisons d'alun.

– Et voilà pourquoi tu essaies de tuer des Écossais? dit Felix. Pour un monopole sur l'alun?

Un marchand ne devait jamais laisser apparaître son intérêt par ce genre de préambule. Un marchand enlevé de force avait des excuses si son cœur battait la chamade.

– A la toute fin de mon discours, dit Nicholas, vous vous serez fait une opinion sur ce point. Écoutez-moi, d'abord. Il vous faut en savoir davantage sur l'alun. Plus il est pur, par exemple, plus il est coûteux. Et le meilleur, comme je l'ai dit, provient de l'extrémité orientale de la Méditerranée. Les gisements autour de la mer Noire étaient exploités par les comptoirs commerciaux génois installés à Caffa et à Trébizonde sous les empereurs byzantins.

« Le meilleur alun de tous se trouve au sud de Constantinople, dans le golfe de Smyrne, en un lieu appelé la Phocée. Il était exploité, il y a près de deux cents ans, par des frères génois appelés Zaccaria, qui avaient été agents à Constantinople. Mais la famille a perdu toute influence, et les Grecs byzantins se sont rués sur la Phocée et sur Chios, l'île voisine, ce qui ne convenait pas le moins du monde aux marchands génois.

« Il y a donc un peu plus de cent ans, une flotte armée génoise arriva, reprit Chios et la Phocée et installa à Chios un comptoir dirigé par les familles, et plus tard par les héritiers, des premiers marchands qui avaient armé la flotte. Parmi lesquels, les Adorno de Gênes.

– Merci pour la leçon, dit Felix. Tout ça se passait il y a des siècles et, de toute manière, ce sont les Turcs qui sont là-bas, à présent. As-tu passé un accord avec les Turcs?

– Les Adorno l'ont fait, répondit Nicholas. Et les autres Génois qui exploitaient les mines depuis l'île de Chios. Les Turcs se sont rendus maîtres de la plus grande partie de la région, et, pour survivre, les Génois ont dû verser vingt mille ducats par an au sultan. Il y a cinq ans, la Phocée elle-même est tombée aux mains des Turcs. La compagnie génoise a gardé Chios mais a perdu tous les gisements d'alun.

– Tu as donc passé un accord avec les Turcs, dit Felix.

Il se rappelait, lorsqu'il était enfant, avoir été chassé hors de la maison par l'ennui, à entendre son père s'exprimer sur de semblables sujets. A présent, il écoutait, en oubliait jusqu'à sa faim. Le commerce et l'argent. Un monopole, avait dit l'autre.

– C'est un marchand vénitien à Constantinople qui a passé un accord avec les Turcs, expliqua Nicholas. Il possédait là-bas une affaire de teinturerie et il s'y connaissait en alun. Il a dit aux Turcs qu'il pouvait exploiter les gisements d'alun de la Phocée s'ils lui accordaient une concession. Ils ont répondu qu'ils y songeraient, à condition qu'il pût réunir assez d'argent pour sa rançon. Il s'appelait Bartolomeo Giorgio ou, comme disent les Vénitiens, Bartolomeo Zorzi.

Il s'interrompit, ce qui lui arrivait souvent pour marquer qu'il venait de dire quelque chose d'important. Felix réfléchissait. Il explosa soudain.

– Le Grec à la jambe de bois!

Nicholas sourit.

– Nicholai Giorgio de Acciajuoli, dit-il. Il rassemblait en Europe la rançon qui libérerait son frère, Bartolomeo Giorgio. Et surtout dans les lieux comme Bruges et comme l'Écosse, qui ont besoin d'alun.

– Il s'était pris de sympathie pour toi parce que tu lui avais cassé sa jambe. Il nous offre, par l'intermédiaire de son frère, des prix spécialement avantageux pour l'alun?

– Il nous offre des prix spécialement avantageux pour l'alun, répondit Nicholas. Il offre aussi de nous en fournir régulièrement. Une quantité d'alun, si nous le désirons. Et nous le désirons.

– Pourquoi? demanda Felix.

Nicholas tardant à répondre, il reprit:

– Oh! Je suppose que là est le secret.

– Un secret? fit Nicholas. C'est le moyen qui fera votre fortune et celle de votre mère. Si vous en parlez à une seule autre personne – *une seule* –, votre mère perdra tout, ou presque. Je vais vous le confier, mais il faut que vous compreniez bien ce que cela signifie.

– En échange de mon silence. Oh, je sais ce que cela signifie, dit Felix.

Il aurait aimé que Nicholas regardât ailleurs.

Sans regarder ailleurs, Nicholas déclara:

– Quand vous regagnerez Bruges, Gregorio, Anselm Adorne vous confirmeront l'exactitude de ce que je vais vous dire. A Milan, j'ai bénéficié de l'aide de meester Tobie.

– Tobie?

– Le médecin. A cause de sa connaissance des herbes. Et parce que les Acciajuoli et les Adorno connaissaient des gens qui avaient travaillé dans les gisements d'alun de Phocée. Tobie avait un prétexte pour se rendre en Italie, regarder autour de lui, parler à ces gens...

« Felix, écoutez-moi. Personne n'en sait encore rien, mais, dans les collines, au nord de Rome, se trouve un énorme gisement d'alun parfait. Le meilleur qu'on ait jamais connu. Meilleur que l'alun de Phocée.

Felix sentit son cœur se gonfler. Il demanda d'une voix rauque :

– Tobias l'achète pour notre compte? C'est à cela qu'est destiné l'argent?

Nicholas baissa les yeux.

– Felix, personne ne peut l'acheter. Le gisement se trouve dans les États du pape. La famille qui possède cette terre dépend du pape. Dès que la découverte sera connue, le pape achètera les droits, prendra le gisement à bail, et conservera les bénéfices. Ces profits seront énormes. Suffisants pour lancer une croisade.

– Mais, dit Felix, si c'est toi qui l'as découvert, le pape Pius te paiera. Nous. Tobias.

– Certes, confirma Nicholas, mais cela s'arrêterait là. Quelqu'un d'autre développerait les mines. L'affaire Charetty ne possède pas le capital nécessaire. C'était vrai, même avant l'incendie. Et, une fois les gisements en pleine production, le pape jouira du monopole de l'alun.

– C'est faux, fit Felix. Tu l'as dit toi-même. Bartolomeo Zorzi produit en Phocée. Pour Venise. En payant un tribut à la Turquie.

– Certes, dit Nicholas. Et, je le suppose, quelques malheureux chrétiens, tels la totalité des marchands de Bruges, de Gênes et de Florence, ont affaire à lui. Mais, le jour où l'alun du pape sera sur le marché, quel fidèle adepte de la Croix voudra être client du Croissant? Surtout si l'alun du pape est vendu avec la rémission des péchés, tandis que l'alun turc sera assorti de l'excommunication. Et, par ailleurs, il fera monter les prix.

– Et alors? fit joyeusement Felix.

La vie, se disait-il, était faite pour avoir des aventures. La vie était faite pour prendre des risques, pour accepter des propositions, pour amasser des profits. La vie n'était pas faite pour rester à la maison en compagnie d'une mère.

– Alors, expliqua Nicholas, nous taisons la découverte des nouvelles mines d'alun du pape. Et les Vénitiens nous paient pour ça. Ils nous donnent aussi, à prix bas, tout l'alun que nous voulons, aussi longtemps que nous le voudrons. Ou jusqu'au jour où quelqu'un d'autre aura fait la même découverte. Nous pouvons en tirer deux années de répit et une réserve d'alun qui nous sera bien utile quand les prix commenceront à monter.

Felix réfléchissait. Il prit conscience qu'il réfléchissait depuis un long moment. Son cœur battait à tout rompre. Nicholas, s'aperçut-il, l'observait en souriant légèrement. Felix demanda :

– C'est pour ça que tu vas à Milan ?

– C'est mon travail de courrier : des dépêches à livrer, à prendre, et des paiements pour les uns et les autres. Mais vous avez raison. Tobie m'a fait parvenir les preuves. Adorne les a vues, votre mère aussi. Je dois maintenant parler aux Vénitiens. Pas aux Florentins : ils révéleraient aussitôt l'existence des mines du pape et les exploiteraient eux-mêmes. Mais aux Vénitiens, qui exercent le contrôle sur l'alun de Phocée.

– Et voilà pourquoi tu as investi de l'argent à Venise ? dit rêveusement Felix.

– En partie, répondit Nicholas. Au départ, je ne savais pas que tous ces événements se produiraient. Ni que je resterais à Bruges.

– Tu avais l'intention de partir ? demanda Felix.

– On me bannissait. Pour conduite contraire à la bienséance. Vous devez vous en souvenir.

– Mais tu es revenu et tu as épousé ma mère.

Ils s'étaient entretenus d'homme à homme. Felix crut un instant que Nicholas allait lui répondre d'homme à homme. Mais, après une hésitation, celui-ci se contenta de dire :

– Oui.

Après cela, il y eut d'autres questions, d'autres réponses. A un moment quelconque, sans cesser de parler, Nicholas délia les mains de Felix. On apporta un repas, qui fut mangé. Le lit, assez large pour coucher cinq personnes, était préparé pour la nuit. A ce point de la soirée, Nicholas déclara :

– J'ai dit à mes hommes de libérer vos deux serviteurs, de leur dire que vous aviez décidé de votre pleine volonté de pousser jusqu'à Milan. S'ils en doutaient, ils pouvaient venir vous parler. Apparemment, ils sont allés dormir sans en prendre la peine. Ai-je eu raison ?

– Oui, je suppose, dit Felix.

Entre la nourriture, la chaleur, le vin et le sommeil naissant, les mots avaient peine à se former. Il ajouta :

– Tu devais me remettre ta dague.

– J'ai oublié, dit Nicholas. La voici. De quel côté préférez-vous dormir ?

Mais Felix était déjà au lit. Il crut qu'il avait répondu mais il n'en avait rien fait.

33

Cette fois, le cortège des Charetty, à son entrée dans Milan, ne souleva pas la curiosité sur son passage. D'abord, il faisait trop chaud. Par ailleurs, la plupart des capitaines rivaux étaient depuis longtemps partis rejoindre leurs champs de bataille respectifs, d'aucuns vers le sud de Naples, d'autres vers l'est à la poursuite du renégat, le comte Piccinino.

Ceux qui n'étaient pas capitaines ne furent pas autrement impressionnés par ce jeune fils de marchand et son facteur, quelle que fût l'importance de leur escorte. Ce qui assura à Felix un accès immédiat à la ville par la Porte Vercellina et un chaleureux accueil à l'Auberge du Chapeau, ce fut le sauf-conduit présenté par Nicholas, signé et contresigné par les Bourguignons et les Médicis.

Depuis sept jours, Felix chevauchait botte à botte avec Nicholas et s'entretenait avec lui d'affaires comme se doit de le faire un homme avec son directeur. A ses questions, Nicholas avait fourni de longues réponses détaillées qu'il n'avait pas trouvées le moins du monde ennuyeuses. Ils s'étaient entretenus de Henninc, de Bellobras et de Gregorio, ainsi que de Cristoffels à Louvain. Nicholas avait sollicité son avis sur bien des sujets. Fermement décidé à laisser Felix suivre toutes les négociations à venir, il avait même parfois agacé le garçon en voulant lui apprendre l'italien.

En discutant avec Nicholas, Felix avait retrouvé dans sa mémoire des échos des diatribes et des questions indiscrètes de sa mère, en même temps qu'un peu de l'impatience de son père. Nicholas ne marquait aucune déférence : il avait pris l'habitude de s'adresser à lui de ce ton raisonnable, qui était autrefois celui de Julius avec son jeune maître. Felix n'y voyait aucun inconvénient. Tous deux, maintenant, se tutoyaient. Un peu de la honte, de la colère, de la frayeur des huit dernières semaines commençait à s'effacer.

Dans la cité de Milan, où, au lieu d'air, on respirait de la poudre de marbre et de la poussière de briques, Nicholas avait quatre visites à rendre au nom des Charetty. Felix, s'il le désirait, pourrait l'y accompagner. Felix le désirait effectivement, une fois qu'il aurait ôté ses bottes, ouvert son pourpoint et qu'il aurait derrière lui une bonne nuit de repos et une quantité appréciable de vin. Il se jeta sur le lit de l'auberge, laissant à Nicholas le soin de commander à manger et de s'occuper de leur escorte.

Nicholas, qui n'avait pas quitté ses bottes, déclara qu'il allait tout arranger pour le lendemain. En attendant, Felix avait-il envie de l'accompagner pour le voir livrer ses dépêches? La fatigue entra en lutte contre les restes de soupçons. La fatigue l'emporta.

– Va tout seul, dit Felix.

Et il sombra presque aussitôt dans le sommeil. Quand il se réveilla, le jour pointait, et Nicholas dormait paisiblement sur le lit pliant et refusait d'ouvrir les yeux. Un repas froid, à demi consommé était éclairé par une chandelle dont le suif coulait sur un coffre. Felix mangea de grand appétit, assez bruyamment. Comme Nicholas ne faisait toujours pas mine de se lever, et que le vin était excellent, il décida de se remettre au lit avec une bouteille. Après tout, il devait être frais et dispos pour parler affaires le lendemain. Non, ce matin même.

Un peu plus tard, Cicco Simonetta, chef de la Chancellerie milanaise, se retrouva sans inquiétude en train de discuter des affaires Charetty avec un garçon de dix-huit ans aux traits accusés, dont la connaissance de l'italien était plus qu'incertaine. Mais il avait été dûment averti auparavant. Dans ces conditions, les paiements nécessités par les nouveaux termes de la condotta furent calculés sans difficulté, les documents changèrent de mains. Si d'autres papiers avaient subi le même sort, la veille au soir, lorsque les rapports oraux et écrits avaient été apportés, il n'en fut pas question.

Messer Cicco, bien que très occupé, était disposé à se montrer cordial. Il prit un vif intérêt à tout ce que conta Felix de sa récente visite à Genappe. Il demanda au jeune homme s'il avait rencontré le chambellan du dauphin, monsieur Gaston du Lyon, à Genève. La réponse négative de Felix se heurta, à sa grande surprise, à une réponse affirmative de Nicholas, qui avait non seulement fait la connaissance du personnage mais lui devait une faveur.

Les trois hommes furent rejoints par un autre membre de la maison du duc, messer Prosper Schiaffino de Camulio de Medici. C'était, annonça messer Cicco en souriant, le bras droit du duc pour des missions diplomatiques chez les Français. Ils parlèrent de la défense du royaume de Naples (à laquelle participait, avec une telle compétence, le capitaine Astorre) et de l'espoir grandissant que l'ennemi se trouvât à court d'argent et de soldats, quand la France et la Savoie se verraient dans l'incapacité de tenir leurs belles promesses.

Felix fit mention de l'excellence de l'armement, dans la compagnie Charetty, des hautes qualités d'Astorre, de son secrétaire Julius et de son médecin, Tobias Beventini da Grado.

Cicco Simonetta di Calabria, dont on ne pouvait espérer qu'il se rappelât tout dans le moindre détail, déclara qu'on avait beaucoup admiré l'aide apportée par messer Tobias dans l'affaire du capitaine Lionetto.

Felix, déjà enfermé dans une carapace de bougran et de bombasin comme dans des bandages égyptiens, n'aurait pu se raidir davantage. Il émit néanmoins un « Lionetto! » d'une voix qui marquait un étonnement inquiet.

Nicholas expliqua :

– Messer Tobias, qui connaissait depuis longtemps le capitaine Lionetto, s'est vu confier par Sa Sainteté le pape un message qui le pressait d'abandonner les forces mauvaises du comte Giacomo Piccinino et de passer de notre côté. Tobias a réussi. Le capitaine Lionetto a abandonné le comte Piccinino et a rejoint le comte d'Urbino.

– Tu avais oublié de m'en parler. Et Tobias? questionna Felix.

Messer Cicco leva une main languissante pour répondre à la place de Nicholas :

– Le brave docteur a perdu sa chance, je le crains, de combattre à Naples. Si je connais bien le seigneur d'Urbino, il a dû s'attacher les services de messer Tobias. Dans ce cas, vous serez dédommagés afin de vous permettre d'engager un autre médecin. Par ailleurs, le service rendu par vous et par lui ne sera pas oublié. Allez-vous vous joindre au combat, messer Felix?

Messer Felix rougit.

– Il n'est rien qui me plairait autant, dit-il.

– Je vous félicite pour votre courage, déclara Cicco Simonetta. Et nous devrions lui faire honneur. Vous avez fait un long voyage, et vos talents ont peut-être besoin d'être rafraîchis? Je serais heureux de mettre à votre disposition notre champ clos et toute l'aide que pourraient vous offrir nos maîtres. Notre compère Niccolo, que voici, connaît leur valeur.

Felix n'avait pas besoin de Nicholas (Niccolo?) pour savoir l'excellence des maîtres milanais. Il en voulait à Nicholas. Celui-ci aurait dû lui dire ce qu'était devenu le médecin. En même temps, le chancelier du duc semblait très satisfait. Et, si une soirée avec un ambassadeur du duc pouvait se révéler ennuyeuse, les affaires étaient les affaires. Les loges des femmes, il l'espérait, restaient ouvertes tard dans la nuit. Parfois, dans une ville nouvelle, on trouvait à acheter des listes.

Quand il en avait parlé à Nicholas, celui-ci s'était contenté de rire, sans vouloir dire pourquoi.

En compagnie de Nicholas, il quitta l'Arengo pour retrouver la chaleur du soleil milanais, brûlant à faire frire un œuf. Un instant, il oublia ses griefs. Tout, à Milan, était démesuré. En face de lui se dressait l'église la plus monumentale que Felix eût jamais vue. Elle était à demi construite, couverte d'échafaudages où des ouvriers, un chiffon noué sur les hanches, le dos nu et bronzé, circulaient de planche en planche comme les mouettes sur la Grue. Il fallait faire attention : une poulie pouvait se coincer, un seau se vider avant le moment voulu. Le bruit des marteaux qui résonnaient derrière, lui dit Nicholas, venait des ateliers où l'on apportait le marbre.

Felix voulait voir les merveilles du Palais Médicis, leur prochaine halte. Il avait passé des chausses bicolores et sa plus belle tunique, qui était jaune, et, le matin même, il s'était acheté un chapeau de paille pour protéger son teint du soleil. Il avait hâte de faire la connaissance des frères de Tommaso, qu'enviait celui-ci, et auxquels, comme s'il s'agissait de peu de chose, Felix allait confier un coffret plein d'argent et de billets à ordre à transférer à Tommaso, à Bruges.

Sur le chemin de la demeure des Médicis, Nicholas s'arrêta devant l'éventaire d'un notaire, y prit trois paquets de documents qu'il paya en argent. Après quoi, il s'installa avec Felix dans une taverne près de la Piazza Mercanti, et commanda du vin, tandis qu'il ouvrait les paquets et les examinait. Ils contenaient deux séries complètes des notes de crédit fournies par Jaak de Fleury, copiées mot pour mot et dûment certifiées. Une copie pour eux-mêmes. Une copie qu'ils devaient laisser chez Maffino, l'agent des Fleury à Milan : c'était là une commodité pour toute future opération. Il y avait enfin les originaux, qu'ils allaient maintenant porter à Pigello Portinari, de la banque des Médicis, pour être vendus.

– *Vendus*? dit Felix.

Nicholas, occupé à refaire les paquets, paraissait ignorer que ses paroles méritaient d'être relevées.

– Eh bien, dit-il, c'est le meilleur moyen de rentrer dans notre argent. Ou, du moins, ce que j'ai contraint monsieur Jaak à reconnaître. Peut-être as-tu envie de revenir à Genève tous les six mois pour recouvrer ta dette. Moi, je ne pense pas que ça en vaille la peine. Laissons plutôt les Médicis tirer l'argent de Jaak de Fleury par l'intermédiaire de leur banque à Genève.

Felix le dévisageait sans comprendre.

– Mais pourquoi les Médicis feraient-ils cela?

Nicholas rangea les papiers, fit signe au tavernier.

– Ils le font constamment. C'est leur travail de recouvrer les dettes. Ils traitent les bulles du pape exactement de la même manière. De toute façon, ils me doivent une faveur. Je leur ai

fabriqué un chiffre que personne au monde ne pourrait déco-
der. Pas même moi.

Felix ne le quittait pas des yeux.

– Autrement dit, les Médicis vont te remettre tout l'argent
que nous doit Jaak de Fleury?

– Tout ce qu'il a reconnu nous devoir, en tout cas. Nous
sommes ici pour ça, non? Pour recouvrer des pécunes. Voilà
pourquoi je ne pouvais rentrer tout droit à Bruges.

– Je pensais que c'était à cause...

– Oui. Aussi. Mais ne pense pas en public, conseilla Nicholas. Viens. Pigello et Accerito t'attendent.

Ils découvrirent que le Palais Médicis était un édifice long et
bas. Une rangée de fenêtres très ornées dominait une sorte de
muraille de blocs de pierre carrés. Felix pensait qu'on allait
leur offrir du vin à l'italienne, tiré d'un rafraîchissoir en cuivre
installé sur la loggia, mais la loggia était encore en pleine
construction.

Ils furent accueillis par Pigello Portinari. Il avait le même
nez que Tommaso, mais son apparence était autrement opulente : il fallait y voir la marque d'un pourvoyeur et financier
d'une Cour ducale. Il avait le front fuyant, des poches sous les
yeux. Il semblait aussi chauve que Tobias, mais le sommet de
son crâne se dissimulait sous une sorte de toque. A cause de la
chaleur, il portait une courte tunique sur sa chemise et ses
chausses. Une ceinture placée très bas déguisait l'épaisseur de
sa taille de bon vivant. Felix se sentit à son égard dans les meilleures dispositions.

Messer Pigello, de son côté, se montrait charmé que messer
Felix lui fît l'honneur d'une visite personnelle. Il conduisit les
deux jeunes gens à son cabinet de travail. Sur la table, bien en
vue, se trouvait la cassette pleine de pièces d'argent remise par
monsieur de Fleury. Niccolo la lui avait donnée en garde la
veille au soir, mais messer Felix en personne devait en vérifier
le contenu. Il détenait aussi plusieurs autres effets en provenance de la Chancellerie. Et c'étaient là les notes de crédit dont
Niccolo lui avait parlé.

Il se servait de chiffres arabes, vit Felix, qu'il additionnait
rapidement sur des bouts de papier. Nicholas, pour sa propre
vérification, faisait de même. Les billets et les notes portaient
des sommes écrites en majestueux chiffres romains, moins
faciles à falsifier. Accerito, l'autre frère, survint sur ces entrefaites, et Felix, soulagé de ne plus faire comme s'il comptait,
lui aussi, engagea la conversation avec lui. Il en avait vu suffisamment, de toute manière. Quoi qu'il pût arriver par ailleurs, Nicholas ne le trompait pas. Il faisait de lui un homme
riche.

La visite ne fut pas longue. Juste assez pour achever la
transaction et pour déguster quelques amandes sucrées et un

excellent vin, servi dans de lourds gobelets à cannelures qui dessinaient comme des tranches d'oranges. Messer Pigello salua à la fois Felix et Nicholas et prononça un compliment gracieux sur le mariage de la demoiselle de Charetty. Il laissa entendre qu'en dépit de la triste nouvelle de l'incendie, la compagnie, sous une direction aussi avisée, allait avancer à pas de géant.

Felix, par la suite, se souvint d'avoir tenté de suivre un échange de propos sur les marchés orientaux de la soie. On avait peine à se procurer de la soie chinoise, et Constantinople réclamait à grands cris de la soie à vendre. Chios avait la possibilité de l'écouler n'importe où. Un certain consul florentin à Trébizonde était en mesure de se faire une fortune. Pour Felix, qui comprenait tout juste un mot sur deux, c'était du grec. Mais, même si la conversation ne le concernait pas, il se sentait toujours bien disposé à l'égard de tout homme en passe de faire fortune. Évidemment, les Médicis de Florence possédaient une *bottegha* de soie. Marco Parenti, époux de la sœur de Strozzi, était marchand de soie. Tout comme les Bianchi de Florence.

Felix écoutait mais fut tout aussi heureux d'accompagner messer Accerito dans une visite du palais en construction : il s'extasia sur les fresques, les plafonds peints, les dallages de marbre. Encore impressionné, il trouva Nicholas sur le point de partir : ses deux fossettes aussi larges que des boutons, il souriait à messer Pigello.

– C'est surprenant ! s'exclama Nicholas. Le duc en a parlé, même à moi ! Vous ignoriez qu'il désirait une autruche apprivoisée ?

– Oui, jusqu'au jour où j'ai reçu un mot de Tommaso, répondit Pigello. Apparemment, il a fallu envoyer quelqu'un chercher l'animal en Espagne.

– L'oiseau, précisa Felix.

Son regard allait de Nicholas à Pigello.

– Il s'est produit certains retards dans son voyage.

– Un naufrage, dit Nicholas. Et des complications de toute nature. Mais l'oiseau me dit-on, est vivant et en bonne santé.

Pigello Portinari ne paraissait pas profondément troublé.

– Messer Strozzi et mon frère, dit-il, feront en sorte, j'en suis convaincu, qu'il finisse par atteindre Milan. Naturellement, tout ce que vous pourrez faire dans ce but sera accueilli avec gratitude.

– Je vous remercie de votre confiance, dit Nicholas. J'ai toutefois déjà beaucoup à faire et je m'en voudrais de priver messer Tommaso de son triomphe : l'autruche saine et sauve à Bruges, en mesure de partir sous l'aspect d'un présent du duc Philippe au duc Francesco, voilà qui mérite compliment !

Une fois dans la Via dei Bossi, Felix dit :

– L'autruche.

– Et alors? fit Nicholas

Il sautillait en marchant, se frayait un chemin sous des auvents de toile, et, lorsqu'il croisait une jolie fille, il lui souriait.

– Les Médicis, reprit Felix, n'ont jamais entendu parler de l'autruche. Messer Cicco n'en a jamais dit un mot, lui non plus.

– Non, dit Nicholas derrière lui.

Il sortait d'une boutique avec trois oranges et se mit à jongler tout en marchant, dispersant devant lui ménagères, nobles seigneurs richement vêtus, marchands, prêtres en sueur sous leur soutane, servantes, compagnons et enfants. Deux hommes qui jouaient aux échecs sur un balcon suivirent des yeux l'orange montée jusqu'au niveau de leurs oreilles qui redescendait.

– Mais, dit Felix, la dépêche que tu as apportée à Tommaso disait que le duc en désirait une.

– Oui, répéta Nicholas.

Trois chiens et quelques enfants les suivaient.

– Ainsi, tu as tout inventé? demanda Felix. Personne ne tient à avoir une autruche?

– Allons donc, protesta Nicholas. Moi, j'y tiens. Tommaso aussi. Et Lorenzo. Et, quand j'aurai annoncé qu'elle arrive, le duc lui-même y tiendra. Si personne n'en veut, nous la mettrons en loterie, comme ton porc-épic. Nous l'attellerons à la roue à eau et nous la regarderons avaler tous les gobelets. Nous la ferons courir dans la Grue. Nous nous en servirons pour draguer les canaux. Winrik pourra l'utiliser comme coffre pour garder son argent. Tout le monde devrait avoir une autruche. Ou bien une orange. Attrape.

Felix n'attrapa pas le fruit qui tomba dans la fontaine murale devant laquelle ils passaient. Les éclaboussures lui sautèrent au nez.

Felix ne s'en plaignit pas. L'espace d'un instant – combien de temps?– Claes était revenu parmi eux.

Mais ce fut Nicholas, et non pas Claes, qui, ce soir-là, accompagna Felix chez Prosper de Camulio de Medici où ils avaient été conviés tous deux.

Une chaude et forte brise s'était levée, qui rendait agréable la promenade par les rues étroites, à l'ombre des avant-toits godronnés de tuiles rouges, sous les balcons et entre les marches irrégulières avec leurs pots de fleurs brillamment colorées. Des martinets tourbillonnaient au-dessus des têtes, d'un vol aussi capricieux que celui des moucherons. Leur chant léger et lointain se changeait, lorsqu'ils s'abattaient comme des pierres, en un sifflement cruel. La demeure de messer Camulio se trouvait dans le quartier sud de la ville, près du canal intérieur. Entre celui-ci et l'anneau liquide extérieur s'élevaient certaines églises, certains hospices importants, au bord des chenaux spécialement aménagés pour permettre aux barges chargées de marchandises d'approcher le cœur de la cité. Les frères Portinari soutenaient deux de ces églises et, en retour, bénéficiaient de certaines faveurs.

Le commerce. La richesse. La renommée. Avec enthousiasme, avec une assurance nouvelle, Felix de Charetty arpentait les rues pavées au côté de Nicholas qui écoutait avec complaisance le récit détaillé de l'après-midi passé par son compagnon dans le champ clos du duc, au Castello à demi reconstruit, en compagnie du maître de joute du seigneur.

Ils arrivèrent enfin à la Casa Camulio. Un blason en surmontait l'entrée, et, dans la petite cour chaude, des arcades étaient éclairées par le soleil qui avait perdu de sa chaleur brûlante. Ils furent conviés par Prosper de Camulio à se joindre à un autre invité près de la fontaine, et à prendre leurs aises. Quatre hommes, mangeaient et bavardaient, hors de la présence des dames. Quatre hommes parlaient, à voix contenue, d'argent.

Prosper de Camulio de Medici, qui avait entre trente et quarante ans, possédait ce que Felix commençait à reconnaître comme la qualité d'un diplomate et d'un politicien. Il était légèrement vêtu d'une chemise de toile et d'une très belle tunique et il portait une écharpe de soie brodée de violettes qui venait certainement de Paris. Son compagnon était un Génois du nom de Toma Adorno. Camulio et Adorno. Felix savait ce qu'ils avaient en commun : Nicholas l'avait mis au courant.

Toma Adorno était petit, trapu et déjà mûr. Ses cheveux pâles étaient colorés par le soleil levantin. On ne trouvait rien en lui de la minceur et de la séduction railleuse d'Anselm Adorne, et pourtant, de l'avis de Nicholas, ils devaient être parents.

La tribu des Adorne, depuis si longtemps établie à Bruges, si estimable, si magnifiquement flamande, aurait pu n'avoir jamais connu d'autres racines. Mais, six générations plus tôt, s'il fallait en croire Nicholas, la chute d'Acre avait chassé de Terre Sainte les ancêtres marchands des Adorne : une branche s'était exilée en Flandre, l'autre avait regagné sa Gênes natale. Plus tôt encore, les marins et les commerçants du village de pêcheurs génois de Camoglio, hommes fort avisés, avaient entrepris de s'établir dans les colonies génoises. Un certain Vivaldo de Camulio avait fait le commerce des étoffes à Byzance.

Quatre générations auparavant, du temps du bisaïeul d'Anselm de Bruges, Gabriel Adorno était devenu le premier doge de Gênes de ce nom. Sa famille et les marchands de sa connaissance s'étaient rendus maîtres de l'île de Chios et du commerce de l'alun de Phocée. Moins de deux années après, un certain Niccolo de Camulio vivait lui aussi sur l'île de Chios. Plus tard, disait Nicholas, la famille s'était unie par le mariage avec les héritiers d'un nommé Antonio de Médicis, pour produire Niccolo de Camulio de Médicis, notaire aux commissaires de Gênes, avec la charge de rendre compte des droits et taxes sur les îles de Phocée et de Chios. C'était encore la charge de leur hôte, Prosper de Camulio.

Les Turcs, à présent, possédaient les gisements d'alun de Phocée, mais le commerce de Chios était encore sous le contrôle de Gênes, et, parmi les marchands génois de Chios, on trouvait encore Baldassare, Paulo, Raffaele, Niccolo, Giuliano et Toma Adorno.

Les Français, à présent, occupaient Gênes. Mais, parmi les Génois exilés qui conservaient des intérêts à Chios, on comptait Prosper Adorno, comte de Renda, seigneur d'Ovada, l'homme qui avait la plus grande chance de devenir le prochain doge de Gênes. C'était le cousin de Toma. Il était parent, éloigné à plusieurs degrés d'Anselm Adorne. C'était un ami de longue date et un partisan de Prosper de Camulio, leur hôte. Parmi les rebelles génois, il était le premier à être secrètement soutenu par le duc de Milan qui désirait, lui aussi, voir les Français chassés de Gênes.

Il était en même temps l'homme que le docteur Tobias était récemment venu voir dans son domaine, afin de discuter, selon Nicholas, l'intéressante question de l'alun.

L'alun liait Toma Adorno et Camulio. L'alun et la politique, dans une mesure qui jetait Felix, lorsqu'il y pensait, dans un état de surexcitation apeurée. La surexcitation venait de la perspective de richesse. La peur naissait lorsqu'il regardait Nicholas et, de temps à autre, pressentait qu'il y avait là quelque chose qui lui demeurait étranger.

C'était aussi la peur, en même temps que son italien des plus élémentaires, qui le tenait silencieux tandis que les autres parlaient. La conversation était austère. Un fond de ressentiment troublait Felix. Nicholas semblait ne rien remarquer. Méthodiquement, il décrivait et montrait à ses auditeurs génois un relevé écrit du gisement d'alun récemment découvert par la compagnie Charetty dans les États du pape, ainsi qu'une estimation de sa qualité. Le relevé et l'estimation étaient l'un et l'autre signés et contresignés par des Vénitiens. Felix ne les avait encore jamais vus.

Prosper de Camulio releva la tête pour dire :

– Ceci nous prouve que Venise a déjà vu le gisement et comprend qu'il constitue une menace pour son monopole sur l'alun turc. A condition, évidemment, que la signature soit authentique.

– L'homme qui a signé, Caterino Zeno, répondit Nicholas, se trouve à Milan. Il attend, non loin d'ici, le moment où je lui ferai signe quand j'aurai votre accord sur ses conditions et sur les miennes. Étant entendu, évidemment, que vous le tenez pour un porte-parole valable de Venise.

Adorno répondit :

– Ses ancêtres régnaient sur Constantinople. Si les Vénitiens l'ont envoyé, c'est qu'ils vous prennent en considération. Vous ne dites pas où ce gisement a été découvert. Mais il semble que Venise le sache.

– C'est à Venise qu'on demande de payer pour garder le secret, dit Nicholas. Venise aurait préféré prendre des engagements directs avec la compagnie : me payer pour mon silence, comme ils vont le faire, et me garantir des droits sur la concession d'alun, comme ils le feront. A moins que je n'insiste, ils n'ont nul besoin d'inclure des marchands génois dans cette affaire.

– Mais vous nous y associez, en échange d'un bon paiement. Pourquoi Gênes ? demanda Toma Adorno. Pourquoi pas les marchands de Lucques ? Ou ceux de Mantoue ?

Nicholas restait assis, ses grandes mains pendantes entre ses genoux recouverts de solide étoffe. Son large regard innocent était fixé sur le Génois. Il déclara :

– La demoiselle de Charetty s'est toujours bien trouvée de l'honnêteté des Adorne, Doria et autres marchands génois de Bruges. J'ai limité la concession à Gênes. Sinon, elle aurait été sans valeur. Vous ne me donneriez pas d'argent pour associer vos rivaux.

– Et le profit est naturellement ce que vous recherchez, dit messer de Camulio. Vous n'avez pas songé à vous adresser au pape ? Avec un gisement aussi riche que celui-là, il pourrait lancer une croisade et libérer la Phocée. Il y aurait alors tout un monde d'alun à bon marché, et sans le moindre monopole.

Felix se tourna vers Nicholas. Nicholas sourit.

– J'y ai pensé, dit-il. Mais une croisade libérerait-elle les gisements de Phocée ? Y aurait-il même une croisade, quand Naples, l'Angleterre, la France et la Bourgogne se sont découvert un tel besoin de leurs armées ? Bien des guerres chrétiennes doivent trouver leur conclusion, avant que les Turcs aient à craindre le pape.

– Et votre conscience de chrétien ? dit messer de Camulio. En protégeant le commerce vénitien, vous protégez celui des Turcs.

– Qui ne le fait pas ? riposta Nicholas. L'Occident a besoin de ce que la Turquie peut lui vendre. La Turquie, plus encore, a besoin de ce commerce et, à moins d'y être poussée, ne s'aventurerait pas trop loin dans ses guerres, de crainte de le perdre. Les rois font la guerre, mais les marchands, vous pouvez y compter, sont des amateurs de paix perpétuelle.

– Je vois, dit messer de Camulio. Alors, pourquoi ne pas solliciter directement vos concessions auprès des Turcs ?

Felix était bouche bée. Il la referma vivement.

– Je le pourrais certainement, répondit Nicholas, si je représentais une famille plus importante. Je pourrais exiger à peu près n'importe quelle somme pour mon silence, demander toutes les concessions que je voudrais pour ceux que je souhaiterais, et même une modification des termes de la ferme. Je ne suis pas de taille à approcher les Turcs. Je compte plus ou moins sur Venise pour le faire à ma place.

– Je me demandais si telle serait votre réponse, dit Prosper de Camulio. Ainsi, votre projet finira par favoriser Venise?

– Venise s'est fait adjuger la ferme par les Turcs, déclara Nicholas. Je n'y puis rien changer. Notre concession signifiera qu'elle gagnera moins sur notre dos. Il est juste qu'elle se rattrape sur les Turcs. Vous y gagnerez encore, et ma compagnie aussi.

Toma Adorno se frottait le menton.

– C'est vrai. Vous avez eu de la chance, messer Niccolo. Vous avez eu l'occasion de faire une découverte qui tient en otages bon nombre de riches institutions, pour quelque temps au moins. Et vous avez raison, je crois. Le prix que fixera l'Église catholique sur ses marchandises dépassera de loin le tribut exigé par les Turcs. Mais, en même temps, le prix de l'alun pour vous et les Génois devra diminuer, et tous les fabricants de drap en profiteront. Je n'ai rien contre les termes que vous proposez mais j'aimerais savoir comment vous pensez exclure les Florentins. Quand les Médicis connaîtront nos accords, ils les examineront de près. Rappelez-vous : ils sont banquiers du pape. Si l'existence de ce gisement vient à leurs oreilles, ils la proclameront sur tous les toits.

– J'y ai songé, répondit Nicholas. Mais les accords ont de nombreuses raisons. Venise et Florence elles-mêmes, par exemple, sont constamment en négociation sur le prix de la soie italienne. Florence pourrait fort bien être convaincue que notre alun à prix modéré résulte d'un arrangement de commerce.

– Certes, approuva Toma Adorno. A mon avis, vous devriez exposer vos conditions dans le détail, avant d'ajouter Lucques et Mantoue à votre liste de favoris. Nous pourrons alors envoyer quérir votre Caterino Zeno. Un ami, si je comprends bien, d'Alvise Duodo, des galères vénitiennes. Un parent de Marco Zeno, qui a lui-même commandé les galères de Flandre?

– Messieurs, fit Nicholas, poliment respectueux, vous le connaissez mieux que moi.

Personne ne fit mention, soit parce qu'on l'ignorait, soit parce qu'on le jugeait sans importance, de l'élément le plus important dans l'histoire de messer Caterino Zeno, de Venise : l'identité de sa très belle épouse, Violante. La conversation ne le mentionna pas davantage, le lendemain matin, quand prit place la réunion prévue. On ratifia l'accord qui apportait immédiatement la fortune à la famille Charetty, avec la perspective d'un avenir heureux.

Prosper de Camulio fournit l'argent nécessaire à l'agent milanais qui devait transférer les paiements à Bruges. Felix, les yeux creux après une nuit où il avait très peu dormi et à peine cessé de parler, contresigna tout ce qui devait l'être et se retira dès qu'il le put pour aller dépenser au Castello le trop-plein d'une exaltation durement réprimée.

Beaucoup plus tard, Nicholas le rejoignit au champ clos. Il y avait passé quelques semaines l'hiver précédent, ce qui expliquait les grands cris qui l'accueillirent et les rires qui saluèrent ses facéties lors des premiers assauts. Mais le maître sortit, lui lança une épée, suivie d'une hache puis d'une lance, le fit monter à cheval et courir.

Chose étonnante, Nicholas ne fut pas désarçonné. Felix, qui l'encourageait de ses cris avec les autres, devint de plus en plus pensif. Quand, à la fin, on lui demanda de se mettre en selle et de rompre une lance avec son ancien serviteur, il brandit son arme sans la joie mauvaise qu'il avait éprouvée lors de cette ridicule parodie de joute, à Bruges. Il fit de son mieux, sans parvenir cette fois à démonter Nicholas qui, de son côté, l'ébranla par deux fois sur sa selle. Mais quelqu'un arriva de la Chancellerie pour demander Nicholas. Celui-ci prit congé du maître et s'en fut.

Felix le pensait maintenant occupé aux dispositions de retour. Cette fois, ils voyageraient vite, avec de bonnes nouvelles à rapporter à sa mère. Les notes de crédit des Médicis étaient déjà en route vers Bruges, par messager des Médicis. Les billets à ordre des Vénitiens et des Génois allaient également partir pour Bruges. Torse nu, Felix mangea sous les arbres avec ses nouveaux amis, bavarda, par devoir, avec quelqu'un qu'il reconnut. Songeur, il s'habilla pour se rendre, le moment venu, chez Cicco Simonetta, à l'Arengo. Il prit ensuite le chemin de l'auberge.

Le rire de Nicholas le guida vers la tonnelle de plantes grimpantes, dans le jardin, où il plaisantait avec quelques-uns de leurs hommes d'armes. Felix but de la bière en leur compagnie et s'aperçut qu'il avait envie, lui aussi, de rire tout son saoul. Plus tard, dans la chambre qu'ils partageaient, Felix se débarrassa une fois de plus de sa chemise trempée de sueur et se mit en devoir d'obtenir certaines réponses.

Nicholas répondait toujours aux questions. Il déclara :

– J'ai demandé à notre escorte de se tenir prête à partir pour Bruges demain. J'ai engagé quelques hommes pour plus de sécurité, mais toutes les lettres de change ont été copiées par précaution. Je me demandais si ça t'ennuierait de rentrer sans moi.

Felix, debout, sa chemise à la main, lui lança un regard furieux.

– C'est toi qui as l'argent, ajouta Nicholas.

Il avait oublié Genève. Il avait oublié tous ses soupçons.

– Où vas-tu? demanda Felix.

– Je me suis dit qu'il convenait de retrouver Tobie et de le remercier pour avoir œuvré en notre faveur. Nous lui devons beaucoup, et je veux m'assurer qu'il n'est pas en peine.

– Tobias? Il est de l'autre côté du pays. Avec le comte d'Urbino et Lionetto.

– Ça, c'est ce qu'on croit, fit Nicholas.

– Et ma mère?

– Tu seras là. Et elle est bien aidée. A présent, l'argent va tout arranger.

– Elle n'a pas besoin de moi, n'est-ce pas? De l'argent, c'est tout.

– A ton avis, que choisirait-elle?

– Reviendras-tu un jour à Bruges? demanda Felix.

Nicholas lui sourit largement.

– Il le faudra bien, non? Sinon, tu dépenseras toute la fortune pour une armure de tournoi. Oui, je reviendrai. D'abord, je n'ai pas d'argent.

Silence. Felix plissait un pan de chemise.

– Pourquoi as-tu épousé ma mère? questionna-t-il enfin.

Les grands yeux ne se dérobèrent pas. Felix n'y vit aucune ruse. Au bout d'un moment, Nicholas répondit:

– Parce que c'était ce qu'il y avait de mieux à faire.

Felix baissa la tête.

– Je vois, dit-il.

Au bout d'un moment, il reprit:

– Elle désire notre retour à tous deux, je suppose. Toutefois, elle a de l'aide. Nous pouvons charger quelqu'un d'autre de lui porter l'argent.

– Oui, bien sûr. Pourquoi? Tu veux rester à Milan?

Le sol était jonché de papiers. Nicholas s'assit, croisa les jambes et entreprit de rassembler les documents sur son genou, tout en les remettant en ordre. Il ne dit pas: « Tu veux venir avec moi? » Dans l'esprit de Felix, un vague désir, récemment éveillé, devint inopinément une intention.

– Je veux descendre à Naples. Je veux rejoindre Astorre et Julius, et me battre.

Nicholas releva les yeux.

– Je ne vois pas pourquoi tu n'irais pas. C'est une expérience.

Felix cessa de plisser sa chemise.

– A ton avis, je devrais y aller?

Nicholas tapotait la liasse de papiers sur ses chevilles croisées.

– Si tu en as envie. C'est injuste à l'égard de ta mère, mais elle en a l'habitude. A condition que tu n'apaises pas ta conscience par mon intermédiaire. Je ne peux me substituer à toi si tu te fais tuer.

Felix fronça les sourcils. Nicholas revint à l'examen de ses papiers. Felix déclara :

– Je ne me ferai pas tuer. Pas avec tout cet argent qui m'attend. Crois-tu que je vais te laisser le dépenser? Mais...

Il ne s'expliqua pas plus avant. Apparemment, Nicholas le comprenait.

– Tu sais, dit-il, à quel point Julius a besoin d'être surveillé. Après tout, ça peut être une bonne chose. Je serai sans doute de retour à Bruges avant toi. Tu ne m'en voudras pas si je m'achète une jolie armure de tournoi?

La tête rejetée en arrière, il ouvrait des yeux de chouette. Felix abandonna sa chemise, sourit et s'assit sur le lit pour observer Nicholas et ses papiers.

– Tu veux te débarrasser de moi, voilà tout. Tu ne sais pas ce qui s'est passé aujourd'hui à la Chancellerie.

– Non, c'est vrai, fit docilement Nicholas.

– J'y avais été convié par Cicco Simonetta. Il m'a demandé si j'accepterais de rapporter à la demoiselle de Charetty un présent du duc. Il m'a offert de l'argent.

Nicholas, toujours assis par terre, concentrait sur lui toute son attention.

– Et tu lui as dit que tu en avais assez de l'argent?

– Je lui ai dit qu'au lieu d'argent, j'aimerais solliciter une grande faveur. Le retour, par exemple, de l'esclave guinéen dont ma mère s'est mise à regretter amèrement les services.

Le visage balafré, au-dessous de lui, changea légèrement d'expression.

– Loppe? dit Nicholas. J'ignorais qu'il t'avait vu.

– Je ne sais trop pourquoi, poursuivit Felix, il aimait bien être chez nous. Milan a cessé de lui plaire depuis que frère Gilles n'est plus là. Il a peur d'être envoyé par Cosimo à Florence. A mon avis, dit rêveusement Felix, un Africain, vêtu comme il convient, produit une bonne impression dans n'importe quelle compagnie.

– Et alors? demanda Nicholas.

– Alors, messer Cicco a offert de me rendre Loppe avec plaisir. J'ai dit que j'espérais envoyer à sa place quelque chose qui vaudrait au duc plus de satisfaction encore.

– Vraiment? Et quoi donc? Un sac d'alun, libre de tous droits? Un casque de fantaisie? Un surcot orné de queues d'hermine? Ou bien... Felix, selon toi, qu'est-ce qui lui plairait?

– Ce que tu as dit qu'il avait commandé, alors qu'il n'en était rien. J'ai suggéré, dit Felix, que le duc devrait avoir une autruche.

En bas, on se demanda si les deux jeunes gens venus de Flandre étaient en train de s'entretuer, tant était inquiétant le vacarme de cris et de coups qui venait de l'étage au-dessus. Mais quand, un peu plus tard, ils descendirent, le visage coloré, les cheveux et les vêtements en désordre, le plus âgé tenait le plus jeune par les épaules, et tous deux, apparemment, riaient aux larmes.

34

La duchesse douairière de Bretagne, dont le mariage sans enfants avait été célébré lorsqu'elle était très jeune, n'était ni très vieille ni très sage. Marie, sa défunte sœur, qui avait épousé le monarque voisin de France, était fondamentalement sotte, elle aussi, tout en ayant été élevée dans l'amour des lettres et des poètes.

La douairière Isabelle était fort encline aux rages et aux passions, mais c'était aussi une femme d'esprit superficiel que l'on pouvait aisément tenir à l'écart, à condition de toujours respecter son violent désir de ne pas se voir renvoyer en Écosse. Sa petite Cour, à la différence de celle du jeune duc, son neveu, était un bras mort de rivière, où les affaires publiques s'immisçaient rarement. Était donc tolérée auprès d'elle, parmi ses chats et ses dames, la présence d'un membre de la famille van Borselen, dont les affiliations étaient bourguignonnes. C'était là une concession. La France avait la suzeraineté sur la Bretagne et n'éprouvait aucune amitié pour la Bourgogne. Et la Bourgogne, disait-on, n'éprouvait aucune amitié pour le protégé de la France, le roi d'Angleterre qui était lancastrien.

Néanmoins, le duc de Bretagne, après avoir jeté sur Katelina van Borselen, un coup d'œil expérimenté, s'était montré tout disposé à l'autoriser à rester au service de sa tante. Elle n'apprendrait rien de compromettant. Peut-être même pourrait-on l'amener à penser en Bretonne. Il aurait aimé voir cette brillante chevelure hors de ses plissés, tout comme le corps tout entier, mais Antoinette, une fois de plus, lui aurait refusé sa chambre. Et, en règle générale, il aimait les femmes au teint plus vif.

En avril, il fallait bien l'avouer, la nouvelle demoiselle d'honneur de la douairière avait une peau plus fraîche. Le changement, en même temps que d'autres, était apparu au cours du mois de mai. On était maintenant à la mi-juin, et Katelina ne pouvait plus entretenir le moindre doute sur ce qui s'était passé. Elle portait l'enfant d'un serviteur bâtard appelé Claes. Elle n'aurait pas dû en éprouver un tel choc : dans une flambée de bravade, elle avait jeté cette éventualité aux pieds des dieux. Elle avait menti à Claes. Elle avait dit ce qui pourrait le pousser à agir comme il l'avait fait.

Et maintenant, que faire ? La sœur de la douairière, pauvre niaise, avait avalé des pommes vertes et du vinaigre pour se préserver de la maternité. Elle pouvait utiliser ces remèdes-là, ou d'autres, plus rudes. Elle était en Bretagne, loin de chez elle, et personne ne saurait rien. Dans toute Cour se trouvait une servante qui connaissait quelqu'un – barbier ou sage-femme –, capable de contrarier la nature. Encore fallait-il être sûre du résultat. Parfois, l'enfant tenait bon et naissait anormal. Parfois, on en mourait soi-même.

Et si elle laissait l'enfant aller jusqu'à son terme ? Elle devrait alors quitter la Cour, se réfugier chez des amis et mettre l'enfant en nourrice. C'était déjà arrivé, à des femmes qui avaient de l'argent. Elle était sans ressources. Elle ne voyait aucun moyen de tenir secret un tel événement. Et la honte serait terrible pour sa famille. Rien que pour ses parents, elle devait trouver un père à son enfant. Il lui fallait donc, rapidement, un riche et puissant amant. Ou, bien sûr, un mari.

Elle avait à portée de main un riche et puissant amant. Elle avait deviné le rêve de son père : un jour, peut-être, elle serait la mère, mariée ou non, d'un prince bourguignon. Il ne verrait pas d'un mauvais œil une liaison affichée avec un duc débauché. Mais plus l'amant serait de haute naissance, et moins le flatterait l'arrivée, au bout de sept mois ou moins, d'un fils ou d'une fille. Et moins il se sentirait enclin, par expérience, à le reconnaître et à l'élever. Tandis qu'un époux, lié par contrat, pourrait bien ne pas prêter attention au calendrier et se montrer heureux d'un héritier si vite engendré, plutôt que de passer pour un imbécile.

Elle avait désiré un époux. Elle avait compté se décider ici, en Bretagne, loin des pressions familiales. Et elle s'en était certainement libérée. Pas une lettre ne l'avait atteinte depuis son arrivée, en avril. Au cours des premières semaines, à la vérité, avant d'être sûre de la situation, elle avait pris plaisir au genre de vie qu'elle avait envisagé : tenir compagnie à la douairière sans être victime d'exigences excessives ; faire la connaissance des drames, de leurs acteurs, dans une Cour nouvelle ; y choisir son propre rôle. Elle apprit à éviter le duc et à se lier d'amitié avec sa maîtresse. La première visite de Jordan de Ribérac lui avait donc été doublement désagréable.

Il s'était présenté, un matin d'avril, dans la chambre d'audience de la douairière. La pièce, petite, devint un simple écrin pour sa masse et sa haute taille. Sa robe était en velours de Lucques. Les écharpes de son chapeau étaient brodées d'or. Son visage aux multiples mentons était frais et souriant, mais ses yeux dénudaient la jeune fille.

La dernière fois que le seigneur de Ribérac était venu à Bruges, Claes avait failli mourir dans l'incendie du Carnaval. La dernière fois qu'elle avait rencontré le seigneur de Ribérac, il lui avait placidement proposé de s'emparer de sa vertu sur le sol de sa cuisine, avant de l'épouser. Ce qu'elle lui avait refusé, elle en avait fait don, cette même nuit, à Claes. Cela, Jordan de Ribérac ne pouvait pas le savoir. Sinon, il ne se serait pas contenté de lui balafrer le visage ou d'ordonner à deux ineptes sicaires de le mettre à mort. Il l'aurait tué de ses propres mains.

Ce jour-là, apparut-il, il rendait simplement à la douairière une visite de courtoisie. Il passa une demi-heure à bavarder avec toutes les dames d'honneur. Elle ne pouvait imaginer qu'il s'adressât à elle, mais il n'y manqua pas, le regard glacial, le sourire charmant.

– Comment, mademoiselle! Toujours pas de prétendant à vos charmes? Du moins, aucun que nous connaissions à Bruges, où, paraît-il, on conserve les idiots dans des barils, comme le poisson. Vous êtes sage d'être venue en Bretagne. Faites votre choix ici. Attendez que l'air soit plus clair et plus frais, avant de vous aventurer de nouveau en Flandre.

– Même en Bretagne, monseigneur, répondit-elle, l'air est moins frais qu'à mon goût.

C'était une réplique puérile et dénuée d'esprit. L'homme se contenta d'étendre son sourire mielleux à toute l'assistance.

– Bruges! reprit-il. Une ville de petites affaires pour de petits artisans, une ville où s'accouplent les domestiques. Un homme avisé la débarrasserait des unes et des autres. Oublions Bruges. Attendez d'avoir savouré une soirée de Carnaval à Nantes, chère dame, vous y trouverez des divertissements sans égal.

Sans lui laisser le temps de répliquer, il lui tourna le dos. Il savait. Il savait quelque chose.

Lorsqu'il fut parti, lorsque la duchesse et ses chatons se furent endormis, Katelina quitta l'appartement de la douairière pour gagner les pièces d'apparat à la recherche de la maîtresse du duc. Le roi de France, c'était évident, était assuré qu'aucun secret français ne pouvait passer en Flandre par l'intermédiaire de la Cour de la douairière. Qu'un secret flamand pût filtrer en France devrait lui procurer un vif plaisir.

Antoinette de Maignelais, naturellement, savait tout de Jordan. La France, ma chère, fourmillait de ces Écossais venus combattre dans ses guerres et qui, par la suite, s'y établissaient afin de s'enrichir. Des rois reconnaissants leur conféraient des seigneuries, comme à ce Ribérac. Un homme intelligent, doué pour le commerce, ne mettait pas longtemps à amasser une fortune. La récompense? Avoir l'oreille du roi, ma chère, pour toutes les questions financières et certains des plus sinistres secrets de son Trésor. Son actuelle Majesté envoyait souvent Ribérac en Bretagne pour y démêler les affaires de la sœur de sa première épouse. Personnellement, ajouta Antoinette, elle préférait les hommes un peu moins ventrus.

Katelina en fut d'accord, comme l'étaient la plupart des gens avec cette grande dame. A la mort d'Agnès Sorel, la célèbre maîtresse du roi de France, dix années plus tôt, sa cousine Antoinette, madame de Villequier, avait pris sa place. Certains disaient avant la mort de son époux, d'autres, après. Quand le goût du roi s'épuisa, elle lui trouva des partenaires plus jeunes. Elle s'y employait toujours et elle vivait aussi souvent auprès du roi qu'avec le duc. Elle avait, disait la rumeur, transmis au duc la jambe ulcéreuse du roi. Elle avait l'esprit vif, elle était directe et pratique.

– Ce n'est pas tellement qu'il soit gras, dit Katelina. Lui fait-on confiance?

Les paupières tombèrent, comme pour dissimuler la souffrance, sur les yeux peints, brillants.

– Ma chère, vous n'y songez pas! fit Antoinette. S'il existe à la Cour une seule personne digne de confiance, nous n'avons de cesse de la transformer. Mais, comme il tient dans sa chemise les cordons de la bourse du Trésor, je suppose que notre cher Jordan dispose d'autant d'argent qu'il le désire. Réfléchissons un instant, puisque vous en parlez. A quoi d'autre peut-il aspirer?

– Tenir le même office avec le prochain roi, suggéra Katelina.

Les yeux peints se détournèrent.

– Tiens, fit Antoinette. Dites-moi : s'agit-il d'une simple rumeur?

– Non, précisa Katelina. On l'a vu à Genappe. Il tient sur le chambellan du dauphin des renseignements qui n'ont pu être obtenus qu'à Genappe. Il est accompagné d'un, au moins, des archers de la Garde écossaise.

– Comment le savez-vous? demanda Antoinette.

– Il n'a aucune emprise sur moi ni sur ma famille, mais il s'efforce de me convaincre de l'épouser.

– Pourquoi? Certes, vous êtes très belle. Mais c'est un homme riche, il a tout le choix voulu de partis dans son propre pays.

– Il désire dépouiller de son héritage son fils écossais, expliqua Katelina. Il veut des héritiers. Une fois qu'il les aura, son fils ne survivra peut-être pas bien longtemps.

– Et il choisit une Flamande, une dame bourguignonne, dit Antoinette. Quelle chance qu'il soit trop gros et ne vous attire pas. C'est doublement heureux. Les hommes gras attirent l'attention quand les rumeurs se lèvent.

– Je ne m'intéresse pas aux rumeurs, déclara Katelina.

– Je le sais bien. Mais, ma bonne amie, vous n'ignorez sûrement pas qu'à Bourges, où se trouve le roi, c'est avec de méchants bavardages qu'on construit les murs, qu'on creuse les fossés, qu'on garde les embrasures. Avec des rumeurs, ma chère. Pas avec des briques et du mortier.

C'est alors que Katelina avait adressé à Gelis la lettre que celle-ci devait transmettre à Claes. Aux yeux d'un lecteur superficiel, elle paraissait s'intéresser surtout au surprenant naufrage d'une autruche. Au cours des semaines qui suivirent, Antoinette ne fit plus allusion à Jordan. Par la suite, quand Katelina se sut enceinte, elle ne fit rien pour corriger ou mettre un frein à la rumeur qu'elle avait soulevée.

D'après ce qui lui avait dit Claes, elle contenait une part de vérité. Antoinette en parlerait au roi Charles. Et le roi Charles trouverait un moyen bien à lui de mettre à l'épreuve la loyauté du vicomte Jordan de Ribérac. Si la rumeur disait vrai, s'il était l'homme du dauphin, un traître, elle serait amplement vengée de la façon dont il l'avait traitée. Et de ce qu'il avait fait ou essayé de faire à Claes.

Claes. Pour la première fois elle se demanda ce qu'il penserait de l'enfant. Il n'était pas préparé à cette idée. Elle l'avait convaincu du contraire. Il lui avait dit, et elle le croyait, qu'il n'éprouvait aucun désir de se marier. Mais si un enfant s'annonçait?

Si elle l'empêchait de naître, qu'en penserait Claes? Disposer de cet enfant était son droit à elle, comme, de sa propre décision, elle avait pris le risque de le concevoir. Si elle le gardait, pour le confier ensuite à une nourrice, Claes voudrait-il le savoir? Peut-être pas. Ou bien souhaiterait-il prendre l'enfant. Peut-être même proclamerait-il, pour le bien du petit, qui était sa mère.

Lui, comment avait-il passé son jeune âge? Elle en savait si peu sur lui. Il avait vécu avec sa mère, semblait-il, pendant quelques années. Il était ensuite allé vivre chez un lointain parent qui s'était montré très dur avec lui. Non. Un homme élevé ainsi ne se laisserait pas priver de son fils. Il faudrait donc lui faire croire que ce n'était pas le sien. A moins...

A moins. Le deuxième mois s'écoula, les yeux de Katelina s'élargirent, se firent plus profonds, ses pommettes s'aiguisèrent un peu. Il lui arrivait de s'acquitter de ses devoirs matinaux avec retard, mais elle n'y manquait toutefois jamais. Elle rencontrait beaucoup d'hommes, aucun qui lui plût. Elle n'avait pas d'amants, elle ne cessait de penser à celui qu'elle avait eu.

Au cours de la deuxième semaine de juin, Jordan de Ribérac revint. La douairière était enfermée en compagnie de son astrologue, et la compagne de service de la jeune fille était absente.

Hormis le page qui gardait la porte, Katelina se trouvait seule dans l'antichambre. Le gros homme, avec une courtoisie de pieuse apparence, s'assit à côté d'elle.

Ses yeux, encore, la dénudèrent, depuis son fichu jusqu'à la taille haute de sa robe et au-dessous. Et, cette fois, il y avait quelque chose à voir.

– Eh bien, demoiselle, dit Jordan de Ribérac, où donc est votre mari?

– Je devrais en avoir un, selon vous? Vous offrez-vous de nouveau, monsieur de Ribérac?

Il sourit, riposta :

– Le nombre de prétendants n'est pas si grand, n'est-ce pas? Le duc, je n'en doute pas, vous accueillerait volontiers, mais il ne peut vous épouser, et l'état de sa jambe, à ce qu'on dit, est franchement inquiétant. Pour ce qui est des autres, vous connaissez la situation, je n'en doute pas, aussi bien que moi. Vous recevez des nouvelles de chez vous?

Le ton de sa voix l'engageait à dire qu'elle en avait. L'instinct la poussa à s'en tenir à la vérité.

– Non. Il semble que les lettres se soient perdues.

Il haussa les sourcils.

– Je vois. Alors, peut-être puis-je vous dire de première main ce qu'il advient de vos amis les plus prometteurs. Mon fils. Commençons par mon fils. Simon, semble-t-il, est sur le point de contracter une alliance des plus avantageuses avec une dame appelée Muriella, la fille de John Reid, le négociant de l'Étape de Calais. Sera-t-elle féconde? Je me pose la question. Simon n'aime guère les enfants. Mais il vous faut, je le crains, abandonner la charmante illusion que nous partageâmes naguère. Mon tendre Simon n'accourra pas à votre appel.

« Qui d'autre? La famille de Gruuthuse, ai-je appris, met tout en œuvre pour engager le jeune Guildolf à faire son choix définitif. Il est jeune. Peut-être aurait-il ravalé la rebuffade que vous lui avez infligée. Malheureusement, ses parents et lui sont à Bruges, et vous l'avez abandonné pour venir ici. Pauvre Guildolf.

Jordan de Ribérac soupira.

– Qui d'autre? Vous détestiez les deux autres candidats proposés par vos parents. Vous ne serez donc point trop marrie d'apprendre que chacun d'eux a signé un contrat avec la dame de son choix. Je ne vois personne qui soit parvenu à pénétrer le cercle magique de votre réserve virginale. A moins, bien entendu, de prendre en compte le jeune artisan Claes.

– Sûrement non, fit Katelina.

– Sûrement non? répéta le gros homme. Après avoir pris tant de peine, votre sœur et vous, pour le tirer – *par deux fois*? – de nos canaux? Un acte de charité dont je vous félicite, naturellement. S'il avait véritablement tué mon fils avec ses ciseaux, j'aurais pu penser différemment.

– Je croyais que le sort de votre fils était le cadet de vos soucis, dit Katelina.

– Non. Oh non! protesta le gros homme. Je me soucie énormément de lui. Il est bien possible que je ne lui souhaite pas une longue vie, mais j'aimerais être consulté sur l'heure et la manière de son départ, s'il vient à la quitter. Je n'apprécie pas de voir une quelconque préemption s'exercer sur mes droits paternels en ce domaine. Non pas que Claes, à mon avis, puisse m'inquiéter. Claes est condamné à perdre. Il foule le moulin de discipline de la perpétuelle ambition et de l'échec perpétuel. Voyez plutôt la dernière de ses machinations.

Elle se refusait à lui répondre. Elle leva les sourcils. Le gros homme soupira.

– Le croiriez-vous? Il a persuadé sa maîtresse de l'épouser. Des témoins achetés, le fils soigneusement tenu dans l'ignorance, des documents notariés préparés pour tous les biens de l'épousée. Avec le tendre accord de celle-ci. Elle est affolée de lui, me dit-on. L'unique héritier, semble-t-il, a cédé à présent à la tentation de partir vers le sud où il pourrait bien trouver la sépulture d'un combattant. En outre, dans sa folie, ce Claes a commis l'erreur d'incendier l'entreprise de son épouse, sa maison, son argent et jusqu'au dernier de ses registres. Il semble improbable qu'elle soit en mesure de régler ses dettes. Tout est perdu, fors leur mariage.

A force de fureur, de haine, de peur et d'orgueil, Katelina maîtrisa sa nausée. Elle voyait, à l'expression de son interlocuteur, qu'il notait chacune de ces émotions et qu'il n'en était pas décontenancé. Elle répondit calmement.

– Je vous félicite. Répandre des bribes de nouvelles d'un lieu à un autre représente un véritable talent. Je fais confiance à la fidélité de votre mémoire. Je m'étonne seulement que l'incendie chez les Charetty ait été accidentel.

Le visage grave, il réfléchit à ses paroles.

– A votre avis, ce n'était peut-être pas un accident? Certes, le garçon a des rivaux. Oudenin, le prêteur sur gages. D'autres peut-être. Elle n'est plus très jeune, mais encore plaisante. Ils offraient un spectacle émouvant, m'a-t-on dit : le jeune époux, à demi dévêtu, étreignant son épouse en robe de nuit devant les décombres de leur nid d'amour. Vous comprenez donc pourquoi je vous demande : où est votre époux?

– Je n'ai aucune difficulté à vous comprendre, monsieur de Ribérac, dit Katelina. Et je vous le répète : me proposez-vous le mariage une nouvelle fois? Qui sait si je ne suis pas intéressée?

Les pupilles des yeux de Jordan de Ribérac, d'un noir absolu, s'attachèrent à son visage.

– Vraiment? fit-il d'une voix sourde.

– Par ailleurs, poursuivit la jeune fille, s'il se fait que je suis bréhaigne, ou bien vous, impuissant, vos plans seraient anéantis. Non. Tout bien considéré, je ne parviens pas à imaginer les circonstances qui pourraient m'amener à envisager une telle union. Voyons, de quoi allons-nous parler? Mais peut-être n'avons-nous plus rien à nous dire. Permettez-moi d'aller voir si la douairière consent à vous recevoir, maintenant.

Il se leva en même temps qu'elle, la toisa, de tout son haut. Un instant, elle se demanda ce qu'elle ferait s'il levait la main sur elle comme sur Claes, et si la bague lui entaillait la joue. Mais il tourna les talons, et se posta près de la porte, dans l'attitude du courtisan sur le point d'être introduit pour son audience.

Antoinette de Maignelais vint trouver Katelina un peu plus tard dans la chambre qu'elle partageait avec les autres et lança :

– Monsieur de Ribérac s'est arrangé pour vous voir seule. Vous soupçonnerait-il? s'enquit-elle.

– Il se demandait si je désirais encore l'épouser. Non, dit Katelina. Il n'a pas semblé agité de soupçons, mais ma méfiance est de plus en plus vive.

– Votre instinct est sûr, déclara la maîtresse du duc de Bretagne, et ne vous trompe point. On s'est livré à de discrètes investigations. Des messagers ont été suivis. Des banques ont eu certaines histoires à conter. Davantage de renseignements doivent nous parvenir de source bourguignonne. Il faut du temps et de l'argent. Et dans deux mois, j'imagine que ce n'est pas d'une nouvelle épouse dont le seigneur de Ribérac devra se préoccuper.

Il y avait matière à réconfort, de savoir qu'il pourrait souffrir ce qu'il infligeait avec un tel art autour de lui. Il était enragé, pensait-elle, que Claes eût aspiré, fût-ce pour peu de temps, à la main d'une petite veuve, et pour apaiser sa colère, s'était plu à lui conter toute l'histoire. Il ne pouvait savoir, sûrement, comment elle s'était servi de Claes. Car elle s'était bel et bien servi de lui et ne pouvait s'attendre, de la part d'un serviteur, à rien d'autre que cela : de son lit, il avait sauté dans celui de la première femme qui pût l'aider à accéder à l'état de bourgeois, même s'il s'agissait d'une femme vieille, avec de grands enfants.

A moitié nu, il avait étreint la veuve. Peut-être lui avait-elle préparé son bain, elle aussi. Même âgée, même laide, il avait dû la satisfaire. Toutes les filles de Bruges le savaient. Mabelie. Elle-même.

Et son nom était bien Claes. Jamais il n'avait été Nicholas. Le premier-né de Katelina aurait pour père Claes, l'artisan bâtard à la langue enjôleuse, dont le vaste regard innocent dissimulait la ruse, l'ambition sans scrupules. Oui, le moulin de discipline de l'ambition, mais certainement pas celui de l'échec. Sur ce point, le gros homme se trompait. Patiemment, degré après degré, Claes s'élèverait de la condition d'apprenti à celle de marchand et de celle de marchand au pinacle qu'il estimait dû à ses mérites.

Il n'avait pas besoin de Katelina. Sans argent, son nom et son rang lui étaient inutiles. Ce qu'il lui fallait, il l'avait obtenu : la propriétaire d'une entreprise dont la condition était à présent devenue la sienne. Un incendie volontaire pouvait mettre un frein à ses ambitions. Il se produirait peut-être d'autres tentatives pour arrêter son ascension. Mais, contrairement au gros homme, elle était en mesure de juger Claes sous plusieurs aspects. La nouvelle de son mariage avait complété le tableau. A présent, elle le connaissait. La mort mise à part, rien ne l'arrêterait. Il n'avait pas besoin d'elle et moins encore aurait-il besoin de l'enfant qu'elle portait. Le problème était résolu.

Katelina van Borselen s'acquittait sans bruit de ses fonctions. Ceux qui la connaissaient, qui avaient de l'affection pour elle, remarquaient qu'elle était un peu lointaine et qu'elle passait dans sa chambre plus de temps que par le passé. On l'en faisait sortir chaque fois qu'elle avait à faire fonction d'interprète dans les interminables conversations à propos de la dot de la douairière.

Des émissaires écossais voulaient discuter de l'affaire de leur roi avec sa sœur. Il y aurait sir William Monypenny, naturellement. L'évêque Kennedy, plus tard. Flockhart, peut-être. Et le bel homme aux cheveux d'or pour qui la douairière affichait un penchant qui ne manquerait pas de faire monter le rose aux joues pâles de la jeune fille.

– Venez, Katelina! lui crièrent ses amies. Venez faire la connaissance de Simon de Kilmirren!

Juin était alors dans sa deuxième semaine. Dans toute l'Europe, des forces se mirent en branle pour aller jusqu'au bout de leur destin.

Avant la fin de juin, Felix, l'héritier Charetty, parvint à Naples et se joignit aux troupes de sa mère, sous l'autorité du capitaine Astorre et du notaire Julius. Il était accompagné de son serviteur personnel, un magnifique nègre, du nom de Loppe. Et d'un présent fait au roi par le duc de Milan : mille huit cents cavaliers destinés à renforcer l'armée du pape et à aider le roi Ferrante à chasser ses ennemis des alentours de Naples. Ainsi encouragé, le roi Ferrante sortit de Naples et défia l'ennemi.

Ce n'était pas très sage, mais le roi de Naples eut de la chance. Le duc Jean de Calabre, d'une prudence inhabituelle, refusa le combat. Menacé, il se retira en hâte, avec son armée, dans la petite ville de Sarno, bâtie sur une colline cernée par une rivière, à une cinquantaine de kilomètres au sud de Naples. Là, il se laissa assiéger. L'armée du roi Ferrante, renforcée par les troupes du pape et du duc de Milan, ainsi que par ses nombreuses compagnies de mercenaires, parmi lesquelles celle du capitaine Astorre, prit position pour réduire les assiégés à la famine.

Ils auraient pu réussir. Par malheur, les mercenaires du roi Ferrante, en particulier, n'avaient pas été payés depuis un certain temps. Des propositions alléchantes parvinrent du camp ennemi. Des hommes commencèrent de déserter.

Le roi Ferrante décida, non sans une certaine dose de regret mais avec une dose plus grande encore d'optimisme téméraire, qu'au lieu de poursuivre le siège, il devait tenter une attaque. Une attaque limitée, c'est du moins ce qu'il prétendit par la suite. Mais, privés de solde et mécontents, ses soldats en jugèrent autrement. On était à la première semaine de juillet. On ignora durant quelque temps qu'une bataille décisive s'était déroulée à Sarno.

Des batailles décisives, il s'en déroulait ailleurs, au même moment. L'une d'elles, sans effusion de sang, eut lieu en Angleterre quand, conduits par l'évêque Coppini et le comte de Warwick, les Yorkistes à la rose blanche firent la traversée depuis Calais et entrèrent dans Londres en grand triomphe. Restait seulement à s'assurer de la personne du roi lancastrien et de celle de sa reine, la sœur du duc Jean de Calabre.

Le duc de Milan fut ravi. Les Yorkistes accordèrent tout le crédit voulu aux conseils et à la direction de l'évêque Coppini, légat du pape en Angleterre et en Flandre, et agent secret du duc de Milan. L'évêque Coppini, qui travaillait d'arrache-pied pour son chapeau de cardinal, finit, dans son bonheur, par manquer d'encre sympathique.

James, roi d'Écosse, était depuis longtemps parvenu à la conclusion que, dans la guerre anglaise, il devait traiter avec les deux partis, afin de s'assurer un ami muni d'une rose, à la toute fin. L'occupation par les Anglais de deux bonnes villes écossaises, Berwick sur la frontière est, et Roxburgh au sud était une vieille pomme de discorde. Il apparut au roi James et à ses conseillers que, tandis que les Anglais étaient si fort occupés, on pourrait lancer une attaque, brève mais vigoureuse, contre la garnison anglaise de... Roxburgh, par exemple.

Le roi James et son maître d'artillerie eurent une grave conversation. A l'issue de celle-ci, les deux grands canons de Mons furent sortis et préparés pour un voyage. Le roi James alla lui-même les voir : la vieille Meg et la nouvelle Martha. Il les caressa. Personne ne possédait de canons comme ceux-là. Personne, sinon le sultan de Turquie. S'il n'avait été roi d'Écosse, nanti de six sœurs stupides, il aurait été couronné maître canonnier.

35

Poursuivant, lui aussi, sa route solitaire, Nicholas, accomplit le long vogage de Milan à Urbino. De là, il mit ses pas dans les traces laissées par deux armées. Dans cette chevauchée vers le sud, à travers les États pontificaux, sous l'écrasant soleil du plein été, les dévastations perpétrées par le comte Jacopo Piccinino et ses troupes, dans leur hâte d'aller aider à la destruction de Naples, frappaient le regard.

Dans les premiers jours de juillet, Nicholas atteignit la rivière Tronto et passa dans les Abruzzes, territoire qui appartenait au royaume de Naples. Là, les fermes incendiées et les châteaux encore fumants portaient la signature de l'armée papale et milanaise qui, sous les ordres du comte d'Urbino, poursuivait l'ennemi. Ce fut cette armée que Nicholas rejoignit et faillit même dépasser.

Au sud du Tronto et parallèle à son cours coulait une autre rivière, le Tordino. Près des berges du Tordino, sur un espace plat, campaient les forces de Milan et du pape, face à l'armée du comte Piccinino, qui s'était, elle aussi, arrêtée pour se masser au flanc d'une colline.

Le soir tombait quand Nicholas parvint au terme de son voyage. A sa droite, le ciel était encore teinté par les lueurs du soleil couchant, au-dessus de la noire échine des montagnes. Devant lui, éclairée par des lanternes multicolores, s'étendait une cité de tentes, dont la multitude de bannières se dressait comme des piquants de hérissons. Il reconnut la vipère et l'aigle d'Alessandro et Bosio Sforza; la croix et les croissants, en azur et or, du pape; et au-dessus de tout le reste, l'aigle de Federigo, comte d'Urbino, l'étendard du commandant en chef. Sur la colline, les tentes de l'ennemi ressemblaient à des cendres ardentes, et l'on devinait tout juste la bannière du comte Jacopo Piccinino.

Nicholas, muni de son sauf-conduit, fut autorisé avec ses

palefreniers et ses chevaux à pénétrer sous escorte dans le camp. Un peu plus tard, on le conduisit à la tente qu'il cherchait.

En pourpoint et chausses, son crâne nu éclairé par la flamme d'une chandelle, Tobie Beventini da Grado, assis sur une escabelle, trempait un pied dans un baquet. Il tenait l'autre entre ses deux mains osseuses et l'examinait de très près. Sous la double volute bien dessinée de son nez, ses lèvres semblaient plus courtes que de coutume. Il y avait derrière lui un lit de camp et, un peu à l'écart, une table pliante sur laquelle reposaient son coffret de médecines et d'instruments, ainsi qu'un désordre de fioles, une écuelle et une liasse de papiers disparates. Il était seul.

– D'habitude, on en compte cinq.

Le médecin leva la tête. Ses yeux pâles, déjà ronds, ne s'agrandirent pas.

– Il est grand temps, fit-il. A moins que tu ne souffres d'hémorroïdes.

– Mes palefreniers, oui, répondit complaisamment Nicholas. Vous vous spécialisez?

– Les fesses du Saint Empire romain sont mon domaine. Ce n'est pas un médecin qu'il leur faut mais un homme capable de fabriquer une nouvelle espèce de cheval. Tu as suivi mon conseil : tu as épousé la femme.

– Je suis toujours vos conseils. D'ailleurs, vous avez suivi le mien en persuadant le comte d'acheter Lionetto. Pour une belle somme, même... J'ai vérifié chez son agent de Milan, Maffino. Astorre doit être très contrarié. Sans doute croit-il que vous avez récolté la moitié des rubis de verre de Lionetto. Je peux entrer?

Tobie le médecin lâcha son pied pour le placer précautionneusement à côté de l'autre, dans le baquet.

– Tu es seul? demanda-t-il.

– A part deux palefreniers nantis d'hémorroïdes.

Nicholas entra, laissa tomber une sacoche de selle sur la paille, près du lit.

– J'ai expédié Felix vers Astorre, à Naples, annonça-t-il.

L'atmosphère, dans la tente, était étouffante. Les douves du baquet s'étaient couvertes de buée.

– Tu t'es conduit comme un imbécile, déclara Tobie.

– Il ne peut rester éternellement un enfant. Un gros contingent milanais était sur le départ. Les hommes ne comptaient pas se battre.

Une série de clapotis contemplatifs émergèrent du baquet.

– Vous avez eu un incendie, reprit Tobie. Volontaire?

– Je sais qui l'a allumé. La cible, c'est moi. Tant que je serai ici, tout ira bien à Bruges. A présent que nous avons tout cet argent, ils peuvent remettre l'affaire en marche.

La petite bouche de Tobie s'élargit. Il se tint des deux mains à l'escabelle pour soulever ses deux pieds dégoulinants et les poser tendrement sur un linge.

– Assieds-toi, je t'en prie, dit-il. Prends mon lit. Mais ne va pas t'endormir avant de m'avoir tout raconté. De combien me suis-je enrichi?

Nicholas s'assit, avec toutes les précautions d'un homme qui vient de parcourir à cheval soixante milles difficiles sous une chaleur extrême et qui ne se sent pas au mieux de sa forme.

– Vous n'êtes pas aussi riche que moi mais vous pouvez espérer abandonner les fesses. Pourquoi ces pieds douloureux? S'agit-il d'un nouveau traitement des hémorroïdes? Mettez-vous vos patients dans une cuve, avant de les piétiner?

Tobie entreprit d'essuyer un pied.

– Je suis content de te voir si heureux, dit-il. J'espère seulement valoir autant que je le mérite, après avoir parcouru tout le Lazio avec ces deux mineurs ivrognes de Zorzi. Messer Caterino Zeno a été très impressionné à l'époque.

– Tout le monde l'a été, affirma Nicholas. Nous partageons la concession avec les Génois.

Tobie prit son petit orteil dans un pli de la serviette et hurla :
– *Quoi?*

– Pourquoi, à votre avis, vous ai-je mis en rapport avec Camulio? Il nous faut travailler avec les autres marchands de Bruges. Nous avons besoin d'Adorne. Nous avons besoin des Adorno. Venise et la Turquie peuvent toujours se quereller. Et nous pourrions avoir avantage à compter des amis à Chios, afin de garder un œil sur ce que font les Vénitiens.

Le crâne chauve du médecin avait rougi. Les cheveux légers qui poussaient près des oreilles laissaient tomber des gouttes de sueur.

– J'aurais dû m'en occuper moi-même, grommela-t-il. J'aurais aimé te voir te traîner dans toutes ces collines avec deux mineurs d'alun et une loupe. Tolfa découvert, la concession ne vaut plus rien. Da Castro, cet aventurier, a déjà entrepris la prospection avec son ami l'astrologue. Tu le savais?

– Non.

– Non, répéta le médecin. Alors, réfléchis un peu. Les Français gouvernent déjà Gênes. Les Français aimeraient attaquer la Bourgogne. Les Français aimeraient chasser Sforza pour placer un homme à eux dans le duché de Milan. Et l'on raconte qu'ils demandent à Venise de les aider. Ainsi donc, pas d'Adorno, pas de Sforza, aucun moyen de faire peur à Venise avec les nouvelles mines d'alun. Si Venise aide la France à conquérir la moitié de l'Italie, le prochain pape sera français, et Venise exploitera elle-même le gisement d'alun.

Nicholas avait ouvert sa bourse. Il garda entre ses deux mains le papier qu'il en avait tiré, jusqu'au moment où Tobie fit silence. Alors seulement, il se pencha en avant pour le lui donner. Il était couvert de chiffres. Tobie en prit connaissance.

– Votre part, expliqua Nicholas. Elle est en banque, comme vous le souhaitiez.

D'un revers de main, Tobie essuya son nez qui coulait. Il relut les chiffres portés sur le papier. Ses doigts y laissaient des marques humides.

– Je ne crois pas, dit Nicholas, et vous non plus sans doute, que Venise acceptera d'aider la France. Je ne crois pas que la France puisse se permettre d'attaquer qui que ce soit, à moins, peut-être, que les Lancastriens ne gagnent en Angleterre. Mais il leur faudrait l'emporter rapidement, car on dit que le roi de France ne va pas bien. S'il meurt, le dauphin montera sur le trône. Gaston du Lyon sillonne les chemins parce que Milan et le dauphin projettent déjà leur alliance. A ce moment, bien sûr, quelqu'un découvrira le gisement de Tolfa. Zaccaria, peut-être. Mais pas tout de suite. Il y a déjà la somme que nous avons touchée pour prix de notre silence. Et, même si nous bénéficions d'une seule livraison, une livraison vraiment importante, le profit sera grand. Il y a aussi l'accord sur la soie.

– Quel accord sur la soie? demanda Tobie.

Il n'avait pas encore détaché son regard du papier.

– Pour rassurer Florence, j'ai traité cet accord avec les Vénitiens. Florence recevra, elle aussi, une certaine quantité d'alun à prix réduit, mais en échange d'exportations de même importance de soie à bon marché destinée à Zorza, à Constantinople. Les Florentins désirent aussi faire commerce avec la mer Noire, mais ils n'ont pas de consul. Venise ne veut pas qu'ils aient un consul. Si l'empereur de Trébizonde et les Médicis insistent, Venise veillera à ce que l'agent proposé soit la compagnie Charetty.

Lentement, Tobie posa le papier.

– Tu déchiffres toujours les codes, dit-il.

Nicholas lui sourit.

– Je commerce honnêtement. Nous pourrions investir dans un navire. Felix serait content. Julius pourrait diriger le comptoir. Il lui faudrait sans doute apprendre le turc.

Le pâle regard du médecin l'examinait, comme pour déceler une infection. Il dit :

– Tu parles à moitié sérieusement, je pense. Tu songes à des débouchés, pour le cas où j'aurais raison, et toi tort, et où la France envahirait l'Italie? Mais le dauphin sera bientôt roi.

– Un jour, Felix sera à la tête de l'affaire Charetty, fit Nicholas. Et il sera un maître plus sévère, je le soupçonne, que ne le fut jamais le vieux Cornelis.

Le médecin se leva. Pied nus, il alla jusqu'à l'ouverture de la tente, tambourina sur un poteau. Quand son serviteur apparut, il le renvoya avec le baquet et une série d'instructions. Après quoi, il revint se rasseoir.

– Parfois, la nuit, ils se livrent des escarmouches dans la plaine. De jour aussi. Rien de sérieux. Ils se lancent des défis à pleine voix, mais c'est tout ce qu'ils peuvent faire. Jusqu'au jour où quelqu'un nous enverra d'autres troupes, nous ne pourrons venir à bout de ce bâtard pour gagner Naples. Tu aimes les poules?

– A la place qui leur revient, répondit Nicholas. Pourquoi? Vous en avez?

– Vingt mille, annonça Tobie. Nous avons pris aussi un grand nombre de mulets. Des bœufs. Des moutons. Tu as sans doute remarqué les champs, après avoir franchi le Tronto. Tout le grain moissonné et battu. De bons fermiers, ces gens d'Urbino.

L'abattant de la tente se souleva. Le médecin finit de s'habiller, tandis qu'on dépliait une table et qu'on la chargeait de vaisselle et de plats. Une cruche de vin et des gobelets firent leur apparition. Quelqu'un apporta et monta un autre lit. Nicholas se leva pour aller se mettre à table.

– Qu'ont-ils fait du grain? demanda-t-il.

– Ils l'ont porté au marché, répondit Tobie, et l'ont vendu à prix d'or, des paysans affamés et leurs seigneurs qui ne l'étaient pas moins. Et cet argent-là sert tout juste à leurs besoins quotidiens. Je voudrais que tu voies ce que les capitaines ont amassé comme trésor. Tu ne m'as pas demandé si je suis avec Lionetto?

A présent qu'il avait commencé de manger, Nicholas avait tellement faim que ses mâchoires en étaient douloureuses.

– Pas besoin, dit-il, vous n'avez pas bu. Pourquoi êtes-vous resté dans les Abruzzes?

– Le comte Federigo me l'a demandé. Il commande ici.

– Et alors?

– Pour un condottiere, il n'est pas banal. Tu as entendu parler de lui. Il gouverne Urbino. Et Urbino n'a rien d'un paradis. Ses seules richesses sont ses soldats. Et, qui plus est, ils sont bons.

Nicholas examina ce qu'il pouvait encore voir du visage de l'autre, par-dessus un poulet.

– Vous ne devez rien à personne, affirma-t-il.

– C'est bien ce que je pensais, répliqua vivement Tobie, qui déchirait la volaille à belles dents.

Le repas était depuis longtemps achevé, et les deux hommes dormaient dans l'obscurité, quand survint la seule alerte de la nuit. Et elle n'était pas le fait de l'ennemi. C'était Lionetto qui donnait des coups de pied dans les lits, l'un après l'autre. Une lanterne se balançait dans sa main. Nicholas se retourna et, les yeux à demi ouverts, distingua la tignasse couleur carotte qui descendait aux épaules, le nez bulbeux, et la peau vérolée à la lumière de la lanterne.

Il était rare que le sourire de Lionetto découvrît, comme alors, ses dents en obélisques. Il déclara :

– Voilà le drôle que j'ai jeté à la mer. Ça ne l'a pas récuré.

Nicholas, immobile, lui rendit regard pour regard. Sa peau luisait de sueur.

D'une secousse, Tobie se redressa sur son séant. L'une de ses narines, éclairée, avait pris l'aspect d'un escargot.

– Le seigneur Federigo l'a peut-être envoyé quérir? demanda-t-il.

– Voilà qui me navre à entendre, fit Lionetto. Ainsi, Urbino est infecté aussi. C'est du vin, ça? Vous ne m'en voudrez pas. La nouvelle m'a donné soif. Oh, Dieu me damne. Je l'ai renversé.

La traînée de vin se répandit sur le sol de la tente, les chausses de Nicholas, son pourpoint, pour venir former une mare sur sa gorge. Lionetto le regardait en riant. Le gobelet incliné était encore dans sa main. Nicholas, sans rien dire, le fixait toujours.

– Tu as meilleure allure, à présent, déclara Lionetto. Tout mouillé.

Derrière lui, Tobie était debout, le crâne scintillant, les yeux ronds, menaçants.

– Il a plus de patience que moi. Vous êtes ivre. Je ferai mon rapport.

– Ivre? répéta Lionetto.

Il se rapprocha de la table, tira un escabeau, s'y assit pour remplir son gobelet.

– La moitié du camp sera ivre avant demain matin, illustre médicastre, dit-il. Nous noyons nos chagrins. Nous cachons nos pauvres petites frayeurs. Que va faire maintenant la fière veuve? La fille du prêteur sur gages qui se prenait pour un homme? Mais tu lui as bien fait voir qu'elle se trompait, hein, coquin? Tu l'as épousée. Tu ne l'as pas mise dans ton lit. Ça, tu ne pouvais pas. Mais tu as eu le commerce. Quel commerce? Un commerce détruit par le feu, et tous ses petits soldats partis se faire tuer. Pauvre vieille garce.

A son tour, Nicholas s'était redressé.

– On a des nouvelles de Naples.

Le médecin, qui s'était immobilisé, les yeux fixés sur Lionetto, se pencha tout à coup en avant et fit sauter le gobelet de sa main.

– C'est ça? Des nouvelles de Naples?

Lionetto poussa un rugissement. Nicholas prit la direction des opérations : il ramassa le gobelet, le remplit, le posa bruyamment devant le capitaine. Après quoi, debout près du médecin, il le retint par le coude.

– Dites-nous, fit-il.

Des ruisselets de vin glissaient sur sa peau. Il frissonna.

– Si tu sors de là, dit Lionetto, tu entendras dans un instant, les hommes de Piccinino pousser des acclamations. Les survivants reviennent tout juste. Naples est tombé. Ferrante est mort. L'armée est écrasée. Et tu sais pourquoi? Parce que les canonniers, qui n'avaient pas été payés, sont passés à l'ennemi. Ferrante avait fixé le duc Jean et son armée à Sarno. Au lieu de les affamer à mort, il les a attaqués. Les canonniers, du haut des murailles, ont ouvert des trous rouges dans leurs casques et dans leurs cuirasses, jusqu'au moment où il n'est plus resté personne pour se battre.

Il vida le gobelet, leva une figure fendue d'un sourire.

– Les hommes d'Astorre. Ceux qui se servaient des armes à feu que tu leur avais achetées. Astorre est mort, à présent, et vous autres, vous êtes là tous les deux, avec l'argent de la condotta.

– Taisez-vous, dit le médecin.

Il regardait Nicholas que secouaient de nouveaux frissons.

– Non, affirma Nicholas. Ils ont reçu toute leur paye. Julius y aura sûrement veillé. Et Astorre les tenait bien en main.

– Peu importe, fit Tobie.

Peu importait, en effet. Astorre. Julius. Et Felix.

Lionetto déclara :

– A mon avis, ça a de l'importance pour ceux qui nous gouvernent. La France, à présent, peut placer son candidat à Naples. Mais moi, je suis en sécurité. Un contrat jusqu'en septembre, et je pourrai rentrer chez moi. Ou bien repasser chez Piccinino.

– Que va-t-il advenir, à présent? demanda Tobie.

– Ici? Piccinino n'a rien de mieux à faire que de rester sur sa colline pour nous bloquer la route. Peut-être, dans une semaine ou deux, le duc de Mantoue et le pape lèveront-ils d'autres soldats. Mille de plus, et nous pourrions engager la bataille avec le petit comte. Nous pourrions marcher vers le sud et reprendre certaines des villes qui étaient sous l'autorité de Ferrante. Mais nous ne pourrions pas emporter Naples. Il faudrait pour ça une autre armée entière à l'est.

Il tendit l'oreille.

– Je vous l'avais bien dit. Écoutez.

A travers l'épaisseur de la tente, on voyait naître la lueur, pâle ou brillante, de nombreuses lanternes et le rouge de feux ranimés. On entendait un bruit de voix, de plus en plus fort, et les braiments, les aboiements de bêtes réveillées.

– J'ai pensé que vous aimeriez être parmi les premiers à savoir, dit Lionetto. Ce vin n'est pas mauvais. J'emporte le cruchon.

Il s'en fut. Personne ne dit mot. Nicholas lâcha le bras du médecin pour se planter à l'entrée de la tente. Comme l'avait dit Lionetto, la nouvelle avait maintenant atteint le camp ennemi. Les acclamations qui venaient du flanc de la colline étaient encore faibles mais allaient se renforçant.

– Et à présent? fit la voix délibérée de Tobie. On reprend tous les chiffres?

Debout dans l'ouverture, Nicholas écoutait. Les cris qui montaient étaient différents de ceux qu'on entendait de la colline d'en face. On ne pouvait les prendre pour des cris de victoire. C'était une acclamation de sympathie accordée à des hommes qui s'étaient bien battus et qui avaient perdu. Elle montait de leur propre camp. Sous la main crispée de Nicholas, le pan de la tente céda. Il regarda fixement le morceau déchiré qui restait entre ses doigts, avant de le lâcher.

– J'ai eu tort, dit-il. J'aurais dû le frapper.

– Grand Dieu, fit Tobie. Est-ce là ta seule pensée?

Nicholas ne répondit pas. La sueur et le vin lui semblaient ruisseler sur son corps tout entier. Son cœur faisait le bruit d'un boulet de canon qui rebondirait sur un tambour. Sans tourner la tête, il reprit enfin :

– Venez voir.

Dès qu'il l'eut rejoint, Tobie, à son tour, demeura immobile. Il écoutait, regardait tout autour d'eux les espaces découverts où se pressaient des hommes, mi-vêtus ou complètement nus. Enfin, comme l'avait fait Nicholas, il distingua les cavaliers. L'un après l'autre, ils franchissaient les portes du camp, se frayaient un chemin dans la foule et, l'un après l'autre, mettaient pied à terre parmi les cris, à la lumière des torches. Des hommes harassés. Des hommes blessés. Des hommes qui avaient survécu à la déroute de Sarno et s'étaient mis en selle, non pas pour retrouver la sécurité de leurs foyers mais pour rejoindre leur seconde armée. Des flambeaux les cernaient, laissaient deviner des visages inconnus, des traits inconnus. Mais, soudain, une particularité familière : la moustache d'un dresseur de chevaux nommé Manfred. La tête brune, privée de son casque, d'un arbalétrier hongrois, le cou enveloppé de toile blanche. Deux hommes vêtus de haillons noirs : l'un, maigre et brûlé par le soleil, l'autre, très droit, musclé, avec des yeux obliques et un nez classique. Celui-ci se laissa glisser de son cheval en s'aidant d'une seule main : l'autre était passée dans une écharpe.

– Julius, dit Tobie.

Sa propre voix lui semblait étrange.

– Et là. Derrière lui. Astorre. Sainte Mère de Dieu, oui, tu aurais dû le frapper. J'aurais dû le tuer. Je le tuerai. Il savait qu'ils étaient vivants.

Les mots suivirent Nicholas, mais il n'y prêta aucune attention. Il se trouvait déjà au plein de la cohue et, tête baissée, se hâtait vers la file de soldats qui pénétraient dans le camp en trébuchant. Au passage, il les touchait tous : Manfred, Godscale, Abrami... l'épaule, soudain toute proche, de Thomas qui tourna vers lui un visage grisâtre plein de surprise. Et Astorre, qui mit lourdement pied à terre, le menton haut levé, les yeux mi-clos de chaque côté de son nasal. Lukin. Et Loppe, le visage dénué de toute expression. Enfin, Julius qui le regardait, sans bouger.

Plus loin, c'était Felix.

– Oh, te voilà, dit Felix. Je vous avais bien dit qu'il serait là. Nous avons eu une belle bataille. Tu aurais dû t'y trouver. Combien d'hommes ai-je tués? J'ai oublié.

– Vous avez dit huit, fit Julius.

Il était toujours à la même place.

La voix de Tobie indiqua :

– Ma tente est là-bas. On en dresse une autre à côté. Je vais aider Nicholas à s'occuper de vos hommes et de vos chevaux. Nous avons tout ce qu'il faut pour manger. Demandez ce que vous voudrez. Avez-vous vu le comte?

– Nous venons de sa tente, répondit Astorre.

Sa voix se brisa.

– Alors, avancez, dit Tobie.

Nicholas surprit un regard qui passait entre Julius et lui. Le groupe d'hommes commença de se disperser. La voix de Tobie dit encore :

– Remets-toi. Attends-moi. Je vais m'occuper de tout cela.

Près des chariots, il faisait sombre. Nicholas s'assit sur la terre dure, sans parvenir à se remettre. La voix de Julius dit, au-dessus de lui :

– Alors, idiot, que se passe-t-il? Tu espérais que nous ne reviendrions pas?

Inutile d'essayer de répondre. Il sentit Julius se pencher sur lui. Avec des os brisés, ce devait être très douloureux. Il y eut un bruit de pas, une autre voix.

– Nous regrettons tous de vous voir de retour, dit Tobie. Nous nous apprêtions à nous enrichir des biens que vous nous laissiez en héritage. Vous ne reconnaissez donc pas la fièvre des marais quand vous la rencontrez? Dites à Godscale de venir ici.

Nicholas ouvrit les yeux. Tobie était à genoux près de lui, seul. Tobie dit :

– Extraordinaire. Tu es humain. C'est bien la fièvre des marais, soit dit en passant. Je l'ai vue arriver. Tu t'en débarrasseras.

Nicholas renversa la tête en arrière contre le chariot et, dans la mesure où le lui permettaient ses dents qui s'entrechoquaient, gratifia le médecin d'un vague sourire tremblant.

– Toutefois, reprit Tobie, nous ne saurons jamais ce qui l'a déclenchée, n'est-ce pas? Le soulagement ou bien la déception?

36

Quand on jouissait d'une assez bonne santé mais qu'on avait passé le plus clair de sa vie à s'attirer des corrections, il n'y avait rien de bien nouveau à se sentir alternativement brûlant et glacé, à endurer la souffrance jusqu'au moment où elle s'atténuait. C'était sans importance, puisqu'elle passait toujours. Dans la tente de Tobie, Nicholas ne voyait pas grand-chose mais entendait des voix confuses. A son réveil, parfois, il faisait nuit ; d'autres fois, il faisait jour. Il ne se tourmentait guère de savoir s'il était réveillé ou non.

La voix qui finit par atteindre sa conscience et qui le tint en éveil était celle de Felix. Celle qui lui répondait semblait appartenir à Julius, mais Nicholas ne parvenait pas à comprendre quel était le sujet de la discussion. Il en était encore à écouter rêveusement quand une ombre tomba sur son lit. C'était Tobie, un linge entre les doigts.

– Ah, fit Tobie. Ne dis rien si tu ne veux pas les voir tous les deux à ton chevet.

Les lèvres de Nicholas n'avaient pas envie de sourire, sa langue n'avait pas envie de remuer, mais il finit par demander :

– Et pourquoi pas ?

Les yeux pâles et cernés, où les pupilles n'étaient que des points, l'observaient.

– Pourquoi pas, en effet ? dit Tobie. Piccinino commence à s'ennuyer. Urbino commence à s'ennuyer. Les brillants jeunes seigneurs qui mènent les escarmouches des deux côtés ont pris l'habitude de se lancer des défis personnels. Il doit y avoir une joute dans deux jours, et Felix veut y prendre part.

– Une joute ? répéta vaguement Nicholas.

– Sur le champ de bataille. Sur la plaine qui sépare les deux armées. Tout sera parfaitement conduit, les trêves appropriées déclarées d'un côté et de l'autre. La chevalerie. La folie furieuse, expliqua Tobie.

La voix de Felix déclara :

– Il parle. Il va mieux. Nicholas ? Dis-leur de me laisser faire.

Felix s'approcha du lit. Il tenait sous son bras le heaume extraordinaire que lui avait offert le dauphin, orné de plumes rouges et d'une tête d'aigle à l'air mauvais avec des yeux en escarboucles. Il devait l'avoir rapporté de Genappe dans son bagage.

Felix avait changé d'aspect. Son cou avait épaissi, son nez, ses pommettes s'étaient affermis, élargis. Plus de frisures à l'extrémité de ses cheveux. Sa chevelure, taillée au-dessous des oreilles, avait retrouvé sa raideur naturelle.

– Quelqu'un a dit que tu avais tué huit hommes, fit Nicholas. Mensonge. Tu les as fait mourir à force de paroles.

Julius s'était approché à son tour. L'écharpe était toujours en place. Le visage aux traits affirmés était d'une pâleur inhabituelle. Il s'adressa directement à Nicholas, du notaire à l'apprenti, comme à Bruges.

– Il a raison. Il s'est bien battu, pour un méchant garnement qui n'écoute jamais ce qu'on lui dit. S'est-il exercé à Milan ?

– Oui. Qui a lancé le défi ? demanda Nicholas.

Sans regarder Tobie, il sentait sur lui la brûlure de son regard furieux.

– Je devais combattre dans le tournoi de l'Ours Blanc, dit Felix. Ça, tu le sais. Si j'étais capable de participer à l'Ours Blanc, je suis en mesure d'affronter quelques mercenaires.

– Qui ? répéta Nicholas.

Il avait quelque difficulté à garder les yeux ouverts.

– Oh, personne d'extraordinaire, répondit Felix. Nardo da Marsciano. Il affronte Francesco della Carda. Et Serafino de Montefalcone a jeté le gant à un nommé Fantaguzzo da San Arcangelo. J'en ai donc fait autant. Le comte me l'a permis.

– Le comte, précisa Tobie entre ses dents, a déclaré que tout survivant de Sarno avait le droit de rompre une lance, et qu'il doublerait le prix. Felix pourrait tomber sur n'importe qui. Sur Piccinino lui-même.

– Si Felix a déjà tué huit hommes, je vois mal comment on pourrait le retenir, soupira Nicholas.

– J'ai dit que ce serait ta réponse, dit Felix. Il faudra que tu m'aides à m'armer et à dresser la liste de tous les jouteurs. Je n'ai pas fini.

– Pour la postérité. Tu n'as pas fini, mais moi, oui, dit Nicholas.

Il ferma enfin les yeux. Il les rouvrirait après le départ de Felix, plus tard, quand il se sentirait à nouveau maître de la situation.

Lorsqu'il se réveilla de nouveau, il demeura lucide durant plusieurs heures : le temps d'absorber quelque nourriture solide et d'entendre enfin le récit de ce qui s'était passé à

Sarno, Sarno, qui aurait dû être le théâtre d'un long siège sans épanchement de sang mais qui, par suite des désertions, était devenu l'objet d'une téméraire attaque sur une seule tour. La téméraire attaque était devenue un assaut général, désordonné et privé de tout commandement. Comme l'avait dit Lionetto, les assaillants avaient été tués du haut des murailles par leurs propres artilleurs.

Seul de toute l'armée, Astorre s'en était tiré avec presque toutes ses forces. Pas de déserteurs parmi les siens. Le roi Ferrante, avec vingt cavaliers, avait pu s'échapper vers Naples. L'ambassadeur milanais avait perdu tous ses papiers mais avait pris la direction de Nocera. Les Strozzi avaient fait de même, dit Julius, après avoir évacué de Naples tout ce qui avait de la valeur, y compris leurs économies. A présent, le duc Jean de Calabre était maître du champ de bataille. Il lui suffisait de regrouper son armée, d'obtenir quelques renforts et de marcher sur Naples pour prendre la ville. Cette armée, immobilisée dans les Abruzzes et qui s'adonnait aux joutes, n'allait pas l'arrêter. Julius parlait d'un ton méprisant, mais Astorre, le vétéran, les contraignit à écouter le bon sens. L'œil à la paupière plissée avait retrouvé son éclat, les jambes torses leur agilité.

– Que faire? Nous ne pouvons éviter Piccinino. Nous ne pouvons pas le battre. Mais, tout le temps qu'il nous bloque, nous l'empêchons de courir à la rescousse du duc Jean. Plus longtemps nous le retiendrons ici, et plus de chances nous aurons de recevoir des renforts de Milan. Laissons-le organiser des joutes, voilà ce que je dis. Chantons-lui des chansons. Faisons n'importe quoi, sauf combattre, jusqu'au moment où nous serons prêts.

Nicholas, qui observait Astorre du creux de ses oreillers savait bien que rien de tout cela ne s'adressait directement à lui. Astorre, depuis son retour, l'évitait. Il était le nouvel époux de la demoiselle, capable de se mettre à donner des ordres à Astorre, alors que, la veille encore, il était l'élève sans cesse maltraité du capitaine. Astorre n'avait pas encore décidé de la manière dont il devait affronter la situation. Nicholas voyait bien son problème. Le capitaine, il l'espérait, aurait assez de bon sens pour consulter Julius qui, jusqu'à présent, avait montré un remarquable manque de curiosité à propos de son mariage. Une conversation avec Julius était indiquée, et le plus tôt serait le mieux.

L'occasion s'en présenta le jour du tournoi, qui n'avait rien d'une épreuve de basse-cour. Les candidats du comte se présentaient contre les cavaliers du duc, et l'honneur des deux parties ne demandait rien moins que magnificence. L'Ours Blanc, à Bruges, n'aurait pu mieux faire. Éperonnés par leur rivalité, les charpentiers des deux armées avaient édifié tribunes et bannières, les ouvriers érigeaient les pavillons peints où s'accrochaient les écussons. Le soleil luisait sur les trompettes et les tabards, étincelait et scintillait sur les surfaces des armures. Les chevaux allaient l'amble, leurs caparaçons brodés balayaient le sol de leurs couleurs éclatantes, leurs crinières étaient ornées de plumes et de glands. Des oiseaux, d'autres animaux, grotesquement représentés, se détachaient des heaumes des combattants et, à l'allure de ceux qui les portaient, trottaient au long des lices, comme un bestiaire déplorablement animé. Derrière les tentes, des deux côtés des lices, les armées opposées prenaient leurs aises. Nicholas s'y trouvait, aidé par le seul bras valide de Julius.

C'était le capitaine lui-même qui armait Felix. Des places que leur avait trouvées Julius, ils distinguaient au loin le bleu Charetty.

— Tout ira bien pour lui, dit Julius, il est rapide. Astorre lui-même en a été surpris.

— C'est moi qui ai empêché sa participation au tournoi de l'Ours Blanc, avoua Nicholas. Il n'en sait rien.

Julius lui jeta un coup d'œil le long de l'arête de son nez.

— C'est toi qui as envoyé Felix à Naples. Ne me dis pas que tu n'aurais pas pu l'arrêter. S'il a avalé ton mariage, il peut avaler n'importe quoi.

— Astorre a-t-il avalé mon mariage? demanda Nicholas.

Julius le gratifia d'un sourire ironique.

— Veux-tu que je te répète ce qu'il a dit en apprenant la nouvelle?

— Non, dit Nicholas.

— Il croyait que meester Tobias avait rejoint Lionetto. L autre oreille a failli s'arracher de sa base. Alors, quand Felix lui a dit que tu étais simplement directeur, et que Tobias n'était pas revenu sur sa parole, d'une certaine manière, il s'est senti mieux.

— Je m'en suis rendu compte, fit Nicholas. Tout juste si le dos de son crâne ne me rôtissait pas la figure. Dites-lui que la veuve est satisfaite de leur laisser toutes les décisions, à Thomas et à lui. Comment saurais-je quels ordres lui donner?

— Je le lui dirai, accepta Julius d'un ton dubitatif. Mais qu'arrivera-t-il quand tu voudras lui faire faire quelque chose?

— Felix transmettra.

Les yeux bridés, étroits le regardaient.

— Felix est l'héritier Charetty. Ne l'oubliez jamais. Sa mère et lui en sont les propriétaires. Moi, je ne suis qu'un garçon qui a une dette envers eux.

— Comme tu as une dette envers Jaak de Fleury? dit Julius. Il t'a élevé, lui aussi. Et n'oublions pas Simon de Kilmirren. Il t'a appris à nager. Tu t'es montré charmant envers lui aussi. Sans doute as-tu également l'intention de remercier la personne

(Qui était-ce ? Un joueur de luth résolu, père d'une fille ?) qui t'a infligé cette élégante marque sur la joue ? Tu as, je suppose, une dette envers Lionetto lui-même, si l'on en juge par la façon dont tu te laisses faire par lui.

Il y avait six mois que Nicholas s'était séparé de Julius à Milan, et qu'Astorre avait emmené l'armée à Naples. Le garçon avait perdu l'habitude de comprendre Julius. Et Julius, lui, ne l'avait jamais compris.

– Je le gardais pour Astorre, déclara Nicholas. Se sont-ils revus ?

Julius, ainsi détourné du sujet, eut son irrésistible sourire.

– Dès le matin du premier jour, dit-il. Les honneurs ont été partagés. Non, la palme est revenue à Astorre. Il avait plus à défendre que Lionetto. Mais, jusqu'à présent, la bataille reste verbale.

– Après tout, dit vaguement Nicholas, ils sont du même bord. Astorre acceptera-t-il donc de rester chez les Charetty ?

– Traite-le avec précaution, conseilla Julius. Et, oui, il restera.

– Et vous ?

Nicholas attendit la réponse.

Julius ne le regardait pas. Ses yeux étaient fixés sur les lices où se formait le motif familier du tournoi. Entre les barrières, l'herbe était verte, vide. A chaque extrémité, les concurrents armés et casqués attendaient. Le soleil tirait des éclairs des trompettes haut levées, et l'air apportait le roulement menaçant des tambours. Julius se retourna vers son compagnon.

– Je resterai, dit-il. Le temps de comprendre comment tu t'y prends.

– Pour quoi faire ? demanda Nicholas.

– Pour gagner de l'argent. A quoi pensais-tu donc ? Tiens, voilà Felix, dit Julius.

Tous deux, silencieux, suivirent le déroulement de la joute. Les combattants du comte Federigo eurent les honneurs de la journée, et il n'arriva aucun mal à Felix. Son visage, lumineux sous la poussière, se tournait de côté et d'autre avec un sourire rayonnant, tandis qu'il défilait avec les vainqueurs, au son des tambours, des flageolets et des trompettes des deux armées. Loppe, en soie bleu Charetty, portait derrière lui une bourse emplie de pièces d'or qui représentait son prix.

La procession fit deux fois le tour du champ et se divisa. Lentement, comme se sépara la mer Rouge, les spectateurs se retirèrent, une moitié vers la colline, l'autre moitié vers les tentes dressées dans la plaine. Les ouvriers se hâtèrent d'abattre les lices. Les suites des chefs de chaque armée, après s'être saluées rapidement, se séparèrent, bannières au vent, tambours marquant le pas.

Felix quitta le cortège au moment où il entrait dans le camp.

Il protesta d'une voix sonore, perdit le souffle sous les poings solides de ses amis, tout en gardant un œil attentif sur Loppe et sur la bourse.

Tobie n'était pas là.

– Naturellement, dit Felix. Vous n'avez donc rien vu? Moins privilégiés que lui, ses amis n'avaient rien vu.

–. Rien entendu non plus? insista Felix, stupéfait. L'un des sergents milanais a perdu le contrôle de son cheval et il traversait le parcours au moment précis ou de Marsciano, lancé au galop, arrivait aux lices. Ils ont failli se heurter. Ils auraient pu être tués, mais le comte Federigo a tout vu. Il a lancé son destrier au galop, s'est glissé entre les deux autres et a détourné le cheval du sergent. Mais, quand il a éperonné sa bête, celle-ci a fait un tel bond qu'il en a eu l'échine presque rompue. Il s'en est tiré mais il est incapable de bouger. Il souffre l'agonie.

– Le comte Federigo? dit Thomas.

Astorre, très affairé, passait à cet instant. Il s'arrêta près de lui.

– Qu'attendez-vous ici, à ne rien faire? Jonkheere Felix, faites délacer vos courroies et demandez qu'on vous frictionne. Le comte Federigo? Il n'est pas mort. Il s'est abîmé le dos et il a du mal à bouger. Tobias et meester Godscale vont s'occuper de lui. Nous, en tout cas, nous avons eu notre prix. C'est messer Alessandro qui l'a remis. Une belle bourse gagnée par la famille Charetty. Vive...

– Vous perdez votre temps, déclara Julius. Si je connais Felix, il ne se séparera pas d'un sol. Qu'allons-nous faire à présent, sans notre bon chef, le seigneur Federigo de Montefeltro, comte d'Urbino?

– Sforza de Pesaro prendra sa place, dit Nicholas. Messer Alessandro, frère du duc de Milan. Le beau-père du seigneur Federigo.

– On dit, fit Julius, qu'Alessandro meurt d'envie de se battre. Tu ne vas pas jusqu'à supposer qu'il se créera l'occasion d'une bataille?

– Je n'en sais rien, répondit Nicholas. Même si je fais de mon mieux pour m'en préoccuper, afin de faire plaisir à Astorre. J'ai l'intention, avant qu'il arrive autre chose, de me préparer à rentrer chez moi. Tobie, je l'espère, m'accompagnera, quand il aura guéri le comte. Et je pense que Felix, à la fin des fins, sera peut-être content de revenir à Bruges avec ses lauriers.

Il attendit.

– Tobie? dit Julius.

– Nous sommes en affaires, expliqua Nicholas. Il est presque aussi bon que vous. Meilleur aux purges.

– Merci, fit Julius... Quel genre d'affaires? ajouta-t-il après un silence.

– Celles qui font de l'argent. Si vous n'aviez pas suivi Astorre, je vous y aurais associé. C'est une affaire que je mène au nom de la demoiselle de Charetty, mais à ma manière. Je lui ai trouvé un notaire. Gregorio d'Asti.

– Felix me l'a dit. J'ai entendu parler de lui. Felix sait-il de quoi tu parles? demanda Julius.

Il avait l'air surpris. Nicholas sourit.

– C'est la première fois que je lui vois garder un secret. Je l'ai averti que, s'il en parlait à âme qui vive, il perdrait tout l'argent.

– A t'entendre, dit Julius, il ne semble pas que tu aies besoin de moi. Quelle que soit cette affaire, tu l'as déjà menée à bon terme?

– C'était pendant que vous gagniez des guerres à Naples. A présent, elle a besoin qu'on l'exploite, et je vous demande bel et bien de vous joindre à nous. Si cela ne vous intéresse pas, peu importe. Je ne vous encombrerai pas l'esprit de détails. Si vous êtes intéressé, dites-le-moi. Mais prenez votre temps. Tobie doit auparavant remettre en état le comte Federigo. Au moins, lui, ne chante-t-il pas.

Affaibli par la fièvre, il retrouva sa tente avec soulagement. Julius le laissa. Il n'avait pas dit grand-chose, n'avait pris aucun engagement. Cependant, tout bien considéré, Nicholas pensait qu'il rentrerait à Bruges. Immobile sur son lit, ses réflexions passèrent à Astorre et à ses soldats puis il s'endormit.

Au réveil, il faisait nuit. Tobie, dans l'autre lit, lisait à la lueur d'une chandelle. Nicholas fit un mouvement, et le médecin demanda, sans lever la tête :

– As-tu converti Julius? Je suppose que, selon toi, la tentative en valait la peine.

– J'ai posé des jalons, répondit Nicholas. Il sera toujours temps de lui demander s'il parle couramment le turc. Et le comte?

– Il vivra, dit Tobie.

Il jeta de côté ses papiers.

– Borgne, le nez cassé, le dos en chiffe et trente-huit ans d'âge. Il est incapable de remuer le petit doigt mais il vivra, c'est sûr. Dans deux semaines, il sera sur pieds.

– Si j'en crois Julius, Alessandro meurt d'envie de se battre.

– Alessandro, dit Tobie, veut faire une sortie et commander une belle bataille pendant qu'Urbino est au fond de son lit. On vient de tenir un conseil de guerre au chevet du comte. La bouche et le cerveau du seigneur Federigo sont en parfait état. Il a passé une demi-heure à exposer que nous n'avions pas les combattants nécessaires pour une attaque, que nos hommes se tenaient entraînés grâce aux escarmouches répétées. Il faut tenir bon et attendre.

– Mais? fit Nicholas.

– Mais il est l'époux de la fille d'Alessandro. Il a bien dû accorder une concession. Dans les deux prochains jours, Sforza est autorisé à lancer une attaque limitée sur une seule aile de l'ennemi et en utilisant seulement trois escadrons. Il réduira peut-être leurs vivres et leurs nombres. S'il perd, nous n'aurons pas perdu l'armée entière.

– Astorre ? questionna Nicholas.

– Non, Dieu soit loué. Ceux de Sarno en ont fait assez. Il se servira des escadrons fraîchement arrivés : les hommes qui n'ont pas encore été saignés et qui ne tiennent pas en place.

– Je veux retourner à Bruges, déclara Nicholas.

– Ce sera possible, dans quelques jours. Si tu attends un peu, je t'accompagnerai. Sinon, tu vas disparaître avec tout l'argent. Julius sait-il que je suis dans l'affaire ?

– Il n'a pas poussé les hauts cris quand je le lui ai dit. Pour ce qui est de l'argent, inutile de vous tourmenter : l'œil d'oiseau de proie de Felix ne le quittera pas.

– Bien sûr, fit Tobie. Il a fait ses preuves, hein ? Je ne pense pas qu'il brûle de passer sa vie à courir les champs de bataille. Tu possèdes un certain génie, sais-tu ? Convaincre Felix que son foyer est à Bruges, que c'est lui qui dirige en réalité ses établissements, que simplement tu assistes sa mère, c'est un fait d'armes. Il ne peut même pas te chasser.

– Non. En revanche, moi, je peux en chasser d'autres.

– Tu n'aimes guère être disséqué ? Mais, voilà, c'est mon métier. Et il faudra bien que tu t'y habitues, non ? J'en sais trop.

– Vous savez ce que j'ai bien voulu vous confier, dit Nicholas. Si c'est l'argent qui vous attire, vous n'avez rien perdu. Si c'est une plaisante occupation, ne coupez pas trop fin trop souvent, sinon, il ne vous restera pas de quoi vous amuser.

Les deux jours suivants souffrirent de l'agitation qui régnait dans le camp : l'un après l'autre, les escadrons se disputaient le droit de prendre part à l'attaque prochaine et d'y remporter gloire et fortune. Dans sa tente, le comte d'Urbino, cloué sur son lit par la souffrance, tentait vainement d'apaiser la confusion mais il ne pouvait outrepasser le commandement qu'il avait lui-même remis à Alessandro Sforza. Au jour fixé pour l'attaque, le camp était partiellement sous les armes et pas uniquement les trois escadrons que Sforza se proposait de lancer à travers la plaine.

Ses intentions n'avaient pas échappé à l'ennemi. L'attaque proprement dite mais aussi son ampleur semblaient connues. Quand Sforza jaillit du camp, on vit clairement Piccinino descendre à son tour de sa colline. Les trois escadrons de Sforza se heurtèrent à une force égale.

Posté devant la tente, Paltroni, le secrétaire du comte transmettait à son maître les nouvelles qu'apportaient les coureurs. Avant que le comte ait pu donner d'autres instructions certains de ses officiers décidèrent de prendre l'initiative. On ouvrit les portes du camp. Un quatrième escadron, monté en toute hâte, sortit et prit le galop vers le cœur de la bataille. En réponse, sur la colline d'en face, un flot de cavaliers se répandit.

Sur la plaine, les deux forces se jetaient l'une contre l'autre sans ordre de bataille. Au tonnerre tumultueux des sabots s'ajoutait le vacarme des lances et des piques sur les boucliers, le bruit d'enclume de l'acier sur l'acier. Les cris incessants des hommes, les hennissements et les renâclements des chevaux planaient sur la rencontre, sans aller beaucoup plus loin. Des voiles de poussière rougeâtre s'élevaient, stagnaient avant de retomber en manteaux sur la masse à la fois étincelante et sombre de la plaine.

A travers la brume, elle se gonflait, se soulevait à la manière d'un essaim d'abeilles qui, sans se désunir, allait de place en place, les contours sans cesse déformés et reformés par le piétinement des sabots et les mouvements constants des croupes puissantes des destriers. Les nouveaux escadrons, d'un côté, puis de l'autre, galopaient droit devant eux et se frayaient un passage dans la mêlée.

Là où le combat avait été le plus acharné, des trous sombres apparaissaient. Le troupeau d'hommes vivants, tourbillonnants formait des masses et des écheveaux nouveaux. Du haut de la colline, le flot de cavaliers était à présent presque continu.

Astorre, qui, avec les autres capitaines, observait la bataille du point le plus élevé du camp, tourna brusquement les talons pour s'adresser à Thomas. Bientôt après, les survivants de Sarno, en commun avec le reste des troupes, étaient armés, en selle, rangés et attendaient leur tour.

Tobie n'était pas parmi eux. Julius revêtu de sa cuirasse, coiffé de son heaume, le bras gauche libéré de son écharpe, vit se poser sur lui le regard d'Astorre, mais le capitaine ne dit rien. Il était capable de tenir une lance ou une épée et de guider son cheval avec ses genoux. Si besoin en était.

Felix s'était coiffé de son casque. Dans l'ombre du heaume, son visage était livide, et ses yeux gris luisaient. La chaleur montait de son armure en une brume tremblante. Ils portaient tous des gants, et la troupe d'Astorre arborait les rubans bleus des Charetty. Astorre lui-même portait aussi son plus beau casque, avec le nasal. Les plumes, qui avaient si bonne contenance à Milan, retombaient sur son visage barbu que la passion déformait. Il ne cessait de lancer des paroles à Thomas qui se tenait à son côté. Celui-ci ne répondait pas. Sa main caressait la garde de son épée.

Julius regardait sans cesse autour de lui. Abrami. Manfred. Un colosse, près de lui, dit :

– Je ne vois pas Lionetto. Il est déjà parti?

Il reconnut sous le heaume le visage familier de Nicholas, barré de la cicatrice encore peu familière et creusé de ses deux fossettes.

– Que fais-tu ici, à ton avis? demanda Julius.

– Les femmes m'ont jeté hors du chariot. Et je n'ai même pas eu le temps de réagir. Tobie n'est pas là.

– Je le sais. Ce qui veut dire... Pardieu, le voici, dit Julius.

Personne ne pensa qu'il pouvait parler de Tobie, bien que la silhouette du médecin fût apparue devant la tente d'Urbino. Ce qu'il regardait, c'était le comte Federigo en personne, dont on manœuvrait le corps, aussi raide qu'un gisant, pour le placer sur la selle de son destrier.

Le comte ne portait pas d'armure. Il avait emprunté un justaucorps de cuir, et quelqu'un l'avait placé par-dessus les bandages de Tobie qui l'enfermaient du cou jusqu'à la taille. Au lieu de heaume, il portait un bonnet sur les vagues de ses cheveux encore aplaties par le contact avec l'oreiller. Au-dessous, son visage fracassé faisait saillie, avec son œil crevé et son nez entaillé, suite d'une blessure qui avait bien failli le tuer, au cours d'une joute. Il était gris de souffrance et dut retenir son souffle pour se lancer vers une surélévation de terrain. Là, il immobilisa son cheval, attira l'attention de tous, pour pouvoir s'adresser à eux. Alors, en dépit de la souffrance, il enfla ses poumons afin de s'assurer que sa forte voix porterait assez loin.

Il ne rejetait aucun blâme sur Alessandro Sforza. Simplement, l'ennemi avait jeté ou jetait peu à peu toutes ses troupes sur le champ de bataille, et, s'ils ne faisaient pas de même, ils perdraient la partie. Déjà, leurs propres soldats avaient dû se déployer et se clairsemer dangereusement. Bientôt, à moins qu'il ne leur arrivât de l'aide, les ennemis se fraieraient un passage parmi eux. Ce serait alors le camp tout entier qui serait pris, et leur espoir de rejoindre le roi Ferrante à Naples pour défendre sa capitale serait ruiné. Il avait espéré que ceux qui avaient déjà connu le plus dur combat se verraient épargner cette bataille, mais il ne devait pas en être ainsi. Dieu les récompenserait.

Le temps manquait pour en dire davantage. Ils se mirent en selle. Julius dit à l'ancien apprenti :

– Pour l'amour de Dieu, c'est ta première bataille?

– C'est facile, répondit Nicholas. On reste sur son cheval et on baisse la tête. Que faites-vous ici, vous? Vous êtes un notaire.

– Je suis comme toi. Je me sens plus en sécurité avec Astorre qu'à l'arrière, avec les bagages. Reste près de lui et fais ce qu'il te dira.

Nicholas éclata de rire. Julius n'eut pas le temps de lui demander pourquoi. Ils avaient franchi les barrières et accéléraient l'allure, au trot d'abord, puis au petit galop, à travers la plaine, sous les bannières qui claquaient au-dessus de leurs têtes et au bruit des trompettes qui sonnaient devant eux.

La bataille de San Fabiano se prolongea durant sept heures.

Quand la tombée de la nuit mit fin à l'effusion de sang, elle avait bien mérité de se faire connaître comme l'une des plus coûteuses de l'époque. Quatre cents chevaux étaient morts. Il était moins aisé de savoir combien de soldats avaient perdu la vie : on n'avait pas fait de quartier.

Le combat ne s'était pas limité à une seule lutte massive. La bataille s'était divisée, avait poussé dans une direction ou dans une autre, menacé parfois le camp d'Urbino, repoussé d'autres fois les hommes de Piccinino vers la pente de leur colline. Les chevaux gisaient sur le sol comme des blocs de pierre. D'autres se débattaient, qui représentaient autant de pièges pour les cavaliers qui vidaient leurs étriers. Des hommes, il y en avait partout. Dans l'action, on ne regarde pas à terre pour voir ce qu'il faut éviter. Plus tard, quand le soleil entama sa descente vers l'horizon, on piétinait encore des hommes d'armes mourants, des cavaliers désarçonnés, fuyants ou immobiles, abasourdis, à demi inconscients sous l'effet de l'épuisement, des blessures ou de la chaleur.

Julius et Astorre survécurent à la bataille. Le notaire n'avait pas parlé à la légère des qualités d'Astorre sur le théâtre d'opérations. C'était ce qu'il savait le mieux faire : mener des hommes au combat, disposer ses troupes, maintenir leur courage et préserver leurs forces.

Ce jour-là, la tâche était insurmontable. C'étaient les artilleurs qui avaient le plus souffert. Ils n'avaient même pas apporté leurs armes qui auraient été inutiles. En revanche, les arbalétriers, de chaque côté, avaient fait un véritable massacre. Julius avait vu tomber Abrami, puis Lukin, le meilleur cuisinier, le meilleur fourrageur qu'Astorre eût jamais eu. Le maréchal-ferrant, Manfred, avait très tôt perdu son cheval ; il avait évité l'animal dans sa chute et avait bondi sur un autre. Par la suite, Julius constata qu'il avait Nicholas avec lui, et il en fut heureux. A un certain moment, il aperçut Felix, qui les avait rejoints, mais le jeune homme s'éloigna au galop, avant d'être rappelé par Astorre. D'un bout à l'autre de la bataille, chacun surveilla Felix, le garda près de lui autant que possible. C'était le fils de leur maîtresse, il était précieux, assez courageux aussi, le diable l'emporte, pour prendre des risques considérables. Julius, quand il ne se battait pas, passait le plus clair de son temps à veiller sur le jeune Felix. Nicholas, constata-t-il, faisait de même. Même Tobie. Le notaire connut son plus grand moment de stupéfaction lorsqu'il vit Tobie, sans casque sur la tête, tenir d'une main son cheval et se servir de l'autre pour aider à remettre en selle le corps entièrement couvert de bandages du comte Federigo qui avait été désarçonné. Mais le combat emporta Julius et il ne vit plus la tête chauve.

Avec le passage du temps, son bras blessé avait subi tant de coups qu'il ne le sentait plus. Sa main, à l'intérieur du gantelet, lui faisait l'effet d'un morceau de viande. Ce fut alors qu'il leva la tête, ouvrit péniblement ses yeux secs et brûlants. Il vit que le soleil commençait à descendre, et que les corps tombés noircissaient la plaine.

Les escarmouches languissaient. Des compagnies dispersées commençaient à se rassembler, se fondaient en blocs obstinés mais désormais incapables de défier qui que ce fût. L'air teinté de rose s'ornait du vol de petits oiseaux finement ciselés, mais leur gazouillis se perdait dans la houle de fond des cris de voix humaines.

– Formez-vous, commanda Astorre. Mettez-vous en ligne. Le comte fait sonner la retraite.

Tobie était toujours avec le comte. Manfred. Nicholas, la tête tournée, et plus loin, pardieu, Lionetto. Thomas était là. Et Felix ? Julius allongea le cou. Un scintillement attira son regard. De l'autre côté de la plaine, Piccinino, lui aussi, retirait ses hommes. Ses trompettes attendaient.

Le champ de bataille était encore peuplé d'hommes qui revenaient à pied, qui se battaient sans conviction, sans savoir encore que le combat était terminé.

Parmi eux se trouvait Felix, sans cheval, la tête nue. Il ne se battait pas mais semblait chercher quelque chose. Julius l'appela à pleine voix. Celle d'Astorre, plus sonore encore, poussa Felix à relever la tête, au moment précis où les trompettes commençaient à sonner. Il comprit alors que la bataille était finie. Souriant, il se redressa, agita le bras. Le heaume était sous son bras : la plume rouge traînait, la tête d'aigle levait vers le ciel son regard menaçant. Julius cria :

– Courez donc !

Il s'adressait à Felix. Nicholas éperonna son cheval, le lança au galop à travers la plaine, en direction de Felix. Il décrivit un arc pour venir se placer entre la ligne ennemie et le dos du jeune homme. Celui-ci prit soudain conscience de la situation. Il fit un geste rapide, se mit à courir. Nicholas fit virer son cheval, pour rejoindre Felix et galoper près de lui.

La retraite n'était pas tout à fait complète. Les trompettes de Piccinino n'avaient pas encore répondu, bien que toutes ses troupes fussent déjà en ligne. Ce fut sans doute le cavalier solitaire, qui avait jailli de la section d'Urbino, qui attira l'œil d'un arbalétrier d'élite. Même dans la lumière déclinante, un cavalier représentait une cible facile.

Julius, qui suivait l'opération de sauvetage, vit luire l'arme et hurla. Nicholas l'entendit. Peu importait : le carreau était déjà en route.

Nicholas avait arrêté son cheval et se penchait pour hisser Felix sur la selle, quand le jeune homme laissa échapper un gémissement. Sa bouche s'ouvrit. Au lieu de sauter, il se laissa lentement glisser à genoux. L'instant d'après, Nicholas avait rejeté les rênes pour bondir près de lui. On le vit s'agenouiller, prendre Felix par les épaules et le tenir contre lui, le regard fixé sur son dos. Le carreau fiché entre les omoplates était bien visible.

Julius poussa d'abord son cheval en avant mais mit presque aussitôt pied à terre et courut, en voyant Tobie faire de même. Après ce tir unique, les vivants s'étaient retirés du champ de bataille. Personne ne bougeait, ni d'un côté ni de l'autre, sinon pour piétiner sur place ou pour changer de position afin de soutenir les blessés. Les trompettes attaquèrent l'ultime cadence de leur appel. Julius atteignit le jeune homme blessé.

Tobie était déjà là, derrière Felix. Il ne le toucha même pas : il se contenta de regarder Nicholas, puis Julius, et de secouer légèrement la tête.

Nicholas parlait à Felix. Le murmure continua quand Julius les rejoignit, mais il ne perçut pas les paroles. De temps à autre, Felix posait une question, Nicholas répondait. D'une main passée sous le bras du garçon, il supportait le poids de son corps. L'autre main, grande ouverte dans son dos, au-dessus du carreau meurtrier, maintenait la joue de Felix appuyée contre l'épaule de Nicholas. Les cheveux châtains coupés court se soulevaient légèrement dans la brise qui accompagnait le coucher du soleil.

– Tu pourras l'allonger, dit Tobie, quand j'aurai retiré la flèche. Après ça, il passera, Nicholas.

– Il le sait, dit Nicholas.

Il baissa les yeux. Une sorte de message dut passer entre les deux jeunes gens. Le regard de Nicholas abandonna le visage de Felix, trouva Tobie.

– Oui, fit-il. Avant que la souffrance soit plus forte.

D'autres hommes gémissaient dans d'autres endroits de la plaine. Felix, lui, n'émit pas un son quand le carreau sortit de la blessure. Julius, pourtant, entendit le sang jaillir, éclabousser tout alentour. Tobie délaça la cuirasse. Nicholas, changeant de position, laissa lentement glisser le corps mince et léger, jusqu'au moment où il fut étendu à même le sol.

Felix était livide, comme il lui arrivait de l'être, quand il avait trop bu, la veille au soir, quand il s'était trop démené ou quand il avait passé trop de temps avec Grielkine. Ses yeux, élargis et ternis, ne regardaient que Nicholas.

– Pourquoi as-tu épousé ma mère ? murmura-t-il.

– Parce que je vous aime tous les deux, répondit Nicholas.

Un peu plus tard, Tobie dit, de sa voix tranquille :

– Ferme-lui les yeux.

Ce fut Nicholas qui porta Felix de Charetty du champ de bataille jusqu'à sa tente, aidé par Loppe pour la dernière partie du trajet. Le médecin referma alors l'abattant et ressortit au bout d'un moment. Nicholas ne reparut pas.

Le lendemain matin, quand il se présenta devant Astorre, ses sacoches étaient déjà pleines, mais il passa sans rien dire devant Julius et les autres. Ce fut Tobie qui déclara :

– Nicholas pense, et je suis de son avis, que la mère du garçon doit être mise au courant le plus vite possible. Après l'enterrement, il partira, fièvre ou pas. Il emmènera Loppe, mais je me sentirais plus tranquille si vous l'accompagniez, vous aussi. A condition, bien sûr, que vous ayez envie de retourner à Bruges.

Julius connaissait la date. On était mercredi, vingt-troisième jour de juillet. Même si l'on partait de toute urgence, Marian de Charetty n'apprendrait pas la mort de son fils avant plusieurs semaines. Peut-être pas avant septembre.

– Et vous ? demanda-t-il. Non, naturellement. Tous ces blessés.

Le manque de sommeil gonflait les yeux du médecin.

– J'ai les mains pleines. Une inutile tragédie, s'il y en eut jamais. Nous nous en sommes mal tirés, semble-t-il. Mais Piccinino ne risque pas d'attaquer de sitôt, si jamais il le fait : ses pertes sont trop lourdes. Astorre restera jusqu'à la fin de son contrat, et je laisserai évidemment Godscale avec lui. Je serai de retour à Bruges quand je pourrai.

– Moi, je pars, déclara Julius. Felix, Claes et moi. Nicholas. Nous avons eu de bons moments tous les trois, et Felix était un bon gars. Mais je n'aurais jamais cru...

Il s'interrompit.

Le médecin posa sur lui son étrange regard de rapace.

– Que Nicholas aurait réagi de cette manière, quand c'est arrivé ? Vous et moi, nous avons vu la mort au cours d'une bataille. Pour lui, c'était la première fois.

– Oui. Et, naturellement, il doit affronter la mère. La veuve. Son épouse, acheva Julius d'un air déconcerté.

37

A Milan, monsieur Gaston du Lyon, qui s'ennuyait ferme à l'Hospitio Puthei, découvrit, à sa grande surprise, que deux hommes appartenant à cette extraordinaire petite compagnie Charetty étaient arrivés dans la ville sans se faire annoncer.

Une investigation révéla qu'ils passaient une nuit dans une taverne qui n'était pas celle du Chapeau où ils descendaient habituellement. Ils avaient rendu une unique visite, au secrétaire du duc de Milan, pour lui apprendre l'incroyable nouvelle de la déroute de San Fabiano – ce qui, après celle des pertes à Sarno, suffisait à faire pleurer le duc. Les jeunes gens, rapporta l'informateur, avaient alors regagné leur auberge, sans essayer de rendre visite au Castello, ni aux Acciajuoli, ni à la Piazza Mercanti.

Ils partaient vers le nord le lendemain matin. L'un d'eux était le sympathique jouvenceau que le maître de Gaston, le dauphin, avait rencontré lors d'une chasse aux environs de Genappe. S'il portait des dépêches, Gaston souhaitait en avoir connaissance. Et il en avait lui-même quelques-unes à ajouter.

Gaston du Lyon, chambellan, grand écuyer et écuyer tranchant du sérénissime et très excellent seigneur dauphin de Vienne, fils aîné du très chrétien roi de France, envoya un don de massepain et cinq serviteurs pour quérir monsieur Nicholas et son compagnon et les ramener à l'Hospitio avant qu'il ne se fît trop tard.

Ils vinrent sans s'être changés. Ils avaient pris part à la véritable bataille. Le plus joyeux des deux, Nicholas, avait beaucoup changé depuis le mémorable épisode de l'avalanche. Cela n'avait rien d'étonnant, eu égard aux affaires dans lesquelles il trempait maintenant. L'autre, un homme bien bâti, qu'il se rappelait avoir vu à la même occasion, était le notaire des Charetty, monsieur Julius. Ils avaient avec eux un serviteur noir, un colosse, qui les attendit dehors.

Monsieur du Lyon eut droit à un bref exposé de la bataille dans les Abruzzes. Ce fut surtout le notaire qui parla. Le jeune Nicholas le déçut : il ne portait pas de dépêches et n'en voulait prendre aucune. Il ne réagit pas non plus à la nouvelle que Prosper de Camulio était en ville et sur le point de partir pour Genappe. Gaston du Lyon, qui avait l'oreille fort aiguisée pour capter les rumeurs, aurait aimé savoir pourquoi ce Nicholas avait passé, disait-on, quelque temps avec Prosper de Camulio et les Vénitiens, avant de partir vers le sud, dans les Abruzzes. Laudomia Acciajuoli, délicatement sondée, avait professé ne rien savoir et ne point s'en soucier. D'un autre côté, le médecin du duc, Giammatteo Ferrari, avait montré un certain intérêt.

Nicholas décevait Gaston du Lyon. Après tout, il lui avait personnellement rendu service à plusieurs reprises. Sans son aide, monsieur Nicholas n'aurait jamais réussi à enlever le jeune Felix à Genève, en mai. Le garçon était mort. Il s'était informé. De toute manière, le dauphin en avait fini avec monsieur Felix. Il ne s'était pas montré discret.

Piqué au vif, le chambellan ne prit pas tout de suite la peine de communiquer ses propres nouvelles. Il ignora Nicholas, parla de la guerre de Naples : après Sarno, semblait-il, le duc Jean n'avait pas tiré parti de sa victoire pour marcher droit sur Naples. Il était peut-être encore possible de sauver la ville, à présent que la saison des combats tirait à sa fin. Les marchands en seraient heureux. Le duc de Milan ne le serait pas moins. Il avait dépensé cent mille ducats d'or, disait-on, pour empêcher le duc Jean de prendre Gênes et Naples, ou d'essayer de les prendre. Et le pape, disait la rumeur, envisageait déjà de tirer vengeance de ce qui s'était passé à Sarno en envoyant une nouvelle armée sous San Severino.

En Angleterre, les Yorkistes étaient à Londres. Du coup, le roi Henry semblait devoir perdre la guerre, et sa Sérénissime Majesté, père du dauphin, n'était plus maintenant en mesure, supposait-on, de tenter un coup de force contre la Bourgogne.

Le notaire, qui avait l'esprit vif, faisait les réponses qui convenaient et posait des questions intelligentes. Le jeune Nicholas persistait dans son mutisme. Depuis Genève, la cicatrice en travers de sa joue s'était considérablement atténuée. Et il ne fallait pas oublier : il avait déchiffré le code des Médicis.

Gaston du Lyon déclara, avec une courtoisie à peine exagérée :

– Je ne devrais pas vous garder, tant doit être grande votre lassitude. Votre mission en Bourgogne est-elle urgente, ami Nicholas ? Ou bien avez-vous quelque temps à passer à la foire de Genève ?

Cette fois, la réaction fut rapide. Elle rappela à Gaston la soirée passée à jouer aux cartes avec monna Laudomia. Le jeune Nicholas demanda :

– Notre présence s'impose-t-elle?

Gaston lui accorda un regard qui aurait pu émaner du visage amusé du dauphin.

– Si vous êtes en affaires avec les Fleury, répondit-il, réclamez votre dû avant que le reste des créanciers n'aient vidé leurs coffres.

– Je vois, fit le jeune homme.

Monsieur du Lyon ne comptait pas sur des remerciements à foison, il n'en fut pas moins déçu. Ce fut l'autre, le notaire, qui se redressa pour demander :

– Monsieur, qu'avez-vous dit?

Gaston du Lyon se tourna vers lui.

– Ce n'est qu'une petite nouvelle. Thibault et Jaak de Fleury ont été déclarés en banqueroute.

– Vous en êtes sûr? questionna le notaire.

D'abord interdit, monsieur du Lyon eut vite pardonné la question : l'homme était certainement dans un état de vive agitation.

– Oui, dit monsieur du Lyon. Il n'y a aucun doute. Ils ont tout perdu. L'affaire a produit un grand tumulte, me dit-on. Ils avaient de nombreux créanciers.

– Nicholas? fit le notaire. Nicholas. Jaak de Fleury.

– Oui, j'ai entendu, fit le courrier. Je vous suis obligé pour cette nouvelle, monsieur du Lyon. Pardonnez-nous. Nous devons nous mettre en route de bonne heure.

– Vous allez à Bruges, dit Gaston du Lyon. Mais vous aurez le temps de passer à Genappe? Monseigneur le dauphin, j'en suis sûr, serait heureux de vous recevoir. Pour avoir des nouvelles de ce qui se passe. De la mort de ce pauvre garçon qu'il aimait comme un fils.

– Je ferai de mon mieux, dit Nicholas. Mais nous nous sommes honorablement acquittés de nos obligations respectives, je crois. Je vous suis reconnaissant, monsieur.

On savait, en diplomatie, reconnaître la fin d'un contrat. Un autre, plus lucratif, s'était clairement offert ailleurs. Il en informerait le dauphin. Il se demanda si le jeune homme savait à quel point le père du dauphin était affaibli. Souriant, Gaston du Lyon accompagna ses visiteurs jusqu'à la porte.

S'il était parti avec eux, il aurait été amusé de voir le notaire, oubliant toute la réserve de son état, gambader littéralement dans la rue à côté de la puissante et silencieuse silhouette de l'ancien apprenti, tandis que le serviteur noir suivait d'un air désapprobateur.

– Jaak de Fleury! disait Julius. Seigneur des coffres pleins d'argent. Ce pompeux salaud qui pressurait ses serviteurs. Moi compris. Et qui tirait de cette pauvre femme tout ce qu'il pouvait. Et il vous faisait besogner comme un chien. Ne viens pas me dire le contraire. Failli! peut-on le croire?

– Oui, dit Nicholas.

– Et alors? fit Julius.

Grandissait en lui l'irritation qui ne l'avait pas quitté, fort illo-giquement, depuis qu'ils avaient laissé derrière eux le camp d'Urbino, à San Fabiano. Il ne s'attendait pas, Dieu lui en était témoin, à retrouver en Nicholas le jeune fou de la gabare de Damme, de la bonne blague du Waterhuus ou des escapades avec des filles, des chèvres, et tout le reste. Mais il n'avait pas imaginé non plus qu'en huit mois, il pût devenir une version mariée de Lorenzo Strozzi.

– Tu t'inquiètes, je suppose, reprit-il, pour toute cette étoffe que tu as livrée et pour l'argent qu'ils nous doivent. C'est entendu, Bruges en pâtira lourdement, mais il reste encore Louvain et la condotta. Tu ne peux pas être infaillible. Parbleu, ne vaut-il pas la peine d'avoir subi des pertes pour le plaisir d'imaginer la figure de Jaak de Fleury?

Il marqua un temps, pour avoir le loisir d'exercer son imagi-nation, avant de reprendre :

– Et ça aidera la demoiselle, sûrement. Elle saura au moins qu'elle est débarrassée de la famille Fleury et de toutes ses intrigues. Tu veux déjà rentrer?

Sans rien dire, Nicholas avait franchi le portail de l'auberge. Dans ce qu'il subsistait de lumière au couchant, une paire de chevaux bien entretenus, au maintien posé, tenus par des servi-teurs en livrée, attendaient dans la cour. Leur harnais était brodé de soie, et l'on reconnaissait aisément les emblèmes por-tés par les hommes et par les animaux aux faucons, aux dia-mants, aux plumes qui décoraient tout l'intérieur du palais de leurs maîtres. Il y avait aussi la devise tissée dans les capara-çons des chevaux. *Semper* signifiait « toujours ». Et *toujours*, c'étaient les Médicis.

– Nous avons des visiteurs, dit Nicholas. Nous pourrions repartir et attendre leur départ. Je ne sais pas. Je suis fatigué.

Naguère, on ne se souciait jamais de ce que pouvait ressentir Claes. A la vérité, on n'en savait jamais rien. Mais, bien sûr, cette énergie frénétique avait été minée par la tension et par la fièvre. Il avait besoin de réfléchir pour savoir s'il allait mainte-nir l'allure de leur voyage.

Julius déclara sans conviction :

– Peut-être attendent-ils quelqu'un d'autre.

Loppe, qui, semblait-il, avait transféré son don de télépathie de Felix à Nicholas, se glissa à l'intérieur de l'auberge. Il en revint avec une grimace et un rapport exprimé dans son italien élégant, ducal. Non seulement les visiteurs étaient venus pour eux, mais on les avait installés dans leur chambre pour y attendre leur retour. Le patron de l'auberge savait ce qu'on devait aux seigneurs Pigello et Accerito Portinari, de la suc-cursale locale des Médicis.

– Ils ne vont pas vous attendre toute la soirée, dit Loppe. Je pourrais vous trouver une chambre autre part.

Il s'adressait à Nicholas. Il s'adressait souvent à Nicholas, remarqua Julius : d'homme à homme et pas du tout comme un esclave à l'époux de sa maîtresse. Nicholas restait plongé dans ses pensées. Il dit enfin :

– Non. Mieux vaut les voir. Mais tu n'as pas besoin d'attendre.

Loppe, sans bouger, répondit :

– S'il est tard pour une personne, il est aussi tard pour trois. Les seigneurs Portinari pourraient revenir demain.

Cette fois, Nicholas le regarda mais il ne marqua ni surprise ni impatience. Il se contenta de dire :

– Non. Je désire partir de bonne heure.

Loppe céda aussitôt. Julius le vit simplement suivre ses maîtres du regard jusqu'au moment où ils entreprirent de gravir l'escalier qui menait à leur chambre. Là, sans témoigner de la moindre impatience, les attendaient Pigello Portinari et son frère et agent, Accerito.

Messer Pigello portait une courte robe d'étoffe légère, avec une ceinture basse qui avantageait sa panse. Son visage glabre au long nez se colorait ce soir-là d'une teinte vive. Son chapeau bouffant s'ornait d'une large broche faite de main d'orfèvre qui portait en son centre une émeraude taillée en table. Il avait encore plus de bagues aux doigts que la dernière fois où Julius l'avait vu, le jour où ils s'étaient rendus au palazzo, Astorre et lui, à propos de la condotta. L'expression de condescendance cordiale était devenue quelque chose qui ressemblait à une véritable amabilité. Accerito, dont la broche était plus petite, avait, lui aussi, un air satisfait.

Julius se demandait si messer Pigello se rappelait Claes, le garçon qui avait livré les chevaux de Pierfrancesco. Mais il se souvint de ce que lui avait dit Felix : depuis lors, lui et Nicholas avaient rendu visite à Pigello. Pour affaires, sans autre précision. Donc, à propos de cette mystérieuse affaire pour laquelle Nicholas avait besoin de son aide, et dont il n'avait plus entendu parler? A coup sûr les deux frères Portinari réservaient à Nicholas le même accueil qu'à lui-même. Ils se montraient affables.

Affables mais désapprobateurs, comme le chambellan du dauphin. Puisque la famille Charettty accordait à la Casa Medici la faveur de sa clientèle, messer Niccolo et son notaire voudraient bien les honorer de leur visite à chaque passage à Milan. Messer Niccolo, bien entendu, avait entendu parler de la saisie de Thibault et Jaak de Fleury?

Aussitôt, Julius se sentit mieux, en dépit de l'erreur qu'ils paraissaient commettre sur la position sociale de Nicholas. *Messer*! Mais non, il devait s'en souvenir. Ce mariage ridicule.

Malgré tout, il était heureux de n'avoir pas évité cette rencontre. Il songea un instant à envoyer Nicholas quérir des rafraîchissements mais il prit conscience, non sans une certaine contrariété, qu'il lui appartenait de s'en charger. Il sortit sur un prétexte et Nicholas, loin de l'en empêcher, lui prêta à peine attention.

Julius se dépêcha. Il avait hâte de connaître l'étendue du désastre des Fleury. Lorsqu'il revint avec un serviteur, il trouva, penchés sur la table encombrée de tant de dossiers qu'il n'y avait plus de place pour y poser les gobelets, Pigello, Accerito et Nicholas.

Julius remarqua que Nicholas paraissait las et taciturne. Le notaire, tout en versant le vin, prit à cœur d'égayer l'atmosphère. Après tout, la chute de Jaak de Fleury valait bien la peine qu'on la célébrât.

Les frères Portinari, avec courtoisie, acceptèrent le vin et continuèrent à tourner les pages en questionnant Nicholas.

– Ai-je manqué quelque chose? demanda Julius.

Tout le monde leva les yeux. Le regard de messer Pigello alla de son visage à celui de Nicholas, revint à lui.

– Il s'agit d'une grosse somme d'argent, dit-il. Je suis heureux, il va sans dire, d'en prendre la responsabilité mais je préférerais que vous vérifiiez, vous et votre collègue. Et il y a aussi, naturellement, la commande d'armes à Plaisance. Placée chez messer Agostino par messer Tobias.

– C'était pour Thibault et Jaak de Fleury, dit vivement Julius.

Ils le regardaient. Brusquement, il se sentit les joues brûlantes.

– Ces listes... reprit-il.

– Représentent les montants des sommes dues par monsieur de Fleury à votre compagnie, acheva messer Pigello.

Sa voix, toujours polie, parvenait presque à dissimuler son impatience.

– Et les crédits correspondants, en or et en propriétés de Thibault et Jaak de Fleury, en possession de leur agent, Maffino, en Italie, confisqués en votre nom et au nôtre dès que la banqueroute a été connue. Tout ceci vient en addition des dettes qui, ainsi que vous le savez, ont été rachetées par nous en juin pour la compagnie Charetty. Nous avons eu la chance d'être mis suffisamment tôt au courant de ce qui se passait à Genève et nous avons pu amplement nous dédommager.

« Il est normal, évidemment, poursuivit messer Pigello, pour une compagnie prévoyante, de s'assurer contre les désastres maritimes. Il est rare qu'un marchand prévoie les conséquences d'un désastre sur terre et prenne les précautions correspondantes. La demoiselle de Charetty fait exception parmi les gens d'affaires.

Vraiment.

– Comment les **Fleury** ont-ils connu la banqueroute?
demanda soudain **Julius**.

Nicholas, dont le menton s'appuyait sur le bord de son gobelet vide, ne lui rendit pas son regard.

– A la suite d'un important, très important retrait de capital.
C'est tout ce que nous savons. Assorti d'une immédiate
demande des créanciers, dès que le déficit a été connu. La foire
d'août, vous le savez, se tient à cette époque. Les petits
commerçants, déjà engagés par des achats, sont eux-mêmes
acculés à la banqueroute, s'ils ne peuvent faire appel à des
fonds qu'ils ont placés, en toute bonne foi, dans une compagnie
de cette sorte. Quant aux maisons comme la vôtre, qui ont
vendu de l'étoffe à crédit, elles risquent de ne jamais revoir ni
leur étoffe ni l'argent.

Messer Pigello marqua un silence, regarda son frère.

– C'est là une leçon que tout marchand doit apprendre, y
compris notre comptoir de Bruges. Ne pas faire de crédit,
quelle que soit l'importance de la firme ou du personnage.

– Nous avons donc en compensation toutes les armes non
livrées de Jaak de Fleury, fit Julius. Et quoi d'autre?

Nicholas posa son gobelet, souleva son coude, poussa un
papier vers le notaire.

– Assez pour acheter l'affaire s'il en reste quelque chose.

– Pas question de la maison de Genève, intervint Pigello Portinari. Elle a été dévastée. Comme je vous le disais, la rumeur
s'est répandue. Il y avait un grand nombre de petits créanciers.
Je ne sais quel exalté s'est rué, la foule a forcé les portes, tout le
monde s'est servi avant de mettre le feu à la maison. Le propriétaire s'en est sorti. Jaak de Fleury. Il y a un frère plus âgé,
un bailleur de fonds nommé Thibault, près de Dijon. Notre
filiale à Genève pense qu'il s'est réfugié là-bas. Je dois vous
demander de passer voir, naturellement, notre directeur, Francesco Nori, à Genève. Il a de l'étoffe qui vous appartient et
d'autres choses.

– C'est extraordinaire, dit Julius.

Il se sentait tout étourdi.

– Qu'est devenue l'épouse de Jaak de Fleury? ajouta-t-il. La
demoiselle Esota?

Messer Pigello rassemblait ses papiers. Après un regard circulaire autour de la table, il les réunit en une liasse bien régulière.

– Hélas, fit-il, ce fut bien triste, à ce que j'ai entendu dire. La
foule ne lui voulait aucun mal. Mais la dame était, semble-t-il,
lourdement bâtie et très impressionnable. Au lieu de s'esquiver
discrètement, elle a voulu barrer le chemin à certains tout en
faisant appel à d'autres pour lui porter secours. Personne ne
s'en est soucié, ils ont tous poursuivi leur route. Elle est tombée, elle a été piétinée. Mais c'est son propre poids qui l'a tuée.
Vous la connaissiez?

– Oui, répondit Nicholas. Elle n'était pas de taille à affronter de tels désordres.

Messer Pigello le regarda.

– Certains diront que son époux n'aurait pas dû la laisser seule... Mais on ne doit condamner personne. Les gens font des choses étranges, par peur ou par avidité. En notre qualité de banquiers, nous connaissons ces réactions. Eh bien, que faisons-nous des avoirs?

– Il appartient à la demoiselle d'en décider et à meester Julius de conseiller. Mais je suggère que les armes restent à Plaisance, que l'argent soit placé chez messer Tani, à Bruges. L'étoffe serait vendue par les soins de vos filiales ici et à Genève, et le bénéfice, une fois prélevée votre commission, serait ajouté à notre compte chez vous, pour tout usage que désirerait en faire le capitaine Astorre. Meester Julius?

Meester Julius se déclara d'accord. Il ne pouvait guère faire autrement. Il parla peu, pendant que le directeur de la banque Médicis à Milan et son frère ramassaient leurs documents et prenaient congé. Voyant que Nicholas ne semblait pas disposé à franchir le seuil, il accompagna lui-même les nobles banquiers jusqu'au rez-de-chaussée et, à travers la cour, jusqu'à leurs chevaux. Dehors, il faisait nuit, et les martinets étaient allés dormir.

A son retour, alors qu'il prenait le dernier tournant de l'escalier, le notaire entendit un fracas de verre cassé. Dès qu'il entra dans la chambre, ses pieds firent craquer des éclats. Le flacon de vin, vide par chance, gisait sous une fenêtre. Il était arrivé avec une telle violence que tout le sol de la chambre était couvert d'éclats.

– Je suis confus. Il a glissé, dit Nicholas.

Il avait la pâleur des teinturiers mais, par ailleurs, il paraissait parfaitement calme.

– Eh bien, fit Julius, tu as fait un beau gâchis, hein? Si tu n'avais pas du même coup gagné une fortune et si tu n'étais pas l'époux de ma maîtresse, j'aurais envie de te corriger comme il faut. Voilà Loppe ou bien l'aubergiste qui monte voir si nous avons démoli ses fenêtres. Tu t'expliqueras. Et, quand tout sera nettoyé, je veux entendre ce qui s'est passé. Tout.

Mais il n'entendit rien. Pendant que Loppe, sans un mot, balayait des éclats de verre, Nicholas s'en fut, un peu tardivement, pour prendre toutes les dispositions nécessaires à leur départ, le lendemain matin. Avant son retour, Julius avait commandé un autre cruchon de vin, en étain, cette fois, et se livrait pour lui tout seul à une petite célébration qui le conduisit finalement à son lit.

Il y resta un moment éveillé, à réfléchir. Se sentir amusé par un jeune gars qui avait l'audace d'épouser sa maîtresse était une chose. Travailler avec lui ou sous ses ordres en était une autre, bien différente. La manière dont le médecin traitait Nicholas aurait dû l'avertir. S'il devait se joindre à eux tous pour tenter une nouvelle aventure, il devrait apprendre à considérer Nicholas comme Portinari l'avait désigné... comme un collègue.

En quittant les Abruzzes, il était prêt à accepter l'emploi qui se présenterait, à présent que l'armée était enfin immobilisée. Nicholas, aisément fatigué au début du voyage, avait remis à plus tard toute description de l'aventure, mais Julius en connaîtrait sûrement tous les détails avant leur arrivée à Bruges. Après ce dont il avait été le témoin, ce soir-là, il n'avait plus de doutes : il s'agissait d'une opération profitable. Nicholas était un très jeune homme fort doué – ce qu'il avait naturellement remarqué. Mais il existait maintenant certains signes qui en disaient beaucoup plus long. Le plus étrange, c'était que Felix, à son tour, s'était institué l'associé du serviteur qu'il traitait naguère avec une telle désinvolture. Il avait participé à ces négociations. Et, plus surprenant encore, il n'en avait rien dit.

Felix était mort. Les héritiers de l'affaire Charetty étaient désormais les filles et les hommes qu'elles épouseraient. Nicholas, déjà, s'aventurait sur un chemin personnel. Bientôt, avec des assistants dignes de lui, il pourrait bien connaître une réussite plus brillante que personne ne l'eût rêvée. Ce qui signifierait pour Julius ravaler son orgueil. Devenir son collègue. Et, peut-être, aider à le conduire un peu plus loin qu'il ne serait allé seul.

Si Nicholas avait été plus âgé, la question ne se serait même pas posée. La curiosité, à elle seule, l'aurait retenu. Restait à voir, en l'état présent, s'il serait capable de supporter Claes, l'époux de la demoiselle. Mais cela valait la peine d'essayer. Pardieu, oui, cela en valait la peine.

Il se tourna sur le côté. Quand Nicholas rentra, il dormait. Il aurait été content de savoir que Gregorio, à Bruges, bien avant lui, avait atteint précisément la même conclusion.

Cette année-là, les galères de Flandre arrivèrent tôt à Bruges. Au cours de la première semaine de septembre, elles flottaient sous des cieux d'azur devant le port de Sluys, et les foules massées sur les promontoires regardaient s'abattre les voiles gonflées. Après quoi, avec la même rectitude, la même précision que dans un tableau, peintes de rouge, de bleu, d'or et d'un blanc étincelant, elles ramèrent jusqu'à leurs postes à quai. Le soleil faisait jaillir de leurs trompettes des gerbes d'étoiles.

Elles apportaient dans leurs cales de la cire de Barbarie, des défenses d'éléphants, du sucre brun. Elles avaient aussi du gingembre de Damas et des camelots violets venus de Chypre. Il y avait encore quarante coffrets de raisins de Corinthe et, comme toujours, des joyaux : rubis, turquoises, diamants et même des perles de culture à pulvériser pour en faire des remèdes. Il y avait de la soie pour les guimpes, de la gomme laque, des dragées blanches et trente sacs de coton de bonne qualité. Il y avait des soies moirées emballées en Syrie. Messine avait envoyé des peaux d'agneaux astrakans. Il y avait encore du soufre de Sicile, de la porcelaine de Majorque, de l'eau de rose venue des jardins de Perse. Il y avait des clochettes pour la messe, des missels, des recueils de musique, des gobelets en verre de plusieurs couleurs, y compris le rose. Il y avait de l'indigo de Bagdad, des noix de galle, de la garance et du kermès. Il y avait cent cinquante barriques de vin de Malvoisie. Et de l'alun.

Le commandant, cette année, c'était bien connu, était un noble vénitien nommé Piero Zorzi.

Marian de Charetty – et toute sa maisonnée – se trouvait à son ordinaire à Bruges pour l'arrivée des galères. A cette époque, la plupart de ses intérêts se concentraient à Bruges, et, maintenant qu'elle avait à Louvain un homme sûr, elle passait là-bas moins de temps. Tout le monde s'accordait à dire qu'elle avait eu l'air abattu après le départ, en avril, du jeune Felix et, naturellement, après le terrible incendie. Pendant un mois ou davantage, elle n'avait plus été la même, jusqu'au jour, en juin, où elle avait reçu la nouvelle que le garçon était sain et sauf à Genève, avec ce jeune coquin de Nicholas. Quatre semaines plus tard, était arrivée à Bruges cette lettre apportée par l'entremise des Médicis.

Le jeune Nicholas, le garçon qu'elle avait épousé, était parti quelque part en Italie et ne reviendrait pas comme prévu (ou, peut-être, pas du tout). Et son précieux Felix, qui n'avait même pas le droit de prendre part à un tournoi quand il en avait envie, était parti faire la guerre, s'il vous plaît : il était allé au sud, à Naples, se battre pour le roi Ferrante.

Qui donc l'avait encouragé à agir ainsi, on pouvait se le demander? Et, qu'il eût ou non été encouragé, à quoi d'autre pouvait-on s'attendre, quand on laissait de côté les activités proprement féminines en pensant qu'on pouvait diriger une compagnie de soldats?

Tôt ou tard, n'importe quel gars digne de sa position voudrait passer l'armure pour montrer de quoi il était fait. Elle n'avait à s'en prendre qu'à elle. A elle et à ce terrible garnement.

N'importe, on regrettait l'absence de Claes. Sans doute lui manquait-il aussi, à elle. Lui et ses plaisanteries. Sans compter le reste.

Elle savait, naturellement, ce qui se disait. Ce qui l'aidait le plus, c'était la nécessité de travailler dur et les hommes que Nicholas avait choisis pour elle. Gregorio était son bras droit. Mais elle bénéficiait aussi du dévouement de Bellobras et de Cristoffels, comme de Henninc et de Lippin. Tout le monde était à l'œuvre pour reconstruire, remodeler l'affaire, comme ils l'avaient projeté dans les jours qui avaient suivi l'incendie.

Dans les débuts, ce fut terriblement pénible. Mais, dans les premiers jours de juillet, Tommaso Portinari vint la voir. Il apportait à la fois de bonnes et de mauvaises nouvelles. La lettre qui disait que Felix et Nicholas avaient échappé à son emprise pour participer aux guerres d'Italie. Et le pli qui contenait des billets tirés sur la banque Médicis, pour des sommes qu'elle n'avait jamais espérées. De l'argent pour la condotta, pour les soldats supplémentaires, si habilement recrutés, si économiquement armés. Et des sommes qui incroyablement, semblaient émaner de la compagnie de Fleury. Elle ne savait comment, mais Nicholas avait obtenu une reconnaissance de dettes et persuadé les Médicis de les rembourser. A l'époque, ce fait, à lui seul, lui avait paru miraculeux. Elle n'avait pas reconnu le visiteur suivant, nommé Bembo, parce qu'elle ne faisait pas d'affaires avec les marchands vénitiens. Ce fut seulement lorsqu'il se retrouva seul avec elle dans son bureau que l'homme de ce nom tira de sa bourse un document plus surprenant que tout le reste.

Après son départ, elle fit venir Gregorio, afin de lui montrer ce qu'avaient envoyé Felix et Nicholas. Le document portait leurs deux signatures, en même temps que des noms génois et vénitiens qu'elle reconnaissait mal. La somme d'argent qu'il représentait suffirait, à elle seule, à régler toutes les dettes. Les sommes qu'il promettait les rendraient tous riches.

Elle s'aperçut qu'elle regardait depuis longtemps les deux signatures. Celle de Nicholas, noire, ferme, précise, parce qu'on l'avait entraîné très jeune, et parce que, dans les derniers mois, Colard l'avait perfectionné. Et le griffonnage de Felix, parce qu'il n'avait jamais eu le goût d'apprendre et ne voulait suivre les conseils de personne. Mais la présence de son nom montrait qu'il avait enfin commencé à s'instruire.

– Ils ont conclu l'accord sur l'alun, apparemment, dit-elle. Même si quelqu'un, demain, découvre le gisement du pape, nous aurons toujours ceci.

Gregorio ne l'avait plus approchée depuis le jour où l'on avait connu la destination de Felix. C'était un homme plein d'égards. Il dit alors :

– Il est bon pour le jonkheere de s'intéresser aux affaires. Je ne m'étonne pas qu'il soit parti pour Naples, ni que Nicholas l'ait laissé aller. Tout garçon devrait au moins une fois mettre le pied sur un champ de bataille, et les risques sont très limités. Ils n'ont pas les moyens de se battre. Et la saison tire à sa fin.

C'était aussi ce qu'elle se disait. Elle comprenait aussi pourquoi Nicholas jugeait nécessaire de retrouver le docteur Tobias. Sans Tobie, disait sa lettre, l'alun n'aurait rien rapporté. Il espérait ramener Tobie et peut-être Julius.

Tobie. Ils devaient être en bons termes. A présent, les ateliers et la maisonnée s'étaient habitués à appeler Claes Nicholas. Ils n'ajoutaient rien au prénom : Nicholas ne pouvait revendiquer le « maître » de l'universitaire ni le « ser » des hommes de bonne naissance. Peu lui importait, à elle. Il aurait déjà bien assez de mal à se comporter à tous ces niveaux sans l'artifice d'un titre.

Elle remarqua que les hommes proches de Gregorio s'étaient mis à l'appeler Goro. Trois mois de travail avec d'autres lui avaient beaucoup appris. Il n'y avait plus de troubles dans l'atelier. Les surnoms qu'inventaient les hommes pour Bellobras, elle préférait ne pas les entendre. A mesure que la présence de l'argent allégeait son fardeau, elle redevint capable de rencontrer d'autres gens, de réapprendre à rire. Elle emmenait parfois Tilde et Catherine pour de courts séjours dans d'autres villes : elle rendait visite à des amis, imaginait de petites aventures qui procuraient du plaisir aux deux fillettes.

Celles-ci étaient maintenant invitées pour elles-mêmes, et quelqu'un pria Tilde de se joindre à une sortie familiale en bateau hors du port. De temps à autre, la pensée de son fils et de Nicholas pesait sur l'esprit de Marian. En août, des nouvelles arrivèrent. Au sud de Naples, il y avait eu une bataille, avec de lourdes pertes. Durant un jour entier, elle ne pensa à rien d'autre. Enfin, indirectement, elle connut les détails. La compagnie Charetty, sous les ordres d'Astorre, était sauve. Elle faisait route vers le nord, pour rejoindre le comte d'Urbino. Peut-être, espérait-elle, seraient-ils plus en sécurité là-bas. Peut-être Felix, après ses premières armes, pourrait-il être convaincu de rentrer chez lui, et Nicholas avec lui. Elle s'efforçait de ne rien attendre, de faire simplement son travail.

S'occuper. Le meilleur des remèdes. Nicholas ne s'était pas trompé. Si elle avait renoncé, si elle avait vendu l'entreprise et s'était retirée dans une petite maison pour faire de la dentelle et observer la rue à travers ses volets, elle serait morte, à présent.

Quand vint la mi-août, la nouvelle propriété était reconstruite et montée selon leurs projets. Elle possédait de nouvelles réserves d'étoffe, mais plus belles qu'avant; des teintures aussi, mais seulement de la meilleure qualité. Les ouvriers étaient parmi les plus capables et elle n'avait congédié personne. Les clients qui avaient acheté chez elle par sympathie continuaient d'acheter parce qu'ils appréciaient ce qu'elle vendait. Ils découvraient ensuite qu'elle se montrait accommodante en matière d'échéances.

C'était là, avait décidé Nicholas, la ligne de conduite qu'il fallait adopter, et Gregorio était l'homme le mieux indiqué pour la suivre. L'usure était bannie. Mais les prêts sur nantissement équivalaient aux prêts sur gages, et il était bien simple d'adapter le même principe à l'échange entre produits finis et matériaux bruts. De là, on passait à d'autres opérations. Les registres ne faisaient jamais état de prêts mais seulement de paiements retardés. Marian découvrit que Tilde s'intéressait à son travail. Une fois ou deux, elle la laissa s'asseoir près d'elle pour écouter.

Le reste du mois d'août s'écoula. Par la suite, elle devait s'en souvenir comme d'une période étrange : heureuse au trois quarts. Le martèlement sur la porte d'entrée, le martèlement qui devait tout changer se situa l'un des derniers jours.

Elle se trouvait alors dans le nouveau dépôt construit derrière la grande maison de Spangnaertstraat. Le portier qui avait répondu à l'appel alla chercher Gregorio. Celui-ci traversa la maison, sortit, vit où se trouvait Marian : tablette en main, elle regardait deux de ses magasiniers vérifier les réserves. Lorsqu'on attendait les galères de Flandre, il y avait toujours beaucoup de travail. Le ton dont il se servit pour dire : « Demoiselle ! » n'était pas habituel. Elle se retourna vivement. Il demanda :

– Puis-je vous parler ? Vous avez un visiteur.

Il n'avait pas l'intention de lui faire peur, et elle ne devait pas s'effrayer. Elle dit quelques mots à ses gens et sortit, la tablette encore entre ses mains.

– La firme avec laquelle nous faisions naguère des affaires, dit Gregorio. Thibault et Jaak de Fleury ?

Elle hocha la tête, sans comprendre.

– Les Médicis ont réglé leurs factures.

– Oui, je m'en souviens. Et monsieur Jaak de Fleury est de vos parents ?

– Ma sœur a épousé son frère. Je pensais que vous le saviez. Nous ne nous sommes jamais tenus en grande amitié. Ce qui n'a rien à voir avec ses factures. Que se passe-t-il donc ?

– Il est ici, demoiselle, dit Gregorio. Je l'ai laissé dans la maison parce que je n'étais pas sûr que vous consentiez à le voir. Il n'est pas maître de lui-même.

– Voilà du nouveau, constata Marian de Charetty. S'il fût jamais un homme maître du monde entier, lui-même y compris, c'était bien Jaak de Fleury. Qu'y a-t-il donc ?

Gregorio lui accorda un semblant de sourire.

– Apparemment, je ne suis pas qualifié pour l'entendre. Je regrette, demoiselle. Je n'ai pas réussi à le convaincre de me le dire. Mais il a une douzaine de chevaux devant la maison, sans compter deux chariots et une suite de serviteurs. Quel qu'il soit, le cas doit être grave...

Il marqua une pause.

– Je pensais que, peut-être... si vous vouliez bien me permettre de dire que vous êtes sortie, il pourrait trouver une taverne et revenir seul, quand il serait plus calme.

– A votre avis, il a l'intention de s'installer ici? demanda-t-elle.

– Je n'en sais rien, dit Gregorio. Mais, il me semble qu'il serait mieux ailleurs. Si la chose peut s'arranger sans éclat.

Elle le dévisagea, avant de prendre sa décision.

– Non. Je vais le voir. Si je ne veux pas qu'il reste ici, je le lui dirai moi-même. Il ne peut me forcer la main.

– Dois-je rester à portée de voix? questionna Gregorio.

Marian de Charetty repassa en esprit tout ce qu'elle savait de son déplaisant beau-frère. Il ne répugnait pas à la violence contre les serviteurs, cela va sans dire : point de risque pour elle. Il avait l'esprit cruel et elle se rappelait comment il avait traité Nicholas de laveur de vaisselle. L'entretien n'aurait rien d'agréable. Gregorio lui-même ne devait pas l'entendre.

– Non, dit-elle. Si je ne peux me tirer d'affaire avec le beau-frère de ma propre sœur, je ne saurai comment traiter Astorre et Felix quand ils reviendront de la guerre. N'ayez crainte. Je suis bien connue pour mon agilité avec un tisonnier.

Elle sourit à Gregorio, entra dans la maison d'un pas un peu ralenti. La porte de son petit cabinet de travail était ouverte. Jaak de Fleury était assis devant sa table, tous les registres étalés devant lui.

– Je m'installerai ici, déclara-t-il. Et je prendrai la grande chambre. J'ai dit à l'homme qui m'a reçu de trouver de quoi loger mes serviteurs. Ils ne se plaindront pas. Ils ont appris à n'en rien faire. Alors, vous vous en tirez bien, chère dame. Nous devons veiller à ce que ça continue. Vous savez, naturellement, pourquoi je suis ici?

Elle ne l'avait encore jamais vu autrement que bien vêtu et couvert de joyaux. Ce jour-là, bien qu'il se comportât comme un prince de l'Église, sa robe était marquée, râpée, empoussiérée par la longue chevauchée, et les plumes de son bonnet effrangées et salies. Son visage s'était effondré autour des grands yeux et les lèvres minces étaient sèches et gercées. Il portait des bagues. Mais l'habituelle chaîne constellée de pierreries manquait, et ni sa robe ni son chapeau ne s'ornaient de bijoux. Il avait l'air d'un homme fuyant la bataille.

– Que s'est-il passé? demanda Marian de Charetty.

– Vous n'en avez aucune idée? Ah, mon Dieu! Les femmes. Une tout autre espèce. Quand cela vous arrive, il y a des pleurs, des cris, comme si personne, dans sa vie, n'avait jamais connu ni la perfidie, ni l'envie, ni la méchanceté. Que s'est-il passé? J'ai perdu mon affaire, ma chère belle-sœur. Le duc de Savoie, sous je ne sais quel prétexte, m'a enlevé – m'a volé – une somme d'argent, ce qui m'a empêché de satisfaire les exigences qui pesaient sur moi. Et mes créanciers, étrangement prévoyants, ont pris le reste, dans toute la mesure où ils l'ont pu.

Jaak de Fleury, souriant, baissa les yeux. Il ferma brusquement, l'un après l'autre, les registres qu'il avait étudiés, en fit deux piles égales et plaça sur chacune une main bien modelée.

– Je n'ai plus d'affaire. Je n'ai plus de maison. Il ne me reste que l'argent que vous me devez et l'occasion de me venger de ceux qui me croyaient fini. De faire profiter l'entreprise Charetty de ma sagesse et de mon expérience. De regagner mon capital et de revenir montrer à ces pauvres diables ce qu'est un véritable homme d'affaires.

Son regard souriant, plein d'assurance s'attardait sur le visage de Marian. Elle sentit son cœur battre plus vite.

– Je suis désolée, naturellement, dit-elle. Mais vous vous trompez. Cette entreprise ne vous doit rien. Les dettes étaient toutes de votre côté. Les Médicis me les ont remboursées.

Les yeux brillants battirent des paupières.

– Ah, fit l'homme. De la part de Claikine, votre époux, sans doute? Il a reçu la somme à Genève, après avoir réussi à enlever, après l'avoir tué à demi, votre fils. Peut-être ne vous a-t-il pas dit que votre crédit chez moi représentait moins de la moitié de la somme que vous me deviez.

Marian de Charetty avança de quelques pas. Elle posa la main sur le haut dossier du fauteuil qu'elle réservait aux visiteurs, avant d'en faire le tour et de s'y asseoir. Elle croisa les mains.

– Vous feriez bien, dit-elle, de vous exprimer clairement. Mon époux m'a déjà fait savoir que Felix et lui se trouvaient à Genève. Depuis lors, j'ai reçu des documents signés par Felix lui-même à Milan. Je ne suis donc pas tentée de vous croire.

– Oh, vous pouvez croire que je suis en faillite, déclara Jaak de Fleury. La nouvelle fera le tour de Bruges dans un jour ou deux. Vous pouvez croire aussi que votre fils est venu chez moi, et que votre époux a tiré une arme et l'a abattu, plutôt que de lui permettre de rentrer chez vous. N'importe quel membre de ma suite le confirmera. Même ceux qui ont déserté la maison et m'ont abandonné. Même les amis de ce coquin que vous avez épousé.

– Et la signature, à Milan?

– Donnée sous la contrainte, je le crains. Pauvre malheureux. A présent, bien entendu, votre époux a expédié en Italie votre fils, Felix, mais, jusqu'à présent, ses efforts pour écarter son rival de sa route ont échoué. Le garçon, à ce qu'on m'a dit, a survécu à la bataille de Sarno. Il pourrait bien, en revanche, ne pas garder la vie dans les Abruzzes, en compagnie de monsieur Nicholas. Vous me permettez de demander à vos cuisines qu'on m'envoie de l'eau chaude et de quoi manger? J'ai fait, comme vous pouvez le penser, un long voyage à cheval.

Marian de Charetty se leva.

– Je connais une taverne qui vous conviendra fort bien, dit-elle. Et qui vous procurera tout à la fois de quoi manger et de l'eau chaude. Je regrette la perte de vos biens, mais vous ne me convainquez pas, j'en ai peur, de me précipiter à votre aide. Vous avez un frère en Bourgogne. Je vous suggère d'aller chercher asile auprès de lui.

Toujours souriant, il ne bougea pas de sa place.

– Mais Thibault, ma chère dame, n'a plus un sol, lui non plus. Et il doit faire vivre une fille dissolue. Non, si je dois gagner ma vie, il faudra que ce soit à Bruges. Si vous refusez de m'aider, je devrai me présenter ailleurs. A la Guilde des Teinturiers, certainement. Sans doute vous ont-ils aidée, après l'incendie. Peut-être trouveront-ils pour moi des prêteurs. A moins qu'ils n'hésitent, en apprenant comment leur or est sorti du pays dans la bourse de l'homme que vous avez épousé. Avant d'en voir les preuves, votre pauvre fils avait peine à le croire. Il a protesté fort courageusement. Il protestait encore quand il est tombé. Les teinturiers de Bruges seront fiers de lui, même si vos clients peuvent s'inquiéter quelque peu.

Jaak de Fleury secoua tristement la tête.

– Après un incendie de ce genre et un tel vol, la confiance publique dans l'entreprise Charetty ne fera pas venir l'argent à vous. Vous feriez mieux de faire de moi votre associé. Vous gagnerez de l'argent. Et aucune rumeur désagréable ne viendra jamais gêner vos amis ni votre maison.

Elle le dévisageait de tous ses yeux.

– Vous avez encore peine à me croire? Prenez une heure. Posez à mes hommes toutes les questions qu'il vous plaira. Je serai encore ici quand vous reviendrez. Peut-être, sur votre chemin, pourriez-vous faire l'effort d'envoyer quérir aux cuisines, comme je l'ai suggéré, de l'eau chaude et de quoi manger? Avec une raisonnable célérité.

– Je ne vais pas me contenter de questionner vos hommes, dit-elle. Je vais aussi m'entretenir avec mon notaire. A mon retour, j'aurai plusieurs hommes avec moi. Vous pouvez donc rester ici une heure. Je vais vous faire envoyer des rafraîchissements. Si vous n'y voyez pas d'inconvénient, j'emporte mes registres. Enfin, soyez assuré que vos menaces n'auront plus de poids dès que mon fils et mon époux franchiront ce seuil.

– Chère dame, fit-il, ils ne reviendront pas. L'un guerroie, et l'autre a l'escarcelle pleine. Votre Nicholas n'osera pas rentrer pour faire face aux dettes qu'il a envers moi. Mes registres ont brûlé, c'est entendu, mais que vaut sa parole contre la mienne? Faites-vous une raison. Vous n'avez plus d'héritier et plus d'époux. Si la nature ne peut plus vous offrir le premier, le second est ici, à votre disposition.

Elle saisit alors toute l'ampleur de son projet, et sa main, sur l'accoudoir du fauteuil, se crispa.

– Et votre épouse? Esota? demanda-t-elle.

– Oh, ils l'ont tuée. Votre mari, était déjà parti quand c'est arrivé. Les mains qui ont commis le crime n'étaient pas les siennes. De toute manière, elle n'aurait jamais survécu au voyage. Il lui fallait grand équipage, pauvre Esota.

Il souriait, lorsqu'elle sortit de la pièce.

Avec l'aide de Gregorio, elle questionna les hommes venus de Genève. Ils confirmèrent les dires de Jaak de Fleury, avec une colère maussade, et aussi avec toutes les apparences de la vérité.

Elle regagna la grande salle en compagnie de Gregorio. Elle tremblait.

– Jetez-le dehors, dit Gregorio.

– Je vous ai fait part de ses menaces. Et ces hommes, qui ont vu Felix, jurent que Nicholas l'a abattu. Croyez-vous qu'ils mentent?

– Non. Mais il me vient à l'esprit plusieurs bonnes raisons, aussi bien que de mauvaises, pour qu'on veuille réduire Felix au silence.

Alors seulement, pour la première fois, elle sentit sa peur s'apaiser. Elle dévisagea Gregorio.

– Je tiens à vous ôter d'un doute, dit-elle. Personne au monde, et moins que tous Jaak de Fleury, ne pourra ébranler ma confiance en Nicholas et en sa loyauté. Ce que nous cherchons, ce sont les moyens de protéger Nicholas, tout autant que mon commerce. Peu de gens le connaissent aussi bien que moi.

– Vous laisseriez cet homme, demanda Gregorio, s'installer dans votre maison jusqu'à leur retour, plutôt que de laisser se répandre des rumeurs?

– Oui.

Elle pensait qu'il allait renouveler ses protestations. Après un silence, elle ajouta :

– Ainsi, vous êtes d'accord?

Il laissa échapper un soupir d'impatience.

– Aucun homme de bon sens ne serait d'accord, répondit-il. Toutefois, je crois que votre confiance n'est pas mal placée. Je crois que Nicholas reviendra s'il le peut, et le jonkheere avec lui. Il y a autre chose. Monsieur de Fleury, dites-vous, a vu tous les registres?

– Tous, confirma Marian. Il est homme d'expérience. Mieux que personne, il est capable d'en saisir instantanément le contenu.

– Il doit savoir, alors, que vos affaires sont prospères, même s'il a l'intention de colporter le contraire. Il possède un autre avantage dont il n'a peut-être pas encore mesuré tout l'intérêt. Si, toutefois, il a vu l'importance des versements effectués par les Bembo.

Marian de Charrety garda le silence. Là était l'unique signe des longues et délicates négociations qui leur avaient apporté l'argent de l'alun.

– Il restera donc jusqu'au retour de Nicholas, dit-elle. Mais que faire, à propos des écritures des Bembo?

– Laissez-moi faire, dit Gregorio. On peut trouver une feinte.

– C'est un homme fort déplaisant, constata-t-elle.

– Mais ce sera pour peu de temps, dit Gregorio. Ne faites rien. Tout le monde vous veut du bien, dans les ateliers, et ils comprennent les allusions. Nous veillerons, Henninc et moi, à ce qu'ils soient tous patients. Peut-être envisagerez-vous d'envoyer vos filles ailleurs, pour quelque temps. Le fardeau retombera surtout sur vous.

– C'est vrai, fit-elle.

Maintenant que tout était décidé, elle sentait renaître un peu de son courage et de sa résolution.

De toute manière, elle devait attendre. Autant se battre, pendant qu'elle attendrait.

38

Lorsque, accompagnés de leurs serviteurs, ils atteignirent enfin, les portes de Gand, à Bruges, Julius avait renoncé à tenir une conversation avec Nicholas.

Sur la route qui les ramenait de Milan, Julius avait tout appris du gisement d'alun, du rôle de Tobie depuis le début. Il savait que le nouveau notaire Gregorio était au courant, et que la demoiselle avait apparemment donné sa bénédiction au projet. Et, une fois de plus, que Felix avait tout su mais s'était tu. Tout cela confirmait ce qu'il pensait : s'il pouvait s'accommoder de Nicholas, les perspectives étaient immenses.

S'accommoder de Nicholas ne manquait pas d'être légèrement irritant. Le garçon n'avait plus l'excuse de la maladie. Depuis une semaine la fièvre l'avait quitté et, s'il était, comme eux tous (sauf Loppe), épuisé par le voyage, sa santé était redevenue normale. Mais, après avoir exposé en détail l'affaire de l'alun et brièvement les autres problèmes liés au commerce des Charetty, Nicholas était retombé dans le silence.

A cause de Felix, naturellement. Julius, lui-même extrêmement las, après une chevauchée très dure, admettait que Nicholas et lui devaient avoir sur la mort de Felix des points de vue différents. Il regrettait Felix, naturellement, à la manière dont un professeur regrette n'importe lequel de ses élèves qu'il a aidé à se tirer de toutes sortes de mauvais pas. Nicholas, lui, regrettait comme un compagnon de toujours. Plus dur encore, Nicholas avait la charge d'apprendre la nouvelle à la mère, dans le rôle grotesque de beau-père du jeune homme. Mais il avait assumé ce rôle en épousant la veuve, et Julius ne voyait aucune raison de gaspiller sa sympathie à son égard.

Aux portes de Bruges, le gardien, un vieil ennemi, s'exclama :

– Ho ! Vous allez trouver un changement chez les Charetty, vous deux.

Nicholas était occupé à trier les laissez-passer. Julius répondit :

– Je l'espère bien. On me dit que les portiers, au dernier printemps, ont réduit la maison en cendres au cours d'une petite fête. Ils n'en auraient pas eu l'occasion, je peux vous le dire, si j'avais été là.

– Il y a pire qu'un incendie, fit le gardien, avec un mauvais sourire.

– Par exemple? demanda Nicholas.

– Par exemple, si la veuve, vous croyant tous morts, a décidé de se remarier, fit-il. Du moins est-ce ce qu'on raconte. Sinon, ça n'aurait pas de sens, hein? Je parle du personnage qui habite là-bas jour et nuit, qui assiste à toutes les réunions, qui conclut toutes les transactions. Où est le jeune Charetty?

– Quand nous aurons vu la demoiselle, elle te le dira, riposta Nicholas. De quel personnage parles-tu?

Au son de sa voix, il était plus calme que Julius. Celui-ci passait en revue des noms dans son esprit. Le prêteur sur gages Oudenin. L'un des teinturiers. L'autre notaire, Gregorio.

– C'est un parent, à ce qu'on dit, fit le portier. Toi aussi, tu étais un parent, hein, Claes? Elle aime bien avoir sa famille autour d'elle. Jaak, on l'appelle. Il est de Genève. Jaak de Fleury.

Après un silence, Nicholas demanda :

– Il *habite* chez elle?

– Et il dirige tout, dit le gardien. Il a l'expérience, à ce qu'on dit. Un vrai marchand. Un homme sur lequel une femme peut s'appuyer.

– Écoute, fit Julius. Doucement. On ne va pas tout droit à la maison.

– Si, tout droit, répliqua Nicholas.

Son visage avait blêmi sous la couche de poussière. Il reprit :

– Si elle l'a accueilli chez elle, c'est qu'il l'y a obligée.

Déjà, il s'engageait sur le pont.

– Il lui a dit que tu étais mort? Ou bien Felix? Ou quoi? s'enquit Julius.

– Il lui a raconté qu'à Genève, j'avais abattu Felix d'un coup de poing et que je l'avais forcé à m'accompagner à Milan. Felix vous l'avait-il raconté?

– Non, dit Julius.

Assailli par une immense fatigue, il se refusait à réfléchir sur ce qui n'était sûrement qu'un problème de droit. Jaak de Fleury était failli. Il n'avait aucun droit sur la maison Charetty, et l'on pouvait se débarrasser de lui. Eût-il été en meilleure forme, Julius aurait savouré la perspective de s'en charger personnellement. La veuve avait dû céder à de malheureux instincts de philantrope. Peut-être ne savait-elle pas clairement ce dont monsieur Jaak était capable. Julius lui, se rappelait très nettement, lorsqu'il avait menacé de trancher les mains de Claes.

– As-tu vraiment assommé Felix? demanda Julius. Je suis sûr que c'était pour la meilleure des raisons. Et, tu pourrais même en convaincre la veuve. Ou bien penses-tu qu'il a menacé de te calomnier?

– Il pourrait ébranler la confiance de la clientèle dans la maison Charetty, fit Nicholas. Ou encore...

Il s'interrompit.

Julius insista, avec agacement.

– Et alors, quoi d'autre? Hâte-toi, nous sommes près d'arriver.

– Il n'existe qu'un seul secret que nous préférerions, la demoiselle, vous et moi, laisser ignorer à Jaak de Fleury, dit Nicholas. Ou plutôt, non, il y en a deux. Mais le second ne vous concerne pas.

Le gisement d'alun. Julius comprenait enfin ce qu'il voulait dire. Il sentit son visage perdre à son tour toute couleur.

– Comment l'arrêter, s'il est déjà sur la piste? demanda-t-il.

– Nous disposons de plusieurs moyens, répondit Nicholas. De même qu'il y a plusieurs façons d'annoncer à une femme que son fils unique a été tué. Si nous réfléchissions un peu, au lieu de parler?

Jamais, de sa vie, Claes n'avait parlé sur ce ton à Julius. A ce point, un peu de discipline était nécessaire, et Julius se disposait à l'appliquer. Mais, à la vue de l'expression de Nicholas, il eut assez de bon sens pour se retenir.

Les rues de Bruges, comme les routes extérieures à la ville, étaient encombrées du fait de la présence des galères de Flandre et le cheminement était difficile avec des chevaux. Nicholas, la tête obstinément baissée, ne répondait pas aux saluts des gens de connaissance, il poussait pas à pas sa bête parmi la foule. Julius, absent depuis plus longtemps, se surprenait à distribuer de vagues sourires aux visages familiers et amicaux et à formuler souhaits et promesses.

Sans doute fut-ce ainsi, supposa-t-il, que Nicholas se trouva séparé de lui, de Loppe et des quelques hommes qu'ils avaient engagés pour le voyage.

Peu importait. A en croire Nicholas, leur destination était une maison nouvellement achetée dans Spangnaertstraat que Julius découvrit et sur laquelle il jeta un regard favorablement impressionné.

Dans la cour, point de trace de Nicholas ni de son cheval. Julius se demanda si la première rencontre avec Jaak de Fleury et, pis encore, avec la mère de Felix allait lui incomber. Il s'enquérait auprès du portier quand un homme de courte stature sortit de la maison et traversa la cour. Il semblait avoir sensiblement le même âge que Julius, avec des tempes creuses, un visage maigre, un nez immense, en lame de couteau.

Ses vêtements noirs l'identifiaient ; il sut qu'il s'agissait sans aucun doute de Gregorio d'Asti, le juriste, qui occupait depuis cinq mois sa place. Il se présenta, expédia les cérémonies et découvrit que Nicholas n'avait pas encore paru. La demoiselle et monsieur de Fleury étaient sortis : la demoiselle était à bord des galères de Flandre, et monsieur faisait une visite en ville.

Le juriste, pour fournir ces détails, se montrait poliment réservé. Julius déclara :

— Nous savons tout de Jaak de Fleury. Nous croyons deviner la raison de sa présence ici. Il est temps d'y mettre fin. Meester Gregorio, comment se porte la demoiselle ?

Le regard noir plein de finesse les soupesa, lui et sa question. Meester Gregorio répondit :

— Elle ne pense à peu près à rien d'autre, naturellement, qu'au retour du garçon. Une mauvaise nouvelle vaudrait mieux que rien.

— Elle doit l'apprendre de Nicholas, dit Julius. Il sera bientôt ici. Ce n'est pas un sujet qu'on puisse aborder dans la rue.

— Son fils est donc mort, fit Gregorio. Pauvre jeune homme. Pauvre femme. Mais elle pourrait bien l'apprendre dans la rue. A la vérité, j'allais partir à sa recherche. Dites-moi, a-t-il été tué à San Fabiano ?

Comment la nouvelle avait-elle pu atteindre Bruges sitôt ? Julius ouvrait la bouche. Mais Gregorio reprit :

— Le compte rendu de la bataille nous est parvenu il y a tout juste une heure. Un autre capitaine de l'armée du comte Federigo, je crois, est passé ici. C'est le portier qui m'en a informé. L'homme n'a rien dit de Felix. Il a demandé monsieur de Fleury et il est reparti à sa recherche.

— Un autre capitaine ? Qui ? Ce n'était pas Astorre ? demanda Julius.

— Non. Il ne s'agissait pas du capitaine de la demoiselle. En réalité, c'était son rival, je crois. Un mercenaire du nom de Lionetto.

Nicholas, ce jour-là, ne pensait pas à sa propre sécurité. S'il en avait eu l'idée, il l'aurait promptement chassée. Personne ne connaissait son retour à Bruges.

Dès l'instant où Nicholas eut franchi les portes de la ville le problème de Jaak de Fleury absorba son esprit. Lorsqu'il l'abandonnait, c'était pour se préparer au moment beaucoup plus important qui l'attendait. Il chevauchait tête baissée : il ne voulait pas être accosté, devoir répondre à des questions sur la guerre, sur Felix. Au début, il ne remarqua même pas que son cheval était poussé, non par un pur hasard, mais par deux autres montures qui le flanquaient de chaque côté.

Les cavaliers portaient la livrée de la ville et lui offraient en souriant de l'escorter jusqu'à la maison de la demoiselle. Il se déroba poliment à leur insistance et, mis en alerte, pour la première fois, chercha du regard Julius, derrière lui : il découvrit alors qu'il n'y avait plus personne à sa suite.

Étrangement, le cauchemar du canal et du tonneau lui revint en mémoire, en dépit de ses préoccupations, mais il l'écarta. Il en attribuait le retour aux deux visages glabres qui l'encadraient et qui lui rappelaient les ivrognes qui s'étaient emparés de lui cette nuit-là.

C'étaient bien les mêmes visages.

Il en était sûr au moment où, son cheval ayant bronché, il tomba brutalement sur le sol. Nicholas roula sur lui-même, se retrouva sous une arche sombre, au-delà de laquelle s'étendait un terrain vague, jusqu'à la berge du canal. Une voix inconnue s'exprimait en bon flamand. Elle ne s'adressait pas à lui : elle affirmait aux passants que le cavalier n'avait eu aucun mal, et qu'on s'occupait de lui. Nicholas roula de nouveau sur lui-même, et deux silhouettes se penchèrent sur lui avec sollicitude, l'une d'elles armée d'un couteau.

Les leçons du maître d'armes du duc à Milan avaient porté leurs fruits déjà, il avait son épée en main. Il repoussa la dague, d'un tour de reins, se retrouva debout : et s'enfuit en courant pour gagner le terrain non pavé au-delà.

Il se situait maintenant. Le tunnel sous lequel il était passé appartenait à la maison plus ou moins en ruine, voisine autrefois de la teinturerie Charetty. Nicholas se trouvait dans ce qui avait été le verger. Devant lui, le canal. D'un côté, un mur sans la moindre prise. Il serait mort avant de l'avoir escaladé. De l'autre côté, les restes du mur qui avait naguère séparé ce jardin de la teinturerie; elle aussi en ruine.

Les deux hommes à sa poursuite avaient plus d'expérience du combat mais pas son allonge. Ils ne goûtaient guère la portée de ses coups d'épée. En revanche, ils étaient à deux contre un.

Nicholas avait déjà perdu son bonnet dans sa chute. Il s'était débarrassé de sa jaque, pour rester libre de ses mouvements, et tranchait l'air de son épée avec une telle ardeur que l'ennemi dut reculer. Il ne ressentait pas de peur, mais du soulagement. Il pouvait abandonner le fardeau des responsabilités puisqu'on l'invitait à montrer ses prouesses physiques.

Il ne s'en priva point. Arrivé au mur en ruine, il feinta. L'homme le plus proche rencontra son épée. L'autre fonça, poignard en main. Nicholas l'évita, trouva l'endroit le moins élevé du mur et bascula par-dessus, poursuivi par un seul assaillant furieux. Dans le mouvement, il lança un coup d'épée, fendit l'épaule de son adversaire. Il aurait atterri sans dommage si l'orteil de Jaak de Fleury ne l'avait fait trébucher. Il s'étala de tout son long, se retourna, trouva sur sa gorge l'épée du marchand. Sa propre épée avait disparu. L'assaillant restant, ensanglanté, releva Nicholas d'une secousse.

Devant lui s'étendait le champ au sol inégal, parsemé çà et là de fleurs sauvages, rouges, bleues, jaunes et violettes. Au-delà s'élevaient les briques noircies, envahies par l'herbe, de la maison où il avait tour à tour travaillé et dormi depuis l'âge de dix ans. Devant lui se dressait l'homme qui avait été son maître des années auparavant.

Un maître calme, souriant, cruel. Un marchand qui avait tenté de ruiner la maison Charetty et qui, réduit à toute extrémité, avait bien l'intention d'en devenir le propriétaire. Un marchand haïssable, qui tenait une épée et qui, sans perdre de temps en paroles, s'avançait maintenant vers lui d'un pas décidé, pour le tuer.

Une main serrait le bras de Nicholas, la lame d'un poignard lui menaçait le dos. L'une et l'autre appartenaient à l'homme dont il avait tailladé l'épaule. L'étreinte sur son bras était d'une puissance qui l'engourdissait. Mais l'arme était dans la main affaiblie.

Nicholas jeta tout son poids en arrière. Son coude s'enfonça dans l'épaule blessée de l'homme. Il sentit la lame se glisser dans sa chair, d'un coup sans aucune force. L'homme poussa un hurlement, lâcha le bras. Nicholas arracha le poignard de la main de son ennemi et s'en servit contre lui.

L'homme tomba. Jaak de Fleury avait son épée. L'arme de Nicholas était sur le sol, juste derrière l'adversaire. Il plongea, s'en saisit, virevolta au moment précis où la lame de Jaak de Fleury sifflait au-dessus de sa tête. Il attendit, l'épée en main, comme on le lui avait enseigné. Il para le coup, entendit le choc métallique résonner, encore et encore, comme sur le terrain d'entraînement.

Dans cet art, comme en tout autre domaine, il n'avait aucune expérience à opposer aux longues vies de ceux qui se voulaient ses supérieurs. Il ne possédait que son esprit, qui absorbait tout enseignement et le retenait à jamais.

Sur le sol bosselé du champ où, naguère, il avait besogné, les ongles bleus, pour tasser l'étoffe vierge dans une cuve, pour nourrir joyeusement la splendeur du cuveau à urine dont on disait tant de mal, pour partager avec ses camarades la viande et la bière et les blagues fracassantes, il avançait, changeait de position, s'effaçait, l'épée à la main, se protégeait de son mieux du grand-oncle qui s'efforçait de le tuer.

Qui avait trente ans de plus que lui.

– *Tu aimerais pouvoir lutter contre lui? Le battre? Le dominer?* lui avait demandé Marian de Charetty.

Et il avait répondu :

– *S'il me fait peur à présent, il me fera peur à jamais.*

C'était vrai. La peur inculquée à sept ans par les coups ne le quitterait jamais.

En dépit de la fièvre, en dépit de la fatigue de ce pénible

voyage, en dépit de la puissante carrure de Jaak de Fleury et de la maîtrise qu'il avait de son arme, lui-même, Nicholas, avait trente années de moins, et on l'avait récemment initié à quelques coups choisis. Mais à quoi bon? S'il tuait Jaak de Fleury, il tuait son propre sang, son parent. Et sa peur demeurait intacte.

Il parait, parait encore. Il ne savait que faire.

Jaak de Fleury, son visage pareil à une luisante pâtisserie, couvert de sueur et rose soutenu et, déjà, hors d'haleine, sourit. Agile, bien musclé, il changea de position. Il se battait sans sa robe, les épaules larges sous le magnifique pourpoint. Les manches de soie abondamment froncées de sa chemise jouaient sur les muscles puissants de ses bras. Les joyaux qui ornaient son col montant étincelaient. La pointe de sa lame revenait sans cesse. Et, sans cesse, Nicholas la détournait.

De la maison en ruine, loin derrière lui, monta un hurlement d'homme, lancé à pleine voix. Le hurlement continua, plus fort, plus proche. Jaak de Fleury jeta un coup d'œil de ce côté. L'instant d'après, Nicholas, à son tour, regarda par-dessus son épaule.

La silhouette qui jaillissait entre les pierres amoncelées, dans un tourbillon de cheveux roux, était celle de Lionetto. *Lionetto!* Et les deux autres, qui accouraient derrière lui, étaient Julius, qu'il fût béni, et Gregorio.

Comment l'avaient-ils retrouvé?

Grâce à son cheval.

Et, au nom du Ciel, que faisait là Lionetto? La réponse était facile. Il cherchait Nicholas. Lionetto, lui aussi, avait de bonnes raisons de vouloir tuer Nicholas.

Il ne pourrait pas lutter contre deux hommes à la fois. Et Julius et Gregorio auraient beau courir à toutes jambes, ils ne seraient pas à temps près de lui. Il allait donc mourir. Non pas d'une bonne correction mais de ce qui était l'équivalent dans le monde des adultes, de ce dont on écopait lorsqu'on se mêlait des affaires d'adultes.

– *Traître!* hurlait Lionetto. *Fils de pute! Excrément de coquin!* Alors, on vole l'argent d'un soldat! On trompe sa confiance! On vide sa bourse et on le trahit! Mais oui, fais donc tout ça. Mais pas à Lionetto. Pas à Lionetto, mon ami.

Le capitaine Lionetto était arrivé. Il se dressait, l'épée en main, troisième sommet d'un triangle formé par lui-même, par Nicholas et par la brillante silhouette de Jaak de Fleury. Le marchand, tout en gardant un œil sur Nicholas, recula légèrement. Nicholas, lui, observait Lionetto.

Mais le regard de Lionetto restait fixé sur Jaak de Fleury. Il reprit :

– Je ne voulais pas le croire. Des rumeurs, pensais-je. Mais je me suis dit que j'en aurais le cœur net, avec tout cet argent que j'avais encore envoyé. L'argent du pape. Tout ce qui me venait du butin. Et voilà que ton agence de Milan était fermée. Ton homme de confiance, Maffino, s'était sauvé. Pas d'argent. Plus d'argent pour Lionetto.

Il sourit. Son nez s'élargit, brilla de tous ses feux dans sa peau squameuse.

— Je me suis donc enquis de mon argent à Genève. De tout mon argent. De toutes ces bonnes pécunes que j'avais placées. Et que me répond-on? Là aussi, tout a disparu. Tout. Et pourquoi?

Le dernier mot fut prononcé d'une voix douce. En même temps, le bras droit de Lionetto se détendit d'une saccade. Une tache de sang apparut sur l'épaule de Jaak de Fleury. Le marchand émit un juron confus, sauta en arrière, l'épée haute.

Lionetto abaissa la sienne.

— Pourquoi? Le duc de Savoie, me dit-on, a ordonné à Jaak de Fleury de lui remettre l'épargne de Lionetto. C'est ce qu'on voudrait me faire accroire. Mais Lionetto est-il né d'hier? Non.

Une fois de plus, il fit un mouvement. L'épée jaillit. Elle pirouetta autour de celle du marchand, alla toucher le bras de celui-ci, y pénétra.

— Je crois que tu as tout mon argent, dit Lionetto.

La teinte rose répandue sur le visage de Jaak de Fleury s'était altérée, comme si l'on y avait mêlé une petite mesure de guède diluée. Il haletait.

— Non, fit-il. Bien entendu, je ne l'ai pas. Tout est de votre faute. Vous avez changé de camp. Vous êtes passé de Piccinino au service d'Aragon. Les Français l'ont appris. Ils ont donné des ordres. Tout ce que vous possédiez devait être confisqué. Savoie me l'a ordonné.

— Vraiment? dit Lionetto.

Il avançait d'un pas dansant. Le marchand recula.

— C'est possible. Mais, naturellement, tu as touché une compensation.

— Non! protesta Jaak de Fleury. Ils avaient promis. Ils n'ont pas payé. J'avais tout investi. Le retrait a provoqué ma faillite. Je suis un failli.

— C'est ce que je vois, dit Lionetto.

Son épée partit sur un tour de main. Une pierre précieuse sauta du col du marchand.

— Plus un sou, dit Lionetto. Alors, où est mon argent?

Nicholas intervint.

— C'est vrai. Le roi de France a ordonné à Savoie de tout confisquer. Il est bel et bien failli. Il vit de l'argent des Charetty.

Lionetto se retourna.

— Plus d'argent?

— Non. Laissez-le en paix, dit Nicholas.

Julius protesta.

— *Nicholas!* Il avait l'intention de te tuer!

– Tiens! fit Lionetto. Et pourquoi essayait-il de tuer mon petit Nicholas? Peut-être vais-je l'épargner. Je ne dédaignerais pas, moi-même, de tuer Nicholas de temps à autre. J'ai failli tuer votre médecin, je vous l'ai dit? je l'ai rencontré en venant vers le nord. Votre docteur Tobias. C'était l'argent qu'il apportait qui m'a poussé à quitter Piccinino. Mais il m'a fait comprendre qu'il ne me voulait pas de mal. Il m'avait rendu riche, c'est vrai. Seulement, je ne le suis plus, n'est-ce pas? Et par la faute de qui?

Jaak de Fleury n'était pas un poltron. Encore debout, le souffle court, il déclara :

– Je ne vois aucune bonne raison de poursuivre cet entretien.

Il leur tourna le dos, s'éloigna.

Mais Lionetto, lui, était un mercenaire.

– Moi non plus, mon cher monsieur, dit-il.

Sans se presser, il fit trois pas à la suite du marchand, lui enfonça son épée dans le dos.

Debout, jambes écartées, au-dessus du corps athlétique étendu de tout son long, il en tira son arme, l'examina avant de l'essuyer soigneusement sur une touffe d'herbe.

– Vous avez tous observé, j'espère, ce qui s'est passé, dit-il. Ce pauvre Nicholas luttait pour sa vie quand je l'ai sauvé. Que font ici tous ces gens?

– Ils vous ont regardé sauver Nicholas, dit Julius.

Lui aussi avait une respiration un peu précipitée.

– Avez-vous affaire urgente à Bruges? demanda-t-il.

Lionetto jeta un coup d'œil autour de lui, se renfrogna en rencontrant le regard de Nicholas.

– Plus maintenant, répondit-il. N'ai-je pas eu certaines raisons de me plaindre de vous aussi?

– Oui, c'est vrai, dit Nicholas. Mais un autre a pris votre place pour combattre contre moi. Je crois que nous pouvons considérer l'affaire comme réglée.

Lionetto se contenta d'un grognement.

– Avez-vous gagné? demanda-t-il.

– Non, j'ai perdu.

Le regard farouche du mercenaire balaya le champ, au-delà de Jaak de Fleury. Un homme mort gisait d'un côté du mur, un autre de l'autre côté.

– Eh bien, apparemment, vous avez à présent trouvé le tour de main. S'il vous plaît de vous parer de la mort du vieux, je ne vous contredirai point. J'ai besoin d'une pièce de monnaie pour trouver à me loger à Gand.

– Prenez ma bourse, dit Gregorio, en la lui lançant.

Lionetto l'attrapa au vol, dévisagea l'homme de loi. Les deux autres en faisaient autant. Lionetto eut un large sourire.

– Je vous ai rendu service, hein? fit-il. Eh bien, ne l'oubliez pas. Je pourrais bien un jour en vouloir un autre en retour. Demoiselle?

Il s'inclinait devant quelqu'un qui sortait de la foule assemblée de l'autre côté de la rue. Après quoi, il remit son épée au fourreau et s'éloigna, le chapeau à la main.

La personne qui s'avançait était Marian de Charetty.

– Oh, Jésus Christ, fit Julius.

Gregorio, qui suivait des yeux Lionetto, se retourna.

– Elle a vu, je crois, qui avait commis le meurtre, dit-il. Peut-être Nicholas...

Celui-ci demanda :

– Pourriez-vous... Peut-être pourriez-vous disperser la foule et aller chercher les gens qui doivent connaître la nouvelle? je vais ramener la demoiselle à Spangnaertstraat.

Son cœur, après le combat, battait à coups sourds. Ses mains tremblaient. Il luttait contre un début de vertige. Demeuré à la même place, il rassembla ses esprits dans toute la mesure du possible. Jamais il n'avait vue Marian de Charetty vêtue d'une manière plus stricte : sa robe était serrée sur les poignets et autour du cou, et, sous le bord de son chapeau, un voile lui enveloppait les oreilles et le menton. Les yeux d'un bleu brillant s'enfonçaient dans des orbites plus foncées. Ses lèvres et ses joues étaient dépourvues de toute couleur.

Parvenue près de lui, elle leva la tête, demanda :

– Il t'a fait mal?

Là où se trouvait Nicholas, il y avait du sang sur l'herbe. Il se rappela la lame plantée dans son dos. Ce n'était qu'une blessure en séton, dont le sang avait été vite étanché.

– Non, répondit-il. Julius et moi... nous vous apportons une mauvaise nouvelle.

– J'ai perdu Felix, dit-elle.

Il n'y avait pas de larmes dans ses yeux.

– Il avait grandi, reprit Nicholas. Brusquement. Il m'a aidé à régler l'affaire de Milan et il a tenu à aller se battre à Naples. Il s'est battu, et fort bien. Astorre vous le dira. Après quoi, au lieu de rentrer chez lui, il a préféré rejoindre l'armée d'Urbino. Le comte d'Urbino et Alessandro Strozzi. Ils se battaient à l'est.

– Je sais, dit-elle. Dans les Abruzzes. Tu y étais?

– Il a même eu la chance de participer à un tournoi, précisa Nicholas. Il a gagné. Et il était très heureux. Il est mort juste après ça, sur le champ de bataille. Il a été touché par un carreau d'arbalète. Tout s'est passé très vite. Nous l'avons enterré sur place.

Il la vit tressaillir. Elle ne voulait pas avoir tout de suite des détails. Elle se tourna vers l'autre mort qui gisait sur l'herbe.

– Il voulait mon commerce, dit-elle.

– Il détestait les Charetty, déclara Nicholas. Il détestait les femmes, je crois. Thibault s'est marié deux fois, et il le méprisait. Il méprisait votre sœur et ma mère. Il ne vaut pas la peine qu'on pense à lui.

– Non. Plus tard, reprit-elle, tu m'en diras davantage. Où il est enterré. Et... Oh, les petites. Elles ne sont pas à la maison.

– Nous pouvons tout de suite aller les chercher.

La maison de Spangnaertstraat, transformée depuis l'incendie, était inconnue de Nicholas mais familière aux autres. Tilde et Catherine, quand on les ramena, ne montrèrent pas la réserve de leur mère et s'abandonnèrent à ses consolations. Envers Nicholas, elles se comportèrent comme au temps où il était un compagnon familier. Son mariage avec leur mère aurait pu ne jamais exister.

Marian de Charetty se conduisait, elle aussi, comme si son rôle de veuve n'avait jamais changé. Elle connaissait Claes depuis dix ans. Elle avait mis Felix au monde, l'avait nourri. Elle avait vu Cornelis s'attendrir enfin, dans son orgueil devant son enfant, son fils.

Nicholas se rendit compte de tout cela. Sans imposer sa présence, il s'occupa de réparer les dégâts de la journée.

Il abandonna le soin de l'affaire de Jaak de Fleury aux deux avocats qui semblaient ne pas redouter de complications dans un tel cas d'attaque sans provocation. On emmena le corps. Gregorio, toujours efficace, se chargea de congédier les quelques serviteurs de Jaak. Le peu qu'il avait possédé irait à son frère.

Avec circonspection, sans déranger ni la demoiselle ni ses filles, Gregorio et Julius, à eux deux, enlevèrent tous les petits objets précieux, acquis avec l'argent de la demoiselle, qui avaient commencé de s'accumuler. Échangés contre de l'argent, ils reviendraient sur son compte. Vers la fin de la journée, les effets du voyage se firent sentir sur Julius, et il fut reconnaissant à Gregorio de lui conseiller d'aller se mettre au lit.

Nicholas travaillait sans relâche. Gregorio passa le voir, s'entendit ordonner de rentrer chez lui. Il obtempéra. La famille en deuil avait toute sa sympathie, mais il n'était pas marié avec sa patronne.

La demoiselle était au courant de ce qui se passait. De temps à autre, un Henninc rendu à peu près muet ou tout autre membre de sa maisonnée apparaissait pour transmettre une offre d'assistance ou pour annoncer une visite. Elle remerciait poliment mais trouvait que sa place, ce jour-là, était auprès de ses filles.

Elle fit monter le souper de ses enfants dans sa propre salle, sans songer à le partager. Les deux petites s'attelèrent au repas avec tout l'appétit de la jeunesse. Elles se remettaient déjà. Dès le lendemain ou le surlendemain, elles voudraient tout savoir de la bataille et du tournoi.

512

Plus tard, après les avoir mises au lit, elle entendit Tilde pleurer. Elle s'installa auprès d'elle jusqu'au moment où la jeune fille finit par céder au sommeil. Alors, elle se dévêtit à son tour, passa sa robe de nuit et alla s'installer dans la chambre de maîtres, devant la fenêtre sans volets. Elle désirait la présence de Cornelis.

Elle avait tort : Cornelis aurait terriblement souffert. Son fils. Son héritier. Elle avait simplement perdu son petit.

Avec tendresse, elle se souvenait de Cornelis. Il s'était montré aussi bon époux qu'une femme pouvait s'y attendre. Quand son père avait fait banqueroute, *faute van den wissele*, comme Jaak de Fleury, Cornelis avait repris l'entreprise, lui avait rendu sa prospérité. Jamais il n'avait ennuyé Marian avec les détails. Elle était là pour s'occuper des enfants et de la maison.

Il en irait toujours de même, si Cornelis n'était pas mort. Certes, elle se sentait parfois solitaire. Très solitaire, ce soir. Seules, Tilde et Catherine connaissaient Felix comme elle l'avait connu et elles étaient trop jeunes pour la consoler. Comme l'étaient les amis de son fils. Avec une soudaine gratitude, elle évoqua Margriet Adorne. Elle avait, elle aussi, des amis de son âge, qui la comprendraient. Demain. Après une nuit de souffrance.

Dans la chambre de Felix, elle le savait, se trouvait un coffre qui contenait tout ce qui avait appartenu à Felix et un heaume orné d'une plume rouge et d'une tête d'aigle. Elle l'avait découvert seule. La personne qui l'avait rangé là ne l'avait pas mis sous clé. Les membres adultes de sa maisonnée la traitaient aussi en adulte, capable de faire face à une crise et de demander de l'aide si elle en avait besoin. Elle prit conscience d'avoir eu, à tout instant de la journée, quelqu'un qui était resté dans les parages, où qu'elle fût occupée. Quelqu'un qui ne lui parlait pas, pas nécessairement dans la même pièce qu'elle, mais toujours à portée de voix. Nicholas, surtout.

Jusqu'à présent, elle n'avait pas vraiment songé à Nicholas. Pendant son absence, il lui avait manqué. Sa force, sa compréhension. Au plus secret d'elle-même, elle lui en avait voulu de les avoir abandonnés, elle et ses établissements, tout comme, pensa-t-elle, elle en voulait jadis à Cornelis, lorsqu'il se rendait à Anvers et la laissait seule pour affronter une difficulté.

C'était pour la même raison qu'elle avait souhaité le retour de Nicholas. Non. Elle l'avait souhaité pour cette sorte de complicité dont elle tirait un plaisir quotidien. Éprouvait-il le même plaisir? Elle l'ignorait. Ce qu'elle savait, c'était qu'il s'était découvert du goût pour les affaires et comptait en tirer avantage. Sans doute, aurait-il pu, s'il l'avait voulu, rentrer discrètement dans l'anonymat. Il avait préféré aller de l'avant et s'engager vis-à-vis d'elle et de la compagnie Charetty.

A quoi pouvait-il bien penser, ce soir-là? Il n'avait pas appris la mort de Felix dans la cour, parmi les bonnets de laine, les peaux tachées de couleurs, les tabliers puants. La manière dont Felix avait rencontré la mort avait à voir avec lui. C'était à la fois un sentiment de culpabilité et la sollicitude qui l'avaient poussé à entraîner Julius dans cette vertigineuse randonnée, afin de lui communiquer la nouvelle en la ménageant le plus possible.

Par malheur, son arrivée avait amené Marian à apprendre la mort de Felix de la façon la plus brutale qui fût. Quelle que fût son opinion d'Esota, il avait appris sa mort en chemin. Il avait entendu annoncer la ruine de Jaak de Fleury. Or, il avait vécu avec l'une et l'autre et il avait survécu à toutes les cruautés sans amertume apparente. Ce n'était pas sa faute si Jaak de Fleury était mort : c'était Lionetto qui l'avait tué. Mais il avait compris, ce jour-là, que sa vie, tout comme son bonheur, n'avait aucune valeur pour Jaak. Et, ce jour-là, il avait tué. Nicholas, qui émergeait tristement de la Steen, le dos strié de zébrures toutes fraîches, mais le front sans nuages, Nicholas, ce jour-là, avait pris deux vies.

Les hommes qui partaient pour la guerre ne restaient pas des marchands. Nicholas, tout comme Felix, avait appris à tuer. Et l'un des deux avait payé le prix.

Elle demeura longuement plongée dans ses pensées. La maison était silencieuse. Un peu plus loin dans le couloir, la belle chambre qu'avait choisie Jaak de Fleury était fermée, la clé tournée dans la serrure, toutes ses possessions empilées dans la pièce vide. Plus loin encore, c'était la chambre que Nicholas occupait depuis le jour où Gregorio et lui avaient installé leur étude dans cette maison, avant la nuit de l'incendie. Il n'en venait aucune lumière, mais la porte était ouverte.

Elle l'était déjà lorsqu'elle était passée devant. Elle comprenait pourquoi. Il était celui qui lui avait enlevé Felix. Il était son époux. Il n'était ni l'un ni l'autre. Il n'y avait aucun rôle pour lui dans cette tragédie, à moins qu'elle ne voulût lui en donner un.

Le voulait-elle? Ce soir-là, elle se souvenait de sa famille, de Cornelis et de Felix, de Tilde et de Catherine. Elle avait beau connaître depuis longtemps le petit Nicholas, il ne faisait pas partie de ce cercle étroit. L'y introduire constituait une sorte de trahison. Pour Felix, il avait été, comme Julius, un mentor, un précepteur si l'on voulait. Pour Cornelis, il avait été un apprenti. A elle, il avait montré le visage de l'intendant idéal, loyal, travailleur, plein de prévenance.

Dehors, dans la rue, quelqu'un passa avec une lanterne. La faible lumière balaya sa chambre, sema de losanges ses mains et sa robe. Sa chevelure, lovée sur ses genoux, miroita un bref instant. Elle baissa les yeux, la lissa.

Je suis stupide, pensait-elle. Gregorio est un intendant idéal.

Julius est loyal, travailleur, plein de prévenance. Mais j'ai amené Nicholas à m'épouser. C'est moi, alors, qui suis devenue l'enfant, et lui, le père.

Elle pensait : Maintenant, je n'ai plus d'autre enfant. Et il n'a personne, lui non plus, pour comprendre ce qu'a été cette journée.

La porte était toujours ouverte lorsqu'elle s'engagea dans le couloir en abritant de la main la flamme de sa chandelle. Il se reposait, comme elle l'avait fait, près de sa fenêtre, mais tourna la tête au bruit de ses pas. Elle s'approcha de la fenêtre, pencha le visage vers lui pour lui laisser voir ses yeux secs, son sang-froid devant les petites choses.

Il ne se leva pas, et elle en fut touchée. Mais ses traits se détendirent légèrement.

Elle avait l'habitude des époux, des enfants. Elle savait comment apporter le réconfort et, en même temps, le recevoir. Elle vit qu'il devinait ce qu'elle allait faire juste avant l'instant où elle souffla sa chandelle, la posa et ramena autour d'elle les plis de sa robe pour s'asseoir après de lui.

La lumière était suffisante pour voir où reposait la main de Nicholas. Elle la prit doucement dans les deux siennes.

Il dit :

– Je ne savais pas ce que vous vouliez.

Elle répondit :

– J'ai besoin de quelqu'un qui ait besoin de moi.

Elle était plus sage qu'elle ne le pensait. Dans ce domaine au moins, constata-t-elle, elle était la plus forte. Comme elle le faisait avec Tilde ou avec Catherine, elle le prit entre ses bras pour le consoler.

Mais il n'était pas Tilde, ni Catherine, et elle était, de son côté aussi, perdue, déroutée, douloureuse. L'étreinte de Nicholas, tendre comme la sienne, contenait autre chose, un élément que, reconnut-elle, il maîtrisait en silence. Elle leva alors les mains qu'elle tenait dans les siennes, les fit passer dans le flot lourd, tiède et brillant de sa chevelure. Elle les ramena ensuite vers sa poitrine, vers le creux où s'attachait sa robe de nuit.

– Nicholas ?

Il dégagea vivement ses doigts mais les laissa sur le vêtement. Dans son anxiété, il s'exprima en français :

– Réfléchissez.

– Non, dit Marian de Charetty. Ne réfléchis pas.

39

Comment et où Marian de Charetty passa la nuit de son second deuil n'échappa pas aux curiosités. Tilde, sa fille, dérangée par quelque bruit, se leva avant l'aube et trouva vide la chambre de sa mère. Nicholas avait fermé sa porte. Tilde s'arrêta un instant devant le battant et entendit alors la voix de sa mère. Elle ne saisit pas les mots, qui s'interrompirent, comme si Marian était hors d'haleine, comme Tilde elle-même, et comme si elle pleurait. Mais le sanglot n'exprimait pas une souffrance. Tilde courut se blottir dans son lit, où elle se mit à pleurer, pas comme sa mère, comme Catherine.

Au cours des jours qui suivirent, la maisonnée entière finit par savoir ce qui s'était passé : ni la demoiselle ni son époux ne cherchaient à faire accroire que la chambre conjugale n'était pas partagée. Durant le jour, la maison appartenait au drap noir, aux tailleurs, au deuil. Le soir venu, la demoiselle acceptait le réconfort qui lui appartenait légalement. Ses serviteurs, naguère, auraient pu en éprouver gêne ou ressentiment et donner libre cours à des plaisanteries obscènes ou même à l'hostilité. A présent, ils excusaient, ils pardonnaient. La mort de Felix avait tout changé.

Julius, consumé de curiosité, vit évoluer la situation. Non seulement le mariage était accepté par Henninc et par les anciens camarades de travail de Claes, mais même les bourgeois avec lesquels ils étaient en affaires semblaient l'avoir admis, comme ils l'avaient montré avant même ce nouveau développement. Julius en parla à Gregorio et apprit, de la bouche de l'autre notaire, un peu de la manière dont l'union s'était conclue. Il demeurait plutôt méfiant à l'endroit de Gregorio : c'était le droit de tout homme qui se trouve devant quelqu'un qui exerce la même profession. Mais il appréciait ce qu'il avait vu lors de la mort de Jaak de Fleury et, au cours des obligations déplaisantes qui avaient suivi l'événement, il avait trouvé en Gregorio un partenaire laborieux et dépourvu de prétention. Par la suite, durant les heures passées à étudier les registres, il avait dû reconnaître que l'homme était mieux que compétent. Il lui arrivait encore de penser qu'il y avait autre chose que de la compétence derrière le déconcertant regard sombre. Mais il découvrit que Gregorio avait une maîtresse nommée Margot et comprit alors qu'il s'agissait d'un homme comme les autres. La jeune femme était en même temps bonne cuisinière. Après une invitation impromptue de Gregorio à venir faire sa connaissance, il se demanda pourquoi il avait l'impression que son collègue était secrètement très amusé.

Aux yeux du reste de Bruges, Nicholas, naturellement, était le nouveau héros. Tout le monde savait à présent quel coquin fieffé avait été Jaak de Fleury. Plusieurs personnes s'en étaient douté dès le début, quand l'homme était apparu d'une façon si étrange, pour prendre la tête des affaires de la demoiselle en prétendant qu'elles devaient lui revenir. Nicholas et Julius, à eux deux, détenaient les documents nécessaires pour prouver qu'il n'en était rien, et que, mieux encore, il escroquait la pauvre veuve depuis des années. Et les serviteurs du jeune Felix, lorsqu'on les questionnait, étaient tout prêts à raconter comment et pourquoi Nicolas avait éloigné Felix de monsieur Jaak, à Genève, et combien Nicholas et le jonkheere Felix s'étaient bien entendus à partir de ce moment.

Tout le monde, certes, regrettait ce qui était arrivé au jonkheere, mais l'on était d'accord pour dire que sa ville et sa famille pouvaient être fiers de lui : il s'était battu pour le roi Ferrante et il avait remporté des lauriers au cours d'un grand tournoi dans les Abruzzes. Il était seulement dommage que la joute n'eût pas eu lieu ici, afin qu'il pût être acclamé par ses propres amis. Mais, si un jeune homme devait périr, y avait-il plus belle mort ?

Quant à Nicholas, qu'on connaissait naguère sous le nom de Claes, qui l'eût cru ? Il avait tenu tête à deux hommes armés, les avait tués, avant de se battre jusqu'à la mort contre ce bandit de Fleury, et peu importait qu'un autre homme l'eût achevé. Et il prenait tant de soin de son épouse, c'était à n'y pas croire, tout en faisant pleuvoir sur elle tout l'argent qu'il avait gagné en Italie. Oui, Nicholas était un brave garçon.

La seule personne qui ne semblait pas disposée à s'extasier était Nicholas. Il passa une matinée confuse à se faire féliciter et à recevoir sur son dos bandé des claques enthousiastes, avant de chercher refuge, en désespoir de cause, dans le travail. Julius et Gregorio partagèrent sans protester de longues heures de labeur et une succession de rencontres âprement discutées. Les décisions prises par Jaak de Fleury furent corrigées ou annulées, d'autres instituées à leur place. Le service de courrier fut examiné, renouvelé, réorganisé. Tout ce qu'avait fait

Gregorio depuis avril fut assimilé, y compris le programme d'achats sur les galères de Flandre. Et les rendez-vous les plus importants commencèrent avec Bembo et les marchands vénitiens.

Dans moins d'une semaine devait parvenir de Venise l'autorisation d'achat, par les Charetty et les marchands génois, de la quantité d'alun convenue sur la cargaison des galères de Flandre. Le transaction ne serait pas importante, mais le principe serait établi. La prochaine fois qu'un navire en provenance de Constantinople jetterait l'ancre, les nouveaux entrepôts de la demoiselle commenceraient à se remplir. Même si les autorités découvraient dès demain le nouveau gisement...

Les seules personnes, à Bruges, qui ne semblaient pas satisfaites de Nicholas étaient toutes les filles qu'il avait fréquentées naguère : sans doute avaient-elles espéré qu'il se lasserait de la veuve et repartirait à la chasse. Un jour, Julius avait passé quelques moments à une réception fort distinguée où se retrouvaient des personnages de Veere. Personne, pensait-il, n'avait rien à lui reprocher, jusqu'au moment où il vit l'expression venimeuse peinte sur le visage d'une jeune personne replète. Il reconnut en elle la plus jeune des filles Borselen. Nicholas, qu'elle dévisageait fixement, lui rendit un regard impassible, ce qui était l'un de ses tours les plus courants, à l'époque. On ne pouvait plus repérer Nicholas au bruit des rires de ceux qui l'entouraient. Mais, bien entendu, il n'en était pas question, quand on se rappelait ce pauvre Felix.

Au milieu de tout ceci, arriva des Abruzzes le docteur Tobias, avec son crâne chauve. Sans doute avait-il réussi à raccommoder le comte Federigo et tous ceux de ses combattants qui pouvaient encore guérir. Comme Julius lui-même, Tobie était teint d'un brun rouge par le soleil d'Italie. Il se montra impressionné par la maison de Spangnaertstraat que, comme Julius, il n'avait pas encore vue. Par Gregorio, aussi, qui était pour lui un personnage nouveau. Voir Gregorio et Tobie se soupeser du regard était un spectacle qui réjouissait plutôt Julius. A son avis, ils pourraient faire des adversaires de même force.

Nicholas n'était pas là. Tobie eut un entretien en tête à tête avec la demoiselle : à propos d'Astorre et de ses quartiers d'hiver, de la liquidation du contrat et, sans doute aussi, du recrutement par Nicholas de Tobie, pour son entreprise d'exploitation de l'alun et sa part dans cette entreprise. De tout le reste de ceux qui les connaissaient, le médecin était probablement celui qui avait montré le moins d'intérêt pour leur mariage, mais c'était sans doute parce qu'il avait à peine rencontré la demoiselle. Après tout, leur précédente et unique entrevue datait de dix mois, quand il avait demandé à rejoindre Astorre au lieu de Lionetto.

Il sortit de l'entretien apparemment indemne, et, à la

manière dont il entra dans l'étude, il avait évidemment toutes les raisons de croire qu'il appartenait à l'endroit. Les commis et les scribes n'étaient pas là, mais la pièce avait une allure éminemment pratique, avec ses tables, ses étagères, son désordre organisé.

Tobie regarda autour de lui, salua d'un signe de tête Julius et Gregorio.

– Où est le jeune maître? demanda-t-il.

Julius fronça les sourcils. Gregorio répondit, d'une voix qui avait toute la sonorité d'un orgue :

– Vous découvrirez que, dans cette maison, le jeune maître est mort. Nicholas sera bientôt de retour. Il préside, non sans quelque répugnance, aux obsèques d'un grand-oncle.

Tobie passa une main sur son crâne chauve, ce qui délogea son bonnet noir sans ornement.

– J'ai moi-même failli être enterré. Voilà pourquoi je ne me suis pas précisément hâté de revenir. Mon précédent capitaine m'a dépassé sur la route et a voulu prouver que je l'avais délibérément ruiné. J'ai préféré le mettre sur la piste de Jaak de Fleury.

– Il l'a trouvé, fit ironiquement Gregorio. Si toutefois votre précédent employeur était Lionetto.

Tobie et Gregorio, remarqua Julius, se dévisageaient.

– C'est Jaak de Fleury qu'on enterre? demanda Tobie.

Gregorio hocha doucement la tête.

– Tué par Lionetto. Qui est parti en toute hâte le même jour. Il doit regretter d'avoir changé de camp. S'il était resté avec Piccinino, rien de tout cela ne serait arrivé.

– Laissons là Lionetto, dit Julius. Avons-nous obtenu une nouvelle condotta?

Tobie se tourna vers lui.

– Oh, oui, dit-il. Du moins nous en a-t-on offert une. Astorre est le capitaine préféré de tous, depuis qu'il est sorti sans dommage de Naples pour se précipiter aux pieds d'Urbino. La campagne de cette année contre Piccinino est terminée. Urbino, lui aussi, a accepté de renouveler le contrat. Il emmène son armée au nord de Rome, à Magliano, afin qu'Alessandro et lui puissent voir le pape pour Noël. Astorre l'accompagnera, en attendant de savoir ce que nous... ce que la demoiselle a prévu pour lui.

– Si vous entendez par là Nicholas, dit Julius, pourquoi ne pas le nommer?

Nicholas entra au même instant sans paraître avoir rien entendu. Il se tourna vers Tobie et le salua.

Les yeux de Tobie lui rendirent son regard : ils étaient ronds et pâles, piqués au centre d'une vilaine tache noire : une fouine voyait des yeux comme ceux-là quand un vautour plongeait sur elle. Tobie demanda :

– Qu'est-ce que cette histoire à propos de Jaak de Fleury?

– Il est mort, répondit Nicholas. Qu'est-ce que c'est que cette histoire à propos d'Astorre et d'un nouveau contrat?

Il obtint sa réponse mais ne fit pas d'effort pour amener Tobie à parler affaires quand il y avait des sujets de conversation beaucoup plus intéressants. A son habitude, ces temps-ci, Nicholas lui-même écoutait, au lieu de parler d'abondance. Mais Julius, plongé dans un bain de nouvelles et de rumeurs, bavarda avec les deux autres durant toute l'heure de la pause de midi. Il ne s'interrompait que pour recevoir les gens qui se bousculaient pour offrir leur sympathie à la mère de Felix. Après avoir vu la demoiselle, ils venaient toujours ouvrir la porte pour parler aux amis de Felix.

On avait déjà reçu la visite de Sersanders, de John Bonkle, de Colard Mansion – qui voulait des nouvelles de Godscale – et même de Tommaso Portinari, lui, n'était pas du cercle des intimes de Felix mais semblait éprouver un désir involontaire de cultiver Nicholas. Il avait demandé à Nicholas tous les détails du tournoi et de la bataille de San Fabiano, et Nicholas lui avait tout raconté.

Apparemment, remarqua Julius, les amis de Felix ne semblaient pas en vouloir à Nicholas de ce qui était arrivé, mais chacun était très désireux de savoir ce qu'avait été le combat. Après avoir été si souvent conté, le récit de Nicholas était devenu plutôt tronqué, mais Julius était en mesure d'y ajouter des précisions. Il connaissait aussi tout un lot de bonnes histoires à propos de Sarno. Toute cette activité était pour lui plutôt stimulante, et il en avait un peu honte. Mais, après tout, les morts ne devaient pas être oubliés. Il fallait parler d'eux.

Il le fit, pour Lorenzo Strozzi, qui passa juste après l'arrivée de Tobie. Lorenzo voulait des nouvelles de son frère, à Naples. Il cherchait l'assurance que le roi Ferrante allait conserver son trône, et que les affaires des Strozzi demeureraient en sécurité. Julius, en sa qualité de déposant, en était aussi désireux que lui. Lorenzo se répandit alors sur la mesquinerie des Strozzi de Bruges, et la nécessité pour les Charetty, en pleine expansion, de trouver de jeunes et brillants facteurs. Ces propos ne soulevant pas de réaction, il revint au sujet de Felix. Nicholas lui raconta la bataille. Lorenzo, enfin, prit congé. Sur le seuil, il se retourna vers Nicholas.

– Je te suis redevable pour avoir fait revenir cet oiseau.

Pendant un instant, Nicholas ne parut pas comprendre. Il demanda finalement :

– L'autruche? Où est-elle?

Sur le visage mélancolique de Lorenzo se peignit un sourire des plus rares.

– C'est Tommaso qui l'a, dit-il. En Bretagne, on la nourrissait de coquillages. Elle est arrivée en piètre état, et il s'efforce de la remettre en forme pour qu'elle franchisse les Alpes avant l'hiver. On m'a payé.

– Tant mieux, fit Nicholas.

– Est-ce là tout? questionna Julius, au moment où la porte se refermait. S'il faut en croire Loppe, Felix lui avait conté une histoire...

– Oui, je sais. Laissons d'abord Tobie achever.

Tobie reprit donc son discours et n'était encore qu'à mi-chemin lorsqu'ils durent tous se lever : la porte s'était rouverte sur Giovanni Arnolfini, le marchand de soie lucquois, chargé de velours noir pour la demoiselle. Un présent du sérénissime et très excellent dauphin, afin de réconforter une mère doulou-reuse et la consoler de la perte d'un jeune fils plein de bra-voure.

Ils parlèrent de Felix. Nicholas raconta la bataille. Après le départ d'Arnolfini, Tobie demanda :

– Pourquoi ne pas fermer à clé cette diable de porte?

– Parce que, répondit Gregorio, la cloche tellière ne va plus tarder à sonner pour appeler nos gens au travail. Je n'ai pas encore mangé : je propose que meester Tobias se joigne à nous? Si la demoiselle consentait à nous excuser.

– Allez-y tous les trois, dit Nicholas. Je vais la prévenir. Je vous retrouverai plus tard.

Il se leva, sortit. Tobie et Gregorio, qui ne se connaissaient pas, échangèrent une fois de plus un coup d'œil.

Julius connaissait l'aubergiste de longue date. Il le persuada de couvrir la table de nourriture, en l'honneur du chirurgien, et d'y ajouter autant d'excellent vin du Rhin qu'il pourrait en boire. Mais, en fin de compte, Tobie, au lieu de boire outre mesure, réclama un compte rendu complet des motifs qui avaient amené Jaak de Fleury à Bruges et de ce qui lui était arrivé.

A la fin du récit, il resta un moment silencieux, avant d'avaler tout à coup une énorme rasade de vin.

– Et comment Bruges a-t-elle pris toute l'histoire? demanda-t-il. Condamne-t-on Nicholas?

– Le condamner! se récria Julius. Il s'est enfin racheté. Vous ne pouvez pas vous rappeler. Jamais il ne tenait tête à per-sonne. Et, maintenant que la demoiselle et lui...

Gregorio intervint, un peu précipitamment.

– Les marchands, eux aussi, en sont venus à accepter le mariage. Nicholas jouit d'une bonne réputation. Suffisante pour faire tout ce qu'il veut en affaires.

Tobie, sans lui prêter attention, regardait toujours Julius qui se sentit rougir.

– Je vois, fit le médecin. Et que veut-il faire? Vous l'a-t-il déjà dit?

– Bah, dit Julius, il n'est pas encore question, pour l'instant, que Nicholas prenne la direction de l'entreprise. Une fois passé l'accord sur l'alun, on nous demandera à tous, je suppose, de participer aux projets d'avenir. Tout ce que je suis en mesure de vous dire, c'est que nous pourrions bien, à la saison prochaine, lever deux escadrons de plus pour Astorre, à présent que nous possédons les armes et l'argent nécessaires pour les équiper. Peut-être vous demandera-t-on, si ce n'est déjà fait, de redevenir le médecin d'Astorre. La teinturerie demeurera sous l'autorité de la demoiselle, mais la banque et les biens fonciers, telle la taverne de Felix, seront confiés à nos soins, à Gregorio et à moi, et peut-être développés.

– Et en ce qui concerne Nicholas? demanda Tobie.

– Il y a toujours le service du courrier, dit Julius. Il prend de l'ampleur. Nicholas le dirigera principalement depuis Bruges, mais il fera de temps en temps la route entre Bruges et Milan, afin de ne pas perdre de vue les intérêts des Charetty là-bas. Sans doute compte-t-il sur votre aide, à vous aussi, si vous êtes en Italie avec Astorre.

Il s'interrompit, regarda Gregorio, mais, apparemment, celui-ci n'était pas disposé à faire des commentaires.

– Et il ne vous a parlé de rien d'autre? insista Tobie. Rien à propos de navires, ou de l'installation de comptoirs à l'étranger, ou du commerce de la soie?

– *Des navires!* s'exclama Julius.

– Non, dit Gregorio. Rien de tout ça. Nous avons été fort encombrés de travail, ces derniers jours. Comme le disait Julius, nous ne nous sommes pas encore réunis pour débattre des projets. La demoiselle voulait probablement attendre votre retour. Et la question de l'alun est réglée. J'ai eu l'impression...

Il hésita.

– Quelle impression? dit Tobie.

– Que Nicholas attend quelque chose, acheva Gregorio.

– Et vous n'êtes pas inquiets?

– De quoi? demanda Julius.

– L'avenir de l'affaire, naturellement, déclara le médecin.

Il détacha de son faisan quelques fragments qu'il mit d'une main dans sa bouche, sans en rien perdre.

– Felix était, de nom, à la tête de l'entreprise. Il n'est plus là. La demoiselle en assume la charge. C'est une femme intelligente, capable, mais une affaire de cette étendue la dépasse. Jusqu'au mariage des deux filles, qui dirige la compagnie Charetty?

– J'aurais cru que c'était évident, dit Gregorio. Les trois hommes qui, ensemble, dirigeront le commerce de l'alun. Nous deux et Nicholas. Mis à part que Nicholas, en sa qualité d'époux de la demoiselle, occupe la position la plus forte.

– Il pourrait certainement se passer de nous, avoua Julius.

– N'est-ce pas? fit Tobie. Je pensais à tout ce que j'ai vu de

522

notre ami Nicholas. Aujourd'hui, j'ai écouté la demoiselle me parler de l'affaire. A mon avis, Nicholas n'a pas besoin de nous pour diriger quoi que ce soit. Il a besoin de nous pour l'aider, voilà tout. Que ça nous plaise ou non. Nicholas est le maître de la compagnie Charetty. Alors, quel effet cela vous fait-il ? Est-il le genre d'homme pour qui vous ayez envie de travailler ?

C'était précisément la question qui obsédait Julius. Il dit lentement :

– Je sais ce que vous voulez dire. Il est jeune.

– Il va tout juste avoir vingt ans, précisa Tobie. Autrement dit, jusqu'à dix ans de moins que le plus âgé d'entre nous. Ce qui signifie que, en dépit de tous ses dons, il n'a aucune expérience.

– Nous pouvons y suppléer, intervint Gregorio.

Il observait Tobie de très près.

– Et il l'acceptera, dit le médecin. Il est très doué pour suivre les conseils. Il s'y entend en organisation. Il s'est acquis la bienveillance de tous ceux qui l'avaient battu en se montrant gai, paisible, endurant et, par-dessus tout, dépourvu de toute rancune. Ce qui amène à prendre plaisir à travailler avec lui. En ce qui me concerne, je prendrais plaisir à travailler avec lui. Mais j'ai commencé de me poser des questions sur ce personnage soumis. Est-il sincère ?

Julius eut un large sourire.

– Avez-vous déjà vu Nicholas supporter une correction ? C'est une attitude sincère.

– Oh, il la supporte sur le moment, répliqua Tobie. Mais si, par hasard, il ne l'oublie pas immédiatement, comme vous semblez le croire ? Si tout affront, tout châtiment est enregistré en silence, parce que, en réalité, il s'agit là d'un personnage tout différent ?

– Je me suis posé la question, dit Gregorio.

– Oui. Moi aussi, approuva Tobie. Est-il vraiment ce qu'il a l'air d'être ? A partir de là, je me suis mis à remarquer certaines choses. La principale est celle-ci : toute personne me semblet-il, qui déplaît à notre ami Nicholas, notre ami Nicholas la détruit.

Julius cessa de manger. Gregorio dit :

– Oui. Nous devrions en parler.

Le temps plus chaud avait ramené toutes les mouches. Julius les écarta à grands gestes, se débarrassa de sa jaque, ouvrit le col de son pourpoint. Il se tourna alors vers Tobie.

– Voyons, de quoi parlez-vous ?

Le médecin posa l'os qu'il venait de nettoyer. Il passa les doigts dans la coupe emplie d'eau, les essuya sur sa serviette. Après quoi, il repoussa son assiette, prit à deux mains son gobelet de vin.

– Jaak de Fleury et Lionetto, dit-il.

Julius le dévisagea. Il se sentait en même temps furieux et oppressé.

– C'est ridicule, fit-il. Que lui reprochez-vous ? Il a tué deux serviteurs qui cherchaient à le tuer. Il n'a pas tué Lionetto et il n'a pas tué non plus Fleury bien que, Dieu m'en est témoin, il ait eu toutes les raisons de le faire. Tout ce qu'il a fait, c'est délivrer Bruges – et la compagnie – de toute cette bande.

– Je ne prétends pas un instant que les gens auxquels il fait du mal ne le méritent pas, rétorqua Tobie.

Le médecin prit son gobelet, but une longue gorgée, reposa le récipient. Son regard alla chercher Julius, puis Goro.

– Prenons Lionetto, reprit-il. Je n'aime pas Lionetto. A propos, il a trompé Nicholas, lui aussi, pendant l'inondation de la taverne. Et, plus tard, il a provoqué un combat avec Astorre, et Nicholas a failli y perdre la vie. Nous pouvons donc supposer que Nicholas, lui non plus, n'éprouve pas grande sympathie pour Lionetto. Voilà qui porte à croire que Nicholas serait heureux d'apprendre que Lionetto se battait dans l'autre parti de la guerre de Naples, sous les ordres de Piccinino.

– Il ne l'était pas, protesta Gregorio. Je me rappelle le jour où nous avons appris que Piccinino avait changé de camp. Ça n'a pas plu à Nicholas. Mais il s'est refusé à me dire pourquoi.

– Il ne se souciait pas de ce que faisait Piccinino, dit Tobie. Mais il voulait Lionetto de notre côté. Au point que, lorsque le pape a envoyé à Milan de l'argent pour acheter les désertions, Nicholas m'a demandé d'essayer de persuader le duc d'utiliser un peu de cet argent pour détacher Lionetto de Piccinino. Ce que j'ai fait. Et Lionetto est repassé du côté milanais.

– Pourquoi Nicholas aurait-il tenu à avoir Lionetto de notre côté ? demanda Julius.

– C'est la question que je me suis posée, précisa Tobie. Je me suis mis alors à me demander où Lionetto plaçait tout cet or qu'il recevait pour se laisser corrompre. Et devinez quoi ?

– Il le mettait en banque chez les Médicis, répondit Julius. Je me rappelle, à Genève, avoir entendu Nicholas plaisanter avec les Médicis à propos des bijoux en verre de Lionetto.

– Et il a encouragé Jaak de Fleury à désirer recevoir les futurs dépôts de Lionetto, dit Tobie. Bien entendu, Jaak de Fleury savait à quel point le métier de soldat peut être lucratif. Il gérait depuis longtemps l'argent du capitaine Astorre. Jusqu'au moment où Nicholas est entré en scène.

– Nicholas ? fit Julius.

Mais, déjà, les souvenirs lui revenaient.

– A Milan, reprit-il. Astorre a transféré sa clientèle chez les Médicis parce qu'ils lui offraient des taux extraordinairement intéressants... Mais comment Nicholas aurait-il pu influencer les Médicis ?

– Nicholas tenait les Médicis au creux de sa main, dit Tobie.

Il crée des écritures chiffrées et les déchiffre. C'est un informateur. Il y a des limites à ce que les Médicis accepteraient de faire pour lui, mais offrir des taux intéressants à un capitaine de mercenaires pour attirer sa clientèle est largement en deçà. L'argent d'Astorre était donc en sécurité, et Lionetto, qui méprisait son ennemi, et que courtisait Fleury, a transféré sa fortune chez Maffino, l'agent de monsieur Jaak à Milan. Quand c'est arrivé, Nicholas s'en est senti bien soulagé. Il a tout spécialement vérifié, en traversant Milan. Il me l'a dit.

Ce fut au tour de Gregorio de parler.

– Ainsi, Lionetto serait ruiné quand Jaak de Fleury ferait banqueroute ?

– Ainsi, corrigea Tobie, Jaak de Fleury ferait banqueroute. La cible, c'était Jaak de Fleury. Lionetto représentait simplement la pièce qui dirigerait le projectile selon l'angle exact.

Était-ce possible ? Julius dévisageait le médecin. Jaak, qui avait humilié, maltraité Nicholas l'enfant et Nicholas l'adulte. Celui-ci était-il capable de mettre au point une telle vengeance ?

– Vous ne nous avez pas dit, insista Gregorio, pourquoi Nicholas voulait Lionetto de notre côté et non pas du côté de l'ennemi.

Les yeux pâles de Tobie se posèrent sur Julius, revinrent à Gregorio. Sa petite bouche rose avait une moue boudeuse.

– Afin de pouvoir le trahir. Lionetto est français. Tout ce dont il était besoin pour le détruire, c'était de faire savoir en France que Lionetto se battait pour l'opposition et qu'il avait une grosse somme d'argent déposée à Genève dans une entreprise déloyale. Le roi de France n'a pas à se mettre en peine pour ruiner Thibault et Jaak de Fleury. Il lui suffit de confisquer l'important dépôt de Lionetto, et la maison de Fleury s'écroule sur l'heure.

– A vous entendre, dit Julius, Nicholas aurait pensé à ça. Comment aurait-il pu...

– Nicholas ne s'est pas contenté d'y penser : il a tout machiné, affirma Tobie. Il lui fallait une troisième personne pour dénoncer Lionetto au roi de France. Vous vous rappelez l'avalanche dans les Alpes ? Elle n'était pas prévue. J'ai vu naître l'idée dans l'esprit de Nicholas. Il a vu que le moine allait crier et il l'a encouragé. Un enfantillage qu'il a bientôt regretté. Mais plus tôt, à l'hospice, il avait glané certaines rumeurs. Et il savait, j'en jurerais, que, parmi ce groupe d'Anglais, se trouvait un officier du dauphin, le fils du roi de France et son pire ennemi.

« C'est alors que Nicholas et monsieur Gaston du Lyon ont fait connaissance, se sont parlé. Même sans l'avalanche, je n'en doute pas, ils en auraient trouvé le moyen. Ils se sont de nouveau rencontrés à Milan : j'y étais. Monsieur Gaston était censé s'intéresser au service du courrier au nom de son maître. En réalité, bien sûr, le dauphin avait l'espoir d'acheter des informations. Et Nicholas en aurait à vendre ou peut-être à troquer. Si, en échange, par exemple, le dauphin consentait, par l'entremise de ses relations de Savoie, à aider à livrer Lionetto à la France.

« Vous ne comprenez pas? questionna Tobie. Le dauphin serait enchanté de le faire pour toutes sortes de raisons. Il déteste son père. Il ferait revenir Lionetto du côté milanais. Et il envisagerait sans déplaisir d'aider à ruiner Jaak de Fleury. L'entreprise avait toujours favorisé le père du dauphin, même si, par avidité, monsieur Jaak n'avait pas refusé la clientèle de Lionetto. Ce fut donc ce que fit le dauphin. Il donna les ordres nécessaires. Gaston du Lyon lui-même se trouvait en Savoie, la dernière fois que Nicholas y est passé en compagnie de Felix. Voilà, j'en suis convaincu, la façon dont Jaak de Fleury a été ruiné.

Il était encore impossible de lier Nicholas à une telle fourberie. Julius luttait contre sa propre incrédulité. Non sans répugnance, il entreprit de fouiller sa mémoire. Un incident lui revint.

– A Milan, dit-il... C'est Gaston du Lyon qui nous a appris, à Nicholas et à moi, la banqueroute. Après cela...

Il s'interrompit.

– Après cela? dit Tobie.

– Les Médicis nous attendaient. Ils ont pu nous offrir le remboursement de tout ce que nous devait monsieur Jaak, en argent ou en marchandises, et la restitution de toutes les étoffes que Jaak détenait à crédit. Nicholas leur avait déjà cédé toutes les dettes précédentes. Les Médicis étaient fort satisfaits : ils avaient été en mesure de se rattraper de toutes leurs pertes parce que... parce qu'ils avaient été par avance avertis de la banqueroute.

– Tout à fait, approuva Tobie. Nicholas m'a dit aussi, à moi, d'annoncer à l'armurier de Plaisance que Jaak de Fleury n'était pas pressé de recevoir les armes qu'il avait commandées. A la vérité, je devais demander à Agostino de ne pas les envoyer à Genève, même lorsqu'elles seraient prêtes.

– Ainsi, elles seraient là pour nous, quand tomberait la maison de Fleury, dit Gregorio. Julius... vous étiez à Milan avec Nicholas, dites-vous, quand la nouvelle de la banqueroute a été connue. Comment Nicholas a-t-il réagi?

– Comme moi-même, répondit Julius, il s'est montré horrifié à propos de la demoiselle Esota et de toute la destruction. Il...

– Quoi donc? appuya Tobie.

– Il a brisé un flacon, déclara Julius avec gêne.

– Mais, insista Gregorio, quelque chose d'autre l'a-t-il surpris? La banqueroute? Tout l'argent qu'il récupérait?

A l'esprit de Julius revint alors le souvenir de cette chaude nuit milanaise, avec les deux grotesques têtes qui se balançaient au-dessus des feuillets couverts de chiffres et Nicholas qui restait assis sans rien dire. Épuisé par la fièvre, avait pensé Julius.

– Non, j'en suis sûr, dit-il, il n'avait pas l'intention de nuire à la demoiselle Esota.

Gregorio, et ce fut inattendu, déclara :

– Je ne pense pas non plus qu'il ait eu l'intention d'attenter à la vie de monsieur Jaak. Au cours de ce combat, il se contentait d'éviter les coups.

Julius ne répondit pas. Après un voyage épuisant, après avoir tué deux hommes, que signifiait le manque d'énergie ? Était-ce possible ? Était-il possible que ce fût cette sorte de revanche, cette longue traînée silencieuse et vindicative de destruction, qu'avait choisie Nicholas pour s'affirmer ? Au bout d'un long moment, le notaire reprit la parole :

– Il a protégé Astorre. Il aurait pu laisser aussi à Genève l'argent d'Astorre.

– Peut-être a-t-il besoin d'Astorre, dit Tobie. Il n'a pas protégé Felix.

– Non ! se récria violemment Julius. Cela, je ne le crois pas !

– Et il avait besoin de la demoiselle, poursuivit le médecin, comme si Julius n'avait rien dit. Au début, au moins. Tout comme il a besoin de nous... au début.

– Attendez, intervint Gregorio. Vous allez trop loin, je crois. Je ne connais pas très bien Nicholas mais je serais prêt à jurer que son affection pour la demoiselle et pour Felix était sincère. Durant la semaine écoulée, il n'aurait su déguiser ses sentiments. Julius me soutiendra.

– C'est vrai, bien entendu, dit Julius. Mon Dieu, Tobie. Vous l'avez vu à San Fabiano. Tout n'était pas le fait de la fièvre, sûrement ? Je l'ai vu quand il a appris l'étendue du désastre à Genève. Tout au long du voyage de retour à Bruges, il pouvait à peine parler et il n'en est pas encore remis. Comment éprouverait-il de telles émotions s'il était le genre de monstre que vous décrivez ?

– Le remords ? fit Tobie. Il n'a pas encore vingt ans. C'est son premier essai. Au prochain, il aura amélioré ses coups. La prochaine fois, il pourrait s'attaquer à l'un d'entre nous ou à tous les trois. Délibérément ou – si vous tenez à lui laisser le bénéfice du doute – par accident. Au début, j'ai vu en lui un innocent affligé d'une intelligence démesurée et susceptible d'errance dans n'importe quelle direction. Vous et moi, pensais-je, nous serions en mesure de maîtriser cette tendance. Mais supposons qu'il ne soit pas le moins du monde un innocent ? Supposons qu'il sache fort bien où il va et qu'il se propose d'y parvenir par de tels moyens ?

Le silence se fit. Julius n'avait pas envie de parler. Il se tordait les mains sur la table sans pouvoir encore imaginer Nicholas dans un tel rôle. Mais si, il le pouvait, et très facilement.

– Il n'existe aucune preuve absolue, n'est-ce pas? demanda Gregorio.

– Les seules, répondit Tobie, sont en la possession du dauphin et du duc de Milan. Il est peu probable qu'ils vous les fournissent si vous les consultez.

– Qu'allez-vous faire? dit franchement Julius au médecin.

Les mains de Tobie étaient immobiles, ses lèvres plissées, ses yeux fixés sur le mur d'en face. Il ouvrit la bouche. Brusquement, il éternua.

– Dieu vous bénisse, fit Julius.

Il vit, à sa vive surprise, le médecin rougir par plaques. Tobie déclara enfin brutalement :

– Je reste. S'il a déjà mal tourné, j'ai la quasi-certitude que je pourrai me montrer plus malin que lui. Si ce n'est pas encore fait, je pourrai peut-être mettre le holà. Je ne pense pas que vous ou moi soyons en danger pour l'instant. Il a besoin de nous. Pourtant, ce que je vais certainement faire, c'est avertir Marian de Charetty.

– Je préfère rester, moi aussi, déclara Julius, avant d'ajouter : Peut-être la demoiselle est-elle déjà au courant.

Le regard clair revint sur lui.

– Et voilà pourquoi il... Non. Elle n'aurait pas agi de cette manière avec Jaak de Fleury. Goro?

– Non, appuya Gregorio. Elle ignore, j'en suis sûr, comment Jaak de Fleury et Lionetto ont été pris au piège. Elle ne l'aurait pas laissé aller jusque-là. C'est une fort honnête femme. Je préfère rester, moi aussi. Toutefois, je tiens à dire autre chose. Il ne peut être totalement innocent. Mais je ne le crois pas foncièrement mauvais.

– Ou du moins, pas encore, fit Tobie. Soit dit en passant, est-ce Jaak de Fleury qui a fait incendier la teinturerie?

– Pas à notre connaissance, répondit Gregorio. L'homme que nous avons surpris sur place était l'Écossais. Simon.

– Elle a donc plus d'un ennemi potentiel, dit Tobie. Il me vient une idée. Pourquoi ne pas les jeter à la gorge les uns des autres?

– Ils y sont déjà, affirma Julius.

40

Nicholas se débattait dans des pensées confuses, il se sentait à la dérive. Cependant, il n'en donnait pas l'impression. De jour, il œuvrait sans relâche aux affaires Charetty; de nuit, il veillait au bonheur de la demoiselle.

Marian de Charetty était heureuse. Il savait, depuis leur mariage, le triple rôle qu'il jouait. Il avait été Claikine, l'enfant qui lui faisait pitié. Parfois, il était Nicholas, son agent, son intendant, sur qui elle pouvait se reposer, comme sur Julius ou sur Gregorio. Parfois encore, il remplaçait Cornelis, qui se chargeait de son fardeau lorsqu'elle était lasse, et à qui elle pouvait se fier parce qu'elle l'avait épousé.

Il savait aussi jusqu'où pouvait mener la pitié, la solitude aussi, et il en avait tiré une règle de conduite qui n'avait pas l'heur de plaire aux filles qui croyaient le connaître.

Il n'avait plus à supporter une existence de serviteur, qui appelle des plaisirs en compensation. Non, il se trouvait devant une vie nouvelle, qui obéissait à une organisation serrée et ne lui laissait pas de répit. Il s'en accommodait, non sans peine. Quelle part cela avait joué dans sa capitulation, le soir qui avait suivi la mort de Jaak de Fleury, il ne voulait pas le savoir. Mais il n'avait guère pu se dispenser de constater, le lendemain matin, les résultats de la nuit passée avec Marian : son teint frais et le calme avec lequel elle parlait tendrement de tout ce qui concernait Felix. A l'adresse de Nicholas, elle avait gardé le même ton, exactement : il devait être Felix. A lui de connaître les consolations, pas de les dispenser.

Et tout avait continué ainsi. Comme une jeune mariée, elle attendait le soir avec impatience. Il devait se montrer sage pour eux deux. Se rappeler que, seuls, les jeunes gens pouvaient consacrer au plaisir des nuits entières. Être tendre. Admettre que leurs liens devraient s'étirer et perdre tôt ou tard leur intensité. Le monde réel exigeait des sacrifices de toute sorte.

Pour drainer un surcroît d'énergie, il avait toujours le recours du terrain d'exercice et des cibles de tir à l'arc. Il persuada Julius de l'y accompagner et parvint même à convaincre Tobie et Gregorio de se joindre à eux. Ils ne l'en remercièrent point. Pourtant, il lui sembla qu'ils y prenaient goût. Pour le bien des affaires Charetty, il avait espéré que l'entente régnerait entre eux trois. Et, pour le bien des affaires Charetty, il se déchargeait sur eux de tout ce qui lui venait en tête, afin de les accoutumer à s'entraider.

Ils avaient plus ou moins le même âge, et étaient tous experts dans leur art. Claes ne s'étonnait pas de paraître un intrus à leurs yeux. Le jour, se disait-il, où il se sentirait plus sûr de lui dans un certain nombre de domaines, il serait temps de les prendre en main. Et de former ensuite des desseins.

Sur ces entrefaites, parvint ce qu'il espérait en premier lieu : l'autorisation concernant l'alun. Toutes les dispositions étaient déjà prises : il suffisait de les mettre en œuvre. Nicholas en chargea Tobie pour partie et se rendit lui-même à l'Hôtel de Jérusalem.

Depuis son retour, il avait vu Adorne de temps à autre. Margriet Adorne ne ménageait pas à Marian son amitié : elle l'avait soutenue aux premiers jours de son deuil et l'aidait maintenant à élever ses filles.

Nicholas imaginait sans peine Tilde et Catherine, jalouses et furieuses, aspirant aux joies que connaissait leur mère et prêtes à mener une vie de plaisirs. Elles avaient besoin d'une présence attentive et ferme. Cela c'était l'affaire de Marian et de Margriet, et, à elles deux, elles y réussissaient.

Adorne se réjouit comme lui de l'arrivée des papiers de Venise, et ils passèrent un long moment à prendre leurs dispositions. Adorne, dont le long visage railleur n'avait pas changé était en robe et pourpoint sombre, par égard pour ses clients écossais, dont le roi venait de mourir. Il était tout de suite venu à l'esprit de Nicholas que la demande pour des étoffes noires allait augmenter. Teinturier un jour, teinturier toujours.

– Prosper de Camulio, dit Adorne, est attendu à Genappe. Vous le saviez ?

Une chaude nuit à Milan. Toma Adorno. Et, bien sûr, Felix.

– Pour affaires génoises ? demanda Nicholas. Ou pour le duc Francesco ?

– Comme envoyé du duc de Milan. Il se négocie une alliance entre le dauphin et Milan. Je ne puis imaginer qu'il s'agisse pour vous d'une nouvelle.

– Non, dit Nicholas. Restera-t-il longtemps ?

– Assez pour vous donner les introductions que vous attendez peut-être. Comme avec Milan et le dauphin, les circonstances semblent accoupler Venise et Gênes. J'espère seulement que, si vous venez à vous coucher dans ce lit, vous vivrez assez longtemps pour vous en lever.

Il attendait. Nicholas, qui avait appris quand il valait mieux ne rien dire, ne fit aucun commentaire. Anselm Adorne sourit et prit du ruban pour lier ses papiers. Il reprit :

– La messe de Requiem, demain, pour James, le feu roi d'Écosse. Serez-vous assez braves, votre épouse et vous, pour y assister ?

Le nœud du ruban l'absorbait.

– Pourquoi cela ? demanda Nicholas.

Adorne repoussa le rouleau, leva les yeux, joignit les mains.

– J'avais bien idée que vous n'étiez pas au courant. Vous ne savez donc pas comment est mort le roi ?

Nicholas s'immobilisa.

– Il était jeune, cela, je le savais. Je pensais qu'il était mort au cours d'une bataille. Ne combattait-il pas les Anglais ?

Adorne approuva d'un signe.

– En un lieu appelé Roxburgh. Il assiégeait la forteresse avec toute son artillerie, y compris les deux canons venus de Mons. L'un des deux a explosé et l'a tué.

– Ce n'était pas Meg, j'en suis sûr. Martha ?

– Celui qui est tombé à l'eau à Damme, dit Adorne. Évidemment, cette chute n'est pas en cause. Le canon a quitté intact Sluys pour l'Écosse. S'il a explosé, c'était pour de tout autres raisons... Mais, attendez-vous à des commentaires demain, à l'office. Si vous vous y rendez. Et, à mon avis, vous le devriez.

Il attendit. Nicholas questionna :

– Combien de morts en tout ?

– Le roi et seulement un autre homme. Il ne s'agissait pas d'un massacre. Un coup de malchance, sans plus. Les deux hommes étaient captivés par les armes à feu. Le roi et Kilmirren. Celui qui est mort était Alan de Kilmirren, l'oncle de votre vieille connaissance, Simon. Simon est enchanté, me dit-on. Il a la voie libre, maintenant, en Écosse.

Nicholas entendait les mots, mais ils étaient fort en retard sur le cours de ses pensées. Il comprit soudain qu'Adorne avait repris la parole sur un tout autre ton.

– A la vérité, vous aviez bien l'intention de couler ce canon, n'est-ce pas ? Monsignore de Acciajuoli vous a vu manœuvrer la gabare avant qu'elle entre dans le sas de l'écluse. Par la suite, il a découvert toute la série de trous dans le mur.

– J'avais pensé à une façon de faire, dit Nicholas. Voilà tout.

– Et vous l'avez fait, souligna Adorne. Pourquoi ?

– Pour voir ce qui arriverait.

Il rentra très tard. On voyait un filet de lumière autour de la porte de la chambre de Marian. Elle avait pris l'habitude, le soir, au lieu de porter le deuil, de passer, pour attendre son retour, une précieuse robe d'intérieur, de la couleur de ses cheveux défaits. Il s'immobilisa, avant de frapper au battant et d'entrer.

Le décor de la chambre lui était devenu familier : les fenêtres étroites, les vitres en losanges serties de plomb, la cheminée de pierre et la banquette garnie de coussins qui tournait le dos au foyer vide ; les coffres peints ; la table massive, où étaient posés sur le plateau inférieur, une coupe de figues ou de grenades, et sur le plateau du dessus, un broc à vin en argent en compagnie de deux gobelets, un dressoir, avec la vaisselle d'argent et une cruche en porcelaine, où s'épanouissaient quelques roses tardives ; un miroir rond et, sur une autre table, une cuvette emplie d'eau, avec une serviette pendue tout près, à un crochet.

Deux tabourets et, au sol, un tapis et quelques coussins qui s'écrasaient sous leur poids, et qu'il fallait soulever et secouer avant le matin. Enfin, bien sûr, le lit, dont les montants s'élevaient jusqu'aux solives peintes du plafond. Les rideaux et la courtepointe, Marian les avait brodés pour son mariage avec Cornelis et elle avait eu le bon goût de ne les point changer. Ce premier mariage avait été une union, et celui-ci en était une autre.

Elle était assise encore habillée, sur la banquette dans l'embrasure de la fenêtre.

– Je viens d'apprendre l'histoire du canon, lança Nicholas, sans préambule.

Elle avait ôté la coiffure qu'elle portait dans la journée. Ses cheveux étaient épinglés sur la nuque en un chignon lâche. Ses robes étaient plus gaies, plus seyantes qu'autrefois. Ce soir-là des éclats d'or luisaient dans ses manches de brocart et un long rang de perles fines ornait son cou. Elle se leva, fit quelques pas en avant.

– Qui t'en a parlé ? Anselm Adorne ?

Elle ne disait pas, comme l'avait fait Adorne : « La chute dans l'eau, à Damme, n'est pas en cause. »

Tout en réfléchissant, il referma la porte.

– En effet, dit-il ensuite. Et j'ai appris aussi la mort de Kilmirren.

Elle hocha la tête. Debout devant la petite table, les mains jointes très haut sur sa poitrine, elle le regardait. Elle avait un visage ouvert, au teint clair, aux yeux d'un bleu particulièrement éclatant, qu'il avait appris à déchiffrer très clairement.

– Que s'est-il passé ? demanda-t-il.

Elle était rarement aussi parfaitement immobile. Ses traits étaient un peu tirés.

– J'ai appris une autre nouvelle, dit-elle. En France, semble-t-il, il n'est bruit que de la chute du vicomte de Ribérac.

Jordan de Ribérac. La joue de Nicholas fut traversée par la souffrance, comme si la bague l'avait de nouveau déchirée. Il s'éclaircit la voix, avant de poser une seconde fois la même question :

– Que s'est-il passé?

Marian de Charetty répondit :

– On l'a surpris, semble-t-il, à comploter avec le dauphin. Le roi était furieux. Monsieur de Ribérac a perdu, bien entendu, tout ce qu'il possédait. Terres, maisons, argent, tous ses biens.

– Que va-t-il advenir de lui? demanda Nicholas.

– Il sera enfermé dans les cachots de Loches, j'imagine. Peut-être le décapitera-t-on sans tarder. Est-ce encore une de tes machinations?

Il comprit alors à quel point il était stupide de rester ainsi devant elle, à la dévisager.

– Oui, je le suppose, fit-il.

Au prix d'un grand effort, il ajouta :

– Marian, *que s'est-il passé?*

Et elle lui répondit.

– Tu as choisi quelques hommes nouveaux fort avisés pour travailler avec nous. Ce médecin, Tobias, est venu me trouver. Lui-même, Julius et Gregorio s'inquiètent de l'avenir de nos affaires. Ils ont donc décidé, fort raisonnablement, de me faire part de leurs doutes et de me demander mon avis.

– Tobie, dit-il.

– Oui. Et Goro. Et notre bon Julius. Je pensais que tu les aimais bien, et qu'ils te le rendaient, dit Marian, son épouse. Mais voilà qu'à présent tu leur fais peur.

Un énorme soupir gonfla la poitrine de Nicholas, qui s'en délivra. Il laissa derrière lui une souffrance aussi aiguë que celle d'un coup.

– Tu n'as pas à avoir peur de moi, dit-il. Demande-moi tout ce que tu voudras, et je te répondrai. Veux-tu t'asseoir? Sur la banquette. Moi, je m'installerai là-bas. D'abord, un peu de vin. Veux-tu me permettre de t'offrir un peu de vin?

Elle s'assit, accepta d'un signe de tête. Le vin frémissait dans le gobelet qu'il lui tendit. Était-ce sa main, ou celle de sa femme? Qui pouvait en être sûr? Nicholas songea à la coupe rose qui était passée d'Astorre à Lionetto. Il était glacé de peur. Il l'était depuis des semaines.

Pendant qu'elle buvait, il s'assit sur le tabouret placé au chevet du lit, les coudes sur les genoux, ses mains jointes pressées contre ses lèvres. Finalement, il laissa retomber ses mains et demanda :

– Veux-tu me répéter ce qu'a dit Tobie?

C'était, comme il s'y attendait, à propos de Jaak de Fleury et de Lionetto. Les trois hommes avaient remarquablement reconstitué toute l'histoire. Et, naturellement, Marian elle-même avait pu comparer leurs dires avec ce qu'elle savait. A propos de ses relations avec le dauphin, par exemple. Ils ignoraient que Gaston et lui avaient d'abord tenté d'acheter Fleury pour le rallier à la cause du dauphin et qu'ils avaient échoué, mais sans que cela joue sur le dénouement final.

Ils ne savaient rien non plus sur Jordan de Ribérac. Seules, Marian et les filles Borselen étaient au courant de la guerre que se livraient Nicholas et Ribérac. Marian avait bien deviné qu'il pouvait être mêlé à la chute du vicomte. Mais par quelles ruses, le mystère était entier. Katelina se trouvait en Bretagne, et il s'était bien gardé de s'enquérir d'elle. Gelis, pour l'amour de sa sœur, ne dirait rien. Felix, qui aurait pu se montrer curieux à propos de cette dernière rencontre à Gand, était mort.

Ce qui, finalement, avait poussé Tobie à venir trouver la demoiselle, c'était la mort du roi d'Écosse. Marian marqua un temps dans son long récit, puis elle reprit, d'un ton tout à fait calme :

– Jusque-là, vois-tu, ils étaient d'avis que, quoi que tu aies pu faire, cela ne regardait personne d'autre. Ils pensaient que c'était fini. Ce qui les préoccupait, c'était l'avenir. Mais il y a eu le canon.

Alors, Nicholas parla. Il dit :

– Je n'avais nulle intention d'embarquer sur ce bateau. C'est tout à fait par hasard qu'on nous a demandé d'aider à charger la baignoire du duc. Julius et... Julius a accepté.

Il s'interrompit, avant d'ajouter :

– Si je ne m'étais pas joint à eux, je n'aurais rencontré aucun de ces gens-là.

A la vérité, c'était à lui qu'il parlait, pas à Marian. Au bout d'un moment, elle déclara :

– Tu savais, je suppose, que ce bain forcé ne pouvait détériorer le canon. Mais il se trouvera des gens pour prétendre que tu l'ignorais peut-être, que tu escomptais justement ce qui s'est produit. Tobie, je pense, n'en est pas bien sûr. A force de discussions, Julius et Gregorio en sont venus à se dire qu'une autre explication était beaucoup plus plausible. En faisant plonger le canon, tu retardais son arrivée en Écosse. Et, si tu l'as fait sciemment, si tu avais été payé pour le faire, alors, tu es mêlé à certains faits que nous ne pouvons, en fin de compte, garder pour nous.

Elle marqua un temps.

– Tu étais encore très jeune quand cela s'est passé. Personne n'a pensé à mal. Mais un mauvais tour commence à paraître plus grave quand, par la suite, on le rapproche d'autres faits. L'Écosse était du parti des Lancastriens, et l'absence du canon donnait l'avantage au parti adverse. Le dauphin, le duc de Milan, l'évêque Coppini, le roi Ferrante de Naples, Arnolfini et le gouverneur anglais, tous ces gens sont contre le roi de France et les Lancastriens, et tu as été plus ou moins lié avec chacun d'eux. Une fois que les gens ont remarqué de telles coïncidences, il peut leur apparaître que tu n'espionnes pas seulement pour les marchands mais que tu es en même temps un informateur à la solde des princes et des rois.

– Le vicomte de Ribérac était du parti du dauphin, objecta Nicholas.

– Mais, dit Marian, tu avais de puissantes raisons, n'est-il pas vrai, de lui infliger une punition? Une fois que le bruit aura couru que tu n'es pas ce que tu parais être, qu'on ne peut pas te faire confiance, les gens laisseront courir leur imagination. A propos du renvoi d'anciens serviteurs et ouvriers, la venue de nouveaux, tous de ton choix. A propos de... de ton mariage, naturellement. A propos, pourquoi pas? de la manière dont tu entraînas Felix dans des frasques à l'écart d'actions raisonnables ou dignes de respect... à propos de la façon dont il est mort.

La voix de Marian se brisa sur ces mots. Nicholas ne leva pas la tête. Il ne voulait pas la voir pleurer. Il dit seulement:

– J'aurais voulu être Felix. Je le lui ai dit un jour, à Milan.

Les coudes toujours aux genoux, il se surprit à se frotter lentement le visage, comme pour y faire pénétrer quelque onguent capable de faire fuir la douleur. Après quoi, il demeura immobile, le nez serré entre ses deux mains, les doigts tendus devant des yeux clos.

– Et qu'en a conclu Tobie? demanda-t-il alors.

Cette fois, le silence se prolongea si longuement qu'il finit par ouvrir les yeux pour la regarder. Elle avait pleuré, oui, mais un peu seulement. Elle attendait sa réaction, sans plus.

– Ils en ont parlé toute la journée, m'a-t-il dit, répondit-elle. Ils ne pouvaient parvenir à une conclusion avant de savoir ce que j'en pensais.

– Et quelle est ta conclusion? demanda-t-il.

Il était incapable, cette fois, de déchiffrer son expression.

– Je savais, pour Ribérac, ce que le docteur ignorait, dit-elle. Je savais un bon nombre d'autres choses, Nicholas, qu'il ignorait aussi. Et je possédais en même temps un grand avantage. Je savais ce que tu éprouvais en réalité à notre égard. Pour Julius. Pour Felix. Et, je crois, pour moi aussi.

– Et alors? fit-il.

Il avait peine à ne pas claquer des dents.

– J'ai donc confirmé ce qui, en fin de compte, était, je crois, sa propre opinion, déclara Marian. Je lui ai dit que tu étais l'ami le plus sincère, le plus loyal que lui-même ou quiconque pourrait jamais avoir. Que la plupart de tes actions visaient l'intérêt de la famille Charetty. Que tu avais placé Felix et la formation de Felix au-dessus de tout, et que, sans toi, jamais il n'aurait été capable d'autre chose que d'enfantillages. Mais je lui ai dit aussi qu'il faudrait te surveiller jour et nuit parce que tu possèdes des dons plus dangereux que Meg, ou que Martha, ou n'importe quelle arme de guerre existante à ce jour. Et que tu ne sais pas les maîtriser.

Il avait la gorge serrée. Il ne pouvait pas lui répondre.

Elle dit encore :

– Je lui ai dit tout cela. J'ai pensé alors que, s'il savait tant de choses, il méritait de tout savoir. Et je lui ai dit aussi qui tu étais.

– Ils ont passé la nuit séparément, déclara Julius.

– Oh? fit Tobie.

On ne voyait de lui que son séant moulé dans la robe noire : agenouillé sur un tabouret du bureau, il regardait par la fenêtre.

Julius reprit :

– Pourquoi ne pas nous dire ce qui s'est passé? Allons. Vous avez vu la demoiselle. Vous lui avez tout dit. Que vous a-t-elle répondu?

– Je vous l'ai déjà raconté, dit Tobie d'un ton irrité. Elle tenait à parler d'abord à Nicholas. Elle me verra après le service. A ce moment-là, je pourrai vous répondre.

– Mais, s'ils ont passé la nuit séparément..., objecta Julius.

– Il peut y avoir toutes sortes de raisons à cela, dit Gregorio. Autant attendre les résultats de l'entrevue avec Tobie. Après tout, s'il savait quelque chose, il ne se pencherait pas à la fenêtre pour voir s'ils se rendent ensemble à Notre-Dame.

Le séant de Tobie n'exprimait toujours rien. Soudain, il fut agité d'un sursaut.

– Les voilà qui partent! s'exclama-t-il.

Julius bondit jusqu'à la fenêtre voisine. En bas, au milieu d'un groupe de serviteurs en livrée Charetty, Loppe dominait tous le monde de la tête et des épaules. Son visage était sans expression, ce que Julius avait appris à considérer comme un mauvais signe. Deux chevaux piétinaient. Marian de Charetty, coiffée de blanc et enveloppée d'un manteau sombre, était déjà en selle. Sous les yeux de Julius, Nicholas sortit de la maison, et mit le pied à l'étrier.

Julius s'écarta de la fenêtre assez brusquement. Tobie, constata-t-il, avait fait de même. Gregorio, qui s'approchait de la fenêtre, jeta à son tour un coup d'œil à l'extérieur.

– Ils devaient bien s'y rendre, dit-il, pour sauvegarder les apparences devant leurs amis.

– Et pas seulement devant leurs amis, précisa Julius. Le noble Simon de Kilmirren prendra place dans le cortège funèbre.

Tobie ôta son bonnet.

– Comment le savez-vous? demanda-t-il.

– Je choisis mes clients, fit ironiquement le notaire. Liddell. Secrétaire de l'évêque Kennedy et tuteur du petit prince écossais. Ils sont tous descendus chez le seigneur de Veere, et je m'y suis rendu hier pour une signature. Liddell m'a dit que Simon était venu pour la messe. Accompagné de son épouse.

– Je m'en souviens, dit Gregorio. C'était à l'époque du tournoi de l'Ours Blanc. Le seigneur Simon escortait la sœur de Reid, le marchand de l'Étape de Calais. Muriella était son nom.

– Il l'est toujours, assurément, fit Julius. Mais ce n'est pas elle qu'il a épousée. Simon est marié depuis près de quatre mois à Katelina van Borselen. Je l'ai vue. Remarquablement grosse.

– *Remarquablement*? souligna Tobie.

– Comme je vous le dis, répondit joyeusement Julius. A mon avis, Simon a pris quatre bonnes semaines d'avance sur le prêtre. Il est enchanté, si j'en crois Liddell. Depuis des années, nous le savons tous, il essayait d'engendrer des enfants. Comment donc s'appelait cette fille?

– Muriella, dit ironiquement Gregorio.

– Non, corrigea Tobie. Celle à qui il pensait s'appelait Mabelie. Oh, Dieu! Nicholas. Il ne sait pas que Simon est marié?

Julius retrouva tout à coup sa gravité.

– Non. J'aurais dû l'avertir, n'est-ce pas?

– Oui, vous auriez dû, confirma Tobie d'un air sombre.

La félicité était en effet, l'état dans lequel se trouvait Simon de Kilmirren, en ce temps. En attendant que les servantes de sa femme eussent fini de l'habiller pour se rendre à Notre-Dame, c'était à peine s'il ressentait quelque impatience. Il regrettait presque de lui voir une traîne aussi longue. Ramenée par-devant et tenue à hauteur des seins, comme c'était la mode, elle cachait la généreuse rondeur de son ventre.

Sous laquelle se démenait l'enfant de Simon. L'héritier de Kilmirren, à présent que le père de Simon était certainement perdu et que son vieil avare d'oncle avait enfin rencontré sa fin. Kilmirren lui appartenait, le titre était presque à lui et, le moment venu, passerait à l'enfant.

Après les protestations virginales de la jeune fille à Silver Straete, il avait d'abord été surpris en découvrant l'accueil que Katelina lui avait réservé en Bretagne. A la réflexion, il l'avait tout à fait comprise. La noble Katelina van Borselen avait soif de compagnie élégante, de badinage expert. Elle avait envie qu'on lui fît la cour.

Pour ce premier soir en Bretagne, il sortit son plus beau pourpoint, coupé court à la taille selon la mode française, laissant voir la hanche recouverte de soie et la brayette finement ornée. Pour la soie, il avait choisi ses chausses bicolores les mieux taillées, brodées du genou à la cuisse de roses en spirales. C'était comme si des anges contrits avaient reconstitué pour lui seul cet humiliant épisode dans le jardin envahi de fumée. Ce que Bruges lui avait refusé, la Bretagne, à présent, le lui offrait des deux mains, dès cette première soirée. Dans l'atmosphère languissante de la fin du repas, où il avait été placé tout près de Katelina, il lui avait assidûment rempli son verre, avait introduit une à une d'invisibles caresses et, dans ses paroles murmurées, des suggestions de désir, jusqu'au moment où il avait su que l'instant attendu se présentait.

La duchesse ne fit point d'objection lorsqu'il proposa d'emmener madame Katelina prendre l'air dans le jardin baigné de tiédeur et de clair de lune. Cette fois, les doigts tremblants de la jeune fille le frôlaient déjà, tandis qu'ils descendaient les marches du perron. Aux derniers reflets lumineux qui venaient des fenêtres éclairées, il vit l'anxiété qui se peignait sur son visage. Ils se retrouvèrent enfin seuls sous la charmille, et aucun homme ne connaissait mieux que Simon de Kilmirren l'art de faire passer de l'anxiété jusqu'au sommet d'une exultation angoissée.

Au bout de deux semaines, elle avait soupçonné qu'elle était grosse. Non sans quelque hésitation, il avait écouté ses prières affolées et l'avait épousée. Quelque hésitation, sans plus, parce que, déjà, il ne pouvait plus se passer d'elle. Quand, un peu plus tard, la grossesse se confirma, son bonheur fut à son comble.

Peu lui importait qu'on vît qu'il avait conçu un enfant avec Katelina van Borselen avant le mariage. Il lui en donnerait un chaque année. Jour et nuit, il lui fournirait de bonnes raisons d'être grosse. Elle était devenue son passe-temps.

La Onze Lieve Vrouwkerk était drapée de noir et déjà pleine. Seuls manquaient encore les membres les plus importants du cortège funèbre. Les représentants du duc attendaient sur le seuil l'arrivée du groupe qui venaient de l'Hôtel de Veere. Le duc, dont la nièce, Mary de Gueldres, était maintenant reine douairière d'Écosse.

La princesse Mary s'avançait la première, au bras de son beau-père, Henry van Borselen, comte de Granpré, seigneur de Veere, Vlissingue, Westkapelle et Domburg, accompagné de son épouse, Jeanne de Halewyn. Venaient ensuite l'époux de la princesse, Wolfaert van Borselen, et l'évêque écossais, James Kennedy. Entre Wolfaert et l'évêque marchaient les deux enfants : Alexander, duc d'Albany, fils cadet de feu le roi d'Écosse, et Charles van Borselen, son cousin de neuf ans.

Alexander, duc d'Albany, grand amiral d'Écosse, n'avait que six ans. Conduit par le cousin de son père, l'évêque Kennedy, il était arrivé ce même été à Bruges, afin d'être élevé à la Cour de Bourgogne. A présent, son père était mort, mais personne ne l'avait ramené chez lui. L'évêque Kennedy, retenu par une maladie, était encore à ses côtés. Ambassadeur de talent, habile diplomate, il rendait compte de toutes les réactions bourguignonnes à l'Écosse.

Peut-être l'enfant, trop chaudement vêtu d'un pourpoint sombre chargé de pierres précieuses et d'un bonnet, n'avait-il aucune envie de rentrer chez lui. Il s'avançait en compagnie de son cousin, l'air harcelé, renfrogné. Les Écossais de l'assistance les observaient, l'évêque et lui, et s'interrogeaient. Parmi eux, Simon de Kilmirren et son épouse, qui marchaient un peu en arrière avec les autres. On aurait eu peine à deviner que quinze années séparaient le couple. Mûrie par le mariage, la jeune femme paraissait plus que ses vingt ans. Quant à lui, il avait conservé sa vie durant l'allure de sa jeunesse dorée.

Les affaires politiques avaient de l'importance, mais, en suivant la nef avec son épouse, Simon songeait remarquablement peu au roi défunt. Il sentait les regards fixés sur Katelina, si belle, même sous ses voiles. Et sur lui-même aussi, sur son costume de velours noir attaché de rubans gris, sur la coiffure de plumes de coq qu'il tenait à la main.

La messe fut longue, la musique fastidieuse. Mais ils se rendraient ensuite en l'hôtel voisin de Louis de Gruuthuse et de son épouse, la sœur de Wolfaert. Simon avait hâte de présenter sa Katelina à la noblesse de Bruges pour la première fois depuis leur retour d'Écosse. Peut-être, par suite d'une certaine hâte dans le mariage, tout le monde n'était-il pas au courant de leur union. Il avait remarqué certains regards curieux. Il croyait avoir reconnu l'un d'entre eux sans toutefois pouvoir l'identifier.

Il se retint de réprimander Katelina, qui s'agitait sur le siège inconfortable. Pourtant, il serait plus heureux quand elle aurait donné naissance à l'enfant et retrouvé un corps moins encombrant. Il se rappelait ses seins, tels qu'ils étaient naguère. Du côté du déambulatoire, une jeune fille qui lui avait souri lors de leur entrée offrait à son regard de tels seins, petits, dressés, séparés sous l'étoffe de sa robe à la mode florentine. Simon lui adressa un sourire bienveillant et tapota la main de Katelina qui changeait une fois encore de position.

A la fin du service, en compagnie des autres invités de choix, Simon et Katelina pénétrèrent dans la superbe demeure des Gruuthuse.

Louis, seigneur de Gruuthuse, les accueillit sur le seuil. L'allure était ducale, mais les joues creusées de rides, les lourdes paupières sous la frange de cheveux appartenaient à une longue lignée de bourgeois prospères, originaires de Bruges et du Brabant. Gruuthuse, courtisan, homme d'État, homme d'affaires, se disposait à partir pour l'Écosse, porteur des salutations du duc Philippe pour le nouvel enfant roi, Jacques III. Il connaissait chacun des Écossais qui entraient chez lui, de même, constata Simon, que la plupart des membres de sa famille. Le jeune Guildolf, semblait-il, s'était marié. La nouvelle épousée, qui faisait la révérence devant Katelina, avait ce qu'il aurait appelé un sourire impudent. Celui-ci lui rappela sa jeune belle-sœur, Gelis, qui, Dieu soit loué, s'en était retournée chez elle.

Ils traversèrent la grande salle dallée, gravirent un escalier entre des hommes en livrée. Les fenêtres étaient très belles, tout comme les boiseries et les cheminées. Simon jeta un coup d'œil au passage sur ce qui semblait être un cabinet de lecture. La devise et le canon des Gruuthuse étaient partout. Les Écossais aussi, naturellement. Tous les marchands, gras ou maigres, et leurs hôteliers, Jehan Metteneye et son épouse. Cet idiot de John of Kinloch. Wylie, l'archidiacre de Brechin. Mick Losschaert, avec quelques-uns de ses parents de la branche écossaise de la famille. Les Bonkle aussi, originaires des deux côtés de l'eau. Anselm Adorne, évidemment, avec son épouse et les aînés de ses enfants, sa sœur mariée et l'époux de celle-ci, Daniel Sersanders de Gand, en compagnie de leur fils Anselm. Napier de Merchiston. Stephen Angus. Forrester de Corstorphine. Et d'autres Écossais, qui revenaient tout juste de Bourges où ils avaient conféré avec les Français à propos du Danemark, de l'Espagne, de la dot bretonne : Monypenny, bien sûr, et Flockchart, avec un ou deux Volkart du côté flamand, pour faire bonne mesure.

Ils avaient assisté, avec toute la gravité de rigueur, à la messe de Requiem célébrée à la mémoire de leur défunt maître, pour se précipiter ensuite, Simon n'en doutait pas, dans un lacis de concertations et d'intrigues liées à la lutte pour le pouvoir en Écosse. Une reine flamande, un roi couronné âgé de huit ans, et la lutte entre Lancastriens et Yorkistes dont on pouvait tirer parti à condition de bien jouer ses cartes. Il suffisait de choisir de bons joueurs.

Simon découvrit qu'il s'intéressait peu à ses propres compatriotes. Il passa un moment avec le secrétaire de la duchesse, qui complimenta madame Katelina sur sa belle mine mais non pas sur la fécondité, dissimulée par un repli de brocart retenu entre ses doigts. João Vasquez présenta la jeune femme à quelques autres dames et se prépara à exaucer le vœu de Simon qui désirait rencontrer le capitaine des galères de Flandre, Piero Zorzi.

Le visage de Simon s'éclaira. Il avait à parler affaires avec le capitaine, un petit homme bien fait de sa personne, vêtu d'un magnifique costume gris cendré et argent. Il le distinguait dans la foule. Le seigneur de Gruuthuse le guidait par le bras à la rencontre d'un homme de haute taille et d'une femme à l'autre bout de la salle.

La femme, Simon ne put la situer, mais elle devait être écossaise, si l'on en jugeait par la sévérité de son deuil. L'homme était vêtu de sombre, lui aussi, sans le moindre joyau, mais dans une tunique d'un drap de belle qualité. Il tourna vers le Vénitien un visage animé par l'intérêt, et son sourire creusa une fossette désarmante dans chaque joue.

Il souriait et Simon, qui approchait avec Vasquez, s'immobilisa, le regarda avec incrédulité, avec stupeur, avec une fureur grandissante qui le laissa un temps sans parole.

Au même instant, les yeux de l'homme s'arrêtèrent sur Simon, et son visage changea radicalement. João Vasquez, intrigué, suspendit les présentations. Gruuthuse promenant autour de lui un air interrogateur. Simon plongea son regard dans celui de son hôte.

– Monsieur de Gruuthuse, dit-il, je ne peux croire que vous sachiez ce que vous faites. Nous sommes assemblés ici pour pleurer la mort de notre roi. Vous nous insultez en invitant l'homme qui a été la cause de sa mort.

Tout comme Anselm Adorne, Louis de Gruuthuse savait dominer les situations difficiles. Il sourit au capitaine, ébaucha un mouvement qui écarta légèrement Zorzi du cercle, et Marian de Charetty entraîna le capitaine à sa suite. Vasquez resta où il était.

– Eh bien, fit Gruuthuse, vous pourriez tout aussi bien rejeter le blâme sur les braves gens qui ont fondu ce canon à Mons, au lieu de vous en prendre à notre ami Nicholas. Et le nom de Gruuthuse est, à mon avis, une garantie suffisante de bonne foi. Venez. D'autres personnes souhaitent vous rencontrer.

Simon ne fit pas un mouvement. Il ne regardait personne, sinon le garçon qu'il avait, en dernier lieu, vu en loques devant les restes en feu de sa teinturerie.

– Comment osez-vous apparaître en semblable compagnie? demanda-t-il. Comment osez-vous vous vêtir en bourgeois, comme si vous aviez oublié vos haillons puants et vos sabots? J'aimerais vous donner une leçon.

– Vous l'avez déjà fait, répondit le jeune Claes.

Il avait changé de couleur. Il commençait à battre en retraite, à l'incitation de ce fourbe de Gruuthuse.

Simon le suivait, sans le quitter d'un pouce.

– Croyez-vous que je me battrais une fois de plus contre vous? N'y comptez pas. Mais lorsque, comme vous, on tente la Providence, on doit voir la main de Dieu dans beaucoup d'événements. Un autre incendie. La triste annulation d'un contrat. Une confiance, en déclin dirons-nous, dans la bonne renommée des Charetty? Vous vous retrouveriez en bien fâcheuse posture, amené à retourner aux bacs à teinture, en compagnie de votre vieille épouse?

– C'en est assez, Kilmirren, dit Louis de Gruuthuse. Senhor João, je vous serais obligé d'éloigner votre ami.

Simon ne prêta aucune attention à ses paroles.

– Qu'allez-vous faire, *Nicholas*, continua-t-il, quand vous serez fatigué d'elle, et qu'elle ne pourra plus subvenir à votre dépense? Vous vous êtes prestement débarrassé de son fils, me dit-on. Vous le regretterez. Un jeune homme est en mesure de venir en aide à ses aînés, s'il travaille dur et s'il est bien battu.

Il commençait à se faire comprendre du maraud à l'air stupide.

– Ser Louis, dit Nicholas, pardonnez-moi.

Il voulut tourner les talons, mais Simon le saisit fermement par le coude ; avec l'espoir que le coquin tenterait de le frapper. Nicholas essaya de se dégager, s'immobilisa. Les mains de Simon avaient l'habitude de l'épée. Il était capable de tirer le sang s'il le voulait. Des gens se retournaient déjà sur eux. Parmi eux, Katelina, bien sûr.

– Lâchez-moi, dit le garçon.

– Vous ne m'avez pas bien entendu, riposta Simon.

– Si, je vous ai entendu, fit-il.

Bêla-t-il, peut-être.

Leur hôte, impuissant, s'était écarté, le visage sombre. Vasquez s'effaça, lui aussi, les laissant seul à seul.

– Et vous n'avez rien à répondre ? dit Simon.

– Je n'ai rien à dire ici. Si vous faites appel à votre imagination, vous devez savoir ce que je pense.

– Allons, pourquoi se donner tant de peine ? fit Simon en relâchant son étreinte. Ah, vous voici, lança-t-il. Venez voir cette merde qui a épousé sa patronne et ne peut devant un gentilhomme que rester là, tout tremblant.

– Vous parlez de Claes, dit Katelina van Borselen. Personne ne s'attend à du courage, de la part de Claes, à moins qu'on ne l'ait payé pour cela.

Le jeune homme et elle se dévisageaient. Simon, satisfait, se disait qu'il ne l'avait jamais vue plus belle qu'à présent, dans tout son mépris. Les émeraudes qu'il lui avait offertes tressaillaient et scintillaient autour de sa gorge. De l'or brillait au bord de son hennin dont les voiles encadraient son visage.

Après un moment qui parut très long, Nicholas reprit :

– Vous êtes revenue de Bretagne.

– J'espère que vous avez reçu l'autruche. J'ai fait de mon mieux pour ce pauvre Lorenzo, vous savez.

La remarque semblait bien plate. Simon escomptait voir les railleries de son épouse s'ajouter aux siennes. Le garçon paraissait ne plus savoir que dire. Il finit par balbutier :

– Elle est bien arrivée. Je dois passer la voir aujourd'hui. Je vous remercie.

– Et, reprit Katelina, j'ai appris que vous étiez marié ? C'est votre épouse, là-bas ?

Il répondit, sans se retourner :

– Oui. Vous êtes en compagnie...

– En compagnie de mon seigneur et maître, bien sûr. Mon seigneur Simon. Dites-moi, votre épouse est-elle déjà grosse ? Mais non. Ces temps-là sont révolus pour elle, je suppose. En fait, vous ne tarderez pas à marier vos belles-filles. Si je peux vous aider à leur trouver des époux, dites-le-moi.

Simon ouvrait de grands yeux sur Katelina.

– Qu'avez-vous à faire des épousailles de souillons? demanda-t-il. Quelle sorte de jeu est-ce là?

– C'est un jeu dont je suis lasse, dit Katelina. Si nous rentrions? Vous savez à quel point mon repos vous importe.

Elle posa son regard sur l'ami Claes.

– Mon époux, voyez-vous, ne sait que faire pour me tenir en bonne santé.

Simon n'en avait pas fini avec le garçon. Il en avait encore long à dire, en dépit de Gruuthuse. Mais, avec Katelina pesant de tout son poids sur son bras, il se sentait toujours vaguement alarmé. De peur, après tant d'années, d'être privé de son héritier.

Il se contenta donc de sourire à ce Claes, imbécile, se délectant du tableau qu'ils devaient former, Katelina et lui, tout près l'un de l'autre, aussi beaux qu'un couple d'amants dans quelque superbe livre d'heures. Après quoi, prenant tout son temps, Simon laissa son regard glisser jusqu'à la silhouette replète de l'épouse du garçon, restée derrière lui, l'anxiété au fond des yeux. Simon se mit à rire. Puis, sur un salut moqueur, il entraîna sa dame. Katelina rejeta les plis lourds de sa traîne qui retomba derrière elle et mit en valeur son ventre tendu. Le ventre d'une femme enceinte de quelque cinq mois.

Le mouvement ruina la gracieuse illusion qu'avait créée Simon. D'abord agacé par une telle négligence, il comprit qu'il ne s'agissait pas de négligence mais de mépris. On le lisait sur le visage de la jeune femme. Et le garçon, demeuré en arrière avec son épouse, semblait frappé de stupeur.

Simon se tourna vers sa Katelina, leva une main bien modelée pour caresser de la paume le contour de son corps. Il jeta alors un coup d'œil par-dessus son épaule propre à faire comprendre son dédain et, certainement, son triomphe. L'expression répandue sur le visage de l'idiot valait bien tout ce qui avait pu arriver ce jour-là.

Il n'avait pas coutume de quitter une réunion sous prétexte que Katelina ne se sentait pas bien, mais, cette fois, le mécontentement indigné de Gruuthuse et de quelques autres invités, l'incitait à se retirer. Dans un jour ou deux, il aurait trouvé le moyen de présenter des excuses. Son caractère emporté ne supportait pas de gaieté de cœur les imbéciles, surtout quand il avait un peu trop bu. Pour faire face aux plaintes des gens qui se déclaraient lésés, injuriés, son intendant trouvait les solutions idoines. Ou lui-même se chargeait de lancer une invitation et de flatter l'offensé. Ou bien, s'il s'agissait d'un personnage comme Gruuthuse, il envoyait un charmant présent, avec un billet qui exprimait ses humbles excuses.

Le grand air, d'ordinaire, apaisait les malaises de Katelina, mais, de retour à la maison de Veere, elle tremblait toujours. Il allait appeler sa servante et se disposait à sortir de la chambre quand elle l'arrêta.

– Que vouliez-vous dire, à propos de la teinturerie Charetty? demanda-t-elle. Un autre incendie?

Simon fit mentalement un retour en arrière et sourit. Ainsi, elle l'avait écouté.

– Avez-vous vu son visage? Je pensais bien lui faire peur.

Elle était assise là où il l'avait installée, dans la haute cathèdre, avec des coussins derrière son dos.

– Vous ne parliez pas sérieusement? dit-elle.

Il ne comprenait pas à quoi elle faisait allusion. Il sortit un flacon de vin, s'en servit un peu.

– Je ne vais quand même pas les aider à faire de bonnes affaires, non? Tout dépendra de la manière dont il se comportera. Pourquoi? Quelle importance cela a-t-il?

– Aucune, naturellement, répondit Katelina. Mais elle, c'est une brave petite femme. Marian de Charetty. Ce n'est pas sa faute.

– Mais si, bien sûr, dit Simon. Elle n'aurait pas dû l'épouser. Savez-vous ce que j'ai entendu dire? Il n'est pas aussi stupide qu'il y paraît.

Son verre était vide. Il le remplit.

– Qui cela? questionna Katelina.

Elle l'irritait. Quand elle se montrait obtuse.

– Claes, évidemment, précisa Simon. Les serviteurs des Charetty avaient une belle histoire à raconter sur ses activités à Milan. Avez-vous entendu parler de Jaak de Fleury, le grand-oncle qui a tenté de mettre la main sur les affaires de Marian de Charetty?

Oui, elle était au courant. Il était surprenant de mesurer tout ce qu'elle savait sur les affaires des Charetty, alors qu'elle demeurait regrettablement ignorante de celles de son époux.

– Eh bien, reprit-il, à en croire cette histoire, c'est Claes qui a provoqué la banqueroute de monsieur Jaak. Et aussi, la ruine de ce capitaine, le nommé Lionetto, et il a fait en sorte que Lionetto en rejetât tout le blâme sur Jaak de Fleury. Donc, après avoir perdu tout ce qui lui appartenait, Jaak de Fleury a été tué par Lionetto, venu tout exprès à Bruges. Je ne crois pas à cette histoire, ajouta Simon. Mais des gens y ajoutent foi. Ils pensent que Claes – on l'appelle Nicholas, à présent – a provoqué l'explosion du canon qui a tué le roi et mon oncle. Ils prétendent que c'est un agent des Yorkistes, qu'il porte des messages pour le dauphin et qu'il a inventé un procédé magique qui permet aux Médicis de communiquer entre eux sans plus avoir besoin de mots. Puériles sottises. Aujourd'hui, j'ai voulu l'humilier, et vous avez vu le résultat.

– J'ai vu qu'il refusait l'affrontement, dit Katelina. Mais peut-être...

Elle s'interrompit. Simon fronça les sourcils.

– J'en ai été frappé, déclara-t-il. Il a fait tuer son grand-oncle par Lionetto. Il ne s'en est pas chargé lui-même. Il me déplaît de penser que quelqu'un qui se refuse à me répondre en face se répand çà et là, pour ourdir de funestes complots.

Katelina reprit, d'une voix un peu étrange :

– Votre père. Toute sa vie s'est effondrée de la même manière.

– Le gros Jordan?

Il se demandait ce qui avait pu lui mettre cette pensée en tête.

– Claes n'a guère pu ruiner Jordan de Ribérac, n'est-ce pas? A moins qu'il n'échange vraiment des services avec le dauphin.

– C'est peut-être ça, insista la jeune femme.

– Eh bien, dans ce cas, il m'a fait une faveur. Et, s'il était réellement la cause de l'explosion qui a tué l'oncle Alan, il m'en a fait une autre, plus grande encore. Savez-vous, il y a quelque chose de bizarre dans tout cela. Mais non, c'est impossible.

– Qu'est-ce qui est impossible? demanda-t-elle.

Son teint avait pris une teinte verdâtre, comme toujours lorsqu'elle était à bout de forces.

– Vous vous êtes surmenée, dit Simon. Ne pensez plus à cette histoire. Je vais appeler votre chambrière.

Mais elle le retint par le poignet pour l'arrêter.

– Non, dit-elle. Je veux savoir. Que trouvez-vous de bizarre, chez Claes?

Surpris, il se laissa tomber dans l'autre fauteuil, se versa du vin et, comme après réflexion, lui en servit un peu. Elle ne le prit pas.

– Eh bien, expliqua-t-il, s'il a vraiment fait toutes ces choses, tout laisse à croire qu'il se débarrasse, un par un, de tous les membres de sa famille.

– Sa famille? répéta-t-elle.

Il regretta de n'avoir pas quitté la pièce au moment où il en avait manifesté l'intention.

– Jaak de Fleury, par exemple, précisa-t-il. Il était son grand-oncle. La femme qu'il a épousée était une parente, et il s'est débarrassé de son fils.

– Vraiment? dit-elle. Je n'avais pas compris cela.

Elle paraissait de plus en plus troublée.

– Et qui d'autre? poursuivit-elle. Je ne savais pas que Nicholas – Claes – avait de la famille.

Il n'avait rien mangé mais bu en suffisance. La réplique lui parut drôle.

– Voilà donc Jaak disparu, reprit-il. Et son épouse, Esota. Le vieux Thibault, son frère, est ruiné, tout comme sa fille, dont je ne me rappelle pas le nom. Le vieux Jordan, mon père révéré, est perdu. Alan, mon oncle a disparu. Je suis la seule personne contre laquelle il n'ait rien pu faire, si l'on excepte ma sœur, Lucia, qui est au Portugal. C'est extraordinaire. Il n'a pas réussi à me toucher. Tout ce qu'il a fait, c'est me procurer mon titre.

A voir son insistance, on l'aurait crue un peu ivre. Il espérait qu'elle ne l'était pas : ce serait mauvais pour l'enfant. Vaguement, il prit conscience qu'elle n'avait rien bu. Elle répéta :

– Mais j'ignorais que Nicholas avait de la famille. Je croyais que sa mère était morte.

Il se demanda comment elle pouvait le savoir.

– Mais oui, fit-il. Cette stupide garce est morte, c'est vrai, et bon débarras. Cette chienne l'a mis au monde, l'a cajolé durant quelques années, le temps de lui raconter un certain nombre de mensonges, avant de mourir. Ne voyez-vous pas comme il lui ressemble? Ne le voyez-vous pas?

Katelina, à présent, murmurait. Il se demanda pourquoi.

– Vous la connaissiez donc? questionna-t-elle. La mère de Nicholas?

Toutes des garces et toutes stupides. Il dévisageait Katelina.

– Si je la connaissais? dit Simon. Elle était mon épouse. Voilà pourquoi ce stupide bâtard refuse de se battre contre moi. Claes. Nicholas. Il se croit mon fils.

Il rejoignit la jeune femme au moment où elle glissait de la cathèdre. Elle avait une mine affreuse. A grands cris, il appela sa servante, retint contre lui sur le sol le poids de son épouse, tout en lui tapotant le dos pour la rassurer.

– Tout va bien, disait Simon. Tout va bien. Quatre mois encore, et vous aurez un beau gros bébé. Claes est stupide, voyez-vous. Jamais il n'a imaginé que je me marierais et que je vous ferais un enfant. Un vrai Kilmirren, qui héritera de tout ce qu'il croyait lui revenir. Il a pu jouer tout le reste de la famille mais il n'a pas réussi à l'emporter sur moi.

41

Gregorio, qui ne jurait jamais, laissa échapper :
— Jésus-Christ !
— Eh oui, dit Tobie. Simon, qui a tenté de tuer Nicholas à Damme, est supposé être son père. Et Jordan de Ribérac, son grand-père. Ribérac qui, au cas où vous l'ignoreriez, l'a marqué à vie avec sa bague. Dites-moi à présent que Nicholas n'avait pas le droit de poser autant de pièges qu'il lui plaisait.
— Mais seuls Jaak et son épouse ont souffert du fait de Nicholas, objecta Julius.
Tobie ôta son bonnet et frotta son crâne dénudé.
— Non. De toute évidence, la chute de Jordan de Ribérac ne lui est pas complètement étrangère non plus. Comment il s'y est pris, la demoiselle ne le savait pas. Mais, par ailleurs, vous avez raison. Simon n'a pas été atteint. On ne saurait non plus accuser Nicholas pour l'explosion du canon qui a tué l'oncle de Simon. Pas vraiment. Et la demoiselle maintient que la mort de Jaak et de son épouse se sont produites sans intention. J'ai tendance à le croire, moi aussi, ajouta Tobie.
— Même si mon opinion n'a pas grande valeur, moi aussi, déclara Gregorio... Mon Dieu, répéta-t-il. Pauvre bâtard.
— Là est justement toute la question, non ? dit Julius. C'est un bâtard. Sa mère a eu un enfant mort-né – juste ciel, ce devait être celui de Simon ! Elle est allée, pour se remettre, chez son père, le vieux Thibault. Son époux – Simon – ne l'a plus jamais approchée. Là-dessus, Nicholas vient au monde. Il n'y a personne, sinon les domestiques, à qui attribuer sa naissance, mais on n'a jamais su lequel l'avait engendré. Pendant ce temps, en grandissant... je suppose... il éprouve le désir de se voir reconnu comme un Kilmirren.
— Comme Nicholas de Saint-Pol, corrigea Tobie. C'est le véritable nom des Kilmirren.
— Claes vander Poele, fit Gregorio. Mais oui. Il y a là une

trace d'obstination. Il ne voulait pas voir le nom abandonné. Je comprends son point de vue.

Pour Julius, un seul point de vue comptait.

– Alors, qu'a dit la demoiselle? demanda-t-il.

Tobie garda le silence. Enfin, il répondit de sa voix brève, professionnelle.

– Elle m'a chargé de vous expliquer qui était Nicholas. Je dois vous demander de n'en parler à personne d'autre. Je dois vous dire que Simon va probablement poursuivre sa vengeance personnelle : nous devons être avertis que travailler pour la compagnie Charetty peut devenir dangereux. Je dois enfin vous dire qu'elle croit en Nicholas, en son caractère, en sa loyauté. Mais il nous appartient de décider si nous pouvons agir comme des garde-fous, afin de ne pas laisser échapper le cours de son intelligence à notre contrôle. Des garde-fous, insista Tobie.

Après un nouveau silence, il reprit :

– Elle m'a dit aussi que le Vénitien Piero Zorzi donne ce soir une fête sur le vaisseau amiral de Flandre et qu'il les y a invités, elle-même et son époux. Elle n'a pas revu Nicholas mais elle pense que c'est ce qu'il attendait.

– Elle n'a pas revu... répéta Julius. Il n'est donc pas rentré de l'église avec elle?

– Rentrer ici? dit Tobie. Sachant que nous savons ce que nous savons maintenant. Bien heureux, si nous le revoyons de toute cette semaine. Et à la place de Nicholas, je ne sais pas trop comment je trouverais le moyen de nous affronter.

– C'est parce que vous n'êtes pas Nicholas, dit Gregorio. Tobie, c'est vous, le médecin. Il est mis à nu, à présent, du moins devant nous. Pourquoi cela changerait-il sa manière d'être et d'agir? Avez-vous en lui plus de confiance ou moins?

Tobie, un long moment, garda le silence. Il déclara enfin :

– Je n'en sais rien. Je ne pense pas que mon opinion ait changé. Je crois pouvoir déjouer ses intentions. Je suis suffisamment curieux, en tout cas, pour avoir envie d'essayer.

– Ici? demanda Julius. Pensez-vous qu'il va rester ici?

– Je ne sais pas si ce sera ici, répondit Tobie. Pas si Venise est en question. Consentiriez-vous à partir au loin? Goro? Julius?

– Peu m'importe, dit Gregorio. Mais la demoiselle a besoin de quelqu'un ici. Et je croyais que Julius et vous comptiez rejoindre Astorre l'an prochain. Là-bas, vous ne craindriez plus rien de Simon.

– Mais pas Nicholas, dit Tobie. Pas s'il reste ici, à Bruges. Je me demande à quoi il pense, à cette heure.

– Je me demande où il est, à cette heure, précisa Julius, le front plissé. L'autruche.

– Quoi? fit Tobie.

– J'ai cru comprendre qu'il allait voir l'autruche. Elle doit être envoyée au duc de Milan, et Tommaso se plaint sans cesse de la voir dépérir sous ses yeux.

– Ça, ce serait bien de Nicholas, approuva Gregorio, de sa voix grave et solennelle. S'il ne supporte pas l'idée de nous retrouver, il y a de fortes chances pour qu'il soit allé voir une autruche.

Et, de fait, Nicholas était allé voir l'autruche.

Le problème essentiel, pour commencer, était qu'il ne savait où trouver asile.

Si l'on voulait limiter le problème à Bruges, sans lui laisser prendre des proportions cosmiques, il n'existait pas un endroit où il pût avoir l'assurance d'éviter Tobie, Gregorio et Julius, qui en connaissaient à présent sur lui beaucoup plus qu'il n'était souhaitable. Il ne pouvait rentrer chez lui sans rencontrer Marian, désormais au courant de ses... machinations et qui s'efforçait de son mieux de lui conserver sa confiance.

Le reste de Bruges était peuplé de gens qui avaient vu et entendu ce qui s'était passé, ce matin-là, chez Louis de Gruuthuse. Ou bien qui avaient envie de parler de Jaak de Fleury, de Lionetto ou de Felix. Et, finalement, quelque part dans Bruges, se trouvaient Simon de Kilmirren et sa féconde épouse, Katelina, dont il pouvait deviner l'humeur, mais sans toutefois rien connaître de ses projets.

Nicholas songea donc à l'autruche, qui devait loger dans les écuries de la maison des marchands florentins. Il était à peu près sûr de ne rencontrer là-bas aucun des gens de la maison Charetty. Quant aux Florentins, ils n'avaient pas jugé bon, pour la plupart, d'assister à la grand-messe célébrée pour un monarque écossais. Les galères de Flandre les préoccupaient beaucoup plus.

Et, puisque les galères de Flandre leur donnaient de la besogne, Nicholas n'aurait peut-être pas à se soucier de chiffres, de dépêches, de tous les fils brillants et dangereux qui pouvaient aboutir à une nouvelle série de combinaisons ou bien ramener l'écho des anciennes. Il n'y aurait que le problème tout simple d'une autruche à expédier à Milan.

Avant d'avoir franchi le seuil de la belle maison flanquée de tours qui se dressait près de la Bourse, il rencontra Angelo Tani, le directeur des Médicis.

– Entrez, dit Tani, Tommaso est quelque part par là. Nous avons reçu un message pour vous. Pourquoi ici, je l'ignore. Un gamin l'a apporté. On vous demande cet après-midi à Silverstraat, chez Florence van Borselen.

Nicholas entendit sa voix répondre :

– Je le croyais absent.

– Il l'est. C'est sa fille, Katelina, qui désire vous voir. Des draperies pour l'accouchement, peut-être. Ils m'ont déjà acheté quelques belles pièces d'argenterie pour le baptême. Et ils paient.

– Oui, ils paient, dit Nicholas.

Il suivait des yeux Tani qui s'éloignait, et fut bousculé par le va-et-vient de ceux qui entraient et sortaient. Un garçon de quatorze ans, un *giovane*, dit poliment :

– Si vous désirez voir messer Tommaso, il est aux écuries.

La politesse n'était pas dépourvue d'une autre nuance. Nicholas regarda le garçon de plus près : c'était celui auquel Julius et lui avaient parlé, le jour où, dans la gabare des Médicis, ils étaient allés avec Lionetto jusqu'à Damme.

– On m'a dit que tu portais toute la compagnie sur tes épaules, ces temps-ci. Que fait messer Tommaso ? Il part en voyage ?

Le jeune garçon perdit un peu de son attitude guindée. La puissance de Pigello, le directeur milanais, pesait, cela se voyait, sur la succursale de Bruges des Médicis.

– Oh non, répondit le jouvenceau. Il est encore allé voir l'autruche.

Il avait l'œil luisant.

– Comment « encore » ? fit Nicholas.

– Il surveille ses excréments.

Les deux yeux luisaient.

Au prix d'un effort gigantesque, Nicholas détacha son esprit de tout le reste et demanda, le menton sur la poitrine :

– Il la purge ?

Le *giovane* des Médicis le gratifia à l'improviste d'un sourire séraphique.

– Non. Il se contente de surveiller ses excréments. Elle a avalé la broche du chapeau de messer Tommaso et deux de ses bagues.

– J'aurais cru, fit Nicholas, que c'était l'affaire du *giovane* d'aider son maître à résoudre semblable problème.

Le petit le dévisagea et, soulagé, retrouva son sourire.

– Le premier jour, il a voulu m'y forcer. Mais il a eu l'impression que je ne regardais pas d'assez près.

– Pauvre messer Tommaso. Eh bien, si nous allions l'aider tous les deux, toi et moi ? Nous pourrions lui tenir sa jaque. Il ôte sa jaque, je suppose ?

– L'un des palefreniers lui prête un tablier. Mais certains prétendent que les bagues pourraient bien rester indéfiniment dans l'estomac de l'autruche.

– Ou bien émerger, au titre de présent supplémentaire et tardif pour le duc de Milan, dit Nicholas.

Ils traversèrent la maison pour gagner la cour des écuries.

– L'oiseau se porte donc mieux ? demanda Nicholas.

– A ce qu'on dit. Vous avez entendu parler des coquillages ?

– Oui. Qui pouvait bien le nourrir ainsi ?

– Elle les mangeait toute seule, affirma le garçon. Depuis le bateau naufragé, elle pataugeait jusqu'à la côte. Elle a dévasté aussi tout un champ de blé avant qu'on puisse la rattraper. Elle court très vite. Il a fallu huit cavaliers pour s'emparer d'elle, parce qu'ils devaient prendre garde de ne pas lui abîmer les plumes. Elle aime beaucoup les petits oiseaux.

– Voilà qui est gracieux, dit Nicholas.

– Pour les manger. Et les insectes. L'herbe. Il faut la tenir dans sa caisse de voyage : sinon, elle vole toute l'avoine des chevaux. Elle a un très long cou. Et de longues pattes. Elle rue avec ses pattes, quand messer Tommaso essaie de regarder dans la caisse.

– Comment a-t-elle... Comment lui a-t-elle volé ses bagues? demanda Nicholas, en entrant dans la cour.

De l'écurie la plus éloignée venait un bruit de martèlement, accompagné d'une sorte de rugissement grave et sonore.

– Ce n'est pas l'autruche qui fait ça? questionna Nicholas.

– Si, c'est elle. Elle rugit quand elle est malheureuse. Généralement, quand elle voit messer Tommaso, elle siffle. Parfois, elle caquète. Il a perdu ses bagues en retirant trop vite ses mains d'un barreau.

– Elle a caqueté, ce jour-là, je suppose, dit Nicholas. C'est dans cette écurie? En tout cas, les chevaux ont l'air de se bien porter. Et voilà la caisse de voyage. Elle est bien haute.

– C'est un grand oiseau, dit le garçon. Il mesure cinq pieds jusqu'au dos, huit jusqu'à la tête. C'est un mâle : ça se connaît aux plumes noires et blanches. C'est ce qui les rend si précieux. Les plumes noires et blanches.

Pour le moment, Tommaso Portinari ne regardait pas dans la caisse où se dressait l'autruche. Il n'était pas non plus à l'intérieur de la caisse pour examiner ses excréments. Il n'avait même pas remplacé sa jaque par le tablier de cuir : celui-ci pendait au bout de ses bras. Tommaso, adossé à un poteau, contemplait ses pieds. Il leva lentement la tête. L'adversité lui allait bien. Il était pâle. Ses cheveux sombres en désordre, coupés en frange sur son front et au-dessus de ses oreilles, encadraient le visage d'antilope au long nez, avec ses sourcils délicatement arqués et ses pommettes hautes. Son expression était celle d'un homme qui a dépassé les limites de l'endurance.

– Vos bottes? dit Nicholas. L'oiseau a mangé vos chaussures?

Pour toute réponse, Tommaso Portinari se contenta de tourner la tête sur une épaule et de désigner la caisse d'un signe du menton. C'était une caisse extrêmement solide – comme il convenait pour un oiseau qui pesait dans les trois cents livres – en bois massif où des fenêtres avaient été ménagées. Le dessus était fait de piquets à claire-voie. L'ensemble occupait une stalle des écuries, et il en émanait une odeur de fruits pourris, d'herbe foulée et d'autruche. D'un bond Nicholas se retrouva à califourchon sur une cloison de la stalle. Il baissa les yeux sur l'oiseau captif, venu de si loin. Alors, il éclata de rire.

C'est ainsi que le trouva Julius quand il pénétra dans les écuries. Il s'était mis en route, non sans hésitation, pour retrouver la trace d'un certain Nicholas de Saint-Pol qui était toujours l'époux de sa maîtresse. Il s'attendait à le découvrir dans quelque situation difficile. Au lieu de quoi, il entendit le bruit effrayant que faisait Claes aux prises avec un fou rire idiot. Un bruit qui, par le passé, l'avait entraîné dans plus d'une escapade et, tout aussi souvent, l'avait rendu fou.

Le bruit provenait du haut d'une stalle. Claes... Nicholas y était assis. Il se pliait en deux, se redressait, explosait. En bas, Tommaso Portinari et un jeune garçon ne le quittaient pas du regard. Dans la stalle se dressait une caisse puante d'où émanaient des chocs sourds, accompagnés de crachotis et de sifflements. Arrivé près de Tommaso, Julius leva les yeux et demanda :

– Qu'est-ce que c'est? L'autruche?

– Venez voir, lui cria Nicholas.

Il se pencha pour prendre un râteau à foin, le pointa sur l'endroit voulu.

– Il y a une fenêtre sur le côté.

Julius alla voir. Le jeune garçon était déjà là. Son visage s'était empourpré. Tommaso, resté où il était, semblait examiner les poutres du plafond. Nicholas, pleurant de rire, se glissa jusqu'au mur, et Julius put voir son visage attentif, ponctué de deux fossettes semblables à des coquilles de noisettes. Julius jeta un coup d'œil dans la caisse.

L'autruche l'accueillit d'un sifflement. Elle avait une petite tête duveteuse, un bec qui paraissait monté sur charnières et des yeux pâles, hostiles, qui rappelèrent à Julius le regard de Tobie. La tête surmontait un long cou qui se tortillait comme une corde de cloche. L'ensemble était porté à travers la caisse par une paire de pattes massives aux articulations vigoureuses. Entre le cou et les pattes, on voyait quelque chose qui ressemblait à un gros poulet rôti mâtiné de pelote à épingles. A chaque flanc était accroché un appendice d'un rose pâle.

La pelote à épingles, c'était le corps plumé de l'oiseau. Le croupion irrité, les ridicules appendices étaient les endroits où, naguère, l'autruche avait exhibé fièrement quarante plumes d'un blanc de neige et un manteau noir et brillant. Quelqu'un, durant la nuit, avait épilé le présent destiné au duc de Milan. L'autruche était bien là, mais elle n'avait plus une seule plume.

Elle trépignait sur ses fortes pattes. Elle passait le bec entre les poteaux, et ses yeux jetaient des éclairs. De temps à autre, elle lançait une ruade, et les parois de la boîte vibraient à tous les échos. Nicholas, toujours pleurant de rire, abaissa son râteau pour l'exciter davantage.

Et la porte de la caisse s'ouvrit.

Tommaso, perdu dans son désespoir, ne remarqua rien. Le garçon poussa un cri aigu. Julius fit un bond en avant mais trop tard, bien trop tard. Le cou tendu en avant, l'oiseau fit le premier pas vers la liberté, puis le second. Tommaso se retourna d'un bloc. L'autruche lança son rugissement grave et sonore. Juste au moment où elle faisait son troisième pas et levait une patte pour former le quatrième, Nicholas sauta du haut de son perchoir et se retrouva sur le dos de l'oiseau qui passait devant lui.

Julius cria, se prit à courir. Nicholas cria, lui aussi, mais d'une manière bien différente : un cri de triomphe qui n'était que trop familier. L'autruche jaillit des écuries, arpenta vivement les pavés de la cour et, tel un rôti échappé du four, franchit le portail à double battant pour se retrouver dans Vlamynckstraat, tandis que Nicholas, accroché à son cou, rebondissait follement.

Julius étouffa un autre cri, s'élança vers la rue. L'autruche, qui n'avait pas encore trouvé sa cadence, courait d'un côté à l'autre de la rue, au hasard, gênée par les charrettes qui circulaient à grand bruit sur la chaussée. L'oiseau rugit. La rue se fleurit, tel un champ planté de tournesols, de visages qui, tous, se tournaient vers elle. Des têtes en bonnets et en coiffes blanches se précipitèrent sur les marches, disparurent derrière des portes, se faufilèrent entre des maisons. Un homme, qui portait deux ballots sur son dos, s'échappa en titubant et se retrouva coincé sous l'avancée d'un toit. Une brouette, retournée et abandonnée, dégorgeait un torrent de fromages ronds et luisants. L'un d'eux vint frapper une patte de l'autruche qui se vengea d'un coup de pied furieux. Un tonneau rempli de vif-argent, laissé devant une trappe, se mit à cracher un flot de liquide étincelant qui, presque certainement, signifiait la ruine pour son détenteur. Nicholas, qui se cramponnait toujours, jeta un coup d'œil au passage. Son visage était coloré par l'effort et la joie.

Julius poussa un cri rauque. Il fit demi-tour en courant vers les écuries où il dispersa les palefreniers. Il ouvrit les stalles à la volée, sauta à cru sur le premier cheval qu'il trouva avec un harnais. Puis, déjà suivi de plusieurs autres cavaliers, il se lança dans la rue, à la poursuite de Nicholas. De Claes. Pour une folle escapade.

L'autruche n'était plus en vue, mais les ballots éventrés, les paquets abandonnés signaient son passage. Une niche d'angle avait été bousculée, ne laissant qu'un vase qui contenait quelques tiges dénudées.

Julius lança son cheval en direction du canal. Il arriva juste à temps pour voir l'autruche émerger du porche des Augustins. Nicholas était toujours sur son dos. L'oiseau courait extrêmement vite et semblait équipé d'une sorte de bride. Comme une corde de robe de moine.

Plusieurs chiens, maintenant à ses trousses, décuplaient la vitesse de l'autruche. De temps en temps, elle les écartait d'une ruade et les chiens se glissaient hors de sa route. Puis elle se remettait en route, sifflant et caquetant. Julius, encore à quelque distance, voyait Nicholas se cramponner d'une main et manier de l'autre la corde terminée par une boucle. Il tentait d'empêcher l'oiseau d'accéder au pont qui menait à Spangnaert-straat.

En vain. L'animal s'engagea dans la rue. Au passage, il donnait des coups de pied dans des ballots et frappait des grilles de son bec. Deux édredons, accrochés au grand air, se mirent à déverser un nuage de plumes. Nicholas en rattrapa un et, d'une seule main, essaya de l'introduire entre son séant et les tuyaux des plumes disparues. Julius, qui pleurait de rire, galopait derrière lui. Vers le Tonlieu. La maison des poids et mesures. Le marché.

L'animal marqua des pauses : pour un étal chargé de fruits ; et par deux fois devant des groupes d'hommes déterminés à lui barrer la route ou l'acculer. Deux coups seulement de ces pattes puissantes, et tout le monde se dispersa. Il laissa derrière lui la Grue, puis la Halle et le beffroi. Il fonça sur le pont qui menait à la Steen, tandis qu'une foule hurlante fuyait devant lui. Il approchait les champs et les jardins qui s'étendaient entre le pont de Gand et celui de la Sainte-Croix. Là, sa vitesse n'avait plus de limites. Une autruche était capable d'atteindre seize lieues à l'heure, prétendait-on : assez pour tuer tout cavalier qu'elle désarçonnerait. Apparemment, Nicholas ne s'en inquiétait pas. De temps à autre, il tournait vers Julius un visage fendu d'un vaste et ridicule sourire. Un instant, il libéra une main pour faire un signe vers l'avant et la gauche. Ce qu'il pouvait vouloir dire, Julius ne le comprit pas tout de suite.

Derrière eux, à présent, se pressaient d'autres cavaliers disposés à arrêter la maudite créature en convergeant sur elle depuis des rues adjacentes et en se servant de cordes pour la retenir, puis pour l'attacher. En avant, malheureusement, le terrain était découvert. Julius éperonna sa monture, effectua un virage dangereux à l'angle d'une rue et comprit enfin ce que Nicholas essayait de lui dire.

Devant eux s'allongeait l'eau peu profonde de l'un des canaux qui rejoignaient la rivière dont Bruges occupait une boucle. D'un vigoureux effort, Nicholas cherchait à écarter l'oiseau de la route pour l'engager dans l'une des pentes aménagées sur la berge du canal. L'autruche galopa jusqu'au moment où elle se retrouva dans l'eau et ralentit. Elle balançait la tête de côté et d'autre. Un groupe de cygnes affairés à se nourrir se redressa dans une gerbe d'éclaboussements. Les cygnes se soulevèrent pour nager plus vite, en sifflant, autour de l'intrus. L'intrus rendit sifflement pour sifflement, frappa. Un cygne fut projeté dans l'espace. Les autres, cous tendus, s'avancèrent tumultueusement. L'autruche, devant leur nombre, frappa encore par deux fois, avant de remonter le canal en agitant ses ailes déplumées. De temps à autre, elle plongeait, sans parvenir à se débarrasser d'un Nicholas ruisselant.

Une demi-douzaine de cavaliers accompagnaient maintenant Julius. Un peu plus loin, le canal passait sous un pont, avant de rejoindre la courbe de la rivière. Dans cette même direction, le terrain s'élevait pour former un large remblai sur lequel étaient plantés les moulins à vent. Les chevaux gagnaient à présent en vitesse sur l'oiseau dans l'eau. Julius envoya deux cavaliers en avant, afin de passer le pont et d'effrayer l'oiseau à l'est. Après quoi, prudemment, il rassembla les autres en un demi-cercle auprès du seul endroit où l'autruche pourrait quitter l'eau : une rampe en pente qui menait à l'un des moulins.

Il oubliait que le but des moulins est de moudre le grain, et que l'autruche était affamée. Jusqu'à un certain point, la ruse fonctionna parfaitement. L'oiseau, effrayé par les cavaliers postés sur la rive gauche, se tourna vers la rampe sur sa droite. Il émergea. Son corps dénudé était d'un rose resplendissant. Nicholas sur son dos était une vivante cascade d'eau du canal. Julius et ses compagnons s'avancèrent doucement. L'autruche, appâtée par les sacs de blé dans la cour, le grain entassé ou dispersé tout autour, se précipita sous les ailes du moulin pour en profiter.

Julius cria un avertissement superflu. Il s'attendait à voir Nicholas talonner l'animal, l'écarter en tirant sur la corde, renoncer et se laisser glisser à terre. Les ailes, dans un fracas de craquements et de bruits sourds, tournaient. Elles manquaient l'oiseau, le menaçaient, le manquaient une fois de plus. L'autruche courbait et redressait son cou, avalait, regardait autour d'elle, se penchait pour reprendre de cette provende. Elle se déplaçait légèrement, d'une patte puis de l'autre, mais sans s'éloigner du moulin, fascinée par le festin offert devant elle. Toute action, toute nécessité d'action demeurèrent en suspens, et, du même coup, Nicholas reprit ses sens.

Julius n'avait aucun moyen de prévoir ses réactions. Plein d'inquiétude et même de colère, il voyait Nicholas immobile, le visage inexpressif, les mains inertes sur la corde, pétrifié.

Les autres cavaliers ouvraient de grands yeux et retenaient leurs montures. Julius, la tête baissée, le corps soudé à la selle, força le cheval à avancer, à passer sous les ailes du moulin, pour rejoindre l'autruche là où elle mangeait. Il se servit de ses éperons, sans souci de blesser sa bête, pour venir se placer entre l'oiseau et le moulin. Alors, sans prendre garde au bec grand ouvert, aux pieds qui trépignaient, il poussa son cheval contre le flanc de l'oiseau, tant et si bien que la créature revint,

555

tout agitée, dans la cour, en sifflant, en ruant, là où les autres cavaliers l'attendaient.

Il fallut encore cinq minutes pour la cerner, la trousser. Nicholas s'était laissé glisser de son dos. Julius le lâcha, chancelant, pour aller aider à encorder l'oiseau et regarda celui-ci, tenu par des mains sûres, reprendre le chemin de son écurie florentine. Auparavant, les cavaliers, ivres d'excitation, exécutèrent autour de Nicholas, un tour d'honneur admiratif. Julius dut lui dire :

– Tu peux saluer !

Il leva alors la tête et salua un peu gauchement. Il était secoué de tremblements, comme un malade, ou comme après un effort considérable, après une grande frayeur. Néanmoins, il ne s'agissait pas de cela, ni de la fièvre des marais. Et pourtant... Nicholas, Julius le savait, avait lui-même actionné le loquet de la caisse de l'oiseau.

Il avait d'abord semblé à Julius, à sa grande joie, que Nicholas était redevenu lui-même, ce fou de Claes. Mais il était vite revenu à la raison : ces élans de liberté ne reviendraient jamais. S'ils avaient réapparu, même pour une heure, c'était pour de mauvaises raisons. Un seul instant de réflexion le lui avait appris. Un instant de réflexion, associé à ce qui s'était passé sous le moulin à vent.

– Pourquoi, dit Julius, ne pas demander au meunier de te trouver un endroit pour te reposer ? Nous enverrons quelqu'un te chercher des vêtements secs.

Il n'attendait pas de réponse et il n'en eut aucune. Dans cette sorte de crise, la parole ne jouait aucun rôle. Le notaire se tenait prêt à toute éventualité, mais, en vérité, Nicholas ne s'évanouit pas, il ne fondit pas en larmes, ne s'effondra pas de spectaculaire façon. Simplement, une fois à l'intérieur du moulin, il s'assit sur un tas de paille. Replié sur lui-même, il était secoué de tremblements. Quelqu'un lui apporta à boire et une couverture, avant de s'éloigner, judicieusement, sur un geste. Julius s'assit près de l'ancien apprenti de la demoiselle de Charetty. Il s'efforçait, ce qui ne lui ressemblait guère, de prendre la mesure de ce qui s'était passé et d'y concevoir un remède.

Sa profession l'avait habitué à traiter, de seconde main, d'événements critiques dans la vie d'autrui. Il se trouvait rarement, comme cette fois, dans le rôle d'un participant. Il s'éclaircit la voix.

– Bon, dit Julius. Il arrive à des hommes de s'enivrer, à d'autres de monter des autruches. Mais nous devons tous, à un moment ou à un autre, revenir à la vie réelle. Je ne vois pas pourquoi tu en aurais peur. Nous sommes tous d'accord, vois-tu, pour trouver que tu as eu raison de faire ce que tu as fait, étant donné les circonstances. Tobie est de cet avis. Goro aussi. Il n'y a aucune raison pour que nous ne continuions pas tous comme avant. La demoiselle en serait d'accord.

Il marqua une pause. S'il se fiait au bruit de son souffle, Nicholas n'était toujours pas prêt à parler. Pensant que ses oreilles devaient fonctionner, Julius reprit consciencieusement son monologue.

– L'ennui, bien sûr, c'est que tu te laisses emporter. Tu sais bien. Comme... Comme faisait Felix. La demoiselle le comprend très bien. A la vérité, elle nous a demandé de t'aider. Quand il te viendra des idées, tu ne seras pas seul à les suivre. Si elles tournent mal, nous serons tous responsables. D'ailleurs, très vite, ton expérience égalera la nôtre. Oublie donc ce que tu as fait. A l'avenir, tout sera différent.

Tout en parlant, il voyait Nicholas se contraindre à l'immobilité. Les coudes sur les genoux, il cachait son visage de ses paumes. Ses cheveux mouillés, frisés, annelés, dégoulinaient sur son front, son cou, ses épaules, là où la couverture s'était déplacée. Il parla enfin.

– Vous ne savez pas, dit-il, ce que j'ai fait.

Julius fit silence avant de reprendre :

– Alors, je ne veux rien savoir. Recommence tout. Tu le peux.

Silence. Nicholas essuya d'une main son visage humide, avant de prendre un coin de la couverture pour en frotter lentement sa figure et ses cheveux.

– Je suppose que je le peux, dit-il.

C'était là un agrément pour la forme, sans plus. Du moins signifiait-il que Nicholas avait repris possession de lui-même. Un Nicholas doté d'un cerveau qui fonctionnait était plus facile à traiter qu'un Nicholas sans défense, qu'on ne savait comment aider.

– Ne fais plus de sottises, conseilla Julius. Ça n'en vaut pas la peine. Et, par ailleurs, ce n'est pas juste pour la demoiselle.

– Oui. Vous avez raison, bien sûr, acquiesça lentement Nicholas.

Il cessa de se frictionner les cheveux afin d'ébaucher un sourire.

– Mais c'est moi qui rembourserai les dégâts, pas la demoiselle. J'espère qu'aucun des chiens n'appartenait à Simon.

Un jeune garçon, haletant, revenait avec des vêtements secs. Nicholas se déshabilla, se sécha, se rhabilla. Julius lui donna alors le vin apporté par le meunier. Nicholas le but d'un trait et fut immédiatement malade.

– Viens, dit alors Julius. Nous rentrons à Spangnaertstraat. Ce n'est pas tous les jours qu'on se fait picoter le séant par une autruche.

– Allez-y, fit Nicholas. Je vous suivrai le plus tôt possible. J'ai une visite à faire.

– Pourquoi? Où cela? Je t'y conduis.

– Non. Je me tirerai d'affaire. Je vais seulement dans Silverstraat. Katelina van Borselen désire me voir.

42

Aux yeux de Nicholas, il apparaissait clairement qu'en ce jour, le pire de sa vie, il dût payer le prix de toutes ses fautes par une rencontre avec Katelina van Borselen.

Après discussion, Julius le laissa seul et s'en retourna, agacé et perplexe, à Spangnaertstraat. Afin, sans aucun doute de faire son rapport à Tobie et à Gregorio. Et aussi à Marian car l'histoire de l'autruche plumée devait déjà alimenter toutes les conversations en Flandre. Nicholas pensait que Julius, qui n'était pas nécessairement le plus discret des hommes, aurait peut-être assez de bon sens pour garder pour lui ce qui s'était passé après la capture de l'oiseau. Sans Julius, il le savait très bien, il ne serait plus là. Une fois déjà, l'avocat lui avait rendu le même service, à Damme, dans l'eau.

Le trajet jusqu'à Silverstraat, pesa comme une épreuve. Il se sentait ridiculement faible et il avait beau choisir les détours les moins fréquentés, on ne cessait de le héler. On ne lui laissait pas le temps de réfléchir à ce qu'il allait dire à Katelina. Il arriva devant la maison des Borselen, et le portier le fit entrer.

Sur le seuil, il lui vint à l'esprit qu'il connaissait le chemin jusqu'à la cuisine et jusqu'à la chambre de Katelina et qu'elle ne manquerait pas de le reconnaître, avec ses cheveux mouillés : une fois de plus, il sortait tout droit du canal. Toute l'histoire de leurs relations était liée à l'eau.

Un serviteur l'introduisit dans un grand salon, et la porte se referma sur lui. C'était la pièce d'où elle lui avait adressé ce discret salut, plein de contentement, le lendemain du Carnaval. Le matin où il était passé en courant, avec ses chèvres et les clochettes cousues à son pourpoint.

Dans l'embrasure de la fenêtre, il n'y avait personne, et la pièce semblait déserte. De la cathèdre placée près de la cheminée parvint un léger craquement. Nicholas s'approcha, le bon-

558

net à la main. Elle devait y être assise, lourde de son enfant, de leur enfant.

Il imaginait le corps déformé, le flot de velours qui le dissimulait sans doute, l'animosité peinte sur le visage. Il découvrit un visage, un corps, la haine, mais ceux d'un homme et non d'une femme. L'être qui était assis dans la cathèdre et souriait à Nicholas d'un air moqueur était Jordan de Ribérac.

Nicholas sentit le sang se retirer complètement de ses veines. Il resta coi, comme paralysé. Mais ses facultés lui revinrent promptement et son visage reprit toute sa couleur.

Jordan de Ribérac, revenu d'entre les morts. Vivant, vivant. Bel et bien instruit, à n'en pas douter, du nom de la personne qui avait causé sa ruine. Un homme que, de toute évidence, il ne souhaitait pas considérer comme son petit-fils. Il importait de toute urgence de réfléchir à ce que pouvait savoir d'autre le vicomte de Ribérac.

Le négociant et financier, compagnon des rois, n'avait pas l'air d'un échappé de Loches ni d'un rescapé de la hache du bourreau. Une chaîne d'or d'un certain poids reposait sur ses épaules, et l'ample pourpoint plissé sous sa robe était boutonné de joyaux. Il était coiffé d'un large chapeau à calotte plate, sous lequel ses abondantes joues brillaient de santé, tandis qu'étincelaient des yeux au froid éclat.

– Te voilà, Claes vander Poele, tueur d'hommes, dit-il. Assieds-toi, je t'en prie. Je suis confus, bien entendu, de t'avoir fait venir jusqu'ici au nom de ma bru, mais j'ai jugé cela plus sage, et elle aussi. Sinon, qui sait quels assassins tu aurais pu amener avec toi? Ou quel moyen ingénieux tu aurais pu imaginer pour me capturer? Je suis, comme tu peux le penser, un hôte indésirable et donc fort discret de la Bourgogne et je n'éprouve, pour le moment, aucun désir de me retrouver en France.

Nicholas s'assit.

– Vous vous êtes donc échappé, dit-il.

La petite bouche sourit.

– De Bretagne, oui, avec l'aide de ma bru. A vrai dire, elle n'avait pas encore épousé Simon mais elle est convaincue, j'en suis sûr, de l'intérêt qu'il y a à conserver dans la famille les terres françaises. Je suis peut-être un exilé, mais toujours vivant. Et, quand le dauphin deviendra roi, Ribérac, naturellement, me sera rendu. Un argument qui, en l'occurrence, a pesé encore plus lourd, pour madame Katelina, que la déraisonnable répugnance que lui inspirait ma compagnie. Simon, bien entendu, ignore qu'elle m'a apporté son soutien en Bretagne. Il serait fort mécontent, s'il le savait. Son accueil, cet après-midi, lorsque je me suis présenté vivant devant lui, n'a rien eu de filial.

– Ribérac ne l'intéresse pas? demanda Nicholas, parfaitement immobile et d'un ton aussi calme que celui de l'autre homme.

– Kilmirren l'intéresse davantage. Il a subi un coup cruel, naturellement, en découvrant qu'il ne possède ni les terres ni le titre et qu'il est, en fait, sur le point de perdre toute la liberté dont il jouissait en Écosse du vivant de ce pauvre Alan. A propos, je dois te remercier de t'être si habilement défait d'Alan, reprit le gros homme. En sa qualité de frère aîné, sa présence a toujours pesé sur moi. Il aurait dû disparaître depuis déjà des années.

– Je n'ai rien à voir dans sa mort, affirma Nicholas.

– Non, bien sûr, riposta le gros homme, son grand-père. Que de morts où tu n'as rien à voir. Alan. Cette pauvre Esota de Fleury. L'infortuné monsieur Jaak. Ce malheureux jeune rustaud de Felix de Charetty. Tous tes chers amis ou parents. Selon ce qui m'a été rapporté, le célèbre Lionetto lui-même a été heureux de te sauver la vie à la pointe de son épée, sans savoir que c'était toi qui l'avais ruiné. Rien d'étonnant si Simon craint pour sa vie.

– C'est inutile, dit Nicholas.

– Oh, pas directement, bien entendu, fit Ribérac. J'ai entendu dire que tu avais preque fui devant lui, ce matin, en l'Hôtel Gruuthuse. Néanmoins, tu attires son attention sur toi, non? Il a été question d'une putain que tu lui avais volée. Et d'une remarque prononcée par toi, ce faisant. A présent qu'elle en connaît le sens, la violente antipathie en laquelle te tient madame Katelina s'en est considérablement accrue, je le crains.

A présent qu'elle en connaît le sens? Nicholas attendit la suite.

Ribérac sourit.

– Tu es vraiment l'adversaire le plus passif que j'aie jamais rencontré. Je remercie le Ciel qu'il n'y ait pas en toi une seule goutte de mon sang : j'en aurais honte. Tu ne te souviens pas de cette remarque? *Le comportement d'un rustre, les talents d'une fille, une humiliation pour votre père.* Le pauvre Simon en a été profondément blessé, sur le moment. Après la chétive créature mort-née qu'il avait engendrée avec ta mère, il n'a jamais trouvé femme dont il pût aiguiser les désirs, avant Katelina. Tu sais qu'elle est grosse? Tu es supplanté, pauvre bâtard.

« Et j'en suis heureux, poursuivit Jordan de Ribérac.

Les traits de son visage, traduisaient une vaste sérénité.

– Il fut un temps où je pensais devoir m'attacher moi-même à elle, mais, à la vérité, un homme se lasse des passe-temps bestiaux. Je suis content que Simon ait enfin connu la réussite.

– Vous ne désirez donc plus que je prenne soin de lui? demanda Nicholas. La perspective me souriait assez.

C'était une flèche tirée au hasard, mais elle transperça ce

calme arrogant. Nicholas fut l'objet d'un regard si rapide, si aigu qu'il le sentit physiquement.

– Voilà précisément, déclara Ribérac, pourquoi vous êtes ici, monsieur l'assassin. Je voulais te mettre en garde : ne tente rien, ni contre moi ni contre Simon. Surtout pas contre Simon.

– Pour le cas où j'épouserais Katelina?

Et Nicholas eut enfin sa réponse.

– Katelina! répéta Jordan de Ribérac. Je croyais te l'avoir déjà dit. Ne t'ai-je pas affirmé qu'elle est ta pire ennemie, ton adversaire la plus acharnée, qui ne connaîtra de repos qu'au jour où tu seras châtié? Je n'aurais jamais pensé entendre Simon avouer son infortune, ce secret suppurant de son passé. Il était gris. Simon, ce matin, a dit à son épouse qui tu étais. Le fils de son mari, en quelque sorte, si tu étais légitime. Le demi-frère de son enfant encore à naître. Oh, je te le dis, Simon te prend peut-être pour un démon, mais elle, elle te considère comme Satan lui-même. Avec ce qu'ils projettent à ton encontre, à celle de ton épouse et de votre petite compagnie, je n'ai rien à craindre.

Le gros homme se mit à rire, et les mentons rasés de près tremblotèrent.

– Voilà ce que je devais te dire. Elle a bien insisté pour que je n'y manque point. Tout ce que tu as fait lui apparaît clairement.

– La demoiselle de Charetty, dit Nicholas, n'y est pour rien, elle. Ni les autres personnes de sa maison.

– Je te crois, admit le gros homme. A dire vrai, la dame fait pitié à Katelina elle-même. Sans toi, la demoiselle de Charetty serait à l'abri du danger.

– Elle le sera, affirma Nicholas.

Le gros homme sourit.

– Morte, elle le serait. Mais pas une fois que je me retrouverai à Kilmirren, et que Simon devra partir à la conquête d'un autre pré carré. Il aurait dû épouser la petite Reid et rejoindre son frère en Angleterre. Il s'est compromis à Calais, dans un double jeu et les Yorkistes l'accueilleraient à bras ouverts. Il pourrait s'installer à Southampton, à Londres, en Bourgogne. Peut-être le fera-t-il, avec Katelina pour l'éperonner. Et tous les marchands qui n'apprécient pas de voir dépérir leur clientèle au profit d'une veuve mûre et de son jeune amant en sabots pourraient bien s'allier à lui. La jalousie a ruiné mes affaires. La jalousie ruinera les tiennes.

– Comment la jalousie a-t-elle pu vous ruiner? demanda Nicholas.

– Antoinette de Maignelais, expliqua le vicomte. Sans doute n'as-tu jamais entendu parler d'elle. Elle trouvait probablement que le roi m'accordait trop d'attention. Elle a eu vent de certaines relations que j'entretenais avec le dauphin, et, brusquement, le roi a été mis au courant. Sans l'avertissement que m'a fait tenir madame Katelina, j'aurais été pris. Et, en somme, toi aussi, tu m'as aidé à m'échapper.

– De la même façon, je suppose, que j'ai aidé à tuer votre frère.

– Oh, indirectement, bien sûr, fit Ribérac. N'est-ce pas dans ta manière ? Katelina savait qu'elle devait me faire évader en cachette. Elle savait aussi que mouillait à Saint-Malo un navire qui m'appartenait. Le *Saint-Pol*. A ce propos, je te serais reconnaissant d'éviter d'utiliser notre nom de famille. Claes vander Poele en est déjà bien assez proche.

– Je m'en souviendrai, dit Nicholas. Et elle a facilité votre évasion en vous faisant monter à bord ?

– Elle se trouvait là pour une affaire qui te concernait. Une affaire d'autruche. Me suis-je montré plus spirituel que de coutume ?

– Oui, dit Nicholas. Vous avez comblé ma journée. Est-ce là tout ce que vous vouliez me dire ?

Son grand-père le dévisagea.

– Pourquoi aurais-je besoin de te voir, sinon pour te dire qui tu dois tuer et qui tu dois laisser vivre ? Quand tu cesseras de m'être utile, je cesserai de te convoquer.

– Je comprends.

Nicholas se leva.

– La prochaine fois, peut-être aurez-vous le courage de me convoquer sous votre propre nom.

Le gros homme éclata de rire.

– Ne parle pas de courage comme si tu savais de quoi il s'agit. Au demeurant, tu ne recevras plus d'invitation de la part de l'épouse de Simon. Dans le cas contraire, tu serais bien avisé de n'y point répondre.

Sur le chemin de retour, Nicholas vexa sans le vouloir un grand nombre de gens : il ne vit, n'entendit rien jusqu'au moment où il franchit le seuil de la maison de Spangnaert-straat. Il croisa Julius qui lui demanda comment il allait avant de s'éclipser. Le notaire dut passer le mot aux autres : ni Tobie ni Gregorio n'approchèrent Nicholas, mais nombre de visages souriants, dans la maison et dans l'atelier passèrent sous ses yeux. Brutalement, il se rappela l'autruche.

Il passa un moment dans sa chambre, à réfléchir. Puis, parce que certaines questions restaient à régler, il dirigea ses pas vers le cabinet de travail de Marian. Elle s'y trouvait en compagnie de Bellobras, qu'elle pria de sortir. Elle semblait au courant de tout : Julius, en fin de compte, ne lui avait fait mystère de rien, hormis la dernière visite de Nicholas.

– Ne pense plus à l'autruche, dit-elle. Gregorio et Henninc se sont chargés de tout régler, et Tommaso lui-même s'est résigné. Je lui ai conseillé de dire au duc Francesco que l'oiseau était malade et de le garder durant huit mois, le temps que ses plumes repoussent.

– S'il peut le garder durant huit mois, dit Nicholas, qui s'assit. Il semble que j'ai besoin de garde-fous.

– Julius t'a dit? questionna-t-elle.

Elle était un peu plus pâle qu'à l'ordinaire, mais ses yeux étaient clairs, calmes, pleins d'affection. Nicholas remarqua qu'elle était magnifiquement vêtue. Il se rappela alors qu'elle aussi avait été invitée à bord du navire amiral des galères de Flandre.

– Julius m'a dit qu'ils étaient tous disposés à rester, fit-il. En dépit de tout.

Il escomptait une réponse rapide, mais elle prit son temps.

– Et toi, Nicholas, tu désires rester? demanda-t-elle enfin.

De prime abord, il ne sut trop que dire. La veille au soir, après avoir appris qu'on lui avait tout dit à propos de Jaak de Fleury, après l'avoir entendue lui annoncer que Julius et les autres connaissaient ses liens avec Simon, il avait parlé avec elle, prudemment. Et quand, à la fin de leur entretien, elle s'était servi en rougissant d'un prétexte bien féminin pour coucher seule, il n'aurait su affirmer que l'excuse était justifiée mais il avait été heureux qu'elle l'eût employée.

Il écoutait donc à présent le son de sa voix, s'efforçait de déchiffrer l'expression de son visage et, naturellement, se rappelait ce que Julius avait dû lui dire d'autre.

– Ce n'était pas Katelina van Borselen, annonça-t-il, qui m'attendait à Silverstraat. C'était un piège. Jordan était là. Jordan de Ribérac.

Le visage de Marian se colora : elle éprouvait ce qu'il avait ressenti.

– Ils ne l'ont pas tué, fit-elle.

– Il s'est enfui. Katelina van Borselen l'y a aidé. Elle n'en a rien dit à Simon.

– Mais il sait que tu l'as trahi? demanda-t-elle.

– Pas même cela. Il voulait seulement m'avertir de ne pas toucher à Simon. Depuis que je me suis mis à assassiner toute ma famille, il a dû me reconnaître un certain talent. Par ailleurs, il nourrit l'idée que Katelina et Simon, ensemble, peuvent, à cause de moi, représenter une menace pour vous et pour vos affaires. Je pense qu'il a raison sur ce point.

Après un silence, il ajouta :

– J'ai vraiment envie de rester.

– Oui, je le crois, dit Marian de Charetty. Mais, ce soir, nous sommes conviés à bord de la galère, n'est-ce pas?

– Oui, confirma-t-il. Cependant, quoi qu'il arrive, le choix vous appartient. Quelle que soit votre décision, je m'y tiendrai.

– Je le sais, dit-elle.

Leur train de maison s'était enrichi d'une gabare, de sorte qu'ils se joignirent en grande pompe à tous les autres bateaux qui faisaient route vers Sluys. Les rameurs étaient très élégants dans leurs tenues bleu Charetty, et Loppe, magnifiquement vêtu se dressait derrière eux. Il avait tenu à venir. Un an auparavant précisément, Loppe, alors enchaîné sur une galère de Flandre avait été contraint de plonger sur les ordres du capitaine. Depuis lors, il avait servi le duc de Milan, puis Felix. Pourtant, si, ce jour-là, il retournait à Sluys, ce n'était pas par orgueil mais – si on l'avait questionné – à cause d'un pressentiment.

Avant de partir pour Sluys, Nicholas retrouva Julius, Tobie et Gregorio dans le bureau. Il avait revêtu la robe qu'il s'était fait faire à l'occasion de Pâques. Depuis lors, la robe s'était mystérieusement alourdie de broderies et d'une garniture de fourrure plus belle qu'il ne l'avait jugé convenable à l'époque. Marian s'était chargée de cette transformation. C'était elle aussi qui avait fait faire le pourpoint qu'il portait ce soir-là, aussi remarquablement taillé que la propre robe de damas de la demoiselle.

Nicholas avait fait appel à toute sa hardiesse, puisqu'il ne pouvait prétendre au courage, pour se présenter devant les trois hommes, sachant ce qu'ils connaissaient maintenant de lui. Il dit les premiers mots qui lui passèrent par la tête :

– Priez le Ciel que je ne tombe pas à l'eau, cette fois-ci. Je porte sur ma personne tous les bénéfices de l'an prochain, vos propres salaires y compris.

Sans même sourire, Tobie fixa sur lui le regard de basilic de Pavie.

– Prosper de Camulio vient d'arriver. Tu le rencontreras peut-être.

– Oui, je le sais, dit Nicholas. Écoutez. Vous avez dit que vous souhaitiez rester au service de la demoiselle. Peut-être n'avez-vous pas prévu toutes les conséquences. Simon va nous chercher noise. Et Ribérac... son père, est libre. Je l'ai vu ce matin.

Il vit Julius réfléchir.

– *Silverstraat?* dit-il.

– Oui. C'était Jordan. Il désirait simplement réaffirmer que ma... que la famille est décidée à se venger de moi. Prête, si c'est nécessaire, à causer la ruine de la demoiselle.

– Il en faudrait beaucoup pour venir à bout des biens Charetty. Ceci est ma propre opinion, fit Gregorio.

On n'aurait jamais cru que, derrière le jeune homme au bonnet noir et au nez de comédien, se cachait une telle volonté de fer. En le regardant, Nicholas sentit monter en lui le premier soupçon d'optimisme.

– Je suis du même avis, je crois. En vérité, je suis prêt à me battre. Une question se pose : sur quel terrain le combat sera-t-il le plus efficace ?

564

– Je l'imagine aisément, fit Tobie.

– Je ne demande plus de promesses, dit Nicholas.

Il rencontra les yeux pâles du médecin, s'efforça d'y lire.

– Je n'en fais aucune, riposta Tobie. Tu sais, je suppose, à quoi tu vas devoir te mesurer? Quoi qu'il arrive, tu dois conserver l'appui d'Adorne. L'évêque et certains Écossais te préféreront Simon. Le duc de Milan et ses alliés sont, pour le moment, du parti du dauphin, mais cela peut ne pas durer.

Julius dévisageait Tobie d'un air agacé.

– Si vous avez peur, allez rejoindre Lionetto.

Le médecin réfléchit.

– Je ne pense pas qu'il m'accueillerait à bras ouverts. Il a sans doute découvert ce qu'a fait Nicholas, à présent. Mieux vaut m'accrocher à Astorre.

– Nous devrons peut-être tous nous accrocher à Astorre, déclara Nicholas.

Trois paires d'yeux se fixèrent sur lui. Il jugea le moment propice pour se lever et quitter la pièce.

Loppe attendait, en compagnie de Marian, pour monter à bord de la gabare. Les deux filles avaient exprimé le désir de se rendre, elles aussi, sur la galère, mais Marian leur avait expliqué qu'il s'agissait d'une visite d'affaires.

Aux yeux de Catherine, Nicholas avait changé, une fois encore. D'amant de sa mère, il s'était transformé en ce personnage extravagant qui avait parcouru Bruges comme un fou, sur le dos d'une autruche plumée. Tilde elle-même, réservée et attentive, posait sur lui un regard légèrement différent. Il se demanda, un peu follement, quel changement d'attitude avait pu provoquer ce même événement chez les importants envoyés de Venise et leurs alliés. Toutes propositions annulées, toutes communications coupées. Et peut-être, en fin de compte, serait-ce aussi bien.

La nuit était maintenant tombée. Julius les regarda s'éloigner sur la gabare et les suivit longuement du regard. La lumière d'une lampe éclairait son visage brun, bien modelé. La perplexité s'y peignait.

A Sluys, c'était comme si le temps du Carnaval était revenu. Les rives du canal étaient illuminées par des lanternes, des torches qui flamboyaient tout au long des murailles bordées de douves et des tours. Dans le lointain, la forteresse, le beffroi, le château rosissaient et ondulaient sous les lumières. Mais les foules, arrivées à pied, par bateau ou à cheval, tournaient le dos à la ville pour regarder plus loin que le port, là où une centaine de bateaux, petits et grands, tout emperlés de lampes, se balançaient à l'ancre. Bannières, pavillons, oriflammes brillaient, sous les grosses lanternes fixées à la pointe des mâts et dans les gréements, telles des fleurs au cœur d'une haie : azur et indigo, rouge et cinabre, vert et vermillon. Seul au centre de ce concours, sous son fardeau de lumières, de fleurs et de musique, de soies déployées et de franges mouvantes, flottait le navire amiral de la flotte vénitienne, semblable à une guirlande ciselée par un orfèvre.

Piero Zorzi, entouré de ses nobles compagnons, recevait ses invités. Il accueillit à bord la petite et très fortunée Marian de Charetty, à propos de laquelle il avait reçu des instructions précises.

Sous la lumière douce de la tente, le visage de celle-ci apparaissait moins tendu qu'à l'Hôtel Gruuthuse, lorsqu'elle avait été témoin des insultes à l'adresse de son artisan d'époux. Zorzi avait rapporté l'incident à ses pairs et de nouveau fait état de ses propres craintes. Dans le gouvernement de son empire, la Seigneurie de la République de Venise utilisait bien entendu les instruments qui lui tombaient sous la main. Leur qualité variait. Mais, en règle générale, ils étaient acceptables pour des hommes de bonnes manières.

En ce qui concernait le garçon, on avait des doutes. Ce jourmême, les échos d'une regrettable escapade avaient été rapportés par Corner, Bembo et les autres marchands vénitiens. Le jeune homme pouvait bien mesurer un pied de plus que messer Piero Zorzi, il pouvait porter ce soir-là une robe de damas fourrée, il n'en restait pas moins un apprenti teinturier.

L'on devait néanmoins songer au bien de la République. Guidant ses deux hôtes incongrus parmi la foule jacassante et constellée de joyaux, le capitaine vénitien exprima (en italien) l'espoir qu'ils accepteraient l'hospitalité de sa cabine, où messer Camulio de Gênes ne tarderait pas à les rejoindre avec deux de ses amis.

Ils comprenaient l'italien.

– Et vous-même, monsieur ? demanda la Flamande.

– Hélas, les autres invités me réclament. J'espère certainement avoir le plaisir de me joindre à vous plus tard. Passez, madonna.

Elle trouva derrière le rideau une petite pièce éclairée par des appliques en argent fixées aux parois. Sur le sol recouvert de tapis étaient fixés une table et, sur trois côtés, des sièges recouverts de coussins. Marian de Charetty, songeait à Prosper de Camulio, qui n'allait pas tarder à les rejoindre et qui s'affligerait avec elle de la mort de son vaillant fils, Felix, qu'il avait reçu dans sa demeure de Milan. Elle entendit le rideau se refermer, le pas raide de Zorzi s'éloigner.

Près d'elle, Nicholas s'immobilisa brusquement. Du siège où il était assis dans l'ombre, un homme barbu se leva, appuyé des deux mains sur une canne, pour examiner le couple. C'était un homme aux cheveux bruns, vêtu d'une robe florentine, dont le teint olivâtre et les yeux sombres fixés sur Nicholas n'étaient pas italiens, dont les lèvres rouges s'ouvrirent sur un lent sourire amusé.

– Ne crains rien, ami Niccolo, dit-il. Il n'est rien que je puisse t'enlever. Il n'est rien de ce que je vais te proposer que tu sois obligé d'accepter.

Il se fit un silence. A côté de Marian, Nicholas dit enfin :

– Je suis heureux de l'entendre.

Troublée par le son de sa voix, elle leva les yeux vers lui mais ne parvint pas à déchiffrer son expression. Il reprit :

– Demoiselle, vous vous rappelez messer Nicholai Giorgio de Acciajuoli, qui est passé par Bruges en venant d'Écosse, l'an dernier? Messer Nicholai, je vous présente madame mon épouse.

– Je dois vous féliciter, dit le Grec.

Le Grec à la jambe de bois, qui avait été témoin du plongeon du canon, à Damme. Qui avait fait devant Nicholas cette première, plaisante allusion à l'alun de Phocée. Qui avait deviné dès le début – mais était-ce possible? – qu'il tenait peut-être là un homme qui pourrait lui être utile.

– Messer Prospero... commença Nicholas.

– Il nous rejoindra plus tard, coupa le barbu. Avec messer Caterino Zeno et son épouse. Messer Caterino a ratifié l'accord sur l'alun, demoiselle. Vous avez vu sa signature. Vous aurez plaisir à faire sa connaissance. Et celle de Violante, son épouse. Les princesses de Trébizonde sont célèbres pour leur beauté.

– Alors, nous devrions nous asseoir, conseilla Nicholas. Vous désirerez très vite, j'ose le dire, en venir aux affaires.

Sa voix avait retrouvé tout son calme.

Le Grec sourit, s'effaça pour laisser passer Marian. Elle s'assit entre les deux hommes, face au rideau.

– Nos amis, dit le Grec, ne viendront pas avant que je les en prie. De toute manière, tu sais ce dont nous sommes venus discuter ici. Le duc de Milan a offert à ta compagnie un renouvellement de la condotta pour l'an prochain, mais vous n'avez pas encore accepté?

Marian comprit que Nicholas lui laissait le soin de répondre.

– Non, fit-elle d'une voix ferme. Mais nous avons l'intention de le faire très vite. Après San Fabiano, monseigneur Federigo s'est montré très pressant. Toute autre proposition devrait nous offrir beaucoup plus.

– Dans combien de temps envisagez-vous la signature de votre contrat milanais? demanda le Grec.

Cette fois, ce fut Nicholas qui répondit.

– Avant la fin de l'année, monseigneur. J'ai l'intention de me rendre à Milan en novembre.

Cela, elle l'ignorait. Elle attendit.

– Mais, reprit le Grec, vous ne verriez pas personnellement d'objection à étendre plus loin vos affaires? Le développement de votre commerce suscite des jalousies. Personne ne souhaite faire de mal à une dame, mais plus grande est la réussite d'un marchand, plus nombreuses sont les embûches. Il y a grand bénéfice à disperser ses affaires. Tu as toujours pensé à Venise. Tu entretiens de bonnes relations avec les Génois. Ton service de courrier t'a attiré la confiance des Florentins. Reste à choisir le théâtre où pourront fructifier tous ces nouveaux atouts. Je veux naturellement parler de Trébizonde.

Dans une conversation d'affaires, on apprend à ne rien livrer de sa pensée. Marian de Charetty laissa son regard reposer sur le visage saturnin, comme si elle n'attachait aucune importance à cette proposition d'envoyer un jeune homme, qui n'avait pas encore vingt ans, de l'autre côté du monde. A Trébizonde. Le joyau de la mer Noire. Le précieux comptoir du commerce avec l'Orient, que Venise craignait de perdre au profit des Turcs. A présent que Constantinople était tombée, c'était le dernier fragment sur terre de l'Empire de Byzance, la dernière Cour impériale, l'ultime trésor de la Grèce royale.

Caterino Zeno, qui avait signé au nom de Venise le contrat pour l'alun, était l'époux d'une princesse byzantine. Tout était prévu. Rien ne se produisait par accident. C'était pour la guerre, et non pour le commerce qu'on réclamait Nicholas. Mais guerre et commerce ensemble constituaient le fondement de l'entreprise Charetty.

– Nous possédons une excellente compagnie de mercenaires, déclara Nicholas, mais je doute qu'Astorre à lui seul puisse contenir les Turcs. C'est bien ce que vous demandez ?

– Moi ? fit le Grec. Je n'attends rien. Je démontre ce qui est faisable, voilà tout. Venise dispose à Trébizonde de ses propres mercenaires pour protéger ses marchands. Les marchands génois ont une sorte de garde du corps. Il est vraisemblable qu'on n'aura jamais à faire appel à ces hommes. Le sultan a besoin du commerce, et les montagnes n'encouragent pas les armées ottomanes. Non. J'avais en tête une affaire. Si vous demandez à votre capitaine Astorre de vous accompagner, il sera, bien entendu, le bienvenu. L'empereur lui-même se montrerait généreux. Mais il s'agit de commerce. De commerce et d'argent.

Cette fois encore, Marian sentit que Nicholas préférait garder le silence. Elle demanda :

– Et quelle est cette affaire, précisément ?

A la lumière des lampes, les yeux du Grec parurent s'adoucir. Il répondit :

– Cet hiver, monna Marian, des envoyés de l'Est doivent arriver en Italie et demander instamment de l'aide pour chasser l'infidèle. Parmi eux se trouvera un marchand, Michael Alighieri. Le poète Dante était de ses ancêtres. Il vit à Trébizonde et il parle au nom de l'empereur David. Il est chargé, lorsqu'il sera en Italie, de trouver un agent florentin pour Trébizonde.

– Un comptoir sur la mer Noire pour Florence? dit-elle. Mais alors, Florence choisira les Médicis pour l'administrer.

Le Grec sourit.

– Ce que proposera Florence peut ne pas convenir à Trébizonde et à l'empereur. Il est sous la menace de Constantinople. Le sultan Mehmet a fait connaître sa méfiance à l'égard des Génois. L'empereur David pourrait donc insister pour que Florence nomme un agent de son choix à lui : une compagnie pour laquelle les Médicis tout comme Venise ont une préférence. Une compagnie qui dispose déjà des services de sa troupe personnelle. Une telle force, à Trébizonde, serait sans prix. Pour les marchands. Pour la famille impériale. Et les soldes qu'elle recevrait seraient en proportion.

Tout en les observant, il se caressa la barbe.

– Je ne doute pas de votre succès dans les guerres milanaises. Peut-être devez-vous au duc de Milan plus que je ne le sais. Je tiens simplement à vous dire, mes amis, qu'un contrat trapézontin est à votre disposition si vous le demandez. Ainsi qu'une participation – une importante participation, et peut-être même un monopole – dans tout le commerce de la soie en provenance de l'Orient.

Marian entendait son propre souffle. Nicholas, debout, les yeux ronds comme des pièces de monnaie, ne respirait même pas. Il l'avait quelque peu entretenue de cette possibilité. C'était alors comme un rêve, comme une vision de comptable. Et alors, c'était à Julius qu'il avait pensé confier cette part des affaires. Julius qui irait à Rome, puis à Venise et, finalement, bien plus loin, au-delà de Constantinople, sur les rivages de la mer Noire.

Mais ce n'était pas Julius dont il était à présent question. C'était lui-même.

Le silence se prolongeait. Nicholas baissa les yeux.

– Je vois, dit-il. Vous ne pouvez escompter une réponse de notre part sur l'heure. Il nous faudrait en savoir beaucoup plus long. Je serai en Italie en novembre. Je m'engage pour le moins à voir messer Alighieri. Sauf si...

Elle sentit son regard sur elle, leva la tête pour le soutenir.

– Je n'ai pas d'objection, déclara la demoiselle.

– Alors, dit le Grec, je vais aller chercher nos amis, et nous boirons ensemble. Sans engagement, cela va sans dire. Venise, Florence et Gênes. Le Turc crée des associations inattendues. Mais de semblables hasards naissent des fortunes.

Il se montrait fort habile à se lever, en dépit du léger roulis du navire. Nicholas fut d'un bond près du rideau, afin de le soulever pour lui livrer passage. Il laissa ensuite retomber la lourde étoffe et se tourna vers Marian.

569

– Voir Alighieri est sans importance, dit-il. Nous pouvons dès à présent décider d'accepter la condotta milanaise.

– Il a tout combiné, dit-elle.

– Alors, il aura prévu notre refus. C'est à vous de prendre la décision, le moment venu.

Son expression était celle qu'il avait toujours eue. Naguère. Affectueuse et un peu inquiète, avec une lueur d'excitation au fond des yeux. L'excitation née de la perspective d'une belle escapade. La plus belle de toutes.

– Nicholas, lui dit-elle, ne sois pas ridicule. C'est la plus superbe occasion qu'ait jamais connue cette compagnie. Elle ne te fait pas peur?

Un marchand doit dissimuler ses sentiments. Elle l'avait sans relâche répété à Felix. Elle soutint le regard généreux, enveloppant, qui cherchait à pénétrer dans son esprit, à discerner ses véritables motifs. Elle connaîtrait de graves ennuis, il le savait, s'il restait à Bruges sous le regard de Simon. Il ignorait, ou ne devinait pas le danger qui se levait devant elle.

– Je n'ai pas envie de partir, dit-il.

– Devons-nous tous dépendre de ce dont tu as ou non envie? Il plissa le front.

– Nous avons jusqu'à l'hiver.

– Non, mon très cher, répondit-elle. Nous décidons dès maintenant. Va à Trébizonde. Et, un jour, tu me reviendras avec tes bénéfices.

C'était une honnête proposition, qui contenait sa propre sorte de justice. Elle en avait dit autant à Felix, après qu'il eût souffert à la Poorterslogie. Elle avait dit alors que Nicholas et lui pourraient avoir envie de la quitter.

Ses yeux n'étaient pas aussi clairs qu'elle l'eût souhaité. Elle vit, bouleversée, Nicholas tomber à ses pieds et lui saisir la main comme s'il voulait la briser. Il en baisa cérémonieusement la paume et, sans la lâcher, se releva. Elle examinait les doigts vigoureux de l'artisan, se rappelait le temps où ils étaient bleus.

Les pas qu'ils avaient entendus tous les deux approchaient. Les yeux fixés sur leurs doigts entrelacés, elle perçut la voix du Grec pressant des personnes vers eux. Prosper de Camulio, avaient-ils dit. Et Caterino Zeno et Violante, son épouse. Violante, princesse de Trébizonde.

Leurs mains unies se séparèrent, devinrent un souvenir. Nicholas se plaça à son côté, et ils attendirent. Quelqu'un souleva le rideau. Marian respira alors le parfum : âpre, coûteux, troublant. Elle sut à quoi elle avait renoncé. En faveur de qui. Et pourquoi.

Elle fit quelques pas en avant et sourit. Car c'était une marchande.

Achevé d'imprimer
en septembre 1995
par Printer Industria Gráfica S.A.
08620 Sant Vicenç dels Horts
Depósito Legal: B. 29458-1995
pour le compte de
France Loisirs
123, boulevard de Grenelle,
Paris

Numéro d'éditeur : 26047
Dépôt légal : septembre 1995
Imprimé en Espagne